EL CAMINO DE LOS DIOSES

EL CAMINO DE LOS DIOSES

Antonio Cabanas

GRUPO ZETA

Barcelona • Madrid • Bogotá • Buenos Aires • Caracas • México D.F. • Miami • Montevideo • Santiago de Chile

1.ª edición: noviembre 2015

© Antonio Cabanas, 2015
© Mapas: Antonio Plata, 2015
© Ilustraciones: Carlos Fernández del Castillo, 2015
© Ediciones B, S. A., 2015
   Consell de Cent, 425-427 - 08009 Barcelona (España)
   www.edicionesb.com

Printed in Spain
ISBN: 978-84-666-5800-3
DL B 22053-2015

Impreso por LIBERDÚPLEX, S.L.
Ctra. BV 2249, km 7,4
Polígono Torrentfondo
08791 Sant Llorenç d'Hortons

A Bibiana, musa de un sueño imposible;
después de 3.000 años.

MAR MEDITERRÁNEO

Delta del Nilo

EGIPTO

a mediados
del siglo I a.C.

Canopos
Roseta
Alejandría
Buto
Dióspolis

BAJO EGIPTO

Naucratis
Sais
Mendes
Busiris
Tanta
Tanis
Pelusium

Bubastis
Athribis
Pithom

Gizeh
Heliópolis

Abusir
Menfis
Clysma

Lago Moeris
Dashur
List
Meidum
al-Fayum
Afroditópolis
Hawara
Herakleópolis

Península

del Sinaí

Sawaris

Oxyrhynchus

Al-Minya
Hermópolis
Dayr al-Bersa
Het-Nub
Akhetatón
Meir
Cusae
Lykópolis
Dayr Tasa
Antaiópolis

ALTO EGIPTO

Uadi Qena

Desierto de Arabia

Ipu

Tinis
Abydoso

Dendera

Nagada
Koptos
TEBAIDA
Hermonthis
Karnak
Oasis de Kharga
Tebas
Latópolis

Hierakónpolis
Nejeb
Edfú
1ª Catarata
Asuán

Simus Arabicus

Desierto Líbico

Nilo

0   100 km

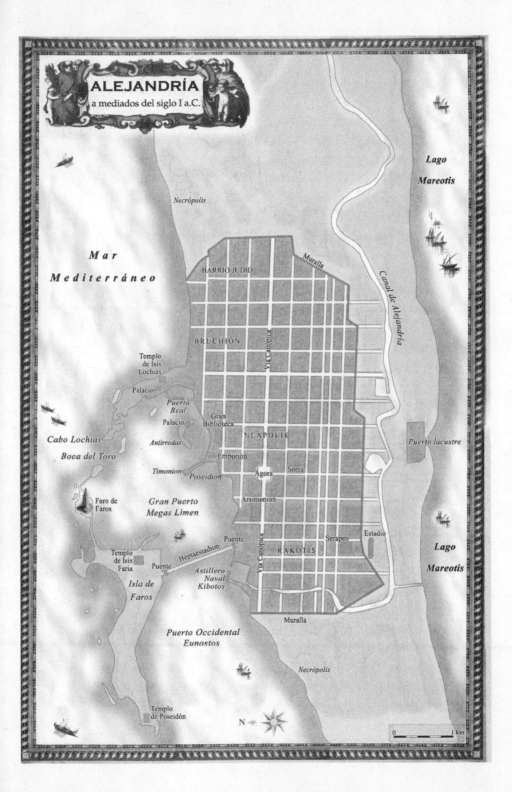

ALEJANDRÍA
a mediados del siglo I a.C.

Necrópolis

Mar
Mediterráneo

Lago
Mareotis

Canal de Alejandría

BARRIO JUDÍO

Muralla

BRUCHIÓN

Via Canópica

Templo
de Isis
Lochias

Palacio

Puerto
Real

Palacio

Gran
Biblioteca

NEÁPOLIS

Cabo Lochias

Antirrodas

Boca del Toro

Emporion

Puerto lacustre

Timonion

Poseidion

Agora

Soma

Arsinonion

Faro de
Faros

Gran Puerto
Megas Limen

Via Canópica

Puente

Serapeo

Estadio

Lago
Mareotis

Templo
de Isis
Faria

Heptaestadion

Puente

RAKOTIS

Astillero
Naval
Kibotos

Isla de
Faros

Muralla

Puerto Occidental
Eunostos

Necrópolis

Templo
de Poseidón

N

0   1 km

Prólogo

Bienvenido, lector, a mi obra, a un sueño que invita a abandonarse para revivir nuestro pasado. Unos tiempos lejanos en los que la vida de los hombres parecía discurrir por caminos trazados por los dioses, donde los héroes inmortales eran capaces de hacer asomar sus gestas en cada recodo del destino de cualquier mortal. Así, las sendas de estos se entrecruzan, incansables, para mostrarnos un mundo que agoniza y otro que se abre paso de manera inexorable.

El Antiguo Egipto sucumbe ante el empuje de un nuevo orden dispuesto a devorar a sus dioses milenarios. Estos apenas tienen ya cabida en los tiempos que llegan, y terminarán por ser sepultados por el manto del olvido. Asistimos al penúltimo acto de una función que ha durado tres mil años. Demasiados, quizá, y a la vez efímeros como un suspiro.

Este es el escenario en el que se desarrolla la novela. El de un Egipto que se desmorona sin remisión y un Mediterráneo que se expande de forma imparable en busca de su lugar en la historia. De este modo, todo un crisol de culturas se da cita para crear un argumento que nos conducirá desde la Tebaida hasta los lejanos desiertos de Nubia, y desde Alejandría hasta las islas bañadas por el Egeo. Tebas, Koptos, Roma, Náucratis, Alejandría, Delos, Chipre, Éfeso, la isla de Kos... Todo un universo nos abre sus puertas para mostrarnos cómo eran aquellas gentes y sus vidas en el siglo I a. C.

Para la escritura de esta obra ha sido necesario llevar a cabo una intensa labor de investigación. Todos los hechos históricos que se narran —hasta donde el autor ha alcanzado— han sido rigurosamente tratados, pero *El camino de los dioses* no deja de ser una novela, y como tal nos muestra un elenco de personajes que se encargarán de guiar el ritmo de la narrativa para contarnos cómo era aquel mundo fascinante en el que vivieron, de forma amena y espero que emotiva.

El camino de los dioses se encuentra repleto de reflexiones acerca de la vida que confío inviten al lector a considerar aspectos que hoy en día siguen plenamente vigentes. La ambición, el poder del dinero, el ansia por gobernar, la falta de escrúpulos, la traición, la verdadera amistad, el amor...

Estos son los ingredientes que conforman un relato que deseo saboreen hasta la última línea. Son muchos los libros que se esconden dentro de *El camino de los dioses*, y en cada uno de ellos los más sugerentes personajes nos hablarán acerca de Ptolomeo, Pompeyo, el Egeo...

A fin de facilitar la lectura, se han eliminado las notas a pie de página para exponer las explicaciones a continuación del texto. Asimismo, todas las fechas que se indican son anteriores al nacimiento de Cristo, por lo que se ha suprimido tal referencia con el fin de agilizar la narración.

No quisiera finalizar sin dedicar esta obra a los míos, y en especial a mi madre, una mujer extraordinaria, a mi hermano y a M.ª de los Llanos por su coraje.

Espero que disfruten con la lectura de la obra tanto como su autor lo hizo con su escritura. Bienvenidos a la aventura de la vida.

PRIMERA PARTE

La Tebaida

1

El agua se deslizaba por las amuras del barco entre murmullos que invitaban al abandono. En su suave balanceo, el bajel se dejaba acompañar por la corriente, como sumido en un ensueño del que no quisiera despertar. El río descendía pintado de oro pues Ra-Atum, el sol de la tarde, reverberaba en todo su esplendor para crear sobre la superficie una pátina que parecía incandescente. No en vano las aguas bajaban bruñidas cual metal fundido en las fraguas de los dioses, ya que lucían espesas y extrañamente irreales hasta que se perdían en la lejanía, entre los meandros.

Desde la cubierta, el joven observaba ensimismado el espectáculo que el Nilo le ofrecía en aquella hora. Una suerte de espejismo que parecía surgir de las entrañas del río para cubrir de magia la tierra de Egipto.

Tal vez Hapy, el dios que habitaba en aquellas aguas, se hubiera decidido a favorecer a su pueblo después de tantas desgracias, se dijo el muchacho, aunque al punto pensara que pocos motivos tenía el dios para mostrar su prodigalidad, y sí en cambio su enojo.

Egipto era apenas un recuerdo en la memoria de los dos mil dioses que lo habían tutelado, pues poco quedaba de su pasada grandeza; si acaso, las ciclópeas piedras talladas por titanes que aún desafiaban al tiempo y a los hombres. Ellas, por sí solas, eran capaces de provocar ensoñación, y el joven pensó que quizá eso fuera suficiente para que Hapy evocara los siglos pretéritos; milenios que se perdían en la memoria y de los que apenas unos pocos se acordaban ya. El dios que habitaba en el Nilo procuraba la munificencia del país hasta el extremo de haberle dado nombre, pues el limo benefactor que arrastraba el río en su crecida cubría los campos de vida para convertirlos en la Tierra Negra, Kemet, el reino de los faraones.

Al mozo se le ocurrió que aquel era motivo suficiente para recibir las bendiciones del señor del Nilo, y que la locura de los hombres no prevalecería sobre ello. Sin embargo...

Egipto se había convertido en un país huérfano de divinidades; un *ba* errante en una tierra que ya no reconocía y en la que no podría unirse con su *ka*, su esencia vital, para garantizar así su inmortalidad.[1] Kemet se desangraba sin remisión, y ni su ancestral historia ni toda su magia podían hacer nada por evitarlo. En las lóbregas profundidades de los templos, los divinos padres asistían impotentes al desmoronamiento de toda una civilización, a la capitulación ante la barbarie de un nuevo orden cubierto de oropeles dorados pero hueco de piedad y respeto por los antiguos preceptos grabados en la piedra. El sol había empezado a ponerse para aquella cultura milenaria y a no mucho tardar se ocultaría para siempre, engullido por el Inframundo. El viaje nocturno de Ra en su barca solar a través de las doce horas de la noche tocaría a su fin, pues llegaría el día en que nadie honraría ya a Ra-Khepri, el sol de la mañana, cuando despuntara por los cerros de oriente. Su luz se desparramaría moribunda por Kemet, pues el padre de los dioses ya no gobernaría sobre aquella tierra.

El joven reflexionó unos instantes sobre ello, y se le ocurrió que quizá el espectáculo que ofrecía el Nilo en aquella hora distara mucho de la bendición divina. Las aguas bruñidas por el sol estarían en realidad cubiertas por lenguas de fuego, y las profundidades del río comunicarían con la entrada a los infiernos. Así, el Mundo Inferior[2] abriría sus puertas para dar salida a sus demonios, y todos los genios del Amenti[3] se darían cita para maldecir a los apóstatas, a ese pueblo que se había olvidado de sí mismo.

Respecto a esto último, el muchacho hubo de reconocer que a los dioses no les faltaba razón. Su pueblo andaba huérfano de su religiosidad ancestral, hasta el extremo de haber perdido gran parte de su identidad. Él era un buen ejemplo de ello, pues incluso su propio nombre ya nada significaba.

«Amosis», se dijo para sí. Era un nombre magnífico, sin duda, de los mejores que se pudieran desear, y, dada la importancia que los egipcios habían concedido siempre a este particular, un motivo para sentirse orgulloso. Así se llamó el faraón que expulsó a los invasores hicsos para fundar la XVIII dinastía e iniciar la época dorada del país de las Dos Tierras. Un tiempo glorioso, aunque lejano, del que ya nada quedaba. No en vano habían pasado mil quinientos años, demasiados incluso para Kemet. Ahora su nombre poco importaba.

Amosis parpadeó repetidamente a fin de salir de sus pensamientos y prestar atención a la navegación. La gabarra avanzaba perezosa, impulsada por la corriente hacia el lejano norte, rumbo a Náucratis, en las bocas del Nilo. Reparó entonces el joven en el suave viento que acariciaba su rostro. El aliento de Amón, como era conocido, formaba parte indisoluble del valle del Nilo y soplaba desde el septentrión para ayudar a remontar la corriente del río a los barcos que se dirigían hacia el sur. Amosis respiró con placer aquel aire ligeramente fragante. Llegaba cargado de incógnitas y también de esperanzas, aunque poco significaran estas en un mundo de leones y hombres. Sin poder evitarlo, dirigió una última mirada hacia la popa. En la lejanía quedaba Tebas, la capital del Egipto profundo, refugio de las más rancias tradiciones, el lugar donde había nacido hacía veinte años. Los dioses le habían favorecido con unos hombros fuertes, una mirada vivaz y penetrante y el don de conocer el valor de las cosas. Y ese era todo su patrimonio.

2

Amosis había nacido en Waset, el Cetro, capital del cuarto nomo del Alto Egipto. Hacía mucho que el Cetro, verdadero símbolo de un poder que se había mantenido incólume durante siglos, había perdido su significado. Ahora todos la llamaban Dióspolis Magna, o Tebas, y con ese nombre la ciudad pasaría a la posteridad para recordar a la que un día fuera capital espiritual del país de las Dos Tierras. De su pasada grandeza la sagrada metrópoli aún conservaba los ciclópeos muros de unos templos dispuestos a desafiar a los siglos, así como el profundo amor que por aquella tierra sentían sus habitantes; escaso bagaje para afrontar el incierto sino que Shai, el dios del destino, le tuviera preparado. Corría el año decimoquinto del reinado de Ptolomeo X Alejandro I, y Egipto se precipitaba irremisiblemente hacia el abismo.

En realidad, el país de Kemet llevaba casi mil años desangrándose. Desde la desaparición de los ramésidas, Egipto había navegado por las procelosas aguas de su historia con la incertidumbre de un pueblo que se aferraba desesperadamente a un pasado que declinaba de manera inexorable. Diez siglos durante los cuales el país había llegado a ser conquistado en numerosas ocasiones, y sin embargo su propia esencia había permitido a aquella civilización sobrevivir más allá de lo imaginable. Quizá mil años no fueran suficientes para borrar semejante esplendor, o puede que los dioses a los que tanto habían honrado se resistieran a abandonar definitivamente a su pueblo. Ahora este subsistía a duras penas, consciente de que su tierra ya no le pertenecía.

Todo había comenzado algo más de dos siglos atrás, cuando el gran Alejandro viniera a rescatar Egipto de la dominación persa. Era la segunda que sufrían, y por ello el pueblo recibió al caudillo macedonio como al gran salvador que los liberaría de la «chusma asiática» para siempre. No es de extrañar que los egipcios vieran en él al dios capaz de gobernarlos y devolverles su grandeza perdida. Desde tiempos inmemoriales, el faraón representaba el nexo de unión entre su pueblo y los dioses para, de este modo, garantizar la estabilidad de su país y mantener el orden cósmico en el que tanto creían. Por ello, cuando Alejandro avanzó hacia el oeste, hasta el oasis de Siwa, el oráculo de Amón no dudó en reconocerlo como divinidad reencarnada; el nuevo Horus viviente del país de las Dos Tierras. El *maat*, representación del orden, la verdad y la justicia, regresaba al fin para bendecir la Tierra Negra después de siglos de opresión, y todos sus habitantes elevaron loas a sus inmortales dioses en agradecimiento por lo que sin duda era un milagro.

Kemet se engalanó para agasajar al gran Alejandro, y este, convertido en un ser divino, hizo ofrendas a Amón-Min, en su forma itifálica, para grabarlas en el muro exterior de su templo en Tebas, en el que reconstruyó el sanctasanctórum. Además, el macedonio mandó restaurar los santuarios devastados durante la dominación persa y restituir sus animales sagrados, entre ellos Apis, Mnevis o Buquis, que habían sido degollados. El gran rey se sentía fascinado por la milenaria cultura faraónica, y como prueba de ello ordenó fundar en la desembocadura del Nilo la que sería su capital. De este modo dejó en ella impreso su nombre, para admiración de los siglos venideros: Alejandría.

En aquella hora, Egipto abría sus brazos con generosidad a una nueva cultura llegada del otro lado del Gran Verde, el mar que siempre había sido considerado dominio de Set, el iracundo dios de las tormentas, sin darse cuenta de que el valle del Nilo quedaba expuesto de esta manera al nuevo orden que se estaba fraguando en el Mediterráneo, y contra el que poco podía hacer.

Pronto supo el pueblo lo que le esperaba. Antes de abandonar Kemet camino de sus conquistas en Asia, Alejandro dejó como sátrapa del país a Cleómenes, con el fin de recaudar el tributo pertinente para Macedonia. Cleómenes era un banquero de Náucratis deseoso de demostrar sus dotes administrativas y su celo en la misión que le habían encomendado. A no mucho tardar su fama de ladrón fue conocida por todos, y a fe que pareció bien ganada. Durante los años que gobernó, llegó a perderse la cuenta de las fechorías y vilezas que pudo cometer. Ricos, pobres, egipcios, macedonios, idumeos, judíos..., nadie que viviera en Egipto estaba libre de sus arbitrariedades, pues creaba nuevos impuestos cuando así lo creía oportuno e incluso se atrevió a retener el sueldo de los militares sin importarle ganarse su animadversión. Llegó a estafar a los sacerdotes para saquear los tesoros de sus templos, y no tuvo ningún remordimiento a la hora de subir el precio del trigo y confiscar las cosechas en época de escasez. A nadie extrañó que Ptolomeo I mandara asesinarlo en cuanto se hizo cargo del país a la muerte de Alejandro; aunque, eso sí, el nuevo faraón se regocijara internamente al comprobar que Cleómenes dejaba en las arcas nada menos que ocho mil talentos.[4]

Ptolomeo I, hijo de Lagos, inició de este modo una nueva dinastía en la milenaria historia de Egipto, la de los lágidas, y lo hizo eligiendo como sobrenombre el de Sóter, el Salvador, ya que llegaba dispuesto a sacar al país de la oscuridad en la que se había sumido durante los últimos tiempos para abrirlo a la nueva era que él sabía se aproximaba. Ptolomeo, compañero de fatigas del gran Alejandro desde la niñez, era un hombre muy inteligente y capaz, consciente de lo que era necesario hacer para cambiar una tierra encorsetada por sus tradiciones seculares. El nuevo faraón, desoyendo la opinión de la mayoría de sus súbditos, llegaba con la idea de helenizar Kemet. Sin embargo se mostró generoso con su pueblo, respetando sus cultos ancestrales, y hasta dio un gran golpe de efecto a sus ojos al apoderarse de los restos de Alejandro el Grande y darles sepultura en el Soma, el mausoleo que erigió a los efectos en Alejandría, donde se harían enterrar los reyes de su dinastía.

En realidad Ptolomeo supo sacar partido de la administración y el férreo control económico legados por su antecesor, que le proporcionaban grandes beneficios debido a los elevados impuestos existentes. Así estableció las bases que luego desarrollaría su hijo y sucesor Ptolomeo II Filadelfo, «el que ama a su hermana», hasta llegar a monopolizar la mayor parte de los bienes en favor de la corona. Toda la tierra de Egipto pertenecía al faraón, incluso la sagrada que fue intervenida a los templos a cambio de una renta anual, la *sintaxis*. Además, se llevaron a cabo proyectos de irrigación a fin de poder recuperar todos los campos susceptibles de ser cultivados. Había que extraer la máxima producción en el valle del Nilo, y para ello el Estado procuró, como recompensa, nuevos asentamientos por todo el país a los mercenarios griegos que habían servido a sus órdenes. A dichas tierras se las llamó cleruquías, y a los colonos que las ocuparon, clerucos. Sus derechos sobre estas propiedades serían únicamente vitalicios, aunque con el paso del tiempo llegarían a hacerse hereditarios.

El rey hizo una división del resto de la tierra. Así, había una trabajada por granjeros reales que pagaban una renta anual a la que se denominaba *basilikege*, o tierra real; otra que era entregada como estipendio a los sirvientes de la corona, conocida como *geendoreai*, o tierra poseída como regalo; y una tercera, de nombre *politikege*, o tierra de la ciudad, asignada a las nuevas metrópolis griegas que se levantaban en Egipto.

Las reformas llevadas a cabo por el Estado requirieron el concurso de un verdadero ejército de funcionarios encargados de supervisar la correcta explotación de los recursos del país y, fundamentalmente, el control del fisco. Tras la figura del faraón, en el vértice de la pirámide social, surgió el dioceta, responsable de la administración financiera del Estado, al cual ayudaba toda una legión de subordinados encabezada por los eclogistas, contables, y los económos, que eran los funcionarios de hacienda de los nomos, a los que seguía una auténtica jerarquía de recaudadores y escribas capaces de inspeccionar hasta el último grano de cereal que se producía en el valle.

Al frente de cada nomo se puso a un estratega y, con los años, por encima de este, como gobernador general, a un epistratega. Bajo su mando se encontraban los escribas reales de cada aldea y los demás funcionarios que llevaban un control exhaustivo de cuanto ocurriera en las provincias. Del antiguo nomarca tan solo quedó el nombre, aunque ahora se denominara así al responsable de los proyectos de recuperación e irrigación de las tierras.

Para llevar a buen término semejante reestructuración, el Estado hubo de desembarazarse de las poderosas familias autóctonas que llevaban ocupando los más altos cargos de la administración desde hacía siglos, y que los heredaban de generación en generación. Era obvio que la cuestión no resultaba sencilla, dada la inmensa red de influencias que dichas familias habían tejido a lo largo de los años. Sin embargo, el faraón actuó con habilidad al promulgar un edicto por el que separaba las oficinas de los templos de las del gobierno, al tiempo que eliminaba determinados cargos e impedía que en ningún caso estos pudieran ser heredados en los centros estatales.

El país de Kemet cambiaba demasiado deprisa, y lo que ocurrió fue que los griegos se establecieron por doquier para ocupar la mayor parte de las tierras y copar los más altos puestos del Estado. Los soldados convertidos en colonos no pagaban arriendo, y además la mayoría subarrendaban sus propiedades a los egipcios, que debían explotarlas como mejor pudieran. De esta forma, llegó un momento en el que los impuestos se volvieron insoportables. Era necesario pagar por casi todo, desde la consecución de una licencia para abrir un negocio hasta por el derecho a ejercer un oficio. Pagaban el productor, el consumidor y el exportador, y las quejas se hicieron tan habituales que Ptolomeo II dio orden de prohibir a los abogados representar a clientes en tales casos.

A no mucho tardar la corona monopolizó la mayor parte de los productos, desde la explotación de las minas hasta la fabricación de cerveza, papiro, aceite e incluso perfumes. Con frecuencia muchos de los artículos originales del Alto Egipto eran revendidos luego a precios astronómicos en Alejandría, aunque con el transcurso de los años comenzaría a aparecer la propiedad privada y se hicieron grandes fortunas. La Tierra Negra pasó a convertirse en grecohablante, y la cultura griega se impuso en todo el país, desde la corte hasta la más alejada de las provincias. Se originó una notable desigualdad social entre los griegos, que acapararon la mayoría de los cargos de responsabilidad, y los egipcios, que se convirtieron en ciudadanos de segunda clase y eran despreciados por los macedonios.

A pesar de que el Estado respetó las antiguas costumbres egipcias y su sistema jurídico, que convivió en paralelo con el griego, los trabajadores no gozaban de la libertad de ir a donde quisieran. Si un egipcio deseaba marcharse del lugar en el que se encontraba, abandonar su empleo o incluso dejar de ejercerlo, debía informar de forma apropiada a la administración, que llevaba un registro exhaustivo hasta en sus menores detalles de cuanto ocurría en cualquier nomo. Ni que decir tiene que ningún labrador poseía derechos sobre la tierra que le arrendaba su señor, por muy mal que le fueran las cosas, bajo las penas más severas, aunque por lo general los más pobres estuvieran protegidos si se esforzaban por cumplir los contratos de arrendamiento. En tales casos, incluso el Estado podía hacer préstamos por causas de fuerza mayor, como en la circunstancia de que se produjeran malas cosechas.

En semejante escenario, pronto hicieron acto de presencia, por parte de los poderosos, abusos que llegaron a resultar asfixiantes. No fue de extrañar que la semilla del odio contra aquellos extranjeros, que gobernaban como si el país siempre les hubiera pertenecido, prendiera al poco tiempo entre la población autóctona, y a partir del reinado de Ptolomeo III Evérgetes, el Benefactor, surgieron las primeras revueltas contra la corona, sobre todo en el sur.

El Alto Egipto siempre se había considerado garante de las más antiguas tradiciones del país de las Dos Tierras. Representaba el Egipto profundo, y sus pobladores se sentían orgullosos de su grandioso pasado y conservaban incólume el culto a sus dioses ancestrales. La religiosidad de la que siempre habían hecho gala aún moraba en el interior de los templos, desde donde continuaba extendiéndose por los campos con su perfume milenario. Fue allí donde se fraguó el alzamiento contra el rey que los sojuzgaba.

En el año 205, último del reinado de Ptolomeo IV, la ciudad de Tebas se levantó en armas contra su señor en medio de un ambiente de nacionalismo exacerbado. Todos los poderes fácticos que habían gobernado Egipto en la sombra durante siglos y ahora se veían apartados por aquellos reyes extranjeros favorecieron la insurrección hasta convertirla en una secesión en toda regla. La Tebaida se declaró independiente, y en el otoño de ese mismo año nombró faraón a Horwennefer para que gobernara la región comprendida entre Abydos y Patiris, al sur de Tebas.

En realidad todo Kemet se había sublevado contra su señor, pues hasta los mercenarios incitaban a la insurrección. A la muerte de Ptolomeo IV las turbas se rebelaron en Alejandría y, enfurecidas, llegaron a protagonizar escenas escalofriantes, de una barbarie inusitada, como cuando acabaron con las vidas del ministro Agátocles y su familia tras un linchamiento atroz.[5]

En el sur, Horwennefer reinó hasta el año 199 y fue sucedido por un nuevo Horus viviente, Ankhwennefer, quien reunió un ejército considerable apoyado por tropas nubias. Sin embargo, el sueño de una Tebaida independiente se esfumó como un espejismo cuando los secesionistas fueron derrotados en el año 186 por Ptolomeo V, quien tuvo buen cuidado de perdonar a los insurrectos y no dejar ningún mártir que recordar en el futuro.

Mas hacía ya mucho que el resentimiento vivía en el corazón de los tebanos, y solo era cuestión de tiempo que volvieran a levantarse contra la corona. Apenas habían pasado cincuenta años cuando, en el 132, Tebas se rebeló de nuevo para proclamar otro faraón que los gobernara. Esta vez el elegido se llamaba Harsiase, un nombre poderoso que recordaba al sumo sacerdote de Amón entronizado en los tiempos de la XXII dinastía. Corrían años de constantes agitaciones y revueltas por todo el país, pero Ptolomeo VIII, el monarca que gobernaba desde Alejandría, hizo honor a su merecida fama de crueldad y aplastó la rebelión al tomar Tebas a sangre y fuego. Las consecuencias para la ciudad fueron terribles, y durante otros cincuenta años sus habitantes sobrevivieron con el odio contra aquellos griegos bien arraigado en las entrañas, como parte de su alimento diario.

3

Así era el Egipto en el que había venido al mundo Amosis, alumbrado en el seno de una familia de arraigados sentimientos nacionalistas, allá por el año 94. Su padre, Nectanebo, hacía honor a su nombre, ya que era un orgulloso y firme defensor de los antiguos valores y del orden y la justicia impuestos por los dioses milenarios, como lo fuera también el último de los faraones egipcios que gobernara su tierra, quien atendió al mismo nombre. A Nectanebo su padre le hizo jurar por el mismísimo Amón que mantendría viva la llama del fervor por las viejas costumbres en su familia, y que bautizaría a sus hijos con nombres de reyes o príncipes de su bendita tierra, como él mismo había hecho. Nectanebo no tuvo ninguna dificultad en cumplir lo prometido. Él, hombre pío donde los hubiera, honraba a los dioses a diario tanto con sus oraciones como con su comportamiento. Uno a uno fue bautizando a sus vástagos de esta forma singular, con nombres de reyes o príncipes, y como tuvo nada menos que siete, en el barrio empezaron a hacer chistes sobre el particular, ya que nunca habían visto a tanta realeza junta por la calle.

Al bueno de Nectanebo aquello le era indiferente, pues ya sabía él cómo se las gastaba el temible Anubis. De sus hermanos solo quedaba uno con vida, y respecto a sus hijos, Osiris, el señor del Más Allá, los había ido llamando uno por uno para pesarles el alma en la Sala de las Dos Justicias. Claro que pocos pecados podían albergar en su corazón los pobres chiquillos, ya que la mayoría habían muerto siendo unos niños. Lo mismo le había ocurrido a su sufrida esposa, a la que Anubis se había llevado durante su último parto.

A Nectanebo solo le quedaban dos hijos con vida, el primogénito y el benjamín, y ambos representaban las fronteras de su propia existencia. Toda su vida la había dedicado a su familia y, como buen egipcio, esto era cuanto le importaba, más allá del inmenso respeto que sintiera por los dioses. Tal y como había prometido una vez, eligió para sus vástagos unos nombres apropiados. El mayor se llamaba Sekenenre y el menor, Amosis, y a fe que los dos hacían honor a sus patronímicos, ya que Sekenenre había heredado el orgullo y el arrojo que mostrara el príncipe tebano de la XVII dinastía que inició la guerra contra los invasores hicsos, y Amosis la capacidad para hacer valer sus propósitos, algo que ya demostrara el faraón fundador de la XVIII dinastía mil quinientos años antes.

Nectanebo procedía de una familia que se había dedicado al comercio durante generaciones, con diversa fortuna. Doscientos años atrás, uno de sus antepasados llegó a tratar con la tribu de los nabateos —quienes controlaban las rutas por las que llegaban a Egipto las mercancías arábigas e indias— para hacer buenos negocios, de resultas de lo cual su familia prosperó sobremanera. Claro que eran otros tiempos, y Nectanebo pensaba a menudo en ello para terminar mascullando algún que otro improperio.

—Cuánto mejor nos hubiera ido de seguir con los malditos persas —solía decir a todo aquel que estuviera dispuesto a escucharlo.

Al hombre no le faltaba razón, aunque esta estuviera subordinada a su mero egoísmo. Durante el reinado de Darío III sus ancestros se enriquecieron con el tráfico de mirra, bálsamo y canela, pero la llegada de Alejandro lo cambió todo. Cuando Ptolomeo II Filadelfo demostró su poderío, los nabateos no tuvieron más remedio que someterse. Este faraón estaba firmemente decidido a fortalecer la economía de Egipto, y por este motivo desarrolló las rutas del mar Rojo para hacerlas más seguras al tiempo que controlaba el comercio llegado de Oriente.

Para la familia de Nectanebo aquello supuso una catástrofe y, como les ocurriera a otros muchos mercaderes, con el tiempo se vieron forzados a dedicarse al trapicheo e incluso al contrabando, así como a emplear todo tipo de argucias a fin de evitar a los tenaces agentes del fisco. Así pasaron los años, y con los primeros levantamientos contra la corona la cosa no hizo más que empeorar. En el último, llevado a cabo durante el reinado del lascivo Ptolomeo VIII, las consecuencias fueron desastrosas para Tebas, ya que la posición de la ciudad quedó relegada a la de una decadente capital de provincia sumida en la nostalgia que le proporcionaba su otrora esplendorosa historia.

Claro que, dada la crueldad demostrada por este faraón, qué otra cosa se podía esperar. En su locura, el rey llegó a reunir en el gimnasio de Alejandría a multitud de adolescentes para luego hacerlos quemar como represalia tras una de las muchas revueltas originadas contra él. La ciudad entera salió a la calle dispuesta a acabar con semejante tirano, quien no tuvo más remedio que huir a Chipre, dejando a su primera esposa, Cleopatra II, como reina. Mas semejantes hechos no terminaron ahí, pues Ptolomeo VIII Evérgetes II acabó por regresar de nuevo a Egipto, no sin antes enviar a la reina como regalo de cumpleaños un cofre que contenía el cuerpo de su hijo, Menfitas, cortado en varios pedazos.

Sin embargo, Evérgetes II pareció sufrir una transformación. Algunos aseguraron que los dioses, ante semejantes atrocidades, le habían apartado al rey el velo de la enajenación para hacerle ver el camino que debía seguir, mientras que otros dijeron que sus manos tenían ya tanta sangre que no necesitaban mancharse más durante el resto de su vida. Así fue como Ptolomeo exhibió en lo sucesivo una bondad difícil de imaginar antes; incluso llegó a rogar a los granjeros, ante la sorpresa y desconfianza general, que se mostraran humanos con los pobres campesinos que no podían pagarles. En Elefantina no daban crédito cuando se enteraron de que el Horus viviente había derogado la abusiva ley que obligaba a todos los habitantes de dicha isla, incluido el clero, a entregar los beneficios de sus cosechas a los militares, y el propio Nectanebo, todavía un niño, se sorprendió al oír a su padre decir que el faraón había eliminado los derechos de aduana que había que pagar por desplazarse de una población a otra.

Los tiempos no eran los mejores para una familia que se dedicara al mercadeo. No obstante Nectanebo aprendió bien el oficio y, junto con su hermano Kamose, acompañó a su padre por todas las plazas de la Tebaida a las que llegaban las caravanas, principalmente a Koptos.

Kamose, algo más joven que su hermano y con un nombre tan regio como cabía esperar, poco se parecía a este, ya que no sentía un especial apego por los dioses ni tampoco por su tierra, a la que decía estar unido por casualidad. Para él lo importante era el negocio, y desde temprana edad dio sobradas muestras de una viveza y sagacidad impropias de un muchacho, así como de una astucia de la que su padre se regocijaba a la menor oportunidad.

Los dos hermanos se querían mucho, y a la muerte de su progenitor continuaron con el oficio de sus mayores, comerciando allí donde hubiera un óbolo que ganar. Las cosas no les fueron mal del todo, pues Kamose demostró con creces sus habilidades a la hora de navegar por aguas turbulentas. Su sexto sentido le decía lo que debía hacer en cada momento, y así era capaz de despachar a los inspectores de aduanas con la mejor de sus sonrisas tras haberlos engañado en cualquiera de sus transacciones. A los funcionarios de policía los conocía bien, como también sabía lo proclives que podían llegar a ser algunos a los sobornos. Los dracmas hacían milagros, y en opinión del egipcio ese era un buen dios al que adorar.

Así pasaron los años, y a un Horus reencarnado le sucedió otro. Tras Ptolomeo VIII vino el IX, que se hizo llamar Sóter II, aunque todos lo conocieran como Látiro. Dado lo aficionados que eran los egipcios a los sobrenombres, aquel le iba que ni pintado, ya que *látiro* significa «garbanzo». Que era lo que parecía el nuevo rey, aunque, eso sí, soportado por unas piernas gordezuelas.

Látiro resultó ser tan detestable como cabía esperar de un hijo digno de su estirpe. Su madre, la reina Cleopatra III, había tenido dos hijos y tres hijas, y si deseaba gobernar no tenía más remedio que hacerlo —por imposición del testamento del rey anterior— junto a uno de sus vástagos varones. A la reina le gustaba más su hijo Alejandro, pero tuvo que elegir al primogénito, Ptolomeo, ya que este era el rey al que apoyaría el ejército. Sin embargo, Cleopatra III urdió sus intrigas, sobre todo para librarse de las ambiciones de una de sus hijas, del mismo nombre, que estaba casada con su hermano. Mas a la postre esto no fue suficiente, y antes de verse apartada del poder por su propio hijo la reina lo amenazó hasta hacerle ver que mandaría a sus lacayos por las calles de Alejandría para pregonar la falsa noticia de que Látiro quería asesinarla. Este entendió el mensaje sin dificultad, pues de sobra conocía el rey cómo se las gastaban las turbas alejandrinas, y sin oponer resistencia se marchó a Chipre, dejando de esta forma las manos libres a su ambiciosa madre. Cleopatra aprovechó la ocasión para nombrar faraón a su otro hijo, Alejandro, que enseguida mostró su auténtica naturaleza. Degenerado, de aspecto repugnante, Alejandro I no tardó en desembarazarse de su madre, a quien ordenó asesinar, para casarse con su sobrina Berenice, hija de Látiro, y disfrutar de la vida de la corte, bebiendo y holgando a su plena satisfacción. Los problemas del país le traían sin cuidado, hasta el punto de permitir a sus funcionarios todo tipo de abusos. Él apenas salía de su palacio en tanto rendía culto a su desenfrenada lujuria.

Hastiado de semejante rey, el pueblo volvió a alzarse contra Alejandro I, quien no tuvo más remedio que huir a Siria con el propósito de reunir un ejército de mercenarios y regresar más tarde para dar una lección a sus súbditos. Y esto fue lo que hizo. Pero sucedió que, al entrar en la ciudad de Alejandría, al susodicho rey no se le ocurrió otra cosa que profanar el sepulcro de Alejandro el Grande y apoderarse de su sarcófago de oro para poder así pagar el sueldo a sus mesnadas. Entonces toda la capital se levantó enfurecida ante semejante sacrilegio y otra vez Alejandro I tuvo que huir, en esta ocasión al reino de Licia, para armar un nuevo ejército con el que se dirigió hacia Chipre. Sin embargo, el rey fue interceptado y muerto por tropas egipcias que pusieron de nuevo en el trono a quien había sido ya faraón: Ptolomeo IX Sóter II.

Así fue como Látiro regresó al trono de Horus en el año 88, aclamado como el nuevo salvador. Por segunda vez Ptolomeo IX se veía entronizado, y aunque se cuidara de hacer de ella su esposa ante los ojos de los alejandrinos, el rey no tuvo ningún reparo en ser amante de Berenice, la mujer de su hermano ya fallecido y, además, su propia hija. No obstante, el pueblo tardó poco en demostrar su disgusto hacia el faraón y enseguida volvieron a producirse, como antaño, los levantamientos por todo el país.

Durante todos aquellos años, Nectanebo y su hermano Kamose habían continuado con sus negocios. El primero hacía mucho que tenía su propia familia, aunque para la segunda llegada al trono de Ptolomeo IX ya solo le quedaran con vida dos de sus hijos. A ambos les había intentado dar la mejor educación posible dadas las circunstancias, aunque con distinta fortuna. Sekenenre había dado muestras de su naturaleza combativa desde temprana edad, y había crecido asimilando el sentimiento nacionalista que su padre no cejaba de inculcar a todo aquel que estuviera dispuesto a escucharlo. No fue de extrañar que, al llegar a la adolescencia, el primogénito se hubiera convertido en un recalcitrante activista en defensa de unos derechos que muchos consideraban pisoteados. Con quince años, el joven ya era bien conocido por sus ideas secesionistas y era un habitual en los encuentros clandestinos promovidos desde el interior de los templos y, sobre todo, por las antiguas familias que habían acaparado el poder durante siglos.

A Nectanebo le parecía bien que su hijo mayor tomara el camino de la discordia, e incluso estaba encantado de que Sekenenre odiara todo aquello que tuviera que ver con los griegos. Sin embargo, Amosis poco tenía que ver con su hermano. Diez años menor que este, se mostraba como un niño tranquilo y muy perspicaz, ansioso por aprender todo aquello que tuvieran a bien enseñarle. Su padre decidió enviarlo a la Casa de la Vida del templo de Karnak, con cuyo clero mantenía estrechas relaciones —pues era muy pío— y al que gustaba de hacer donaciones siempre que su situación se lo permitía. Allí aprendió el chiquillo el misterio que albergaban los vetustos muros de un santuario devorado por la impiedad de los nuevos tiempos. Amosis entendió la esencia de los ancestrales ritos mistéricos, así como la de su milenario pueblo, del que parecía sentirse orgulloso. Su padre estaba satisfecho por todo ello, y ver cómo su benjamín demostraba una veneración espontánea por los dioses seculares le llenaba de orgullo.

Para Kamose las cosas eran bien distintas. A un hombre como él, soltero y sin ánimo de dejar de serlo, la vida le presentaba otros matices diferentes. Los años habían terminado por convertirlo en un comerciante reputado y muy conocido en las plazas a las que arribaban las caravanas con el fin de vender sus mercancías. Para Kamose el engaño era una parte intrínseca de todo aquel que se considerase un buen mercader, y a fe que era capaz de dominar tales aspectos con naturalidad. Hacía mucho que él ya llevaba la astucia grabada en su rostro, y sus ojos, pequeños y oscuros, poseían la viveza del ratón de los palmerales, al que ni siquiera el gato podía cazar. Los caravaneros gustaban de hacer negocios con él, ya que el egipcio era sumamente hábil, y tan jocoso que aquellos maestros del mercadeo no tenían inconveniente en tratarlo como a un igual.

A Kamose las andanzas de su sobrino mayor no le agradaban en absoluto, y no mostraba reparos en vaticinarle lo peor.

—El muchacho acabará mal —solía decirle a menudo a su hermano—. Y tú también, como sigas obstinado en alcanzar lo imposible.

A Nectanebo tales razonamientos le sacaban de quicio.

—Si todos fueran como nosotros, ya haría mucho que estos griegos infames se hallarían lejos de aquí, expulsados a patadas. Pero claro, sois demasiados los que habéis decidido comulgar con sus ideas. Los nuevos tiempos, como soléis calificarlos; impiedad y abusos. En eso es en lo que se ha convertido Kemet —contestaba malhumorado.

—No hay nada como la ofuscación a la hora de equivocar el camino —apuntaba Kamose en el tono burlón que empleaba a menudo—. Los dioses se fueron de Egipto hace mucho, pero podéis malgastar el resto de vuestra vida en esperar que regresen, si ello os complace.

Con palabras parecidas se daba por concluida una y otra vez la conversación, pues indefectiblemente Nectanebo soltaba algún exabrupto y abandonaba la compañía de su hermano entre juramentos. Este reía en voz queda mientras observaba cómo aquel se alejaba, y enseguida se ponía a pensar en algo que le pareciera útil.

Sin embargo, Kamose sentía debilidad por su sobrino menor. Cuanto más lo observaba, más se convencía de que el chiquillo podía hacer fortuna. El pequeño era sumamente sagaz, y bajo la apariencia tranquila que acostumbraba mantener se adivinaba una lucidez que agradaba sobremanera a su tío. Como le tenía un gran cariño, no dejaba de darle consejos; aunque, eso sí, a espaldas de su padre.

—Debes aplicarte cuanto puedas en la Casa de la Vida y observar las buenas enseñanzas que los dioses nos legaron, pero no olvides que ellos no te darán de comer —le dijo Kamose una tarde mientras paseaban junto a la orilla del río.

A pesar de su corta edad, el pequeño le dirigió una de aquellas miradas penetrantes tan suyas.

—Los maestros me hablan del *maat*; el camino de la justicia y el orden, aquel que debe seguir todo egipcio —señaló el chiquillo muy digno.

Kamose soltó una carcajada en tanto alborotaba el cabello del niño.

—Buen camino es ese para el espíritu puro, sobrino, aunque ya te adelanto que pocos de estos vas a encontrar.

Amosis se encogió de hombros, sin saber muy bien qué decir.

—Está bien que prestes atención a cuanto te digan en el templo. Es una suerte para ti tener un padre tan beato —señaló Kamose riendo de nuevo—, pues el conocimiento no es algo que esté al alcance de todos. Mira si no a tu hermano. Apenas puso interés en aprender a leer, y solo anda enfrascado en asuntos de pendencias. Si fuera hijo mío, hace mucho que le habría quitado de la cabeza todas esas ideas que no le traerán más que problemas.

—Pues a mi padre le parecen bien, y muchas veces habla con Sekenenre acerca de la historia gloriosa de nuestro pueblo. Mi hermano le atiende sin pestañear, y ambos aseguran que algún día volveremos a ser el verdadero país de la Tierra Negra.

—Ya me lo imagino —señaló Kamose al tiempo que esbozaba una media sonrisa, pues conocía de sobra a su hermano—. Pero tú no debes hacerles caso, ¿comprendes?

Amosis lo miró con los ojos muy abiertos.

—Cada día es un regalo que hay que aprovechar —continuó Kamose—. Da igual que sea Ra o Helio quien nos alumbre.

El niño no supo qué responder.

—Bah... Eres muy pequeño todavía para discutir de estas cuestiones. Pero prométeme que mantendrás en secreto nuestras conversaciones.

—Te lo prometo.

—Eso está bien, Amosis. Ya es hora de que empieces a aprender lo que nunca podrán revelarte en los templos. Aquello que necesitarás saber para sobrevivir en el mundo de los hombres; el único que conozco. Tu tío te enseñará a tratar con ellos.

4

Los dioses que habitaban en el interior de los templos apenas tenían cabida en el corazón del faraón. La vida de este se circunscribía a satisfacer sus apetitos y asfixiar con impuestos a sus súbditos. Poco había en él de Horus reencarnado, y a Ptolomeo tampoco le preocupaba. El hecho de que en el sur hubiera nuevos levantamientos no representaba sino una prueba más de la poca consideración que debía sentir por semejante chusma. ¿Acaso habían alzado sus voces cuando él mismo se había visto obligado a marchar al exilio? ¿Acaso alguno de aquellos tebanos había hecho ver a su artera madre la injusticia que estaba cometiendo? El precio que había pagado por su trono llevaba el estigma del destierro; demasiado para un rey que siempre se había sentido legitimado y al que su pueblo un día le había dado la espalda. El único valor de sus súbditos era el de dar sentido al trono que ocupaba, y si el lejano sur había decidido mostrarle su hostilidad, ahora él le correspondería cumplidamente. Ptolomeo Látiro estaba dispuesto a sofocar los continuos levantamientos de la Tebaida de una vez por todas, y para ello aplastaría a los rebeldes sin mostrar piedad alguna.

En Tebas, la llama de la sublevación prendía de nuevo en los corazones orgullosos hasta contagiar a la ciudadanía de un fervor patriótico como no se conocía. Era como si los tebanos supieran que se encontraban ante la última oportunidad que les ofrecía la historia para librarse de la tiranía. Mejor morir en la lucha que asfixiados por los abusos sin fin de unas gentes llegadas del otro lado del Gran Verde, se decían en los corrillos los más jóvenes. Estos, llevados por la determinación que les proporcionaba la fuerza de sus ilusiones, no dejaban de proclamar sus ansias de libertad en tanto los más viejos asentían en silencio, sabedores de las consecuencias que acarrearía un nuevo alzamiento contra el faraón.

Porque, casi tres siglos después de la llegada al poder de aquella dinastía macedonia, no eran pocas las familias que habían decidido helenizarse para de ese modo intentar escalar peldaños dentro de la administración del Estado. Era preciso sobrevivir, y si los nuevos tiempos traían con ellos nuevas costumbres, algunos no dudarían en enterrar las viejas tradiciones. Aquella fragmentación social no pasaba inadvertida para la antigua nobleza, que veía en ello un motivo más para alentar a sus conciudadanos a la sublevación. Los otrora poderosos aristócratas no tenían ya cabida en Egipto. Un Egipto que se diluía poco a poco en las aguas de un futuro que ya no le pertenecía, al compás de la resignación.

Era preciso un último esfuerzo para salvaguardar un legado milenario, para recuperar la identidad perdida hacía demasiado tiempo. Las fuerzas fácticas que antaño gobernaran el país de las Dos Tierras tenían ante sí la oportunidad de reclamar lo que en justicia creían que les correspondía. Los fértiles campos gobernados una vez por los poderosos sacerdotes de Karnak no producían más que miseria para la miríada de desfavorecidos que los trabajaban. Ahora estaban en manos extrañas, y la llama del descontento volvió a dar vida a un sentimiento firmemente arraigado en el corazón de aquellas gentes. Impulsado con habilidad, el fuego se extendió atizado por la fuerza de las cuentas pendientes, y desde la acostumbrada ambigüedad de los templos, los dioses ancestrales dieron su beneplácito a unos fieles doblegados por la injusticia y el abuso. La Tebaida ardía sin remisión, y el temor a las represalias se apoderó de todos aquellos que habían comulgado con el régimen opresor. Una tarde, todo se precipitó.

—¡Sejmet cabalga desbocada como solía hacer antaño, padre! —exclamó un Sekenenre exultante cuando entró en su casa—. La diosa de la guerra ha escuchado al fin nuestras plegarias y anda sedienta de sangre.

Nectanebo miró a su hijo con el rostro iluminado, como si en verdad se encontrara ante una aparición divina.

—El pueblo grita libertad en cada esquina, y abomina de los dioses extranjeros que nos han obligado a adorar —continuó el joven.

Nectanebo se levantó para abrazarlo.

—¡Sí, padre, ha llegado la hora! El orgullo de los valerosos príncipes tebanos ha despertado en nuestros corazones, como tantas veces habíamos soñado.

El padre trató de asimilar cuanto escuchaba, en tanto el pequeño Amosis observaba la escena con un trozo de pan en la mano.

—Pero... ¿y la policía? ¿Y los hombres del faraón?

—Ha habido un gran tumulto junto al templo de Mut. La gente parecía enajenada. Te digo que Sejmet anda suelta, y ya nadie podrá detenerla hasta que dé cumplida satisfacción a sus instintos.

—¡Isis bendita! —exclamó Nectanebo fundiéndose en un nuevo abrazo—. ¿Estás seguro de que no se trata de una simple algarada?

Sekenenre negó con la cabeza mientras le dedicaba una sonrisa.

—No hay vuelta atrás, padre. La sangre de esa chusma extranjera corre ya por las calles. Miembros de las más antiguas familias de Tebas encabezan la insurrección, y gran parte de la guarnición se ha unido a nuestra causa.

—¿Te refieres a la guarnición de Patiris?

—Así es. Todavía hay soldados dispuestos a luchar por la dignidad que nunca debimos perder. Además, pronto se nos unirán las gentes del sur y llegarán más hombres para combatir la perfidia de Ptolomeo.

Nectanebo no podía contener su alegría.

—¡Sí, hijo mío! El faraón es una afrenta a los dioses, un ultraje a la tierra que gobierna. Pero ahora Látiro sabrá qué hombres nacen en Tebas.

Padre e hijo volvieron a abrazarse, dando rienda suelta a los sentimientos contenidos. Nectanebo llevaba toda su vida esperando ese momento, y al ver cómo Sekenenre compartía con él su fervor patriótico no pudo evitar que las lágrimas se desbordasen en tanto estrechaba con fuerza a su primogénito. La diosa Maat regresaba de su exilio, y pronto el orden y la justicia volverían a imperar en la Tierra Negra.

Desde un rincón, Amosis observaba la escena mientras mordisqueaba la hogaza. Su padre y su hermano reían, eufóricos, al tiempo que daban forma a las ideas forjadas durante toda una vida. La guerra había llamado a su puerta, y al parecer ello representaba la llave con la que liberarían las cadenas que los atenazaban. De sus labios escuchó juramentos, y oyó recitar toda una retahíla de dioses que habían permanecido perdidos demasiado tiempo. Según decían, estos devolverían la tierra arrebatada tan injustamente a su pueblo, mas el pequeño apenas reaccionó y continuó masticando el pan sin dejar de observar.

Aunque solo tuviera seis años, Amosis siempre recordaría aquella escena, así como las consecuencias que aquel sueño de libertad acarrearía.

5

Corría el año 88 cuando toda la Tebaida se convirtió en la entrada al Inframundo. Las palabras de Sekenenre se habían convertido en algo más que un presagio, pues en verdad que Sejmet campaba por sus respetos en aquella sagrada tierra. La Poderosa, que era lo que significaba el nombre de la diosa, había decidido acudir a la llamada de su pueblo con todas las consecuencias. Con ella no valían las medias tintas, ya que la desgracia y el llanto venían indefectiblemente de su mano. Mas en aquella ocasión resultaron particularmente virulentos, quién sabe si debido al ya de por sí mal humor de la diosa leona o al hecho de que llevara demasiado tiempo encerrada sin mostrar su legendaria ira. Sejmet desató su furia hasta convertir la región en un campo de batalla. Los pagos se cubrieron de horror hasta teñirse del color preferido de la diosa: el rojo. Muchos decían que con ella habían llegado los genios del Amenti, enfurecidos al sentirse postergados en un Egipto que había olvidado sus creencias tradicionales, y otros aseguraban que la piedad ya no tenía cabida allí donde se había hecho escarnio de los santos lugares. Como suele ser habitual, se cobraron viejos agravios; rencillas que se creían olvidadas y que los dioses de la guerra se encargaron de resucitar de sus cenizas como solo ellos sabían hacerlo. «¡Oh, dioses de la guerra, la sangre siempre tiene el mismo gusto, y eso es cuanto necesitáis!», clamaban los ancianos.

Desde Thinis, capital del octavo nomo del Alto Egipto, hasta Waset, capital del cuarto, hermanos lucharon contra hermanos, en tanto que los desheredados de la tierra se tomaban cumplida venganza por los años de oprobio y abusos que habían tenido que soportar a manos de unos extranjeros que habían terminado por devorar su tierra sagrada.

La secesión era un hecho, y las provincias pasaron a denominarse como antaño: Ta-Wer, Seshesh, Aati, Harui, Waset... El griego quedó proscrito y las gentes, orgullosas, proclamaban su independencia y alababan a sus inmortales dioses, que en aquella hora habían vuelto a manifestarse para rescatarlos de la ignominia.

Sin embargo, desde Alejandría el faraón miraba con desdén hacia el sur. Como ya les ocurriera a muchos de sus antecesores, consideraba a aquellos egipcios ciudadanos de segunda categoría, además de una fuente constante de problemas. Los tebanos se resistían a ser helenizados, sin aceptar que sus tiempos de gloria habían acabado para siempre y que Egipto solo tenía cabida dentro de las premisas dictadas por el nuevo orden, si se avenía a participar de ellas. Sin duda el país había sufrido una transformación en los últimos dos siglos; sin embargo, el rey distaba mucho de sentirse satisfecho. En Tebas, los lugareños eran reacios a admitir cualquier cambio que los apartase de sus tradiciones ancestrales. Ahora que habían osado alzarse contra él, Ptolomeo veía llegado el momento del escarmiento.

Cuando la magnitud de lo ocurrido llegó a sus oídos, el faraón no pudo evitar esbozar una mueca de desprecio. Corrían supercherías acerca de genios y súcubos surgidos del Mundo Inferior, venidos para librar a su pueblo de la tiranía de unos bárbaros procedentes del otro lado del mar; de dioses que habían desplegado su magia para hacer invencibles a las gentes que habitaban el valle del Nilo, a las que tanto amaban.

Ptolomeo Látiro no había podido por menos que lanzar una risotada. Si aquellos piojosos tenían a Sejmet, hija de Ra, él se encomendaría a Ares, hijo de Zeus y Hera; y si los genios del Amenti asolaban los campos, él enviaría a Deimos y a Fobos, el espanto y el temor, los dos demonios que acompañaban como escuderos al dios de la guerra en quien creía.

6

Para Kamose, aquellos acontecimientos suponían todo un desastre, la antesala del apocalipsis que, estaba convencido, se cerniría sobre su tierra. Él, que se vanagloriaba de leer los corazones de los hombres con claridad, no tenía dudas de adónde conduciría aquel nacionalismo exacerbado que mostraban sus paisanos. Detrás de ese sentimiento se escondían intereses de toda índole, sobre todo los de la vieja aristocracia, que había visto llegada la hora de recuperar el poder que poseyeran durante siglos. El sentimiento solía ser poco amigo de la razón, y más cuando había ambiciones de por medio. En su opinión, las veleidades políticas estaban muy bien para las reuniones familiares; más allá podían volverse peligrosas, sobre todo si estas eran capaces de arrastrar a los que nada tenían que perder. Porque una cosa era proclamar soflamas en las calles y otra muy diferente enfrentarse a un poder al que nunca podrían vencer.

A efectos prácticos, la secesión de la Tebaida supondría la ruina y, a la postre, aquellos que nada poseían continuarían tan pobres como siempre, si no cargados de cadenas en algún trirreme del faraón. El negocio era el negocio, y este resultaba poco proclive a las revoluciones. Si quería sobrevivir, debía abandonar Tebas antes de que los ejércitos del dios se presentaran a sus puertas; algo que, estaba convencido, ocurriría. Fue por ello por lo que una tarde se despidió de su hermano, no sin antes intentar convencerlo para que lo acompañara; aunque ya supiese de antemano que no lo haría.

—Mi sitio está en esta ciudad, y tú deberías saberlo —fue su lacónica respuesta.

Kamose hizo uno de sus habituales gestos de conformidad con los que desistía de intentar convencer de lo evidente.

—La guerra no es un buen negocio para nosotros, hermano —suspiró Kamose.

—Fuimos educados para cuando llegara este momento, aunque tú hayas resultado ser un caso perdido.

—Ja, ja. En eso tienes razón, pero qué quieres. El dracma me amarteló desde la primera vez que lo tuve en la mano.

Nectanebo movió la cabeza con pesar.

—Cuánto me desagrada oírte hablar así...

—Pues no deberías. Soy tan fiel a mis creencias como lo eres tú.

—A veces me pregunto cómo los dioses no te han castigado ante tanta abominación —dijo Nectanebo con disgusto.

Kamose lanzó una carcajada.

—En ocasiones tu piedad te conduce a la exageración. Aunque sea poco devoto de los dioses, tampoco los ofendo con blasfemias.

—¿Te parece poca ofensa el compararlos con una vil moneda?

—Bueno, hermano, de ellas hemos vivido hasta ahora, y ese es el único camino que conozco que me resulta de fiar.

Nectanebo volvió a lamentarse, pero al cabo ambos hermanos se miraron con los ojos algo velados, ya que se querían mucho.

—Escúchame —continuó Kamose—, tu futuro es cuando menos incierto. No permitas que el faraón te lo arrebate todo.

Nectanebo hizo un gesto de sorpresa, pero al punto pareció reflexionar.

—Sabes de lo que te hablo, ¿verdad? —inquirió aquel.

Por unos instantes se hizo el silencio, y enseguida Kamose prosiguió.

—No sacrifiques a quien todavía no puede decidir. Permite que Amosis venga conmigo. Cuidaré de él como si fuera mi hijo.

Al oír aquello, Nectanebo no pudo reprimir las lágrimas y fue a fundirse en un abrazo con su hermano. Kamose tenía razón, pues en aquella hora, más que nunca, el destino estaba en manos de los dioses.

7

Si de algo podía presumir Kamose, era de sensatez y buen olfato para los negocios. Además, el egipcio poseía un sexto sentido a la hora de solventar los problemas antes de que se presentaran, según él aseguraba, por su facilidad para preverlos con antelación. Por ello, no fue de extrañar que eligiera Koptos como lugar en el que establecerse hasta que la situación política en Tebas se aclarara. Casi tan antigua como el país, Koptos era la capital del quinto nomo del Alto Egipto, Harui, o de los Dos Halcones, los cuales aludían al emblema de la provincia, que representaba a los dos dioses principales que se veneraban en la urbe: Horus y Min. Este último era considerado como la divinidad local por excelencia desde hacía milenios, así como de toda la región desértica que se extendía hacia Oriente. Min representaba la fuerza regeneradora, y por ello era tenido como deidad de la vegetación y las cosechas. Él favorecía la fertilidad y la abundancia, y por este motivo los comerciantes lo honraban y respetaban de forma particular.

Estratégicamente situada, Koptos era paso obligado para las caravanas procedentes de las rutas del este y de aquellas que se dirigían a los puertos del mar Rojo a través del Wadi Hammamat, un área minera que había sido explotada desde tiempos inmemoriales. Kamose conocía bien la ciudad, así como las oportunidades que esta podía ofrecerle para ganarse la vida, dadas las circunstancias. A pesar de que la capital pertenecía a la Tebaida, su carácter eminentemente comercial hacía que el ferviente sentimiento nacionalista que impregnaba la región hubiera pasado a un segundo plano, por mucho que algunos se empeñaran en rebautizarla con el nombre egipcio empleado en la antigüedad: Gebtu. Sin embargo, el hecho de que la ciudad fuera punto de encuentro de mercaderes llegados de todo el mundo conocido hacía de la metrópoli una amalgama de lenguas y culturas diferentes en la que poca cabida había para el romanticismo de los tiempos pasados. Aquel era un buen lugar para hacer negocios, y Kamose se instaló en compañía de su sobrino convencido de que prosperaría.

Como ya era conocido en la plaza, el astuto tratante se valió de su experiencia para estrechar relaciones con los caravaneros que llegaban a la ciudad. Si algo detestaban aquellos mercaderes, eran los abusivos impuestos que se veían obligados a pagar por sus transacciones a unos funcionarios que resultaban insufribles. Sin embargo, hacía mucho que Kamose había aprendido cómo tratar con estos. De sobra conocía el egipcio lo puntillosos que podían llegar a ser sus paisanos, así como la luz característica de su mirada ambiciosa. Él la leía con facilidad, y a no mucho tardar supo sacarle partido con la habilidad que le caracterizaba. De esta forma se las ingenió para mediar entre mercaderes de su confianza y determinados agentes a fin de que estos aliviaran el peso de las dichosas tasas, con el consiguiente beneficio para todos. Como Kamose actuaba con suma discreción y poca avaricia, el negocio pronto se consolidó, e incluso llegó a trabar cierta familiaridad con su clientela.

A los pocos meses llegaron a la ciudad noticias sobre los graves enfrentamientos que tenían lugar. Al parecer las tropas del faraón y los secesionistas combatían sin darse cuartel por toda la Tebaida, y Kamose supo que tarde o temprano se vería obligado a abandonar aquel lugar. Para un egipcio como él su país podría no resultar seguro, y pensó en la conveniencia de estar preparado para cuando llegara ese momento. Si era necesario, las caravanas lo sacarían de Egipto.

Para Amosis, Koptos supuso el principio de su propia aventura. Su vida comenzaba allí, aunque aún fuese demasiado pequeño para darse cuenta de ello. El mundo de los hombres le daba la bienvenida prematuramente, pues desde el primer día el chiquillo acompañó a su tío en el ajetreo de sus negocios. Poco tenía que ver la quietud de la Casa de la Vida con las clases a las que ahora asistía, y en nada se parecían los apacibles paseos junto a la orilla del río al constante ir y venir entre las bestias de carga que atestaban las calles. El hedor de los animales se mezclaba con el sudor de los comerciantes que pugnaban por abrirse paso entre el polvo y el calor insufrible. Era el olor del esfuerzo; el del empeño por salir adelante; el de la satisfacción de conseguir el mejor precio. Allí no había amigos, y Amosis fue capaz de percibirlo con claridad.

Kamose parecía leerle el pensamiento.

—¡Ja, ja! Te sonreirán hasta que deban mostrarte los dientes.

Amosis no dejaba de sorprenderse ante las sentencias de su tío, y verlo negociar con aquellos hombres le parecía cosa de magia. El pequeño siempre lo recordaría, como también la catadura de los tipos con los que trataban. Rostros surcados por arrugas sin fin cuando no por cicatrices, curtidos por la intemperie y las inclemencias que solo el paso de los años es capaz de dibujar. Miradas duras como el granito de los monumentos que festoneaban aquella tierra. Artistas del engaño; embaucadores sin tregua, sin otra ley que la que dictaba el más listo.

No cabía duda de que la escuela a la que acudía a diario ofrecía sus compensaciones, ya que Amosis se sentía fascinado por el constante trajín de todo aquel gentío de tan variopinta procedencia. Su mirada desarrolló el brillo de la viveza, y a no mucho tardar el niño fue capaz de darse cuenta del virtuosismo que poseía su tío en el arte del regateo.

—Cada cosa posee su valor; solo tienes que conocer cuál es —le dijo una mañana Kamose. Como el chiquillo hiciera un acto reflejo para rascarse la cabeza, su tío lanzó una carcajada—. Sí, ya sé que te parecerá difícil —continuó, divertido—, pero es todo cuanto necesitas aprender en este negocio. El resto llegará por añadidura.

Ahora Kamose cambió de expresión para continuar con gravedad:

—Si ambicionas algo, nunca pagues por encima de su justo precio por mucho que lo desees, o con el tiempo te sentirás defraudado contigo mismo.

Amosis lo miró sin pestañear, pues sentía un gran respeto por su tío. Era curioso, pero ahora que se encontraba lejos de su casa el pequeño se daba cuenta de la fuerza de los lazos que lo unían a Kamose. Desde que tenía memoria, este siempre le había demostrado un gran afecto, y sus consejos no dejaban de sorprenderle. Acostumbrado a vivir con un padre, parco en palabras, a quien no le gustaba hablarle más que de las viejas tradiciones, su tío le pintaba un mundo de fantasía capaz de hacer desbordar todas las ilusiones que atesoraba el chiquillo.

No hizo falta mucho tiempo para que Kamose se percatase de las cualidades que poseía su sobrino. Él ya sabía que el pequeño era espabilado, pero se sorprendió al advertir la facilidad con la que aprendía otras lenguas. El arameo era el idioma de uso común en las caravanas que llegaban de Oriente, el que usaba la mayoría de los tratantes para hacer negocios. A Kamose le había llevado toda una vida poder desenvolverse con él decentemente, mas para el pequeño parecía un juego de niños. El rapaz lo aprendía sin dificultad, y ello hizo que su tío pensase detenidamente en el futuro del mozo. Si Amosis quería ser algo más que un esforzado mercader en busca de una incierta fortuna, debería hablar también griego. En su opinión, el demótico, que era la lengua que de ordinario se hablaba en la Tierra Negra, ya no servía para nada; si acaso para lamentarse de tiempos mejores. Cualquier egipcio que quisiera prosperar en Kemet debía saber griego, y esa era una realidad que todo el mundo conocía.

Ni que decir tiene que el bueno de Nectanebo siempre se había negado a aprender la lengua de los infames aqueos, como también los llamaba, y mucho más a que la hablaran sus vástagos, como a su vez había rehusado en su día su propio padre. Así eran los tiempos que corrían.

Por este motivo, Kamose fue a visitar a un viejo escriba a quien conocía de toda la vida. El hombre en cuestión atendía al pomposo nombre de Filitas, aunque en realidad se llamase Neferrenpet. Era un hecho usual que muchos egipcios se cambiaran el nombre por uno griego para así poder ascender en la vida pública, y al bueno de Neferrenpet no se le ocurrió otro mejor que ese. Sin duda la elección no había podido ser más pretenciosa, ya que el escriba sentía predilección por Filitas de Kos, nada menos que el primer filólogo que tuvo el Mouseión de Alejandría y tutor del que fuera faraón Ptolomeo II Filadelfo.

Filitas vivía en la zona norte de la ciudad, muy cerca del templo dedicado a Isis y Min, que curiosamente había sido obra de Filadelfo, aunque después se hubieran hecho añadidos. El escriba habitaba una pequeña casa repleta de papiros, según decía el viejo su único patrimonio, a los que acompañaban un camastro y un viejo sillón de madera de ébano del que Filitas se sentía particularmente orgulloso. Sobre este corrían todo tipo de historias, algunas de dudoso gusto, aunque el escriba asegurara que no era para tanto. Al parecer, en su juventud su futuro se presentaba brillante e incluso llegó a estar próximo a la corte de Ptolomeo VIII, pero por un oscuro motivo cayó en desgracia y fue relegado a funcionario de la hacienda pública en Koptos, donde cumplió labores de supervisión de aduanas.

Kamose lo conoció en uno de sus habituales viajes a la ciudad, en el sitio menos recomendable que cupiese imaginar: una Casa de la Cerveza.[6] El mercader solía visitar estos lugares de vez en cuando, aunque no con la asiduidad con la que acudía el escriba, que era aficionadísimo. El tugurio en particular era bien conocido entre los mercaderes de paso por la ciudad, y también por los borrachines habituales. A Filitas no le molestaba lo más mínimo que le tuviesen por tal, y cuando bebía la primera copa de vino se ocupaba de enterrar su nombre griego para pasar a llamarse Neferrenpet, que era lo que correspondía a fin de salvaguardar la dignidad de su cargo.

Por mera casualidad los dos egipcios entablaron conversación, y después de trasegar juntos la primera ánfora ya eran amigos de toda la vida. Ambos se solazaron con unas jóvenes sirias, pues por algo el garito en cuestión recibía el sugestivo nombre de La Cueva de Afrodita, y al acabar la segunda vasija del infame vino que estaban bebiendo, Kamose ya tenía clara la conveniencia de mantener la amistad con aquel hombre. Como además tuvo que ayudar al escriba a llegar hasta su casa, la relación quedó sellada con la complicidad propia de quienes gustan del mismo pecado.

—¡Nada de Hathor[7] ni esas tonterías! —exclamaba Filitas mientras lo acompañaban, dando traspiés—. Afrodita es el nombre más apropiado para un lugar tan hermoso como esa Casa de la Cerveza.

Y es que Neferrenpet parecía abominar de todo lo que le recordara que era egipcio, a la menor oportunidad, como muy pronto comprobaría el tebano. Aquella confraternidad le reportó muchas ventajas a Kamose, ya que el tratante se valía de su amistad con el funcionario para evitar pagar las tasas de las transacciones en cuanto podía. A cambio se encargaba de proporcionarle a Filitas un buen vino de los oasis occidentales, que según supo era su preferido.

Cuando aquella mañana Kamose fue a visitar a su amigo, a Filitas se le alegró la mirada y abrió sus brazos para abrazarlo.

—¡Hermes bendito, dios de la palabra, cuánta alegría! —exclamó el viejo, alborozado.

A Kamose a veces le daba la sensación de que aquel hombre parecía centenario, pues tenía más arrugas que un beduino del desierto kushita.

—Mira lo que te he traído, viejo amigo —dijo el tebano a modo de saludo en tanto le mostraba el ánfora—. Es vino de los oasis. Espero que siga siendo tu preferido.

Filitas le estrechó, emocionado.

—Que la ninfa Maya, madre del sapientísimo Hermes, te bendiga y envíe a las Cárites para que siempre te acompañen —recitó el escriba de carrerilla.

Kamose le dirigió una de sus habituales miradas astutas. Él no tenía ni idea de quiénes eran aquellos personajes, y tampoco necesitaba saberlo, mas asintió como si estuviera complacido. Tras las salutaciones de rigor, el mercader se dio cuenta al instante de las estrecheces por las que atravesaba su amigo.

—El país está en la ruina —dijo Filitas, adivinándole el pensamiento—, y encima estamos de nuevo en guerra. Esta vez será el fin de la Tebaida.

Kamose esbozó un gesto con el que daba a entender que se hacía cargo. A menudo, los escribas que ya no trabajaban para la administración se ganaban la vida escribiendo cartas o documentos a los ciudadanos.

—Me las veo y me las deseo para poder ganar un óbolo. Ya no hay dinero ni para una buena epístola, y mucho menos para interponer demandas. Imagínate, con el nombre que tengo y estar así, de brazos cruzados. —Kamose no pudo evitar lanzar una risita—. No te rías, egipcio recalcitrante. ¿Te he contado alguna vez que Filitas de Kos fue quien introdujo el interés por la lexicografía? Y no lo hizo analizando el lenguaje popular sino el culto, el que se hablaba en la corte.

El mercader hizo un ademán por el que se daba por enterado, pues de sobra conocía la tendencia del escriba a la perorata. Entonces le explicó el motivo de su visita y el interés que tenía por su sobrino. A Neferrenpet le brillaron los ojos de emoción.

—¡Oh! He aquí una causa noble, sin duda. La más noble, en mi opinión, ya que no hay nada que se pueda comparar con el conocimiento.

—Me conformo con que aprenda a hablar griego con cierta decencia —contestó el tebano mostrando la palma de una mano.

—¿Decencia, dices? Lo aprenderá en condiciones; y no me estoy refiriendo a la koiné, sino a la lengua que utilizaban los príncipes.

Kamose volvió a reír quedamente, ya que la koiné era el griego helenístico que se comenzó a hablar después de las conquistas de Alejandro Magno, y era el habitual entre los grecoparlantes en Egipto.

—¿Cómo se llama el muchacho? —quiso saber Filitas.

—Amosis.

—¿Amosis? Me temo que habrá que buscarle otro nombre.

8

Amosis nunca olvidaría la impresión que le causó Filitas la primera vez que lo vio. En realidad, su figura quedaría grabada en su memoria de forma indeleble para el resto de sus días. El viejo escriba representaba la antítesis de cuanto había aprendido en su corta vida, ya que se mostraba profundamente irreverente hacia todo lo que tuviera que ver con el pasado milenario de la tierra que pisaba, incluidos sus incontables dioses. Sobre este particular, Filitas no tenía inconveniente en hacer gala de su impiedad a la menor ocasión y tan solo era capaz de sentir respeto por Hermes, que por algo era considerado el gobernador de la palabra entre los griegos.

El niño se encontró así con un maestro capaz de blasfemar a la menor oportunidad, al tiempo que se recreaba en la elocuencia que sin duda poseía. Su aspecto también produjo no poca impresión en el pequeño, puesto que el viejo era sumamente desaliñado, con lamparones en la única túnica que se le conocía y que, según aseguraba, no pensaba quitarse jamás. Su obsesión por lo que él definía como pensamiento clásico lo había llevado a convertirse en un individuo particularmente anacrónico con su lugar de procedencia, y Amosis nunca pudo averiguar qué había empujado a aquel hombre a abjurar de su bendita tierra y de cuanto tuviera que ver con ella. Según aseguraba el anciano, todo se debía a su propia naturaleza, que lo había llevado a conducirse como un librepensador a quien no influían en absoluto las ideas trasnochadas de los profetas de los sagrados templos. El susodicho tenía a gala no lavarse más que cuando la ocasión lo requería, y su generosa cabeza era prueba fehaciente de su descuido general, ya que su cabello ensortijado, rebelde y ceniciento era un vergel para las liendres que terminaba por unirse a una barba rala donde las hubiera, orgullo del buen hombre, quien no tenía intención de volver a afeitarse.

Como es fácil de comprender, poco tenía que ver Filitas con los maestros que habían aleccionado al pequeño en Karnak, siempre rasurados de pies a cabeza, con aquel aspecto pulcro del que gustaban hacer alarde. No obstante, el escriba acaparó la atención del chiquillo desde el primer momento, y la palabra certera que siempre tenían preparada los labios de aquel hombre resultó ser todo un hallazgo para el aprendizaje. Nunca pudo averiguar Amosis el porqué del empeño del escriba en enterrar la memoria de sus raíces. A su parecer, Neferrenpet era un nombre magnífico, mucho más poderoso que el de Filitas, por muy sabio que este llegara a ser. En la época dorada del gran Ramsés hubo un funcionario con ese nombre que llegó a ocupar los más altos cargos del Estado. A la muerte del príncipe Khaemwaset, su divino padre, Usermaatra Setepenra, Ramsés II, nombró a Neferrenpet primer profeta del clero de Ptah, y desde el año 57 del reinado de este faraón desempeñó el puesto de *ti-aty*, visir. El tal Neferrenpet perteneció a una familia de la nobleza de Menfis, de donde según aseguraban algunos también procedía el escriba, aunque el pasado de este resultara ciertamente oscuro.

Que el viejo se avergonzaba de su nombre de nacimiento era cosa bien sabida, aunque no por ello el niño dejó de sorprenderse en cierta ocasión en la que se le ocurrió garabatearlo en uno de los papiros en los que solía hacer sus ejercicios.

Al descubrirlo, Filitas soltó un exabrupto, y su rostro se congestionó del tal forma que el pequeño se asustó. Los ojillos de aquel hombre brillaban como ascuas.

—¡Cómo te atreves, pequeño demonio tebano! ¡Más te valiera que aprendieses a pronunciar debidamente las consonantes oclusivas sonoras, e incluso las aspiradas, en lugar de perder el tiempo garabateando nombres que dejaron de existir hace mucho!

La rivalidad entre el Alto y el Bajo Egipto había sido proverbial en la historia de la Tierra Negra, mas en este caso las fobias de Filitas iban mucho más allá de las diferencias entre el norte y el sur.

Sin embargo, la relación entre maestro y pupilo se estrechó con el paso de los meses y Amosis dejó de extrañarse cada vez que su tutor le llamaba demonio tebano, palabras que Filitas empleaba a la menor oportunidad.

Como era de esperar, no tardó mucho el maestro en encontrar un nuevo nombre para su alumno, tal y como le había prometido un día a Kamose, y para la ocasión eligió uno que le enorgulleció sobremanera y le pareció muy conveniente: Zenódoto.

La primera vez que se dirigió de este modo al niño, el rostro del preceptor se iluminó como si se hubiera bebido un ánfora de vino de los oasis. ¡Zenódoto! ¡Menudo nombre! Cada una de sus sílabas valía por lo menos un talento. ¡Y se le había ocurrido a él! Claro que la adopción no podía ser más acertada. ¿Acaso Zenódoto de Éfeso no fue alumno de Filitas de Kos? Entonces, ¿qué mejor elección que aquella? El escriba se palmeó los muslos con satisfacción, puesto que de paso hacía un verdadero honor al chiquillo al apodarlo así; no en vano Zenódoto de Éfeso llegó a convertirse en el primer director de la Biblioteca de Alejandría. No cabía duda de que Hermes le había iluminado la razón, se dijo el escriba.

Al chiquillo el nombre de Zenódoto le pareció más bien feo, por mucha sabiduría que pudiera haber atesorado aquel hombre. Él no tenía ni idea de dónde estaba Éfeso, aunque sí había oído hablar mucho de Alejandría. Era curioso, pero la idea que albergaba el rapaz de la capital distaba mucho de la que pudiera tener su pintoresco preceptor. Nectanebo se había encargado de aleccionar bien a sus hijos, y para estos Alejandría representaba el origen de todos los males que acuciaban a Egipto. Allí estaba la corte, así como el gran felón que se llamaba a sí mismo faraón y sojuzgaba a los verdaderos habitantes de aquella tierra.

¡Zenódoto! Bueno, si había de llamarse así delante del escriba, al niño le parecía bien. Con siete años de edad, Amosis ya hacía gala de aquel sentido práctico que siempre le caracterizaría, así como de una viveza que muchos aseguraban había heredado de su tío. Sin embargo, él se sentía egipcio, y la educación recibida en la Casa de la Vida sería un sello indeleble que nunca lo abandonaría. No comprendía la inquina de Filitas hacia su amado valle, pero, si bien el viejo llegaba a resultarle un tipo grotesco, tenía que reconocer que era un maestro sin igual.

Apenas había transcurrido un año y los avances del mozo ya eran motivo de elogio por parte de su tutor. Además, como este se encontraba bien surtido de su vino predilecto, su estado era de una singular euforia como nunca recordara, ni cuando estuvo a punto de ser nombrado ecónomo.

—¿Te he contado alguna vez que estuve a punto de convertirme en ecónomo? —le preguntó una tarde al chiquillo.

—No, maestro.

—Pues como te lo digo —apuntó el viejo tras apurar su enésima copa—. ¿Sabes de lo que te hablo? —El pequeño se encogió ligeramente de hombros—. Nada menos que de ser nombrado el primer funcionario de hacienda del nomo. ¡Imagínate! ¡Ecónomo del nomo de los Dos Halcones, por donde pasan la mayor parte de las caravanas que confluyen en el Alto Egipto! ¿Te haces una idea de lo que eso significa?

—Claro —respondió el niño, que estaba al tanto de las mil argucias que empleaba su tío para librarse de pagar impuestos.

—Mirra, incienso, marfil, lapislázuli, oro, pieles, piedras preciosas, especias... —continuó Filitas, haciendo caso omiso de las palabras del pequeño—. Cuantiosas tasas para el erario. El objetivo de todo funcionario que se precie.

Durante unos instantes se hizo el silencio, y la vista del escriba pareció perderse entre unos rollos de papiro.

—En fin —suspiró—. Al final le dieron el puesto a un alejandrino con buenos padrinos. Mi verdadero nombre no me ayudó. —Luego bebió otro trago y chasqueó la lengua—. Tuve que conformarme con ser contable, aunque terminara mis días como inspector de aduanas en el desierto oriental.

Con relativa frecuencia, Filitas hacía referencia a algún hecho significativo de su vida pasada para después caer en repentinos silencios durante los cuales se perdía en el interior de su copa. Al rato parecía despertar de su extraño sueño y departía con su alumno acerca de dioses y héroes, pero también de sabios y poetas, para acabar enfrascados en enigmas y anagramas, a los que el viejo era muy aficionado.

Comoquiera que resultara un alumno aventajado en la cuestión, Amosis sorprendía no pocas veces con su agudeza a su tutor, que se admiraba de la facilidad con la que el niño aprendía la lengua de Homero.

—Me temo que me equivoqué al bautizarte —exclamó el viejo durante una de las clases en las que Amosis había hecho gala de su ingenio.

—Zenódoto está bien. Además, ya me he acostumbrado, maestro.

—Je, je. El que he pensado es más poderoso y te resultaría más apropiado.

Amosis abrió mucho los ojos, expectante.

—Odiseo. Ese te iría muy bien, je, je.

—¡Odiseo! —exclamó el niño, emocionado, pues habían hablado muchas veces acerca del legendario rey de Ítaca.

—Claro que puede parecer un poco ampuloso. No hay nadie que se haga llamar así, je, je. Pero también podrías llamarte Sísifo, que era muy astuto.

El niño se rascó la cabeza sin saber qué decir.

—Tienes razón, continuarás llamándote Zenódoto, que es más terrenal, aunque te diré que a tu edad uno puede elegir el nombre que desee, je, je.

—Bueno, maestro, seguiré siendo Zenódoto —dijo el niño, sonriendo con picardía.

—Da igual el que elijas, pero si quieres prosperar deberás convertirte en uno de ellos. Son los tiempos en los que te toca vivir, jovencito. Y ahora sigamos practicando su lengua.

9

No habían pasado dos años cuando la Tebaida se convirtió en una región que ardía por los cuatro costados. Desde la ciudad santa de Abydos hasta Patiris, el Egipto que se tenía por fiel guardián de las milenarias esencias que habían hecho singular a aquella civilización se encontraba en una situación desesperada, cuando no convulsa, en la que cualquier cosa podía suceder. La lucha no daba tregua a los hombres, y las noticias que corrían lo hacían a lomos de los corceles de la ira. Aldeas destruidas, campos en llamas, difuntos por doquier. No cabía duda de que Set, el dios del caos, tocaba a rebato, y a su lóbrega convocatoria no había vacilado en acudir Anubis, a quien no importaba trabajar a destajo siempre que la ocasión lo requiriera. El dios de las necrópolis siempre había sido particularmente proclive al luto y, dadas las circunstancias, no se podía desear un escenario mejor.

A Kamose no le extrañaba en absoluto el estado en que se hallaba el Alto Egipto. Él ya lo había vaticinado mucho antes de que las armas se cruzaran por primera vez en la región. Siempre ocurría lo mismo, y solo la estupidez humana porfiaba una y otra vez en repetir los errores del pasado. Durante todo aquel tiempo no había tenido noticias de su hermano ni de su beligerante sobrino mayor, aunque tampoco eso le extrañara. Nunca las había esperado, y solo confiaba en que al menos ambos se encontraran con vida, dondequiera que se hallaran.

Hacía tiempo que los efectos de la conflagración se hacían notar en Koptos. La ciudad había perdido gran parte de su embrujo para convertirse en una mera estación de paso para las caravanas de Oriente. Los caminos que llevaban hasta los puertos del mar Rojo estaban bien custodiados por las huestes del faraón, pero no ocurría lo mismo en las rutas del oeste. Atravesarlas representaba toda una aventura, y no eran pocas las comitivas que habían decidido internarse en el desierto de Libia para dirigirse a Alejandría, aunque ello supusiera obtener un beneficio menor. El negocio se resentía, y en la capital del nomo de los Dos Halcones había que agudizar el ingenio para poder seguir subsistiendo.

Kamose sabía muy bien que sus días en Koptos estaban contados; daba igual el resultado final de aquel conflicto. La ciudad tardaría en recuperarse de los efectos de la guerra y, como él bien sabía, una vez que se marchaban, los dracmas tardaban en regresar. Por este motivo se afanó en preparar su salida de forma adecuada, así como en sacarle hasta el último óbolo a quien estuviera dispuesto a hacer negocios con él. En su fuero interno se encontraba satisfecho de la decisión que había tomado años atrás. Koptos le había reportado indudables ganancias, impensables de conseguir si hubiera permanecido en Tebas junto a su familia. De la ciudad santa de Amón no llegaban más que llantos y malas noticias, y el astuto tratante no pudo dejar de pensar en la poca consideración que el Oculto[8] tenía para con sus acólitos cuando estos más lo necesitaban.

—Haz la guerra por los dioses y solo recibirás sus bendiciones cuando te ciñas la corona del vencedor —decía el tratante a menudo.

Claro que él era un agnóstico recalcitrante, y con semejantes premisas no resultaba el más indicado para hacer proselitismo. El hecho de haber permanecido durante aquel tiempo en Koptos también le había reportado singulares ventajas, más allá de los dracmas que hubiera podido ganar. Obviamente, la estadía allí había sido muy beneficiosa para su sobrino y por ende para el taimado mercader, que amaba a Amosis como al hijo que no tenía. El niño se había convertido en un pequeño truhan; un pícaro de consideración capaz de embaucar al primer incauto que se aviniera a tratar con él. Con tan solo ocho años, Kamose le auguraba el mejor de los futuros, sobre todo ahora que hablaba el griego con una soltura digna del retoño de cualquier familia principal que se preciara en Kemet. Filitas había hecho un buen trabajo, de eso no había duda, aunque sus buenos dracmas le hubiera costado al egipcio, amén de las numerosísimas ánforas de vino con que le había obsequiado. Kamose le estaba agradecido, aunque su corazón de mercader considerara haber pagado un precio más que justo por ello.

Él conocía las debilidades del escriba desde hacía muchos años, y ese era el camino apropiado para alcanzar un buen acuerdo. En el fondo, Filitas era tan proclive al brillo de la plata de las monedas como el resto de los hombres que conocía. Esa, junto a su manifiesta afición a las Casas de la Cerveza, había sido la causa de sus ambiciones frustradas, y no el que en realidad su madre lo bautizara con el nombre de Neferrenpet. Que Filitas había sido propenso al soborno era algo bien conocido por todos, por mucho que alardeara de sus conocimientos acerca de sabios o héroes inmortales. Sin embargo, Kamose estaba satisfecho del resultado, pues su sobrino se había beneficiado de las consecuencias de la guerra al conseguir una llave con la que podría abrir las puertas que siempre permanecieron cerradas para el tratante. Daba igual que se hiciera llamar Zenódoto.

10

Aquella mañana de invierno, todo estaba preparado para la marcha. La respiración que despedían las bestias por los ollares se entremezclaba con la pertinaz neblina que los rodeaba, cual si la alimentara. El vaho se deshacía como por encantamiento en el manto que Tefnut, la diosa de la humedad, había tejido para su tierra con su habilidad acostumbrada. Aquel hálito divino creaba una atmósfera ciertamente fantasmagórica que envolvía la caravana en irreales velos de plata. El aire no se movía y hasta los hombres permanecían en silencio, como temerosos de agraviar a la segunda hija de Atum, el dios creador de la primera pareja en la cosmogonía heliopolitana.

Tío y sobrino colocaban los arreos a sus animales casi con reverencia, dejándose impregnar por aquella quietud que parecía cubrirlo todo. Kamose había tenido mucha suerte al haber podido encontrar aquella caravana tan solo dos días atrás; la única que se aventuraba a dirigirse hacia el oeste desde hacía meses. Sus buenas relaciones y algunos obsequios habían bastado para que los admitieran en la comitiva, en la que por otra parte el tratante depositaba todas sus esperanzas.

La noticia del final de la contienda había animado a aquel grupo a desafiar los caminos, después de tanto tiempo de incertidumbre. Las tropas del dios habían aplastado la insurrección para salir triunfantes, después de casi tres años de lucha encarnizada en la que no había familia que, de una forma u otra, no hubiera participado.

Las nuevas llegadas de Tebas no podían resultar más determinantes. La ciudad había sido arrasada casi por completo, pues apenas habían sido respetados los antiquísimos santuarios.

—Ni Cambises se atrevió a destruir la capital de esta forma —señalaban con rotundidad los que propagaban el suceso.

Harto de las constantes sublevaciones que se habían producido durante los últimos siglos en la Tebaida, el faraón había descargado su ira de manera inaudita contra quienes, por otro lado, no dejaban de ser sus propios súbditos. Tebas había sido asolada por completo por el ejército de Ptolomeo, quien había dado órdenes precisas de perseguir a los sediciosos hasta el último rincón de su reino si era necesario. La ciudad santa del dios Amón, la otrora orgullosa Waset, no era ya más que un lugar fantasmagórico, quejumbroso, lleno de lastimeras voces que pedían ayuda en su desgracia. Las calles se cubrían de cadáveres y, según aseguraban, los carroñeros tomaban las plazas y avenidas como si formaran parte de los mercenarios que habían terminado con dos milenios de historia. Triste final para la que un día fuera cantada en versos inmortales, la Tebas de las cien puertas. Ahora se había convertido en escenario de pitanza.

Kamose se lamentó en silencio, con el gesto que le era tan propio para tales ocasiones. Apenas una mueca, y la mirada perdida de quien por nada se extraña. Al parecer los soldados se habían ensañado particularmente, azuzados por un rey cuya crueldad no era menor que el desprecio que sentía por el pueblo conquistado a quien decía gobernar. Poco quedaba de la Tierra Negra de los grandes faraones, de los campesinos que cantaban loas a los dioses mientras recogían sus cosechas, de los festivales en los que la tríada tebana salía en procesión para regocijo de unos fieles que atestaban las calles. La vida era ahora muy dura, y el tratante no tuvo ninguna dificultad en imaginar lo que ocurriría. En cierto modo, la guerra continuaría. Esta vez disfrazada de envidias y venganzas, de antiguas cuentas por saldar. Las denuncias se sucederían hasta convertir la región en tierra de cacería. Los peores instintos se librarían de cualquier atisbo de conciencia hasta saciarse, según sus necesidades. Y lo peor era que nadie estaría a salvo, ya que el terror labra con facilidad sus propios campos; alimento para los corazones voraces.

La suerte que hubiera podido correr su familia no fue motivo de agitación. Kamose estaba convencido de que, de una forma u otra, ambos estarían muertos, pues el camino que habían elegido reservaba ese triste sino a los perdedores. Shai, el dios del destino, en el que su hermano tanto creía, así se lo habría hecho ver. Nectanebo y Sekenenre estaban condenados, y no había nada que Kamose pudiera hacer por ellos.

Las previsiones de Kamose habían resultado ser toda una revelación, y en su fuero interno el tratante no podía dejar de vanagloriarse por ello. No solo era necesario abandonar Koptos cuanto antes, sino que además debía sacar algún beneficio. Por este motivo el egipcio había estado negociando con un grupo de mercaderes nabateos que conocía de antiguo, ya que habían llegado a tratar con su padre. El jefe del clan, un viejo enjuto y arrugado pero astuto donde los hubiera, se acordaba bien de los tiempos en los que comerciaban con él, y no puso reparos en llegar a un acuerdo con Kamose en virtud del cual le suministraría una buena partida de mirra de la mejor calidad. Más de un mes tardó el tebano en llegar a un acuerdo que le interesara, pues si hubiera demostrado tener premura por cerrar el negocio el ladino nabateo no hubiera dudado en subir el precio. Como Kamose venía pensando en este particular desde hacía varios meses, tenía preparada una buena partida de marfil adquirida a una de las últimas caravanas procedentes de las rutas del oeste, que, como era bien sabido, apenas se aventuraban a cruzar la región debido al recrudecimiento de los enfrentamientos acaecidos en la Tebaida. Era usual que, una vez llegadas a Koptos, las comitivas provenientes de las diferentes latitudes hicieran transacciones entre ellas y regresaran a sus puntos de partida con nuevos artículos que vender en sus mercados de origen. Kamose conocía de sobra el interés que siempre mostraban las caravanas de Oriente por el marfil que llegaba a la ciudad desde el interior del continente africano. Era de la mejor calidad, y no dudó en hacerse con una buena cantidad en cuanto hubo ocasión, aunque tuviera que invertir una elevada suma en su adquisición.

Mientras terminaba de supervisar los arreos de sus animales, Kamose pensaba en todo ello. Con la partida de mirra que llevaba confiaba en sacar un buen beneficio, aunque también transportaba telas de Oriente y dos ánforas de aceite de palma, muy apreciado en Egipto. La partida se dirigiría al oasis de Kharga, punto estratégico desde donde otras caravanas se encargarían de hacer llegar los productos hasta Alejandría, el sueño de todo comerciante, ya que en los mercados de la capital se podían multiplicar los beneficios. Kamose sabía que no disponía de la capacidad suficiente para acceder a plaza tan principal. Sin embargo, el futuro se le presentaba singularmente halagüeño. En Kharga tenía pensado adquirir dátiles, los mejores de la Tierra Negra, y su famoso vino, que siempre era un valor seguro.

Luego se encaminaría allá donde determinara Shai o, mejor, la única divinidad que reverenciaba: la plata contante y sonante.

Mientras observaba a su sobrino enjaezar uno de los pollinos, Kamose no pudo evitar sentir cierta emoción. La misma que lo había acompañado desde hacía tiempo y que le hacía ver al pequeño como si en verdad fuera su hijo. Los más de dos años pasados en Koptos habían trenzado entre ambos unos lazos de auténtico cariño. A Kamose se le alegraba el corazón cada vez que veía al rapaz departir con otros mercaderes de forma juiciosa, y escucharle hablar el griego le enorgullecía de manera especial.

—De tu casa ya no nos quedará más que el recuerdo —le había dicho al chiquillo el día que supo de las funestas noticias llegadas de Tebas—. Es mejor que guardes en tu memoria las imágenes de aquellos a quienes quisiste.

Kamose se sorprendió al advertir la flema de la que hizo gala su sobrino. Apenas unas lágrimas corrieron por sus mejillas en tanto mantenía la mirada perdida.

—El bueno de Nectanebo andará por alguno de los caminos que Renenutet[9] le tuviera reservado desde el nacimiento. Él era un hombre piadoso...

—Osiris le habrá justificado tras el juicio de la Sala de las Dos Verdades —lo interrumpió Amosis con un aplomo que estremeció a su tío—. En cuanto a mi hermano... Eso es cosa de Set.

Kamose no había tenido ánimos para continuar con la conversación, y mucho menos cuando esta se adentraba en el mundo de las entelequias. Mejor dejar las cosas así y pensar que la vida podría concederle al niño la oportunidad de recorrer un camino venturoso.

Filitas se había despedido del mercader con verdadero sentimiento e indisimulado disgusto, pues no en vano decía también adiós al delicioso néctar que se había acostumbrado a trasegar.

—Dos años en brazos del más dulce de los placeres —apuntaba el viejo, quejumbroso—. Dioniso[10] se apiade de mi infortunio.

Kamose hizo un gesto como haciéndose cargo, aunque en su fuero interno pensara en los dracmas que se ahorraría a partir de ese momento.

—¡Pero qué será de mí sin la compañía de las bacantes![11] —exclamó Filitas con teatralidad—. Os confiaré que ellas venían a visitarme después de haberme bebido la primera ánfora.

—Bes[12] hubiera estado orgulloso de ti —apuntó el tebano tras lanzar una carcajada.

—¿Bes, dices? —intervino el escriba en tono airado—. ¿Por qué me escarneces en mi propia casa? ¿No es suficiente la pena que me produce vuestra marcha?

Kamose rio con ganas, pues le gustaba zaherir siempre que tenía oportunidad.

—Debes perdonarme, sapientísimo escriba, pero seguro que comprendes que mi ignorancia me lleva a nombrar a los dioses egipcios, los únicos que conozco, aunque no sean muchos.

—Me hago cargo de tu incultura, mercader tebano, pero al menos espero que no hagas caer en el oscurantismo a mi pupilo, después de todos mis desvelos.

—¡Ja, ja! Prometo ocuparme de él como corresponde, y no mentarle ninguna de las divinidades que tanto detestas.

—Más bien diría que las aborrezco.

—Será como deseas. ¿Satisfará eso tus propósitos?

—Hum..., quizá en parte. No me gustaría ver cómo un día llaman al muchacho Amosis en el recodo de cualquier camino polvoriento, ni siquiera desde el Hades, adonde de seguro iré.

Kamose estuvo tentado de nombrarle el Amenti, pero en esta ocasión se sujetó. Y es que el escriba le parecía francamente gracioso.

—El Hades está bien como refugio final para unos tipos como nosotros. Allí podremos rememorar nuestros pecados sin temor a que nos condenen. Es lo bueno de estar ya pagando por la vida que hemos llevado, ¿no te parece?

—Las Moiras[13] confunden nuestro entendimiento desde que venimos a este mundo. Ellas rigen nuestro destino desde el misterio que las envuelve.

Kamose asintió, aunque fuese la primera vez que oyera mentar a tales divinidades.

—Qué le vamos a hacer. Nadie puede escapar a su destino —prosiguió Filitas—, y me temo que el mío me lleve a permanecer aquí. Con gusto os acompañaría, no te vayas a creer, pero estoy demasiado viejo para deambular por caminos ignotos entre tratantes, soportando el olor de las caballerías. Espero que no te sientas ofendido por ello, amigo mío.

—Me hago cargo, probo defensor de la palabra escrita —señaló el tebano, imitando el lenguaje que solía emplear el viejo.

—Gracias, gracias. Siento no ir con vosotros —volvió a recalcar el escriba—. Y ello me conduce a un punto que me preocupa sobremanera.

Kamose no ocultó su sorpresa, ya que Filitas había adoptado un aire de gravedad impropio de él.

—Sí, no me mires así. ¿Te das cuenta de la responsabilidad que recae sobre tus hombros, dilecto mercader? —Este hizo una mueca divertida que podía significar cualquier cosa—. Ya sé lo que se puede esperar de ti —continuó Filitas—, no creas que no estoy preocupado.

El egipcio enarcó una de sus cejas, como solía hacer cuando medía a sus interlocutores.

—Ahora que desaparezco —inquirió el escriba—, ¿qué va a ser del muchacho? ¿Quién se ocupará de su educación?

Kamose no supo qué responder.

—Ya sabía que no dirías nada. Menudo desastre.

—Tus enseñanzas quedarán siempre con él. Le serán de utilidad durante toda su vida.

—¿De utilidad? Ya veo que no entiendes el verdadero alcance de mis palabras. La cosa será peor de lo que me esperaba.

—Amosis se ganará bien el pan —recalcó el tebano en tono serio.

—Debemos llamarlo Zenódoto, pues el chico ha hecho méritos suficientes para ello. ¿No te das cuenta? Con la precepción adecuada, llegaría con facilidad a ser un respetado funcionario de la administración. Quién sabe si hasta ecónomo.

Kamose lo miró fijamente.

—El muchacho es la única sangre que me queda. El resto quizá empape ya la tierra de sus padres.

Filitas hizo caso omiso de la dureza de aquellas palabras.

—Al menos no lo condenes —suplicó—. No le hagas arrastrar sus pies por todos los pueblos de Egipto.

—En eso tienes mucha razón, escriba, pero ¿acaso no lo condenaría si lo abandonase en el mar de intrigas por el que navegan hoy nuestros burócratas?

—Harás de él un embaucador.

—Como el faraón —le cortó el tebano—. Él es el rey de los truhanes. —Filitas lo miró con cara de espanto—. Ptolomeo tiene sus manos manchadas de sangre —continuó Kamose—. Él esclaviza a mi tierra toda, y te digo que los caminos polvorientos que recorren nuestros pies son los únicos que nos ha dejado.

Filitas se lamentó, cabizbajo, y se hizo un incómodo silencio. Al cabo, el viejo se levantó y fue a revolver entre unos rollos de papiro que se hallaban en un rincón. Luego se dirigió al comerciante.

—Al menos permíteme que te dé esto —dijo, ofreciéndole varios pergaminos atados con una cinta.

Kamose le interrogó con la mirada.

—Es la historia de Odiseo tal y como la editó Zenódoto de Éfeso cuando restauró el texto original.

Kamose no pudo ocultar su sorpresa, sobre todo porque descubría de dónde procedía el nombre con el que aquel escriba había rebautizado a su sobrino.

—El gran Zenódoto se encargó de corregir la obra, algo que no fue compartido por otros maestros, como Aristófanes. Sin embargo, tuve la oportunidad de leerla y el privilegio de copiarla cuando todavía era joven y vivía en Alejandría; cuando creía que el mundo me pertenecía y que el mero hecho de cambiar mi nombre sería suficiente para alcanzar las más altas metas.

Kamose no supo qué responder.

—Aunque Zenódoto tuvo muchos detractores, el gran Aristarco aseguraba que la adaptación que el maestro de Éfeso había hecho de los poemas homéricos era la mejor, y yo humildemente opino lo mismo.

El tebano se arrepintió de las duras palabras que le había dedicado al viejo con anterioridad.

—Al chiquillo le encanta la historia de Odiseo, ¿sabes?

—Pero este es un bien muy valioso para ti y...

—Yo ya no los necesitaré más que para recordar lo viejo que soy. Entrégaselos al muchacho, pero prométeme que le obligarás a leerlos todos los días; al menos alguno de sus pasajes.

Ahora Kamose le sonrió abiertamente.

—Te aseguro que no habrá jornada en la que no me relate la historia de Odiseo —dijo el mercader sujetando aquellos rollos casi con reverencia.

—Ahora me siento mejor —suspiró Filitas en tanto le regalaba una mirada bondadosa a su amigo—. Espero que antes de abandonar Koptos me traigas al joven Zenódoto para despedirme.

11

La niebla engulló la caravana como si se tratara del Inframundo al abrir sus puertas a Ra en su viaje nocturno. Igual que Ra-Atum, el sol del atardecer, desaparecía por el horizonte cada tarde para iniciar su proceloso periplo por las doce horas de la noche, la comitiva abandonaba Koptos, camino de occidente, sin conocer con seguridad la suerte que podría correr. Hacía tiempo que ninguna se aventuraba a atravesar la Tebaida para dirigirse tan al oeste, y esta iba a ser la primera después de la reciente victoria obtenida por el faraón. La ruta era un misterio, ya que corrían todo tipo de rumores acerca de los peligros que podían encontrarse hasta llegar al oasis de Kharga. Hacía tiempo que los caminos del Alto Egipto se encontraban desprotegidos, en particular la región que se disponía a cruzar la caravana.

Aunque la sedición había sido aplastada, los campos se hallaban infestados de rebeldes que, unidos tras su derrota, asaltaban haciendas y comitivas, granjas y hasta tierras baldías, y desde Abydos hasta Hierakómpolis ni siquiera los hombres santos que habitaban los templos se veían libres de la amenaza de aquellos desalmados. Algunos eran hombres sanguinarios, nacidos ya con el alma perdida, mas la mayoría no eran sino desheredados de una tierra que creían suya y que les había sido arrebatada mucho tiempo atrás. Ahora, sin bandera a la que seguir, sin ideales que defender, sin un sentimiento que los hermanara para combatir por lo que creían justo, se habían convertido en bandoleros de la peor especie; ladrones que habían transformado su vida en una lucha hacia delante, en pos de un final en el que con toda seguridad les esperaba el Amenti. Del primero al último, todos aquellos forajidos conocían las consecuencias de su impiedad. Ellos, que se tenían por firmes baluartes de las viejas enseñanzas de un *maat* por el que habían luchado, sabían que en el Tribunal de Osiris sus culpas serían juzgadas en la balanza, sin más patrón que el contrapeso de la pluma de la verdad de la diosa de la justicia; y que Ammit, la Devoradora de los Muertos, se comería sus corazones de falsos acólitos, afligida al ver hacia dónde se dirigía su pueblo.

Eran las consecuencias de una guerra perdida, y muchos hombres se unían a las bandas de malhechores como única alternativa para continuar con vida. El asalto a incautos o campesinos se hizo moneda común, y el pillaje se generalizó de tal manera que la policía solo podía garantizar la seguridad de los ciudadanos dentro de sus propias ciudades.

Obviamente, los componentes de la caravana que aquella mañana había abandonado Koptos bien temprano conocían cuáles eran los peligros que los acechaban, y por ese motivo habían contratado a un grupo de mercenarios a fin de que les dieran escolta hasta su destino. Además, la comitiva cruzaría el Nilo al norte de Abydos, frontera natural de los insurrectos, para evitarlos en lo posible.

Kamose caminaba circunspecto, asido a la brida de una de sus bestias. Él no temía a los fugitivos más que a los funcionarios de Ptolomeo, y estaba seguro de que, llegado el caso, podría llegar a un acuerdo con ellos con más facilidad que con cualquier inspector de aduanas. Todavía tenía en el recuerdo la imagen de Filitas cuando se despidieron definitivamente. Las lágrimas que se empecinó en derramar el escriba se tornaron sonrisas de felicidad cuando comprobó cómo su amigo le obsequiaba con una más que generosa cantidad de ánforas de vino con las que enjugar la pena que le producía su marcha.

—Dioniso os bendiga una y otra vez hasta el último de vuestros días, que espero no ver. ¡Cuánta magnanimidad! Brindaré por vosotros cada noche, allá donde os encontréis —aseguró el viejo a la vez que daba un saltito de alegría.

A Kamose no le había extrañado la reacción del antiguo funcionario, dadas las circunstancias, pero estaba satisfecho por el interés que se había tomado con su sobrino. Cuando Filitas le dio los rollos que contenían el poema épico de Homero, el tebano tuvo el convencimiento de que aquel hombre le entregaba un verdadero tesoro. Los papiros copiados por la mano del que un día se llamara Neferrenpet bien se merecían una justa recompensa, y para un mercader como él era imposible no pensar en la reciprocidad. El vino de los oasis colmaría las expectativas del buen Filitas, y él se sentiría satisfecho.

A Amosis el obsequio le pareció propio de los dioses, daba igual el lugar al que pertenecieran estos. Aquella historia le gustaba sobremanera y representaba un mundo de aventuras en el que soñaba con perderse. Héroes, dioses y hombres caminaban juntos de la mano de Odiseo, el personaje que el jovencito quisiera representar. Se prometió a sí mismo que cada día leería alguno de los doce mil hexámetros, cual un rapsoda errante, quizá ante la corte que le proporcionaría el cielo estrellado en las noches del desierto. No podía imaginar un escenario mejor, pues a pesar de su corta edad advertía el poder que desplegaba Nut, la diosa de la bóveda celeste, cuando extendía sus luceros hasta donde alcanzaba la vista. ¿Sería aquel el mismo cielo bajo el que navegaría Odiseo de regreso a Ítaca? ¿Brillarían con igual fulgor las estrellas? A su tío le parecía bien que el muchacho se entretuviera en compartir las aventuras de aquel héroe que habría de hacerse inmortal. Sobre todo porque le abría las puertas de un mundo que en nada se parecía al Kemet en el que se había educado. En opinión del mercader, la cultura del milenario Egipto agonizaba sin remisión, y no había nada peor que un moribundo obstinado en aferrarse a aquello que jamás le devolvería la vida. El mundo en el que tendría que vivir Amosis era el de Odiseo, y el chiquillo debería navegar por los mismos mares que surcara el rey de Ítaca. Por alguna extraña razón, Kamose estaba convencido de que los pasos de su sobrino lo llevarían lejos, quizá a alguno de los misteriosos lugares de los que hablaban aquellos versos; una tierra ignota en la que de poco valdrían los preceptos de los sacerdotes de Karnak.

En realidad, el mercader no tenía muy claro en qué lugar acabarían ambos. Sin duda su sobrino tenía toda la vida por delante, mas el futuro inmediato era una cuestión que también afectaba a su persona. Como ya había pensado con anterioridad, pacificar la zona llevaría tiempo, y las persecuciones y cobros de cuentas estarían a la orden del día. El Alto Egipto se encontraría muy revuelto, y nadie podía asegurar que ellos mismos no fueran objeto de búsqueda dadas las circunstancias. Ciertamente, el mañana era una incógnita y podría resultar que tardaran años en regresar a su tierra, o quién sabía si ya no volverían nunca.

La primera noche que acamparon lo hicieron junto a las márgenes del río, en un recodo que formaba una rada de aguas calmas. En la distancia se escuchaba el suave fluir de la corriente, y los palmerales que festoneaban el lugar se recortaban entre la luz de una tarde que ya agonizaba. Un azul oscuro surgido de oriente pugnaba por devorar los acostumbrados matices teñidos de rojo que el sol solía desparramar cada atardecer en su camino hacia el Inframundo. En su barca solar, Ra iniciaba su viaje por el reino de la noche, y tras él desaparecían los colores que daban vida al frondoso valle, así como los trinos de la miríada de aves que poblaban las orillas del Nilo. En poco tiempo todo estuvo en calma, y cuando Kamose se estiró envuelto en su frazada tras haber cenado un poco de queso, entrelazó ambas manos bajo su nuca para perderse entre los luceros. Su vista los recorrió sin poder resistirse al influjo que ejercían los astros. Era lo usual cuando la diosa Nut exhibía su vientre, y en aquella hora al mercader le pareció que se mostraba particularmente pródiga, como si permaneciera ajena a la situación por la que atravesaba su pueblo. Quizá se debiera a su magnificencia, o simplemente al hecho de que, tal y como aseguraban los sabios, los dioses eran intemporales.

Kamose suspiró y le pidió a su sobrino que le leyera uno de aquellos versos que Filitas había transcrito en su juventud y que tan encarecidamente le había hecho prometer que le obligaría a cantar.

Mientras Amosis desenrollaba el papiro, su tío entornó los ojos dispuesto a abandonarse entre los trazos que cubrían el viejo pergamino.

—«Musa, dime del hábil varón que en su largo extravío, tras haber arrasado el alcázar sagrado de Troya...»

Entonces, cuando escuchó la voz de Amosis, al instante se percató de que había hombres que estaban predestinados a caminar junto a los dioses.

12

A los pocos días, el camino se había convertido en algo parecido a la antesala del Tribunal de Osiris. Por doquier había rastros de pillaje, campos quemados, casas abandonadas, y el coro que entonaba los quejumbrosos lamentos habituales en estos casos. Los carroñeros campaban a sus anchas, y a veces la comitiva se veía obligada a abrirse paso entre los buitres que daban buena cuenta de algún cadáver tirado en la carretera. Parecía el reino del caos, como si en verdad el iracundo Set hubiera pasado por allí, pues incluso una tarde se encontraron con los restos de unos infelices que habían sido empalados en un recodo del camino.

Por fin, una mañana se toparon con una partida de hombres que les cerraban el paso. No eran muchos, pero enseguida desplegaron sus estandartes, que los acreditaban como tropas del faraón.

—Alto en nombre del dios de las Dos Tierras; vida, salud y prosperidad le sean dadas —dijo el que parecía estar al mando en tanto se aproximaba.

En cuanto Kamose lo vio supo que habría que aligerar la bolsa, aunque la cosa no pasaría de allí. El oficial echó un vistazo a la caravana a fin de calcular lo que podría sacar y enseguida reparó en los hombres armados que la custodiaban, que los sobrepasaban en número. Al punto se dirigió al hombre que encabezaba la comitiva, un viejo comerciante de quien en realidad nadie conocía su verdadero nombre, aunque aseguraban que era beduino.

—Estamos exhaustos ante tanto trabajo —dijo en voz alta—. Y lo peor es que no sabemos con seguridad cuándo lo vamos a terminar.

El comentario levantó risotadas entre sus hombres.

—Limpiamos los caminos de escoria. Para que las buenas gentes puedan comerciar como es debido —señaló mientras aceptaba el odre de agua que le ofrecían—. Gracias —continuó tras limpiarse la boca con el dorso de la mano—. ¿Hacia dónde os dirigís?

—Al oasis de Kharga.

—¿Al oasis de Kharga? Hace mucho que nadie se aventura por esa ruta. —El viejo beduino asintió para confirmar lo que todo el mundo sabía—. Ya veo. Transportáis valiosas mercancías. Seguro que conseguiréis un buen beneficio; si llegáis.

—Haremos cuanto podamos para ello —dijo el viejo mientras señalaba al grupo que escoltaba la caravana.

—¿Habéis visto algún rebelde?

—Solo lo que quedaba de ellos, y los buitres que los acompañaban.

El oficial lanzó una risotada.

—¿Habéis oído? —dijo dirigiéndose a sus hombres—. Al fin se reconoce nuestra labor. Además, estamos decididos a que los buitres ocupen el lugar que les corresponde. Nejbet, la diosa buitre del Alto Egipto, señoreará de nuevo en sus dominios como es debido.

Aquel comentario volvió a desatar las risas de la soldadesca.

—¿Sabes, buen mercader? A veces, esos canallas se esconden donde menos te lo esperas, e incluso son capaces de disfrazarse para hacerse pasar por honrados tratantes.

El beduino volvió a asentir al tiempo que esbozaba una media sonrisa. Ya sabía él de sobra lo que querían aquellos hombres desde el primer momento.

—En mi caravana solo encontrarás buena gente. Algunos han venido desde muy lejos para comerciar a la mayor gloria del faraón. Los funcionarios de aduanas nos esperan impacientes para aplicarnos las tasas correspondientes. Ya sabéis lo necesitado que está el rey de dinero después de una guerra tan costosa como la que hemos sufrido.

El oficial se acarició un instante la barbilla, como calculando, y luego adoptó un aire de gravedad.

—Escucha, buen mercader. No es mi intención alarmarte, pero me temo que os va a ser imposible llegar a Kharga. —El beduino enarcó una de sus cejas—. Sí, ya sé que vais bien escoltados —se apresuró a añadir el oficial—, y que de seguro esos hombres son buenos combatientes, pero no os valdrá de nada.

El viejo se encogió de hombros al tiempo que hacía un gesto de impotencia.

—Tentaremos a la fortuna entonces.

El oficial bajó el tono de voz, como si quisiera hacer una confidencia.

—La ruta que lleváis está infestada de sediciosos. Ladrones y forajidos de la peor especie. A ellos les importa poco que los funcionarios del faraón os estén esperando impacientes.

El beduino volvió a asentir, a la espera de que el oficial continuara.

—Hallaréis partidas por doquier, y de seguro que ya hay quien vigila vuestros pasos. ¿Has oído hablar de Netjeruy?

—Jamás escuché ese nombre —señaló el beduino.

Entonces el oficial repitió la pregunta en voz alta.

Hubo un murmullo en la caravana y todos se miraron con extrañeza, ya que nunca habían escuchado ese nombre.

—Bueno, tampoco me extraña —continuó el oficial—, pues ninguno de los que se encuentran con él vive para contarlo. Escuchad. Ese hombre es el mismísimo diablo. Ni la serpiente Apofis lo admitiría ante su presencia. Cabalga junto a un nutrido grupo de desalmados de la peor especie, y nadie sabe de ellos hasta que ya es demasiado tarde.

Kamose observaba la escena con cierto interés. Sobre todo porque tenía curiosidad por saber cuánto le iba a costar reanudar la marcha.

—Netjeruy es implacable, y hace unos días hubo pruebas de su paso justo en uno de los valles que atraviesan los farallones del oeste, en vuestra ruta. Es mi responsabilidad advertiros de que si porfiáis en continuar seréis hombres muertos.

El beduino se hizo cargo de la advertencia y luego, con un gesto, invitó a parlamentar a los hombres que le seguían. Al punto se situaron en un aparte, y al poco el viejo volvió junto al oficial.

—He de decirte, noble guerrero, que nos hallamos muy impresionados por tus palabras, y agradecidos también por tu noble gesto. Por ese motivo estamos dispuestos a solicitar tu protección a pesar de contar con los hombres de nuestra escolta, que, en confianza te diré, son tan desalmados como las huestes del tal Netjeruy, si me permites que te lo diga.

El oficial hizo una mueca teatral.

—Buen mercader, me abrumas con tus palabras; de lejos se veía que erais gente principal. Pero has de comprender que somos soldados del dios y que su servicio nos obliga a patrullar esta zona. No sé cómo...

—Entendemos perfectamente cuál es vuestra situación. Por ello, cada uno de nosotros estaría dispuesto a ofreceros tres óbolos, y ya ves que somos nutrido grupo.

El oficial hizo un aspaviento que no extrañó en absoluto al beduino.

—¿Habláis en serio? —preguntó con el tono de quien se siente ofendido.

—Completamente. Piensa, digno discípulo del gran Alejandro, que nos conformaríamos con que os adelantarais en nuestra ruta para explorar el terreno, y así poder avisarnos en caso de que el tal Netjeruy asomara su canallesca nariz.

El oficial se rascó la cabeza, sin pudor alguno por el hecho de que advirtieran que quería regatear.

—Oh, nobles comerciantes, apelamos a vuestra generosidad. Medio dracma no es propio de personas de vuestra condición.

El beduino sonrió, ladino.

—Es un dracma lo que te ofrecemos, seis óbolos, soldado sin par. Cuando lleguemos a Kharga te daremos la otra mitad.

El oficial pareció reflexionar mas enseguida aceptó, pues sacaba mucho más de lo que nunca hubiera pensado ese día. Los dioses le habían favorecido en tal ocasión, ya que tampoco era cuestión de enfrentarse con aquellos mercenarios por intentar quedarse con el botín.

Cerraron el trato, y así fue como la caravana prosiguió la marcha, no sin antes obsequiar a sus nuevos protectores con un par de ánforas del peor vino que llevaban. Estos salieron de allí como perseguidos por los genios del Amenti, asegurando que advertirían a aquellas buenas gentes a la primera ocasión en que intuyeran peligro.

Kamose reía para sí. Tres óbolos no era mucho, sobre todo porque se ahorraba los otros tres, ya que estaba seguro de que nunca más volverían a ver a aquellos soldados.

13

El sol se miraba en los acantilados como si estos fueran espejos de bronce. Las paredes lucían cual bruñidas por la mano de los dioses, y hasta las rocas parecían ascuas. El lugar se asemejaba a una fragua que a la vez formara parte de un paisaje de tierra incandescente, salpicada por el pedregal. Cualquier egipcio hubiera asegurado que el Amenti le daba la bienvenida para cubrirle con su manto baldío. Para el resto, era el reino del olvido el que allí abría sus puertas. Caminos que zigzagueaban por entre los altos farallones, quizá perdidos en un mundo de silencio que resultaba sobrecogedor. A nadie hubiera extrañado si en aquella hora los genios del Inframundo se hubieran hecho corpóreos, pues los infiernos no debían de ser muy diferentes a semejante cuadro de desolación. Los dioses creadores habían pasado por allí sin detenerse, para dejar un lienzo estéril pintado con los colores del abandono. En su desesperación, la tierra se agrietaba para elevar sus súplicas por un poco de agua, pero estas nunca llegaban, estériles como todo lo que rodeaba tan siniestro lugar. Si acaso la cobra y el escorpión señoreaban en aquellos dominios, sabedores de que llevaban consigo la muerte, y esta, siempre insaciable, acechaba por doquier con su ánimo inquebrantable.

La caravana avanzaba silenciosa por los angostos desfiladeros, envuelta en los matices propios de un espejismo sin igual. Sobrecogidos en su ánimo, recorrían las sendas entre barrancos y desfiladeros, temerosos de pronunciar siquiera una palabra que pudiera despertar a alguno de los demonios que, de seguro, moraban allí. Kamose caminaba junto a su sobrino, cabizbajo y con el deseo de atravesar lo antes posible aquella pequeña cordillera que los separaba de la antigua carretera que conducía a Kharga, ya en terreno abierto. Desde que se encontraran con los soldados, días atrás, la comitiva había mantenido una desacostumbrada reserva, impropia de hombres habituados a los rigores del desierto. Era como si un presentimiento se hubiese apoderado de ellos, que incluso les hacía mostrarse poco locuaces junto al fuego al acampar por la noche.

Kamose había experimentado aquella extraña sensación, y su intuición le decía que había un peligro cierto del que debían cuidarse. Aquella misma tarde, al ver cómo los rayos de Ra-Atum refulgían en los acantilados de piedra caliza, tuvo la impresión de que por algún extraño motivo las puertas del Más Allá les esperaban abiertas, ansioso este de recibirlos a todos. Hasta Amosis se sobresaltó al contemplar el espectáculo.

—Es el Hades, tío, tal y como lo imagino cuando Odiseo entra en él.

—Tan solo se trata del sol del atardecer. Ra se prepara para su viaje nocturno y nos avisa con su acostumbrado esplendor. Tú que has sido educado en Karnak y conoces a los dioses deberías saberlo mejor que yo, que apenas me intereso por ellos.

—No, tío, es la sangre derramada en nuestra tierra la que se refleja en los acantilados. El mal nos aguarda.

Kamose se quedó estupefacto, no tanto por la sentencia como por el hecho de que su sobrino fuera poco dado a la superstición. Luego, al continuar la marcha, el comerciante pensó que quizá aquellas historias que Filitas le había metido en la cabeza al pequeño le habían afectado al entendimiento, aunque a la postre llegara a la conclusión de que al niño no le faltaba razón en cuanto a sus temores.

Aquella noche, cuando acamparon, tío y sobrino apenas cruzaron palabra mientras comían su frugal cena: queso, dátiles y un poco de carne seca. El resto de la comitiva permanecía circunspecta, y el silencio solo se veía roto por las carcajadas de los mercenarios que escoltaban la comitiva, quienes bebían ajenos a cualquier temor. Hacía frío, y Amosis se acurrucó junto a su tío, envuelto en su manta.

—¿Cuándo volveremos a Tebas? —preguntó de repente el chiquillo.

Kamose parpadeó ligeramente, sin apartar la mirada de la lumbre.

—Cuando se calme la ira del faraón —respondió al poco.

—¿Y cómo sabremos cuándo llegará ese momento?

—Esa sí que es una buena pregunta, pero me temo que solo el tiempo será capaz de contestarla.

—Entonces, ¿viviremos siempre en Kharga?

—Estoy convencido de que no. Aunque verás como allí haremos buenos negocios.

—Pero Kharga está rodeada por el desierto, y solo podremos tratar con los beduinos. Aseguran que son muy astutos.

Kamose soltó una risita.

—Lo son, pero tú serás capaz de negociar con ellos, ya lo verás.

El niño se revolvió incómodo, pues se acordaba de su vida pasada en Koptos y también del viejo Filitas. Como casi siempre, su tío le leyó el pensamiento.

—Te prometo que algún día regresaremos a Tebas, e incluso a Koptos si así lo deseas. Además, lo haremos como personas principales. Con la bolsa bien repleta de dracmas.

—Entonces no hará falta que recorramos los caminos como si fuéramos nómadas.

—Nos estableceremos como corresponde y tendremos un negocio floreciente.

El comentario satisfizo mucho al pequeño, que suspiró esperanzado. Kamose echó un poco de estiércol seco al fuego y luego se volvió hacia su sobrino.

—Ahora debemos descansar, y como cada noche has de leerme algún pasaje de la historia de Odiseo.

A Amosis se le iluminó la mirada.

—Hoy comenzaremos el canto VIII —apuntó el niño.

—¡Oh, el VIII! Seguro que me gustará mucho.

El chiquillo rio encantado, y enseguida comenzó a recitar.

—«Al mostrarse la Aurora[14] temprana de dedos de rosa...»

Y al poco tiempo ambos se quedaron dormidos.

14

A la mañana siguiente, la diosa no hizo honor a la fama de su nombre. El cielo no se tiñó con el delicado color de sus dedos rosados al llegar la primera luz del amanecer, quizá porque aquel día la Aurora no abandonaba gozosa su lecho en el océano para luego enganchar sus hermosos caballos blancos, Faetonte y Lampo, a fin de iniciar su viaje en el que precedía al carro del sol.

Sin lugar a dudas, el sendero que recorría la deidad no fue sembrado de rosas frescas al paso del astro rey, pues debieron de quedar perdidas en algún otro lugar de su viaje; quién sabía dónde. El desfiladero retumbó de forma inaudita, como cuando Geb, el dios egipcio de la tierra, soltaba una de sus temibles carcajadas,[15] aquellas que solo traían muerte y desolación.

Pero aquello poco tenía que ver con Geb, y mucho menos con su espeluznante risa, pues más bien era cosa de Set, el iracundo dios del caos, señor de los desiertos y las tierras baldías, que en aquella hora se hacía corpóreo junto a las huestes enviadas por Anubis para recibir su botín.

Las quebradas se llenaron de espanto, y los farallones se hicieron eco de gritos y aullidos, que tronaron como si la monstruosa Ammit,[16] la Devoradora de los Muertos, se estuviera dando un festín de almas condenadas en la sinuosa angostura.

Todo ocurrió con la celeridad propia de tales ocasiones, pues cuando la muerte acecha solo ella elige el momento. El suelo retumbó cual estruendo de mil tambores, y al poco el campamento se vio presa de la locura de los hombres. Era como una oleada ante la que no cabía oposición alguna, una pesadilla para los que todavía dormían, o simplemente el horror que les esperaba. Los demonios se habían hecho presentes, y ante ellos poca oposición valía. Apenas dio tiempo a que se cruzaran las armas, pues fueron sorprendidos de improviso, y solo los lamentos se hicieron oír entre el estruendo de la cabalgada. La aguerrida escolta de tan principal comitiva ni siquiera tuvo tiempo de empuñar sus espadas, y el fragor de la contienda se vio envuelto por el polvo levantado por las caballerías. Los relinchos de estas se unieron a los quejidos de quienes caían, en tanto los feroces cascos pisoteaban cuanto se les interponía.

Kamose tuvo el tiempo justo para protegerse, junto con su sobrino, detrás de una pequeña roca. Su intuición ya le había advertido acerca del peligro, y ello le había hecho permanecer en duermevela aquella noche. Por eso tardó poco en reconocer el espeluznante sonido que traía el amanecer, y también su significado. En aquella hora Ra-Khepri, el sol de la mañana, los hacía testigos del exterminio y de lo poco que valen las expectativas humanas ante el designio divino.

Aquella jauría que se les echaba encima parecía poseída por una furia inaudita. Sejmet desatada no hubiera podido causar más pavor que el que provocaba aquella horda salvaje. El comerciante tebano vio cómo en un abrir y cerrar de ojos despachaban a los aguerridos mercenarios que los acompañaban, ya que la mayor parte de estos no tuvieron tiempo ni de levantarse. Con el resto se ensañaron de mala manera, como si aquellos desalmados tuvieran cuentas pendientes que saldar con los infortunados mercaderes. Una figura se destacaba del resto por su singular ferocidad. Era un hombre robusto que, encapuchado, dirigía su cabalgadura contra todo aquel que encontraba a su paso para luego quitarle la vida. Cuando se presentó ante el viejo beduino, que de rodillas imploraba clemencia extendiendo ambas manos hacia él, aquel demonio se bajó del caballo y, de un solo tajo, le cortó ambos brazos al pobre infeliz, que cayó entre horribles alaridos.

Kamose se sintió paralizado ante semejante barbarie, mas por alguna extraña razón le resultaba imposible apartar la mirada de aquel canalla. Había algo en él que le resultaba familiar, sin acertar a saber qué era. Quizá su forma de andar, o la agilidad de sus movimientos. Estaba tan ensimismado que apenas tuvo tiempo para esquivar el mandoble que le lanzaron. Entonces asió a su sobrino de un brazo y ambos salieron corriendo, despavoridos, con la presteza de quien le va la vida en ello. Pero algo se interpuso en su camino, algo tan duro como el granito de Asuán, y cuando impactó en su rostro Kamose pensó que se había topado con alguna de las formidables columnas que conformaban la sala hipóstila del templo de Karnak.

Tío y sobrino rodaron por el suelo pedregoso, entre el polvo y las carcajadas. Aturdido, el mercader pudo ver cómo eran rodeados por un grupo en el que distinguía con claridad sus armas ensangrentadas. Al parecer aquellos hijos de mala madre habían dado fin al resto de la comitiva, y ahora reían y hacían burlas mientras se les aproximaban. El pequeño permanecía sentado un poco más allá, sin comprender muy bien lo que ocurría. Mas el tebano sabía que estaban condenados. Aquella chusma no hacía prisioneros, y por un instante pensó en lo caprichoso que podía llegar a resultar Shai, el que rige nuestro destino, al haber dirigido sus pasos hasta tan desolado paraje. Aquel no era un buen lugar para morir, y menos para un niño, y el mercader se maldijo por no haber continuado en Koptos aun a sabiendas de que podía ser alcanzado por la venganza del faraón. Pero era fácil arrepentirse ahora, cuando su suerte estaba echada; si, como algunos aseguraban, todo estaba escrito, ya daba igual.

Entonces dirigió su mirada otra vez hacia su sobrino, justo para ver cómo alguien se le acercaba. Era el encapuchado, el hombre sin alma, aquel que había cercenado los brazos al pobre beduino sin sentir la más mínima compasión. Kamose lo observó avanzar con la espada ensangrentada en la mano, y de nuevo tuvo la impresión de que sus andares le eran familiares. Justo cuando llegó junto a su sobrino se detuvo, y de repente se hizo el silencio. El tratante se incorporó un poco más, incrédulo ante lo que veían sus ojos. La imponente figura de aquel hombre permanecía inmóvil ante el chiquillo mientras movía su arma de un lado a otro, como si se tratara de un acto reflejo. Cubierto de polvo, Amosis observaba como hipnotizado al guerrero embozado de cuya espada parecía manar sangre; goterones que caían sobre una arena sedienta donde las hubiera. Durante unos instantes el tiempo pareció detenerse, como si el caprichoso dios del destino estuviera considerando alguna otra cuestión; aspectos que escapasen a todo entendimiento, o quizá razones que solo a los dioses compitiesen. Mas de improviso todo se precipitó, y el temible desconocido alzó su espada sobre la criatura igual que haría el peor de los acólitos de la terrible serpiente Apofis.[17] Fue en ese momento, al levantar su brazo, cuando la capucha cayó hacia atrás y el desconocido pudo mostrar su rostro. Entonces Kamose ahogó un grito, y al punto creyó que su corazón se detenía. Pero... ¿cómo era posible? ¿Qué suerte de sortilegio obraba allí? ¿Acaso Shai había decidido burlarse de ellos?

Justo cuando aquel furibundo seguidor de Set se disponía a descargar el golpe, Kamose alzó su brazo hacia él al tiempo que le gritaba:

—¡Detente, Sekenenre! ¿Acaso no reconoces a tu hermano?

15

Quieran los dioses sentirse piadosos, da igual quiénes sean, o dondequiera que se encuentren, con los hombres que han perdido su alma antes de ser juzgados. Sekenenre la había dejado olvidada en el recodo de algún camino, sin poder precisar cuándo, y tampoco era que le importara demasiado. Resultaba curioso cómo podía haberse llegado a semejante situación, sobre todo para alguien que, como él, había decidido hacer de los más rancios valores de la milenaria historia de su pueblo un dogma al que nunca renunciaría. Sin embargo, las cosas habían sido de otra forma. A veces la vida discurre de tal manera que se nos escapa entre las manos como si fuera agua del Nilo, sin que tengamos poder sobre ella. Para alguien educado en las más viejas tradiciones aquel símil resultaba muy apropiado, sobre todo por el hecho de que el juicio ante el Tribunal de Osiris podía ser omitido, pues no había necesidad. Su condena sería segura, y no existía la más mínima posibilidad de que Thot, el dios de la sabiduría, hiciera amaños al escribir sus pecados en el papiro mientras pesaban su alma; incluso los cuarenta y dos dioses presentes habían dejado de preocuparle hacía mucho tiempo. En cuanto a Ammit, qué podía decir. En muchos aspectos él era como la monstruosa diosa, así que comprendía perfectamente lo que le ocurriría cuando se vieran las caras.

Todo lo anterior podía ser una historia de tantas, de las muchas que acontecían a lo largo de la vida del hombre, si no fuera porque Sekenenre apenas había alcanzado los veinte años. Demasiado tormento para tan corta edad. En realidad las circunstancias habían abogado a la hora de que su vida no hubiese discurrido por donde debía, pero así eran las cosas para la mayoría. Los caminos que se nos presentan no son fáciles de reconocer, y menos cuando existen influencias de por medio.

Sin lugar a dudas, el ascendente que había tenido Nectanebo sobre su primogénito había resultado decisivo en la vida de este. Aquel sentimiento nacionalista no había sido convenientemente interpretado por el bueno de Nectanebo, sobre todo por no saber trasladarlo de forma adecuada a una personalidad tan vehemente como la que poseía su hijo mayor. Que este era un tipo belicoso era bien conocido por todos ya desde su niñez, y el que más y el que menos pensaba que el muchacho podía acabar mal. A Sekenenre los negocios familiares siempre le habían interesado poco, y de haber vivido en otra época se habría enrolado en los ejércitos del dios para así extender las fronteras de la Tierra Negra hasta los confines del mundo conocido. Mas no había nacido en tiempos del gran Tutmosis, sino en el de Ptolomeo, y de aquel Kemet, como él solía repetir una y otra vez, ya no quedaba más que el nombre.

Fue por ello por lo que se sintió llamado por el deber de devolver a su depauperada patria el lustre de los siglos pasados, animado por un padre que no era capaz de percatarse del flaco favor que hacía a su vástago al alentar en él la llama de la confrontación.

Lo que ocurrió después no extrañó a nadie. Los viejos poderes que siempre habían gobernado el país de las Dos Tierras se valieron de Sekenenre y de cientos de jóvenes que, como él, creyeron que era posible alcanzar la independencia con la que llevaban soñando desde hacía siglos. La Tebaida se sublevó, y las consecuencias de cuanto sucedió después serían determinantes en el devenir de las vidas de todos aquellos tebanos que se habían rebelado contra el faraón.

El día que Sekenenre se despidió de su padre para ir a la guerra sería el último en el que lo vería con vida. Nunca más se volverían a encontrar, pues Nectanebo sería ajusticiado al poco de comenzar el conflicto tras sufrir una denuncia. Aquel hecho había tenido una gran trascendencia en el carácter del primogénito, quien con el tiempo se volvió implacable y llegó a desarrollar una naturaleza sanguinaria, incluso cruel en no pocos casos. Como les ocurriera a otros muchos, Sekenenre convirtió aquella conflagración en un asunto personal para terminar por hacer de la muerte y el espanto su alimento diario. Cometió pillaje y tropelías sin fin, hasta que los viejos valores que en su día estuvo decidido a recuperar ya nada importaban. Estos habían desaparecido hacía mucho, como tantas otras cosas que habían convertido al joven en alguien irreconocible.

De este modo Set tomaba su alma prestada sin ánimo de devolvérsela, como tantas veces hacía el taimado dios, y al sentirla perdida Sekenenre mostró lo peor de sí mismo, empujado sin duda por el rencor y el odio a cuanto consideraba que lo había conducido hasta allí. Si no había justicia divina al menos impondría la suya, y a fe que se dispuso a repartirla a la menor oportunidad. Así fue como su nombre llegó a convertirse en sinónimo de desgracias, y su brazo a ser temido por todo aquel que tenía el infortunio de cruzarse en su camino. Sekenenre fue artífice de su propia reputación, y se acostumbró a convivir con ella de tal modo que al terminar aquella guerra civil su senda estaba definitivamente trazada.

La Tebaida que se exponía entonces a los ojos de sus hijos era como una tétrica representación de la exhumación de sus necrópolis. Los cadáveres se hacinaban en cualquier parte y los campos presentaban un aspecto tan moribundo que bien pareciera que el faraón se los hubiera vendido a Anubis mediante algún trato secreto. El lamento se apoderó entonces de aquella tierra olvidada por la fortuna, y su nombre ya no fue remedo de gloria, sino de desgracia y pesadumbre. ¿Hacia dónde se dirigía entonces? ¿Cuál sería su suerte futura?

Poco tiempo hizo falta para adivinarlo. Tebas estaba condenada, y su nombre y su afamada gloria tan solo quedarían en la memoria de los hombres como sinónimo de una grandeza que ya se perdía en el recuerdo de los tiempos lejanos. Sus gentes quedaban de esta forma marcadas para siempre, como si fueran simple ganado, y en sus corazones solo permaneció la vanidad de haber sido hijos de Waset, la ciudad de las cien puertas.

Sin duda era poco bagaje para espíritus que añoraban la vuelta a sus raíces, y sus sentimientos, cercenados por la espada del abuso soberano, corrían huérfanos por los labrantíos perdidos en los caminos que ya no conducían a ningún lugar, como parte de un ensueño que se volatilizaba.

La justicia del señor de las Dos Tierras cayó entonces como una losa sobre los vencidos. El infortunio llegaba dispuesto a hacerse cargo de sus vidas, y por ende de sus haciendas. Lo poco que poseyeran les sería arrebatado, pues ya no tenían cabida en la tierra de sus antepasados. Simplemente el futuro se construiría sin ellos, y el olvido se dispuso a tejer su manto, pesado como la piedra. Pero ¿qué había sido del divino Amón? ¿Dónde se hallaba el Oculto? ¿Por qué había abandonado a sus acólitos cuando estos más lo necesitaban? Preguntas como estas se elevaban a los cielos sin obtener respuesta. Sencillamente, porque no existía. Amón había decidido marcharse para siempre, y muchos se preguntaban cuál había sido su pecado para que aquel día de infortunio llegara. Del poder de Karnak tan solo quedarían las piedras de su tiempo; exiguo bagaje para aquellos que un día habían gobernado la Tierra Negra y para un pueblo que en verdad se había tenido por el elegido de los dioses.

A pocos extrañó que la región se llenase de renegados dispuestos a continuar la lucha. Aunque la guerra había terminado, muchos de aquellos hombres no tenían adónde ir, y al poco la Tebaida se llenó de partidas de sediciosos a las que no tardaron en unirse ladrones y malhechores de la peor especie. Para ellos ya no existía más bandera que la de la mera supervivencia. Jamás acatarían las leyes que Ptolomeo les imponía desde Alejandría, y a combatirlas decidieron emplear sus esfuerzos. Claro que pronto se vio que sus planes iban mucho más allá de la simple desobediencia civil. Aquellos grupos organizados se dedicaron a asaltar todo lo que pudiera reportarles algún beneficio, y así las granjas y los desprotegidos caminos se convirtieron en blanco de sus fechorías, y la región, en un lugar poco recomendable para llevar una plácida existencia. El faraón tomó cartas en el asunto y se organizaron destacamentos para perseguir a aquellas bandas y, de esta forma, velar por la seguridad de los pobres granjeros. Las tropas se emplearon a fondo, y durante un tiempo fue corriente encontrarse ajusticiados en las lindes de los caminos, como también lo fue que se cometieran injusticias entre los que no tenían culpa.

Para Sekenenre, su fortuna se encontraba a lomos de su cabalgadura. No existía para él más futuro que ese, y si había sido capaz de sobrevivir ante los mercenarios del rey no había razón para no seguir combatiéndolos durante el resto de sus días. En realidad, el joven se hallaba en conflicto con cuanto le rodeaba. En su opinión, muchos de sus paisanos no se habían empleado como debieran contra el vil opresor, sobre todo los granjeros que ocupaban las cleruquías. Por eso, y tras algunas andanzas en solitario, se unió al grupo más sanguinario que cupiese imaginar, a cuya cabeza marchaba un individuo cuyo nombre era motivo de temor en toda la Tebaida: Netjeruy.

Netjeruy, o comoquiera que se llamara aquel hombre, personificaba a la perfección el terror en estado puro. Su aspecto era tan intimidatorio que solo verlo causaba espanto, pues era enorme y feo como un demonio, y a la profusión de cicatrices que recorrían su cuerpo se añadía el hecho de que fuera tuerto y desdentado; por si fuera poco, le faltaba una oreja. Nadie podía asegurar con certeza de dónde procedía aquel tipo, aunque él hiciera gala de provenir de familia principal, de las de toda la vida, establecida desde tiempo inmemorial en Tyebu, la capital de Uachet, décimo nomo del Alto Egipto. Al parecer había sido educado en la piedad y el cultivo del espíritu, como correspondía a unos ascendentes sumamente religiosos que le habían inculcado el amor por su tierra milenaria. De ahí su nombre, ya que Netjeruy significaba «los dos dioses», y el susodicho estaba muy orgulloso de ello. Claro que era difícil imaginar cómo alguien bautizado de forma tan pía pudiera cometer tantos desmanes, ya que aquel individuo no respetaba hacienda ni bandera, edad o condición. Según él, los únicos buenos egipcios eran los que habían muerto en la lucha en defensa de sus ideales, y el resto se dividía en enemigos o traidores, que a la postre venían a significar lo mismo. Con semejante simplicidad en sus razonamientos, no fue de extrañar que se le unieran todos aquellos bandidos y malhechores que merodeaban por la región, gente de la peor calaña, sin otra ambición que la de vivir de la forma más perniciosa posible.

No hizo falta mucho tiempo para que el nombre de aquel canalla se hiciera un lugar entre los más reputados forajidos de la historia. Como les ocurriera a muchos de sus seguidores, Netjeruy había combatido a las fuerzas del faraón con dispar fortuna, aunque siempre se había distinguido por su arrojo, ferocidad y buen manejo de las armas. Su fortaleza se hizo famosa, y al llegar el armisticio no tuvo dificultad en formar su propia milicia, como él la llamaba, que con el tiempo llegaría a sobrepasar los cincuenta hombres. Con una mesnada como aquella la vida le ofrecía todo un abanico de posibilidades, y como Netjeruy era buen estratega enseguida la organizó de forma que pudiera sacar el mayor provecho a sus andanzas.

El ejército del dios lo persiguió por toda la comarca, pero el guerrillero siempre lograba escapar, a veces para desaparecer como por ensalmo en las arenas del desierto occidental.

Cuando conoció a aquel individuo, Sekenenre supo que había encontrado un nuevo hogar. En realidad, si no fuera porque Netjeruy le doblaba la edad y era más corpulento, ambos eran muy parecidos. En cuanto al resto, aquellos dos hombres tenían las mismas raíces y también las mismas ambiciones: extender su justicia allí donde les dejaran. No fue de extrañar que el cabecilla lo recibiera como a un hijo, y a Sekenenre le pareció bien dado que compartían sus ideas. Pronto el joven se hizo un nombre entre aquel grupo de maleantes, y su fama empezó a correr pareja a la de su jefe como sinónimo de los peores males terrenales.

La tarde en que avistaron por primera vez la caravana, no podían salir de su asombro. ¿Cómo era posible tamaña imprudencia? ¿Acaso no habían oído hablar de ellos? Incluso llegaron a sentirse ofendidos ante el descaro que mostraba la comitiva al atreverse a atravesar aquel territorio en los tiempos que corrían.

El grupo llevaba unos días quemando haciendas y robando cuanto podía al norte de la Tebaida cuando descubrió la presencia de aquellos mercaderes. Estos se hacían acompañar por una escolta de mercenarios, lo cual los llenó de regocijo y suscitó no pocas bromas, ya que no dejaba de suponer un acicate más para sus correrías.

La pequeña partida de soldados con la que se encontró la caravana no mintió al advertirles de la presencia de aquellos bandidos, aunque luego se abstuvieran de avisarlos del peligro que corrían y renunciaran a ganar otros tres óbolos por cabeza.

Para Netjeruy fue sumamente sencillo preparar la celada. Solo tuvo que dejar que aquellos incautos se adentraran en los pasos de las montañas del oeste, que tan bien conocían, y elegir el momento idóneo para el ataque. Cuando se percataron de las cuantiosas mercancías que transportaba aquella caravana, apenas pudieron reprimir su júbilo. Por fin Set se apiadaba de ellos y les mandaba sus bendiciones, porque, justo era reconocerlo, aquello era una bendición en toda regla. Allí había ganancias para todos, y en cantidad, algo que desató la euforia hasta el punto de que Netjeruy se vio obligado a intervenir para evitar pendencias antes de tiempo.

La víspera del ataque aquellos bribones no podían disimular su codicia, pues el que más y el que menos ya había calculado lo que le correspondía. Por tal motivo Netjeruy decidió no demorar más el asalto, y con las primeras luces se lanzaron sobre los desprevenidos mercaderes que todavía dormían. Tal y como esperaban, los guerrilleros no tuvieron ninguna dificultad en desembarazarse de la escolta, y cual una horda arrasaron el campamento, como si se tratara de genios infernales.

Allí no debía quedar nadie con vida, pues los prisioneros suponían siempre una carga para el grupo. Por eso, todos se quedaron estupefactos al ver cómo Sekenenre bajaba su espada ante las súplicas de aquel hombre.

16

El paupérrimo fuego apenas crepitaba mientras aquellos hombres parecían perder la mirada entre los rescoldos.

—No hay duda de que los dioses escriben en papiros que nunca nos muestran —señaló el mercader.

—¿Acaso lo merecemos? ¿Qué esperas, si nos hemos olvidado de ellos? —replicó Sekenenre.

Kamose removió las brasas en tanto observaba a su sobrino mayor.

—Mira en lo que nos hemos convertido —continuó este—. Yo siempre seré un fugitivo. En cuanto a ti...

Kamose sonrió con sarcasmo.

—Ya sé que nunca consideraste en demasía mis puntos de vista, pero al menos mi edad me da cierto derecho a mantener mis opiniones —dijo.

—¡Ja! Conozco de sobra tus puntos de vista —apuntó el sobrino sin ocultar su desdén.

—En cualquier caso, no han sido ellos los que nos han llevado a esta situación.

Sekenenre lo miró con disgusto.

—Todos los que piensan como tú le han hecho un flaco servicio a Kemet. Incluso diría que sois los causantes de este final.

—Me temo, querido sobrino, que buscas los culpables en el lado equivocado. Yo no provoqué la desgracia de nuestra tierra, y mucho menos molesté a los dioses; fundamentalmente porque apenas creo en ellos.

Estas palabras disgustaron de forma particular a Sekenenre, que soltó un exabrupto.

—Sin creencias no hay ideal que valga, ni nada por lo que merezca la pena luchar.

—Bueno, en eso te equivocas, si me permites decirlo —apuntó Kamose—. Uno puede luchar por su propia supervivencia, que no es poco; y hacerlo puede ser tan duro como la peor de las batallas.

—Siempre me pareciste un digno representante de los de tu oficio.

—En él me empleo. Así lo aprendí de mis mayores. Es lo que hemos venido haciendo desde hace generaciones.

—Sé a lo que te refieres, y mira cuál ha sido el resultado. Menudo egoísmo. Ni siquiera tienes palabras para nuestro bendito valle.

—Te equivocas si piensas que soy menos tebano que tú por el hecho de no haber empuñado la espada.

Sekenenre forzó una carcajada.

—Tú podrías ser hijo de cualquier pueblo —señaló con desprecio—. Los de vuestra calaña solo os guiais por el sonido de las monedas de plata.

—Bien dicho, sobrino, aunque ya te adelanto que nadie puede elegir el lugar de nacimiento, y mucho menos a su familia. En cuanto a las monedas... Qué quieres, es mucho mejor cultivar su amistad. En esto tu padre estaba de acuerdo conmigo.

Al oír aquellas palabras, Sekenenre se sintió invadido por la cólera.

—¡Ni se te ocurra compararte con tu hermano! —tronó el joven—. No eres digno de mencionar su nombre en tales términos. Él supo elegir el camino correcto cuando se le presentó, sin que le importara dar su vida por aquello en lo que creía.

Kamose mostró ambas palmas de las manos con gesto conciliador.

—Querido Sekenenre, conozco mejor que tú el honor que atesoraba tu padre, y también lo poco que hubiera deseado verte en esta situación.

—Te repito que Shai no me ha dado otra opción... Claro que la tuya tampoco se me antoja la mejor. Faltó poco para que Anubis os llevara de la mano, ja, ja.

Kamose hizo una mueca en tanto volvía su mirada hacia la lumbre. Sekenenre se había convertido en un tipo despiadado, seguramente lo que siempre había querido ser, y no era que al mercader le extrañase, aunque nunca se imaginara hasta dónde estaría dispuesto a llegar el joven.

—Anubis fue misericordioso con nosotros. Hoy dejó muchas viudas en el camino. Al menos la sangre de los tuyos sigue conservando su valor.

Sekenenre frunció los labios con disgusto mientras su tío recordaba la masacre de la que había sido testigo aquella mañana. Sin poder evitarlo, rememoró la escena en la que su sobrino le cortaba los brazos al viejo beduino y la crueldad de la que hizo gala. Estaba convencido de que si no lo hubiese reconocido, Sekenenre le habría quitado la vida al pequeño sin mostrar compasión alguna. Para su tío, no cabía duda de que se había convertido en un vulgar salteador. De la peor especie.

Amosis observaba la escena con los ojos muy abiertos. En su memoria quedaría grabado para siempre el momento en el que estuvo a punto de morir por la mano de su propio hermano. La figura de este se le antojó poderosa, como la de aquellos héroes troyanos de los que tanto le hablara Filitas. El niño los imaginaba así, y cuando vio la espada en lo alto cernirse sobre su cabeza, se acordó de Héctor y del brazo ejecutor del invencible Aquiles. Claro que poco tenía que ver él con el legendario héroe de Ilión, y mucho menos aquellos sanguinarios forajidos a los que guiaba su hermano con el hijo de Peleo y sus mirmidones; y no tenía muy claro si aquel le había salvado la vida o simplemente lo había hecho su prisionero.

El chiquillo había mostrado una entereza digna de encomio y durante todo el día no había perdido detalle de cuanto había ocurrido a su alrededor. El pillaje al que habíase visto sometida la caravana se produjo mediante los cauces habituales, es decir: gritos, peleas y alguna que otra cuchillada. Netjeruy hubo de emplearse a fondo para poner orden entre sus secuaces, que se sentían enardecidos ante la vista de semejante botín.

—Sé clemente, gran Netjeruy —imploraba uno de aquellos malhechores, que había guardado para sí una bolsa repleta de dracmas. Comprende que nunca había visto tales riquezas.

Pero Netjeruy le cortó el cuello mientras tronaba:

—¡Todo se repartirá como corresponde, en su justa medida!

Aquello de «su justa medida» impresionó más al pequeño que el hecho de que degollaran al ávido bandolero. Sobre todo porque venía a confirmarle que la codicia tenía sus propias reglas, incluso entre la gente de la peor condición. Más tarde comprendió a lo que se refería Netjeruy, y cómo eran los negocios entre los que tienen poder sobre las vidas ajenas.

Sin embargo, el monstruoso gigante no le causó temor, y las mutilaciones que exhibía su rostro no le produjeron desazón alguna. Es más, el fornido hombretón apenas lanzó un gruñido al ver que le perdonaban la vida al muchacho, algo digno de alabanza en un tipo de semejante naturaleza.

En cuanto a su hermano, este lo había abrazado con fuerza al reconocerlo e incluso había derramado algunas lágrimas, seguramente al comprobar a quién había estado a punto de matar. Amosis lo encontró muy cambiado, y en su opinión parecía que hubiera envejecido prematuramente. Sin embargo, Sekenenre no tuvo más que buenas palabras para él, y al niño le pareció que hacía ímprobos esfuerzos por no expresar de forma abierta sus sentimientos.

Aquella noche el rapaz no perdió detalle de la conversación, y fue capaz de advertir el alma atormentada que escondía su hermano. Como de costumbre tomó buena nota de cuanto argumentaba su tío, y se sorprendió de la animosidad que le demostraba su hermano, sin llegar a comprender muy bien cuál era la causa de aquel desafecto. Pero Sekenenre estaba resentido, y ambos familiares continuaron intercambiando reproches hasta que Kamose terminó por llevarlo a su terreno.

—Mira, sobrino, tú que te tienes por leal servidor de los verdaderos dioses, deberías admitir que estos no desean que nos circunscribamos a seguir a los más belicosos.

Sekenenre miró desconfiado a su tío, pues conocía bien su habilidad para tratar con los demás.

—Montu[18] y Set están bien, pero hay otros que, no me negarás, también te resultarán interesantes.

—Por todos ellos me encuentro hoy aquí.

—Precisamente —señaló Kamose, que esperaba esa respuesta—. Es por eso por lo que mi camino ha sido diferente al tuyo, y convendrás conmigo en que este ha sido trazado por el mismo dios que decidió el que tú seguiste.

Sekenenre no pudo por menos que esbozar una sonrisa. Y es que su tío era astuto como pocos.

—A mí Thot siempre me cayó bien, dentro del desapego que en general muestro por nuestros padres creadores. Sin embargo, he de reconocer que la prudencia y el conocimiento son cualidades dignas de encomio. Seguro que estarás de acuerdo conmigo, ¿verdad?

Como Sekenenre permaneciera en silencio, Kamose continuó con su habitual tono embaucador.

—Estaba seguro de ello. Y de la misma opinión era tu padre, a quien quería tanto como tú. —Sin poder evitarlo, el joven volvió a mirar a su tío con cara de pocos amigos—. Nectanebo y yo tuvimos una conversación antes de que abandonara Tebas en compañía de Amosis —continuó Kamose—. Él mismo me apremió para que nos marcháramos lo antes posible, y demostró una lucidez que aún hoy no deja de sorprenderme. Él conocía perfectamente las consecuencias que podrían acarrear los hechos que se avecinaban, así como el lugar que le correspondía a cada uno en esta tragedia.

Ahora el joven escuchaba con atención las palabras de su tío.

—Resultaba obvio que Amosis no podía seguir a Montu, el dios de la guerra tebano, como tú sí harías, pues convendrás conmigo en que poco tiene que ver su *ka* con el tuyo, querido sobrino.

—Guarda las burlas para tus negocios, viejo taimado. Olvidas que Amosis todavía es un niño.

—Ah, ese es el principal punto en cuestión. Sus habilidades —dijo Kamose, señalando al pequeño— le son gratas a Thot, y estoy seguro de que el dios se siente proclive a que las desarrolle. ¿Recuerdas? Prudencia y conocimiento; algo que el bueno de Nectanebo conocía mejor que nosotros. No hubo traición, abandono, impiedad, ingratitud o cobardía en lo que hice, sino juicio. Amosis es el último de nuestra estirpe, y tu padre me hizo jurar por nuestros antepasados que cuidaría de él lejos de la barbarie, para ponerlo en manos del dios de la sabiduría. Eso fue lo que me pidió mi hermano. Claro que tú no estabas allí para saberlo.

Cabizbajo, Sekenenre volvió a contemplar las llamas, arrepentido de sus palabras anteriores.

—Poco ha querido saber Thot de vosotros al traeros hasta aquí —dijo el joven haciendo un gesto hacia su hermano.

—Ja, ja. Ya sabes cómo se las gastan nuestros divinos padres. Son bromistas hasta la exasperación, y en ocasiones me pregunto si en realidad no nos hacen representar alguna función teatral, de esas a las que tan aficionados son los despreciables griegos a los que combates.

Sekenenre escupió con rabia.

—Bueno, me temo que a la postre vuestros pasos os han guiado hacia lo que queda del ejército tebano —apuntó el joven con ironía—. Y os adelanto que aquí, de Thot, nadie se acuerda. Más os valdrá encomendaros a la cólera de Set en busca de su misericordia. Pronto comprobaréis lo poco que puede llegar a valer la vida.

—Ay, querido sobrino, hace tiempo que estoy convencido de ello.

17

No le faltaba razón a Sekenenre cuando aseguraba que Thot no tenía sitio en aquel lugar. En realidad, pocos dioses se habrían aventurado a hacer una visita, ni siquiera de cortesía, y mucho menos a vivir entre semejante banda de rufianes. Ellos aseguraban que Set velaba por su suerte, aunque tal extremo fuera difícil de digerir incluso para el estómago más templado.

Kamose creía que lo había visto todo y que el corazón de los hombres apenas guardaba sorpresas para él, pero se equivocaba. La capacidad del ser humano para superarse a sí mismo es ilimitada, sobre todo cuando tiene ganado el infierno por méritos propios.

No dejaba de tener gracia que un lego en materia religiosa fuera capaz de llegar a tal conclusión. Al fin el mercader tebano había comprendido que los infiernos existían y, lo que es más, que resultaban necesarios. ¿Dónde, si no, acabarían aquellos facinerosos cuando Anubis tuviera a bien visitarlos? Porque, francamente, si semejantes truhanes continuaban sueltos después de muertos, la cosa era de preocupar; eso sin contar con la monumental broma que representaría la justicia divina.

Kamose dudaba de que el iracundo se dignase a ir por allí por mucha cólera que quisiera demostrar, pues suponía que aquellos dioses de los que tan devoto se sentía su pueblo poseían una cierta moral, aunque fuera cada uno a su manera.

Cuando la partida llegó a su escondite, el tratante pensó que aquella gente hacía tiempo que había olvidado su condición humana. Netjeruy y sus secuaces habían elegido para vivir una de las muchas cuevas que podían encontrarse entre los escarpados farallones del oeste, justo en los lindes con el desierto occidental. Era un lugar seguro, sin duda, reflexionó el tebano, pues a nadie en su sano juicio se le ocurriría adentrarse en semejante paraje. Se trataba de una guarida que hasta las bestias desecharían y a la que ni siquiera la temida serpiente Apofis se atrevería a entrar. Bienvenido al Inframundo, se dijo el tebano mientras trataba de limpiar el suelo de excrementos de murciélago para sentarse.

Observando cuanto le rodeaba, Kamose llegó a considerar si en realidad no estaría muerto ya, si sus súplicas a aquel energúmeno que levantaba su espada sobre la cabeza de su sobrino no habrían sido escuchadas. Sin embargo, no había luto en rededor, y aquellos que se llamaban a sí mismos milicias reían y bromeaban como si en verdad hubieran alcanzado los Campos del Ialú.[19] Bien era cierto que la cueva resultaba espaciosa y podía dar cabida a todas las bestias de carga que habían robado aquellos truhanes, que parecían eufóricos. El mercader tuvo que reconocer que no era para menos, ya que el botín obtenido era de consideración y difícilmente volverían a encontrar otro que se le pareciera.

Esa misma noche tuvo lugar el reparto del saqueo. Una representación digna de tragicomedia, o acaso de algún papiro escrito por la mano de los *hekas*.[20] Kamose hubo de admitir que aquello era negociar, y no lo que él había estado haciendo durante toda su vida. Netjeruy determinaba lo que le correspondía a cada cual, y allí no había más que hablar. Como jefe le pertenecía la mayor parte del pillaje, aunque su lugarteniente, Sekenenre, tampoco salía mal parado. No obstante, todos parecieron contentos, sobre todo cuando Netjeruy regaló un ánfora de vino a cada uno de sus hombres.

Telas, madera, especias, lapislázuli, marfil, aceite, vino, monedas de plata... Todo pasó a nuevas manos, y cuando Kamose vio cómo adjudicaban sus asnos junto con su preciosa carga a varios de aquellos facinerosos, no se pudo contener y abogó públicamente ante el gigantesco tuerto a fin de que tuviera a bien dejar que conservara sus bienes. Aquello originó un gran revuelo, y las carcajadas fueron de tal calibre que la cueva retumbó como si se estuviera partiendo en dos. Haciéndose oír entre el tumulto, Netjeruy alzó una de sus manazas en tanto exhibía lo que se suponía era un gesto burlón.

—¿Y tú para qué quieres estas bagatelas? Ya no las necesitas. Estás vivo y, lo que es más importante, bajo nuestra protección. ¿Qué más puedes desear?

Tales palabras desataron el arrebato, y las risotadas fueron de tal magnitud que aquellos salteadores comenzaron a dar brincos a la vez que se abrazaban. Algunos hasta derramaron lágrimas.

A Kamose no se le ocurrió volver a abrir la boca, pues la velada se le antojaba prometedora, y en verdad que no se equivocó. En cuanto el vino comenzó a hacer efecto, se iniciaron las disputas. Los hombres formaron corrillos donde se jugaban las pertenencias, y a no mucho tardar los cuchillos hicieron acto de presencia para resolver las diferencias. Netjeruy apenas se inmutaba, sabedor de que lo mejor era dejar que sus hombres dirimieran sus desavenencias. El mercader no tuvo ninguna duda de lo que le esperaba, y con prudencia se mantuvo aparte junto a su sobrino. Al poco se les acercó Sekenenre.

—Buen ejército habéis formado, querido sobrino. Huestes de la peor condición. Aunque eso sí, supongo que serán muy valientes.

Sekenenre hizo caso omiso de las chanzas de su tío.

—A esto lleva el infortunio. Cuando no hay nada por lo que luchar, el hombre solo piensa en sí mismo.

Kamose soltó una risita.

—Me hago una idea de lo que hubiera sido de nuestra tierra con semejante escoria.

—Ella se vale de cuanto puedan ofrecerle sus hijos para salir adelante. Además, son buenos combatientes.

—Ah, eso lo explica todo.

—Da igual lo que creas —señaló Sekenenre, sin tener en cuenta el sarcasmo—. Son los tiempos que nos toca vivir.

—Me temo que no van a ser los mejores para tu hermano ni para mí —dijo el mercader, sonriendo.

—Estáis vivos y eso es lo que importa. De momento es todo cuanto puedo hacer por vosotros.

—¿Has oído, Amosis? Resulta que hemos caído en manos de los libertadores de nuestro pueblo, y a cambio de nuestras vidas deciden hacernos sus prisioneros.

—Como ya dijo Netjeruy, os halláis bajo nuestra protección. Ya habéis visto lo peligroso que resulta aventurarse por los caminos, querido tío.

—Comprendo, pero he de confiarte que jamás pensé que terminaría mis días convertido en un salteador de caravanas, ni tampoco que el pequeño empezara los suyos de esta forma.

—¡Ja, ja! Con los años te has vuelto pesimista. Buen negocio haríamos contigo si te pusiéramos una espada en la mano.

—Tu jefe decidirá entonces, ¿no es así? Isis nos asista.

—Escucha, tío. Si Netjeruy os dejara marchar podríais delatar nuestra situación, aun sin pretenderlo, y como comprenderás no es posible correr ese riesgo. Además, no somos los únicos que merodean por los caminos. Aquí estaréis a salvo.

—Ya veo. Netjeruy es la ley en estas montañas.

—Mientras Set no decida lo contrario, así es...

Aquella noche Kamose tardó en dormirse, y no debido al alboroto y el griterío que había en la cueva. El tebano pensaba en la situación en la que se hallaban, y por más vueltas que le daba al asunto no encontraba solución alguna. Los dioses, dondequiera que estuviesen, no dejaban de sorprenderle, y ni en sus peores sueños hubiera podido imaginar que terminaría en un lugar como aquel. Bien sabía él lo poco que convenía hacer planes en la vida, aunque justo era reconocer que aquello sobrepasaba cualquier expectativa. Lo peor era no ser dueño de su destino y ver cómo las ganancias obtenidas tras años de esfuerzo se esfumaban como por ensalmo en el polvoriento recodo de una vaguada. Aunque luego se dijese que el dinero iba y venía, como para darse ánimos.

Después pensó en su familia y en el laberinto de caminos que el caprichoso Shai había decidido cruzar en su destino. Sekenenre le parecía un caso perdido, mas no por ello dejaba el joven de tener su misma sangre. Imaginó la cara que pondría el bueno de Nectanebo de verlo en aquella situación, y también lo mucho que se lamentaría su hermano por haber hecho germinar la semilla de la rebelión en un corazón de guerrero. Suspiró, desengañado de su propia ilusión. Nadie podía controlar las reglas de la fortuna, y en ese instante, más que nunca, se dijo que quizá fuera cierto lo que aseguraban y que Renenutet se encargaba de forjar la fortuna de cada individuo ya en el vientre materno.

Entonces Kamose miró hacia Amosis, que dormía junto a él desde hacía rato. Aquel niño despertaba en el mercader emociones que a veces le sorprendían. El cariño que sentía por el pequeño iba más allá del que pudiera experimentar por el hijo que nunca tuviera. Era una sensación que se desbordaba en su interior, como el Nilo en la crecida, hasta embargarlo por completo. El niño llenaba su corazón de todo lo bueno que un hombre pudiese desear, y Kamose veía al chiquillo como una prolongación de su persona, tal como si el *ka* del rapaz hubiera sido concebido para dar continuación a su existencia. El tratante estaba convencido de ello, y veía en Amosis la suerte que a él le había faltado en los momentos clave de su vida. El muchacho llevaba cosida la fortuna a su persona, sobre eso no albergaba dudas, y ese sentimiento lo animó a considerar de nuevo la situación en la que se hallaban. De este modo, echó un último vistazo a su alrededor antes de dormir. La cueva se encontraba repleta de las más preciadas mercaderías, y aquellos bribones solo eran maestros en el robo y el saqueo. Alguien tendría que venderlas.

18

Mientras se dirigían hacia Kharga, Kamose no podía por menos que reír para sus adentros, incluso a carcajadas. Y es que el corazón de los hombres es incapaz de resistirse a la codicia, sin que importe el lugar en el que se encuentre, ya sea una cueva o el palacio del faraón.

Al mercader le había costado bien poco hacer ver a sus captores el valor de todo lo que habían robado, así como los beneficios que podían sacar de una buena venta. Resultaba obvio que un grupo como aquel no podría maniobrar de forma adecuada con semejante carga encima, y lo que en un principio había representado un regalo de los dioses podría llegar a convertirse en una rémora peligrosa. No hizo falta mucho para que aquellos bravucones se pusieran de acuerdo, aunque hubiera alguno que sintiera las lógicas reticencias del que está acostumbrado a no fiarse.

—Creedme —les había dicho Kamose con su habitual tono jocoso—, las monedas son más fáciles de llevar.

A Sekenenre le parecía que su tío era un embaucador como pocos, y se alegró cuando Netjeruy tuvo a bien escuchar sus razones. Quizá Set hubiera cruzado a su familia en su camino de forma imprevista para regalarle un poco de luz a su oscuro corazón, o simplemente para hacerles ganar a todos unas monedas con las que nadie contaba. Las razones que Kamose expuso ante los allí presentes resultaban difíciles de rebatir, y a la postre el mercader no dejaba de ser persona de confianza, pues por algo era su tío.

—Me parece muy juicioso lo que propones, pero te acompañarán varios de mis hombres —había decidido Netjeruy.

El tebano hizo un gesto de agradecimiento e incluso una leve reverencia, algo que pareció gustar al hombretón. Acto seguido, Kamose se le acercó con parsimonia y le dirigió algunas palabras.

—Gran guerrero de Montu, espero que tengas a bien considerar algo que debo decirte y que me parece de capital importancia.

Netjeruy hizo un ademán con el que le invitaba a explayarse sin temor, pues aquel comerciante le caía en gracia.

—Verás, invencible acólito de Sejemjet el Magnífico,[21] convendrás conmigo en la importancia que para ti y para tu gente tiene el negocio que pretendemos llevar a cabo. De su feliz resultado podréis beneficiaros durante muchos años. Imagínate el no tener que volver a depender de la suerte. Podríais proseguir vuestra lucha con toda comodidad, sin la necesidad de arriesgaros para conseguir nuevos botines.

Netjeruy lo miraba fijamente con su único ojo, sin perder detalle de cuanto le decía aquel hombre.

—Debes ser cauto, gran Netjeruy, y elegir de forma apropiada la escolta que me proporcionarás. Por lo que he podido comprobar, cuentas con soldados de diferente procedencia, y creo que sería prudente que los escogidos fueran egipcios de pura cepa, de toda tu confianza.

Netjeruy pareció reflexionar, aunque él ya sabía lo conveniente que resultaría enviar gente de fiar. Definitivamente, aquel tratante le agradaba en grado sumo, y empezó a cavilar sobre nuevos planes para su futuro.

—Sin duda eres previsor, tebano, incluso con lo que ya no te pertenece, ja, ja, ja. Por eso seguiré tus consejos.

—Y no más de cinco bestias de carga en cada viaje. No hay nada como la cautela a la hora de tratar con los funcionarios del faraón.

Netjeruy asintió.

—Será como dispongas —dijo en tanto esbozaba una mueca feroz que se suponía era una sonrisa—. Todos esperaremos tu vuelta con impaciencia, incluso tu sobrino. ¿Sabes? Me he encariñado tanto con él que no podría soportar que abandonase mi compañía, ¡ja, ja, ja!

A Kamose aquellas carcajadas le parecieron espeluznantes, aunque no se dejó intimidar por ellas. El futuro que le esperaba a Amosis se encontraba mucho más allá de aquella cueva.

Mientras entraban en Kharga, el mercader aún recordaba la mirada de avidez que había leído en el único ojo de aquel energúmeno. De sobra sabía él las ideas que cruzarían por el corazón[22] de Netjeruy, y eso le agradaba pues favorecería sus propósitos. Kamose también había urdido un plan, y se sentía satisfecho de ver que podría llevarlo a cabo. Quizá la fortuna no le fuese tan esquiva como creyera en un principio y, a la postre, sacara un buen partido de aquella aventura con la que no había contado. Así eran los negocios, y por eso amaba aquella vida errante en la que nunca había nada seguro. Solo contaba la valía de cada uno, y al llegar a la ciudad el tebano percibió con claridad el aroma de su mundo, aquel que había respirado toda su vida, el mismo que ya conocieran su padre o su hermano, que ahora le daba la bienvenida para hacerle ver que sin él no era más que un moribundo. Recaudadores, beduinos, comerciantes, rateros, prostitutas, aventureros... Todos se encontraban allí. Gentes del más diverso pelaje con las que se sentía bien. Él hablaba su mismo lenguaje, y eso era cuanto necesitaba.

19

Amosis observaba y observaba como solamente él era capaz de hacer. Aquella cueva mugrienta se había convertido en un hogar inesperado en el que su nueva familia le ofrecía un universo desconocido para él. Nada de lo que le habían enseñado tenía que ver con semejante escenario, y tampoco era que le importara. Por alguna extraña razón, el niño se sentía interesado por cuanto le rodeaba y no perdía detalle del comportamiento de aquellos recios soldados metidos a salteadores. Al principio le sorprendió que disputaran a la primera oportunidad, pero enseguida se dio cuenta de que su naturaleza los impulsaba a ello como si se tratara de una necesidad más. Eran proclives a la discusión, y seguramente por eso permanecían juntos. Al advertir la brutalidad de la que solían hacer gala, el chiquillo se convenció de que aquello era parte de su propio negocio; igual que la astucia lo era del de su tío.

Sekenenre pasaba gran parte del tiempo a su lado y no dejaba de hablarle de su amada tierra y de lo mucho que había querido a su padre. El pequeño era capaz de percibir la agonía que atormentaba a su hermano, así como lo diferentes que eran. Aquel escenario que le pintaba el bueno de Sekenenre le parecía incomprensible, y no veía que de él pudiera llegar a sacarse ningún beneficio. Mas, como solía ser habitual, el pequeño callaba y escuchaba para de este modo saber acerca de los demás. Pronto descubrió que el gran respeto que aquellos hombres mostraban por su hermano no era tal, sino temor. Sus secuaces lo temían, y ese era el único vínculo que Sekenenre mantenía con ellos. Todos sabían que su brazo era más fuerte, y eso era todo cuanto necesitaban conocer.

El primer día que vio a su hermano leyendo los papiros, Sekenenre frunció el ceño, ya que no le gustaban nada los escribas ni cualquier cosa que tuviera que ver con ellos. Aquellos burócratas eran parte consustancial de los terribles abusos que había sufrido su pueblo al haber aceptado las políticas de los Ptolomeos, con el único fin de medrar ellos mismos. Ahora se helenizaban, e incluso llegaban a cambiar de nombre, si es que eran egipcios, algo que a Sekenenre le parecía en verdad despreciable.

Amosis se cuidó mucho de decirle a su hermano cómo le llamaban en Koptos. Zenódoto no era un nombre apropiado para aquella cueva, y el rapaz fue plenamente consciente del modo en el que tenía que tratar su pasado con Filitas.

—¿Qué tienen de malo los papiros, hermano? Padre hizo hincapié en que debía esforzarme en leerlos. Él me envió a la Casa de la Vida para que aprendiera las palabras del dios.

Sekenenre pareció sorprendido por la respuesta.

—Creo que Thot no tiene nada que ver con lo que estás leyendo —le dijo, molesto.

—Thot está en todos los papiros. Los sacerdotes de Karnak así me lo aseguraron. Mis maestros decían que del dios procede toda la sabiduría, y que gracias a ella podemos transcribir las palabras.

—La escritura sagrada en nada se parece a estas aventuras —apuntó Sekenenre en tanto señalaba los manuscritos.

Amosis bajó la cabeza, pensativo, mas enseguida continuó.

—Yo creo que Thot es capaz de iluminar a todos los escribas, aunque no hayan nacido en la Tierra Negra. De este modo pueden hablarnos de otros lugares y de los hombres que allí habitan.

Sekenenre no daba crédito a lo que escuchaba.

—¿De otros lugares, dices? ¿Y a nosotros, qué nos interesa eso? Nuestra tierra es lo único que debería importarnos. En el principio de los tiempos fuimos elegidos por los dioses creadores para que nos convirtiéramos en garantes de sus leyes, y mira cómo hemos acabado.

El niño permaneció en silencio, ya que sabía que discutir con su hermano no le conduciría a ninguna parte. Ambos pertenecían a mundos opuestos, aunque tuvieran los mismos padres. Mas al poco Sekenenre se mostró conciliador, y de nuevo señaló los papiros.

—¿Qué es lo que cuentan que tanto te cautiva? —quiso saber.

Amosis miró fijamente a su hermano, y este se dio cuenta de que los ojos le brillaban.

—Hablan de la historia de un hombre errante, abandonado a su suerte.

Sekenenre se estremeció, pues en verdad parecía que aquel chiquillo fuera ya adulto.

—¿Y cómo se llamaba? —preguntó intrigado.

—Odiseo. Y la aventura de su vida solo pudo haber sido escrita por alguien cuya mano fuera guiada por Thot.

20

Sekenenre cayó cautivo de aquella historia ya desde los primeros versos. Cada pasaje que le leía su hermano era motivo de ensoñación, pues aquel relato trascendía a los pueblos y a los hombres hasta el punto de hacer participar de él a los dioses. ¿Sería cierto que la fortuna podía ser esquiva lejos del valle? ¿Que en otras remotas tierras los hombres podrían sufrir desventuras? ¿Que existían héroes incapaces de controlar su destino, tal y como pensaba que le ocurría a él? No le faltaba razón a su hermano al sentirse seducido por semejante epopeya, y sin poder remediarlo tuvo la certeza de que Amosis había dejado de ser un niño, pues su *ka* tenía tal poder que sobrepasaba con creces al de todos aquellos truhanes que arrastraban sus miserias por la cueva.

Estos también quedaron al poco fascinados, ya que jamás habían escuchado palabras como aquellas ni una aventura que se le pudiera asemejar, y fue tal el efecto que causó en sus corazones que no veían el momento de reunirse alrededor de aquel pequeño, que, con su vocecilla, los hacía viajar para participar de un sueño que les hubiera resultado imposible concebir por sí solos. Y así, lo que empezara como simple curiosidad para su hermano, Amosis lo convirtió en hábito para todos los demás, que a no mucho tardar participaban de la suerte de unos hombres que les resultaban familiares. Con cada canto el niño les transmitía nuevas emociones, y en poco tiempo aquellos fieros forajidos habían olvidado su propia naturaleza y hasta tenían sus fragmentos predilectos.

—Háblanos del país de los cicones —decían algunos, pues les gustaba el hecho de que Odiseo solo perdonara la vida a uno de sus habitantes cuando tomó la ciudad de Ismaro.

Amosis paseaba la vista sobre aquella turba de hombres duros como el granito, y desde su bisoñez se le antojaba que todos ellos sufrían una suerte de transformación que los llevaba a convertirse en niños como él. Era como un juego con el que el chiquillo se divertía mientras observaba a toda una banda de salteadores de caminos participar de él.

—Solo Marón, sacerdote de Apolo, se libró de la muerte —señaló Amosis.

—¡Como te pasó a ti! —exclamó uno de los forajidos entre risotadas.

—Pero lo mejor fue lo que ocurrió después —apuntó otro, haciendo caso omiso de la burla—. Cuenta, cuenta —añadió, ya que no se cansaban de escuchar esa parte de la obra.

—Pues, agradecido, Marón les regaló doce jarras del mejor vino que cupiese imaginar —contestó el rapaz, encantado de ver el ascendente que tenía sobre semejantes bárbaros.

Aquello suscitó gritos de admiración y estruendosas carcajadas, y muchos hasta se daban palmadas en los muslos.

—¡Eso es generosidad! —exclamaban—. ¡Nada menos que doce jarras!

—Por algo se había librado de la matanza. ¡Qué menos que doce jarras! —decían algunos.

—Sí, pero de buen vino, no del que nos acostumbran a dar a nosotros —señaló otro.

El comentario provocó nuevas risas, ya que el vino que solían trasegar no era digno ni de los genios del Inframundo.

—Bueno, compañeros, no olvidéis que Marón era sacerdote, y encima de Apolo, que debía de ser un dios principal en aquella tierra.

—Imaginaos si hubiera sido de Bes —intervino alguien—. Entonces las jarras se habrían multiplicado por cien.

—¡O por mil! —gritó otro en medio de las carcajadas de sus camaradas.

—Bueno, callad de una vez y dejad que prosiga el muchacho —acabó diciendo un hombretón malencarado.

—Sí, háblanos ahora del país de los lotófagos —pidió uno de los oyentes.

—Mejor de la isla de las Sirenas. Si escuchara su canto, saldría corriendo de esta cueva aunque me encontrara fuera con el mismísimo faraón —proclamó otro con los ojos muy abiertos.

Las carcajadas no se hicieron esperar, aunque al final acabaron discutiendo acerca del pasaje que preferían.

Amosis, que no dejaba de observarlos, no tardó mucho en percatarse del poder que tenía la palabra certera sobre los corazones fieros. Resultaba sencillo para él participar de aquel juego, y llegó a aficionarse tanto que los hombres acabaron por tomarlo bajo su protección e incluso le manifestaron cierta devoción, como si se tratara de un pequeño dios.

Para Netjeruy la situación no fue muy diferente, y en cuanto vio el revuelo que se organizaba entre su tropa se interesó por el particular. Enseguida quedó embaucado por la personalidad del rey de Ítaca y sobre todo por la ninfa Calipso, de quien, aseguraba, él nunca se hubiera separado.

—¡Una belleza semejante! —exclamaba el gigantesco guerrillero—. ¡Y que encima te ofrece la inmortalidad! De ninguna manera me habría ido de su lado.

Amosis no decía nada, aunque entendía que la oferta era como para pensársela.

—¿Y dónde vivía esa ninfa sin igual?

—En la isla de Ogigia.

—¿Y queda lejos de aquí ese lugar?

—Eso sí que es un misterio, gran Netjeruy.

—Ya me imagino. De otro modo, esa isla se encontraría atestada de hombres. Imagínate la multitud que podría congregarse allí, ¡ja, ja, ja!

Y así pasaron los días, entre las acostumbradas disputas que se producían entre los hombres y los poemas épicos que cantaban aquellos papiros. Claro que el chiquillo se cuidó muy mucho de contarle a Netjeruy el viaje de Odiseo al país de los cíclopes, y más de hacer referencia a cómo el astuto griego perforó el único ojo de Polifemo para escapar de su cueva, después de haberlo embriagado con una de las ánforas del vino que le regalara Marón.

El jefe de tan singular hueste empezó a pensar que quizá aquellos dos supervivientes terminarían por reportarle beneficios con los que no había contado. Que su lucha ya no era más que una causa perdida hacía tiempo que lo sabía. Lo suyo no era sino supervivencia, y un ejemplo de lo ruinosa que podía llegar a ser una vida. Tarde o temprano acabaría mal, y el saqueo de aquella caravana había supuesto un acontecimiento que daba un nuevo sesgo a sus habituales andanzas. Le satisfacía mucho la personalidad de aquel niño que contaba historias prodigiosas por las que él mismo se sentía atraído y, sobre todo, la facilidad con la que sus hombres se entregaban al pequeño. Aquello le beneficiaba, pues durante las horas que escuchaban a Amosis dejaban de pensar en el botín que tenían entre manos y en su verdadero valor. Sobre este particular, Netjeruy albergaba fundadas esperanzas, y ello lo llevaba indefectiblemente a la figura del mercader tebano. Que este era un individuo sagaz lo había sabido desde el primer momento, así como que podía convertirse en la llave que abriera la puerta de su fortuna. Su bienestar futuro era ahora posible, y aquel hombre se lo podía procurar.

Durante varios días Netjeruy pensó en todo aquello en tanto disfrutaba de los cantos homéricos, hasta que trazó un plan con el que iniciar una nueva vida, lejos de los caminos del nómada. En cuanto a Sekenenre, este no representaría ningún problema. El joven era un soñador perdido en una tierra de hienas. Un idealista en pos de lo que ya no existía. Su vida discurría en un mar de irrealidades cuyas aguas tan solo le podían ofrecer el naufragio. Su barco se hundiría sin remedio, por mucho que se empeñara en remar hacia ninguna parte. El Gran Verde se lo tragaría sin remisión, y un mal día perecería en cualquier camino olvidado o en alguna refriega contra los soldados del faraón.

Bah, se dijo una tarde mientras apuraba su jarra de un trago. La suerte de cada uno no era cosa que le importara. Él se preocuparía por la suya y por Montu, que en esta ocasión parecía proclive a sonreírle.

21

Kamose miraba a aquel hombre con el respeto que le merecía, y también con el convencimiento de que se hallaba frente a un verdadero maestro. Lo conocía desde su juventud, ya que su padre había tratado con él en múltiples ocasiones y siempre en los mejores términos, hasta el punto de que ellos se tuvieron en cierta estima. Juba, así se llamaba, era un idumeo hijo del comercio a quien los caminos se le habían terminado por hacer pequeños. De sus padres nunca había sabido nada, aunque de alguien hubiera tenido que nacer, y tampoco era que le importara en demasía pues, como él aseguraba, la leche que había mamado se la había procurado una camella, y sus primeras palabras las había aprendido en una caravana de las que solían aventurarse por los desiertos de Arabia. Su edad era imposible de determinar, y hasta él mismo aseguraba que la desconocía. Que era muy viejo saltaba a la vista, aunque sus ojos se mantuvieran lozanos y su mirada lo delatara como todo un virtuoso en la práctica de la astucia. Su rostro era uno de tantos de entre los que acostumbraban a recorrer las rutas del desierto: cetrino, anguloso y ajado como un dátil consumido por el sol. Sus ademanes, pausados, como los que suelen emplear aquellos que ya no tienen prisa, invitaban a la conversación, arte en el que aquel hombre resultaba un adelantado ya que hablaba innumerables lenguas, aunque solo él supiese cuáles. Vivía en una casa con jardín en el que había dos palmeras que le daban buena sombra y un sicómoro, que por algo era considerado el árbol sagrado del país de las Dos Tierras.

Allí fue donde se presentó Kamose en compañía de su séquito, que, no obstante, quedó apostado junto con las bestias en un pequeño establo a la espera de acontecimientos.

Kamose había hecho ver a sus acompañantes la necesidad de mantener la prudencia, así como que bajo ninguna circunstancia les interesaba pasear su preciosa carga por los mercados de la ciudad. Por eso se habían dirigido a casa del idumeo, donde el tebano aseguraba que harían el mejor negocio. Como conocía bien la naturaleza humana, no se hizo de rogar cuando el bribón que iba al frente de la comitiva le advirtió que no pensaba separarse de él ni un instante.

—Cómo —le había respondido el mercader—. Te exijo que me acompañes, adalid de las más nobles causas, pues deseo hacerte partícipe de este glorioso momento.

De esta guisa se había presentado ante el viejo, apresuradamente y sin avisar; una forma muy inapropiada de iniciar una negociación, aunque el tebano se sintiera particularmente satisfecho.

A Juba le había llevado una salutación percatarse de cuál era la situación. Lo que había tardado Kamose en cubrirlo de halagos en lengua aramea, la única que le pidió que utilizara, algo a lo que el viejo pareció bien dispuesto, ya que incluso dio la bienvenida a su casa al acompañante, que hizo un gesto de lo más desagradable debido a que no entendía nada.

—Oh —se apresuró a señalar Kamose—, se me olvidó comentarte que el honorable Juba no habla el demótico. Es un orgulloso hombre del desierto y solo conoce el arameo, qué le vamos a hacer.

El bribón no se preocupó de ocultar el desprecio que sentía por aquellas gentes, e incluso tuvo el atrevimiento de soltar una grosería, a la que el viejo replicó con una beatífica sonrisa.

—Sentí un gran respeto por tu padre —dijo Juba mientras se sentaban en unos mullidos almohadones y ordenaba que trajeran pastelillos y vino de los oasis—. Osiris lo haya justificado.[23] El día menos pensado también me llamarán a mí. Quienquiera que sea el señor del Más Allá.

Kamose puso cara de circunstancias, como de hacerse cargo, dispuesto a escuchar cuanto aquel hombre tuviera a bien decirle.

—Son muchos años —continuó el viejo—. Tantos que ya no reconozco en lo que se ha convertido este negocio; aunque me acuerde de los buenos tiempos, ji, ji.

La risita del idumeo sonó particularmente silbante, pues no en vano le faltaban la mayor parte de los dientes.

El tebano sintió que era todo un privilegio poder tratar con aquel mercader de otro tiempo, y pensó que haría bien en no intentar engañarlo.

—Antes las cosas eran diferentes —continuó el anciano—. Pero qué te voy a contar.

Kamose asintió.

—Estos son insaciables —quiso recalcar Juba—. Los impuestos son de tal magnitud que pronto no habrá ya nada que les podamos entregar. ¿Y todo a cambio de qué? Solo las arcas del faraón salen beneficiadas con lo que nos hacen padecer. Claro que con ellas alimentan las orgías de las que participa la corte. Según dicen, el desenfreno está a la orden del día.

—Al parecer es cosa de familia.

Aquel comentario le hizo mucha gracia al anciano, que rio con ganas.

—Imagínate, por cada frasco de almíbar de uva, esos facinerosos se llevan la mitad de mis ganancias. Exactamente seis dracmas van a parar al erario. Y ya te adelanto que aquí, en Kharga, son particularmente puntillosos. Se ve que quieren hacer méritos para que los trasladen a otro lugar más propio de la gente civilizada. Hasta hace un par de siglos, por aquí no se veían más que convictos y exiliados. Claro que todos los que trabajan en la administración deben de ser descendientes suyos, ji, ji.

—Son como una plaga. En Koptos vigilan hasta lo que pagas en las Casas de la Cerveza.

—Qué barbaridad. Así es difícil vivir. Menos mal que yo ya no tengo que frecuentarlas, sabes, y no porque no sienta apetencias. Lo que ocurre es que tengo dos mujeres jóvenes que se ocupan de mí, ji, ji. Es lo que tiene la vejez previsora: ofrece plata y pocos sobresaltos, ji, ji.

Kamose tomó un pastelillo mientras seguían conversando. Era lo usual antes de iniciar una negociación.

—Cuando me enteré de que te encontrabas aquí, no pude dejar de sorprenderme. Seguro que te haces cargo —señaló Kamose.

El anciano abrió los brazos como si se resignara.

—A veces la vida nos tiene reservadas sorpresas que nunca hubiésemos imaginado. Tienes mucha razón, pues nunca pude suponer que después de recorrerme todas las rutas comerciales conocidas fuese a terminar en Kharga. Pero qué quieres, a todo se acostumbra uno. Ya no me quedan fuerzas para viajar y, además, a mis mujeres les gusta este oasis, ji, ji.

Kamose rio divertido en tanto asentía. Mas en realidad pensaba en la astucia que demostraba el viejo, ya que desde Kharga controlaba gran parte del comercio que llegaba procedente del continente africano, sobre todo el marfil y los animales salvajes, que luego vendía en Alejandría. Llevaba años enriqueciéndose y era famoso por no perder ni un solo óbolo en cualquier transacción que decidiera hacer.

—En fin, seguro que lo comprendes —prosiguió el anciano—. A veces me encuentro un poco apartado, por eso agradezco mucho que me visiten los viejos amigos. Me siento muy honrado de que hayas venido a verme.

El tebano sonrió, complacido, mientras se regocijaba al comprobar lo ladino que era el idumeo. Este mostraba una candidez de la que se hallaba lejos, pues conocía de sobra lo que lo había llevado hasta allí.

—Tienes razón, noble Juba. No hay nada que se pueda comparar con la verdadera amistad, como la que cultivaste con mi padre, y hoy vengo a tu casa a presentarte mis respetos y pedir tu consejo, ya que siempre me admiró tu sabiduría.

El anciano apenas pestañeó, interesado por cómo se planteaba el asunto.

—Dime pues, hijo mío, en qué puedo resultarte útil, aunque dudo mucho que posea los dones que me atribuyes.

—Ay, gran Juba, a veces esos caminos de los que tú tan sabiamente hablabas nos llevan a encrucijadas en las que resulta difícil saber qué dirección tomar. —El viejo asintió en tanto hacía una seña a su interlocutor para que no tuviera miedo de continuar—. Debes comprender que lo que voy a contarte es un asunto muy delicado y que requiere una gran discreción, ya que hay cerca de dos talentos en juego —prosiguió Kamose.

El anciano se incorporó levemente.

—¿Dos talentos, dices?

—Más o menos.

—¿Babilonios o egipcios?

El tebano no pudo reprimir una risita.

—Me temo que egipcios, unos cincuenta y cuatro kilos de plata si los vendiera yo; claro que tú podrías sacar sesenta kilos por los beneficios, y entonces hablaríamos de dos talentos babilonios.

—Exactamente sesenta kilos y seiscientos gramos, querido Kamose —le rectificó el idumeo, a quien no se le perdía ni un gramo en la conversación. —El egipcio hizo un ademán, dando a entender que se daba por enterado—. Y dime, hijo mío, ¿por qué has pensado en mí para un negocio semejante?

—Ay, gran Juba, yo sería incapaz de sacar adelante el asunto que tengo entre manos. Como ya te adelanté, solo tu sabiduría puede conseguir lo que quiero proponerte.

—Eres un digno hijo de tu padre, sin duda, y tienes mi palabra de mercader de que haré lo posible por ayudarte, ji, ji.

Kamose alabó aquellas palabras con teatralidad y se dispuso a contarle una historia, aunque no fuera del todo cierta.

22

La primera impresión que tuvo Kamose al regresar a la cueva fue de perplejidad. Las risas y los vítores se entremezclaban en una suerte de alboroto que en nada se parecía al que se solía originar por las frecuentes disputas.

—¡Marchemos hacia la isla de los feacios! ¡Quiero encontrar a Nausícaa, la de cándidos brazos! —exclamaba uno de aquellos truhanes.

El tebano tuvo que parpadear repetidamente para hacerse una idea de lo que sucedía. Mas al punto descubrió que no había lugar a la duda. Aquel variopinto grupo de fieros saqueadores más bien parecía un rebaño de corderos reunidos en rededor del pastor. Y este no era otro que Amosis, quien, con una vocecilla a la que no le faltaba solemnidad, los hacía partícipes del relato que tanto le gustaba para acabar por transmitir su fascinación a los que solo entendían de bellaquería.

Buen regalo te hizo Filitas, se dijo el mercader sin salir de su sorpresa.

Pero enseguida vio cómo Netjeruy venía a su encuentro, con una sonrisa que le cruzaba el rostro.

—¡Bienvenido al palacio del olvido, digno refugio de los desheredados! —prorrumpió entusiasmado.

Cuando el que iba al mando del pequeño grupo de recién llegados se le acercó para mostrarle el beneficio de la venta, Netjeruy lanzó una risotada.

—¡Mirad, cabrones! —gritó el hombretón en tanto metía sus manazas en el pequeño cofre repleto de monedas—. Hoy Hathor vino a visitarnos por primera vez. Nunca había visto tanta belleza junta, ¡ja, ja, ja!

Al instante se originó un gran revuelo y Nausícaa quedó devuelta a los versos del viejo papiro.

—Escuchad su tintineo.

Los hombres se arremolinaron junto a su jefe, y hubo empellones y todo tipo de juramentos, incluso algunos que Kamose ni conocía.

—¡Qué hermosura, y encima son de plata! Por fin los dioses nos recompensan después de tantos sinsabores.

—Exactamente tres mil dracmas, que en total pesan algo más de trece kilos. No está mal, tal y como está el mercado —apuntó Kamose.

La codicia se asomaba a los ojos de aquellos rufianes de tal forma que al tebano se le ocurrió que el brillo de sus miradas iluminaría aquel lúgubre lugar.

—¡Todo es para vosotros, hijos de Montu! —gritó Netjeruy—. Hoy me siento dadivoso, pues en verdad lo merecéis.

Los gritos estallaron en el interior de aquella cueva de tal modo que el mercader pensó que los oirían desde Kharga. En su fuero interno, Kamose se sentía satisfecho por cómo se había conducido el asunto, y sobre todo por el hecho de que Netjeruy se mostrara contento por el resultado.

No hay como el tacto de la plata para calmar el ansia, pensaba el tebano sin poder evitar esbozar una sonrisa. Y es que el valor de las mercaderías negociadas en Kharga era superior al conseguido en la venta, aunque poco se había equivocado el tebano al adivinar el efecto que causaría ver tanto dinero junto.

Enseguida Netjeruy los llevó a un aparte para interesarse por los detalles, pues no había parado de forjarse planes.

—La negociación no resultó fácil, gran guerrero. Tus hombres pueden dar fe de ello. Tardé horas en llegar a un acuerdo razonable.

Netjeruy interrogó con la mirada al cabecilla que había acompañado al mercader.

—Creí que dormiría allí aquella noche; nunca escuché a nadie hablar tanto —señaló el secuaz.

—El comercio tiene su propio lenguaje —se apresuró a decir Kamose—, pero ya te adelanto que fuiste muy sabio al dejar que obrara con prudencia. La ciudad está llena de recaudadores en busca de méritos. Ha sido una suerte encontrarnos con Juba.

Acto seguido, el tebano le explicó cuanto había ocurrido y las buenas perspectivas que veía en el futuro.

—Te aseguro que el idumeo es nuestra mejor opción —le confió—. Es un viejo con pocos prejuicios.

—Hum... En el mercado podrías conseguir un precio mejor.

—Sin duda, aunque piensa en el peligro que correríamos. Kharga no se asemeja en nada a los Campos del Ialú; me parece un lugar poco recomendable. Posees lo suficiente como para poderte permitir un precio más bajo pero seguro.

—Y más que voy a poseer —señaló aquel energúmeno sin poder reprimirse—. Esto no es más que el principio.

El mercader apenas pestañeó, ya que se imaginaba algo así.

—Tengo planes, ¿sabes? Y cuento contigo para llevarlos a efecto, ja, ja.

—Ya me lo suponía, noble Netjeruy, aunque confío en que no hayas pensado en confinarnos en este lugar durante el resto de nuestras vidas.

—Qué quieres, me he aficionado mucho a esta cueva, ja, ja. Además, te tengo en gran estima. ¿Dónde voy a encontrar yo un hombre de tu honradez en los tiempos que corren?

Este comentario le produjo una gran hilaridad, y Kamose hizo uno de sus habituales gestos jocosos. Nada de lo que le pudiera decir aquel ladrón le sorprendería, pues había contado de antemano con que la avaricia de Netjeruy se acrecentaría sin remisión. Él la alimentaría, pues iría en su provecho, aunque se guardaría mucho de levantar sospechas. Incluso cuando cerró el trato con Juba hizo hincapié en que el anciano pagase directamente la cantidad estipulada al hombre encargado de vigilarlo, aunque el idumeo ya supiese de antemano lo que convenía hacer. Ahora Netjeruy se sentía más confiado, y eso era cuanto el tebano necesitaba.

En cuanto tuvo oportunidad, Kamose fue al encuentro de los suyos. El niño se abrazó a él, como solía hacer a menudo, mientras Sekenenre lo miraba con cara de circunstancias.

—Me parece que has conseguido ablandar sus corazones durante mi ausencia, pequeño poeta.

—Me acordaba de ti, tío, y creí que ya no regresarías. La próxima vez que te vayas, déjame acompañarte.

Kamose asintió.

—Siempre te llevo conmigo, aunque tú no lo creas. Pero me temo que harías mejor en pedirle permiso a tu hermano. Quizá él pueda convencer al gran Netjeruy.

Sekenenre hizo un gesto de disgusto.

—Me siento tan prisionero como vosotros —murmuró—. Nunca había visto a los hombres con tanta codicia. Más se asemejan a los secuaces del rey macedonio que a verdaderos soldados del señor de las Dos Tierras.

Kamose asintió, pues qué le iba a contar su sobrino a él. Había bastado que aquellos feroces hijos de la libertad tebana se hubieran topado con un digno botín para que los sentimientos loables que los habían empujado a combatir el abuso y la tiranía se transformaran en una avidez desmedida por poseer más. Sus corazones sediciosos habían quedado atrás, y ahora el que más y el que menos echaba sus cálculos. Aquello era algo inherente a la condición humana, como el mercader bien sabía, consustancial a su propia naturaleza.

—Nuestra bendita tierra está perdida —continuó Sekenenre—. Sus verdaderos hijos ya se han ido.

—Harías bien en tomar lo que te corresponde e irte tú también —le aconsejó su tío—. En Egipto siempre serás un extraño.

Sekenenre levantó lentamente la mirada, como si se hallara enfrascado en otros pensamientos.

—Me he convertido en un salteador de caminos. Eso es lo que soy. Montu poco tiene que ver con esto —reconoció como para sí.

Kamose se lamentó de que su sobrino no se diera cuenta de la senda que le convenía seguir. Sin embargo, no pudo reprimirse.

—Ni Maat —dijo el mercader—. Fíjate. Su ley no rige en esta cueva. Aquí nadie parece acordarse de la diosa.

Sekenenre hizo un gesto de crispación, pero sabía que su tío estaba en lo cierto. Entonces se levantó, dispuesto a marcharse.

—Quizá tengas razón, querido sobrino, y Kemet esté ya perdido. Tú eres un buen hijo para ella; márchate como hicieron los otros.

El joven permaneció un instante pensativo y luego desapareció en el interior de la cueva, como acostumbraba a hacer.

—Bueno, Amosis, al menos tú y yo sabemos lo que nos conviene. Y me parece que los caminos se nos aclararán algún día.

—Entonces, ¿podremos regresar a Koptos?

Kamose lanzó una carcajada.

—¿A Koptos? No sabía yo que sintieras tanto amor por la capital del nomo de los Dos Halcones. —Comoquiera que el chiquillo se encogiera de hombros, su tío apostilló—: ¿No será que te acuerdas de Filitas?

El niño lo miró con picardía.

—Ya veo, te gustan las buenas historias, ¿verdad? —prosiguió el mercader. Amosis le sonrió—. Pues me parece que te has convertido en una celebridad entre estas gentes impías. Alaban tus relatos y hasta se han aprendido alguno de los personajes de los que les hablas.

—Pierden su brutalidad cuando me escuchan. Odiseo es mucho más fuerte que ellos. Los vence cada noche —razonó el niño.

Kamose asintió, complacido de escuchar tales palabras.

—Amosis, observa bien cuanto ocurre en esta cueva, pues de ello aprenderás una lección tan valiosa como todas las que te enseñó el buen Filitas.

23

Arrellanado entre mullidos almohadones, Juba se deleitaba con aquel néctar. Era suave como las sedas de Oriente y tan fresco como la brisa del norte bajo los palmerales de Alejandría. El mercader no se cansaba de paladearlo, y en cada sorbo era capaz de distinguir diferentes matices que le satisfacían en grado sumo. Aquel era un placer al que le resultaba difícil resistirse: vino de Buto, digno de los dioses, un elixir para su vieja garganta. Después de una existencia en la que se había visto obligado a beber de todo, la fortuna había venido a ofrecerle aquel delicado licor que representaba un verdadero bálsamo para su reseco gaznate. Nunca olvidaría el agua nauseabunda que había debido tomar en tantas ocasiones para subsistir, y ello le producía un íntimo placer, pues al fin el destino había decidido mostrarse generoso con él, como nunca hubiese imaginado. Por todo ello, el viejo gustaba de entornar los ojos al tiempo que chasqueaba la lengua después de cada sorbo. Con cada uno se resarcía de todas las penurias de su juventud, a la vez que se regocijaba por la plácida vejez de la que disfrutaba.

Sin duda Juba había trabajado para ello, aunque justo era reconocer que otros muchos como él no habían tenido su suerte. Beber aquel vino le hacía ser plenamente consciente de ello, pues no en vano era digno de la mesa del faraón. Tras dar un nuevo sorbo, Juba entrelazó ambas manos sobre su regazo en tanto suspiraba. De un tiempo a esta parte había llegado al convencimiento de haber nacido con un don; una facultad que había desarrollado con el tiempo y que explicaría su situación actual. Que Kharga no era el lugar idóneo para un aristócrata del comercio saltaba a la vista; sin embargo, la ciudad de los oasis le había reportado tal cantidad de beneficios que para sí los quisieran aquellos relamidos mercaderes alejandrinos con los que trataba en ocasiones y a quienes engañaba a la menor oportunidad. Lo suyo era el negocio, estaba claro, y al fin Kharga se había mostrado como una capital idónea para sus intereses. En ella había construido su emporio, y allí pensaba terminar sus días sin dejar de hacer aquello para lo que había nacido.

En realidad el viejo parecía tener un imán a la hora de captar los buenos negocios, y Astarté[24] lo confundiera si no lo era el que se traía entre manos. Un asunto había llamado a su puerta de forma inesperada, y a fe suya que confiaba en sacar de él jugosas ganancias. Aquel comerciante tebano hablaba su mismo idioma, y había sido tan sumamente sencillo ponerse de acuerdo que sentía curiosidad por saber hasta dónde le conduciría aquel trato. El negocio resultaba tan claro como la mañana soleada de la que habían disfrutado aquel día. Kamose, como se llamaba su nuevo socio, le había propuesto nada menos que embolsarse dos talentos, algo nada despreciable en los tiempos que corrían. Que la mercancía en cuestión era de oscura procedencia saltaba a la vista, con seguridad producto de un robo, y dada la cantidad de la que habían hablado, no le extrañaría nada que fuera consecuencia del saqueo de alguna caravana.

Juba no pudo reprimir una risita. Los asaltos a las caravanas eran tan viejos como el mismo comercio, y el valor de los bienes sustraídos no variaba si eran manejados por las manos adecuadas. A él le daba igual de dónde vinieran las mercaderías, ya que sus remilgos habían quedado tan atrás que ya ni recordaba el camino donde los perdiera.

Los tipos que acompañaban al mercader tebano lucían el peor aspecto que se pudiera desear. Resultaban siniestros, y en sus rostros no había atisbo de decencia; ni falta que les hacía. Probablemente pertenecían a alguno de aquellos grupos descontrolados procedentes de la Tebaida que se dedicaban a hacer rapiña allí donde podían. Era lo que tenía la guerra, solía cubrir la tierra de desamparados.

Al idumeo, no obstante, aquella contienda civil le había venido muy bien. Durante casi tres años el Nilo había dejado de ser un río seguro para las gabarras que se dedicaban a transportar carga. Y esto había llevado a aumentar de forma considerable el tráfico de mercancías a ciudades que, como Kharga, se hallaban alejadas de la zona del conflicto. Desde allí se podían enviar las mercaderías hasta Alejandría a través de las rutas ordinarias que utilizaban las caravanas desde tiempo inmemorial. Todo ello hizo a Juba más rico de lo que ya era. Por eso, cuando vio a aquellos bribones, no pudo dejar de felicitarse por el hecho de que pudiera seguir beneficiándose de los ecos de la guerra.

—Dos talentos —volvió a repetir el viejo, a quien fascinaba aquella palabra.

Y es que el talento era sinónimo de riqueza, de haber alcanzado la senda que conduce a la opulencia, al reconocimiento social. Los óbolos, dracmas, tetradracmas o estáteras quedaban para el pueblo llano, mercaderes y aventureros en busca de mayor fortuna. Los verdaderamente poderosos medían su hacienda en talentos, y Juba ya acumulaba varios cientos.

El anciano enseguida había echado sus cuentas. El precio que pagaría por tan oscuro botín estaría muy por debajo del que este alcanzaría en el mercado; eso era lo que tenía la clandestinidad, en donde, por otro lado, pocos prejuicios demostraba el idumeo a la hora de hacer sus negocios. Esa era otra de las ventajas de atesorar talentos. Las voluntades se tornaban proclives a la plata con una facilidad que a Juba maravillaba. Daba lo mismo el rango del individuo; todos tenían una cantidad ante la que se sentían dispuestos a ser razonables. El viejo era toda una personalidad en la capital y no pocos funcionarios de la administración local recibían buenos regalos del mercader, quien por otra parte siempre se hallaba dispuesto a ayudar a quien se lo pedía. Su generosidad, pues, era de sobra conocida en Kharga, y también alabada. Juba lo denominaba «aportaciones a la ciudadanía», y lo consideraba una parte determinante del negocio.

«No hay como dar sin pedir nada a cambio para un día poder recibir el doble», se decía el anciano a menudo. Y no le faltaba razón al astuto comerciante. En casos como el que se traía entre manos, recuperaba su inversión con creces. Las mercancías que le suministrara el tebano no serían fiscalizadas, y el idumeo no necesitaría moverse de su casa para embolsarse otros dos talentos.

El tratante de Tebas le había hecho pensar largamente. Era lo que tenía disponer de tiempo y de la compañía de un buen vino. Aquel individuo era en verdad ladino y ello le agradaba en grado sumo, ya que de este modo se evitaban las sorpresas posteriores. Kamose se había presentado en su casa a sabiendas de cuanto se iba a encontrar, lo cual era digno de consideración, sobre todo porque hacía casi veinte años que no se veían. Del padre de este, el viejo se acordaba bien, pues era un tipo taimado como pocos, lo cual no dejaba de representar un halago, y a fe que su hijo había recibido una buena crianza.

Sobre que la caravana que habían asaltado aquellos bribones no era del tebano, el viejo no albergaba ninguna duda. Seguramente formaría parte de ella, como era corriente que ocurriera, y por algún motivo que desconocía se había librado de correr la misma suerte que el resto. Este particular no dejaba de intrigar al idumeo, ya que, en definitiva, venía a corroborar que el susodicho se hallaba en desventaja, aunque no dejara de ser un tipo listo.

El cómo había dado con él no suponía un mayor misterio. Juba era de sobra conocido en Koptos, ciudad en la que siempre había realizado buenos negocios. Era probable incluso que Kamose pensara en tratar con alguno de sus agentes desde antes de iniciar el viaje, pero que los acontecimientos posteriores le hubieran obligado a negociar con su persona.

Nadie se habría atrevido a presentarse como él lo hizo sin un buen motivo, y en verdad que el tebano lo tenía al venir a ofrecerle algo que era imposible de rechazar. Y es que Kamose se hallaba dispuesto a renunciar a cualquier ganancia sobre las mercancías a cambio de una comisión. Obviamente, Juba sabía que aquel tipo se mostraba tan dadivoso porque la mayor parte del género transportado no era suyo, y que probablemente las monedas que sacara por su participación en el negocio cubrirían con creces las mercaderías que él mismo habría perdido.

Esto no hubiese llamado en demasía la atención del viejo si no fuera por el hecho de que el tebano no había regateado más que lo indispensable, para firmar un precio que de ningún modo habría aceptado de ser el verdadero propietario. Era tan ventajoso para el viejo que resultaba imposible de rechazar.

Juba esbozó una sonrisa al pensar en todo aquello en tanto volvía a beber. Kamose no tenía el menor interés en robar a aquellos tunantes a quienes representaba; y menos en favor del idumeo, a no ser porque quisiera ganarse su confianza. Ello llevaba al viejo a pensar en la existencia de un segundo negocio del que no sabía nada. El ladino mercader de Tebas tenía sus propios planes, y el anciano se felicitó por ese motivo. Allí había más ganancias de las que, estaba seguro, él también iba a participar.

Uno de sus esclavos vino a sacarlo de sus pensamientos, y el viejo no pudo disimular su disgusto. El estado de satisfacción en el que se encontraba le hacía sentir como un ser elevado al que las cuestiones terrenales le parecían un juego de niños. Él lo atribuía a su amplia experiencia sobre la vida, aunque el vino que estaba tomando tuviera mucho que ver.

No obstante, Juba hizo un leve gesto con la mano, ya que no en vano esperaba aquella visita. Al poco entró esta, envuelta en un perfume que desagradaba al mercader sobremanera, y al que nunca se acostumbraría.

—En realidad no haría falta anunciarte, noble Nitócrates, se huele tu presencia desde un *iteru*[25] de distancia —señaló el anciano, jocoso.

El invitado hizo caso omiso del comentario para ir a sentarse junto a su anfitrión y servirse una copa de vino. La afición a la bebida era una de las pocas cosas que aquellos hombres tenían en común, junto con las monedas de plata, algo por lo que ambos sentían debilidad.

Juba observó cómo Nitócrates se llevaba la copa a los labios y se sonrió. Aquel hombre le resultaba insufrible y mostraba peores modales que cualquier beduino que hubiera conocido, pero no había tenido más remedio que cultivar su amistad; así de ingratos eran a veces los negocios.

En realidad poco se conocía acerca del pasado de aquel hombre, salvo que había sido agente de la administración en la sucursal del Banco Real en Kharga. Sus orígenes eran tan oscuros como su persona, ya que nadie estaba seguro de dónde procedía el susodicho, aunque él asegurara que había nacido en la isla de Samos. El anciano se aguantaba la risa cada vez que escuchaba aquello, ya que estaba convencido de que semejante individuo descendía de algún amorrita perdido o quién sabía si de alguien peor. A Juba le traía sin cuidado el árbol genealógico de aquel tipo, y es que el anciano tampoco podía presumir del lustre de su ascendencia. Sin embargo, justo era reconocer que, dondequiera que lo hubiese aprendido, Nitócrates hablaba el griego a la perfección. En cuanto a su figura, esta era de sobra conocida en la capital y no precisamente por sus buenas obras; el sujeto no tenía ni idea de lo que significaba la moral, ni falta que le hacía.

Este punto le había resultado muy provechoso al idumeo en sus negocios, puesto que no existía mayor garantía que la de un hombre cuya lealtad se podía comprar con monedas de plata, y Nitócrates era prestamista.

—Tu vino nunca dejará de sorprenderme. Me es muy agradable

venir a visitarte, aunque hoy no vea por aquí a ninguna de tus esclavas.

Juba suspiró con suavidad, ya que su acompañante sentía predilección por las jóvenes de piel oscura, como también le ocurría a él.

—Tienen prohibido molestarme cuando me encuentro en estado de meditación. —Nitócrates lanzó una grosera carcajada que al anciano le recordó la de las hienas que a veces solían traer sus caravanas desde el sur—. Me distraen sobremanera, como es fácil de entender —añadió el viejo.

Su huésped soltó un bufido y enseguida se imaginó la escena. Sin poder remediarlo chasqueó la lengua, y acto seguido dio otro sorbo a su copa.

—Si te avinieras a venderme alguna, te tendría en mis oraciones diarias —dijo el griego con sorna.

Juba realizó un gesto de alabanza por el comentario, aunque no le hiciera ninguna gracia. Aquel tipo no había rezado en su vida, y el mercader tenía dudas de que hubiera oído hablar alguna vez acerca de los dioses.

—Con las riquezas que atesoras bien podrías acudir al mercado de esclavos, como hace todo el mundo cuando quiere adquirir alguno —señaló el viejo.

—No me gusta que la gente hable de mí con ligereza. Prefiero dejaros a vosotros la costumbre de comprar carne humana, ¡ja, ja, ja!

El comerciante lo miró con indiferencia. Aquel hombre lo incomodaba irremisiblemente, y bien sabía el cuidado que ponía el griego en no hacer ostentación de sus bienes en público. Se decía que en los sótanos del templo de Amón Nitócrates guardaba cofres repletos de monedas preparados para sus préstamos, y que muchos eran los que depositaban bolsas selladas para que el prestamista las custodiara.

—Ya veo... Pues me temo que no te venderé a ninguna de mis esclavas. ¿Sabes? Con los años me he vuelto muy sentimental, y no quiero que las pobres abandonen mi casa. Imagínate lo mal que lo pasarían si cayesen en manos de algún desaprensivo. Con las atenciones que han recibido siempre de mí... —dijo el viejo.

Nitócrates volvió a reír, y Juba no tuvo ninguna duda de que aquel tipo era más grosero cada vez que le visitaba.

—En fin —continuó el mercader—, no es mi propósito hablar de mis esclavas esta tarde contigo. Tengo un negocio en ciernes que quizá te interese.

El griego dejó su copa sobre la mesa y miró a su interlocutor como lo haría un depredador.

—¡Ji, ji! Si algo me gusta de ti es comprobar con qué facilidad se despierta tu interés al oír hablar de negocios —admitió el anciano.

—El haber vivido siempre rodeado por las monedas del banco hace que uno reconozca sin dificultad cuál es el verdadero camino que debe seguir.

—Me imaginaba que dirías algo así. En fin, no deseo alargar demasiado la conversación; ya conoces lo escueto que me gusta ser contigo en estos asuntos. Este en cuestión no te resultará gravoso. Digamos que necesitaré tus dracmas para hacer frente a los pequeños gastos.

—¿Qué clase de gastos? —intervino el griego, que aguzaba su mirada.

—Los habituales.

—Me sorprende que me pidas ayuda entonces, viejo zorro.

—Ya sabes lo poco que me gusta hacer uso de mis fondos, ji, ji. Al tratarse de un negocio tan seguro como el que me propongo hacer, la cantidad no será digna de consideración.

—¿Y cuál sería mi aportación a tu empresa en esta ocasión?

—Digamos que catorce mil dracmas serían suficientes.

Nitócrates hizo un aspaviento para mostrarse escandalizado. Él sabía muy bien que Juba era un hombre rico, y que el concurso del griego en sus negocios se debía a otros motivos que iban más allá de la necesidad de liquidez por parte del idumeo. El prestamista mantenía muy buenas relaciones con la administración local, a cuyo ecónomo, por otra parte, había prestado dinero en diversas ocasiones, y siempre en las mejores condiciones. A cambio, sus propios intereses se habían visto beneficiados al mantener cierta opacidad en sus cuentas y transacciones. Además, el griego podía facilitar la entrega de mercancías en la ciudad por el control aduanero que más conviniera para así evitar en lo posible el pago de la totalidad de las tasas que solían aplicar los inspectores. Ese era uno de los motivos principales por los que Juba hacía negocios con él. Y es que al astuto mercader le traía más cuenta entregarle una buena comisión por préstamos que no necesitaba que pagar los abusivos impuestos.

—Dejémonos de escenas esta tarde, querido Nitócrates, que no hay motivo para incomodarse. Hoy no pienso regatear contigo, pues me siento magnánimo.

—¿Cuán magnánimo? —preguntó el prestamista, codicioso.

—Te embolsarías tres mil dracmas sin apenas trabajo alguno.

—Tu altruismo me emociona cada día más, noble mercader. Buen negocio haría si accediera a tus propósitos. Sabes muy bien que presto al treinta por ciento. ¡Tres mil dracmas! Menuda burla.

—¡Ji, ji! Resultas tan insaciable como las fieras que traigo del corazón del continente. En ningún lugar prestan a un interés tan alto. En Alejandría puedes conseguir el dinero al veinticuatro por ciento.

—Claro, pero estamos un poco lejos de Alejandría, ¿no te parece?

—De eso te has venido valiendo durante años; qué me vas a contar a mí. —Nitócrates hizo un gesto de desgana—. Sí, ya sé que la usura es un problema para los demás, pero no para ti —apuntó el viejo.

—Llámalo como quieras, pero es mi negocio y no me ha ido mal del todo con él.

—Incluso me atrevería a decir que muy bien. En fin —suspiró el anciano—, no seré yo quien critique tu proceder, y menos quien se meta en tus asuntos. Pero en el caso que nos ocupa tu participación sería meramente testimonial. Sin el menor riesgo.

—¿Te parece poco que aventure catorce mil dracmas?

—Una minucia, sin duda.

—He de reconocer que en astucia resultas inalcanzable. ¿Cuánto piensas sacar tú? Seguro que no me hubieras llamado si no esperaras ganar más de dos talentos. ¿Sabes las tasas que te podrían aplicar por una suma como esa? Antígono estaría encantado de saber qué piensas comerciar con semejante cuantía.

Juba asintió sin dejar de sonreír. Antígono era un reputado funcionario de la hacienda pública famoso por su espíritu insaciable a la hora de recaudar, y era tan puntilloso que suponía todo un alivio no encontrarse con él en la calle. Claro que el idumeo conocía bien aquel tipo de individuos que, en numerosos casos, poseían una catadura moral tan baja como alto era su celo. En fin, aquello formaba parte del regateo, y el viejo ya contaba con eso de antemano.

—Te advierto que había pensado en que me custodiaras parte de mis ganancias, por lo que obtendrías una comisión suplementaria —señaló Juba, haciendo caso omiso de la amenaza de su huésped. Este se acarició la barbilla, pensativo.

—Hum... Como de costumbre, lo tienes todo calculado —dijo Nitócrates—. Aunque ya te adelanto que no estoy dispuesto a aceptar menos de cuatro mil dracmas por mi concurso.

—Digno descendiente del conspicuo Calícrates. Como te adelanté al comienzo de nuestra conversación, no tengo ánimos para regatear contigo esta tarde. Este vino tiene la virtud de limpiar mi corazón de todo atisbo de codicia y fomentar en mí la magnanimidad; incluso me hace sentir un ser elevado.

El prestamista volvió a reír con su acostumbrada grosería al tiempo que se llenaba otra vez su copa.

—Imagínate —prosiguió el anciano— que tengo media docena de ánforas de este delicioso elixir que pensaba paladear en tu compañía para brindar por el éxito de nuestra empresa, ji, ji.

Nitócrates se regocijó ante la idea de poder disfrutar de un vino que le resultaría imposible conseguir en todo el oasis de Kharga.

—Ya que te muestras tan interesado, puede que reconsidere mi parte en la ganancia. Digamos que estaría dispuesto a aceptar tres mil quinientos dracmas —concretó el griego.

El mercader lo miró en silencio, sin mostrar su satisfacción.

—Ya veo que estás decidido a abusar de mi buena fe. Ni siquiera te avienes a considerar las palabras de bien de este anciano.

—Las palabras quedan para los escribas. Como tú ya sabes, el único sonido que me hace feliz es el tintineo de las monedas.

Juba abrió los brazos en un gesto con el que mostraba su conformidad.

—No pondré en riesgo mi buen humor de esta tarde por una diferencia de quinientos dracmas. Aunque haces mal en no escucharme como debieras —aseguró el mercader.

—En eso te equivocas, gran Juba. Tu voz es como un bálsamo para mi codicia. Por ese motivo considero que mi precio es justo.

—Está bien. Cerremos entonces este enojoso asunto que nos ha llevado a no poder disfrutar del vino como debiéramos. Mas espero que, en reciprocidad, mis mercancías lleguen libres de cualquier contratiempo con los pundonorosos servicios aduaneros.

—Ja, ja. Será como de costumbre.

—Brindemos pues por el trato.

Ambos hombres vaciaron sus copas de un trago, tras lo cual Nitócrates chasqueó la lengua con deleite.

—Ah, y no olvides enviarme las seis ánforas a mi casa —dijo—. Estaré encantado de recibirte para que las disfrutemos juntos.

El mundo de Amosis se había convertido en una suerte de sueño impropio de un niño de su edad. El lugar en el que se encontraba bien pudiera asemejarse al Erebo, la antesala de los infiernos, que se extendía desde la Estigia hasta el reino de Dis.[26] Filitas le había hablado en ocasiones de él, y también del incierto sino de las almas que llegaban hasta sus puertas, que no se podían cruzar de nuevo para salir.

En realidad, aquel reino de las sombras se diferenciaba poco del que le habían enseñado los sacerdotes en Karnak. El Inframundo definía a la perfección los dominios por los que debían vagar los *bas* de los difuntos en pos de los deseados Campos del Ialú, a los que los griegos llamaban Campos Elíseos, y la cueva en la que moraba el niño hacía mucho que se había convertido en el vestíbulo de la Sala de las Dos Justicias.[27] Allí los hombres hacía tiempo que habían perdido la sensatez, y solo los veinticuatro cantos que componían aquella historia que a diario relataba el chiquillo les hacían dejar a un lado el infierno en el que ya se hallaban para vislumbrar la luz que llegaba con cada verso.

Amosis asistía a diario a las habituales disputas y demostraciones de todo tipo de malas artes. Aquellos ladrones al servicio de su amada tierra se jugaban su botín con tales mañas que este pasaba con facilidad de unas manos a otras entre trampas, gritos y pendencias que acababan por enloquecerlos. No hizo falta mucho tiempo para que el rapaz entendiese la lección a la que se refiriera su tío. La condición humana mostraba en toda su magnitud lo peor de sí misma, y el chiquillo no perdió detalle de cuanto le quisiera enseñar. Así su mirada se volvió prematuramente adulta, y su corazón se templó en el fuego que alimentaban las vilezas de cuantos lo rodeaban. Solo Odiseo lo invitaba a refugiarse cada noche en su historia, así como la compañía de los suyos.

Sekenenre pasaba gran parte del día con su hermano. Juntos abandonaban durante algunas horas la lúgubre cueva para tomar el aire y asistir a la desolación de cuanto los rodeaba. Los agrestes farallones no invitaban más que al silencio, al tiempo que constataban lo lejos que se encontraban del *maat* y de todo cuanto aquella palabra significaba. Ambos hermanos hablaban de su mundo, aquel que habían compartido una vez junto a su padre; sentimientos profundos de un tiempo que había desaparecido para siempre y del que los dos eran conscientes.

Sin embargo, Sekenenre se mantenía en su lucha. Una contienda que no lo llevaría a ninguna parte y de la que, no obstante, nunca podría escapar. Era prisionero de su fortuna, y esta solo estaba dispuesta a mostrarle un camino plagado de sinsabores en el que poder sentirse fiel a unos valores en los que el joven había creído profundamente. Esto era cuanto necesitaba Sekenenre, y su existencia, aunque anacrónica para muchos, se circunscribía al mundo en el que quería vivir, aquel que le diera la posibilidad de luchar contra el abuso.

En ocasiones Amosis observaba cómo su hermano se perdía en largos silencios durante los cuales Sekenenre parecía fijar su mirada en un horizonte que el chiquillo no acertaba a atisbar. Le resultaba imposible saber lo que pensaba su hermano, aunque el niño se diese cuenta del sufrimiento que soportaba su *ba* y de cómo este lo llevaba a estados en los que era mejor mantenerse alejado de su vida. Entonces Amosis lo veía desaparecer entre las quebradas, con aquel andar tan característico en el que balanceaba ligeramente su poderoso torso, y pensaba que su hermano marchaba para combatir, quienquiera que fuese su enemigo, quizá contra las lúgubres sombras que angustiaban su alma. Un día, el pequeño se atrevió a preguntarle por la muerte de su padre. Entonces su hermano lo miró un instante para volver a perderse enseguida en aquel horizonte que parecía embrujarlo.

—Alguien lo denunció a la justicia del faraón —dijo al cabo, en un tono que parecía carente de emociones—, para terminar por morir como un malhechor en alguna parte, ya que su cuerpo nunca fue hallado. Su alma vagará por toda la eternidad sin conocer el descanso. ¿Y sabes lo peor de todo?

Amosis negó con la cabeza, ya que no se atrevía a pronunciar palabra al ver el gesto de crispación contenida de su hermano.

—Lo peor es que jamás podré hacer justicia contra los culpables por mi propia mano.

25

Hacía tiempo que Kamose había visto llegada la hora de ejecutar el resto de su plan. Este se había desarrollado según sus previsiones, algo que satisfacía íntimamente al tebano, por mucho que supiera que la parte más peligrosa del mismo estaba por venir.

Durante las últimas semanas había visitado a su colega idumeo en varias ocasiones, y siempre con buenas mercancías para negociar, algo que alegró la vista del anciano. Cuanto más trataba con Kamose, más convencido estaba Juba de que aquel hombre le reservaba una sorpresa de la que aún no habían hablado. En verdad que sus encuentros le resultaban gratos, aunque cada cual no hiciera sino velar por sus intereses. El procedimiento siempre era el mismo. El tebano se presentaba con su escolta habitual, y tras vender sus mercancías regresaba a las montañas con sus ganancias y los asnos cargados de los víveres que tenían preparados. Nunca habían sido molestados por ninguno de los funcionarios que acostumbraban a controlar la entrada de las caravanas en la ciudad, y la policía parecía no existir. No había tardado mucho el tebano en hacer cierta amistad con sus obligados protectores, que veían cómo aquel mercader les proporcionaba nuevos beneficios en cada viaje sin que recibiera nada a cambio. Un día, Kamose les hizo comprender lo bueno que sería poder visitar una de las Casas de la Cerveza de la ciudad, a fin de explayarse después de la dura vida que llevaban en aquella cueva.

—Más parecemos ánimas enterradas en una mastaba que hombres —les había dicho.

Lo cual no dejaba de ser cierto, y aunque en un principio levantara los naturales recelos, enseguida se llegó a la conclusión de que el tebano era un hombre sabio donde los hubiere, y por algo era mercader. Así fue como se habituaron a solazarse durante unas horas, aunque Kamose pusiera buen cuidado en que no dispusieran más que de unas pocas monedas para gastar, lo indispensable a la hora de olvidarse de sus penurias. Algo con lo que por otra parte el cabecilla del grupo estuvo de acuerdo, ya que bien sabía él cómo podían llegar a gastárselas aquellos desalmados.

Como el asunto no trajo mayores consecuencias, Kamose terminó por ganarse la confianza de sus acompañantes, a quienes incluso ayudaba a mantenerse en sus monturas en el camino de regreso, pues los muy tunantes resultaron ser muy aficionados al *shedeh*, un licor embriagador donde los hubiera. De este modo, el comerciante se las ingenió para dejar disfrutar a aquellos bribones de su divertimento mientras los esperaba al cuidado de su preciada carga en casa del idumeo, siempre acompañado por alguno de ellos.

—Así no habrá posibilidad de mayores pendencias —les había señalado el tratante al saber cómo se conducían en aquellos tugurios.

Como el jefe del grupo no era capaz de reprimir su devoción por las mujeres, decidió que debía permanecer dentro del lupanar junto a sus hombres en todo momento, para controlarlos mejor, y de esta forma designaba quién debía aguardar su vuelta junto a Kamose.

—Id en pos de Hathor, que bien os lo habéis ganado, nobles guerreros. La diosa del amor os guarde, gozosa de recibiros entre sus brazos como dignos hijos de Kemet que sois —les había animado Kamose aquella tarde.

Tales palabras provocaron una gran hilaridad entre los bandoleros, que celebraron la alusión a la diosa con gestos obscenos y frases procaces. Y así se marcharon, dejando como retén a uno de ellos que era aficionadísimo a la bebida.

—Para que veas que me hago cargo de tu pena al tener que quedarte aquí, hoy beberás un vino digno de la mesa del faraón, un elixir sin igual —le había confiado el mercader a su acompañante.

Como este pusiera cara de incredulidad, el tebano le confesó:

—Te tengo en gran aprecio. Pero no se lo digas a los demás, para evitar disputas.

Aquello era mucho más que lo mejor que le hubieran dicho nunca a aquel bribón, y en cuanto probó el vino que le tenía preparado, sus ojos se iluminaron como si en verdad se hallara en presencia del dios Bes, y él se convenció de que por fin había encontrado un amigo en la figura del comerciante. Este le dedicó una de sus habituales sonrisas y acto seguido se encaminó hacia una estancia contigua, ya que tenía temas que tratar.

Hacía tiempo que Juba esperaba aquella conversación, aunque nunca imaginara que se produciría en unos términos que sin duda superaban sus expectativas. El tebano resultaba ser un tipo tan ladino como lo fuese su padre, y el idumeo se felicitó por ello.

—Ji, ji. Me pregunto qué más me tienes reservado —indicó el anciano al tiempo que ofrecía de beber a su huésped—. Enviar a esos malhechores a la Casa de la Cerveza es algo que no esperaba.

Kamose hizo un gesto con el que declinaba el ofrecimiento de su anfitrión.

—Tú ya sabías que mantendríamos esta charla desde el primer día, noble Juba.

—Ji, ji. Es fácil reír contigo, y utilizas el halago como corresponde. Me parece bien.

—Dentro de poco daremos por terminado este negocio, aunque es posible que podamos comenzar otro.

—¿Posible? Ji, ji. Me hago cargo, buen tebano. Seguro que todo se tratará como corresponde. ¿No es así como lo tienes pensado?

Kamose lo miró a los ojos con astucia.

—¿Crees en los dioses, noble anciano?

—Hum... Qué puedo decirte. Yo soy idumeo.

El tebano forzó una sonrisa.

—Dentro de poco su ira nos visitará, y podremos hacer negocios con ellos.

Juba dio un respingo, y no pudo ocultar su sorpresa.

—Hablas como uno de esos *hekas* a los que tanto teméis en tu tierra. Pero me parece que aquí somos poco dados a los encantamientos. Con el desierto que nos rodea tenemos suficiente.

—Él será testigo.

—¿Y en qué podrá beneficiarme a mí semejante apocalipsis? Ji, ji.

—Ambos sacaremos provecho a partes iguales.

—Mucho es lo que me ofreces para lo poco que sé.

—Para ello será precisa tu intervención, y alguna de tus buenas amistades —señaló Kamose, sin hacer caso del comentario anterior.

—¿Y cuál será el precio de mi altruismo? Ji, ji.

—Uno con el que no contabas.

Juba se quedó mirando a su invitado, en tanto se regocijaba por su perspicacia al haber intuido que algo así ocurriría.

—Olvidé que los dioses están por medio. ¿Qué puede saber un viejo como yo?

Kamose volvió a sonreír, pues era capaz de leer en el corazón del anciano.

—Poco, sin duda, ya que a la postre somos pobres mortales. Pero ellos sí que lo saben, y me pidieron que te hiciera partícipe de su generosidad —apuntó el tebano.

El idumeo alzó ambas cejas sin ocultar su asombro. Aquella sí que era una buena negociación.

—¿Andas en tratos con los dioses? ¿Acaso eres también sacerdote? Te advierto que nunca había tenido la ocasión de tratar con un *web*.[28] ¿Sirves al Oculto? Aquí tenemos un templo donde venerarlo, ji, ji.

—Me temo que sea tan pecador como tú, noble Juba, aunque no tenga tus posibilidades.

Aquello hizo mucha gracia al viejo, que rio con ganas al tiempo que se palmeaba los muslos.

—Ya estoy intrigado en cómo es tu relación con los dioses —señaló el anciano, todavía riendo.

—Aunque no te lo creas, se me presentan en sueños para mostrarme el camino que debo seguir. Son muy puntillosos en ese aspecto.

Juba lanzó una carcajada que resonó en la estancia con estrépito.

—Ya sabía yo que debía hacer negocios contigo, tebano. Eres nada menos que un enviado de los dioses. Me haces un honor, sin duda, ji, ji.

—Ellos te aprecian, y es por eso por lo que me encuentro hoy aquí.

El anciano volvió a reír, y no pudo por menos que enjugarse las lágrimas.

—¿Y qué te han dicho, querido colega? Me tienes intrigado.

—Que eres grato a sus ojos y que por ello serás recompensado.

—Ji, ji. Tu historia supera cualquiera de mis expectativas. ¡Juba compensado por los dioses! Inaudito.

—Exactamente con un talento.

Aquella palabra hizo que a Juba se le cortara la risa al instante.

—¿Un talento, dices?

—Contante y sonante.

—¿Estás seguro?

—Completamente, aunque me pidieron que te dijese que a cambio deberás hacer algo por ellos.

Juba enarcó una ceja en un gesto de desconfianza.

—Ya sabía yo que se mostrarían codiciosos.

—Lo que te piden apenas te supondrá un esfuerzo.

—¿Qué es lo que desean de mí, entonces?

—Como te adelanté, solo necesitarán tus buenas prácticas.

—Hum... En verdad que eres taimado, tebano.

—Me ruegan que te pida que me proporciones un escriba de tu confianza. Un agoránomo resultaría muy recomendable y sería bien visto a los ojos divinos.

—¿Un agoránomo? —inquirió el viejo, sorprendido.

—Precisamente. Debe tratarse de un escriba no egipcio y cuya simple firma sea suficiente para dar fe.

—Ya veo —murmuró el anciano en tanto se acariciaba la barbilla.

—También sería apreciado un banco donde poder depositar cierta suma, asimismo de tu confianza.

Juba permaneció pensativo durante unos instantes.

—¿Eso es todo cuanto me piden los dioses? —preguntó al fin.

—Ya te adelanté que no desean de nosotros nada que no podamos darles.

—Hum... En tal caso, creo que quedarán satisfechos.

—Ellos confían en ti.

—¿Dijiste que recibiríamos sus parabienes a partes iguales?

—Eso es lo que desean, y no seré yo quien se lo recrimine.

—Un talento. Por Baal que no saldrás malparado de tu desventura, ji, ji.

—Es lo justo. Y también cobrar la comisión acordada por los negocios que hemos hecho juntos. Yo había calculado unos quinientos dracmas.

—Más o menos, ji, ji.

—Dadas las circunstancias, quisiera depositarlos lo antes posible en el lugar que más convenga, y de paso hablar con tu escriba. ¿Crees que eso sería posible?

—No habría nada tan sencillo como lo que nos demandan los dioses en esta ocasión, ji, ji.

—Magnífico. En ese caso te contaré mi plan, noble Juba. Mas no olvides que los dioses no tienen piedad con aquellos que se burlan de ellos.

Kamose era incapaz de conciliar el sueño. Mientras todos dormían, el tebano pensaba en cuanto había ocurrido y en el incierto futuro que se presentaba ante él. Nada de lo que había de venir estaba en su mano, aunque se sintiera satisfecho del modo en que se habían desarrollado los acontecimientos. En la cueva, el aire se le hacía irrespirable y la atmósfera resultaba tan pesada como los colosos de Amenhotep III que vigilaban la entrada de su templo funerario en Kom el-Hetan, al oeste de Tebas. Tan ciclópea era que el mercader tuvo la sensación de que sus pulmones acabarían aplastados bajo el peso de tanta miseria. Lo peor que pudiera albergar la condición humana se daba cita en aquella hora para señorear en tan lúgubre lugar. La codicia flotaba en el ambiente de tal forma que resultaba imposible no sentirse embriagado por ella, y las paredes rocosas rezumaban venganzas y odios contenidos, alimentados durante mucho tiempo, que dibujaban siniestras formas a la vez que anunciaban los más oscuros presagios.

En el interior de aquel antro, los hombres dormitaban envueltos en el grave rumor de sus ronquidos, seguramente aferrados a los sueños que su ambición les proporcionaba. Alguien tosió más allá de uno de los paupérrimos fuegos que apenas alumbraban, y Kamose pensó que el Amenti del que tanto hablaba su pueblo no podía tener una antesala peor que el lugar en el que se encontraba. En las profundidades de aquella cueva, devorados por las sombras, los súcubos los observaban a la espera de que les llegara su hora. Ahora se daba cuenta de que el Inframundo existía, y probablemente él mismo se hallara en una de las puertas que daban acceso a él. No había duda: los demonios los aguardaban, y dentro de poco les darían la bienvenida.

Sin esperarlo, el tebano sintió un escalofrío. A sus oídos llegó el sonido del viento, que soplaba en el exterior emitiendo extraños silbidos por entre las agrestes quebradas. Impelido por las fuerzas de la noche se alzaba quejumbroso, lastimero en aquel valle de ánimas errantes, golpeando los altos farallones con el ímpetu del que no puede ser gobernado. Viajaba por toda la tierra de Egipto como un nómada, ululando sin conocer el descanso, para hablar a los hombres en la lengua del vagabundo.

Kamose conocía aquel lenguaje. Lo había escuchado tantas veces que era capaz de reconocer el mensaje que arrastraba. En cierto modo, su vida también había discurrido allá donde lo condujese el camino, en compañía del polvo o la suave brisa, el céfiro o la tempestad. Era un viajero en pos de su propio destino, incapaz de echar raíces en la tierra de sus antepasados. Kemet era tan solo un nombre, y los dos mil dioses que vieron adorar los milenios, un espejismo para su corazón. Estaba seguro de que ellos lo habían querido así, y de que Mesjenet se había encargado de dar forma apropiada a su *ka* en el vientre materno para librarlo de aquello en lo que nunca creería. Su mundo estaría entre los hombres, junto a todo cuanto rodeara a estos, y aquella intuición donada por los dioses se vería alimentada por la vida hasta quedar forjada en su justa medida; tal y como era ahora. Esta le había hecho permanecer despierto aquella noche para prestar atención al viento que azotaba los barrancos, y lo que venía a decirle.

Sin dificultad llegaron hasta él las imágenes de cuanto había ocurrido, y tuvo el convencimiento de que toda su vida había sido un aprendizaje para poder afrontar aquel momento. Los leones y los hombres conviven a diario, aunque estos últimos no sean capaces de darse cuenta de ello hasta que son devorados. Kamose conocía bien este pacto, y también las dentelladas que se ocultaban tras él. Daba igual lo que pudiera parecer; en la refriega solo prevalece la fuerza del rugido.

Al pensar en Juba, el tebano tuvo que reconocer que el idumeo era un claro ejemplo de todo lo anterior. A pesar de sus años, el viejo era un león donde los hubiere. Él hacía negocios a diario con hombres a los que devoraba sin ninguna dificultad. Aquel anciano había sobrevivido en la selva que le había correspondido, y su corazón había terminado por hacerse fuerte para dominar a los demás. Kamose supo desde el principio lo que podía esperar de él, pero el pacto era inevitable. Al fin y al cabo, el tebano no era más que un nómada y nunca representaría un peligro para el viejo león. Este, por su parte, lo sabía muy bien, así como que podía sacar jugosas ganancias si empleaba su astucia.

Cuando Kamose conoció al prestamista, tuvo la certeza de que se encontraba frente a un hombre sin alma. Uno de aquellos tipos capaces de pasar por la vida engullendo corazones y esclavizando fortunas, y cuya mera presencia hacía contener el aliento. El tebano no tuvo ninguna duda de lo que podía esperar de semejante individuo y también del lugar que le correspondía, junto al viejo idumeo. La carroña era su negocio, algo que resultaba muy útil sin duda a Juba. Este era el león, y Nitócrates, la hiena que lo acompañaba.

Ello lo llevó a considerar sus planes; si hacía tratos con aquel griego, de seguro que conseguiría la condenación eterna. Sin embargo, debía llevar a cabo cuanto le había adelantado al idumeo, y por ello depositó los dracmas que le correspondían como comisión en todo aquel asunto. Que Juba le había contado a Nitócrates cuanto le había propuesto el tebano estaba claro, y Kamose pensó que esto había llevado al griego a mostrarse particularmente solícito con su persona, aunque su sonrisa no invitara más que a la desconfianza.

Las quinientas monedas quedaron guardadas en dos bolsas lacradas a su nombre. El agoránomo, un escriba estirado y tan relamido como acostumbraban a serlo los de su clase, dio fe de ello y Kamose fingió mostrarse contento, aunque estuviera convencido de que allí la ley no sirviera para mucho.

—El templo de Amón es fiador de tus bienes. Qué mayor garantía para un tebano que la casa donde habita el Oculto —dijo el griego en un tono que pretendía ser solemne—. Sus criptas se hallan protegidas no solo por el dios, sino también por las leyes del faraón y por mis hombres. Tus monedas están aseguradas. Espero que pronto te decidas a otorgarme de nuevo tu confianza.

Al terminar la frase Nitócrates dedicó una de sus habituales sonrisas al tebano, y este creyó que Apofis en persona había decidido visitarlo. Sin embargo, los planes debían continuar su curso y, fiel a sus propósitos, Kamose le respondió con uno de aquellos gestos amables que tanta confianza solían causar entre los demás. Formaba parte de su natural comportamiento, y Juba así lo entendió.

—Espero que todo haya ido con arreglo a tus planes, ji, ji —le dijo el anciano—. Ya ves que nada hay que temer. Haremos un buen negocio. Aguardaré impaciente tu regreso.

El tebano recordaba con claridad el brillo de los ojos del idumeo cuando le dijo aquello. En ellos se ocultaba la ambición, y por primera vez Kamose pudo leer una codicia que el viejo había tenido buen cuidado de mantener oculta. La jauría se hallaba preparada para cobrar la presa, y él formaba parte de aquella cacería.

Kamose se revolvió incómodo bajo su manta al recordar la escena y de nuevo prestó atención al sonido del viento. Parecía querer arreciar y el comerciante se congratuló por ello, pues estaba convencido de que se anunciaba una tempestad. Luego regresó a sus pensamientos para rememorar cuanto había ocurrido.

De vuelta a la guarida de sus captores, Kamose hizo un aparte con su jefe para iniciar el acto final de su estratagema.

—Gran Netjeruy, ha llegado el momento de que pienses en tu fortuna —dijo—. No debes aguardar por más tiempo.

El gigante pareció sorprendido, e incluso miró con recelo al tebano con su único ojo.

—Hace tiempo que Shai te muestra el camino, y si no lo sigues el dios del destino no se cansará de recordártelo mientras vivas —le aseguró el mercader en un tono con el que parecía dictar sentencia.

Netjeruy gruñó, sin ocultar su incomodidad.

—Tratante del demonio... —masculló el bribón con voz cavernosa.

Kamose sonrió para sí, satisfecho.

—Míralos —continuó mientras hacía una seña en rededor—. Durante todas estas semanas no han hecho más que pugnar por las monedas que les has procurado. Se juegan su bolsa a diario, a la espera de que regrese de Kharga con más plata por la que pelear. ¿Qué crees que ocurrirá cuando esta se acabe?

Netjeruy volvió a gruñir, y esta vez mostró sus encías desdentadas al tebano.

—¿Acaso piensas pasar el resto de tus días asaltando caravanas? Te advierto que no encontrarás otra como la que se cruzó en tu camino —apuntó el comerciante.

—Hablas con la lengua de Apofis. Ten cuidado, mercader.

Kamose se encogió de hombros.

—Eres un gran guerrero, sin duda, y yo un simple tratante, como tú bien me recuerdas, y como tal te digo que harías mejor en poner a buen recaudo tus riquezas. —El gigante abrió desmesuradamente el ojo que le quedaba, pero no dijo nada—. La guerra que mantienes, aunque justa, no hará más que llevarte de cueva en cueva —señaló Kamose—. Además, ¿de qué te servirá entonces poseer un botín como este? Alimentarás la avaricia ajena.

—¿Qué es lo que tramas? ¿Acaso andas en intrigas contra mí? —inquirió el hombretón, amenazador.

—Solo deseo seguir mi camino en paz. Si te decides a hacer lo mismo, yo conozco el medio, hijo de Montu. Si no es así, harás bien en cuidarte de los que te rodean.

—¡Calla! —bufó Netjeruy—. Debería cortarte la lengua ahora mismo. Quién sabe si no terminaré haciéndolo de todas formas.

Acto seguido, el gigante se levantó para alejarse entre juramentos. Kamose lo observó un momento y luego suspiró, complacido.

Tal y como esperaba el mercader, aquella misma noche Netjeruy volvió a reunirse con él en una zona apartada de la cueva, en tanto sus hombres bebían despreocupadamente.

—¿Y dices que podría ganar dos talentos? —preguntó Netjeruy en voz baja, por temor a que le oyeran.

—Por lo menos —le aseguró el comerciante—. Pero has de ser muy prudente. —El gigante se rascó la cabeza—. Habrás de tratar con prestamistas y...

—¿Prestamistas? —le cortó el hombretón—. La última vez que negocié con uno tuve que cortarle el cuello.

Kamose hizo un gesto de comprensión y lo calmó con las manos.

—No tendrás necesidad de hacer algo así. Los dracmas te pertenecerán a ti; el prestamista solo se encargará de salvaguardar tus bienes.

—¿Cómo sé que no me robará? Conozco bien a los de su calaña. Son serpientes.

—Las leyes del faraón te protegerán. Un escriba dará fe de cuanto ocurra.

Netjeruy lanzó una carcajada.

—¿Las leyes de Ptolomeo? Menuda garantía. Mala propuesta me haces, mercader.

Este volvió a calmarlo con un ademán de sus manos.

—Es lo que hay, y te aseguro que tus riquezas se encontrarán a salvo. Pero deberás ser muy cauto con la negociación.

—¿Negociación? Ya sabes lo que pienso de los de tu ralea —indicó el truhan con desdén—. Solo el negocio de la espada me es conocido, ¡ja, ja!

—Bien dicho, noble guerrero. Mas en ese caso deberás confiar en mí.

—¿Y cómo sé que no serás tú quien me engañe?

Kamose señaló hacia donde se encontraba la mayoría de sus hombres.

—Juzga tú mismo. No llevo ni una sola moneda que te pertenezca. Todo cuanto se ganó está aquí; hasta el último óbolo.

—Hum... —murmuró Netjeruy en tanto se acariciaba la barbilla—. No sé...

—Iremos juntos a ver al idumeo y tú mismo darás tu beneplácito a cuanto se acuerde con él. Luego nos dirigiremos a los sótanos del templo de Amón, donde depositarás tus ganancias ante seis testigos.

—¿Cómo que seis testigos?

—Me temo que por esta vez deberás olvidar que eres egipcio.

—Pero...

—Escucha, Netjeruy. Ellos son griegos y no necesitan dieciséis testigos como nosotros para dar validez a un documento. Con seis bastarán.

—¿Y quiénes serán estos? —inquirió el gigantón, que no podía ocultar en el rostro su desconfianza.

—Es un mero formalismo —se apresuró a decir Kamose, que leía las dudas de aquel hombre—. El escriba dará fe con arreglo a la ley. Él se ocupará de que se testifique adecuadamente. Yo mismo lo haré si te acomoda, incluso tú también podrías participar.

Netjeruy puso cara de no entender nada.

—¿Cómo puede ser? Nadie testifica en su favor.

—En este caso sí, ya que el depósito que hagas no estará a tu nombre.

Aquellas palabras hicieron enrojecer el rostro de Netjeruy de tal modo que Kamose creyó que su final se encontraba próximo. Al punto volvió a mostrarle las palmas de las manos, conciliador.

—Permíteme que te lo explique antes de que la ira ofusque tu conocimiento, noble guerrero.

—Más te vale, condenado mercader —masculló aquel energúmeno, todavía congestionado.

—No pensarías presentarte ante el escriba como el gran Netjeruy, ¿verdad? Me temo que no seas del todo consciente del alcance de tu fama. La justicia del faraón te busca e incluso ha puesto precio a tu cabeza, aunque supongo que ya estarás al corriente.

Netjeruy no supo qué contestar, ya que nunca se había parado a pensar en eso. Si alguna vez lo atrapaban, sería porque estaría muerto.

Kamose le adivinó el pensamiento.

—Tal y como te lo digo, gran guerrero —mintió el tebano—. En la ciudad oí hablar acerca de ello, y lo malo es que siempre hay alguien dispuesto a echar sus cuentas.

—Ya los ayudaré yo a echarlas. Anubis se alegrará de saber esto.

—Tus pactos con el dios de los muertos son cosa tuya, aunque no creo que sea necesario sembrar Kharga de cadáveres solo para solucionar tus negocios.

Netjeruy lo fulminó con la mirada.

—Escucha, noble hijo de Montu, más allá de ser capaz de sujetar tu ira, el único escollo que habrás de salvar es el de tu firma —se apresuró a decir el tebano.

—¿Mi firma? Soy perfectamente capaz de estampar mi firma —aseguró el gigante, muy digno.

—Claro, aunque me temo que el escriba precise que el firmante lo haga en griego, y tú no conoces esa lengua, ¿no es cierto?

Netjeruy se quedó lívido e incluso abrió y cerró un par de veces la boca sin poder decir una palabra.

—Eso favorecerá tus propósitos, noble señor. De este modo podrás valerte de otra persona que te suplante, con lo que quedarás libre de toda sospecha. Ya sabes lo taimados que pueden llegar a ser estos griegos del demonio. Ammit los devore a todos sin compasión.

Netjeruy asintió de forma mecánica, pues se hallaba confundido.

—¿Y en quién habías pensado para hacerle el honor de firmar por mí? —quiso saber al rato—. No conozco a nadie que hable esa lengua maldita.

—En eso te equivocas, paladín de la Tierra Negra. Hay alguien en esta cueva que te puede ayudar en semejante asunto.

—Dime de una vez de quién se trata, maldito tunante —profirió el gigantón sin poder aguantar más.

—Amosis.

—¿Tu sobrino? ¡El pequeño poeta! ¡Ja, ja! Esto sí que no lo esperaba. He de reconocer que eres ladino como pocos, mercader.

—Amosis firmará en tu lugar —prosiguió Kamose, haciendo caso omiso del comentario—. Poca amenaza puede representar para ti un chiquillo de diez años, ¿no te parece? Además, eso te ayudará a pasar desapercibido.

—¡Amosis! —continuó exclamando Netjeruy en tanto se golpeaba los muslos—. Veo que lo tienes todo bien planeado, granuja, ja, ja. Pero dime, ¿cómo recuperaré mis monedas una vez que estén a nombre del pequeño?

—¿Recuerdas que te hablé acerca de la prudencia? Deberemos hacer dos visitas al viejo idumeo. En la primera comerciaremos solo con la mitad de tu mercancía y depositarás los dracmas tras la firma de mi sobrino. En la segunda ocasión negociaremos la otra mitad, la más valiosa si quieres mi consejo, y luego Amosis rescatará las monedas depositadas en las criptas del templo y así podrás irte con todas las ganancias ya en tu poder. Mi consejo es que abandones Egipto de inmediato. Serás un hombre rico allá donde te dirijas. Yo mismo te encontraré una caravana de garantía para que huyas. Nada menos que dos talentos. Seguro que nunca lo habrías imaginado, gran Netjeruy.

Este miraba boquiabierto al mercader, pues nunca se le hubiera ocurrido nada semejante.

—He de reconocer que tu astucia me supera. ¡Amosis! Quién lo hubiera podido imaginar. Me alegro de no haberos matado antes, ja, ja. ¿Y dices que el rapaz escribe bien el griego?

—A la perfección. Y también lo habla. Ello me lleva a proponerte otro aspecto que harías bien en considerar.

—Bueno, me parece que ya poco de lo que me digas me podrá sorprender, mercader.

—Me alegro de que pienses así. Para que el asunto esté fuera de toda sospecha, sería conveniente que mi sobrino utilizara otro nombre. Ya que va a firmar en griego, qué mejor cosa que se llame como tal.

—De seguro que ya tienes uno pensado, ¿no es así? Pero me parece bien. ¿Y cuál has elegido, tunante?

—Hum... Zenódoto. Creo que ese nombre le iría muy bien al chiquillo.

—¿Zenódoto? Ja, ja. Inaudito. Claro que a mí todos esos nombres macedonios me resultan particularmente desagradables. Salidos de algún corazón perverso.

—Bien dicho, noble Netjeruy.

—¡Ja, ja! Pero dime, tebano, ¿tú qué piensas ganar con todo esto? Seguro que lo tienes bien meditado.

Kamose esbozó una sonrisa.

—Mi libertad —dijo mirando al único ojo del guerrero—. No hay nada más valioso que eso.

—Ya veo, y a fe mía que la obtendrás si todo sale a mi satisfacción. Pero ten en cuenta una cosa. Si tratas de engañarme, tu astucia no te servirá de nada. Volverás a la cueva sin cabeza, y tu sobrino acabará siendo vendido en el peor mercado de esclavos que se conozca. Al menos eso me reportará algún beneficio, ja, ja.

Netjeruy se despidió sin dejar de reír, y mientras se alejaba su risa le sonó a Kamose tan hueca como el corazón de aquel truhan que se tenía por hijo de Montu. A eso habían quedado reducidos los dioses de Egipto.

Sin embargo las cosas no fueron tan mal como cabría pensar, ya que dieron pie al cultivo de nuevas ambiciones, algo con lo que Kamose ya contaba de antemano. La pequeña comitiva se había puesto en camino con el anuncio del alba, cual si fueran peregrinos en pos de la salvación; en silencio, embozados y rodeados por una luz difusa que hacíales parecer fantasmales. Netjeruy se había dejado guiar por los consejos del mercader, y abandonaba la cueva con la mitad del botín que le correspondía; un cargamento de mirra, incienso y el apreciado aceite de cedro con el que esperaba obtener un beneficio de seis mil dracmas. No estaba mal para un hombre de armas como él, y mientras abandonaba su escondite junto con dos de sus hombres, observaba a las figuras que se balanceaban sobre sus monturas justo delante de él.

Tenía que reconocer que había hecho un buen negocio al perdonar la vida a aquellos dos, ya que hasta el chiquillo iba a serle de utilidad; quién lo hubiera podido suponer. Que Kamose era un zorro de cuidado lo sabía de sobra, mas en su fuero interno el guerrero no podía evitar un sentimiento de desprecio hacia el mercader y todo lo que este representaba. Netjeruy era un hombre de armas, y solo sentía consideración por los más fuertes. En su opinión, los débiles debían ocupar el lugar que se merecían, entre el ostracismo y la servidumbre, si no recluidos para siempre en algún pasaje oscuro del Amenti. Que la fuerza estaba de su lado era una cosa clara, y la prueba de ello era aquel tebano que se veía obligado a enriquecerlo a cambio de su vida. Este punto satisfacía al hombretón de forma particular, ya que al final la astucia no le serviría de nada al comerciante. El gigante estaba convencido de que Kamose había fraguado su intriga con cuidado, pero él tenía sus planes y en ellos el tratante no contaba. Cuando este cumpliera con su cometido se desharía de él, aunque hasta que llegara ese momento extremaría su prudencia y le dejaría hacer. En cuanto al pequeño... Aquel sí que era un verdadero regalo de los dioses, una gacela en noche de pitanza. No solo le sería útil para obtener sus preciadas monedas, sino que sacaría un pingüe beneficio por su persona, ya que pensaba venderlo al primer negrero que hiciera una buena oferta por él. Un niño que además hablaba griego... Se lo quitarían de las manos.

Semejante idea le hizo sentirse eufórico, y mientras recorrían las angostas vaguadas Netjeruy se convenció de que la causa por la que había luchado durante años le recompensaba de alguna manera con el favor de los dioses en los que creía. Ni Set ni Montu entendían de sentimentalismos, y él era su más ferviente acólito. Ello lo llevó a pensar en Sekenenre. Aquello era un escollo que debía solventar. Su lugarteniente era un hombre peligroso, sobre todo porque no anidaba en su corazón más interés que el de la venganza. El joven, en permanente litigio con el mundo que lo rodeaba, estaba dispuesto a enviar a los brazos de Anubis a cuantos desdichados se cruzaran en su camino. Aquel hombre no tenía más ambición que desenvainar su espada, una *jepesh*[29] de los tiempos antiguos de la que estaba particularmente orgulloso. Tarde o temprano el gigante se debería enfrentar a él, y por ese motivo había trazado un plan con el que librarse del incómodo joven sin que tuvieran necesidad de cruzar sus armas.

Entretanto, sumidos en sus propios pensamientos, tío y sobrino cabalgaban a lomos de un camello. Desde que fueran introducidos en Kemet apenas cinco siglos atrás, estos animales eran parte consustancial de cualquiera de las caravanas que atravesaban las rutas del desierto, y el único amigo con el que podían contar los mercaderes. Kamose pensaba en lo frágil que podía tornarse la situación, sabedor de que no debía fiarse de nadie, mientras Amosis disfrutaba de aquella aventura en que lo había embarcado Filitas. ¿Cómo si no habría podido llegar hasta allí? Gracias a las enseñanzas del escriba de Koptos, se encontraba junto a su tío para llevar a cabo una tarea que solo él podía resolver. Menudo cometido, se decía el pequeño en tanto transitaban entre el polvo y los roquedales. Su héroe Odiseo estaría orgulloso de él.

Cuando llegaron a Kharga los recibió la dulzona fragancia del dátil. Aquel era su hogar, y la pequeña comitiva aspiró con deleite el aroma que había hecho famoso al oasis de Kharga desde tiempo inmemorial. La tierra atormentada daba paso al vergel de frondosos palmerales que se levantaban cual si se hubiese obrado un milagro portentoso. ¿Cómo era posible semejante paraíso en medio de la nada? ¿O aquella agua tan clara surgida de las entrañas de la tierra? El niño pensó que la magia existía, y que en verdad la Tierra Negra era un país elegido por los dioses creadores. ¿Cómo entender si no tales prodigios?

Al llegar a su casa Juba los estaba esperando, como si los palmerales lo hubieran avisado con antelación de la llegada de sus huéspedes. Como era costumbre, ofreció su hospitalidad al tiempo que observaba con disimulo. El hombretón le pareció tan rudo como suponía, aunque no lo menospreciara; el gigante era un hombre peligroso, y no sería el anciano quien se enfrentara a él. No había necesidad, como bien sabía el idumeo, pues todo estaba dispuesto. Aquel bravucón le había hecho un gran servicio al robar toda una caravana para él, aunque todavía no lo supiera. Semejante idea regocijó en extremo al viejo, que disfrutaba mucho con los engaños, y el que le ocupaba le iba a reportar otro talento.

Al reparar en el pequeño, Juba lo inspeccionó con atención. El niño iba a cumplir un cometido a todas luces impropio de su edad. No obstante, al cruzar con él la primera mirada, el idumeo notó la viveza del chiquillo así como la fuerza que atesoraba, y esto le gustó; el pequeño realizaría bien su tarea, de eso no tenía ninguna duda.

Kamose hizo las presentaciones, aunque se obviara el nombre de Netjeruy. Juba sabía que aquel tipo era un bandolero, y su único interés residía en el negocio que le iba a proporcionar; la procedencia de este era algo que le importaba poco. Enseguida le ofreció vino y pastelillos y puso buen cuidado en hablar en demótico, la lengua egipcia, para que todos le pudieran entender.

—Hum... Veo que no has traído las mercancías que me prometiste —dijo el viejo después de inspeccionar la carga.

—Mirra, incienso, aceite de cedro, nardo, malabatro, pimienta, costo...

—Sí, ya lo he visto, comerciante tebano —interrumpió el idumeo—. Me hablaste de lapislázuli, bálsamo, perlas y conchas de tortuga.

—Seamos prudentes con nuestro socio —se apresuró a decir Kamose—. Lo que te he traído hoy vale una fortuna. Dejemos el resto para la próxima ocasión.

Juba asintió mientras forzaba una sonrisa, arrepentido de haberse mostrado codicioso, pues conocía aquel detalle de antemano.

—En fin, tienes razón. De ese modo podré agasajaros de nuevo como os merecéis —dijo con condescendencia.

Después, ambos comerciantes hablaron de banalidades mientras degustaban los pastelillos a la espera de fijar el precio. Netjeruy, que los observaba en silencio, comenzó a impacientarse y al poco dio muestras de su mal humor.

—Dejemos la cháchara de los tratantes para mejor ocasión y terminemos con esto de una vez. Recuerda, idumeo, que he de ir a por más.

Dicho lo cual, el hombretón soltó una carcajada. El anciano hizo un gesto de disculpa.

—Debes perdonarnos, sin duda tienes toda la razón. Veamos, pues. Creo que soy generoso al ofrecerte tres mil dracmas por tus mercancías, aun a riesgo de salir perdiendo en el acuerdo.

Al oír aquella cifra, a Netjeruy se le congestionó el rostro. Aquello no era lo que le había prometido el tebano, pero por una vez se contuvo, temeroso de echar todo el asunto por tierra.

—¡Isis bendita! —exclamó Kamose—. Solamente el aceite de cedro ya vale más de dos mil dracmas. ¡En Alejandría sacarías el doble por él!

—Lo sé. Pero hay que ir hasta allí, ji, ji. No te imaginas el peligro que representa hoy en día transitar por las rutas del desierto. Hay partidas de ladrones por doquier. En fin, qué os voy a contar.

Aquel comentario no le hizo la menor gracia a Netjeruy, pero se limitó a mirar al anciano de tal forma que bien se diría que el idumeo caería fulminado de un momento a otro.

—Lo que te ofrecemos no lo encontrarás en ninguna de las caravanas que lleguen a Kharga, incluidas las tuyas —señaló Kamose.

—Tengo incienso y mirra suficientes para comerciar. No necesito más.

—Pero no de esta calidad. El malabatro lo venderás como oro fino. Llegó desde la lejana India. Dicen que sus efectos afrodisíacos superan todo lo conocido. Seguro que podrás vendérselo al faraón. No haremos ningún trato por debajo de ocho mil dracmas.

Juba se dio un manotazo en la frente, escandalizado, y entonces los dos comerciantes escenificaron un regateo digno de ser contemplado. Amosis los observaba, fascinado ante el arte que demostraban aquellos dos hombres a la hora de negociar. El chiquillo ya había echado sus cuentas y estaba convencido de que el idumeo podría sacar más de nueve mil dracmas por las mercaderías. Pero se sintió tan embelesado ante el virtuosismo de los dos mercaderes que se alegró de que tardaran en llegar a un acuerdo. Cuando por fin lo hicieron, Netjeruy estaba a punto de intervenir; con gusto le hubiera rebanado el cuello a aquel vejestorio allí mismo.

—Sea pues por el futuro de nuestros negocios —suspiró Juba, como resignado—. Os daré seis mil dracmas, y no se hable más.

Aquella cifra hizo cambiar el gesto del gigante y Kamose le sonrió, satisfecho. Netjeruy no había nacido con el don del disimulo, y no tuvo el más mínimo inconveniente en relamerse sin ningún recato. El tebano miró al idumeo, y ambos se felicitaron ante la representación que habían escenificado. El guerrero se mostraba incapaz de contener su avidez, pues deseaba terminar cuanto antes para ir a por el resto del botín y vendérselo al viejo. Cuando Juba le mostró el arcón que contenía las monedas Netjeruy soltó un exabrupto, ya que estas estaban depositadas dentro de varias bolsas.

—Cada una contiene quinientos dracmas —le dijo el anciano—. Puedes contarlas si quieres, aunque ya te adelanto que el escriba lo hará por ti.

—Más te vale que sea como aseguras —contestó Netjeruy con cara de pocos amigos—. Si no, te aseguro que tendrás pesadillas conmigo.

Juba no dijo nada, pues no tenía dudas acerca de la catadura de aquel individuo, y enseguida invitó a sus huéspedes a que se apresuraran a abandonar su casa, ya que los esperaban en el templo.

De camino, Amosis no pudo dejar de observar a aquel gigante que andaba como si fuera a partir en dos la tierra a cada paso. Junto a él, sus secuaces vigilaban a su alrededor como si en verdad esperaran un ataque imprevisto. Al niño se le ocurrió que Netjeruy procedía de otro mundo, que era imposible encontrar a alguien que se le pudiera asemejar. Ra-Horakhty, el sol del mediodía, se encontraba en su zenit, y sus poderosos rayos caían implacables en aquella hora como si en verdad lloviera fuego. Netjeruy chorreaba de sudor y al pequeño le pareció un ser monstruoso salido del Amenti, o quizá del Hades que una vez visitara Odiseo. Entonces pensó que aquel energúmeno bien pudiera haber sido sacado de los papiros que cantaban la epopeya de su héroe, y al punto le encontró lugar y nombre. Llegaba de tierras remotas, de la isla de los cíclopes, y, no había duda, se llamaba Polifemo.

Con semejantes fantasías se presentó Amosis ante la entrada del templo de Amón-Ra, un lugar solitario que le trajo recuerdos de su Tebas natal. El santuario había sido construido por el rey persa Darío I durante su primera dominación hacía cuatrocientos años, aunque el faraón Nectanebo II y algunos Ptolomeos lo ampliaron y embellecieron. El pórtico de entrada era monumental, y las doce columnas de capiteles palmiformes que se alzaban en la sala hipóstila invitaban al recogimiento. El pequeño volvió a sentirse egipcio después de mucho tiempo, pues por algo Karnak había depositado en él su semilla.

Los sótanos impresionaron al chiquillo, ya que eran tan lúgubres como cupiese imaginar, impropios de un recinto santo como aquel, y al instante pensó que el Oculto jamás elegiría unas cámaras semejantes como lugar de veneración. Sin embargo, a él se encomendó, pues se sentía insignificante.

Amosis nunca olvidaría lo que presenció en las catacumbas del templo. Rostros que daban miedo, entre el gesto forzado y la ambición contenida; máscaras incapaces de tapar la maldad que anidaba en el corazón de aquellos hombres. Nitócrates le pareció surgido de lo más profundo del Inframundo, y al advertir cómo lo miraba sintió deseos de salir corriendo de aquel remedo de túmulo en el que se hallaban, donde las ánimas vagaban sin conocer el descanso. A la fantasmagórica luz de las antorchas, las sombras se alargaban hasta confundirse con la oscuridad que los rodeaba, dispuesta a devorarlos a todos a la menor oportunidad.

El griego hizo una señal y el pequeño grupo se encaminó hasta una sala mejor iluminada en la que aguardaba un escriba. En el centro había una mesa, y sobre ella los útiles para escribir y un legajo de papiros amarillentos. El escriba fijó su atención en el pequeño, y este creyó que la hora en que pesarían su alma había llegado. Entonces imaginó que el escriba no era otro que Thot, el dios de la sabiduría, dispuesto a tomar buena nota del resultado del juicio con su cálamo incorruptible, y que Nitócrates representaba a Ammit, el monstruo que devoraba a los culpables. Sí, aquella tenía que ser la Sala de las Dos Verdades, y él debía de haber muerto aunque no recordara ninguna imagen de su deceso. Sin embargo, allí no había señal de la presencia de Osiris, ni tampoco de los cuarenta y dos dioses que juzgarían su «declaración negativa». El niño se sintió presa del espanto y al momento decidió salir corriendo de allí sin pensar en la oscuridad que lo aguardaba, pero sus piernas fueron incapaces de moverse y sus pies permanecieron clavados al suelo de la cámara en tanto todos los presentes lo miraban. El escriba lo señaló con el dedo y unas manos lo zarandearon con suavidad al tiempo que una voz lo llamaba.

—Zenódoto... ¿Me oyes? Zenódoto.

Entonces el chiquillo salió de su ensoñación justo para reconocer a su tío, que lo miraba con dulzura.

—Zenódoto, soy Kamose. No tengas miedo.

El niño respiró con dificultad en tanto se abrazaba al tebano.

—Ejem... —El escriba tosió para reclamar su atención—. No dilatemos más el acto. ¿Has comprendido cuanto te he dicho?

Amosis miró a su tío sin saber qué decir. Según parecía, el funcionario llevaba un rato hablando con él, y el rapaz miró al suelo, avergonzado.

—Zenódoto ha entendido tus palabras tal y como las has pronunciado, noble escriba —se apresuró a intervenir Kamose.

El funcionario torció el gesto y pidió al pequeño que se le acercara.

—¿Eres tú Zenódoto? —le preguntó.

—Sí, lo soy —respondió el pequeño de forma mecánica, como le habían instruido.

—¿Conoces las leyes del faraón?

—Sí, las conozco —señaló el niño sin pensar.

El escriba se lo quedó mirando un instante, y luego se ajustó mejor la peluca.

—Ya veo —apuntó con disgusto.

Entonces comenzó a hablarle a Amosis en griego, ante el estupor de los allí presentes, que no contaban con algo así. Juba fulminó al funcionario con la mirada, prometiéndose que como diera al traste con el asunto se encargaría de que lo enviasen al país de Kush, y Netjeruy puso la mano sobre el pomo de su espada, dispuesto a resolver aquello a su manera si era necesario.

Pero el chiquillo contestó a lo que le preguntaban, y enseguida se puso a conversar con el agoránomo con una fluidez que daba gloria. Los presentes se quedaron estupefactos, y Kamose sintió cómo su corazón saltaba en pedazos, henchido de orgullo, y las lágrimas afloraban a sus ojos. En ese momento se acordó de Filitas, y se prometió que al viejo borrachín nunca habría de faltarle un ánfora de buen vino.

27

Así era como habían ocurrido las cosas, y los detalles de aquella reunión de ultratumba parecían tan irreales como la fantasmagórica cripta donde había tenido lugar. Hombres condenados hacía ya mucho por los dioses en los que porfiaban en creer trataban con un chiquillo de diez años limpio de corazón al que confiaban utilizar. Kamose recordó cómo el pequeño estampó su firma donde correspondía, y también los ávidos rostros que lo observaban. Entonces tuvo la certeza de que si regresaban su suerte estaría echada. De que los planes de Juba le resultaban impenetrables.

Durante el camino de vuelta, apenas cruzaron palabra con Netjeruy. Este parecía eufórico y hasta tarareaba una cancioncilla que el tebano no había escuchado antes. El hombretón bromeaba de vez en cuando con sus secuaces, que reían las gracias, y acariciaba a la menor oportunidad una bolsa con quinientos dracmas que había decidido llevarse, según aseguraba para gastos imprevistos.

Al llegar a la lóbrega cueva, Kamose sabía lo que debía hacer y también que su tiempo en aquel antro estaba cumplido.

Por su parte, Amosis regresaba convertido en todo un personaje capaz de haber cumplido una tarea de la máxima importancia. Que alguien como Juba o el agorónomo hubieran necesitado de sus servicios era algo que lo llenaba de orgullo, aunque nunca olvidaría los rostros de aquellos hombres.

Aquella misma noche el mercader le contó a su sobrino mayor cuanto había pasado, sin omitir ni un detalle.

Sekenenre hizo un gesto de desagrado.

—¡Amosis entre semejante jauría! —exclamó en voz baja—. Si mi padre lo viera se sentiría consternado.

—Su corazón estaría atribulado por más motivos —recalcó el comerciante.

—Tienes razón. Ya es hora de que busque la redención en otro lado.

Como era habitual, las conversaciones con su sobrino resultaban escuetas, y Kamose llegó a la conclusión de que Sekenenre sufría por ser como era y que nunca nadie podría hacerle cambiar. La redención era el único camino, aunque el mercader se temiera que para conseguirla el corazón del joven debería pasar por el fuego purificador.

Al verlo alejarse, tan taciturno como de costumbre, Kamose tuvo la certidumbre de que su sobrino había tomado una decisión.

No fue difícil convencer a Netjeruy de la necesidad de regresar a Kharga para recuperar sus monedas y hacer una buena venta con lo que restaba. En realidad, el gigante ya había pensado en ello en el viaje de vuelta a su cuchitril. Ahora que había visto con quién debía tratar, se hallaba confiado y eufórico por el sesgo que la vida tomaba para él. Sus hombres hacía ya demasiado tiempo que habían abandonado sus creencias, y a no mucho tardar se volverían ingobernables. Netjeruy no había tenido más remedio que mentirles al asegurar que pronto asaltarían otra caravana. De la que en su día atacaran ya solo quedaban alguna bestia de carga y las monedas que pasaban de mano en mano cada noche como si en verdad se tratase de un ritual. El gigante, que guardaba su parte a buen recaudo, no estaba dispuesto a dilatar su marcha por más tiempo. Aquel hatajo de rufianes ya no lo necesitaban, y no veía el momento de librarse de ellos, sobre todo ahora que había descubierto, al fin, cuál era el lugar que le correspondía. Por tal motivo, Netjeruy mostró su generosidad al invitar a sus hombres, la noche previa a su partida, al mejor vino que había sido capaz de traer de Kharga. Vino en abundancia, para que sus secuaces pudiesen beber hasta la extenuación, como correspondería a un buen jefe como él. Semejante símil le había producido una íntima satisfacción, sobre todo porque hacía ya tiempo que no sentía ningún aprecio por aquella turba de bribones. Estos trasegaron sin tino, y tras las habituales reyertas la cueva se convirtió en el reino del ronquido, con cuerpos tirados por doquier, alguno todavía asido a su ánfora.

Kamose continuó prestando atención al viento, hecho un ovillo bajo su manta. En breve su camino los conduciría lejos de allí, aunque todavía no tuviera claro si este les procuraría la salvación o los llevaría hasta las mismas puertas del Inframundo. Ahora que todos dormían, no tuvo duda de que Set se disponía a arrojar su aliento sobre la tierra de Egipto, y en él se encontraba su liberación.

28

Poco se había equivocado Kamose en sus juicios. El vendaval que, desatado, levantaba polvaredas por doquier, amenazaba con devorarlos a todos. Las espesas nubes que se cernían desde el suroeste se elevaban desde el suelo para crear sutiles cortinajes que era mejor no traspasar. Eran las puertas que daban acceso al infierno, y una vez corridos sus cerrojos no habría *ba* que se encontrara a salvo.

Cuan figuras fantasmagóricas, los tres peregrinos avanzaban sobre sus monturas como vagabundos errantes en busca de la salvación eterna. El viento perfilaba aquellos cuerpos cubiertos por sus frazadas para darles la apariencia de lúgubres mortajas devueltas a la vida. Deambulaban tal y como si se dejasen llevar por una mano misteriosa de la que resultaba imposible librarse; una fuerza que los superaba y a la que, por una u otra razón, se habían entregado.

Antes de que despuntara el alba, los tres caminantes habían abandonado su triste hogar sin que nadie se despidiera de ellos. La covacha había quedado reducida a un mundo de confusión en el que se vislumbraba la sombra de la anarquía, algo por lo que Netjeruy se felicitaba íntimamente. El cabecilla de tan singular hueste lo había dispuesto todo a su conveniencia, y por este motivo había tenido en consideración el consejo del mercader.

—Se avecina un buen vendaval. Esto favorecerá tus propósitos. Dentro de poco no habrá rastro que seguir. No deberíamos perder esta ocasión.

Y a fe que el comerciante tenía razón. Si Set los aguardaba en los caminos tanto mejor, pues ya sabría el guerrero cómo tratar con él. Así fue como, bien de madrugada, Netjeruy dio orden de salir de allí, montados en sus acémilas y con su botín a cuestas. Las quebradas los recibieron con voz quejumbrosa, y el viento los azotó al momento para advertirles de lo que les esperaba. Sin embargo, la pequeña caravana desapareció al poco por el primer recodo del camino sin dejar rastro, como si en realidad no existiera.

Pero alguien los vio marchar. Desde lo alto, Sekenenre observó cómo el singular cortejo era tragado por el barranco, y al momento sintió que su corazón se llenaba de desesperanza. Un sentimiento de pérdida lo embargó por completo. Entonces comprendió que por la vaguada desaparecía el último eslabón que lo unía a su pasado, y unas lágrimas brotaron de sus ojos sin poder evitarlo.

Si lo que quería era que su rastro se perdiera para siempre, Netjeruy había elegido bien. Poco a poco el camino se había ido cubriendo de velos por los que la luz se filtraba para crear matices rojizos. Empujados por el viento, estos se hacían más espesos a cada paso que daban al tiempo que, saturados de arena, golpeaban inmisericordes los rostros de aquellos desdichados que se atrevían a desafiar su poder. Kamose sabía muy bien lo que se avecinaba, y así, al segundo día de viaje, el *khamsin* se presentó en toda su magnitud para abrasarlos con su aliento. El viento del sureste, el de los cincuenta días, que solía visitar Kemet cada primavera, se había adelantado de forma imprevista, como no se recordaba.

Aunque se encontraban a principios del mes de *parmhotep*, enero-febrero, Kamose había sido capaz de adivinar la llegada de aquel viento del que era mejor huir. De forma imprevista, dos días antes de su partida las temperaturas habían subido casi veinte grados, y el comerciante vio en tal aviso la posibilidad de salir con bien de aquella aventura a la que el destino los había conducido de forma inesperada. Por este motivo el tebano había engañado a Netjeruy al hacerle creer que el viento que los esperaba no era el temido *khamsin*, pues era imposible que se presentara tan pronto.

—Durará poco —le había mentido—, y deberíamos aprovecharlo.

Netjeruy no necesitó mucho más para convencerse, pues su codicia le había anulado la razón hacía ya demasiado tiempo. Además, qué podía temer de un mercader, por muy ladino que fuese, o de un chiquillo que relataba cuentos de héroes.

Bah, se dijo sin ocultar su desprecio. Daba igual el viento que soplara. Netjeruy nunca sería doblegado por este.

Sin embargo, en esto Netjeruy se equivocaba, y cuando el *khamsin* se presentó, solo le quedó encomendarse al dios del caos, de quien era devoto. Pero esta vez Set no escuchó sus plegarias y su fétido aliento cargado de arena golpeó a la caravana de manera inaudita, envolviéndola entre paredes de polvo empujadas por un viento huracanado. Kamose sabía lo que debía hacer, y poco antes de que aquella avalancha de arenas de fuego los golpeara, bajó de su camello y, tras obligarlo a echarse, le cubrió la cabeza con un lienzo al tiempo que se apresuraba, junto con su sobrino, a refugiarse detrás del animal.

Al ver aquello, Netjeruy lanzó una blasfemia y se aproximó, amenazador, conminando a sus acompañantes a que siguieran la marcha. Él se reía del viento, ¿o acaso el dios de la tempestad desconocía que Netjeruy era el paladín de la Tierra Negra? El único capaz de sobrevivir a la ignominia causada por las huestes del faraón. ¿Qué podía temer de un dios por el que había luchado?

Pero sus gritos y maldiciones no obtuvieron respuesta. Barridos por el vendaval, se perdieron por la desértica planicie, devorados por el ulular del dios en el que tanto creía el guerrero. Enseguida la arena arrastrada por la tempestad se clavó en su rostro como si le fustigaran infinitas agujas contra las que poco podía hacer. Sin poder evitarlo, su único ojo se cegó, y entonces el gigante comenzó a mover los brazos como si quisiera pelear contra aquella fuerza devoradora surgida de las entrañas del desierto. Al poco las tinieblas lo cubrieron hasta hacerle parecer una ilusión que cabalgaba con la tempestad; un espejismo más, de los muchos que eran habituales en el desierto, que gritaba desaforadamente su propia historia para todo el que estuviera dispuesto a escucharla. El *khamsin* se la llevaba, ajeno a cualquier consideración, como era su costumbre.

Al cabo de dos días el viento amainó y al punto la tierra se convirtió en un escenario ilusorio. Como suspendidas por hilos sin fin, las partículas de arena subían y bajaban cual si fueran burbujas salidas de la mano de algún *heka*. ¿Cómo si no podía explicarse semejante prodigio? Solo los hechiceros tenían poder para hacer algo semejante. El difuso manto teñido de rojo parecía cubrir toda la tierra, y Amosis comprendió por qué se consideraba a Egipto el país de la magia. Abrazado a su tío, el niño observaba un paisaje de otro mundo. Un panorama carente de toda vida que le hizo preguntarse si en realidad no estarían muertos. Mas Kamose lo ayudó a incorporarse y al punto se convirtieron en una ilusión más, envuelta por las sutiles gasas del dios de las tormentas. Al poco su camello se levantó, y juntos observaron cuanto los rodeaba. Entonces se dieron cuenta de que Netjeruy había desaparecido.

29

El aire era tan etéreo como cabía esperar después de una tempestad como aquella. Era lo habitual, pues de esta forma el iracundo Set dejaba la impronta de su sello para que nadie olvidase quién era el señor de las tierras baldías. Por ello el desierto se cubría con un inmenso peplo de finísimo polvo cuyas partículas formaban lienzos de un color rojizo, vaporosos y a la vez tan insondables que los convertían en arcanos. Era algo intrínseco a su belleza sin duda, y capaz de sobrecoger al corazón más duro. Todo parecía suspendido por hilos trenzados por la ilusión; matices sin fin dibujados por unas manos surgidas del propio misterio ante el cual solo cabía refugiarse en el consuelo que proporcionaba el propio desconocimiento.

Esto al menos era lo que sentían tío y sobrino al observar el escenario en el que se encontraban. No había palabras para definirlo, ni tampoco hacía falta; una nueva dimensión les abría sus puertas para mostrarles el verdadero poder de aquella tierra, el del iracundo Set, y también la triste insignificancia de aquellos dos hijos del país de Kemet. Amosis creyó que en verdad habían llegado a algún paraje encantado, como le había ocurrido a su héroe, y que en breve vendrían a visitarlos las ninfas.

—Tío, cuanto nos rodea no es más que producto de la magia —balbuceó el niño sin poder ocultar la impresión que le causaba lo que veía.

—Tienes razón —contestó Kamose al tiempo que acariciaba la cabeza de su sobrino—. No hay hechicería capaz de compararse con esto. Set ha extendido su aliento por sus dominios para mostrarnos su mundo.

—Pero andamos entre tinieblas, rodeados por una luz que no parece venir de ningún sitio.

—Es el caos. Por eso le llaman el señor de las tormentas. No hay nada que le guste más al Ombita[30] que dar fe de su ira a la primera oportunidad.

—Entonces..., eso significa que somos cautivos en su reino.

—Más o menos; aunque espero que podamos librarnos de él.

—¿Y cómo lo haremos? Aquí resulta imposible orientarse. Ra no tiene sitio en estos parajes.

—Sin embargo, se encuentra donde siempre, y como de costumbre nos hace llegar su luz aunque sea de esta forma difusa.

—Rezaré a la madre Isis para que nos ayude a encontrar el camino.

Kamose se sonrió.

—Ella nos ayudará; ya lo verás.

Al pequeño no le faltaba razón. Cuando el *khamsin* paraba, la atmósfera quedaba saturada de polvo en suspensión durante días y esto hacía imposible poder ver el cielo para intentar orientarse. Era preciso mantener la calma y no empezar a caminar hacia ninguna parte. Llevados por la desesperación, muchos morían en las arenas del desierto sin saber en realidad hacia dónde se dirigían.

Kamose sabía todo eso, y también que en un par de días podrían ver el cielo nocturno con singular claridad. Era un efecto que solía reducirse tras el paso del viento del sureste. Ello le permitiría estudiar la bóveda celeste y localizar su estrella, la que siempre lo orientaba cuando así lo había necesitado.

Todo ocurrió tal y como el mercader había previsto, y cuando la noche se cerró sobre las arenas del desierto el firmamento se mostró de forma inesperada con una claridad que sobrecogió al chiquillo.

—Allí está —dijo Kamose señalando con el dedo su estrella—. ¿Ves a Meskhetyu?

—¡La Pierna del Toro![31] —exclamó el niño—. ¡La noche nos muestra un cielo límpido como no recuerdo haber visto antes!

—Suele ocurrir. Fíjate en el lucero rutilante situado en la pezuña de Meskhetyu. ¿Lo ves?

El pequeño asintió, emocionado.

—Es Alkaid, la estrella que nos señala el norte. Recuerda siempre cómo encontrarla y nunca te perderás.

—Alkaid —musitó Amosis con reverencia.

—Ella nos llevará de vuelta a casa. Parece que esta vez Isis escuchó tus plegarias.

En cuanto la visibilidad lo permitió, ambos se pusieron en camino. Kamose no tenía otra opción que regresar a los acantilados del este con la esperanza de hallar a alguno de los animales de carga que transportaban las ricas mercaderías requisadas por Netjeruy. De este no había ni rastro, y el mercader dudaba mucho de que pudieran llegar a encontrar nada de él. La tempestad se lo había tragado y de seguro que la arena lo habría sepultado para siempre, como les ocurriera a muchos otros antes que a él.

—Creas o no en él, no conviene menospreciar a Set, hijo mío —le dijo Kamose al niño.

Entonces le contó la historia del desastre del ejército de Cambises cuando se dirigía hacia el oasis de Siwa. Amosis silbó, asombrado.

—¡Cincuenta mil hombres!

—Así es. Todos sepultados por una tormenta de arena. Aunque aquella tuvo que ser mucho mayor que la que hemos sufrido nosotros —apuntó Kamose.

—¿Y nunca se les encontró?

—Jamás. La tierra se los tragó para siempre, y ahora forman parte del pasado como una leyenda, imposible de que ocurriera para algunos. Pero ocurrió, ya lo creo que ocurrió.

Así discurrieron las dos jornadas siguientes, durante las cuales el tiempo les dio un respiro. Kamose trató de distraer lo mejor que pudo a su sobrino, relatándole historias increíbles que ya le contara su abuelo y que ayudaron al pequeño a olvidarse por unas horas de su penosa situación. Su tío sabía que el *khamsin* podía regresar en cualquier momento, ya que en ocasiones daba una tregua de un par de días antes de volver a mostrar su nauseabundo aliento. Los dioses les habían sido propicios en esta ocasión, ya que el camello llevaba víveres para varias jornadas y un odre de agua que los ayudaría a llegar a alguno de los pozos situados junto a los farallones del este.

—No me negarás que también en Egipto tenemos buenas historias que contar —señaló Kamose mientras comía un dátil.

Amosis asintió en tanto entrecerraba los ojos de placer.

—¿Te gusta el dátil? —quiso saber su tío.

—Mmm, están deliciosos. Nunca los había probado como estos.

—Ni los probarás. Son dátiles *dum-dum*, típicos de esta región y más dulces y sabrosos que ningún otro. Los hombres del desierto pueden sobrevivir durante mucho tiempo alimentándose solo con ellos. Pero dime, Amosis, ¿cuál de los relatos que te he contado te ha gustado más? ¿El del campesino elocuente, quizá? Mi abuelo me aseguró que se escribió hace más de dos mil *hentis*,[32] durante el reinado de Nebkaure.

—Bueno, ese no está mal, aunque prefiero el de los viajes de Wenamón.

—Claro, se parece a las aventuras de tu héroe favorito, ja, ja, ja.

—Ninguno se puede comparar con Odiseo, pero resultan divertidos.

Mientras ambos hablaban, Kamose no perdía detalle de cuanto los rodeaba. Con su vista certera escrutaba el horizonte en busca de cualquier detalle que pudiera resultar significativo. Las arenas parecían calmadas, aunque aquella momentánea bonanza podía durar bien poco. Algo le decía al tebano que el viento del sureste volvería a presentarse.

La mañana del tercer día, Kamose vio una figura recortarse en el horizonte. Parecía tan lejana que bien podía ser tomada como una ilusión, pero no lo era. Alguien se acercaba, y al momento el mercader detuvo su andadura para observar con atención aquel punto en el horizonte que parecía aumentar de tamaño. El desierto no era el mejor lugar para tener imprevistos, y menos si se viajaba en compañía de un niño. Era una tierra en la que imperaban las leyes de la supervivencia, y más valía estar prevenidos. El tebano hizo tumbarse al camello, y tío y sobrino decidieron aguardar. Si Kamose había sido capaz de divisar aquella figura, estaba convencido de que también ellos habían sido descubiertos. De modo que era preferible esperar a que cayera la tarde y prepararse para escapar en otra dirección durante una noche en la que no habría luna.

Cuando Ra-Atum comenzaba a declinar, el extraño resultaba perfectamente visible. Iba montado en un camello, y se dirigía hacia donde se encontraba el mercader con una precisión asombrosa. Kamose calculó que en apenas una hora se haría de noche. Debían salir de allí en cuanto oscureciera.

Eso fue exactamente lo que hicieron. La tierra apenas se había cubierto de sombras cuando tío y sobrino se dirigieron hacia el norte, tan rápido como les fue posible. El intruso se encontraba muy lejos de ser un comerciante, y el tebano no albergaba ninguna duda de que era un hombre de armas y de que corrían un peligro cierto. Durante toda la noche apretaron el paso sin decir una palabra, mas Kamose tenía la sensación de que el extraño los seguía y que antes o después les daría alcance. Si a la llegada del día no habían sido capaces de dar esquinazo a su perseguidor, estaban listos. Entonces el tebano decidió volver a cambiar de rumbo para dirigirse hacia el oeste y desandar parte de su camino inicial. No habían pasado dos horas cuando el mercader se topó con unos cuerpos tirados sobre la fría arena. Estaba tan oscuro que no resultaba fácil distinguirlos, pero Kamose tuvo el presentimiento de que eran los animales que los acompañaban en la caravana, que habían acabado en aquel lugar debido a la tormenta. Sin poder evitarlo el mercader pensó en Netjeruy, y al instante sintió un escalofrío que le recorrió todo el cuerpo. Casi al momento, el tebano tropezó con algo que le hizo caer. Sin querer soltó un juramento y enseguida se sintió perdido. Entonces escuchó una voz que parecía pronunciar su nombre desde lo más profundo de la noche. Kamose aguantó la respiración en tanto aguzaba todos los sentidos. Al poco volvió a escuchar aquella voz, ahora con mayor nitidez. Alguien lo llamaba, no había duda. Mas aquella voz...

—Kamose, Amosis. ¿Me oís?

El tebano dio un respingo. Pero... no podía ser.

—Soy Sekenenre. ¿No me reconocéis?

—Sekenenre... —balbuceó el mercader. Mas enseguida el tebano repitió exultante su nombre—: ¡Sekenenre! Benditos los dioses que te han traído hasta nosotros.

31

Cuando Ra-Khepri se alzaba ya sobre el horizonte, todo estaba dispuesto para abandonar aquella tierra baldía para siempre. El escenario bien podría asemejarse a una necrópolis, con todos aquellos cuerpos sin vida medio cubiertos por la arena. Los tres los observaron durante unos momentos.

—Esto es cuanto queda del gran Netjeruy —señaló Sekenenre con un ademán—. Mal final para quien un día hizo frente a la tiranía.

—Es el que se buscó —dijo Kamose, torciendo el gesto—. A la postre él mismo se convirtió en tirano. Míralo, dista mucho de parecer un hombre ejemplar.

Tío y sobrino echaron un último vistazo al cuerpo sin vida del guerrero. Yacía boca arriba con una expresión sardónica en el rostro, como si hubiera reído con el último suspiro. Cuando lo encontraron, Netjeruy asía contra su pecho la bolsa con los quinientos dracmas, cual si fuera su más preciado tesoro. No la soltó ni cuando la ira de Set se lo llevó para siempre. Ahora ya nada quedaba de su caravana. Junto a él, los cuerpos de sus animales de carga dormían el sueño eterno. Nada quedaba ya de la aventura de Netjeruy; ni tan siquiera su nombre, que caería en el olvido para siempre, como si nunca hubiera existido.

Al menos Kamose pudo recuperar algunas de las pertenencias extraviadas, como parte del valioso lapislázuli y las finas telas de Oriente. Un regalo del destino con el que no contaba después de todas las peripecias sufridas y que le hizo volver a sentirse optimista, pues esa era su naturaleza.

La comitiva se dirigió de nuevo hacia el este, a buen paso y con el convencimiento de que el *khamsin* regresaría en breve. Sekenenre les contó que había iniciado su búsqueda apenas un día después de su partida, ya que estaba seguro del peligro que corrían los suyos.

—Dejé a los demás en la cueva, entre blasfemias, juramentos y desafíos. Yo les aseguré que Netjeruy regresaría con más monedas, pero ellos no parecían muy convencidos. Entonces se volvieron más irascibles, y la ambición por poseer cuantos tesoros hubiera en aquel antro se hizo desmedida. Cuando salí de allí, el ambiente era tan opresivo que no parecía haber ya lugar para la razón —explicó Sekenenre.

—Gracias a Isis que te encontramos, hermano —dijo Amosis, muy circunspecto para su edad.

—Más bien diría que fue él quien nos encontró a nosotros, ja, ja —recalcó su tío con sorna—. Menudo susto nos diste.

—¿Y ahora adónde iremos? —preguntó de improviso el chiquillo—. Dejé olvidados mis papiros en la cueva.

Kamose frunció el ceño.

—¿Olvidaste tus cantos épicos en la covacha? —Amosis asintió, atemorizado—. Isis nos valga. Me temo que hasta que no volvamos a encontrarnos con Filitas, tus tiempos de poeta han finalizado. ¡A quién se le ocurre! —exclamó el comerciante, sin disimular su mal humor.

Sekenenre alzó una mano, conciliador.

—Iremos hacia los desfiladeros del este. La cueva no queda lejos. Yo mismo intentaré que recuperes los papiros, hermano.

—¿Estás loco? Si nos ven, esos rufianes nos despellejarán vivos —señaló Kamose—. Seremos hombres muertos.

Sekenenre negó con la cabeza.

—Debemos alcanzar los farallones antes de que nos sorprenda el *khamsin*. Allí estaremos a salvo. Yo me ocuparé de lo demás. No debéis olvidar que, en el fondo, no soy más que un proscrito.

32

El *khamsin* regresó con su hálito de fuego cargado de arenas candentes. Esta vez el aire se tornó incandescente, como si se tratara de una descomunal fragua manejada por seres infernales. El Inframundo volvía a abrir sus puertas desde las entrañas de la tierra para advertir de su existencia a los caminantes y prevenir a los incautos sobre la fragilidad de sus almas. El infierno existía, y la salvación de sus *bas* se hallaba tan lejana que parecía una mera quimera. Las quebradas acogieron a los tres peregrinos como si se tratara del último refugio que estos pudieran esperar. Como de costumbre el viento ululaba, pletórico de fuerza, mientras zigzagueaba por entre las vaguadas hasta levantar torbellinos de polvo que se elevaban hacia el cielo. Al abrigo de las rocas, la caravana se detuvo para hacer frente lo mejor posible a los elementos. Estos seguían su curso, como acostumbraban, sin más ley que la suya propia, pues ese era su privilegio.

Sekenenre le hizo una señal a su tío, ya que la cueva se encontraba cerca. Este intentó hacerse oír entre los aullidos del viento.

—¿Estás loco? Si nos descubren estamos listos. No puedes volver...

Pero las palabras fueron engullidas por el vendaval, y su sobrino desapareció ladera arriba, fustigado por la tempestad que comenzaba a arreciar.

Kamose se lamentó en tanto abrazaba al pequeño, que permanecía hecho un ovillo envuelto en una frazada. Aquello era algo con lo que el mercader no contaba, pero parecía que Shai tuviera dispuestos para ellos unos planes muy diferentes, como ya ocurriera tantas veces con anterioridad en sus vidas. Hacía ya demasiado tiempo que los acantilados formaban parte de ellas, y el comerciante se prometió librarse de estos para siempre y no regresar jamás.

Los peores presagios amenazaban con hacerse presentes en el corazón del tebano cuando Sekenenre apareció de nuevo haciendo aspavientos para que lo siguieran. Su tío pareció dudar unos instantes, pero el joven los apremió al tiempo que señalaba una vereda cercana para que la tomaran. Esta los condujo directamente hasta el aborrecible lugar en el que se habían visto confinados durante tanto tiempo, y el mercader se maldijo mil veces por no haber pasado de largo, aunque para ello hubiera tenido que desafiar al temporal. Sin embargo, poco se imaginaba el comerciante con lo que se iba a encontrar.

Lo primero que vino a sorprenderles fue el silencio; un silencio absoluto al que se asomaba el bramido del viento desde los lejanos desfiladeros. Ni un grito, ni una carcajada, ni tan siquiera una blasfemia, a las que tan aficionados eran aquellos truhanes... Nada. El escondrijo parecía abandonado, y Kamose pensó que quizá los bandidos hubieran decidido marcharse de una vez en busca de alguna otra caravana de incautos que asaltar. Pero la realidad era otra.

Nada más cruzar el umbral del antro, un olor nauseabundo los golpeó de tal forma que fue imposible evitar las arcadas. Allí olía a cadaverina, a campo de despojos, a necrópolis de cuerpos sin sepultura. La muerte salía a recibirlos con su eterno mensaje, con su sello inconfundible. Anubis señoreaba en aquel tugurio, y Kamose hizo a un lado al pequeño Amosis, conminándole a que no entrara en la gruta. Sekenenre hizo un gesto afirmativo a su tío y luego, tras encender una antorcha, extendió su brazo para mostrar el apocalipsis.

Kamose apenas pudo ahogar un grito ante lo que vieron sus ojos. La cueva se encontraba cubierta de cadáveres en descomposición hasta donde su vista alcanzaba. Toda aquella banda de rufianes se encontraba hacinada con sus cuerpos sin vida, como si se hubiera perpetrado una gran matanza. Los hombres yacían acuchillados, con las gargantas cortadas, los vientres abiertos, en una escena que superaba cualquier horror imaginable. Ni un solo quejido, ni un lamento. Aquellos facinerosos, antaño considerados paladines de los más puros sentimientos tebanos, se habían asesinado entre ellos hasta que no había quedado ni uno solo con vida. Algunos todavía sujetaban las bolsas con sus monedas, mientras otros yacían sobre arcones repletos de dracmas, abrazados a ellos cual si se tratara de náufragos a la deriva. El cuadro era tan espeluznante que Kamose se veía incapaz de avanzar por aquel cuchitril plagado de difuntos. Decenas y decenas de ellos, sin más mortaja que el enjambre de moscas que cubrían sus restos. Este era el final del ejército de Netjeruy, destruido por su propia mano para escarnio de los dioses de la Tierra Negra.

El comerciante pensó que, a la postre, las montañas se habían encargado de dar sepultura a sus hijos, por mucho que estos hubiesen cambiado sus anhelos de libertad por los de la codicia. Los farallones eran ahora un enorme túmulo y allí quedarían aquellos infames para siempre, pues nadie los descubriría jamás. Entonces Kamose pareció salir de su estado de sobrecogimiento e hizo una seña a Sekenenre para que lo ayudara. Su naturaleza mercantil siempre se hallaba presta a sobreponerse a las adversidades, y más allá del campo de cadáveres en el que se había transformado la cueva había un botín que convenía poner a buen recaudo. De esta forma, tío y sobrino ocultaron algunos arcones lo mejor que pudieron, así como cuantas bolsas fueron capaces de arrebatar a los difuntos.

—Es suficiente —dijo Kamose mientras tomaba aire en el exterior de la cueva—. Confiemos en el destino que nos trajo hasta aquí. Algún día regresaremos por esto. No se me ocurre un lugar mejor para ocultarlo que esta necrópolis perdida. Recuerda bien estos farallones —señaló luego, dirigiéndose al pequeño—. Quizá llegue el día en que necesitemos estas riquezas. Hasta entonces, todos estos cadáveres nos las guardarán con celo, ja, ja.

Luego recogió el pequeño zurrón en el que Amosis guardaba sus papiros y se parapetó en compañía de los suyos detrás de unos riscos situados justo en la entrada de la cueva, donde el aire era respirable.

El vendaval los azotó con su furia acostumbrada, y el polvo se les adhirió cual si Set hubiera tejido una túnica ex profeso para ellos. Pero todo había resultado en buena hora. Por fin podrían decidir hacia dónde se encaminarían.

33

Kamose y los suyos abandonaron aquel lugar infame en el que confiaban en que el olvido cuidara de sus riquezas. Quizá algún día regresaran por ellas, pero de momento debían contentarse con llevarse las mercancías recuperadas a Netjeruy y los pocos animales que aún quedaban con vida. Era cuanto podía hacer el comerciante, pues mientras Ptolomeo Látiro siguiera gobernando Kemet no les sería posible regresar a su tierra. Durante todo aquel tiempo, las persecuciones a cuantos resultaban sospechosos de haber tomado parte en el levantamiento sedicioso se habían convertido en algo usual. Nadie se encontraba a salvo por completo de una denuncia en la Tebaida, y aquel clima de terror convirtió la región en un lugar poco recomendable en el que resultaría difícil prosperar. Era el destino que esperaba a las gentes del Egipto profundo. El faraón los condenaba para siempre, y solo la magia del río y sus templos milenarios quedarían como recuerdo de lo que en su día llegó a ser la ciudad de Tebas.

No obstante, el mercader estaba seguro de que algún día retornarían a su tierra. Tarde o temprano las aguas se calmarían, igual que le ocurría al Nilo tras la crecida, y ellos retornarían a la vieja Waset, a la que ahora habían bautizado con el pomposo nombre de Dióspolis Magna. Nada volvería a ser como antes, pero sabría adecuarse a los nuevos tiempos y con un poco de suerte prosperarían. Solo era preciso mantenerse vivos y enseñarle al pequeño Amosis cuanto necesitaba para seguir adelante, allí donde el tratante lo dejara. Siempre convenía estar preparados, ya que los años discurrían y la vejez representaba una amenaza para los hombres que, como él, habían pasado su vida sin echar raíces en ninguna parte.

Ni que decir tiene que el caso de Sekenenre era bien distinto.

El joven era un proscrito, y seguramente lo continuaría siendo durante toda su existencia. Sus manos estaban manchadas de sangre, y jamás obtendría el perdón de ningún rey que gobernara sobre la Tierra Negra. Montu, el dios de la guerra tebano en quien tanto creía el joven, poco podría hacer por él, ya que pronto no sería más que un recuerdo para todos los que lo habían venerado. Muy lejos quedaban los tiempos en que los reyes de la XI dinastía lo convirtieron en una divinidad primordial, y desde la Baja Época había quedado asimilado a Bujis, el toro sagrado adorado en toda la Tebaida. Egipto no era ya más que una quimera para el joven guerrero; un lugar en el que con toda seguridad encontraría la muerte.

De este modo, el destino de todos quedaría unido hasta que Shai determinara lo contrario. Kamose decidió que debían dirigirse al lejano sur, hacia El-Fasher, en el Sudán occidental, recorriendo la Senda de los Cuarenta Días. Allí estarían a salvo.

—Pero... nadie se aventura a viajar tan al sur —señaló Sekenenre.

—Te equivocas. Mi abuelo me contó que ya en tiempos de los faraones Merenre y Pepi II hubo una expedición al mando de un oficial llamado Harkhuf que utilizó esa ruta. Si él lo hizo hace dos mil años con burros, nosotros lo haremos con camellos.

El joven parpadeó repetidamente sin saber qué decir.

—Allí comerciaremos. Es lo único que sé hacer, ja, ja. Además, nadie te buscará en El-Fasher. Es un buen lugar para aguardar hasta nuestro regreso.

Sekenenre se encogió de hombros. Su vida ya no estaba en sus manos, y el lejano sur podía llegar a ser un sitio tan bueno como cualquier otro. Al menos estaría junto a los suyos. Su tío y su hermano eran cuanto le quedaba en su maltrecho camino; demasiado castigo para un joven de veintiún años cuyo orgullo pisoteado le hacía mantenerse en permanente rebeldía.

—Saldremos adelante, ya lo verás —le dijo Kamose, que pareció leerle el pensamiento—. Lo importante es sobrevivir.

34

Kamose nunca imaginó que la aventura de la vida le fuese a llevar tan al sur. Allí no había llegado nadie que él conociese, y ni su padre ni su abuelo habían comerciado en un lugar tan lejano. Corrían muchas historias acerca de El-Fasher; leyendas que se habían hecho milenarias, ya que la ciudad parecía ser tan antigua como el propio país de Kemet. Resultaba sorprendente que aquella capital perdida en el continente africano pudiera resultar un emporio comercial de tamaña magnitud. Aislada del mundo conocido, la urbe se encontraba a mil kilómetros de distancia del oasis de Kharga, separada de este por las implacables arenas del desierto occidental. Hacia el este, el terrible desierto de Bayuda aguardaba a cualquier incauto que osara atravesar su territorio, y por el sur la sabana comenzaba a anunciarse como preámbulo de las selvas que aguardaban en el corazón africano.

Sin embargo, las rutas comerciales constituidas desde hacía milenios hacían confluir en la ciudad grandes caravanas repletas de las más ricas mercaderías con las que negociar. Desde El-Fasher se distribuían todo el marfil y los animales salvajes hacia los mercados del norte y también hacia los del lejano Oriente. La mirra, el incienso y la canela eran moneda de uso común, como también lo era, sobre todo, el infame comercio de la carne.

La primera vez que Amosis vio a aquellos desdichados camino del mercado, se sintió tan impresionado que nunca llegaría a olvidarlo. Las imágenes de hombres, mujeres y niños arrastrando sus pies encadenados se mantendrían vívidas en su corazón, así como sus miradas perdidas, huérfanas de esperanza y pletóricas de angustia. Obviamente, no era la primera vez que el pequeño veía un mercado de esclavos. Estos se hallaban por doquier y formaban parte de la sociedad en la que vivía el chiquillo. Pero nunca los había examinado de aquel modo. Llegaban desde lo más profundo del continente, donde habían sido capturados como piezas de caza, igual que si fueran animales salvajes. A veces formaban hileras interminables que se movían con el aire cansino del que camina sin voluntad, al compás del látigo y el insulto. Muchos de ellos eran vendidos en El-Fasher a tratantes profesionales que luego los revendían en las grandes ciudades, donde obtenían sustanciosos beneficios. Las mujeres jóvenes y los niños podían llegar a alcanzar precios astronómicos; en cuanto a los hombres, solían ser empleados para trabajar en las minas o en las tareas más arduas.

La mayor parte de aquellos infelices continuaría su camino hasta los puertos del mar Rojo y desde allí barcos negreros los transportarían hasta Arabia, donde el negocio era floreciente. Ahí se perdía su rastro, pues nunca se volvía a saber de ellos.

Esclavos, negreros, aventureros de toda clase, comerciantes sin escrúpulos, gentes del desierto, hombres duros de verdad... Ese fue el mundo que abrió sus puertas al pequeño. Un microcosmos de la jauría humana donde las dentelladas formaban parte de la vida diaria, igual que lo eran el comer o el beber. Allí no había más amistad que la que proporcionaba el trato cerrado; efímera y al tiempo peligrosa.

En El-Fasher Amosis perdió su niñez para siempre. Los recuerdos de aquel lugar formarían ya parte indeleble de su memoria como adulto. Simplemente comenzó a hacerse un hombre, como les ocurriera a otros muchos niños empujados por las circunstancias de la vida. Aquella fue su nueva escuela, y en ella aprendió que en la vida un hombre solo contaba con su propia valía.

Su tío se convirtió en paradigma de todo aquello que debía serle de utilidad. Kamose dominaba su oficio como nadie, y su vista era tan certera que resultaba poco menos que imposible conseguir engañarlo. Allí había de vérselas con lo más granado de la profesión, verdaderos virtuosos del embaucamiento. Sin embargo, el tebano siempre hacía buenos negocios y enseñó a su sobrino pequeño el verdadero valor de las cosas.

—Lo que en Tebas apenas tiene valor, aquí no tiene precio —le decía a menudo—. Quien comercia con la necesidad se hace inmensamente rico.

Con el tiempo, Amosis demostró encontrarse preparado para afrontar sus propios retos y su tío lo animó a que negociara sin su ayuda, aun a riesgo de que pudieran estafarlo.

—Desconfía del mercader de palabra dulce —le apuntaba con frecuencia el tebano—, pues su veneno ya está preparado.

Así fue como se establecieron en aquel lugar remoto, olvidado de todo y de todos, donde la voz del faraón no podía ser escuchada. Con frecuencia se unían a las caravanas que se dirigían a Dongola, en el país de Kush, junto a la tercera catarata, donde existía un próspero comercio a orillas del río Nilo. Allí se traficaba con casi todo, y los monumentos que se extendían por los alrededores traían aromas de una época ya demasiado lejana, aunque evocadora para cualquier corazón egipcio. En Sesibi Akhenatón había impreso su sello en el templo que había mandado construir en honor a Atón, y cerca de Tombos el gran Amenhotep III legó a la historia un santuario en memoria del gran amor de su vida, la reina Tiye.

La tierra de los faraones negros se hallaba plagada de restos que hablaban de su pasado glorioso, y Sekenenre no pudo contener las lágrimas el día en que fue a visitar la estela que un día erigiera el gran Tutmosis I, el primer faraón guerrero, junto a Kerma.

El joven se dedicaba a alquilar su brazo a las caravanas a las que acompañaba de ordinario en sus rutas comerciales. Nadie se interesaba por su nombre, y a pocos importaba de dónde procedía aquel guerrero cuya espada se había mostrado eficaz siempre que la ocasión lo había requerido. Su fama fue pronto bien reconocida, y los hombres del desierto empezaron a tejer en su derredor una leyenda acerca de su persona. No hay nada como un solitario para forjar una buena historia, y Sekenenre mostraba el perfil idóneo para ello. El egipcio gustaba de permanecer en silencio, ausente en las conversaciones que lo rodeaban; y en las noches, sentado junto a la lumbre del campamento, su mirada se perdía entre el crepitar de las llamas, ajeno a todo lo demás. Muchos aseguraban que buscaba sus propios fantasmas a través de las lenguas del fuego, demonios de su vida pasada que solo él conocía y que le atormentaban el alma; mas nadie le decía nada. El desierto posee sus propias leyes, y cada cual es soberano de su persona. Aquella personalidad taciturna a todos impresionaba, y que ellos supiesen no se le conocían amoríos, ni tampoco mostraba afición a los gozos terrenales en ninguna de sus formas. Era un asceta perdido en la tierra del camello, de espada pronta e ira difícil de contener.

En realidad, Sekenenre se hallaba tan perdido como aparentaba ante los demás. Su lugar no estaba en ninguna parte. Desubicado, su *ka* vagaba entre las caravanas como aquel que no era capaz de reconocer su *ba* —su alma— cada noche, cuando el *ka* regresaba a su tumba. Erraría por toda la eternidad, como le pasaría a él. Daba lo mismo adónde lo condujeran sus pasos. El día que Anubis viniera a buscarlo, estaría listo. Su memoria se perdería para siempre, igual que le ocurriera a su pobre padre.

Kamose se daba cuenta de las tribulaciones de su sobrino, pero callaba. No había nada que pudiera hacer, y sabía que llegaría el día en que se separarían para quizá no volver a verse jamás. Era el camino que Mesjenet debía de haber dibujado para el joven, y lo mejor era que lo recorriese con arreglo a los designios de la diosa.

Durante años, el buen mercader vio cómo Sekenenre se volvía todavía más reservado y también cómo cerraba su corazón a cualquier conversación que le pudiera resultar emotiva. Su leyenda ya había quedado definitivamente forjada hacía mucho, y él aparentaba refugiarse en su interior como si en verdad solo fuese feliz de ese modo.

Amosis también captaba el sufrimiento de su hermano, y cuando cruzaban sus miradas era capaz de leer el vacío que este le transmitía. Simplemente, no había nada que le animara a vivir. Sus ilusiones permanecían pisoteadas desde hacía mucho, y pocas cosas podían despertar su interés. Era un muerto en vida, y no le importaba.

Un día ocurrió un hecho que vino a cambiar la vida de aquellos trashumantes empedernidos. Todo se debió a uno de los habituales negocios del tebano. Este había vendido una partida de telas de la India a un beduino que había abandonado El-Fasher sin pagarle un solo dracma por ellas. Kamose juró en arameo cuando se dio cuenta del engaño, pero esperó pacientemente a que el tunante regresara, algo que sabía ocurriría antes o después. Sin embargo, no fue en esa ciudad sino en Dongola donde volvieron a encontrarse, para gran disgusto del beduino, que escenificó una esmerada representación teatral.

—Hermano, hube de salir apresuradamente cuando llegaron noticias terribles de mi casa. Las peores que un hombre puede recibir.

Kamose asintió, como haciéndose cargo, pero lanzó tal mirada al beduino que este bajó los ojos al instante.

—Mira lo poco que poseo, hermano —continuó—. Estoy arruinado. Apenas tengo con lo que poder comerciar.

—Está bien. Entonces devuélveme mis telas.

—¿Tus telas? Ay, hermano, me las robaron de regreso a mi hogar. Fui despojado de cuanto poseía. Unos ladrones nos asaltaron. Sabes que las rutas comerciales están infestadas de bandidos y...

—¡Ninguno como tú, viejo bribón! —exclamó el tebano, iracundo—. Me engañaste una vez y ahora pretendes hacer lo mismo.

—Nunca te engañaría, hermano. ¿Cómo podría? Mis palabras son verdaderas. Me robaron cuanto llevaba.

—Mala suerte tuviste, sin duda. Ahora deberás pagarme lo que te llevaste, hasta el último óbolo.

—¡Cómo! Si no saqué ningún beneficio. No puedo pagar por algo que me robaron.

—Tú fuiste el ladrón, y de una u otra forma pagarás por ello.

Ante la amenaza, el beduino arrugó el entrecejo e hizo una señal a dos mocetones que lo acompañaban y que, al parecer, eran sus hijos.

—Corren malos tiempos para las gentes del desierto. Somos muy pobres y nada podemos darte. Aunque siempre serás bienvenido a nuestra tienda.

Kamose agradeció con sorna la hospitalidad que le ofrecían y se despidió del truhan con cajas destempladas. Pero aquella misma tarde decidió volver a visitar al beduino, aunque esta vez lo hiciese en compañía de Sekenenre. El viejo bribón pareció sorprenderse al verlos, y al punto puso los ojos en blanco.

—Sed bienvenidos a mi jaima. Aquí seréis tratados como merecéis.

Kamose levantó una mano para hacerse oír.

—No quiero tu hospitalidad sino lo que me debes, y te advierto que no me marcharé sin ello.

—Pues me temo que no tenga nada que pueda ofrecerte. Como te dije, corren malos tiempos. Tú deberías saberlo mejor que nadie.

El tebano hizo una mueca, pues no era la primera vez que se topaba con un tipo como aquel.

—Lo malo es que mi sobrino no entiende de tales cuestiones. Él es hombre de armas y no tiene en gran estima a los de nuestro oficio. Según él, somos ladinos y embusteros y muy dados al embaucamiento, y quién sabe si no le falta razón.

El beduino parpadeó repetidamente pero no se inmutó, y enseguida entraron los dos hombretones en su tienda.

—Es una pena, hermano, sin duda. Pero qué quieres, no hay nada que yo pueda hacer.

Sekenenre, que permanecía ajeno a la conversación, pareció salir de su abstracción y dirigió una mirada al beduino torva donde las hubiere.

—Yo te diré lo que tienes que hacer —masculló—. Paga lo que debes, o te prometo que hoy Anubis tendrá trabajo de más.

El viejo abrió y cerró la boca, pero no dijo nada. Entonces sus hijos se aproximaron, amenazadores, con dos facas de considerables dimensiones como las que acostumbraban a llevar las gentes del desierto. Sekenenre se levantó apenas sin inmutarse y, con una velocidad asombrosa, desenvainó su *jepesh* y le asestó tal tajo a uno de aquellos hombres que le cortó una oreja.

Al punto se oyeron gritos y juramentos de la peor especie al tiempo que la víctima se echaba mano a la cara ensangrentada. El otro hermano no sabía qué hacer, y miraba la oreja seccionada y al tipo que la había cortado sin soltar su daga.

—La vida de estos bien vale lo que debes —apuntó el joven, lacónico, como si nada hubiera pasado.

Pero sus palabras no fueron escuchadas, ya que los gritos y las blasfemias continuaron mientras el beduino alzaba su dedo amenazador. Entonces, sin previo aviso, Sekenenre volvió a lanzar un tajo y cercenó otra oreja, esta vez al hermano. La jaima se llenó de aullidos en tanto los dos mocetones daban saltitos y se echaban mano allí donde tuviesen su apéndice. Kamose observaba estupefacto, ya que la escena se había producido con tal rapidez que apenas daba crédito a cuanto había visto.

El beduino profería insultos amenazadores con el rostro congestionado y la mirada furibunda. Sekenenre se le acercó.

—Lo próximo que les cortaré será la nariz, para que todo el mundo conozca la familia de ladrones a la que pertenecéis. Luego te arrancaré la lengua. Ya ves lo afilada que es mi espada.

El viejo masculló algunas palabras al tiempo que pateaba el suelo. Mientras, sus hijos lanzaban unos alaridos que daba miedo escuchar.

—No tenemos nada, somos pobres nómadas —suplicó al fin el bribón.

Sekenenre suspiró, cansino. Con gusto ya habría despachado a aquellos tres.

—Entonces vagaréis por el desierto sordos y mudos.

Y dicho esto, lanzó tal mandoble a uno de los hijos que le cortó la oreja que le quedaba. El alboroto que se originó fue mayúsculo, y Kamose pensó que los chillidos debieron de escucharse hasta en la lejana Tebas. El otro hermano salió corriendo de la jaima, despavorido, en tanto daba gritos y pedía ayuda a aquel que estuviera dispuesto a prestársela. Mas nadie se mostró inclinado a tomar partido por aquellos facinerosos, y menos cuando quien les ajustaba las cuentas no era otro que aquel guerrero malencarado, siempre tan proclive a seccionar cuellos.

Sekenenre señaló con su *jepesh* al beduino.

—Tus hijos ya están servidos. Ahora mi espada conversará contigo.

El viejo alzó una de sus manos.

—No, no me mates. Soy un pobre beduino. Llévate lo que quieras, pero no me mates.

El joven echó un vistazo en rededor, pero allí no había nada que pudiera interesarles.

—Me temo que hoy no sea tu día de suerte —suspiró el guerrero al tiempo que apoyaba la hoja de su espada en la nariz de aquel hombre.

—No, la nariz no. Estaremos malditos para siempre. Apiádate.

—No conozco el significado de esa palabra.

—Por favor, por favor. Llevaos cuanto queráis. Os daré un camello si ello os acomoda. Tengo mirra, de la mejor calidad.

—Las telas que me robaste eran mucho más valiosas —intervino Kamose, que quería zanjar aquello cuanto antes. El beduino les imploró con la mirada—. Si no tienes nada mejor que ofrecerme, mi sobrino te despedazará. No perderé más tiempo contigo.

El beduino pareció dudar un momento, y el tebano lo leyó al instante.

—¿Y bien? ¿Qué tienes que me pueda interesar? —le susurró el mercader—. Si no me lo dices, ya no necesitarás nada en esta vida. Hoy mismo venderé todos tus camellos.

El beduino lo miró, aterrorizado.

—Bah, no perdamos más tiempo —concluyó el tebano—. Córtale el cuello y acabemos de una vez.

—¡Está bien! Por favor, no me matéis. Llevaos a Abdú, llevaos a Abdú...

—¿Abdú? ¿Quién es ese?

—Abdú, lo compré ayer mismo. Me costó una fortuna, pero podéis quedaros con él.

—¿Un esclavo? ¿Nos regalas un esclavo?

—Y de los mejores. No encontraréis otro que se le asemeje. Tiene doce años y todavía es virgen.

Kamose puso cara de desagrado. No le gustaban los esclavos. Para un nómada como él representaban un incordio. Una boca más que alimentar y, en todo caso, una preocupación añadida.

—No necesito ningún esclavo —respondió el tebano—. Prefiero tus camellos.

—Pero Abdú es sano y fuerte. Sacarás un gran beneficio si te decides a venderlo. Mis animales son viejos y testarudos. Ya no valen nada. Harás mal negocio si te los llevas.

Kamose se sonrió. Aquel beduino prefería conservar sus animales al precio que fuese.

—Creo que debería matarlos a todos y quedarnos con los camellos, tío —intervino Sekenenre.

El tebano pareció considerar aquella posibilidad.

—No, no lo hagas —pidió el beduino—. No ensucies tus manos. ¿Acaso no saciaste tu cólera? Mira lo que les hiciste a mis hijos. Han quedado marcados para siempre.

—Tú fuiste el artífice —intervino Kamose.

—Llevaos a Abdú. Tomad al muchacho y dejadme con mi pena.

Comoquiera que tío y sobrino se miraran un instante, el beduino aprovechó para llamar a gritos al rapaz.

—¡Abdú, Abdú, ven inmediatamente! Hijo de una perra siria, ¿dónde andas?

Al poco se abrió la tienda y entró un jovencito, atemorizado. Kamose lo observó con disgusto.

—Este es Abdú. Fijaos lo fuerte que es. Vamos, enseña los dientes a mis huéspedes —ordenó el beduino—. ¿No os lo decía? Está sano como pocos. No encontraréis uno mejor.

El mercader miró al rapaz de arriba abajo. Sin duda que el chiquillo parecía fuerte como el granito, aunque, puestos a hablar acerca de las canteras de piedra, el susodicho tenía una piel tan negra como el basalto. Aquel muchacho procedía de las regiones perdidas del sur. Donde aseguraban que había selvas impenetrables pobladas por animales desconocidos.

—Es tuyo —se apresuró a decir el beduino al comprobar cómo su colega examinaba al pequeño—. Te será de mucha utilidad. Además, recuerda que aún es virgen.

A Kamose le desagradó en extremo aquel comentario y masculló un improperio.

—Bueno. Haz lo que te parezca oportuno con él —se apresuró a decir el beduino, que no quería que el asunto se fuera al traste por algo semejante.

El tebano hizo una mueca de disgusto, pues no entraba en sus planes adquirir ningún esclavo, pero allí no había mucho más que ganar. Tal y como decía el viejo, el pequeño parecía fuerte, y siempre podría revenderlo si así lo necesitaba. La vida del esclavo podía llegar a ser insufrible, aunque al comerciante poco le interesaran dichas cuestiones. Él no imponía ninguna regla, pues bastante tenía con cuidar de lo suyo.

Tras unos momentos de silencio, Kamose se acarició el mentón con parsimonia. A pesar de lo que aseguraba el beduino, el rapaz debía de andar ya por los catorce años, por lo menos. En cuanto al tema de su virginidad, eso era algo que le traía sin cuidado, pues nunca había sido proclive a tales aficiones.

—Como te dije, no necesito ningún esclavo. A menudo son holgazanes, y no tengo ya ánimos para estar corrigiéndolos.

—¡Este es muy dispuesto! —exclamó el beduino con prontitud—. Solo lleva dos días conmigo y ya ha dado muestras de sus grandes virtudes. Cuando crezca será un hombre muy fuerte. Entonces podrá cuidar de ti. No tendrás de qué preocuparte.

—Pero hasta que llegue ese día sí habré de hacerlo. Te diré cuál será el trato. Aceptaré al muchacho, pero además elegiré uno de tus camellos. Tienes demasiados para lo pobre que aseguras ser.

El beduino puso el grito en el cielo, pero al final ambos mercaderes cerraron el acuerdo.

—¿Ves qué fácil ha resultado todo? Lástima que por tu culpa hayáis perdido tres orejas por el camino.

35

—Abdú, maldito perezoso, ¿se puede saber qué haces? —protestaba Kamose—. Vas a acabar con mi paciencia.

Amosis observaba en silencio a su tío, que de un tiempo a esta parte tenía un humor de perros.

—¿Has visto lo que come? Parece una termita insaciable. Qué barbaridad. Tendré que trabajar el doble para poder mantenerlo.

Amosis no decía nada, ya que el pobre Abdú parecía bien dispuesto para todo lo que le ordenaban.

—Cualquier día de estos lo venderé —se quejaba el mercader—. En Alejandría los de su raza son muy apreciados. Según tengo entendido, muchos eunucos tienen su color de piel.

Al niño todas aquellas quejas poco le afectaban; conocía de sobra a su tío como para saber que nunca cumpliría sus amenazas. Abdú había pasado a formar parte de su pequeña familia, y hasta su hermano mayor, poco dado a los sentimentalismos, lo trataba bien. Amosis, por su parte, estaba encantado con la adquisición de su tío. Un esclavo como aquel suponía todo un regalo para el chiquillo, y a no mucho tardar el rapaz se vio compartiendo juegos con su sirviente, quien, sin embargo, le mostraba un gran respeto.

—No le des demasiada confianza —le advertía el mercader—, o a este paso llegará un día en que nos dejará sin comida. ¡Este diablo no piensa más que en comer!

Pero, más allá de las peroratas diarias de Kamose, Abdú resultó muy útil a sus propósitos, pues era diligente y se ocupaba de los animales como correspondía. Además, el tebano pronto leyó en la mirada de su esclavo la bondad que este atesoraba, y con el tiempo desarrolló un sentimiento de ternura hacia él difícil de explicar.

Abdú se encariñó de su nueva familia de acogida, por mucho que esta le hubiera sido impuesta. Dadas las circunstancias no podía haber encontrado nada mejor, y sus rezos durante los meses que había durado su cautiverio habían dado resultado. Su tío y un hermano habían muerto durante el viaje. Todos habían sido capturados mientras cazaban por unos hombres malos. Los habían atado a una cuerda siniestra, junto a otros muchos desgraciados, y les habían hecho recorrer sendas plagadas de esqueletos blanqueados por el sol, utilizadas por los negreros desde épocas inmemoriales. Así habían atravesado África, entre los azotes y los rigores de una marcha en la que solo sobrevivían los más fuertes. De este modo era como seleccionaban los captores su mercancía.

Amosis sentía la fuerza que encerraba su esclavo, y también el misterio que parecía evocar con sus palabras.

—El *babalawo* determinó a qué *orisha* debía seguir cuando nací —le confió Abdú una noche.

—¿El *babala...*?

Abdú rio con franqueza para mostrar una dentadura perfecta.

—El *babalawo*. Significa el «padre del secreto». Es quien recoge el legado de Orunmila, el profeta místico que todo lo adivina, que todo lo predice, en la tradición de mi pueblo, los yoruba.

—¿Él fue quien te trajo hasta aquí? —quiso saber Amosis, muy interesado.

—Él conoce el oráculo de Ifá, el del dios de la adivinación y sus doscientos cincuenta y seis *odu* o signos, que solo él es capaz de practicar.

—¿Quién es ese *orisha* al que te refieres? ¿Acaso el dios en el que crees?

—Los yoruba tenemos muchos dioses, como os ocurre a vosotros. En concreto cuatrocientos uno, aunque nuestro dios principal es Olodumare, que se manifiesta a los hombres a través de su otra forma, Olorun, «el dueño del cielo». Él es quien determina qué espíritus o pequeñas deidades deben ser enviados para ayudarnos a purificar nuestra naturaleza. Ellos son los *orisha*.

—Entiendo. Seguro que han de luchar contra fuerzas maléficas —apuntó Amosis, divertido.

Abdú abrió mucho los ojos, sorprendido.

—Mi joven amo es sabio. Tal y como has adivinado, los *orisha* tienen que enfrentarse a los *ajogun*, los demonios que tratan de destruirnos y corromper nuestra vida.

—Bueno, en Egipto tenemos a los *hekas*, ¿sabes? Son hechiceros muy poderosos, aunque en mi casa nunca se hable de ellos. A mi tío no le gusta la brujería.

Abdú sonrió con cierta condescendencia.

—Nosotros tenemos a Iyami Oshooronga, la madre de todas las brujas. La reina de la hechicería.

Amosis asintió, pensativo.

—Y dime, Abdú, ¿cuál es el *orisha* que debes seguir? ¿A quién eligió el *babalawo*?

El esclavo permaneció unos instantes en silencio. Como si considerara la respuesta.

—Ogún. Él es mi guía.

—¿Ogún? ¿Y qué significado tiene?

—Ogún es el *orisha* del hierro. Es el encargado de iluminar el camino. Él nos hace ver los obstáculos que hemos de superar.

—Todos nos encontramos obstáculos sin necesidad de que un *babalawo* así lo decida.

—Mis obstáculos son los que me han traído hasta aquí. Forman parte de mi destino. Debía venir a la tierra del embaucador donde gobierna su dios Eshu, el demonio que pone a prueba la fe de los hombres.

Amosis estaba perplejo.

—¿Crees que te capturaron por esa razón? —preguntó incrédulo.

—Así es. Debo cumplir esa misión para purificarme. Ogún me liberará de cualquier fuerza destructiva que pretenda apoderarse de mí.

—Pero... sabes que nunca regresarás a tu hogar, ¿verdad?

Abdú se encogió de hombros.

—Este es ahora mi hogar. Está escrito desde el día en que nací. Mi propia madre me lo adelantó hace muchos años.

—¿Tu madre sabía lo que te ocurriría?

—Sí. Y también que te conocería...

El joven egipcio dio un respingo.

—¿Cómo puede ser? ¿Acaso pretendes burlarte de mí?

—Ella te describió tal y como eres.

—¿Y qué más te dijo sobre mí? —quiso saber Amosis, sin ocultar su entusiasmo—. ¿Vio mi futuro?

Abdú sonrió abiertamente, pero luego cambió de expresión y miró fijamente a los ojos de su amo.

—Lo siento, pero eso no puedo decírtelo.

36

Así pasaron los años. Entre caravanas, viajes a través del desierto y tratos al mejor postor. El mundo parecía haberse detenido para Kamose y los suyos. El mismo sol, las mismas pistas polvorientas, los mismos rigores, la misma vida... De este modo eran las cosas en El-Fasher. Los hombres llevaban aquel tipo de existencia desde hacía generaciones, y así pensaban continuar mientras el día siguiera anunciándose cada mañana. Ellos caminarían hasta que sus fuerzas se lo permitieran con tal de comerciar, allá donde los llevara un buen trato.

No cabía duda de que aquella familia no podía resultar más variopinta. Un joven perspicaz, ya en la adolescencia, un guerrero sin bandera que seguir, un esclavo que rezumaba misterio y un mercader a quien los años empezaban a pesar. Cada vez con más frecuencia, Kamose tenía la sensación de que su vida había transcurrido en el mismo lugar. Daban igual sus viajes o las ciudades que había conocido. Era como si nunca se hubiera movido; cual si hubiera permanecido en el mismo sitio durante todos aquellos años en los que había llevado una existencia plana, monótona si se quiere, pues que él recordara no había hecho otra cosa que recorrer caminos sin cesar para terminar siempre en el mismo punto, desde donde todo volvía a empezar.

Con el tiempo, el tebano y su familia se aventuraron a viajar hacia el norte. El oasis de Salima era un buen centro en el que negociar, famoso por su mercado de camellos y sobre todo por los criadores nómadas de vacuno que acudían a vender sus animales. A medio camino de Kharga, Salima traía al mercader recuerdos de su tierra, así como un cierto sentimiento de nostalgia que le resultaba desconocido, que nunca antes había experimentado. Ello lo animó a desplazarse más hacia el norte, y de este modo se decidieron a visitar los oasis de Dunqui y Kurkur, este próximo a la ciudad de Asuán. Desde allí eran capaces de oler el Nilo, y también de hacerse cargo de la vida errante que les había tocado llevar. Sekenenre era quien más se lamentaba, aunque lo hiciera en silencio, pero su tío conocía el sufrimiento del corazón del joven, así como su falta de esperanza.

Una noche, sentados alrededor del fuego, Abdú los sorprendió con sus enigmáticas palabras. De nuevo se aventuraban a los oasis del norte, pues hacía tiempo que habían dejado de temer que fueran reconocidos. Su aspecto era el de los nómadas, y después de tantos años habían terminado por pasar desapercibidos.

Mientras observaban el crepitar de la lumbre, el esclavo reavivó las ascuas con parsimonia al tiempo que pasaba una de sus manos sobre las llamas y recitaba extrañas palabras.

El mercader lo observó en silencio, pues hacía ya mucho que conocía las prácticas del muchacho. Al tebano le desagradaba todo lo que tuviera que ver con hechizos y encantamientos, ya que, en su opinión, no hacían otra cosa que distorsionar la realidad que cada uno llevaba consigo mismo. No había nada peor que escuchar a alguno de aquellos charlatanes que infestaban el país de Kemet antes de cerrar cualquier negocio. No obstante, Kamose tenía que reconocer que aquel joven negro no se parecía en nada a los adivinos que había conocido. El esclavo era discreto y poco dado al servilismo o el halago. Cumplía con sus funciones en silencio y nunca había sido castigado, aunque continuara mostrando una glotonería impropia de un sirviente que se preciara. El comerciante había hecho un buen negocio, y hasta se había encariñado con el muchacho, aunque se cuidara de hacérselo ver en público. Con el paso del tiempo se había acostumbrado a recitar frases que al mercader le resultaban inconexas, en una lengua desconocida para él que le parecía tan misteriosa como su esclavo. En muchas ocasiones, este se había atrevido a hacerles advertencias, a adelantarles sucesos que habrían de tener lugar. Kamose acostumbraba a despedirle con cajas destempladas, aunque a solas, en el interior de su tienda, pensara que en realidad el joven solo pretendía protegerlos de todos los males que los acechaban. Porque, eso sí, Abdú no dejaba de pregonar que los *ajogun*, los demonios, estaban más desbocados que nunca y que acabarían por destruir la naturaleza humana si no se ponía remedio.

En esto último, el tebano tenía que reconocer que a su esclavo no le faltaba razón. Cada vez con más frecuencia tenía la sensación de que la maldad galopaba tan descontrolada como los demonios de los que hablaba Abdú. Nunca había visto tanta mala gente como entonces, y eso que había conocido lo suyo. Luego pensaba que todo sería cosa de la edad y que estaba demasiado cansado para aguantar lo que siempre había aguantado.

De su sobrino Amosis no podía hablar más que como lo haría un padre. Kamose estaba orgulloso de él, pues se había convertido en todo un hombrecito, con muy buena vista para los negocios y una habilidad especial para tratar con los demás. Su mirada era aguda y penetrante, y en ocasiones el comerciante tenía la impresión de que podía llegar a leer en el corazón de los demás. El desierto no era lugar para el muchacho, y el tebano no podía evitar construir ilusiones acerca de su futuro, a pesar de que continuaran condenados. Muchas noches había pensado en ello, y también en lo que habían dejado atrás. Había riquezas aguardándolos pacientemente en el interior de una cueva abandonada con las que podrían establecerse definitivamente y olvidarse de los caminos para siempre. Ello le hacía suspirar, al tiempo que lo llevaba a recordar al viejo Juba y al inquietante Nitócrates, los cuales sin duda se habrían cansado de esperar. El tebano se sentía satisfecho de cómo había terminado aquel asunto. Los había engañado a todos, dentro de sus posibilidades, y con la ley en la mano su sobrino podría presentarse un día en el templo de Amón para reclamar los casi seis mil dracmas que habían sido depositados en bolsas selladas a su nombre: Zenódoto. El tiempo pasaría antes para aquellos canallas que para Amosis, y algún día podría recuperar lo que otros habían robado.

Cuando Abdú terminó de murmurar junto al fuego, corrió a sentarse al lado de su amo. Parecía más tembloroso que de costumbre y movía sus enormes ojos de un lado a otro, como si temiese algo.

—Tus espíritus, a veces, resultan de lo más desagradables —dijo Kamose sin ocultar su disgusto.

—Ellos me advierten. El fin se encuentra próximo —murmuró el esclavo como si estuviera en trance.

—¿Qué es lo que se encuentra próximo? —inquirió el mercader, malhumorado.

—Es Oya. Él me lo ha dicho.

—¿Oya? Bua... Te advierto que hoy no estoy de humor.

—Es el *orisha* de la tempestad.

—¿Se aproxima una tormenta?

—No hay ninguna tormenta, amo. Son los vientos del cambio los que cabalgan, y nadie los puede frenar.

Amosis, que observaba la escena, sintió un escalofrío, pues las adivinaciones de su criado le parecían misteriosas en extremo. A su lado, Sekenenre miraba fijamente el fuego, como si nada fuera con él.

—¿A qué cambio te refieres? Tu glotonería te lleva a ver cosas inauditas. No conozco a nadie capaz de comer dátiles a tanta velocidad —se quejó el comerciante.

—Mañana ya nada será como hoy. Todo cambiará.

Kamose miró a sus sobrinos con cara de no entender nada.

—El pasado debe morir para que surjan nuevos caminos. Ya nunca regresaremos a El-Fasher.

—¿Ah, no? ¿Y adónde iremos? ¿Tienes pensado algún lugar en particular? —quiso saber el comerciante.

Abdú se encogió de hombros.

—Oya nos mostrará el camino. Este está trazado desde el día que nacisteis, aunque no lo sepáis.

—Oh. Espero que esta vez no nos envíen a través del desierto de Nubia —apuntó el tebano con sorna—. Es de los pocos que me restan por conocer.

El esclavo lo miró pensativo pero no dijo nada más, como era su costumbre cuando salía de alguno de sus particulares trances.

A los dos días ocurrió que llegaron a Salima, donde querían vender algunos camellos. Habían pasado seis meses desde la última vez que pisaran el oasis, y encontraron el ambiente agitado, como si hubiera acontecido algo importante.

Después de formalizar una de las ventas, Kamose y su familia se sentaron a comer con el comprador, un kushita locuaz como pocos que había llegado de Asuán.

—Pero ¿es que no os habéis enterado? —les preguntó, dándose importancia.

—¿De qué hemos de enterarnos, hermano? De donde venimos no hay más noticia que la que nos dejan los días de lluvia de agosto.

—¡Ja, ja! La mejor para gente como nosotros —dijo el kushita—. Aunque la que traigo es buena donde las haya; ya lo creo.

Todos se miraron, a la espera de que el nubio se dignara a contar lo que sabía.

—El trono de Horus ha quedado vacante —dijo al fin con solemnidad.

—¿Ha muerto Látiro? —preguntó Kamose, sorprendido.

—¡Ptolomeo voló hace ya casi cuatro meses! —exclamó el kushita.

—¡El Garbanzo muerto! —intervino Sekenenre, y sin poder evitarlo lanzó un escupitajo.

—Las noticias tardan en llegar a El-Fasher, hermano —apuntó el mercader en tanto ponía en orden sus ideas—. ¿Y quién le ha sucedido?

—Bueno, han ocurrido hechos de diversa naturaleza —contestó el nubio, que no parecía tener ninguna prisa por explicar lo ocurrido—. Hechos gravísimos, diría yo.

Todos lo miraron, animándolo a continuar.

—Las lenguas dicen y no paran. Al parecer, no ha habido más que violentas disputas familiares al escasear los varones legítimos.

—¿Qué se puede esperar de una familia de degenerados como esa? —intervino Sekenenre con desprecio.

—Por ello —continuó el kushita— heredó el trono la hija de Ptolomeo IX, Látiro, la que era viuda de su hermano, Ptolomeo X: Berenice III. Ella misma se nombró Cleopatra Berenice.

—¿Esa mujer es el nuevo Horus reencarnado? —preguntó Sekenenre.

El kushita negó con la cabeza.

—Ya veo, hermanos, que el desierto os ha tenido cautivos durante demasiado tiempo. Uno de los hijos de Ptolomeo X se encontraba en Roma bajo la protección de su dictador, Sila. Según dicen había escapado de las garras de Mitrídates, rey del Ponto, tras ocho años de cautiverio. Al parecer, Sila estaba encantado con él. Hay quien asegura que debido a que su padre, Ptolomeo X, había dejado en su testamento como heredera de la corona de Egipto a Roma, aunque yo no termino de creerme algo semejante.

—Pues yo sí —volvió a interrumpir Sekenenre, que sentía cómo la sangre le hervía en las venas.

—Como os decía —continuó el nubio—, a Sila le pareció una buena idea el que un hijo del antiguo faraón se sentara en el sillón de Horus, y dio el beneplácito para que se casara con Berenice III, de la que era sobrino e hijastro.

—Qué barbaridad —señaló Kamose sin poder evitarlo.

—¿Qué puedes esperar de semejantes pervertidos? ¡Gloria a ti, Egipto! —exclamó Sekenenre—. En lo que hemos acabado...

—¿Y se casaron? —inquirió el comerciante.

—Por todo lo alto. El joven tomó el nombre de Ptolomeo XI Alejandro II. No sé por qué algunos andan obsesionados todavía con ese apelativo. No nos ha traído más que desgracias.

Sekenenre asintió, ya que el nubio tenía mucha razón en lo que decía.

—Entonces, Alejandro II es quien gobierna el país de las Dos Tierras —dijo como para sí Kamose.

—Nada más lejos de la realidad, hermano. El matrimonio duró solo tres semanas. Imaginaos.

—¿Tres semanas? ¿Y qué fue lo que ocurrió entonces? —quiso saber el mercader, que no salía de su perplejidad.

—Que el sobrino hijastro decidió que merecía por derecho propio ocupar el trono en solitario. Según aseguran, era un ansioso de cuidado.

Kamose y sus sobrinos observaban a aquel nubio con cara de verdadera estupefacción.

—Alejandro II despreciaba de tal forma a Berenice que la asesinó. Aseguran que la mató con sus propias manos.

Sekenenre lanzó una risita, aunque se sintiera lejos de aceptar algo semejante. Su risa era la del lamento ante la infamia que se había apoderado de su pueblo hasta pisotearlo por completo.

—Mató a su madrastra —dijo el joven guerrero.

—De la manera más vil. Claro que luego recibió su merecido. Berenice era muy popular entre el pueblo, y ya sabéis cómo se las gastan los alejandrinos.

Amosis, que no perdía detalle, miró a su tío inquisitivamente, ya que no tenía ni idea de cómo se las gastaban los ciudadanos de Alejandría. Kamose hizo un gesto con el que daba a entender que tampoco tenía mucha importancia, pues ya podía imaginarse el resto.

—Las turbas tomaron el palacio como una horda enloquecida y apresaron al homicida. Luego lo arrastraron por las calles hasta el gimnasio, donde despedazaron al faraón. Hay quien asegura que de Ptolomeo XI Alejandro II no quedó nada.

Cuando el kushita finalizó su relato, todos permanecían boquiabiertos. Sin dar apenas crédito a cuanto habían escuchado.

—Entonces... —se atrevió a continuar Kamose—, ¿quién gobierna el país de Kemet?

—No ha sido fácil encontrar un sucesor, no te vayas a creer. Al parecer solo quedaba un descendiente legítimo de los Ptolomeos: Cleopatra Selene. Con un árbol genealógico en el que me pierdo por completo, la susodicha es hija de Ptolomeo VIII y Cleopatra III, y exesposa de Ptolomeo IX, pero a la vez dicen que es viuda de tres reyes sirios. ¡Imaginaos!

Sekenenre no pudo evitar lanzar otro escupitajo. Aquel asunto le superaba.

—Y supongo que la reina tendrá hijos de esos reyes de los que hablas —apuntó Kamose—. Cada uno con sus propias ambiciones.

—Por ese motivo han tenido que buscar un descendiente de Látiro a quien poder sentar en el trono. Al final han encontrado a dos. Ambos vivían en Siria y son hermanos con el mismo nombre.

—¿Y son bastardos? —preguntó Sekenenre, escandalizado.

—Son ilegítimos por completo. Hijos de Látiro y una madre que nadie sabe quién es. Al menor lo han nombrado rey de Chipre, y el primogénito ya está en Alejandría, aunque no ha sido coronado aún.

Sekenenre hundió la cabeza entre las manos, sin poder evitar lamentarse.

—Isis bendita, qué fue de tu magia. ¿En poder de quién nos has dejado? ¿Qué hemos hecho para merecer esto? ¿Por qué nos abandonaste?

El kushita miraba al guerrero como haciéndose cargo en tanto se llevaba un trozo de pan a la boca. La verdad era que toda aquella historia resultaba un tanto estrambótica.

—Cuentan que han depositado grandes esperanzas en el nuevo rey —continuó el nubio—. Pero aún es muy joven, y hay quien no está muy dispuesto a reconocerlo.

—Mala cosa. Cuando hay ambiciones cruzadas, el que paga es siempre el mismo: el pueblo —aseguró Kamose.

—Yo no estoy versado en tales cuestiones, pero en el Alto Egipto aseguran que Ptolomeo tardará en ser coronado.

—¿Has estado en Tebas? —preguntó Sekenenre sin disimular cierta ansiedad.

—Vengo de Koptos, donde comercié con mi marfil. También pasé por Tebas, o más bien por lo que queda de ella. Templos y ruinas. Látiro ordenó arrasar la ciudad, aunque durante los últimos años la hayan reconstruido. Ahora es una capital nueva en la que impera la tristeza. Al menos eso fue lo que me pareció a mí.

Sekenenre se mostraba abatido.

—¿Y dices que no todo el mundo está conforme con la elección del nuevo faraón? —interrumpió Kamose.

—Los romanos se niegan en redondo —apuntó el kushita—. Y no me extraña, yo en su lugar haría lo mismo. Si Ptolomeo X los proclamó herederos de nuestra corona, supongo que pensarán aceptarla. Aunque a mí todo ese asunto me parezca un poco complicado.

—Obra de dementes —apostilló Sekenenre.

El nubio se encogió de hombros.

—El caso es que el nuevo faraón lleva en Alejandría desde finales del mes de *paope*, desde el 12 de septiembre, según aseguran los que parecen saberlo todo.

—*Paope* del año 80. Se han dado prisa en buscar un nuevo tirano esos cabrones —recalcó el guerrero.

—Bueno, en Koptos decían que le habían puesto un mentor para que lo educara apropiadamente. Un sabio entre los sabios —dijo el nubio, que ahora comía a dos carrillos.

—¿Un sabio? Hathor nos valga —resopló Kamose, que temía a

un rey instruido sobre todas las cosas—. Veremos lo que tarda en subirnos los impuestos.

—¿Y qué sabio es ese del que hablas? —interrumpió Sekenenre, que ya sentía curiosidad.

—Se llama Queremón.

Sekenenre miró a su tío con cara de no entender nada.

—Queremón de Alejandría, para ser más preciso —advirtió el kushita en tanto alzaba un dedo índice, pues en verdad se sentía importante entre aquel grupo de ignorantes que no sabían nada de nada—. ¿De verdad que nunca habíais oído hablar de él?

—No teníamos ni idea de que existiera una lumbrera semejante —matizó Kamose con su acostumbrada sorna.

—Pues es superintendente de la Biblioteca Hija, la que se encuentra en el Serapeum. Claro que tengo la impresión de que no habéis estado nunca en Alejandría.

—No hemos necesitado ir tan al norte para vender nuestro marfil, como te ha ocurrido a ti —precisó el mercader, jocoso.

—Pues deberíais, si tenéis oportunidad. Nunca imaginé que pudiese existir una capital como esa. Allí se puede encontrar cuanto uno desee.

Amosis, que no perdía detalle de la conversación, se preguntó cómo sería una ciudad semejante y pensó también en los sabios que la habitarían. Al parecer existían bibliotecas con eruditos a su cuidado, y al momento imaginó la cantidad de papiros que debían de albergar y las historias que estos contarían. Su tío lo observó unos instantes, pues sabía lo que su sobrino estaba pensando.

—Algún día conocerás esa ciudad, ya lo verás —lo animó con una sonrisa.

El kushita pareció dar por cumplido el ágape y se levantó agradecido por la hospitalidad que le habían brindado aquellos nómadas.

—Como curiosidad, os confiaré algo sobre lo que hacían chistes en Koptos —quiso rematar el nubio—. Al parecer, al joven rey le gusta mucho tocar la flauta, el *aulas*. —Kamose levantó una de sus cejas, divertido—. Ya le han puesto un sobrenombre. Le llaman Auletes, el Flautista.

Sekenenre no pudo evitar lanzar una carcajada.

—Todos aseguran que alguien tan alegre será un buen rey —continuó el nubio—. El joven faraón ha venido dispuesto a congraciarse con todo el mundo y ha declarado que desea que todos sus súbditos vivan en paz y que se olviden los viejos conflictos ocurridos en la Tebaida. Ofrece su perdón.

—¿No habrá más persecuciones? —inquirió el mercader con incredulidad.

—Eso es lo que asegura. Ya os advertí que será un buen rey.

Kamose asintió en silencio. Entonces pensó en Abdú, en sus *orishas* y en los nuevos caminos que estos mostraban al peregrino.

37

La luz se desparramaba por entre los palmerales a la caída de la tarde, justo al otro lado del río. Este bajaba sereno después de que sus aguas hubieran regresado a su cauce tras la estación de *Akhet*, la inundación. Corría el mes de *parmhotep*, enero-febrero, a finales de *Peret*, la época de siembra, y los campos se encontraban atiborrados de semillas y buenos sustratos que las hacían germinar. Era el ciclo eterno, el que se había producido en Kemet desde que el país tuviera memoria de sí mismo. Olía a adelfillas y a alheña, y en el Nilo algunos pescadores golpeaban sus aguas con la esperanza de poder capturar algún pez con sus redes. Mientras, los chiquillos alborotaban en la orilla en tanto se bañaban, como acostumbraban a hacer desde tiempos inmemoriales. Siempre había ocurrido así, y los niños jugaban hasta que sus madres los requerían para la cena, ausentes del mundo que los rodeaba. A lo lejos, las enormes cabezas de unos hipopótamos sobresalían de las aguas para crear un extraño efecto sobre la superficie, tal y como si fueran pequeños islotes sobre los que reverberaba el sol que pronto se pondría. A su alrededor, el Nilo había tejido un espejo de azul y plata en el que se miraba la tarde, con la magia propia de una tierra que un día adorara a dos mil dioses. Hapy, el señor del Nilo, continuaba gobernando con sabiduría sus aguas, aunque fueran muchos los que ya le hubieran olvidado. Sin embargo, su poder se mantenía incólume para todo aquel que estuviera dispuesto a verlo y aquella tarde se manifestaba en todo su esplendor, ya que el río bullía de vida, pletórico, para arropar con su abundancia a las innumerables especies que dependían de él.

Kamose suspiró satisfecho. Desde su terraza se deleitaba con cuanto lo rodeaba como solo es capaz de hacerlo quien conoce las penurias. El desierto se había desvanecido como parte de sus propios espejismos para dar paso a un paraíso donde solo había lugar para el ensueño. Las ilusiones, en ocasiones, podían materializarse, y el viejo mercader se emborrachaba de ellas en aquella hora en la que se le ofrecían con una generosidad que nunca hubiera esperado. Todo parecía ser obra de un milagro, o quizá simplemente se debiera al destino contra el que siempre se había rebelado. Shai, el taimado dios que regía su sino, había decidido mostrarse pródigo con su persona, por mucho que al tebano le costara reconocerlo.

A veces pensaba en Abdú y en sus frases misteriosas. Sus *orishas* habían terminado por convencer al comerciante, pues la suerte le había sonreído desde el día en que adquiriera a su esclavo. Las palabras de este habían resultado premonitorias para mostrarle las sorpresas que podía ofrecer la vida si así estaba escrito. Cuanto les adelantara el kushita había sido cierto, y ello no hizo sino empujarlo a tomar una decisión largamente esperada. El desierto se había convertido en historia, y por lo que al mercader se refería no tenía la menor intención de volver a arrastrar sus pies por él. Con el permiso del iracundo Set, claro está.

—Ya es hora de que regresemos al lugar que nos corresponde —les había dicho a sus sobrinos la misma noche en que se enteraron de las nuevas noticias.

Sekenenre lo había mirado sin decir nada.

—Volveremos a Tebas, aunque ahora la llamen de otra forma —anunció Kamose.

—Es el lugar al que pertenecemos —observó el guerrero—, aunque yo no os acompañaré.

Su tío negó con la cabeza.

—Hace ya ocho años del comienzo de aquella guerra. Muchos *hentis* para alimentar odios. Déjalos enterrados en este desierto y continúa tu vida junto a los tuyos. Nadie te perseguirá.

—En eso te equivocas, tío. Siempre habrá un fantasma tras mi sombra. Una espada que me amenace, un rencor no olvidado. Mi suerte está echada desde hace mucho, pues yo mismo la elegí. Soy un apátrida. En eso me he convertido. Nunca podré regresar.

—Pero... El tiempo todo lo recoloca. Shai nos ofrece una oportunidad con la que no contábamos.

—Mi destino es otro, y lo seguiré allá donde me lleve.

Kamose se lamentó en silencio y Amosis hizo esfuerzos por no derramar sus lágrimas, ya que amaba mucho a su hermano.

—Marcharé a Asia. Dicen que en Siria aprecian a los buenos soldados. Venderé mi espada al mejor postor. Da igual el estandarte.

Luego se hizo un incómodo silencio, ya que todos sabían desde hacía tiempo que llegaría un día en el que se separarían. No obstante, Sekenenre los acompañó hasta la Tebaida. Juntos regresaron a la cueva, de donde se llevaron los cofres y bolsas que habían ocultado. El lugar les pareció particularmente siniestro, todo lleno de esqueletos cuyos huesos se encontraban diseminados acá y allá debido a los carroñeros. Nadie podría imaginar que allí yacían los restos de las tropas de Netjeruy, e incluso a Kamose el lugar se le antojó como parte de un sueño lejano que no tenía intención de recordar. Jamás regresaría a aquel lugar.

Cuando llegaron a los primeros campos, todos se despidieron. Amosis lloraba de tal forma que no había modo de consolarlo; incluso se agarró a su hermano para impedirle marchar. Este le acarició la cabeza, como solía hacer a menudo.

—Prométeme una cosa, Amosis. Vayas donde vayas y seas lo que seas, no olvides nunca la tierra a la que perteneces, la de tus ancestros. Mantén dentro de ti los consejos de padre y las buenas enseñanzas que te dieron en el templo. Llegará un día en el que se perderán entre toda esa barbarie que espera ahí fuera. Pero tú guárdalos en tu interior. Ese será tu sello, y los demás palidecerán ante él. Si no abominas de nuestros dioses, ellos siempre te ayudarán. No tengas miedo, Isis velará por ti.

Así fue como se despidieron los hermanos, y Amosis lloraba de tal forma que hasta le dio hipo. Luego Kamose se fundió en un abrazo con su sobrino, aunque sobraran las palabras.

—Mantente vivo —fue lo único que se atrevió a decir el mercader.

Luego se marcharon, y mientras se alejaban Abdú trató de consolar a su joven amo.

—No derrames más lágrimas, que Ogún, el *orisha* del hierro, queda junto a tu hermano. Él le iluminará el camino y lo protegerá; así está escrito para él. Pero algún día, dentro de muchos años, os volveréis a encontrar.

Sekenenre los vio alejarse mientras contemplaba por última vez su amado valle. Las aguas habían anegado los campos, como era habitual en aquella época, y poco a poco irían retirándose para dejar el negruzco limo que daba nombre a su patria, Kemet, la Tierra Negra. Siempre recordaría aquel paisaje, dondequiera que lo llevara la vida; el último recuerdo de su amado Egipto.

Kamose suspiró al rememorar cómo había sido la despedida, pues hasta él se había emocionado, y durante unos días todos permanecieron pesarosos ya que uno de los suyos había desaparecido para no volver. El mercader no albergaba ninguna duda al respecto, aunque nada pudiese hacer por cambiar el destino de los demás.

Sin embargo, pocos motivos tenía el comerciante para quejarse. Las cosas les habían ido bien desde el principio, como si en verdad estuvieran bendecidos por los dioses. Tebas los había recibido con hospitalidad, aunque se tratase de una ciudad bien distinta de la que recordaban. Látiro había sido cruel con la vieja capital, a pesar de que con los años se hubiera reconstruido en parte para levantar elegantes villas, muy del gusto de la nueva sociedad. Dióspolis Magna, como llamaban ahora a la ciudad, había terminado por helenizarse, aunque todavía conservara el aroma inconfundible que solo son capaces de otorgar los milenios. La metrópoli era vieja por los cuatro costados, y contra esto nada podrían hacer las nuevas costumbres venidas desde el otro lado del Gran Verde. Karnak aguantaba el envite de los siglos como testigo mudo de cuanto había visto, y al otro lado del río, junto a las necrópolis, los templos funerarios de los grandes faraones todavía se alzaban orgullosos para recordar qué reyes habían nacido en aquella tierra.

Kamose pensaba en todo aquello a la vez que continuaba deleitándose con la espectacular vista que le regalaba la tarde. El aire se encontraba saturado con los trinos de las mil aves que poblaban el lugar. El comerciante siempre había pensado en ese número, que le parecía muy grande, y su abuelo le aseguró que desde el principio habían vivido allí, y que el día en que Egipto se quedara sin sus pájaros sería porque el país habría desaparecido.

El mercader había comprado una pequeña casa cerca de la orilla, junto a un palmeral. Próximos crecían acianos, adelfillas, malvarrosas y arbustos de alheña, cuya fragancia tanto le gustaba. El tebano no se cansaba de aspirarla, seguramente debido a los años pasados en el infecundo desierto. Ahora no tenía intención de moverse de allí, aunque no por ello pensara dejar de hacer negocios.

Había que acomodarse a los tiempos, pero eso no suponía ningún problema para un superviviente como él. Los efectos devastadores de la guerra de liberación emprendida hacía ocho años habían tenido unas consecuencias ruinosas sobre la economía local. Lejos quedaban los tiempos del trapicheo y el contrabando encubierto. Ahora, el control que mantenía el Estado sobre las rentas era de tal magnitud que resultaba casi imposible emprender algún negocio sin que el funcionario de turno se presentara a hacer alguna inspección. Claro que él conocía el alma humana como nadie, y estaba acostumbrado desde pequeño a lidiar con todos aquellos relamidos a quienes, no obstante, convenía no perder de vista. Como antaño, el monarca continuaba ejerciendo el monopolio sobre la mayor parte de los productos, al tiempo que se obstinaba en sobreexplotar las tierras cuanto le era posible. A Kamose siempre le había hecho gracia la desvergüenza de aquella saga de reyes macedonios, ofuscados por recaudar hasta el último óbolo para sus arcas a fin de llevar a cabo su política imperialista.

El mercader no podía reprimir una mueca de sarcasmo cada vez que pensaba en este detalle. Nadie en Alejandría se ocuparía de él si tuviera alguna necesidad, y si moría sin compañía los Ptolomeos no moverían ni un dedo para darle una buena sepultura. Había sudado más que la mayoría para conseguir cuanto tenía, y no pensaba dejar ni un solo dracma de más en las arcas del ecónomo.

En realidad, Kamose había tardado muy poco en ver dónde se encontraba el negocio, así como lo que tenía que hacer. Por este motivo se hallaba particularmente contento aquella tarde, hermosa como no recordaba, con el Nilo a sus pies y el convencimiento de que de nuevo el futuro les pertenecía.

38

Abdú observaba el río fluir con aire distraído mientras se secaba al sol. Junto a él, Amosis parecía abstraído, con la vista fija en la lontananza, perdido en quién sabía qué sueños. Ahora que había decidido cambiar su nombre, el egipcio utilizaba la lengua helena cuanto podía. Para desesperación de su esclavo, que no entendía una palabra.

—¿Yo también he de aprender ese idioma? —se quejaba Abdú.

—Algún provecho sacarías si así lo hicieras —le advertía su joven amo.

Abdú negaba con la cabeza.

—No veo cuál. Todo el mundo se da cuenta de que soy negro. Da igual cómo hable. ¿Conoces a algún griego con mi color de piel?

Amosis no sabía qué responder, ya que no le faltaba razón a su criado en ese particular.

—Ya ves entonces que da igual cómo hable. Lo que importa es que me entendáis el *neb* Kamose y tú.

Al joven tebano no le gustaba nada que su esclavo utilizara aquella palabra.

—No nos llames *neb*. No somos dioses ni faraones, ni señores de nada. Además, ahora que me he cambiado el nombre no deseo que me trates como a un egipcio.

—Tú siempre serás egipcio, adondequiera que vayas.

—Isis me ayude entonces.

—Ja, ja. Cambiarás de apariencia. Pero tu alma pertenece a Egipto.

Llegados a aquel punto, Amosis solía dar por concluida la conversación. Tenía grandes ilusiones, y en los últimos meses había alimentado ambiciones que nunca sospechó que existieran. Aquella mañana, mientras se estiraban bajo el sol junto a la orilla, el joven andaba fantaseando con un sinfín de proyectos. Desde que el kushita les hablara de Alejandría, su corazón se había llenado de ideas, la mayoría disparatadas, que alimentaba a la menor ocasión. Aquel debía de ser un buen lugar para hacer fortuna; el idóneo para alguien como él, capaz de hablar el griego con mayor fluidez que la mayoría de sus paisanos. Los caminos no estaban hechos para el muchacho, algo en lo que incluso su tío estaba de acuerdo.

Abdú y su joven amo habían estado bañándose durante toda la mañana. Ambos eran buenos nadadores, sobre todo Amosis, que tenía una gran resistencia y había desarrollado unos hombros fuertes. Juntos se aventuraban hasta donde se atrevían, ya que el río podía ser muy traicionero y en él había fuertes corrientes y pozas donde era fácil ahogarse. Mas aquel día las aguas bajaban calmas, y como el verano se hallaba próximo el caudal del Nilo se mostraba estrangulado por la sed de las tierras que lo confinaban. Estas habían bebido hasta la extenuación, pues la recolección de la cosecha ya se anunciaba, y había habido una gran actividad a fin de sacar de los campos todo lo que estos fueran capaces de dar.

En el río se habían formado los habituales islotes arenosos donde los cocodrilos tomaban el sol tranquilamente, y las familias de hipopótamos se bañaban a lo lejos, sin dejar de emitir sus resoplidos, seguramente para que todos supieran que se encontraban allí. Las garzas reales pescaban en las orillas, y el cielo, de un azul intenso, se encontraba colmado de trinos, pues allí las aves podían llegar a ser muy escandalosas.

Amosis regresó de su abstracción para mirar a su criado. Este se había hecho ya un hombre, y era tan fuerte que el joven tebano no recordaba haber visto nunca a nadie como él. Sus enigmáticas palabras, así como sus juicios, no dejaban de sorprenderlo, y a veces tenía la impresión de que en verdad el criado yoruba había sido enviado allí por alguno de los espíritus de los que tanto hablaba.

—Cuesta creer que hayamos estado ausentes de este lugar durante tanto tiempo —musitó Amosis sin perder de vista el río.

—Siempre estaremos de paso —indicó el criado con aquel tono tan misterioso que gustaba de emplear a la menor oportunidad.

—¡Isis me dé entendimiento! —exclamó el tebano—. Espero que no ocurra así.

—Observa el agua, buen *neb*. Nunca permanece en el mismo sitio. Sigue su camino, como tú y como yo.

Amosis hizo un gesto de desagrado.

—Te he dicho que no me llames así. Recuerda que ahora soy Zenódoto, ¿comprendes? Ese será mi nombre cuando te dirijas a mí en público.

—Está bien, amo Zenódoto. Disfruta del Nilo hasta que los *orishas* te envíen a otra parte.

Lo de amo tampoco le gustaba mucho al tebano, pero para evitar discutir no dijo nada.

—¿Quieres decir que nunca conoceremos el descanso? ¿Como las estrellas del norte? —inquirió Amosis con retintín.

—No hemos nacido para descansar. Nuestro camino va en la misma dirección aunque tengamos vidas distintas. El agua que vemos hoy, mañana se encontrará lejos. Lo mismo nos ocurrirá a nosotros.

—Ya. El *orisha* Oya nos alumbrará para que sigamos la senda apropiada —señaló Amosis en tono burlón.

—Oya, Ogún, Shango... Cada uno de estos *orishas* activa a otros para que luchen contra los *ajogun*. No olvides que ellos protegen los órganos de tu cuerpo para que no enfermes.

—Pues te confieso que con gusto me quedaría a vivir aquí por el resto de nuestras vidas.

—Ya lo supongo, aunque poco importa lo que creas. En el fondo, tú mismo conoces cuáles son tus verdaderos anhelos.

—¿Y cuáles son los tuyos? Reconoce que al menos sentirás deseos de regresar junto a tu familia. Nunca me hablas de ella.

—No merece la pena. Son parte de mi pasado. Mi madre estará lavando en el río, junto a mis hermanas, y mi hermano mayor habrá salido de caza. Ellos ya no me esperan. Saben que quizá nunca regresaré.

Amosis no dejaba de sorprenderse ante la rotundidad de las palabras de su criado.

—Menudo destino. ¿No hay esperanza para ti?

—La que esté escrita, y en todo caso la que tú quieras darme.

El tebano se quedó estupefacto.

—¿Cómo puedes saber que nuestro camino nos llevará lejos?

—Ja, ja. Lo dicen las aguas. Escúchalas. Ellas no hablan griego, pero tienen cosas que contar.

—¡*Heka* del demonio! En ocasiones logras que me estremezca. Entre los de tu pueblo seguro que hubieras llegado a ser un *babalawo* de primera. Y dime, ¿dónde aprendiste a hablar con las aguas? —inquirió Amosis, jocoso.

—En mi país también hay un río, tan grande como este. Su lenguaje es el mismo y en sus profundidades habitan cocodrilos e hipopótamos, igual que aquí.

—Mi tío debería considerar contratarte como adivino. Haría un buen negocio. A estos griegos les entusiasman los oráculos, ¡ja, ja!

—No es mi misión aliviar a las gentes de sus secretos; de aquellos que ni ellos mismos conocen, de los que encierran el devenir de sus vidas.

—Sin embargo, viniste a nosotros para advertirnos de cuanto iba a ocurrir.

—Como os dije la primera vez, el *orisha* me llevó a donde debía.

Al nacer, tus hermanos están ya dispuestos; Oya me ha enviado para que pueda ser yo quien los elija libremente.

—¿Quieres decir que viniste para encontrar una nueva familia?

—Como te señalé antes, nuestros caminos serán uno solo. No hay nada que pueda cambiar eso.

—No tuviste suerte entonces, gran *babalawo* —dijo Amosis con sorna—. Ya ves, hasta me veo obligado a cambiar de nombre para poder prosperar, ja, ja.

—Tus nombres serán muchos —subrayó el esclavo con gravedad.

Amosis tragó saliva con dificultad. Como de costumbre, su criado tenía la facultad de sembrar el misterio con sus palabras.

—Eres un *heka* taimado como pocos. Pero te advierto que los días de solaz tocan a su fin. Pronto se empezarán a recolectar las cosechas, y habrá que tenerlo todo a punto para evitar sorpresas de última hora. Me parece que dejarás de conversar con el río por una temporada.

—Las cosas marcharán como corresponda.

—Ajá. Con frases como esa resulta difícil equivocarse, bribón.

Abdú miró a su amo fijamente.

—El Nilo se mostrará magnánimo durante dos años, pero luego enfermará durante otros dos, y las cosechas serán malas. Habrá escasez de grano y hambruna en la tierra de Egipto. Eso es lo que ocurrirá.

—Habrá que aprovechar la bonanza. Mi tío se alegrará de saber eso, ja, ja. Pero dime. Si todos tenemos un *orisha* encargado de mostrarnos nuestro destino, ¿cuál es el mío? ¿Adónde me conducirán mis pasos?

Abdú sonrió al joven con malicia.

—Mucho quieres saber para lo joven que eres.

—Al menos dime cómo se llama mi espíritu protector. Te advierto que soy fiel devoto de la madre Isis.

—Ella está en todas las religiones, pues es la gran madre. Haces bien en rezarle, pues nunca te abandonará.

—Veo que guardas el secreto del nombre de mi *orisha*.

—No es ningún secreto. Hay dioses que solo aparecen en determinadas regiones para guiar a los elegidos.

—¿Soy un elegido? ¿Quién puede decidir eso? Solo Shai lo sabe, y te aseguro que es un dios capaz de cambiar tu signo cuando menos te lo esperas.

—Es lo natural. Recuerda si no la historia de tu héroe; la que me recitas muchas noches y que a mí tanto me gusta.

—No puede haber una existencia tan procelosa como la de Odiseo.

—No me negarás que, de haber sido egipcio tu navegante, Shai le habría martirizado con sus bromas caprichosas.

—En eso tienes razón, Abdú. ¿Cuál habría sido el *orisha* de Odiseo de haber nacido yoruba? —inquirió con una sonrisa.

—No tengo ninguna duda: el mismo que el tuyo.

Amosis dio un respingo, pues no esperaba una respuesta como aquella.

—¿Qué quieres decir?

—Que Odiseo te mostró su mundo a fin de que te prepares para entrar en él. Es el que te corresponde, y sus puertas ya se encuentran abiertas. Todo está dispuesto, aunque solo el *orisha* decidirá cuándo llegará el momento.

—Odiseo y yo tenemos el mismo espíritu protector. Vaya, eso es más de lo que pudiera desear. Al final mi héroe salió triunfante de la aventura de su vida.

—Así es. Él tenía el mejor valedor que pudiera imaginar: Olokun.

—¿Olokun? Jamás había escuchado ese nombre.

—Él gobierna la vida en el mar con su ejército de sirenas.

—¡Olokun! ¡Parece un dios poderoso!

—Lo es. Él te protegerá.

—¿Qué significa su nombre?

Abdú miró a su joven amo de una forma enigmática.

—Significa «dueño del mar».

39

Kamose se hallaba satisfecho por su elección. Para un nómada como él no resultaba fácil establecerse para afrontar la vejez con garantías, y menos en un país en el que la economía se encontraba intervenida por el Estado. Los caminos y mercados estaban bien para el trapicheo y los tratos de poca monta, pero tarde o temprano las caravanas debían ponerse en marcha de nuevo para continuar la lucha por su propia supervivencia, y así durante generaciones. Sin embargo, el mercader había encontrado una buena oportunidad, ahora que disponía de reservas suficientes para acometer el proyecto.

Hacía varios siglos que la monarquía monopolizaba la venta de grano; desde la llegada del primer lágida al trono de Horus. Esto era un negocio para las arcas reales, ya que se había incrementado la superficie de las tierras de regadío con canales y esclusas que permitían regar campos que antes habían permanecido yermos. La máxima explotación de la agricultura era el objetivo prioritario de los Ptolomeos, y durante todos aquellos años se habían preocupado de exprimir los labrantíos cuanto habían podido con el fin de utilizar sus productos como medio para generar riqueza. La exportación de cereales suponía una gran entrada de dinero para el Estado, que lo reutilizaba en la construcción de naves de guerra con las que mantener su política colonialista. De este modo la flota llegó a ser enorme, y el control sobre el grano de tal magnitud que en tiempos de Ptolomeo III se llegó a condenar con la pena de muerte a todo aquel que se atreviera a negociar con el cereal.

Un verdadero ejército de funcionarios se encargaba de fiscalizar cualquier tipo de cosecha que producía aquella bendita tierra, hasta el extremo de poder decidir sobre el cultivo que más convenía en determinados lugares. Ello originó que, con los años, determinados funcionarios acapararan más poder del que les correspondía, y por ende las ambiciones personales no tardaron en aflorar, pues siempre ocurría igual.

En los últimos años, las estrictas leyes promulgadas por Ptolomeo III Evérgetes, el Benefactor, fueron abolidas y se permitió la venta de excedente de grano a los particulares en los mercados de las grandes ciudades. A Kamose le parecía un buen negocio, sobre todo porque al ser un producto de primera necesidad podía jugar con la posibilidad de acaparar cereal para cuando vinieran los años de malas cosechas, que siempre se presentaban.

Obviamente, hacerse un lugar entre los intermediarios del negocio no era fácil, aunque él dispusiera de un arma infalible para encontrarlo: liquidez.

De este modo fue como un buen día se dirigió en compañía de su sobrino a la cercana localidad de Madu, situada a unos ocho kilómetros al norte de Tebas. Madu era una antigua ciudad creada para dar cobijo a los soldados que habían combatido en las guerras llevadas a cabo por Tutmosis III hacía casi mil quinientos años. El gran faraón cedió tierras en aquel lugar, y allí se estableció una colonia que nunca dejaría de mantener su idiosincrasia militar. Por este motivo, muchos de los macedonios a las órdenes de los Ptolomeos habían sido recompensados con cleruquías en la pequeña capital, sin obligación alguna de pagar arriendo. Algunos de aquellos soldados subarrendaban sus campos a los campesinos para vivir de las rentas, y otros los trabajaban por sí mismos.

Kamose fue a tratar directamente con estos últimos, ya que los campesinos que labraban las tierras de otros no tenían más remedio que vender el excedente a los funcionarios de turno, que abusaban de su poder y de la precariedad en la que solían hallarse los pobres agricultores, que en demasiadas ocasiones se las veían y se las deseaban para pagar el arriendo. Sin embargo, con los soldados era diferente. Ellos eran sus propios dueños y no necesitaban negociar con ninguno de aquellos intermediarios.

Con la habilidad que lo caracterizaba, el comerciante logró reunir a algunos de aquellos propietarios para hacerles una oferta que él sabía que no podrían rechazar. Kamose estaba dispuesto a ofrecer un cincuenta por ciento más del precio del mercado por todo el excedente del cereal que produjeran sus tierras, y además estaba decidido a dar una parte por adelantado. Lo nunca visto.

Como es fácil comprender aquello produjo un gran revuelo, algo con lo que contaba el mercader, y no tardó mucho en presentarse de visita el *myriarouroi*, el hombre de las diez mil *aruras*,[33] encargado de supervisar las dos mil quinientas hectáreas de terreno que tenía a su cargo ante la administración. El individuo, un tal Zenón, no perdió mucho tiempo en mostrar el poder que su cargo le confería, así como el desprecio que sentía por todos aquellos egipcios de medio pelo.

—Cuando supe del asunto, no daba crédito —dijo el funcionario tras sentarse frente al tebano, que le había ofrecido pastelillos y hasta un poco de vino de Buto—. Alguien dispuesto a pagar más en estos días no resulta creíble.

Kamose abrió los brazos un instante para hacerle ver a su invitado que se hacía cargo.

—¿Quién puede ofrecer un cincuenta por ciento más? —continuó el otro—. Es fácil comprender las repercusiones que algo semejante puede tener sobre la toparquía.[34]

El mercader asintió, pues ya conocía él de sobra este punto.

—Imagínate que la noticia ha llegado a oídos del toparca, a quien todo esto le preocupa pues la suya es una comarca tranquila donde las haya y todo está estipulado en su justa medida desde hace años.

—Lo comprendo perfectamente, preclaro servidor del Estado, pero no está en mi ánimo el que la región se llegue a desestabilizar por el simple hecho de que me interese por el excedente de cereal que produzca.

—Cualquier actuación que altere el orden establecido puede ser origen de las peores consecuencias —aseguró el funcionario con afectación en tanto se animaba a tomar uno de los pastelillos.

—No seré yo quien se atreva a semejante cosa. ¡Alterar el orden establecido! Menuda iniquidad. No, digno servidor del señor de las Dos Tierras, lo que en realidad más deseo es que las cosas sigan igual que hasta ahora durante el próximo siglo, aunque dudo que pueda llegar a vivir tanto, ja, ja.

El *myriarouroi* parpadeó repetidamente con fingida afectación.

—Hum... Espero que seas consciente del alcance de tus palabras.

—No hay nada que desee más. Además, he de confiarte que estoy muy satisfecho con que me honres con tu visita, pues ardo en deseos de poder estrechar lazos contigo de la manera más conveniente para que la toparquía continúe en paz, como bien me advertiste.

—Debes comprender la magnitud de cuanto hablamos. La jerarquía en el nomo puede resultar inalcanzable y suponer una plétora de inspecciones por las causas más variopintas.

—Me hago cargo, noble funcionario, y escucharé cuanto tengas que decirme con ánimo de complacerte en todo.

—Ya veo.

—Es más, me sentiría muy honrado en formalizar contigo los detalles de cuanto precises. Me siento afortunado por recibir tu consejo. No tengo intención de escuchar otro que no sea el tuyo.

Zenón entornó los ojos y miró de tal forma a Kamose que este leyó al punto la codicia que albergaba el corazón de aquel funcionario.

—Tus palabras resultan gratas a mi corazón. Creo que conviene que pasemos a los detalles.

40

Los detalles a los que se refería el *myriarouroi* eran los esperados. El hombre de las diez mil *aruras* no tuvo el más mínimo reparo en plantear sus expectativas, ambiciosas donde las hubiera.

—El diez por ciento del precio de venta del excedente me parece razonable. Ten en cuenta que el toparca debe participar de tu espíritu emprendedor. Son muchos los gastos que ocasiona el cumplimiento de sus deberes. Como seguramente sabrás, tenemos potestad para requisar la cantidad que precisemos a fin de enjugar nuestros expendios. Hasta tenemos derecho a procurarnos el alojamiento que deseemos durante nuestros viajes. Todo por el buen cumplimiento de las leyes de renta.[35]

Kamose se limitó a asentir sin decir una palabra.

—Claro que a este porcentaje habrás de sumarle un sexto, que es lo que te cobrará la hacienda local. Así son las cosas, mercader.

Las palabras del alto funcionario, aunque desvergonzadas, resultaron gratas a los oídos del tebano, ya que eliminaban regateos inútiles así como la posibilidad de que cualquier escriba puntilloso acabara por meter la nariz donde no le llamaban. Al final el trato le pareció hasta ventajoso, aunque se cuidara mucho de hacérselo ver al *myriarouroi*. La cuestión no era la comisión que se vería obligado a pagar el comerciante, sino los beneficios que a la larga le procuraría su trato, ya que las cleruquías a las que tendría acceso se multiplicarían con el tiempo. Habría más colonos dispuestos a cederle sus excedentes, e incluso era posible que estos aumentaran gracias a la intervención del *myriarouroi*, que podía calcular a la baja la producción anual estimada para aquellos campos. Todos saldrían beneficiados, incluidos los sufridos agricultores, quienes de esta forma podrían contar con más excedente de grano para comerciar en su propio provecho.

Kamose había calculado bien y así, en pocos meses, había conseguido acuerdos con la mayor parte de los soldados de caballería vecinos de Madu, todos macedonios de pura cepa que aborrecían a los funcionarios de la administración, muchos de ellos egipcios que pugnaban por convertirse en griegos y que acostumbraban a cambiarse el nombre. Los mercenarios los detestaban y también los evitaban, ya que aquellos perseveraban en el cumplimiento de sus funciones para parecer más helenizados que los demás, hasta llegar a caer en el ridículo.

El mercader los trató como correspondía. De forma directa y con la bolsa de dracmas por delante. Un lenguaje que entendieron sin dificultad y que los llevaría a hablar con el tebano en lo sucesivo.

Así fue como Kamose se convirtió en comerciante de grano en su propia tierra, algo que nunca pensó que pudiera llegar a hacer en absoluto. Pero Abdú tenía razón: los *orishas* existían, ya lo creía él, y el que dirigía los pasos del tebano había resultado ser de los mejores; un ángel guardián por el que había decidido brindar cada noche.

Su sobrino lo acompañaba allá donde tuviera que ir a cerrar cualquier trato. La lengua helena se había revelado sumamente útil a la hora de llegar a un acuerdo, y Amosis la hablaba a la perfección, para gran satisfacción de su tío. A no mucho tardar, ambos vieron la necesidad de tener silos en propiedad donde poder almacenar una parte del cereal; el que no venderían. Sabían que tarde o temprano habría malas cosechas, y entonces podrían obtener hasta tres veces más por su venta, sobre todo si lo llevaban hasta los mercados de Alejandría. El nombre de la capital siempre acababa por aparecer, y Amosis estaba convencido de que antes o después terminaría haciendo negocios allí.

En realidad, el joven veía cómo el asunto pronto se les quedaría pequeño. Zenódoto, como ya todos le llamaban, se hacía un hombre, y con el paso de los meses daba muestras de una voracidad comercial inaudita que llegaba a sorprender incluso al bueno de su tío.

—No tengas tanta prisa. ¿Para qué necesitamos más grano? Con el que tenemos ya sacamos beneficios. Si tratamos de abarcar más, nuestras complicaciones se multiplicarán.

—Pero el negocio no está en Madu, tío. Los mejores campos se hallan en el Egipto Medio. Está a mitad de camino de Alejandría. Allí es donde se encuentran los dracmas. Es el lugar que nos corresponde si queremos obtener verdaderas ganancias.

—¿Sabes lo que significaría eso? ¿Te das cuenta de las voluntades que tendríamos que comprar para abrirnos paso en la capital? Aquí conseguimos lo suficiente para llevar una vida respetable. Te lo digo yo, que he tenido que pasar por donde muchos no han querido.

—Pero tío... —protestaba el joven—. Es una oportunidad que no debemos perder. Dentro de poco los campos de Madu se nos quedarán pequeños.

Kamose lo miraba con sorna.

—¡Ja, ja! Dirás que se quedarán pequeños para ti, hijo mío. Yo ya estoy demasiado viejo para emprender aventuras, y lo que propones lo es.

—El verdadero beneficio está en la venta final, no en la compra del excedente. Solo tendríamos que ahorrarnos el transporte.

—¿Te refieres a transportar nosotros el grano? ¿Por el río?

—¡Imagina lo que aumentarían nuestras ganancias!

Kamose no pudo evitar una sonrisa. A decir verdad, él ya había pensado en aquello, pero tal y como aseguraba los años empezaban a pesarle. Sin embargo, no dejaba de admirarse ante la visión que le mostraba su sobrino para los negocios. Aquel joven no había nacido para ser un simple mercader, ni para malgastar su vida pateando el polvo de los caminos para tratar con camelleros. Su gran conocimiento de la vida le decía al tebano que Zenódoto estaba predestinado a llevar a cabo grandes proyectos. El mundo que conocían se le quedaba pequeño, y tuvo que reconocer que al muchacho no le faltaba razón en sus juicios. Kamose no tenía derecho a encorsetar las ilusiones de su sobrino, aunque bien sabía él las sorpresas que podía llegar a deparar la vida cuando se iba demasiado deprisa.

—Está bien, querido Zenódoto —le dijo por fin un día, dándole unas palmaditas en la espalda—. Prometo pensar en cuanto me propones, pero iremos con prudencia. No olvides que sin ella los negocios se convierten en devoradores de corazones.

41

El día que cumplió dieciocho años Amosis se sintió un verdadero hombre, aunque ya se llamara Zenódoto desde hacía tiempo. A esa edad, muchos de sus conciudadanos estaban casados y la mayoría, prometidos con alguna prima segunda, que era lo más habitual. Así todo quedaba en la familia, hasta el extremo de que en los últimos años habían aumentado las relaciones entre hermanos, sobre todo por las ventajas que este tipo de uniones traía a la hora de repartir las herencias. Hacía ya demasiados siglos que el dracma se había convertido en el becerro de oro, y ya eran pocos los que dudaban en rendirle pleitesía.

Aquel día Zenódoto se encontraba feliz como nunca, pues en verdad se sentía todo un hombre, capaz de llevar los negocios familiares tan bien como lo hiciese su tío y con el convencimiento de que se bebería la vida a tragos a poco que la suerte lo acompañara. Para celebrar su cumpleaños, el joven se dirigió junto a su criado a una explanada situada justo al noreste del templo de Mut, al abrigo del gran santuario de Karnak. El descampado era un recuerdo más de la destrucción llevada a cabo por Ptolomeo IX durante la guerra de secesión. Allí había habido un pequeño barrio del que no quedaba nada, y nadie se había atrevido a levantar nuevas casas en su lugar, pues los tebanos se habían vuelto en verdad supersticiosos. En aquella planicie se había instalado una compañía de mimos de las que recorrían el país para ofrecer las más variopintas representaciones. Egipto se hallaba repleto de ellas, que solían ofrecer tanto obras clásicas como exhibiciones de malabarismos y un buen número de historias procaces. Dichas agrupaciones teatrales eran muy del gusto de los griegos, aunque apenas levantaran interés entre las gentes del sur. A Tebas, donde gran parte de la sociedad había terminado por helenizarse, acudían de vez en cuando para entretener a los ciudadanos con alguna pieza teatral. En aquella ocasión representaban una obra de Aristófanes, *La asamblea de las mujeres*, y Zenódoto se hallaba tan emocionado ante la perspectiva de poder presenciarla que insistió encarecidamente a su criado para que lo acompañara, pues no era posible que un yoruba se perdiera semejante oportunidad.

—Así conocerás otro mundo distinto al de tus *orishas* —le había dicho el tebano con retintín.

A Abdú le daba ciertamente lo mismo acudir o no a presenciar la obra, aunque al ver la excitación de su amo sintió curiosidad.

Zenódoto ya había oído hablar a Filitas acerca del comediógrafo ateniense.

«Un genio como pocos —le había advertido el viejo—. Te lo digo yo.»

Y al escuchar por primera vez los versos de Praxágora, disfrazada de hombre y con una lámpara en la mano, el joven tebano se dijo que su maestro tenía toda la razón.

—«¡Oh, lámpara preciosa de reluciente ojo que tan bien iluminas los objetos visibles! Vamos a decir tu nacimiento y tu oficio...»

Aquellos versos poco tenían que envidiar a los que leyera casi cada noche desde hacía diez años; ni tampoco la historia que narraba, ingeniosa y audaz como el joven nunca hubiese sido capaz de concebir. ¿Cómo si no era posible pensar en que un grupo de mujeres encabezado por Praxágora decidiera convencer a los hombres para que les confirieran el poder de gobernar? Y además para imponer una idea de igualdad obligatoria, política y social. Por si fuera poco, Aristófanes hacía gala de su humor al parodiar dicha posibilidad con la condición de que cualquier hombre pudiera yacer con una mujer siempre y cuando lo hiciera con una fea antes que con una hermosa.

Zenódoto no perdió detalle de la representación, a la que había acudido un buen número de tebanos que reían con algunas de las escenas. Sin duda, la mayoría de aquellos actores tendían al histrionismo y aprovechaban la menor oportunidad para hacer gestos procaces, muy del gusto del respetable.

Como el joven se encontraba entre las primeras filas, una de las actrices, caracterizada de vieja, no hacía más que dirigirse a él en cada estrofa, e incluso a señalarlo con el dedo cuando recitó:

Quien quiera placer que se venga conmigo,
las jovencitas carecen de experiencia
y es cosa de mujeres maduras.
Ninguna como yo, estad seguros, querrá
al amante que se le una, pues volará hacia otro.

Hubo algarabía general e incluso Abdú se atrevió a reír, más por los gestos libidinosos que la mujer dedicaba a su amo que por los versos que declamaba.

Zenódoto se puso colorado, aunque eso solo lo supiera él, y sin poder evitarlo echó un vistazo a la dama, que poco tenía que ver con el papel que representaba. Y es que el joven aún no conocía mujer, ni había tenido amistad con ninguna joven. De hecho, había tardado más de lo usual en pasar la ceremonia del *sebu*, de obligado cumplimiento para cualquier egipcio. Hasta los catorce cumplidos no lo habían circuncidado en una jaima, en el desierto occidental. Menos mal que el beduino que se encargó de él llevaba cortados en su dilatada vida tantos prepucios como estrellas había en el firmamento, aunque el muchacho siempre guardaría un penoso recuerdo de aquella operación.

Pero nunca había llegado a intimar con una mujer, y al ver cómo aquella actriz se dirigía a él con tamaña desvergüenza tuvo una erección de tal calibre que hasta él mismo se asustó. Entonces, sin poder remediarlo, se fijó mejor en la mujer que, apenas vestida con una clámide, le mostraba sus turgencias sin ningún pudor. Como la dama tenía unos senos plenos cuyas areolas se había pintado de un rojo carmesí, el joven empezó a mirárselos más de la cuenta, sobre todo cuando se bamboleaban al ofrecérselos. Porque la muy pícara no cejaba en sus movimientos, cada vez más voluptuosos.

Por primera vez en su vida Zenódoto sintió cómo se reconcomía a causa del deseo; una sensación que le hacía parecer insignificante ante el poder que mostraba aquella mujer de exuberancia sin par. A la postre, el joven se las veía y se las deseaba para poder seguir el hilo de la comedia; sobre todo cuando la muy mala pécora lo señaló directamente con el dedo para decirle:

—«A quien espero es a ti, por Afrodita, y has de venirte conmigo, lo quieras o no.»

Semejantes palabras aturdieron su entendimiento, si es que ya no se encontraba perdido desde hacía rato. Hasta el extremo de que el resto de la obra apenas supuso un sueño. El joven ya solo veía las curvas de la mujer, apenas cubiertas.

Ya había terminado la comedia y Zenódoto seguía allí, impertérrito, como abducido por algún encantamiento que no acertaba a comprender. Durante unos instantes miró a su esclavo, con un gesto tan estúpido como cupiera imaginar, y este se lamentó con una media sonrisa, ya que no existía un antídoto eficaz contra semejante veneno. Cuando Abdú vio cómo la dama en cuestión se dirigía hacia su amo, apenas se atrevió a darle un par de palmadas, más para animarlo que para otra cosa, sobre todo al observar lo que se le venía encima.

Como es fácil de entender, Zenódoto siempre recordaría aquella noche, la primera que yació con una mujer. Sin lugar a dudas que la dama era de las que se veían pocas, o al menos eso le pareció al egipcio. En su juventud la actriz tuvo que ser en verdad hermosa, y aunque ya entrada en la madurez, conservaba unas formas contundentes capaces de templar el miembro más alicaído. Ella le aseguró que se llamaba Antígona, aunque poco le importara semejante detalle al joven náufrago ante el mar embravecido que le esperaba. Antígona se lo llevó como si se tratara de alguno de sus animales domésticos, apenas con un chasquido de sus dedos, mientras Abdú suspiraba en silencio, pues contra semejante brujería no existía ningún *orisha*.

En realidad, la cosa duró más bien poco. En cuanto la mujer se hizo con las monedas, despachó al joven con una habilidad digna de encomio. Menudo virtuosismo. Zenódoto se vio de pronto en un mar de carnes turgentes que amenazaban con asfixiarlo. Aquellos pechos eran como montañas inalcanzables en las que se podía perder con suma facilidad, y luego estaban las nalgas, generosas donde las hubiera, y aquella hendidura que le prometía los más excelsos goces y ante la que se sentía insignificante.

Lo peor era que no sabía qué tocar. Sus manos se mostraban tan torpes que enseguida Antígona decidió que debía tomar la iniciativa, pues tampoco era cosa de dejarse manosear por semejante pazguato. Ella ya no tenía el cuerpo para enseñanzas, por lo que, tras apoderarse del miembro del muchacho, se sentó sobre él con todas sus formas desafiando a aquel infeliz a quien iba a devorar. Apenas fueron necesarios dos movimientos de sus caderas para que Zenódoto sintiera que algo serio le iba a ocurrir, y con el tercer contoneo los ojos se le pusieron en blanco y su espalda se arqueó para acabar sintiendo unos espasmos con los que se desbordaba sin remisión.

Aquella pícara le sonrió mientras se levantaba.

—Ya conoces lo que se esconde detrás del deseo —le dijo al muchacho. Este tragó saliva, incapaz de responder—. Lo peor es que volverás a buscarlo, ya lo verás, por mucho que trates de evitarlo.

Zenódoto la miró un momento para sentir su gesto desafiante. Ella sabía de lo que hablaba, y lo malo fue que el joven comprendió que tenía razón, que el deseo carnal era capaz de arrasarlo todo a su paso hasta nublar el entendimiento, tal como le había ocurrido a él.

—Estaré varios días más en Tebas. Ya sabes dónde encontrarme, ¡ja, ja!

Con una risa se despidió Antígona en tanto el egipcio trataba de recuperar su habitual condición. Mas le resultó imposible, y cuando en compañía de su esclavo abandonó el lugar, abominaba de la actriz, de la comedia y de aquel genio de Aristófanes que le había hecho probar el desengaño que se escondía detrás de alguno de sus versos. Zenódoto se sentía como un ignorante incapaz de controlar su ánimo;

un incauto a quien habían sacado nada menos que cinco dracmas. ¡Menudo robo! Aquello encendió aún más al muchacho, ya que semejante cantidad era la que cobraban los funcionarios de aduanas como impuesto por un frasco del mejor almíbar de uva; si lo sabría él.

Abdú caminaba en silencio, pues se imaginaba lo que había pasado.

—Buena forma de celebrar mi cumpleaños —se atrevió a decir al fin Zenódoto, sin poder remediarlo.

—Es como un negocio más que debes aprender. Pero poco tiene que ver con el amor.

—¿Acaso eres experto en tales temas? En ese caso podrías haberme advertido.

—Mientras estuve en cautiverio vi cómo los negreros tomaban por la fuerza a las mujeres. Solo se libraron las que eran vírgenes. Aquello fue mucho peor.

—¿Y qué tiene que ver eso conmigo? Me siento frustrado.

—Que el amor no se parece en nada a lo que sientes; ya te lo dije.

—¿Conoces mucho acerca del amor? Que yo sepa, siempre has permanecido cautivo.

—Mis padres se amaron profundamente. Ellos me mostraron cómo deben ser las cosas.

—Prometo no acercarme más a ninguna mujer —juró el egipcio.

—¡Ja, ja! Eso es imposible, amo. Habrá otras muchas que se cruzarán en tu camino. Ya aprenderás.

—¿Muchas, dices? Imposible. —Abdú volvió a reír—. Tú ríete, pero seguro que alguna vez te habrás aliviado a mis espaldas —apuntó el joven. El esclavo sonrió con picardía—. Ya me lo imaginaba yo. Sé que a veces acompañas a mi tío a las Casas de la Cerveza para que se solace.

—El amo Kamose es un sabio donde los haya.

—Ya me hago cargo, y no seré yo quien lo critique. Es raro encontrar a alguien que a su edad siga siendo soltero.

—Él sabe cuál es el camino que le corresponde, y se ha mantenido fiel a él.

—Ya empiezas con los caminos y con tus enigmáticas palabras, pero seguro que tú has copulado con alguna de esas mujeres.

—Pues claro. Es lo natural. Como te dije, el amo Kamose es como un segundo padre para mí.

—¿Y alguna vez te ha ocurrido lo que a mí? Apenas se apoderó de mi miembro y ya sentía que me derramaba de forma irremediable.

—A mí también me ocurrió una vez —le mintió el criado, aunque supiese que eso pasaba a menudo entre los primerizos—. Al parecer es debido a los nervios.

—¿Los nervios?

—Eso dicen. Lo cierto es que luego te acostumbras y se convierte en un acto agradable. Yo me he aficionado mucho.

—¡Maldito demonio yoruba! —juró Zenódoto sin poder contenerse—. Te estás burlando de mí.

—¡Ja, ja! Nunca haría algo semejante. Además, mi amo conocerá el amor verdadero.

—¿Estás seguro?

—Completamente.

—¿Y cómo puedes saber tú eso?

—Está escrito, como todo lo demás, aunque nunca podrás encontrarlo en esos papiros que lees.

—¿Y quiénes serán esas mujeres? —preguntó el joven, sin ocultar su ansiedad.

—El *orisha* te lo dirá cuando deba, como todo lo demás.

—En ocasiones me confundes con tus enigmas. No sé para qué te pregunto. Las mujeres han terminado para mí.

—¿Solo has yacido con una y ya las abandonas? ¡Ja, ja!

—Son un mal negocio —apuntó el tebano, apesadumbrado.

Abdú volvió a reír.

—En eso puede que no te falte razón. Tu tío opina lo mismo.

—Ahora entiendo por qué no se ha casado nunca.

El criado no dijo nada, y durante un rato pasearon en silencio. La noche estaba en calma, y la luna se había alzado en toda su magnitud para alumbrar Tebas con inusitado fulgor. Las calles parecían tener luz propia, y al fondo el río se mostraba pálido y a la vez brillante, como envuelto en mil centellas.

—Mira cómo luce el Nilo esta noche, amo —señaló Abdú.

—Es hermoso como ninguno. No hay corazón que pueda resistir su magia.

—Lo mismo te pasará a ti con el amor. Un día se presentará cubierto de oro y azul, con el poder de la madre tierra, contra la que nada se puede. Entonces la pasión te cubrirá de cadenas y comprenderás el verdadero significado de aquello de lo que hoy abominas.

Zenódoto se detuvo para observar a su criado un momento. Este le dedicó una media sonrisa, pero enseguida desvió la mirada hacia el río. La noche era demasiado hermosa para refugiarse en el sufrimiento, y el joven egipcio pareció recapacitar un instante para, acto seguido, buscar en el cielo su estrella. Allí estaba, y como de costumbre Alkaid le señalaba el norte. Entonces Zenódoto suspiró, y tras dar una palmada cariñosa a su criado ambos prosiguieron la marcha. Al menos, los cinco dracmas habían sido de bronce.

42

En verdad que los *orishas* de Abdú parecían dispuestos a abrirle caminos insospechados. Puede que el esclavo tuviese razón en todo cuanto aseguraba y que su pueblo fuera mucho más sabio que el que habitaba aquel valle. Nunca se sabía, pero quizá fuese una buena idea abrazar la religión yoruba, con permiso de los dioses de Kemet, por muy milenarios que estos fueran.

Una cosa llevaba a la otra, y si no que se lo dijesen al mercader. El *myriarouroi* había posibilitado el comienzo de un buen negocio, y el comerciante acudía de nuevo a él para darle al asunto una nueva dimensión, tal y como el que no quería la cosa. El trato era de consideración y además abría las puertas a las ilusiones de su sobrino, que no olvidaba sus sueños.

Kamose prestó suma atención a cuanto le explicaron, disimulando su perplejidad ante semejante propuesta.

—¿Comprendes el alcance de cuanto te he dicho? —quiso saber el hombre de las diez mil *aruras*.

—Al detalle, noble servidor del faraón, y ardo en deseos de llevar el plan adelante a la mayor brevedad.

—Tanto mejor, pues la suerte del funcionario nunca está asegurada. Son muchos los que esperan su turno. Seguro que lo entiendes.

Kamose lo entendía a la perfección y por ese motivo se puso manos a la obra, pues no era cosa de dejar pasar una oportunidad como aquella. El asunto le obligaba a viajar a Panópolis, la antigua Ipu, en el nomo de Min, el noveno del Alto Egipto. No muy lejos de Lykópolis, donde se consideraba que comenzaba el Egipto Medio, el nomo era un vergel sin igual en el que los cereales crecían como alimentados por una mano divina. En ese lugar bendecido por la abundancia el *myriarouroi* tenía un primo que ocupaba nada menos que el cargo de ecónomo, o responsable financiero de la provincia, y un yerno de este desempeñaba el mismo puesto que él en Madu.

Kamose conocía las estrechas relaciones que solían mantener los altos cargos públicos entre sí, y que en numerosas ocasiones estos pertenecían a la misma familia, generación tras generación. El primo en cuestión atendía al nombre de Demetrio, y no cejaba de hacer ver lo orgulloso que se sentía por llamarse así.

—Mi linaje se pierde en los albores de nuestra historia, allá en Macedonia, de donde procede mi familia.

Kamose lo miraba y dadas las circunstancias fingía gestos de admiración, aunque en su fuero interno pensara que aquel tipo era un cretino integral.

—Por mis venas corre sangre de reyes. Y hasta hubo uno con mi mismo nombre: Demetrio I Poliorcetes, o lo que es lo mismo, el Sitiador. Claro que de esto hace ya tres siglos. Seguro que lo conoces, mercader.

Este hizo un gesto que podía significar cualquier cosa.

—Demetrio era hijo de Antígono I Monoftalmos.

—¡Ah! Ahora caigo —señaló Kamose, dándose una palmada en la frente—. Si era hijo de Monoftalmos, todo está muy claro.

Aquellas palabras satisficieron en extremo al ecónomo, que al parecer andaba obsesionado con la procedencia de los nombres y con todo aquello que tuviera que ver con la genealogía del individuo.

—El tuyo, sin embargo, no me suena de nada. Claro que será de por aquí —dijo el funcionario con prepotencia.

—Ya lo creo que es de aquí. Pero también hubo un rey que llevó mi nombre, aunque este sea mucho más antiguo que Demetrio. Imagínate, vivió en Tebas durante la XVII dinastía, hace ya mil quinientos años. ¿Has oído hablar de él?

El ecónomo puso cara de tonto, como no podía ser menos.

—A lo mejor lo conoces por el nombre con el que se hizo coronar: Uady-Kheper-Re.

El funcionario se rascó la cabeza, como si en verdad tratara de recordar.

—«Próspera es la manifestación de Ra.» Eso es lo que significa su nombre. No me negarás que resulta poderoso, aunque ya haya caído en desuso.

A partir de aquel instante todo fue extremadamente sencillo, y el tebano adivinó con facilidad cuáles eran los verdaderos propósitos de Demetrio; esto es, lo que esperaba percibir por su concurso. Allí había que mostrarse particularmente generoso, algo con lo que Kamose contaba de antemano, aunque nunca imaginara que en casa del ecónomo fueran tantos de familia.

Sin embargo, la magnitud del asunto invitaba a mostrarse pródigo. Los campos de los que el mercader recibiría todo el excedente de grano eran enormes, y enseguida tuvo que proveerse de silos donde poder almacenar el cereal. En ello también recibió la ayuda del ecónomo, que hizo la vista gorda con el volumen que estos podían llegar a albergar.

—Si llevas las cuentas como debes, tu negocio será fructífero y todos nos beneficiaremos —le había advertido Demetrio después de cerrar el trato.

Kamose se sentía particularmente dichoso. Llegar a semejante posición con los sinsabores que se había visto obligado a sufrir se le antojaba milagroso. El verse a sus años convertido en todo un potentado había superado cualquier expectativa, pero sobre todo estaba contento porque su sobrino continuaría su labor allá donde la dejara, muy por encima de lo que hiciera su padre con él.

Zenódoto se aplicó a la tarea con el entusiasmo que le era propio. En su corazón no había lugar más que para llevar adelante sus ilusiones. Unas ambiciones que crecían sin parar hasta el extremo de llegar a preocupar a su tío.

—Antes de que la vanidad se apodere por completo de ti, recuerda que siempre hay alguien más listo que nosotros —le decía—. El engaño tiene mil máscaras, querido sobrino.

El joven le quitaba hierro al asunto y le decía a su tío que era un exagerado, mas este sabía que tarde o temprano Amosis recibiría una lección. El mercader continuaba llamándole por su nombre de nacimiento cuando se encontraban en casa, como hacían la mayoría de sus paisanos, que solo utilizaban el apelativo griego en el trabajo o durante las reuniones sociales; algo que no gustaba mucho al joven, que incluso llegaba a dirigirse a su tío en griego.

—Si sigues parloteando en esa lengua, acabaré por hablar solo con Abdú —se quejó un día el comerciante—. Si te oyera tu hermano, te tiraría al río.

Pero Zenódoto no le hacía caso. En su opinión, el bueno de Kamose estaba mayor; demasiado viejo para emprender las aventuras con las que el joven soñaba. Ya era hora de que se dedicara a solazarse como correspondía. Las Casas de la Cerveza representaban un buen refugio para un corazón tan viejo como aquel, y Zenódoto animaba a Abdú para que acompañara a su tío a disfrutar de una felicidad bien merecida.

—Dentro de unos años será ya un anciano. Procura que su corazón goce cuanto pueda —le recomendaba el joven a su esclavo cada vez que se ausentaba.

Abdú se limitaba a asentir con una sonrisa. Su naturaleza había terminado por aficionarse a visitar aquellos lugares tan poco recomendables, aunque tuviese una opinión bien distinta del mercader. El tebano se hallaba más lúcido que nunca y todavía tenía lecciones que enseñar.

Sin embargo, Zenódoto empezó a tomar sus propias decisiones. Era algo inevitable, pero le demostró a su tío el buen juicio que poseía, y también lo que el futuro podía llegar a depararle. Una tarde se presentó en su casa con la euforia propia de quien se cree invencible.

—Nunca hubiéramos soñado algo así cuando nos hallábamos en El-Fasher. ¡Por fin podremos transportar el grano hacia el norte! —exclamó, enardecido.

Kamose arrugó el entrecejo.

—¿Quién lo va a transportar? ¿Acaso he comprado un barco sin enterarme?

—Aún no nos interesa hacer semejante dispendio, tío. Primero tenemos que conseguir un lugar en los mercados. Otros nos abrirán el camino.

—¿Otros?

El comerciante miró fijamente a su sobrino. Este había estado en Ipu durante una semana y parecía que hubiera sido capaz de comprar el nomo.

—Traigo buenas noticias, gran Kamose —dijo el sobrino, exultante—. He encontrado a alguien que nos llevará la carga a un precio muy ventajoso. Nos pagará casi el doble por el cereal si se lo vendemos en exclusiva. Nosotros nos despreocuparíamos del resto, pues sería cosa suya.

El mercader se acarició la barbilla.

—¿Y dónde has encontrado semejante oportunidad? —preguntó, jocoso.

—En Panópolis. Ammonio vino a verme para hacerme la oferta, tío. Y creo que no se puede rechazar.

—Panópolis, Ipu... Ya no sabe uno cómo referirse a nuestras ciudades, aunque a mí me gustan más los nombres de toda la vida, ¿entiendes, Amosis?

Este hizo un gesto de conformidad, ya que respetaba mucho a su tío.

—Cuando te explique los detalles, verás que es un acuerdo ventajoso.

—En ese caso, te escucharé con interés.

Amosis le concretó lo que le había adelantado al comerciante, y este le prestó toda su atención. Cuando su sobrino terminó de hablar, el viejo tuvo que reconocer que el asunto parecía provechoso, aunque había algunos detalles que convenía aclarar.

—Eso nos indica que él ganará al menos otro tanto más cuando lo venda.

—Por eso lo quiere todo. Ya te adelanté que el verdadero negocio está en los mercados.

—Bueno, tampoco seamos codiciosos. Al fin y al cabo, no somos más que unos meros intermediarios. Una parte del eslabón de la cadena de influencias que se mueve alrededor del asunto, y por tanto fácilmente reemplazables; no olvides que el grano no es nuestro.

—Pero con él podremos hacer una fortuna.

—No hay nada como la cautela, ¿verdad, Amosis?

—Eso ya me lo has advertido muchas veces.

—Tú mismo lo puedes ver. Me aseguras que este sería el primer paso para poder ocupar un lugar en los mercados. Vender tú mismo el grano. ¿Qué crees que pensará tu nuevo socio? Si te ofrece el doble, ¿quién te asegura que con el tiempo no haga lo mismo con el ecónomo?

El sobrino lo miró pensativo.

—Las exclusivas son peligrosas para nosotros —continuó su tío—. Pero podríamos negociar cualquier otro porcentaje. Piénsalo. A veces la euforia no nos permite ver nuestra propia fragilidad.

—Comprendo...

—¿Y cómo dijiste que se llama el interesado? —quiso saber Kamose, que no recordaba el nombre.

—Ammonio.

—¿Ammonio? Tendremos que hablar con él, ¿no te parece?

43

El tal Ammonio se encontraba en Tebas, donde había llegado en uno de sus barcos. Al parecer tenía varios, aunque a Kamose la impresión que le dio el que viera atracado en el puerto no fuese la mejor. La gabarra era una de tantas de las que acostumbraban a transportar carga por el río. Aquella en particular no debía de acarrear más de cuatrocientos *khar*,[36] lo cual no era mucho. No obstante, aquel punto significaba el menor de los problemas. Kamose tenía tan claras las condiciones que se daría por satisfecho si se cumpliesen.

En cuanto vio al tal Ammonio, tuvo muy claro el tipo de individuo que era. Había visto tantos en su vida que le pareció que el mundo debía de tener un lugar recóndito en donde aquellos bergantes se reproducían sin cesar. Ammonio era sin duda de los aventajados. Uno de los muchos que salían a la vida con el ánimo dispuesto a engañarla a la menor oportunidad. Él, no obstante, pertenecía a los pocos que habían conseguido darse cuenta de que burlarse de ella resultaba imposible, y que lo importante era no desairarla y aprovechar las oportunidades que tuviera a bien ofrecer, sin temor a pagar el precio que fuera.

A Kamose el sujeto le recordó a alguno de aquellos bandidos con los que había tenido que compartir sus desventuras; un verdadero pirata del río, se dijo en cuanto lo vio.

Sin embargo, el trato quedó formalizado, aunque fuera en términos diferentes. Ammonio recibiría la mitad del cereal, pues, como le aseguró el mercader, la otra parte la tenía comprometida con las más altas instancias, aunque esto último se lo confiase como si se tratara de una confidencia. Los dracmas los recibiría el tebano por adelantado, y Ammonio podría hacer lo que le pareciera mejor con su carga.

El contrato se formalizó en griego, con arreglo a la ley, y tendría una duración de dos años, pues el viejo comerciante sabía lo caprichoso que podía llegar a ser el destino.

No obstante las consideraciones anteriores, Kamose felicitó a su sobrino al haber sido capaz de conseguir que un truhan de la categoría de Ammonio se interesara por él.

De este modo pasó el tiempo. Los negocios eran prósperos, Kamose envejecía con el corazón feliz y su sobrino daba muestras a diario de que había nacido con alma de emprendedor. Un día, en uno de sus viajes a Ipu, río abajo, Zenódoto se detuvo en Koptos, donde debía solucionar unos asuntos, y pensó que sería buena idea hacer una visita al viejo Filitas, si es que aún vivía. Habían pasado muchos años desde la última vez que se vieran, pero no había habido noche en la que el joven no recordara a su antiguo maestro, cuya voz se le presentaba en cada ocasión que desenrollaba los papiros que una vez le regalara.

Para su alegría Filitas todavía vivía, aunque lo encontró tan anciano que el joven pensó que Anubis debía de tenerlo ya apuntado en la lista de sus próximas visitas. El dios de los muertos no descansaba nunca, y el maestro parecía cansado de la vida.

—¿Y cómo dices que te llamas? —le preguntó por segunda vez, pues el anciano parecía que perdía la razón en ocasiones.

—Zenódoto, maestro, el sobrino de Kamose.

—¿Zenódoto? ¿Acaso ya me juzgó Osiris y me encuentro en los Campos del Ialú? Qué gloria la mía poder abrazar al gran Zenódoto de Éfeso, el primer director de la Biblioteca de Alejandría. Dame un abrazo, que aquí creo que todos somos iguales.

El joven le dio un abrazo igualmente, y entonces el maestro pareció considerar de nuevo la situación.

—¿Y cómo se encuentra tu tío? ¿Le han ido bien los negocios? Todavía recuerdo el vino de los oasis que me regalaba.

—Hoy te he traído varias ánforas para que las disfrutes. Es vino de Buto, digno de reyes. Lo que mereces beber, maestro.

—¿De Buto, dices? Hum... En mi juventud creo haber oído hablar de él, aunque no recuerdo si lo bebí en alguna ocasión. A veces la memoria me falla, ¿sabes?

El joven lo miró con ternura, pues sentía verdadero cariño por el anciano.

—Me he acordado de ti cada noche. Siempre que releía la historia de Odiseo que tú me regalaste.

—¿Odiseo? Ah, ahora me acuerdo de ti. Tú eres Zenódoto. Yo mismo te bauticé con ese nombre.

—Es el que utilizo, maestro. Siempre lo llevaré conmigo.

—¿En serio? Bueno, no cabe duda de que es un buen nombre. ¿Y a qué te dedicas? ¿Has pensado en ser bibliotecario?

—Me temo que mis conocimientos no den para tanto, maestro. Aunque me enseñaste muy bien el griego.

—Ah... Entonces puedo estar satisfecho. Te será de mucha utilidad.

—Me mostraste un universo que me atrapó para siempre.

—¿Eso hice? Quién lo hubiera podido pensar.

—¿Te acuerdas cuando me reñías por no aplicarme como correspondía?

—Claro, es que eras muy tozudo. Me costó mucho que aceptaras tu nuevo nombre. Antes te llamabas Amosis, lo recuerdo muy bien.

El joven se emocionó mucho al escuchar su antiguo nombre de labios del anciano, que ahora se deleitaba con el vino que le había llevado.

—Dime qué necesitas, maestro.

—Lo que quiero ya no me lo puede dar nadie. Los años pasan deprisa. Dentro de poco sabrás a lo que me refiero.

Entonces entró una mujer que al parecer se ocupaba del anciano.

—Ella me atiende cuando lo necesito, es muy buena, aunque nunca me acuerde de su nombre. En fin, me ocurre a menudo.

Zenódoto observó a la mujer, que le hizo un gesto de resignación. Al poco Filitas pareció quedarse dormido, y el joven le dio una bolsa con quinientos dracmas a la mujer para que cuidara de su viejo mentor. Luego se marchó con la impresión de quien pierde a un ser querido para siempre, y con el convencimiento de que el buen Filitas le sonreiría en cada ocasión que leyera los papiros que un día le regalara.

44

En cuanto la vio caminar calle abajo, Zenódoto se enamoró de forma irremediable. Era la primera vez que el más puro de los sentimientos entraba en su corazón, y lo hizo de improviso, sin avisar siquiera, con la furia de mil dioses que empujaran las tormentas del desierto o quién sabe si con más fuerza que la que mostraba Sejmet cuando se encolerizaba. Lo cierto es que la razón del joven se nubló, como si un tamiz etéreo pero a la vez indestructible envolviera su alma hasta hacerla sentir ligera como un soplo. El estómago pareció retorcerse y por sus *metu*[37] los fluidos corporales adquirieron una nueva dimensión, como si viajaran rebosantes de vida. Al pasar junto a él, la voz de Amosis se quebró en silencio, incapaz de articular palabra alguna, ni en griego ni en demótico, y sus ojos quedaron prisioneros de aquel rostro, de regulares formas y aspecto nacarado. Ella lo miró un instante, con sus ojos de gacela, para regalarle una sonrisa fugaz pero al tiempo eterna, pues nunca podría ya el joven borrarla de su corazón. Al ofrecérsela, sus labios plenos se entreabrieron un momento para mostrarle un collar de perlas. Eso fue lo primero que se le vino a la cabeza al tebano cuando la vio sonreír, pues los dientes lucían como aquel tesoro con el que él mismo había comerciado y que venía de tierras lejanas.

El símil le pareció muy apropiado a Zenódoto. Ella no pertenecía a aquel mundo, pues seguramente había salido de alguna de las epopeyas de las que le hablara Filitas, o quién sabe si Nausícaa o Calipso podrían compararse con aquella ninfa que adornaba la calle. Tebas nunca pudo imaginar que alguien como ella pudiera hollar su suelo; envidia de las mil reinas que habían paseado su majestad durante siglos.

Todo parecía tan irreal que hasta las gentes se detenían un instante para verla pasar. Algunos se protegían los ojos del sol con la mano para asegurarse de que no formaba parte de una ilusión, mientras que otros comprendían que la luz formaba parte del embrujo, ya que ella era la que la irradiaba dondequiera que fuese.

A la sombra del parasol, la joven mostraba unas formas delicadas bajo su túnica ceñida, como recién salidas del taller de un artesano, y al tebano le parecieron tan gráciles que dudó por un momento si no estaría presenciando de nuevo alguno de aquellos espejismos que ya le enseñara el desierto.

Cuando pasó junto a él, acompañada de dos hombres fornidos que la abanicaban, su perfume lo embriagó por completo. Sutil y a la vez intenso, parecía que contuviera todas las esencias de las flores de Egipto. Al aspirarlo se le nubló la razón, aunque esta ya hubiera quedado olvidada hacía rato, quizá tras la esquina por la que el joven la vio aparecer. Ahora se alejaba calle abajo, hacia el río, tan grácil como un suspiro. Zenódoto parpadeó al fin. Aquella misma noche debía preguntarle a Odiseo si la conocía.

45

El amor se había adueñado por completo de Zenódoto. ¿O acaso volvía a llamarse Amosis? Aquel particular poco le importaba ya al joven, pues un sentimiento desconocido pero irrefrenable guiaba ahora sus pasos como si su voluntad hubiera desaparecido aquella mañana en las calles de Tebas. Abdú reía divertido, conocedor del significado de cuanto le pasaba a su amo.

—Es imposible que entiendas lo que me ocurre. Lo mío se trata de algo único.

—Sí, tan viejo como el hombre, amo. En mi pueblo le sucede a todo el mundo.

—¡Yoruba del demonio! No sabes lo que dices.

—¡Ja, ja! Lo sé muy bien. ¿Crees que eres el primero en enamorarte?

—¿Cómo puedes hablarme así? ¿Acaso no te trato como corresponde? Menuda desfachatez burlarte de mis sentimientos de este modo. Claro, eso lo haces porque nunca has sentido algo parecido.

—En eso te equivocas, amo. Los de mi tribu nos enamoramos siendo aún niños. Con diez años ya sabía yo lo que se encerraba detrás de esa palabra.

Amosis lo miró perplejo.

—¡Con diez años! ¡Qué disparate es ese! —exclamó el tebano.

—Es lo natural. Las mujeres son madres a los doce. Allí nos desarrollamos enseguida —apuntó el criado con petulancia.

—Unos degenerados es lo que sois. No me irás a decir que copulaste siendo un niño, ¿verdad?

—No. Ya era un hombre. Casi había cumplido los trece.

—¡Isis bendita! ¿Copulas desde los trece años?

—Siempre que Yemoja me lo permite.

— 199 —

—¿Yemoja? Supongo que se trata de otro de tus *orishas*.

—Es la sexualidad, la energía protectora de la fuerza femenina. Son ellas las que deciden cuándo y dónde se tiene que copular. Pero yo siempre me encuentro bien dispuesto.

—Eso que me cuentas poco tiene que ver con el amor. Lo que yo siento trasciende lo físico —señaló Amosis, malhumorado.

—Sé de lo que me hablas. Cuando me capturaron, yo tenía una prometida con la que debía casarme.

—¿En serio? —inquirió el joven cambiando de expresión—. ¿Y la amabas mucho?

—Cada tarde nos veíamos y paseábamos junto al río. Nuestro amor era tan grande que solo pensábamos en estar juntos y hacer planes para el futuro.

—¿Y vuestros padres estaban de acuerdo?

—Claro. Ellos fueron los que acordaron nuestra unión cuando aún éramos unos niños.

—¿Así, sin que vosotros opinarais? —preguntó el tebano, sorprendido.

—¡Ja, ja! ¿Cómo íbamos a opinar si éramos unos niños? En mi pueblo las cosas se deciden de otro modo que aquí. Claro que también los hombres pueden tener varias esposas.

—Eso se me antoja un poco complicado. Me parece imposible poder amar a más de una.

Abdú lanzó una carcajada, pues era muy pícaro y solía burlarse de la ingenuidad que en ocasiones demostraba su amo.

—Un hombre debe tener muchas mujeres que le den hijos. Entonces la familia está protegida, ¿comprendes? Si tu simiente muere, es como si no hubieses existido. Los *ajogun* habrían logrado su propósito de destruirte. Ellos siempre acechan.

—Prefiero elegir por mí mismo.

—Ja, ja. Mira cuántos de los que eligen se equivocan. Aquí, en tu tierra civilizada, pocos son los que veo felices en el amor.

—No creo que tenga eso nada que ver con el país en el que vivas.

—Mi pueblo no piensa como tú, amo. Allí todo está decidido correctamente. El *babalawo* se encarga de hacer pasar los tres rituales al niño para que este pueda llevar la vida que le corresponde.

—Tus brujerías me hacen estremecer, yoruba del diablo. Pobres criaturas.

—No sabes lo que dices, amo. El *babalawo* es sabio y prepara al niño desde una semana después de nacer.

—¿Los padres le entregan al pequeño?

—¡Ja, ja! Desconoces por completo los misterios que se esconden en la vida. Tú, como los demás, vives en una irrealidad aunque tu tierra esté llena de magia.

—Sigo siendo devoto de los antiguos dioses.

—Hace demasiado que tu pueblo se olvidó de ellos, y mira cuál ha sido el resultado. Su mensaje acabará por olvidarse.

Aquello no gustó nada a Amosis.

—Bueno, en tu pueblo eso no ocurrirá. Allí tenéis un *babalawo* —indicó con cierto sarcasmo—. Tres rituales. Y seguro que tú los has pasado.

—Claro. De este modo mis padres supieron cuáles serían mis posibles tendencias y los diez caminos diferentes que existen en nuestra vida. Así conocemos cuáles deben ser los sacrificios necesarios para que nuestra senda sea la correcta.

Amosis miraba boquiabierto a su criado. En ocasiones, su filosofía primitiva le parecía de una claridad sorprendente, lejana a cualquier complicación.

—¿Cómo se llamaba tu prometida? —preguntó el tebano, que quería continuar hablando de amor.

—Iyami —contestó Abdú con gesto de ensoñación.

—¿Ese no era el nombre de la reina de las hechiceras?

—Tienes buena memoria, amo. Poseía la fuerza del trueno y el poder de Iyami Oshooronga. Ella me advirtió.

—¿Quieres decir que adivinó que te capturarían?

Abdú asintió, cabizbajo.

—¿Y por qué no te protegiste?

—Estaba escrito. Ella lo sabía, pero nada se podía hacer por impedirlo.

—Pero...

Amosis se rascó la cabeza, ya que no entendía nada.

—Ella se casará con otro hombre, pero siempre me protegerá con su magia.

—¿Y la sigues amando?

—Beso su recuerdo cada noche, pues ella ya no está. No se debe amar a lo que ya no existe.

El joven tebano miró a su esclavo como si en verdad se tratara de un profeta.

—Si haces eso, enjaularás tu corazón para siempre —le advirtió Abdú.

Durante un rato, ambos permanecieron en silencio observando a Ra-Atum dirigirse hacia el horizonte del oeste, como cada tarde.

—Ya que sabes cuál era el nombre de mi amada, deberías decirme el de la tuya, amo. Así podríamos hablar de ella.

Amosis se sintió un poco azorado, pues apenas sabía acerca de la joven.

—Bueno, no he conversado con ella todavía.

Abdú enarcó una de sus cejas. Aquel punto le pareció divertido.

—¿Amas a alguien con quien no has conversado?

—Ya sé que puede parecer extraño, pero no me ha hecho falta.

Entonces le contó todo lo que había sentido cuando la viera pasar junto a él.

—¡Vaya! Son *orishas* poderosos los que te han nublado la razón, ja, ja. A Yemoja se le ha unido Shango. No hay ninguna duda. La virilidad se ha despertado como lo haría el dios del trueno. Otra vez los deseos regresan a ti, amo. Y poco tienen que ver con los que se te presentaron aquella noche.

—Calla y no me lo recuerdes. Pero he de reconocer que tenías razón.

Abdú rio por lo bajo.

—Apolonia —dijo de repente Amosis—. Ese es su nombre.

—Es bonito, amo. Creo que deberías hablar con ella.

46

Apolonia-Senmothis pertenecía a una antigua familia egipcia de las que se habían helenizado durante los últimos años. Como tantas otras, utilizaba nombres duales en su vida diaria, ya que no estaba dispuesta a perder el elevado estatus que siempre había poseído. La joven había sido bautizada como Mut, la divina esposa del dios Amón, de quien eran fervientes devotos su madre y sobre todo su padre,

Neferyu. Claro que este ya no se hacía llamar así, sino Aristeas, que casaba mucho mejor con sus propósitos.

Como les ocurriera a otras familias de rancio abolengo, esta se había mantenido entre las que habían manejado los hilos del poder durante siglos. Bien podía asegurarse que su influencia se había limitado al área tebana, donde se las habían arreglado para ocupar puestos de cierta importancia dentro de la administración, aunque estos nunca llegaran más allá de la magistratura. No obstante, habían conseguido navegar por las procelosas aguas de los últimos tiempos. Épocas complicadas, sin duda, que se hicieron más difíciles a raíz de la primera conquista persa.

Pero todo era acostumbrarse, sobre todo si el control del funcionariado continuaba en manos locales; daba lo mismo qué rey se sentara en el trono de Horus. Los constantes enlaces matrimoniales entre las familias de la antigua nobleza habían conseguido un propósito fundamental: el que todas acabaran por estar emparentadas. Aquello tenía sus ventajas, sin duda, aunque con la llegada de los lágidas a Egipto las cosas fuesen a torcerse de manera inesperada. Los que fueran recibidos como libertadores del yugo persa se convirtieron en enemigos encarnizados de aquella casta. El resto ya era conocido; la cosa acabó en desastre.

Sin embargo, lo peor se lo habían llevado los de costumbre. El pueblo llano sufriría para siempre las consecuencias de aquellas veleidades secesionistas, tan hábilmente utilizadas por los antiguos poderes en un afán egoísta por perpetuarse en sus privilegios. Los nobles sentimientos populares fueron al final una mera bandera que se arrogaron aquellas familias, y cuando el peso del poder del faraón cayó definitivamente sobre los sediciosos como el martillo de Set, los Psechonsis, los Neferyu o —como ahora se hacían apellidar— los Senmothis maniobraron con la habilidad del que es maestro en la intriga y conoce el funcionamiento de los resortes del poder. Daba igual quién gobernara; muchos llevaban haciendo política desde hacía siglos, y conocían los pasos precisos para amoldarse de manera conveniente a los nuevos tiempos.

De forma sorprendente, ellos fueron los primeros en utilizar nombres griegos, a cual más rimbombante, ante el estupor del pueblo llano que había sido empujado a la guerra por aquellos desvergonzados que clamaban por recuperar sus antiguas tradiciones, pisoteadas —decían— por el invasor macedonio.

Al estratega del nomo le pareció muy adecuado todo lo anterior, pues una vez helenizados aquellos indeseables les darían el mínimo poder para que controlaran a la chusma, de manera que todos los rencores de esta se focalizaran en sus propios paisanos; los que al final los habían vendido. Muchos se convirtieron en jueces, *komogrammateus*, o *komarches*,[38] para aplicar con el máximo rigor las leyes que les encomendaban aquellos contra quienes se habían alzado. Esta era la situación en la Tebaida, para consternación de gran parte de sus habitantes.

La de Apolonia era una familia bien conocida, aunque distara mucho de resultar querida. Su padre, de siempre, había estado íntimamente vinculado con el clero de Amón, con intereses en la administración de las tierras que se extendían al sur de la capital. Neferyu, como fue bautizado, siempre se había mostrado como un déspota a quien le traía sin cuidado el que los demás lo supieran. Su mal humor y sus ataques de ira se habían hecho legendarios, y habían terminado por ser admitidos por cuantos lo rodeaban como parte de su sello.

Su esposa, Isis-Nofret, llevaba casada con él más de treinta años, para sorpresa general, dada la brutalidad de la que acostumbraba a hacer gala su marido. Claro que la señora debía de manejar bien los hilos de la cuestión, pues siempre se las había arreglado para hacer lo que le viniera en gana, y hasta corrían rumores ciertamente escabrosos sobre su afición al libertinaje. Ahora se hacía llamar nada menos que Hécuba, pues según Homero esta había dado a luz a cincuenta varones y cincuenta hembras, y aunque no tantos, la dama había llegado a tener diez. El nombre le parecía muy apropiado a su esposo, ya que así se llamaba la mujer de Príamo, rey de Troya, y él se sentía muy cómodo con el símil ahora que se habían helenizado definitivamente. A los hijos que les quedaban con vida los habían rebautizado con los nombres más adecuados que pudieron encontrar. Si Hécuba había traído al mundo a cien, allí había donde elegir. De este modo, a uno le pusieron Héctor, a otro Paris y a un tercero Troilo; eso sin olvidar a Creusa, Laodice y Polixena. En cuanto a Apolonia... Este era el nombre que le correspondía por derecho propio, pues su belleza bien la hacía parecer hija del mismísimo Apolo. Que su verdadero padre en nada se asemejaba al dios griego era más que evidente; claro que este era natural de Delos, y Neferyu nació tebano por los cuatro costados, mas a la moza se le puso por nombre Apolonia, aunque su padre la llamara Mut cuando estaban a solas.

La joven poco tenía que ver con la naturaleza canallesca de su padre ni con la de ninguno de sus hermanos. Ella era un espíritu puro, una mujer de gran sensibilidad y serena belleza a la que interesaban sobremanera la historia de su pueblo y los ritos mistéricos que se celebraban antaño en los templos. Sin embargo, vivía su tiempo, y se interesaba por la cultura de aquellos bárbaros que los habían conquistado para mostrarles lo que había de venir. Sus pensadores la seducían, aunque ella estuviera convencida de que todo cuanto contaban lo habían aprendido en Kemet, donde había estudiado la mayoría durante muchos años, en el interior de los templos.

Apolonia era la preferida de su padre, y ese era el motivo por el cual no se había casado todavía, algo en realidad inusual pues no en vano había cumplido los diecisiete años. La joven se negaba en redondo a hacerlo, y le repetía una y otra vez a su progenitor que solo se entregaría al hombre que amara. Aristeas soltaba un bufido cada vez que escuchaba semejantes palabras, mas hacía como si se dejara convencer, aunque en el fondo tuviera forjados sus propios planes. Su hija era una beldad como se conocían pocas, un verdadero manjar para la boca de un príncipe, y en tanto los años la mantuvieran lozana era conveniente aguardar hasta que se presentara una buena oportunidad. Para malcasarla siempre tendría tiempo, se decía el déspota, y mientras continuaría manteniendo su ascendente sobre ella.

A Hécuba la cuestión le parecía bien distinta, pues bien sabía ella los sueños absurdos en los que podían caer los hombres. Su hija había dejado pasar varias ocasiones, alguna de consideración, y se temía que un día pudiera llegar a arrepentirse por perseguir una quimera. La señora no hacía más que recordárselo a diario:

—Otras más bellas que tú se quedarán solteras. El día que descubras que has perdido tu lozanía será demasiado tarde; los demás ya se habrán dado cuenta.

Claro que tales palabras hacían poca mella en el ánimo de la joven, y a Hécuba terminó por darle igual. Aquella hija suya le había salido mística como pocas y le auguraba un futuro poco prometedor. Sus otras hembras ya le habían dado nietos, y eso la tranquilizaba. A pesar de sus diez partos, la señora se mantenía lozana, aunque su rostro delatara el corazón de arpía que poseía. Algo que para sus amantes resultaba atractivo.

Cada día, a la caída de la tarde, Apolonia paseaba por la orilla del río en compañía de sus esclavos para disfrutar de la luz que acariciaba el río en esa hora. Era su preferida, pues captaba la magia que encerraban las aguas y el mensaje que estas transmitían a todo aquel que se encontrara dispuesto a escucharlo. Ra se dirigía en su barca solar camino de las doce puertas, y a la joven le gustaba despedirse de él en tanto recitaba alguna letanía a las que era tan aficionada. Entonces la brisa la envolvía con susurros y ella los escuchaba, atenta a sus murmullos, en tanto la respiraba.

A un espíritu como el suyo, aquel mensaje le procuraba alimento. El *ka* de la joven no pertenecía a su época, y con frecuencia Apolonia se extasiaba al pasear la vista por los lejanos farallones del oeste, justo en la otra orilla, donde se levantaban todavía desafiantes los templos funerarios de los grandes faraones. Eran aromas de otro tiempo que ella aún podía aspirar con deleite y que le traían sueños imposibles, surgidos de sus propios anhelos, irrealizables y a la vez románticos, a los que en ocasiones se abandonaba para huir de la realidad que la rodeaba. Su energía vital no encontraba acomodo en Dióspolis Magna. Su verdadero hogar se hallaba en Waset, la Tebas milenaria que un día fuese capital religiosa de la Tierra Negra. Allí era donde en verdad estaba su lugar; demasiados siglos los transcurridos para un espíritu tan frágil.

La tercera vez que se encontró con el joven, Apolonia se sintió atraída por él. Ella sabía que no era una casualidad desde la segunda ocasión en que se miraron. Aquel atrevido la buscaba, aunque ella se percatara al instante de la timidez que se escondía tras su enamorado. Apolonia estaba acostumbrada al halago y al continuo acoso por parte de los hombres, aunque aún no se hubiera entregado a ninguno. En una sociedad que resultaba permisiva en el aspecto sexual, su caso no era el habitual. Las mujeres egipcias decidían por sí mismas sus inclinaciones, algo que no ocurría con las griegas, quienes se hallaban sometidas a reglas mucho más estrictas. Sin embargo, Apolonia no había sentido amor hacia nadie, y eso era lo único que la empujaría a mostrarse como la mujer que era. Y es que la joven era romántica en extremo, y tan sensible como el loto lo fuera a la luz del día. A su padre semejante proceder le parecía bien, aunque fuera por distintos motivos.

Ocurrió entonces que los encuentros casuales entre ambos jóvenes dejaron de serlo. Durante semanas coincidieron junto a la orilla del río sin más conversación que la que mantenían sus miradas, fugaces pero cada vez más intensas. Amosis se sentía cohibido ante su presencia, incapaz de abrir los labios para pronunciar una palabra. Cada tarde se prometía hablarle, mas le resultaba imposible llegada la hora, e indefectiblemente terminaba por quedarse turbado en tanto veía cómo su amada se alejaba en compañía de sus inseparables esclavos.

Apolonia llegó a sentirse intrigada por semejante comportamiento, aunque en su fuero interno se complaciese ante el embarazo del joven. Aquel juego le gustó, y cuando durante un tiempo dejaron de verse debido a las obligaciones del tebano, ella se vio interesada y, sin saber cómo, experimentó el deseo de volver a verlo y de que su mirada, vivaz y penetrante, se transformara en palabras. ¿Cómo se llamaría? ¿Creería en los antiguos dioses?

Amosis se sabía prisionero de un retraimiento que, en cierto modo, resultaba nuevo para él. Claro que nunca antes se había enamorado, y la única relación que había tenido con una mujer prefería dejarla enterrada para siempre dentro de un arcón, cerrado con la llave del olvido. Pero, a diferencia de ella, el joven sí sabía de quién se trataba. Su familia había tenido tratos con su hermano, sobre todo en los años en los que se iniciaba el levantamiento, y de este se habían valido al final, como de otros muchos jóvenes que terminarían por correr su misma suerte. Sekenenre había hablado acerca de ellos en alguna ocasión y, aunque parco en palabras como era, había manifestado el desprecio que le producían.

—Hicieron sus propios tratos; tratos que desconocíamos —dijo en una ocasión—. La casta nos vendió en cuanto se percató de quién resultaría vencedor. Con gusto les cortaría a todos el cuello.

Amosis lo recordaba bien, así como la prepotencia de que hacía gala la familia Senmothis con sus paisanos. Para él, Aristeas seguía siendo el viejo Neferyu, un ladino traidor con el que, paradojas de la vida, soñaba con emparentar.

Abdú no daba crédito a cuanto le estaba ocurriendo a su amo, sobre todo porque este era un hombre decidido en cuestiones de negocios y muy perspicaz con todo cuanto lo rodeaba.

—No puedo creer que aún no hayas hablado con ella —le reprochó una tarde en la que ambos se hallaban en Ipu por asuntos de negocios.

—No comprendo lo que me ocurre. Llegado el momento, no sé qué decir.

—Pues sí que es fuerte el amor que sientes.

—¿Crees que es debido a eso?

—Sin ninguna duda. A eso y a que no tienes ninguna experiencia con las mujeres.

—Pero... estoy acostumbrado a tratar con extraños desde niño —se justificó el tebano.

—¡Ja, ja! Eso no vale de nada en estos casos. Harías mal si intentaras resolver el problema como si fuera uno de tus negocios.

Amosis puso cara de desconcierto.

—Ella va siempre acompañada. Dudo mucho que se detenga a hablar conmigo.

—¿Se lo has pedido?

—¡No! —exclamó el tebano, escandalizado.

—Ja, ja. Entonces, ¿cómo lo sabes?

—Pues... —Amosis no supo qué responder.

—Las mujeres desean que seamos nosotros los que demos el primer paso. Seguro que tu amada se encuentra impaciente por que lo hagas.

Aquellas palabras le parecieron inconcebibles al joven.

—Puede ocurrir que me mande a paseo —se quejó este.

—Seguramente. Así será como te mida. Ellas suelen hacerlo para calibrar qué tipo de hombre tienen delante.

Amosis se quedó anonadado, ya que nunca se le había ocurrido pensar algo así. Resultaba que el amor era algo mucho más complejo de lo que suponía. Y lo peor era que no sabía cómo conducirse.

—Escucha, amo. No deberías perder más el tiempo con tus indecisiones, o los *orishas* quizá lleguen a enfadarse y te quiten su favor —mintió Abdú, a quien sorprendía la timidez del joven.

—Eres un yoruba taimado como pocos —protestó Amosis—. Tus *orishas* siempre se encuentran listos para fastidiarlo todo.

—¡Ja, ja! Si lo deseas, el próximo día te acompañaré. Así ella podrá ver que tú también posees un esclavo.

El tebano lo miró, avergonzado.

—Tienes razón, Abdú. Hace tiempo que he cumplido diecinueve años. Ya va siendo hora de que me comporte como un hombre.

Así fue como, de regreso a Tebas, ambos se dirigieron a la orilla del Nilo a la caída de la tarde, y al poco vieron aparecer a la dama con su séquito acostumbrado. Esta sintió una punzada de alegría en el estómago al divisar al joven, ya que había llegado a estar preocupada por su ausencia durante tantos días. En aquella ocasión venía acompañado por un negro enorme que parecía tallado en granito de Asuán. Entonces supo que su vida iba a cambiar para siempre.

47

Aquellos jóvenes se enamoraron perdidamente, como si fueran nómadas sedientos en pos del manantial que les insuflara nueva vida. Esta ya no tenía sentido para ambos si no era para permanecer juntos, como siempre habían soñado, incluso mucho antes de conocerse. En realidad se habían estado esperando durante todos aquellos años, convencidos de que un día habían de encontrarse para no separarse jamás. Era un sentimiento grandioso, sublime, capaz de hacer ver todo cuanto rodeaba a ambos de una forma insospechada, impensable apenas unos meses atrás. El amor inundaba sus corazones como el Nilo en la crecida anual. Al igual que hiciese el gran río con los campos, sus almas quedaban atiborradas del más puro sentimiento para que este germinara pródigo hasta la abundancia. Sus corazones nunca pasarían hambre si estaban unidos, y todo un templo de ilusiones terminó por construirse entre ambos, tan grande como Karnak.

No habría nadie capaz de impedirlo, pues se sentían tan dichosos que resultaba imposible que existiera alguien capaz de robarles su felicidad. El futuro les pertenecía, daba igual quién gobernara. Ellos construirían su propio mundo, al margen de las mezquindades, ya que sus *kas* se reconocían como iguales; hijos de una tierra milenaria a la que se sentían más apegados que nunca. Era el primer amor para ambos, puro y generoso como ningún otro, y eso sería suficiente para permanecer felices el resto de sus vidas.

Atrás había quedado el azoramiento de Amosis. En realidad, todo había resultado tan fácil como Abdú le había pronosticado. Los *orishas* no dejaban de sorprender al tebano, aunque en esta ocasión el destino hubiese decidido poner de su parte desde el principio. Shai debía de tener algún interés especial en que se amaran, y ambos jóvenes se sintieron presos desde la primera palabra.

Apolonia pronto descubrió que la timidez de su enamorado había desaparecido con la brisa de la tarde en que decidiera hablarle. Amosis la cautivó con su mirada, y también con la claridad con que veía el mundo que los rodeaba. Ambos eran acólitos de los mismos dioses, y desde el primer instante abandonaron aquellos nombres absurdos con los que tenían que convivir a diario para convertirse en Mut y Amosis. Así era como ellos siempre se llamarían el uno al otro.

—Conoces los desiertos y a los hombres que perdieron su alma. Nunca imaginé que hubiera alguien capaz de vivir sabiendo que ya han sido condenados —le dijo ella una tarde mientras paseaban.

—Esos tipos son capaces de las peores tropelías. Ya todo les da lo mismo.

Entonces le contó algunos detalles de sus años en El-Fasher, aunque evitara hablar de cuanto viera en la cueva. Ella lo escuchaba con atención, pues nunca había abandonado la protección de sus padres.

—Cuántas privaciones —dijo la joven al fin—. Pero los dioses nunca te abandonaron. Ellos te protegieron para traerte hasta mí.

Amosis se estremecía en cada ocasión que ella le declaraba su amor y suspiraba henchido de felicidad, convencido de que ya nada podría separarlos.

—Sí, Isis me cubrió con su magia para desenvolverme cuando tú llegaras. La gran madre veló por nosotros sin que lo supiéramos. Ella es la maga entre los magos y nos ha dado su bendición.

Mut se detuvo un instante para mirarlo a los ojos. Se sentía tan segura a su lado que no deseaba volver a separarse del joven nunca más. Su compañía se había convertido en una necesidad, y el amor que sentía por el tebano pintaba con los más hermosos colores el lienzo de su vida. Ella se entregaría a su amado sin reservas, como no podía ser de otra forma. Mut había vuelto a nacer, y el camino que habría de recorrer estaba colmado de felicidad.

En ocasiones ambos amantes habían de separarse durante un tiempo, pues Amosis debía dedicar más atención cada día a sus negocios. A Kamose le pesaban ya los años, y su sobrino llevaba con buen pulso los intereses familiares. Aquellas ausencias se hacían insoportables para la tierna Mut, que apenas podía reprimir sus lágrimas cuando se despedían.

—Si las derramas, las besaré una a una —le advertía él.

A lo que ella respondía abrazándose a su cuello para susurrarle cuánto le quería.

—¿Cuándo estaremos juntos para siempre?

—Antes de lo que piensas, amor mío. Pronto me presentaré ante tu padre con garantías suficientes para que dé su beneplácito.

Abdú había resultado ser parte fundamental en el devenir de los acontecimientos. El esclavo mostraba a su amo cuál era el camino que debía seguir, y luego se había dedicado a allanarlo. El yoruba se había convertido en un tipo enorme al que resultaba imposible no mirar, una fuerza de la naturaleza surgida del corazón del continente africano, siempre dispuesto a transmitir su particular filosofía de la vida a todo el que estuviera dispuesto a escucharlo. A veces sorprendía con el don de la palabra, y sobre todo con sus juicios misteriosos. Apenas tardó una tarde en hacer amistad con los esclavos de Mut.

—Nuestra posición es complicada, qué os voy a contar, pero fijaos cómo se aman. Y eso que aún no se conocen.

Esto les había soltado a los dos criados el primer día, en tanto les invitaba a rezagarse un poco. Ambos eran también fuertes, aunque no pudieran compararse con Abdú, y uno de ellos tenía su mismo color de piel. Al poco ya habían hecho buena amistad. El esclavo en cuestión era seguidor de la religión serer, a cuyo pueblo pertenecía. Pronto hablaron de sus costumbres y sus dioses. Roog era la deidad suprema universal serer, algo así como «la inmensidad», y Abdú pareció interesarse por este particular, aunque terminaran hablando de otras cuestiones.

—Si os dais cuenta, hermanos, entre los tres podremos vigilar mejor —confió Abdú con aquel tono condescendiente al que tan aficionado era cuando deseaba convencer a alguien. Además, aprovechó para enterarse de cómo discurría la vida de aquellos desdichados. Ambos pusieron mala cara cuando les preguntó por este asunto.

—Es lo que nos ha correspondido, hermano. Pero la comida es buena.

Aquello era una declaración en toda regla, aunque todavía estaban dispuestos a contar mucho más.

—No hay amor en esa casa. Solo insultos y bastonazos a la menor oportunidad —dijo el otro, un kushita nervudo a quien le faltaba una oreja.

—Qué barbaridad. Habéis caído en malas manos.

El serer hizo un gesto de resignación.

—El peor es el amo. Se enfada con facilidad y es proclive a las patadas y al exabrupto. Grita a menudo. A todo el que se le cruza en mala hora.

—Bueno, si la comida es buena... —apuntó Abdú, como para dar ánimos.

—Y la *nebet* —dijo el kushita, señalando hacia Mut—. Ella nos trata con respeto. No parece pertenecer a esa familia.

Abdú se acarició el mentón.

—En ese caso, haríamos bien en procurarles la felicidad. Mi amo es tan bueno como vuestra *nebet*. Ellos deben ser felices. Quién sabe si eso no nos reportará una vida mejor.

Los esclavos de Mut lo estudiaron con detenimiento, y al observar la mirada astuta que les dirigía Abdú, pareció que una luz iluminaba un atisbo de esperanza en sus corazones.

—Os recomiendo que guardemos el secreto hasta que todo se halle dispuesto. No sea que despertemos a los demonios en esa casa —advirtió Abdú.

Como es natural, con el tiempo los amantes se volvieron más efusivos y a duras penas podían contener sus carantoñas en público. Hacía ya mucho que la pasión los consumía, y no veían la hora de entregarse el uno al otro. Sin embargo, Amosis no perdía su buen juicio, pues no en vano era capaz de calibrar las consecuencias si no obraba con habilidad. Se encontraba próximo a concretar su sueño, y este le abriría las puertas de la casa de su amada con toda seguridad; independientemente de los demonios que la habitaran.

Abdú le contaba historias oscuras, aunque el tebano apenas pudo creer lo que su criado le relatara una noche.

—Son los *orishas* —volvió a repetir el criado con su habitual cantinela—. No hay duda. El serer me lo confirmó ayer. No hay como el *shedeh* para soltar la lengua. Aunque reconozco que me excedí un poco.

Amosis lo miró horrorizado, ya que no quería imaginar las consecuencias que le acarrearía el que aquellos esclavos pudieran llegar borrachos a casa de un amo como Neferyu.

—Ya sé, ya sé, pero descuida, amo, que no fue para tanto. Solo se pusieron un poco dicharacheros. Es preciso tener una idea clara de la situación. Me temo que con esa gente las cosas no van a resultar sencillas.

—¡Desastrosas! —exclamó el tebano—. En eso se pueden convertir si enredas más de la cuenta.

—Atiende, amo. El serer me ha hablado de los *ajogun* que viven en el lugar. Ellos señorean allí. Escucha lo que me dijo mi pobre hermano en cuanto se tomó dos tragos de *shedeh*.

Entonces Abdú le contó la conversación:

—A mí me tratan mejor que al kushita —quien estaba dando cabezadas por efecto del licor desde hacía un rato—. La señora me tiene en cierta estima —aseguró el esclavo serer.

Abdú abrió los ojos al instante, ya que le gustaban muchísimo las historias escabrosas, y aquella prometía.

—Sí, ya sé que la *nebet* Mut es muy buena con vosotros —apuntó Abdú, ladino.

—No, no me refiero a la *nebet*. Es de la señora de la casa de quien hablo: Hécu... no sé qué. Siempre me atropello con su nombre.

El yoruba hizo un gesto verdaderamente cómico y lo animó a continuar.

—Es el amo quien ordena, pero ella hace y deshace a su conveniencia. Además, es muy astuta.

Aquel punto le gustó a Abdú de manera especial.

—¿Y es hermosa la dama? —preguntó el muy taimado.

—Ya entrada en años, aunque mantenga los bríos de la juventud.

—¡Yemoja me confunda! —exclamó el yoruba al pensar en uno de sus habituales *orishas*.

—Sí, hermano, sí. Al principio yo me sentía contento con la situación. Pero con el tiempo comprendí que estoy condenado.

—¿Y cómo puede ser eso?

—Al poco de comprarme, la señora requirió mis servicios. A ella le gustan los hombres con nuestro color de piel. Asegura que no se sacia nunca de nuestra virilidad, y buena fe puedo dar de ello.

—¿Abusó de tu condición?

—Completamente. Al principio no me importó, incluso disfrutaba mucho de sus habilidades. Pero su fogosidad no tiene límites. Creo que está poseída.

—Seguramente por un *ajogun*. Ya te adelanto que están por todas partes.

—En cuanto me ve por la casa me hace ir a sus aposentos, en donde se apodera de mi miembro sin que yo nada pueda hacer por impedirlo.

—Es lo malo de ser esclavo —señaló Abdú, mordaz—. ¿Y el señor de la casa está al corriente de lo que ocurre?

—Yo diría que sí. Corren rumores acerca de que la señora tuvo ya amantes en tiempos. Incluso de que alguno de los hijos no sea del *neb* Aristeas. No sabría decirte, aunque creo que el amo la deja hacer si todo queda en casa.

—Te compadezco, hermano, aunque por otro lado tendrás tus compensaciones.

—Ya te dije que la comida es buena, y que no me suelen pegar. Pero temo que un día mi miembro se seque, y eso será mi perdición.

—¿Tan a menudo te requiere?

—A diario, hermano. No hago más que comer lechugas.[39] Son órdenes de la señora.

—Me siento impresionado por tu historia, hermano. No tengo duda de que la solución se encuentra en tu *nebet*. Ella y mi amo pueden ser nuestra salvación. Tenemos que conseguir que sean muy felices.

Cuando terminó de escuchar semejante diálogo, Amosis miraba a su esclavo boquiabierto. Era imposible inventarse una historia semejante, aunque nunca se sabía.

—Te juro por mi pueblo que eso fue lo que me contó el muy desdichado. Creo que un día de estos amanecerá tan seco como un sicómoro en el desierto —apostilló Abdú con suficiencia.

—Bueno, todas las familias guardan sus secretos —señaló Amosis, divertido—. Aunque conviene que este en particular no salga de aquí.

—Eso opino yo también, amo.

—¿Sabes una cosa, Abdú? —Este negó con la cabeza—. Creo que lo mejor será que Hécuba no llegue nunca a conocerte, ¡ja, ja, ja!

48

Amosis se encontraba eufórico como no recordaba. El amor lo llevaba a ver la vida desde una perspectiva insospechada, capaz de hacer derribar barreras, cualesquiera que estas fuesen. Todo parecía discurrir conducido por una mano sabia, y el horizonte se ofrecía tan límpido que al joven se le antojaba imposible que las nubes pudieran formar parte de él. Era como si una fuerza misteriosa ordenara las circunstancias que lo rodeaban para forjar aquella suerte de sueño en el que se encontraba instalado. Mut había llegado a su vida para mostrarle lo que en realidad era valioso, y con la joven vino toda una cadena de casualidades que abrían nuevos caminos a sus negocios. Los anhelos se hacían realidad de una forma imprevista, como parte de la magia en la que el tebano vivía desde hacía tiempo.

Por fin Amosis hacía realidad lo que en otra época ni siquiera fuera una quimera, aunque para la ocasión decidiera cambiarse el nombre de nuevo. Los negocios convenía mantenerlos alejados del corazón, y para llevar estos a cabo Zenódoto era mucho más adecuado que su apelativo egipcio. De esta manera había formalizado la compra de una gabarra en un documento establecido en griego bajo la supervisión del agorónomo, que dio fe del contrato. Zenódoto estaba admirado por la clarividencia demostrada por su tío apenas dos años atrás, y se alegraba de que se hubieran respetado los criterios de Kamose. Ahora se demostraba cuánta razón tenía el mercader al no haber comprometido todo su negocio con Ammonio, y sobre todo al haber estipulado en solo dos años la duración de su convenio. En apenas unos meses el joven tendría las manos libres para transportar todo el cereal, y además hasta tenía tripulación, ya que el dueño de la embarcación había navegado como capitán en esta durante toda su vida.

—No me podría desprender de mi nave a no ser que continuara pisando su cubierta hasta que las fuerzas me abandonen —le había advertido el marinero antes de firmar la venta.

A Zenódoto aquel particular le era indiferente. Él carecía de sentimentalismos a la hora de tratar cualquier asunto, y aquel era un negocio que suponía un desembolso de consideración. No obstante, trató de sacar provecho de esta circunstancia al rebajar el precio a cambio de contratar al vendedor como capitán del bajel. En realidad, alguien debía ponerse al mando de la gabarra, y para ello era conveniente contar con una tripulación que conociese bien el río, ya que por todos era sabido lo traicioneras que podían llegar a resultar sus aguas.

El acuerdo quedó cerrado por ambas partes, y a cambio el joven tebano pagó medio talento por una gabarra que podía transportar seiscientos cincuenta *khar* de cereal en cada singladura. El antiguo propietario pareció ver la luz cuando se embolsó los casi catorce kilos de plata; sobre todo porque se encontraba acuciado por unas deudas que amenazaban con conducirlo a las lejanas minas de Kush para cumplir pena como el peor de los malhechores. Aquella transacción le permitiría continuar en el río, a bordo de su amada nave, como ya hicieran su padre y su abuelo. Los dioses le daban una segunda oportunidad, y aunque hubiera podido conseguir un mejor precio por la embarcación, el tiempo le acuciaba a la hora de pagar sus deudas.

Zenódoto conocía aquel detalle y sacó provecho de él, aconsejado por su tío, que se hallaba al tanto de la negociación.

—Si le presionas bien, puedes conseguir el barco por medio talento. Muéstrale las monedas y verás como cede a tus pretensiones.

Así había ocurrido, y el viejo capitán continuaría al mando de su gabarra aunque esta ya no le perteneciera. El hombre se hacía llamar Nicandro, aunque su verdadero nombre resultase un enigma, como les ocurría a muchos. El tal Nicandro era tan egipcio como Zenódoto, y su acento lo delataba como originario del lejano sur, seguramente de Asuán, de donde procedían muchos de los capitanes que navegaban por el Nilo.

El joven tebano estaba convencido de que había un antes y un después de aquella compra. Ahora podía dirigir su vista hacia las plazas del norte, y en poco tiempo su negocio crecería.

—Necesitamos un socio para poder acceder a los mercados de Alejandría. Y para conseguirlo habrá que ofrecer más que el resto de transportistas —había advertido Kamose—. No importa si no obtenemos el beneficio que pensábamos. En poco tiempo lo recuperaremos con creces. Tengo el presentimiento de que la próxima cosecha será mala.

—¿Estás seguro, tío?

—¡Ja, ja! Debe de ser por los años. La vejez tiene estas cosas, querido sobrino. Aunque he de confiarte que Abdú asegura que ocurrirá como te digo, y el muy truhan se equivoca poco.

Aquella conversación resultaría premonitoria y, con la habitual prudencia con la que se conducían, tío y sobrino decidieron guardar en sus silos todo el cereal con el que no pensaban comerciar.

Abdú observaba y se sonreía con una suficiencia que no dejaba de sorprender a su joven dueño. Este estaba convencido de que el yoruba se dedicaba a realizar oscuras prácticas cuando no lo veían. De haber seguido viviendo entre los suyos se habría convertido en uno de esos *babalawos* a los que se refería con frecuencia. El tebano no tenía ninguna duda de que su esclavo se dedicaba a la hechicería en secreto, por mucho que este lo negara con sus habituales gestos jocosos. ¿Cómo podía ser que se cumplieran, si no, la mayor parte de sus vaticinios? Existieran o no los *orishas*, la suerte había cambiado para la familia desde el momento en que Abdú apareciera en sus vidas.

Incluso en ocasiones, cuando Amosis se acordaba de su hermano y perdía la mirada en el fuego del hogar, su esclavo le sorprendía al leerle el pensamiento.

—Sekenenre está bien. Él es un guerrero y el *orisha* Ogún combate a su lado. No le ocurrirá nada malo.

En esos momentos el joven se emocionaba, aunque evitara derramar las lágrimas que a veces pugnaban por aflorar. No tenía duda: Abdú cuidaba de todos, como si se tratara de su familia.

No era de extrañar que la relación que mantenía el esclavo con Kamose fuera tan estrecha. Hacía tiempo que el yoruba se ocupaba del mercader como si fuese su padre, pues le llamaba *baba* cuando se hallaban a solas.

—¿*Baba*? —preguntaba en ocasiones el viejo—. Buen padre te has echado entonces, Abdú. Piensa en los sitios tan poco recomendables a los que me acompañas. Mala educación te doy en ese caso.

—Aprendo de la vida que has llevado. Puedo leerla en cada gesto que haces, *baba*. Me será de utilidad.

Tales juicios sorprendían a Kamose, que se preguntaba qué tipo de vida pensaba llevar su esclavo para que le resultaran útiles sus gestos. No obstante se cuidaba mucho de hacer burlas al respecto, y una tarde le hizo prometer algo.

—Abdú, tengo un mal presentimiento.

El aludido alzó las cejas, como solía hacer a menudo cuando se sorprendía.

—Sí, no pongas esa cara. Mis *metu* me advierten que mis fluidos ya no discurren como antes. A no mucho tardar, algún conducto se obstruirá y aparecerá el mal. Cuando el equilibrio dentro del cuerpo desaparece, siempre se presenta la enfermedad. Es lo habitual, por lo menos en esta tierra, ja, ja.

—Los *ajogun* todavía no pueden destruirte, *baba*.

—Bueno, aquí, en Kemet, estamos acostumbrados a tratar con Anubis cuando nos llega ese trance, y los años nos acercan más a él.

—Solo Olodumare, el dios supremo, conoce esos misterios, *baba*. En mi religión, cuando muere una persona, su alma se dirige al reino de sus antepasados; desde allí continúa teniendo influencia sobre lo que ocurre aquí.

—Es una posibilidad tentadora, pero siempre he sido poco amigo de religiones. Mis creencias se han circunscrito a este mundo, ja, ja. Por eso quiero que me prometas algo. Hoy que todavía mantengo mi lucidez.

—Haré cuanto me pidas, *baba*.

Kamose puso cara de satisfacción.

—Se trata de Amosis. En cierto modo es un adelantado a su tiempo. Lo sé desde que era un niño. Pero el mundo no se mueve a la velocidad que a él le gustaría. Eso nunca lo podrá cambiar. Los hombres lo observarán desde otra perspectiva, y él se creará enemigos que no será capaz de ver. Prométeme que cuidarás de él como lo haría un hermano.

Abdú le regaló una de aquellas sonrisas africanas, plenas, que tanto gustaban a Kamose.

—Velaré su camino, *baba*. Los *orishas* están bien dispuestos.

—Lo sabía —suspiró el mercader, como si se hubiese quitado un peso de encima—. Y ahora háblame un poco de la joven con la que anda. Me parece que mi sobrino está enamorado de ella.

49

El día en que apareció el judío, Zenódoto supo que iniciaba un nuevo camino. El joven volvía a ser el griego ambicioso dispuesto a tratar con la temible serpiente Apofis, si era preciso, para llevar adelante sus ilusiones. Su tío demostraba conocerlo bien cuando aseguraba que el mundo giraba demasiado despacio para él, mas era algo inevitable, seguramente porque Mesjenet así lo había dispuesto a la hora de confeccionar el *ka* de su sobrino en el claustro materno; nada se podía hacer entonces. Sin embargo, aquella mañana su vanidad desapareció como un suspiro impulsado por el viento y, al cruzar la primera frase con aquel hombre, Zenódoto tuvo el convencimiento de que él era un simple aprendiz y que, por algún extraño motivo, el destino había dispuesto emplazarlo frente a un hombre con el que resultaba imposible medirse; un verdadero maestro.

El extraño aparentaba saberlo todo sobre él. ¿Cómo si no entender cuanto aconteció? Parecía cosa de *hekas*, o quizá fueran los *orishas* de Abdú quienes habían decidido desplegar todos sus poderes para hacerle ver cuál era en realidad el lugar que le correspondía. Sea como fuere, aquel hombre se le aproximó y, tras ladear ligeramente la cabeza, lo miró de tal forma que el tebano sintió cómo le leían el alma.

—¿Eres tú Amosis, el que se hace llamar Zenódoto en la lengua de los griegos?

El joven se estremeció por completo, pues el tono del extraño era suave y pausado pero a la vez capaz de embaucar de tal manera que, al escucharlo hablar, uno se sentía invitado a abandonarse al compás de sus palabras, como si en verdad la voluntad ya no tuviera sitio en la conversación, hasta quedar apartada en algún lugar recóndito del corazón, quizá adormecida.

—Mi nombre es Leví, judío de Náucratis —oyó el joven que le decían como en un soplo—, y he venido hasta aquí para hacer negocios contigo.

Zenódoto nunca supo el tiempo que tardó en recuperarse de la impresión que le causó aquel hombre. Por algún extraño motivo las palabras parecieron extraviarse en su garganta, y hasta le costaba recuperar su natural apostura.

—Espero gozar de tu hospitalidad y hasta aceptaría tu agua —continuó el judío con calma.

El joven salió al fin de su azoramiento para observar un poco mejor al extraño. El judío era un hombre entrado en años, aunque le resultara imposible adivinar su edad. Su cabello, corto y canoso, y su barba recortada del mismo color le hacían parecer próximo a la cincuentena, aunque sus ojos se mantenían jóvenes y tan vivos como el tebano nunca antes viera en nadie. Ni el más astuto de los hombres que habían tratado con su tío había mostrado una mirada semejante. En ese mismo instante Zenódoto se convenció de que no había engaño posible hacia el hebreo, y también que haría bien en guardarse de intentarlo. Este volvió a ladear la cabeza en tanto continuaba estudiándolo. Entonces el joven se fijó en su nariz, ligeramente aguileña, y en las suaves manos que mantenía entrelazadas. Era la primera vez que Zenódoto trataba con un judío, y Leví lo adivinó al instante.

La hospitalidad que podía ofrecer el tebano era la que le procuraba su residencia en Ipu. Una casa sin apenas comodidades en la que poder dormir cuando se desplazaba al nomo de Min por cuestiones laborales. El muchacho no necesitaba mucho más, y al judío le agradó aquel detalle, pues se encontraba alejado del lujo y era enemigo del dispendio. Después de acomodarse lo mejor que pudieron, Zenódoto le ofreció agua fresca que el judío agradeció.

—¿Cómo sabes mi nombre? —preguntó el joven, que ahora le sostenía la mirada a su huésped—. Yo nunca he estado en Náucratis.

Leví esbozó una media sonrisa.

—Lo sé; como también soy consciente de tus deseos de visitar el norte.

El tebano no disimuló su sorpresa.

—No conozco el Bajo Egipto —contestó el muchacho, envarándose un poco—. Nunca viajé más al norte de este lugar.

—En el delta el calor se hace más soportable —apuntó el judío con su acostumbrada suavidad—, aunque cada uno debe llevar su vida donde determine el Señor. —El joven lo miró en silencio, pues apenas sabía nada acerca de la religión judía—. No hay ningún secreto en mi viaje, sino el que guardemos tú y yo cuando lleguemos a un acuerdo. A eso he venido —señaló Leví.

Zenódoto hizo una mueca de disgusto, ya que le incomodaba el hecho de que aquel hombre supiese acerca de él.

—Ya que ahora conozco tu nombre y tú el mío, conversemos sobre lo que desees —indicó el joven con mordacidad al tiempo que ofrecía una cesta con dátiles a su invitado. Este la rechazó con un ademán.

—Tú dispones de cereal para vender, y a mí me interesa comprarlo —volvió a susurrar el judío, que parecía no inmutarse por nada.

—¿Y cuánto deseas comprar? —preguntó el joven.

Leví le sonrió con aire beatífico.

—Todo.

—¿Todo? ¿Deseas todo el cereal que pueda proporcionarte? —se sorprendió Zenódoto.

—Tú lo has dicho. Todo el que puedas acaparar.

—Pero...

—Claro que si eso supone algún problema para ti...

Zenódoto pensaba tan rápido como podía, ya que nunca se hubiera imaginado que alguien se presentaría de improviso con una oferta semejante.

—Comprende que parte del grano lo tenga comprometido —señaló el muchacho en tanto continuaba reflexionando.

—¿A qué te refieres? ¿Te han comprado ya el cereal?

—No. Todavía no me han pagado...

—Entonces no está comprometido —concretó el judío—. Por eso estoy aquí.

Zenódoto se acarició la barbilla unos instantes, pues convenía ser prudente con aquel desconocido.

—Vi tu gabarra atracada en el muelle —continuó Leví—. Podrás transportar unos seiscientos cincuenta *khar*, aunque yo necesitaría más.

El joven se sentía superado por el judío con cada una de sus frases.

—Solo dispongo de ese barco —admitió el muchacho.

—Bueno, ese detalle se puede solucionar.

Zenódoto no salía de su perplejidad.

—Tengo entendido que ambicionas vender tu grano en los mercados de Alejandría. Has hecho bien al adquirir la gabarra para poder transportar la mercancía. Sin embargo, no te resultará fácil abrirte camino a la hora de negociarlo allí. Seguro que ya sabes lo que es una jauría, ¿no es así?

El tebano midió por primera vez al judío con la mirada, y a este le gustó.

—Lo suponía. Ninguna de las que has visto puede compararse con las que habitan en Alejandría.

—Por lo que parece, tú te encuentras lejos de ellas.

—Lanzo sus mismas dentelladas. Aunque no acostumbre a ocultar los dientes, como le ocurre a la mayoría —precisó el judío, sin inmutarse.

—No entra en mis planes comprometer mi negocio en semejante escenario.

—Eso mismo opino yo; por eso vengo a hacerte una oferta. Es lo apropiado.

A aquellas alturas de la conversación, el joven no tenía ninguna duda de que el judío había calibrado hasta el último detalle de lo que tramaba. El hecho de que quisiera adquirir todo el cereal le sorprendía por la premura que demostraba, ya que apenas se había terminado de recolectar, y aún había que calcular el excedente real que les correspondería. Este particular intrigó al tebano.

—En tal caso, estoy dispuesto a escuchar cuanto tengas que proponerme —le animó el joven en tanto le sonreía por primera vez.

Entonces Leví se inclinó levemente hacia delante para volver a mirar al muchacho con inusitado fulgor. Los ojos le brillaban como si poseyeran luz propia, una luz contra la que resultaba imposible luchar, y, conocedor de su poder, el judío volvió a susurrar sus palabras, suaves pero a la vez certeras, con la contundencia del que solo sabe ganar.

50

Kamose estaba admirado ante lo que le había contado su sobrino. A su edad no es que se extrañara de nada, aunque justo era reconocer que nunca se le había presentado un asunto semejante. Aquello eran palabras mayores, y tras ellas se escondían indudables consecuencias que resultaban imposibles de calibrar. Sin embargo Amosis había tratado con el extraño de forma muy conveniente, y el mercader se hallaba orgulloso de él.

—Imagínate, tío, se presentó haciéndome ver que lo sabía todo sobre mí —señaló el joven al terminar su relato.

—¡Ja, ja! Hemos de reconocer su astucia, aunque todo eso no sea más que parte de la puesta en escena.

—Inició la negociación sin ningún inconveniente en hacer ver que partía con ventaja.

—Esa era su estrategia. Lo que ocurre es que no estamos habituados a tratar con esa gente. —Su sobrino hizo un gesto de disgusto—.

Me refiero a que estamos acostumbrados a convenir con caravaneros, beduinos, gentes del desierto y comerciantes como nosotros, virtuosos en el trapicheo si me apuras, pero no con hombres como el judío. Sus negocios suelen ser de otra índole, aunque te aseguro que todo radica en aprender a manejarlos. Tampoco conviene dejarse impresionar.

—Fue capaz de calcular el cereal que podíamos suministrarle —indicó Amosis, asombrado.

—Claro. Vino a negociar sobre seguro.

Comoquiera que su sobrino lo mirara con extrañeza, Kamose lanzó una carcajada.

—Ellos no acostumbran a correr riesgos —dijo—. No creas que le resultó tan difícil al judío averiguar acerca de nosotros.

—¿Nosotros?

—No pensarás que solo conoce tu nombre, ¿verdad?

Amosis se quedó pensativo.

—El río no baja como debe —continuó Kamose en un tono más grave.

—Aún es pronto para saber eso, tío.

Este hizo una mueca sarcástica.

—Yo lo sé, y el judío también.

Amosis enarcó una ceja.

—Ja, ja. Pretende hacerse con todo el cereal que pueda. Estoy seguro de que habrá llegado a acuerdos en el Egipto Medio, aunque su interés por nosotros resulte evidente.

—Disponemos de más excedente que la mayoría.

—Pocos pueden presumir de tener el favor del ecónomo de una de las provincias más fértiles. Y además en Madu las cosechas nos suelen reportar buenos beneficios.

—Pero es en Ipu donde el judío ha visto el negocio. Sabe que poseemos grano almacenado, y lo desea. Fue directo en su propuesta, tío.

—De ese modo te sorprende al hacerte ver la magnitud de su ofrecimiento. Como te adelanté, todo forma parte de la puesta en escena.

—Pero no me negarás que la oferta entraña riesgos.

—Los habituales, y en cualquier caso merece la pena correrlos.

—Su beneficio resultaría mayor que el nuestro. El judío aspira al sesenta por ciento del cereal. No pude hacerle reconsiderar su postura.

—Es su cifra, pero me parece un trato interesante, ja, ja.

Amosis no pudo disimular el disgusto que sintió al escuchar aquello.

—Lo que nos ofrece es una incógnita. Ese terreno no lo conocemos, tío.

El viejo volvió a reír, esta vez con ganas.

—Escucha, querido sobrino. Es la oportunidad que siempre has esperado. Tus ilusiones tienen visos de hacerse realidad, ¿y dudas? Parece que olvidas las voluntades que es preciso comprar cada vez que se da un paso hacia delante en esta divina tierra.

—Ya sé todo eso; mas aun así...

—Yo diría que la propuesta puede resultar incluso muy ventajosa. El judío pagará el transporte del grano a buen precio, y luego ofrece un cuarenta por ciento del beneficio de la venta en el mercado. ¿Cuánto cereal crees que podríamos vender en Alejandría sin tener influencias?

Amosis no dijo nada, pues conocía el problema que aquello representaba.

—Perderemos el grano de los silos, tío —dijo al fin—. Lo hemos guardado como si se tratara de oro.

—Y continuará siéndolo. Creo que debemos volver al inicio de nuestra conversación. Como te adelanté, el río anuncia una mala crecida y a finales del verano el precio del cereal empezará a subir, pero no se podrá comparar con el que alcanzará en el invierno. Nuestro porcentaje se multiplicará de forma inesperada. Recuerda que en tiempos de hambruna el grano es más valioso que el oro.

—¿Y piensas que el judío conoce este detalle? ¿Que es capaz de prever la crecida con tanta antelación?

—No albergo ninguna duda.

Amosis no salía de su incredulidad.

—Las cosas resultan más sencillas de lo que nos pensamos, sobrino. Cualquiera que transportase nuestro cereal hacia el norte pudo haberle hablado de nosotros al judío, incluso Ammonio. En cuanto al río...

—Llevamos esperando esto desde hace dos años —señaló Amosis como para sí—. Incluso Abdú lo vaticinó.

—Si eso fuera cierto, la hambruna sería una amenaza para capitales como Menfis o Alejandría, con tantos habitantes. ¿Puedes hacerte una idea de lo que ocurriría?

Amosis asintió, pues se daba perfecta cuenta.

—Nuestro socio, Leví, sabe de lo que hablamos, ja, ja, aunque no creo que sea por boca del bueno de Abdú.

El joven se hizo una idea clara de la situación.

—En Asuán, el nivel de las aguas está dos codos[40] por debajo de lo que sería habitual en esta época. Sé que la avenida comenzará en menos de un mes, pero dudo que en ese momento el agua llegue a los ocho codos, que es lo que correspondería a una buena crecida; me temo que no alcanzará los cinco. Shai dirá si me equivoco.

—Nunca imaginé que las noticias llegarían tan veloces desde Asuán —bromeó el sobrino.

—El río las trae. Pero nuestros problemas vendrán de los funcionarios con los que tratamos, pues se volverán codiciosos. Ya te adelanto que intentarán sacar algún beneficio de la escasez general; ya lo verás.

Amosis reflexionó acerca de las palabras de su tío.

—No habrá mejor sitio para ti que el Bajo Egipto. El judío te abrirá nuevas puertas, pocas dudas me quedan acerca de esto. Entonces dará igual lo que ocurra aquí. —El joven interrogó a su tío con la mirada—. Con lo que vamos a ganar, podré retirarme para disfrutar tranquilamente de la luz de cada tarde. No me negarás que al final hemos hecho nuestro mejor negocio, aunque a mí me haya llevado toda una vida conseguirlo.

Amosis le dio un abrazo.

—Tendremos un socio judío —apuntó Kamose—. Intuyo que nos procurará suerte.

51

Todo quedó estipulado a la entera satisfacción de las partes. Kamose se felicitó por el buen criterio de su sobrino, que daba muestras de sobrada perspicacia. Al redactar el documento en arameo, la única lengua en la que firmaba sus contratos la comunidad judía en Egipto, Leví le dedicó una de sus habituales sonrisas, astutas como pocas. No había nada que el hebreo aborreciera más que el verse obligado a firmar tratos con estúpidos, y aquel joven se encontraba muy lejos de serlo. El que este requiriese como condición indispensable que el porcentaje comprendiera la variación del precio de venta si este se producía le pareció apropiado al judío. Él hubiera pedido lo mismo, aunque ello lo obligara a tener que esperar para recibir la mayor parte de sus ganancias. Aquel egipcio no era como la mayoría, y eso llevó al judío a acariciar algunas ideas.

Para Amosis, la vida era tan diferente que a veces se preguntaba si no estaría formando parte de un sueño. Quizá todavía se encontrara en el desierto, en alguna de aquellas jaimas que solían montar, azotado por el viento, o bien durmiendo a la intemperie o, peor aún, en el interior de la incalificable cueva en la que habían pasado tanto tiempo.

Cada mañana daba gracias a Isis por su magia, y a aquella suerte de fortuna que le había procurado la gran madre, de quien era devoto. La imagen de Mut se le presentaba a cada momento, cual si su amada formara parte indisoluble de su propia persona. Sus ojos de gacela, oscuros como la noche cerrada, lo miraban a cada momento al tiempo que sus labios le recordaban su amor, para invitarlo a continuar en pos de unas ilusiones que anhelaba compartir.

En realidad, el tebano no iba desencaminado en sus ensueños. Mut se acercaba hacia él cada día para perderse entre sus palabras y entrelazar sus miradas con el nudo de la gran diosa a la que ambos tanto amaban. El *tyet* forjaba de esta forma una unión que nadie podría desatar, para toda la eternidad, o al menos en ello confiaba la joven. Ella estaba dispuesta a acompañar a su amor allí donde Shai los llevase, pues había descubierto cuál era el verdadero camino que debía seguir; el que había sido dispuesto para ella desde el momento de su alumbramiento. Hacía ya tiempo que la pasión les quemaba, y Mut ansiaba la llegada del día en el que pudiera entregarse, por fin, al hombre que tanto amaba.

Este no se hallaba dispuesto a dilatar por más tiempo la espera. Estaba decidido a tomar por esposa a la muchacha, y con el anuncio del próspero negocio que iba a emprender, ¿qué padre podría negarse?

—Déjame que hable antes con mi padre —le había rogado ella, como si albergase algún temor—. Yo sabré hacerle comprender lo que mi corazón siente por ti. Él me concede cuanto le pido.

Pero Amosis no estaba dispuesto a participar en lo que consideraba como mojigaterías. Hacía tiempo que era un hombre, y dudaba de que en Tebas existiera un joven de su edad que lo superase en ilusiones y buenas perspectivas. Podría regalar a su amada una vida de princesa y, después de todo lo que había pasado junto a su tío, se sentía capaz de enfrentarse a cualquier cosa que el destino tuviese reservado para él. Se creía invencible.

De este modo se presentó una tarde en compañía de los suyos en casa de Mut, dispuesto a salir de allí con la mano de su amada. Aristeas no se hallaba en la ciudad, y aquello no le dio muy buena espina a Kamose, como al poco comprobó.

—Zeus no quiso que se encontrara hoy aquí, y bien que lo lamento —se disculpó Hécuba—, pero en esta época tiene que viajar hasta la vecina Hermonthis, a la que seguramente vosotros continuaréis llamando Iuny.

—Así se le ha llamado toda la vida, señora, aunque poco me importe el nombre que se le quiera dar ahora —indicó Kamose, muy en su papel de patriarca.

—Son las obligaciones. En ocasiones nos empujan a ausentarnos.

—Qué nos vas a contar, noble dama. No será el muy noble Aristeas acólito de Montu, ¿verdad?

—De ningún modo —se apresuró a señalar la señora, un tanto escandalizada.

—Lo decía porque, como seguramente sabrás, allí se encuentra un santuario muy antiguo dedicado al dios de la guerra, creo que desde los tiempos de la XI dinastía; aunque, justo es decirlo, yo en cuestiones de nuestra historia pasada soy un neófito.

—No existe ningún servicio que competa a los dioses en el viaje de mi esposo, sino de administración de tierras —especificó Hécuba, muy digna.

—Ah, de ese negocio sabemos algo —manifestó el mercader sin poder evitarlo, pues la señora era estirada como pocas y, además, tenía cara de arpía.

Pasados los primeros momentos, y tras conversar un poco, Kamose tenía una idea bastante aproximada de lo que le esperaba a su sobrino en caso de emparentar con aquella bruja. Esta, no obstante, ordenó que trajeran vino y unas pastas y, como comerciante que era, el viejo pasó a mostrar a la dama lo que podían ganar si aceptaban entregar a su hija al muchacho. No habría novia en Tebas que pudiera aspirar a una vida más acomodada.

—¿Y dices que Zenódoto posee ya intereses en Alejandría? —quiso saber la señora, sin temor al recato.

—No conozco en Dióspolis Magna a nadie que los tenga mejores.

Aquella respuesta agradó sumamente a la anfitriona, no tanto por lo que significaba como porque el mercader empleara el nombre griego con el que ahora era conocida la ciudad. Kamose era plenamente consciente de este detalle, y también de lo relamida que resultaba la posible suegra del muchacho. Asimilar a Amón con Zeus en su propia ciudad santa era algo que se le antojaba inaudito.

En cuanto comprobó que la posición del pretendiente no era para tomársela a broma, Hécuba pareció estar dispuesta a ofrecer alguna sonrisa e incluso a desinhibirse. Como Mut no se hallaba presente, según su madre por recato, esta se sintió receptiva al halago, lo que Kamose aprovechó cuanto le fue posible.

—Conocemos la importancia de tu familia. De las principales que puedan encontrarse hoy en Egipto —aseguró el mercader—. Nosotros, en nuestra humildad, nos sentimos dignos servidores del faraón y aportamos nuestro esfuerzo para que esta bendita tierra ocupe el lugar que merece. Las arcas llenas hacen que el sol brille de otra manera.

Aquel comentario acerca de las arcas gustó mucho a la señora, que tras beber su tercera copa de vino empezó a fijarse en el esclavo que había acompañado a sus invitados y que permanecía de pie un poco más atrás.

—Imagino una estirpe como la tuya con intereses en Alejandría. ¿No convendría esto a tus propósitos? —continuó Kamose en tanto se llevaba una pasta a la boca.

La señora pareció dudar un momento, pues ya apenas apartaba la mirada de Abdú.

—¿Y son muy cuantiosos esos intereses de los que hablas? —dijo ella al cabo, como regresando de sus pensamientos.

El mercader sonrió con sagacidad.

—Aún no podemos calcular los talentos de los que hablamos, pero serían suficientes como para contentar cualquier conciencia indecisa.

Aquello de la conciencia indecisa no lo entendió muy bien Hécuba, que aprovechó para echar otra ojeada al esclavo. Este le parecía un ejemplar espléndido, muy apropiado para las prácticas a las que tan aficionada era. Abdú empezó a percatarse de las miradas de la señora, y al punto recordó cuanto le había confiado el esclavo serer. Aquello no le gustaba nada.

Durante un rato Hécuba siguió escuchando las razones del pretendiente, cada vez más interesada en la hacienda de este y también en el criado que lo acompañaba. Bajo el punto de vista de la dama, aquellos hombres no dejaban de mostrar cierta osadía al presentarse en su casa para interesarse por su preciada Apolonia. El joven enamorado no dejaba de pertenecer a una familia sin lustre alguno. Aquellos tebanos se habían dedicado a comerciar durante generaciones, lo cual para la señora solo era sinónimo de trapicheadores. Con seguridad el muchacho no sería más que un buscavidas a quien la suerte parecía haber sonreído, aunque eso no se pudiera asegurar nunca. Que ella supiera, ese tipo de individuos solían dilapidar los bienes con demasiada ligereza, y tampoco era cosa de que su hija pudiera llegar a convertirse en una pobre desdichada en manos de un marido sin los modales adecuados para tan principal alcurnia. Además, hablaban de dracmas y talentos con un entusiasmo que a Hécuba se le antojaba ciertamente frívolo, y no del mejor gusto. Su marido había hecho bien al negarse a estar presente para la ocasión, pues ya sabía ella que no estaría dispuesto a comprometerse con facilidad por mucho que el sonido de los dracmas llamara toda su atención.

En fin, así eran los tiempos que corrían, nada que ver con la seriedad de antaño, cuando unos tipos como aquellos jamás se habrían atrevido a pretender semejante gracia. Además, el pasado reciente de sus invitados se hallaba en entredicho por oscuros sucesos, poco del gusto de la señora, ya que habían cometido tropelías en nombre de la libertad, o eso era al menos lo que le habían asegurado a ella. No obstante, Hécuba estaba dispuesta a escuchar las razones de aquella gente, no fuera a dar la casualidad de que los talentos de los que alardeaban resultaran ser reales. Y luego estaba aquel esclavo, al que no le haría ascos en absoluto.

—Buenas razones son las que me propones —dijo al fin Hécuba—, que mi esposo conocerá en cuanto regrese.

Kamose hizo un gesto de agradecimiento y miró de soslayo a su sobrino, que no había abierto la boca durante toda la conversación, tal y como le había pedido encarecidamente su tío.

—Él conocerá todos los detalles —prosiguió la dama, que volvía a fijar la vista en Abdú—. Por cierto que me he fijado en vuestro esclavo. Parece fuerte donde los haya.

Al escuchar semejantes palabras, a Abdú se le hizo un nudo en el estómago.

—Lo es —convino Kamose—. Es fuerte y sumamente diligente.

Aquello no gustó nada al criado.

—Qué interesante. Lo digo porque ando escasa de esclavos. Dos se me han muerto en el último mes, uno de ellos de su misma raza. ¿Crees que podría contemplarse su venta como parte del acuerdo? Te lo digo porque sin duda ayudaría en la negociación.

Abdú no daba crédito a lo que escuchaba, y al poco sintió que las piernas le empezaban a temblar.

—Bueno, en el mundo de los negocios todo es posible —apuntó Kamose, a quien divertía el cariz que tomaba el asunto.

—No sabes lo que me alegran tus palabras. Sería muy apropiado, sin duda, para que todo se desarrollara de la forma más conveniente. ¿Y dices que es muy diligente? —quiso saber la señora, que a duras penas se contenía de relamerse.

—Mucho. Sabe de todo y es muy obediente. Da igual lo que se le pida, que él lo realizará con gusto y con el máximo interés.

Abdú pensó que el corazón se le paraba, y cuando vio cómo la bruja lo miraba al escuchar las palabras de su amo, se acordó del pobre serer, quien al parecer había fallecido aquel mes. Al yoruba no le extrañó en absoluto, pues era capaz de hacerse una idea exacta de los instintos que albergaba aquella señora. El serer había muerto presa de ellos, de eso no tenía dudas.

—Lo único malo es que come mucho —señaló el mercader, como para dar más detalles. —Hécuba hizo un gesto de curiosidad—. Sí, me refiero a que devora más que come —concretó el viejo.

—¿Y le gustan las lechugas? —quiso saber Hécuba.

Abdú se quedó sin aliento.

—¿Lechugas, dices, noble dama? Se las come por kilos, aunque eso no sea más que el aperitivo. —Sin poder remediarlo la dama se puso una mano en el pecho, como para sujetar el sofoco—. Es un verdadero glotón, y me cuesta una fortuna mantenerlo.

Ella miró al esclavo de arriba abajo, ya sin ningún pudor, como para calcular si podía hacerle adelgazar un poco. Pero enseguida se dijo que con aquel criado no habría moneda mejor gastada que aquella que le procurara alimento en condiciones.

—Creo que eso no supondrá ningún problema, estimado Kamose. Piensa en lo agradecida que te quedaría si consideraras mi deseo.

Kamose asintió con una media sonrisa al tiempo que comía otra pasta. Mientras, Abdú apenas podía creer cuanto estaba ocurriendo. Si el *baba* era capaz de venderlo a aquella arpía, se consideraba hombre muerto. Entonces recordó el sicómoro del desierto y la broma que él hizo al respecto. Seco lo iba a dejar Hécuba si se hacía con sus servicios. El serer le había asegurado que se apoderaba de su miembro y no lo soltaba bajo ninguna circunstancia. Si eso ocurría, no existía *orisha* que pudiera ayudarle.

Por fin llegó la hora de la despedida, algo que Abdú agradeció en grado sumo, pues temía que de continuar la conversación no saldría de allí bien parado. Las despedidas se hicieron en los mejores términos, y la señora prometió hacerle ver a su esposo la necesidad de llevar a cabo el enlace si los jóvenes tanto se amaban. Prometió que, de celebrarse la boda, el esclavo asistiría con un flabelo tras ella, para abanicarla. Eso sí, vestido únicamente con un *sendyt*, un faldellín corto, como en los tiempos antiguos.

52

Durante los días siguientes, Abdú pareció encontrarse en un estado cercano a la paranoia. Nadie lo había visto nunca así, y hasta él mismo se extrañaba de su propia actitud, un tanto desmedida en ocasiones.

Tío y sobrino observaban divertidos el ir y venir de su criado, que no paraba de murmurar mientras se ocupaba de sus quehaceres.

—A veces le ocurre, aunque no como ahora —declaró Kamose con socarronería—. Yo creo que deben de ser rezos.

Amosis asintió, ya que conocía el gusto de su esclavo por las oraciones. A este le daba lo mismo lo que opinaran sus amos. Llevaba días encomendándose al gran señor Olodumare y a todos y cada uno de los *orishas* conocidos. Mas el yoruba no las tenía todas consigo, y estaba dispuesto a llegar hasta donde hiciese falta con el fin de conseguir sus propósitos.

—A mí me ha asegurado que llamará a todos los *ajogun* si es necesario, y que si aceptamos el ofrecimiento de Hécuba nos dejará la casa llena de ellos —apuntó el joven.

—¿Te refieres a los demonios a los que es tan aficionado?

—A los mismos. Todos los males conocidos caerán sobre nosotros por cometer tal felonía.

—¿A tal extremo llega su intranquilidad?

—Me ha confesado que por las noches no duerme.

Kamose lanzó una risita.

—Pues tampoco creo yo que sea tan mala la propuesta. Estaría en una casa principal y la señora se encargaría de que no le faltara de nada, ¡ja, ja!

—Eso es lo malo. En su opinión la dama acabaría con su salud, por muchas lechugas que comiera. Está convencido de que el serer murió en brazos de la señora.

—¿Quién es el serer?

—Uno de los esclavos de Mut, con quien Abdú hizo cierta amistad. Al parecer compartieron algunas confidencias que han acabado por atemorizarle. Ya sabes lo supersticioso que es. —El mercader asintió en tanto reía en voz baja—. Jura y repite una y otra vez que terminará secándose como un sicómoro en el desierto. No sé de dónde ha podido sacar un símil semejante —continuó el joven.

—Será cosa de los *orishas* esos que tanto frecuenta, ja, ja —observó Kamose—. Aunque ya te adelanto que para ti supondría un buen negocio. Al final haríamos un intercambio del que saldrías beneficiado; ya lo creo.

Amosis sacudió la cabeza, pues estaba preocupado.

—No hablarás en serio... No pensarás vender al pobre Abdú a esa arpía.

—Si te refieres a tu futura suegra, deberías tenerle un mayor respeto, ja, ja. Abdú es fuerte y superará cuanto le tenga preparado el destino.

En ese momento el criado pasó junto a ellos, y al oír las palabras del mercader abrió los ojos de tal forma que hasta se le desfiguró el rostro.

—*Aje-ka-lanaa*[41] —exclamó el yoruba al tiempo que señalaba al viejo con dedo acusador.

Tío y sobrino se miraron perplejos, ya que parecía excitadísimo.

—¿Qué es lo que dice? —preguntó el muchacho.

—No lo sé. Como te dije antes, en ocasiones suele murmurar. Sobre todo cuando regresamos de alguna Casa de la Cerveza. Me da la impresión de que siente remordimientos por lo que ha hecho. —Ahora fue el joven quien hizo un gesto de asombro—. ¡Ja, ja! Hécuba no anda muy desencaminada. Si supiera lo que es capaz de hacer ese desvergonzado, la tendríamos ahora mismo aquí con un arcón repleto de dracmas y la mano de tu amada. Ahí donde lo ves, con sus rezos, es un degenerado impenitente. A lo mejor es debido a que entre su pueblo no conozcan el significado de la palabra moral.

A Amosis no le hacían demasiada gracia aquellas bromas a las que era tan aficionado su tío.

—Sí, ya sé que en ocasiones puedo resultar lacerante con mis juicios. Tengo mis defectos, no te vayas a creer —recalcó el comerciante—. Pero mira qué bien dispuesto parece hoy. Abdú se muestra más trabajador que de costumbre.

El esclavo, que no hacía sino intentar estar atento a la conversación, volvió a acercarse a sus amos y les hizo un gesto con ambas manos al tiempo que repetía *«Aje-ka-lanaa»*.

—¡Qué dices, yoruba del demonio! —exclamó Kamose—. ¿Acaso osas maldecir a tu buen padre?

—*Baba* no es un buen padre. Trama desembarazarse de su hijo. ¿Qué tipo de padre puede ser quien hace algo semejante?

—¿Tramo? Los *orishas* te confundan. ¿Qué son esas palabras que nos dices?

—*Aje-ka-lanaa* —repitió de nuevo el criado—. «El pájaro de la bruja chilló anoche.» Ella no permitirá que me ocurra nada malo.

Amosis parecía perplejo.

—Es una de sus hechicerías. Yo ya estoy acostumbrado, aunque esta no la conocía —le aclaró su tío.

Luego el esclavo desapareció de la estancia con cara de pocos amigos, sin dejar de recitar sus letanías.

—Hécuba puede dar al traste con nuestras pretensiones si no accedemos a sus demandas. Creo que nos equivocamos al ir a hablar con ella. Nos veremos en un aprieto —aseguró Amosis.

—Los que en realidad hablan son los talentos. Ellos tienen buena voz, tan fuerte que se hacen oír desde el otro lado del mar. Su persuasión supera lo imaginable.

El joven se quedó un rato pensativo. La impresión que le había causado Hécuba no podía ser más lamentable. Además, el hecho de que no permitiese a Mut estar presente le hizo recelar. Ahora su natural perspicacia le advertía sobre las sombras que el tebano había podido ver. Su intuición le decía que los talentos de los que hablaba su tío no eran una garantía para llevar a buen fin sus propósitos. Él mismo había sido un ingenuo al pensar aquello. Había detalles que se le escapaban, pero estaba seguro de su existencia. El joven debería permanecer alerta y, como de costumbre, rezar a la madre Isis para que le ayudara.

53

Bajo el efluvio de las flores del jardín. La noche resultó perfumada como pocas. Olía a narcisos, y el rumor de las aguas llegaba tan apagado que parecía capaz de mecer a todo aquel que se abandonara a él. La brisa permanecía dormida, seguramente por entre las quebradas del oeste, y la luna, en su menguante, lucía temerosa, con hilos apagados de plata antigua, como cubierta por una pátina. Ihy,[42] el dios lunar, apenas se desperezaba en aquella hora, cual si se sintiese afligido ante su próxima desaparición. Durante un tiempo dejaría Kemet a oscuras, a merced de la bóveda estrellada, en tanto la música de su sistro alegraría los corazones de los dioses. El río mostraba su cara más pálida, sin apenas reflejos bruñidos, y las estrellas, en lo alto, se asomaban a la Tierra Negra desde su prodigioso balcón, distantes y majestuosas.

El amor no podía elegir mejor noche, el aliento de sus arcanos susurros, solo escuchados por los corazones más nobles, en la lengua de quienes todo lo ofrecían. Almas que se elevaban ligeras, forjadas en el más puro sentimiento, felices de encontrarse en aquella hora para así manifestar su grandeza. Pródigo se volvía el aliento hasta convertirse en jadeo, emociones exaltadas desde los entrelazados cuerpos.

Hathor misma reencarnada llegaba en aquella hora envuelta en su divina estela, con su halo de hermosura y sus ojos de gacela. Los campos cubiertos de magia se postraban a su paso, grácil y delicado, como correspondía a una diosa. Ella se cimbreaba dejándose llevar por el hechizo hasta el cercano palmeral, envuelta en el misterio de la noche para formar parte de aquel sueño. El amor la empujaba con sus dedos perfumados hacia el reino del embrujo, y Mut entornaba los ojos para llenarse con la fragancia que va más allá de los sentidos, la del sentimiento más puro. Hathor lo destilaba para ellos en el escenario que la misma diosa había elegido, impregnado de olores que saturaban el alma y elevaban las pasiones hasta donde solo ella era capaz.

Así discurrió el encuentro entre ambos amantes, tan ilusorio como pudiera parecer lo sublime, y, sin embargo, no fue una quimera. Ellos nunca olvidarían aquella noche en la que todo el poder del Egipto milenario los envolvió para que dejaran atrás sus propias vidas, las cuales ya no les pertenecían. Ahora eran el uno del otro, y mientras los enamorados se fundían en aquel abrazo eterno en el que el tiempo apenas contaba y formaban un solo cuerpo, juraron amarse siempre, mientras les quedara aliento, en esa y en todas las vidas, hasta en el mismísimo infierno.

De este modo fue como Mut y Amosis se amaron por primera vez, arrullados por todo lo bueno que podía ofrecerles el país de Kemet. En su historia milenaria este había asistido a encuentros sin fin, muchos fraguados en el engaño y no pocos en el interés de los hombres. Demasiados impedimentos para quien pretende el amor verdadero. Sin embargo, en aquella hora, los dos mil dioses parecían haberse conjurado para dar su bendición a aquellos jóvenes que seguían manteniéndose fieles a su propia esencia, a la tierra que los había visto nacer y a cuanto eso significaba.

Las pasiones desbocadas los llevaron a tomarse una y otra vez, hasta sentirse exhaustos. Sus *kas* ya siempre se reconocerían allá donde se encontraran, pues solos estarían incompletos, perdidos para siempre. Ambos amantes se dijeron mil palabras, todas cargadas de sentimiento, del amor más sincero, al tiempo que se prometían amarse toda la vida y que nada podría separarlos, pues juntos resultarían invencibles.

—Isis nos sonríe esta noche —le susurró Amosis en tanto recogía a su amada entre sus brazos.

—Todos los dioses nos miran —murmuró ella mientras observaba las estrellas.

—Sienten envidia de que podamos ser tan felices, ja, ja.

—No digas eso —señaló Mut al tiempo que ponía un dedo sobre los labios de su amado—. Recuerda que a veces los dioses se vuelven celosos.

—¿Nos castigarán por amarnos? No conozco una condena mejor.

—Calla, que los vas a enfadar —insistió la joven, que era muy supersticiosa.

—Ellos están allá arriba, vagando en el vientre de Nut, en otro mundo, donde puede que vayamos algún día si Osiris así lo determina. Pero mientras tanto nos amaremos cuanto podamos; todos los días en los que tus ojos aparezcan para mirarme.

Ella se movió incómoda, como si temiese algo.

—Debemos ser cautos, amor mío. Tengo un temor que me acongoja.

Amosis se incorporó para observarla mejor.

—No existe poder capaz de separarnos —señaló, convencido—. Te haré mi esposa lo quiera o no el faraón.

—¿Cómo hablas así del dios? —se escandalizó Mut.

—Él no nos escuchará, ja, ja. Alejandría está muy lejos.

—No es a él a quien debemos temer... Mi padre apenas habla conmigo. Tengo miedo. Si supiera que estamos aquí, juntos, sería capaz de cualquier cosa.

—Tendrá que dar su beneplácito. Confía en los dioses que hoy nos alumbran.

Mut suspiró y se abrazó con fuerza al joven. Lo amaba tanto que estaba convencida de que sin él su vida carecía de sentido. Sin embargo su temor no desaparecía, como si fuera un presentimiento.

—Prométeme que no me abandonarás nunca —le pidió ella.

Amosis le sonrió.

—Jamás. Si es preciso, imploraré el poder de Set e iré a buscarte hasta los confines de la Tierra.

Ella pareció tranquilizarse, y al poco ambos jóvenes retomaron sus caricias para amarse de nuevo con la misma pasión que antes. Volvieron a prometerse el mundo, con la convicción de quien todo lo ve posible, hasta que el alba comenzó a anunciarse. Ra regresaba de su viaje nocturno, y pronto renacería como Ra-Khepri para dar luz de nuevo a su sagrado Kemet. Era hora de regresar, pues la magia pronto desaparecería, aunque los enamorados ya se sintieran impregnados por ella para siempre. Esto los haría invulnerables, o al menos eso creían.

54

Aristeas bramaba como si en verdad se hubiera convertido en el toro Mnevis.[43] Congestionado, su cuello parecía haberse transformado en el del dios, ya que amenazaba con desarrollar una giba en su nuca a nada que se lo propusiese. Aquel individuo habíase convertido de nuevo en el Neferyu de toda la vida. El sobrenombre de Mnevis le iba muy bien, con el mayor de los respetos hacia el toro de Heliópolis, pues con los años había alcanzado cierto parecido. Sin duda era digno hijo de su madre, que también había sido particularmente oronda, como a su vez lo fuese la de Mnevis, que no era otra que la diosa vaca Hesat, la patrona de Afroditópolis, capital del vigésimo segundo nomo del Alto Egipto, llamado Maten, o lo que es lo mismo: el Cuchillo.

Durante horas, Neferyu se había dedicado a patear cuanto había tenido a bien: sillas, mesas, cojines... Cualquier cosa que fuera susceptible de ser golpeada había llamado la atención del señor de la casa, quien no obstante había terminado por fustigar de mala manera a uno de sus esclavos, a quien dejó la espalda como si fuera el delta del Nilo.

—¡Ammit devore sus almas! ¿Cómo es posible? ¡Nunca vi tal atrevimiento! —gritaba el energúmeno.

Pasados los primeros alaridos y el posterior ataque de ira, con latigazos incluidos, Hécuba se atrevió a aparecer por allí, aunque su marido la hubiese requerido hacía ya más de dos horas.

—¡Poco te importa lo que pueda acontecer en esta casa! —rugió el indignado marido.

Su esposa, al advertir su gesto y la confusión que había en el habitáculo, se mantuvo a una distancia prudencial, pues de sobra conocía ella los arranques de vehemencia que acostumbraban a padecer su esposo y sufrir los demás.

—¡Esto es un desastre! ¡La ruina para todos nosotros! ¡Seremos el hazmerreír del nomo! —vociferaba como un poseso.

Hécuba se mantuvo impertérrita en tanto observaba a aquel animal. Hacía tiempo que lo aborrecía, y cada vez que lo engañaba se felicitaba más todavía. Comoquiera que la señora no abriera la boca, Neferyu se embruteció de una manera lamentable.

—¡Dioses del Olimpo, Enéada heliopolitana, Ogdóada de Hermópolis, Madres y Padres que crearon la luz![44] ¡Ayudadme a explicarle a esta mujer lo que ha sucedido sin poner en peligro su vida!

Hécuba se empezó a preocupar, ya que nunca había visto en su marido una reacción semejante. La miraba de tal forma que en verdad se sintió amenazada.

—Tú tienes la culpa de lo ocurrido. ¡Tú y tus costumbres licenciosas han terminado por corromper esta casa! —volvió a gritar el marido.

Semejantes palabras a Hécuba la traían sin cuidado. Llevaba años engañando a su esposo, casi desde el principio, y con gusto se lo hubiese hecho saber en aquel momento. Aristeas, como se hacía llamar ahora, era impotente, incapaz de satisfacer a ninguna mujer, y mucho menos a su esposa. Suerte tenía de que ella no lo hubiese hecho público, como en no pocas ocasiones había deseado, y solo el tácito acuerdo al que habían llegado ambos lo había evitado.

No obstante la señora permaneció en silencio, a la espera de que se le pasara el sofocón a aquel bruto.

—¿Es que no tienes nada que decirme? ¿Te das cuenta de las consecuencias?

La dama suspiró, resignada, al tiempo que le pedía a Anubis que se llevara de una vez a aquel animal.

—¿Y qué quieres que te diga? Las consecuencias son las habituales, querido, entre los que se aman —se atrevió a decir por fin Hécuba.

Aristeas parpadeó repetidamente sin salir de su perplejidad. Aquello era inaudito.

—¡Oh, lujuria desmedida! Tus vicios resultan ya inconfesables. ¡Mira adónde has llegado! —la acusó su marido.

—Con gusto te los confesaría —le aclaró ella sin alterarse—, aunque no creo que lo soportaras. Con franqueza, no comprendo tu indignación.

—¿Que no...? —El hombre soltó un bufido que no tenía nada que envidiar al que pudiera emitir Mnevis.

—Si te expresaras un poco mejor, quizá acertaría a entender tu indignación.

—Doy por sentado, en tal caso, que no estás al corriente de lo que ocurrió la otra noche —apuntó el tipo en tanto pugnaba por calmarse.

—¿Qué hechos fueron esos, capaces de transformarte en Apofis?

El aludido se congestionó de nuevo, aunque en esta ocasión se abstuviera de lanzar ninguna patada.

—¡Tu hija! —estalló el marido, como de costumbre—. ¡Copuló como una perdida en el palmeral!

Hécuba apenas se inmutó, ya que en el fondo su esposo tenía razón. Mut era hija suya, pero no de él.

—Es lo natural entre los que se aman —dijo ella al cabo con tranquilidad—. Claro que tú poco sabes de eso.

—¡Set me sujete! —juró el esposo—. ¿Qué es lo que puedo esperar?

—Aceptar las cosas con naturalidad. En Egipto las mujeres copulan a los doce años desde que los dioses gobernaban en esta tierra, y Mut pronto cumplirá dieciocho. La pobre iba un poco retrasada.

—Pero ¿es que no eres capaz de comprender?

—Claro que sí, querido. Castigaste a mi esclavo serer con tal severidad que acabaste por causarle la muerte. Y todo porque te había comunicado que Mut tenía un pretendiente. Ahora habrás de comprarme otro sirviente que lo sustituya; además, debe tener el mismo color de piel. En realidad, ya tengo visto uno que me satisface.

Aquella contestación dejó a Aristeas boquiabierto.

—Veo que hablamos de diferentes cuestiones —aclaró el esposo, más calmado.

—En tal caso, harías bien en explicarte un poco mejor y refrenar tu cólera para otras ocasiones.

—Guardaba la virginidad de Mut como si fuera un tesoro —se decidió a aclarar el marido por fin, al tiempo que hacía un gesto de pesar.

—La virginidad le pertenecía a ella. No creo que tengas que ver en ese asunto —especificó la señora en tono burlón.

—No sabes lo que dices. Una mujer como Mut, y encima virtuosa. Ya te hablé de ello en alguna ocasión, pero ahora veo el caso que me hiciste.

—En nuestras tradiciones, la virtud de la que hablas apenas tiene valor.

—Pero sí en las de los griegos. ¿Acaso no recuerdas los nombres que nos vemos obligados a llevar?

—A Zenódoto eso no le importará. Él ya conoce la virtud de nuestra hija.

—¿Zenódoto? Te refieres a Amosis, que utiliza ese ridículo nombre para impresionar.

—Igual que haces tú. El joven no me desagrada en absoluto, y nos hizo una propuesta que haríamos mal en rechazar.

—Engaños de comerciantes.

—¡Ja, ja! Los talentos de los que me hablaron son tan reales como tú, lo sé muy bien. Además, estaban dispuestos a ofrecerme un esclavo como muestra de su buena voluntad.

—No entiendes el alcance del asunto —se lamentó Aristeas—. Esos no son más que *meret*, ¿comprendes?, siervos que en otro tiempo hubieran estado al servicio de los templos. ¿Cómo puedes pensar en que emparenten con nuestra familia, una de las más antiguas de Tebas?

—Ahora no son *meret*, igual que tú no eres Neferyu. Poseen más riquezas que nuestra casa, y tengo la impresión de que pueden multiplicarlas aún más.

—Si me apuras, acepto considerarlos *shutys*, simples tratantes en busca de fortuna, pero nada más.

—Ya veo —indicó Hécuba al tiempo que se envaraba—. Ni siquiera vas a dignarte a considerar su propuesta. Pocos serán los que vengan a vernos con tantos talentos en sus arcas.

—Bueno, eso nunca se sabe —señaló su esposo con cierta ironía.

—¿Acaso existe algún detalle que desconozco, querido? ¿Hay algo que me ocultes?

Aristeas hizo un gesto de suficiencia. Si había algo con lo que de verdad disfrutaba, era con hacer ver a los demás que era dueño de información privilegiada. Así que decidió hacerse de rogar durante unos instantes, mientras observaba a su esposa con arrogancia.

—Todavía me queda paciencia como para confiar en que me hagas partícipe de tus cuitas, Neferyu.

Aquello de escuchar de nuevo su nombre de toda la vida en labios de su mujer no le gustó nada, aunque le invitara a contar sus planes.

—Hay alguien más interesado en nuestra hija que nos resultaría digno de consideración. Un hombre que daría lustre a nuestra familia y que está llamado a convertirse en persona principal en Kemet.

La dama hizo un gesto de aquiescencia y miró con mordacidad a su esposo, ya que sabía lo dado que era a las fantasías.

—Lo que te cuento no es ninguna broma. Incluso ya me lo han hecho saber. Al parecer, el pretendiente quedó prendado de Apolonia al verla pasear un día junto al río.

Hécuba se sorprendió, ya que ignoraba que su hija causara semejante efecto entre los hombres.

—Hace unos días vino a verme el joven en persona para presentarme sus respetos y hacerme saber sus intenciones; las mejores que un padre pudiera desear.

—¿Y quién es ese dechado de virtudes?

—Nada menos que el hijo del ecónomo del nomo. Se llama Posidonio, y es *komogrammateus* de Dióspolis Magna. ¡Imagínate!

—¿Escriba principal de Tebas? —se interesó la señora.

—Y con solo veintidós años. Además, su tío es el estratega al cargo de la provincia. El futuro de ese joven lo llevará a un puesto de la máxima importancia. Nada que ver con lo que nos ofrecen esos tunantes. ¿Te figuras a Apolonia como esposa del gobernador? Eso es a lo que debemos aspirar los Senmothis.

A la dama todo aquello le parecía sugerente, pero como de costumbre se interesó por determinados detalles.

—Los títulos rimbombantes suenan muy bien, aunque como ya debieras saber prefiero el tintineo de los dracmas contantes y sonantes.

—Una cosa llevaría a la otra. ¿Tienes idea del poder que atesora un ecónomo?

—Seguro que tú me lo vas a aclarar.

—Todas las arcas del nomo pasan por sus manos. Tienen privilegios que van más allá de lo imaginable, y la suficiente jerarquía como para destruirte si así lo deciden —le aclaró, sin hacer caso al comentario burlón.

—Te advierto que los intereses del joven Zenódoto parecen sólidos y muy ambiciosos —añadió la dama, que pensaba en el esclavo que podía perder si su marido la convencía.

Este la miró con una astucia desmedida.

—Pronto comprenderás lo sólidos que son esos negocios, je, je.

En cuanto aceptemos la petición, el tal Zenódoto sabrá cuál es el lugar que le corresponde. Volverá a los caminos, si es que no acaba en una mina del país de Kush.

La señora dio un respingo, pues no recordaba haber oído nunca a su marido hablar de esa manera.

—Escucha, Hécuba, no podemos desairar a Posidonio. Sería nuestra ruina. ¿Entiendes ahora el peligro que corremos al permitir que se celebren esos encuentros amorosos?

La dama asintió en silencio, pues sabía muy bien lo que podía ocurrir.

—Apolonia acude a encontrarse con él para fornicar hasta el amanecer. La otra noche la vio uno de nuestros criados. Si se queda embarazada, tendremos un problema.

—Y de consideración —advirtió ella tras lanzar un suspiro.

—Me alegro de que pienses como yo, querida. Nuestra hija no puede volver a verse con el tal Zenódoto bajo ninguna circunstancia. Yo me encargaré de acelerar los trámites para que el enlace se celebre a la mayor brevedad.

—Más te vale. Conozco a Apolonia, y no aceptará verse sometida por mucho tiempo. Deberás darte prisa —se resignó Hécuba, al comprender que debía renunciar a Abdú. Su esposo le sonrió con malicia.

—No te preocupes, mujer. Te prometo que podrás elegir al esclavo que desees entre lo más granado del mercado. ¿Satisfará esto tus anhelos?

55

Poco podía imaginar Zenódoto de los planes ocultos que se fraguaban en Tebas. De nuevo volvía a convertirse en el joven con nombre griego que deseaba abrirse camino en un país que perdía cada día parte de su idiosincrasia. Eran los tiempos que le había tocado vivir, y de poco le valdría al tebano rebelarse contra ellos. Él era un superviviente, igual que su tío, y estaba decidido a conseguir de la vida todo lo que esta se encontrara dispuesta a ofrecerle. El amor se le había presentado como solo es capaz de hacerlo la primera vez. Cuanto rodeaba al muchacho tomaba una nueva dimensión, impensable hasta en sus mejores sueños. El sol se mostraba más radiante, la luz más clara y hasta la noche menos oscura. Las sonrisas de los demás resultaban francas y sus miradas, limpias como no recordaba haber visto. Egipto parecía dar cobijo a todo lo bueno que atesoraban sus gentes; como si la mezquindad de estas hubiera desaparecido por medio de algún ensalmo. No había otra explicación. La magia se encontraba por todas partes, y Zenódoto pensó que su corazón la irradiaba de forma natural. Mut lo había hechizado, y todo cuanto le ocurría era consecuencia de tan maravilloso conjuro. Pronto la haría su esposa, y no habría poder en el mundo capaz de detener sus ilusiones.

Mientras viajaba en su flamante gabarra repleta de grano rumbo al norte, Zenódoto no dejaba de pensar en la agudeza de su tío, y también en sus premoniciones. Tal y como este le había asegurado, el río no llevaba el caudal apropiado para la época en la que se encontraban. En Asuán hacía días que debería haberse cuadruplicado, y en unas semanas lo normal sería que se desbordase. Pero el joven sabía que esto no iba a ocurrir. Se avecinaba un mal año para las cosechas y las consecuencias eran bien conocidas por todos. El precio del cereal subiría y las grandes capitales acapararían todo el que pudieran, para sumir a los pueblos y villorrios en la desesperación. El trigo se racionaría y muchos pasarían hambre.

El judío había resultado ser tan previsor como lo fuese su tío. De algún modo Leví había sido capaz de conocer lo que ocurriría, aunque el joven supiese que aquel jamás le confiaría semejantes detalles. Fuera como fuese el trato estaba sellado, y mientras navegaba hacia el norte Zenódoto veía con claridad que Isis se hallaba tras él. Había sido un acierto llevarlo a efecto con tanta antelación, pues cuando el cereal escaseara ellos podrían vender todas las reservas acumuladas al precio que se les antojara. No existía un ápice de sentimentalismo en tales consideraciones, y mucho menos remordimiento. Los negocios eran tan fríos como los cocodrilos que acechaban en el Nilo, y su ley era asimismo implacable.

Nicandro, su experimentado capitán, gobernaba la nave con la sabiduría propia de quien llevaba toda su vida haciéndolo. El marinero era capaz de oler el río, de descubrir los bajíos ocultos que tanto abundaban, siempre dispuestos a sorprender con su traición. Desde la nave, un Egipto nuevo se ofrecía a los ojos de Zenódoto por primera vez. Su tierra cambiaba con el discurrir de las aguas, y aquella diversidad llevó al joven a penetrar un poco más en las enseñanzas que recibiera de niño en Karnak. El valle era obra de los dioses y Kemet un nombre sinónimo de grandeza, por mucho que los siglos se empeñaran en arrebatársela.

56

Sentado en torno a la vileza, el solapado grupo se observaba con miradas propias de chacales. Todos empleaban las palabras justas, aquellas que nunca se volverían contra ellos, cómplices del mismo juramento; prestos a cometer la infamia con la alevosía propia de quien maneja el poder.

De vez en cuando estudiaban de soslayo a quien tenían al lado con fingido desinterés, dispuestos a leerle el alma si fuera posible. La astucia hacía ya mucho que se les daba por presupuesta, y los intereses de todos los allí presentes corrían tan parejos que era natural que se arbitraran pactos. En poco tiempo el sol comenzaría a declinar, y para cuando llegara esa hora aquellos hijos de la iniquidad tendrían listas sus dentelladas.

El de mayor jerarquía se dirigió al resto con su prepotencia acostumbrada. Por algo era ecónomo, y además del nomo tebano.

—No quisiera perder más tiempo del necesario con este asunto, dilecto Aristeas, pues no soy muy dado a las emociones del corazón. El amor es algo que siempre se me antojó pueril, propio de almas sensibles en exceso que terminan por convertirse en vulnerables. En mi opinión, no es causa más que de problemas.

Aristeas asintió al momento, ya que era de naturaleza servil. Si el ecónomo hacía semejantes consideraciones él estaría de acuerdo, como con todo lo demás que tuviera a bien proponerle su señoría.

—Pero qué más puedo decir. Mi hijo no es de mi misma opinión, algo que me incomoda. ¿Acaso he amado alguna vez a su madre? No; es lo habitual entre los de nuestra clase.

—Estoy completamente de acuerdo contigo —se apresuró a contestar Aristeas—. El amor no deja de ser una vulgaridad.

—Y costosa en demasiadas ocasiones —apuntó el ecónomo en tanto levantaba un dedo—. Pero me temo que Posidonio no vaya a escuchar nuestras palabras. Está enamorado, según él asegura como un becerro, lo que no sé exactamente cómo juzgar, pues que yo sepa no conocemos cómo se aman esos animales. Le auguro un mal porvenir al chico como siga por esos escabrosos caminos.

—Seamos indulgentes, excelencia —se atrevió a decir Aristeas—. La juventud es lo que tiene. Luego recapacitará para seguir la senda adecuada.

—No sé, no sé... Bueno, dejemos que Afrodita cumpla su cometido, buen Aristeas. Dado que no hay forma de que mi hijo cambie de opinión, hagamos que se lleven a efecto sus deseos. ¿No te parece?

—Eso mismo pienso yo. Es lo que corresponde.

—Porque, en confianza y sin que dé lugar a resquemores, la joven será virtuosa, ¿verdad?

—Ha mantenido su castidad por decisión propia. Solo con verla se advierte su pureza de corazón —dijo Aristeas, un poco colorado.

—Lo suponía, pero entiende que te lo pregunte; ya sabes cómo es la gente. —Aristeas hizo un ademán con el que daba la razón a aquellas palabras—. Y te lo digo porque, como supongo que ya sabes, hay quien asegura que tu hija ya está comprometida con un joven de baja ascendencia, muy poco recomendable al parecer; de la peor estofa, vamos.

—Y esa ha sido una de las causas de nuestra reunión, excelencia. Quisiera dar fe de la honradez de Apolonia. Ella es joven y es preciso conducirla por donde debe, pero no hay nada de lo que haya que arrepentirse.

—Me alegran sobremanera estas palabras, amigo Aristeas. Entonces, ¿podemos dar por zanjada esta molesta cuestión?

—Por completo, excelencia.

—Magnífico, Aristeas. En tal caso, has de prepararlo todo como corresponde. Esta semana es el cumpleaños de mi hijo, y me gustaría darle esta sorpresa. ¿Crees que será posible?

—Sin ninguna duda, excelencia.

—Sabía que estaríamos de acuerdo. Ah, y no me llames excelencia. Desde este momento, puedes dirigirte a mí como noble ecónomo.

Aristeas hizo una reverencia, muy apropiada para la ocasión.

—Y ahora pasemos a la segunda cuestión, que se me antoja mucho más interesante. Ese tal Zenódoto se ha convertido en un problema de consideración, y no me estoy refiriendo al hecho de que pretendiera a la futura esposa de Posidonio, pues ya sé que no tiene la menor posibilidad. Hablo de otra cuestión que nos atañe a cuantos nos encontramos aquí esta tarde, y que puede resultar muy provechosa. Por lo que sé, alguno de los presentes ya tiene relación con ese joven.

El aludido carraspeó un momento. Este no era otro que Zenón, el *myriarouroi* de Madu.

—Así es, noble ecónomo, pero es algo fácil de explicar y en ningún caso...

El ecónomo alzó una mano para que el *myriarouroi* se callase.

—No tengo interés en conocer cuáles han sido tus negocios hasta ahora, sino en los que están por venir, ¿comprendes?

—A la perfección, señoría —se apresuró a contestar Zenón.

—Y mucho menos cuando hay un probo colega mío con intereses a considerar, ¿verdad?

El hombre de las diez mil *aruras* asintió de forma mecánica.

—Ya lo ves, amigo Aristeas. Aquí todo el mundo tiene sus propios negocios —dijo el ecónomo al tiempo que echaba una mirada de reprobación al epístato sentado a su derecha, un funcionario de fácil soborno que trabajaba junto a Zenón.

Durante unos momentos todos guardaron silencio, pues era lo más apropiado.

—En fin —continuó el ecónomo—. Una vez aclarado este particular, vayamos a lo que nos interesa. Admirado hombre de las diez mil *aruras*, eres la persona adecuada para tratar con mi colega del nomo de Min, el honorable Demetrio. Según tengo entendido, es primo tuyo.

—Así es, noble ecónomo.

—Sé que procedéis de una nobilísima familia, y que podré contar con vosotros para este proyecto.

—Haré ver al noble Demetrio la razón que contengan tus palabras.

—Sé que lo harás.

De nuevo se hizo el silencio unos instantes, durante los cuales el ecónomo observó a sus contertulios con cierta severidad.

—Zenódoto se ha convertido en un problema que debemos eliminar —dijo al fin con sequedad.

—¿A qué se refiere exactamente su señoría? —se atrevió a preguntar el epístato.

Su superior hizo un gesto de disgusto.

—Debéis terminar vuestros negocios con él y, por supuesto, confiscarle todo el cereal que pueda tener acumulado. Tengo mis razones, y el poder para hacerlo.

El *myriarouroi* miró al ecónomo sin saber qué responder, ya que había firmado contratos con el joven.

—Esto mismo has de proponerle a tu primo —señaló el ecónomo—, con el mayor de los respetos, claro está.

—¿Y los acuerdos firmados? —inquirió Zenón.

—No tendrán ninguna validez. La crecida de este año será nefasta, de las peores que se recuerdan, y ya sabemos que a una mala crecida le suelen seguir otras. Si esto ocurre, la hambruna aparecerá como de costumbre. En estos casos es conocida la potestad que otorga la corona para confiscar todo el excedente de grano, como no puede ser de otro modo.

Los funcionarios se miraron con perplejidad.

—Es la ocasión para desembarazarse del joven con la ley en la mano y apropiarnos de sus negocios, que por otra parte prometen ser muy lucrativos en los próximos años.

Zenón se quedó sin habla en tanto el taimado Aristeas calibraba lo que estaba escuchando.

—Nosotros cuidaremos de ese cereal de manera apropiada, y comerciaremos con él cuando llegue el momento, igual que pretende hacer Zenódoto. Seguro que Demetrio estará de acuerdo conmigo en la necesidad de que actuemos de forma conjunta en este asunto. Desde nuestra posición podremos afrontar los malos tiempos que se avecinan con verdadero optimismo.

—Habrá que obrar con cautela —apuntó el epístato, pensativo.

—Más bien con contundencia —le corrigió el ecónomo—. En un solo día debe ser despojado de cuanto posea, de tal forma que cuando llegue la noche no tenga ni donde dormir.

—Lo mejor sería eliminarlos a todos —indicó Aristeas, sin poder contenerse, ya que veía el peligro que podía correr el enlace de Apolonia si saltaba algún escándalo.

Los presentes lo miraron sin pestañear.

—Bueno, no es la primera vez que se hace —apuntó Zenón—. En

ocasiones es la mejor opción. Zenódoto tiene un tío del que también habría que ocuparse... Lo mejor sería no crearse problemas.

El ecónomo lo observó atónito, pues el funcionario tenía mucha razón en lo que decía. Durante unos instantes entrelazó ambas manos junto a su rostro, pensativo.

—Mañana mismo partirás hacia Ipu para cerrar el acuerdo con Demetrio —dijo al fin el ecónomo—. En cuanto lo tengamos todo dispuesto, actuaremos con diligencia. Os aseguro que después de esto no tendréis que preocuparos por vuestra vejez —advirtió con una sonrisa—. En cuanto al gobernador... firmará cuanto le pidan. No en vano se trata de mi hermano.

57

El joven remontaba el río exultante, con el convencimiento de que Egipto entero le pertenecía. Volvía de descubrir un mundo nuevo con el que, no obstante, había soñado durante toda su vida. Su fascinación lo acompañaba en cada recodo del Nilo, impulsado por la brisa del norte, el legendario aliento de Amón. Todo con cuanto se había encontrado había superado con creces sus expectativas: ciudades milenarias, alguna incluso más antigua que Tebas, paisajes diferentes a los del lejano sur, cual si pertenecieran a otro país, y un Egipto abierto al mundo que se había desembarazado de su viejo corsé para mostrar una cara bien distinta a la que lo había caracterizado durante siglos. La Tierra Negra de sus ancestros ya no tenía cabida en el nuevo orden creado por los hombres, tal y como si hubiera quedado perdida tras alguno de los meandros del río, quizá entre los marjales, sepultada por el peso de su propia historia.

Ahora el joven veía con claridad su futuro, el camino que debía seguir y adónde lo conduciría este. Su tiempo ya nada tenía que ver con el de su padre, y menos con el de su hermano. Sin poder explicárselo, las figuras de estos le resultaban anacrónicas al mundo que aguardaba más allá del valle, quizá porque una nueva sociedad creada a orillas del Mediterráneo emergía con la fuerza de quien todo lo quiere cambiar. A la postre, el temor ancestral por el Gran Verde que desde tiempos inmemoriales sentían sus paisanos estaba justificado. Kemet perdía su papel preponderante para formar parte de un sueño que terminaría por olvidarse en los siglos venideros, dormido en las riberas del Nilo, junto a gentes extrañas que nada tendrían que ver con la tierra de los faraones. Así sería su nuevo reino, y Zenódoto era capaz de percibirlo sin albergar ninguna duda.

Leví había resultado ser tal y como esperaba el egipcio, largo de miras y sobrado de astucia, y entre ambos había surgido una corriente de mutua simpatía que no disimulaban en absoluto. Los hechos se habían desarrollado con arreglo al trato estipulado, y el joven no tenía dudas de que este traería nuevos negocios para los que se sentía llamado. Sin poder evitarlo, Zenódoto fraguó planes sin fin, convencido de que su futuro se hallaría lejos de la Tebaida en la que había nacido. Shai había preparado un nuevo escenario para él al que no pensaba renunciar; siempre en compañía de Apolonia, de la que nunca se separaría, o mejor de Mut, que era como ella quería que la llamaran.

La imagen de su amada ocupaba su corazón la mayor parte del tiempo. La veía tan nítida que a menudo el joven sentía que esta lo acompañaba dondequiera que él fuese, pues no en vano habían unido sus *kas* de forma imperecedera. Mut lo estaba esperando, ansiosa de entregarse a él de nuevo, para poder compartir su vida hasta que Osiris los reclamara ante su presencia. Juntos encontrarían la felicidad y crearían su propia familia; daba igual el lugar donde se encontrasen. Se amarían hasta el final de sus días, como se habían prometido bajo el ciclo estrellado de Egipto. Los dioses habían sido testigos de ello.

58

Apolonia vivía reconcomida por la angustia. Hacía tiempo que las lágrimas se le habían acabado, después de haber pasado tantos días llorando. Era imposible sentir una desesperación mayor que la que la embargaba, sobre todo porque ella era plenamente consciente de que su vida ya no le pertenecía. Súbitamente, el destino en el que la joven tanto creía había decidido enseñarle una de sus peores caras, la que ningún enamorado desearía ver nunca. Mas Apolonia siempre se había mostrado temerosa de los verdaderos dioses, y sus rezos constituían una de sus prácticas diarias. ¿Por qué entonces la condenaban de semejante forma? ¿Cuál había sido su culpa? ¿Qué suerte de injusticia se ensañaba con su persona?

Todo había ocurrido de tal forma que la muchacha pensó en algún tipo de broma pesada, como las que en ocasiones acostumbraba a gastar el dios Bes. Pero el grotesco enano no participaba en aquella ocasión del asunto. Este era cosa de hombres; intrigas que nada tenían que ver con los sentimientos más puros, egoísmos a los que la felicidad nada importaba. Simplemente, la joven debía sacrificarse en pos de los intereses ajenos, por muy deleznables que estos pudieran resultar. Cuando Apolonia descubrió que sus propios padres intervenían en ellos, creyó morir. Su mundo se oscurecía para siempre, y ya no cabía más esperanza que deambular por este como lo haría un condenado en vida. Demasiado castigo para un espíritu tan puro como el suyo. Cuando escuchó de labios de su madre lo que pretendían para ella, apenas pudo dar crédito.

—Se trata de un joven que pertenece a una de las mejores familias de Egipto. ¿Qué más podrías desear?

Apolonia tardó en reaccionar, aunque para cuando lo hizo la indignación ya le congestionaba el rostro.

—No sé por qué me miras así —le dijo su madre—. Después de todo lo que hacemos por ti... Deberías sentirte honrada por el hecho de que Posidonio quiera casarse contigo.

—¿Posidonio? ¡Nunca me casaré con alguien con un nombre tan ridículo! —gritó la muchacha.

—Ay, hija, pues a mí no me parece tan mal. Además, llegarías a ser la esposa de uno de los hombres más poderosos del país. Imagínate si llega a gobernador.

—Nunca, ¿me oyes?, nunca me casaré con un hombre al que no quiero —amenazó la joven, enrabietada.

—Me temo que no te quede otra opción —le advirtió Hécuba sin perder la compostura—. El acuerdo está decidido.

Apolonia escondió el rostro entre sus manos.

—Tus sollozos de nada te valdrán esta vez, querida. Te casarás con Posidonio lo quieras o no.

—¡Antes me quitaría la vida!

—¡Ja, ja! No digas necedades. Tendrás una vida regalada, como corresponde a tu apellido, y tus hijos señorearán en esta tierra. Sé práctica. Ese es mi consejo.

—¡Ya veo! —gritó Apolonia—. Sois tan egoístas que creéis que el resto de las personas nos parecemos a vosotros. Cuánta vergüenza...

—Eso nos da igual. Te repito que no tienes otra opción que la de aceptar ese matrimonio. ¿Qué crees que nos ocurriría si no lo haces? No se puede rechazar una petición de este tipo. Sería una afrenta para el ecónomo. Nos destruiría a todos.

—Vosotros seréis los que me destruiréis a mí.

—Tardarás poco en darte cuenta de los beneficios que te reportará este enlace. Además, dicen que Posidonio no es mal parecido. Cuando vengan los hijos tu vida estará junto a ellos, y si no eres feliz siempre te queda la opción de tener algún amante.

Apolonia fulminó a su madre con la mirada.

—¡No soy como tú! —exclamó, airada—. Yo ya amo a un hombre, y será con él con quien comparta mi vida. ¡No habrá poder en la tierra capaz de impedirlo!

—Es una lástima que no quieras cooperar, hija mía. Me temo que sufrirás en vano.

De este modo se había desarrollado la escena, y cuando la joven se quedó sola en su habitación el abatimiento se apoderó de tal forma de su corazón que terminó por nublarle el entendimiento para sumirla en un dolor como no conocía. Su padre apenas atendió a sus razones, y Apolonia acabó por quedar confinada a la espera de que se llevara a cabo su enlace. Prisionera de unos intereses que nada tenían que ver con ella. Su sufrimiento fue tan amargo que Aristeas hubo de intervenir de nuevo una tarde en la que los lamentos de la joven se habían apoderado de la casa.

—¡Se acabaron los lloros, ¿me oyes?! —amenazó el energúmeno, como acostumbraba, tras dar una patada a un taburete. Su hija lo observó como si se tratara de un endemoniado—. Te diré lo que ocurrirá si no cambias de actitud. Zenódoto se convertirá en pasado, y lo malo es que no podrá presentarse en la Sala de las Dos Justicias. Sus restos nunca se encontrarán y su nombre quedará olvidado para siempre. Eso es lo que le ocurrirá a tu enamorado, y te aseguro que no exagero ni un ápice.

Apolonia lo miró con los ojos velados, horrorizada por cuanto había escuchado.

—Tú tienes la última palabra, hija mía. Si no accedes a lo que creemos que es mejor para ti, el joven desaparecerá. Y te aseguro que no tienes ninguna posibilidad de escapatoria. Así pues, piénsalo bien.

Ante semejante amenaza, Apolonia vio aún más oscuridad en rededor. La esperanza era una palabra que se había perdido hacía tiempo para ella y de la que apenas recordaba su significado. Sin embargo, al cabo de los días, la joven no tuvo más remedio que considerar cuanto le había dicho su padre. Amosis sufriría las consecuencias de su decisión, y entonces su amor se convertiría en una tortura de la que nunca se podría desprender. Condenaría a su enamorado para toda la eternidad, sin más culpa que la del gran amor que sentían el uno por el otro. Exasperada, lloró hasta que no le quedaron lágrimas. De este modo la aflicción hizo mella en su ánimo, y su voluntad se quebró para convencerse a sí misma de cuál era el único camino que podía seguir. Si Shai lo había elegido así, Apolonia poco podría hacer, pues ¿qué mortal es capaz de enfrentarse al dios del destino?

Entonces, durante unos momentos, la luz pareció acudir en su ayuda. La joven debía acceder a cuanto desearan sus padres para poder abandonar lo antes posible su forzado aislamiento e intentar ver de nuevo a su amado. Esta era la única posibilidad que le quedaba, y a ella se aferraría con todas sus fuerzas.

59

En cuanto el joven la vio caminar hacia él, supo que algo ocurría. Grácil, como de costumbre, ella le advirtió con un disimulado ademán para que no se le acercara, y cuando al pasar sus miradas se cruzaron, fue tal la angustia que pudo leer el tebano en aquellos ojos de gacela que creyó que la tierra se abría bajo sus pies para devorarlos sin remisión.

Apolonia se había aferrado con astucia a la única posibilidad que le quedaba, y de este modo había prometido que tomaría como esposo a Posidonio, tal y como habían acordado sus mayores. A sus padres les hizo creer que estaba arrepentida de su comportamiento y que había pensado en sus buenos consejos durante los días de soledad.

—Tenéis razón —les había dicho—. Soy una estúpida. Me ofrecéis un futuro que nunca hubiera podido soñar. Quizá mi esposo hasta llegue a gobernador. ¡Imaginaos, emparentar con el ecónomo!

Semejantes palabras fueron muy bien recibidas por Aristeas, que estaba muy preocupado por la reacción que había tenido su hija. Por fin la razón había vuelto a ella, y esto era cuanto le importaba. En apenas una semana se celebraría el enlace, y todo quedaría felizmente resuelto. A cambio, el susodicho permitiría a su hija recuperar su vida normal aunque, eso sí, sus esclavos no se separarían de ella bajo ningún concepto.

Apolonia volvió a sus paseos cotidianos, sabedora de que se encontraría con Zenódoto en cuanto este regresara a Tebas. El joven llegaba dispuesto a conseguir de Aristeas el beneplácito para la boda lo antes posible, mas cuando aquella tarde vio la actitud forzada de su amada comprendió que algo grave había pasado.

Con cautela el tebano siguió a su enamorada a cierta distancia, con el corazón a punto de salírsele del pecho. A cada paso que daba más se convencía de que durante su ausencia debía de haber acontecido algún infausto suceso, y enseguida su intuición le dijo que tenía que andarse con cuidado.

La joven fue a sentarse junto a unos arbustos, bajo la sombra de un sicómoro. A su amado la estampa se le antojó propia de quien se encontraba más cerca de los dioses que de otra cosa. El árbol sagrado de Egipto por antonomasia daba cobijo a un espíritu puro donde los hubiera, quizá a su hija más dilecta, y Amosis pensó que ella formaba parte de aquel santuario natural por derecho propio. De nuevo volvía a convertirse en el egipcio de siempre. Junto a Mut, el nombre de Zenódoto no tenía razón de ser. Este y Apolonia se esfumaban entre las ilusiones pretenciosas en las que se veían obligados a vivir hasta formar volutas surgidas del fuego ficticio alimentado desde su propia apostasía. Formaban parte de un mundo engañoso del que ambos porfiaban en escapar en cuanto sus *kas* se reconocían, pues estos les mostraban quiénes eran en realidad.

Mut y Amosis se miraron a hurtadillas durante un buen rato. No había más que pudieran hacer, y los dos lo sabían. Sentado con discreción un poco más allá, el joven leyó el sufrimiento que le transmitía su amada en cada gesto, en cada mirada, y también el miedo que la atenazaba, que parecía venir desde lo más profundo de su ser. De este modo se quisieron en silencio lo mejor que pudieron, soportando a duras penas los deseos de correr a abrazarse para susurrarse todo lo que sentían, para amarse sin que el tiempo importara. De vez en cuando los jóvenes perdían sus miradas en el río, sabedores de que se encontrarían allí, lejos de la incómoda compañía de los demás, para poder empaparse de sus esencias. Luego regresaban para suspirar, resignados, por la suerte que en aquella hora otros habían elegido para ellos. Los dos esclavos que la acompañaban eran una buena prueba de esto. Eran fuertes y malencarados, y no paraban de vigilar a su ama cual si velaran por ella más que por sus propias vidas. Amosis no los había visto antes, y ello lo llevó a concebir oscuros presentimientos. Con aquellos hombres allí le resultaría imposible aproximarse a su enamorada, y el tebano imaginó el tormento que sufriría Mut, cuyo corazón parecía confinado por razones que desconocía.

Como de costumbre, cuando la tarde declinaba Mut se dispuso a regresar a su casa. Ella lo miró con disimulo por última vez para despedirse, y mientras se levantaba Amosis vio cómo depositaba algo en el suelo con la discreción que la caracterizaba. Al momento la joven se alejó en compañía de sus guardianes, y su amado se apresuró a recoger lo que le había dejado. Era una *ostraca*, un pedazo de cerámica blanca, y en ella se leía una escueta frase: «Espérame esta noche junto al palmeral.»

60

Poco se parecía la noche a aquella en la que ambos se amaran por primera vez. Por alguna misteriosa razón el aire se hallaba carente de perfume y las nubes pugnaban por cubrir las estrellas como para evitar que se asomaran a contemplar tanta tristeza. Pero poco podían hacer los luceros. Los caminos se encontraban bien trazados y nadie podía impedir que se tomaran.

Los dos enamorados permanecían abrazados con la desesperación propia de quien se aferra a su salvación. Ambos la representaban, y, sin embargo, no cabía motivo para la esperanza. ¿En qué se habían convertido los dioses? ¿Qué había sido del *maat* que había hecho eterno a aquel pueblo? ¿Por qué la diosa del orden y la justicia los había abandonado a todos?

Estas y otras muchas preguntas similares se habían formulado los jóvenes, quienes se resistían a aceptar tamaña insidia. En realidad, ellos mismos formaban parte de un todo en el que los viejos conceptos apenas contaban. Era cuanto quedaba de una civilización que se extinguía sin que sus hijos hicieran nada por evitarlo. Probablemente esa fuera la causa por la que los dioses, sobre cuya memoria se había levantado aquel pueblo, habían decidido abandonarlos a su suerte. La Tierra Negra, tal y como estaba concebida, ya no los necesitaba, y los padres ancestrales habían terminado por ocupar el lugar que les correspondía en los cielos. Desde tan privilegiado púlpito observarían su amado valle, para asomarse cada noche con sus luces titilantes a contemplar el triste ocaso de lo que en su día fuera un prodigio. De poco servían ya los lamentos de sus mejores hijos, aquellos que continuaban siendo fieles a su recuerdo. Kemet era una tierra extraña, y a no mucho tardar se convertiría en leyenda.

Amosis trató de sobreponerse a cuanto había escuchado, sin ceder al desánimo y mucho menos a la desesperación. Su amada lloraba desconsoladamente y apenas era capaz de articular palabra.

—No permitas que la injusticia nuble tu razón —dijo él—. Aunque no lo parezca, los dioses en los que creemos nos ayudarán; ya lo verás. ¿Cómo van a permitir que el egoísmo de los hombres triunfe sobre los valores que ellos defendieron durante milenios y en los que hemos sido educados?

Mut negaba con la cabeza mientras permanecían abrazados. La joven sabía muy bien el peligro que corrían al haber acudido a aquella cita, pero su desesperanza era tal que estaba dispuesta a afrontar cuanto Shai le tuviera preparado si con ello podía volver a mirar aquellos ojos y besar los labios del hombre al que tanto amaba.

—¿Qué será de nosotros? —se lamentaba la joven—. ¿Qué será de mí?

—Escucha —le dijo Amosis en tanto la estrechaba con más fuerza—. Nadie podrá evitar que nos amemos, ¿comprendes?

—Todo está en nuestra contra —gimoteó Mut, que parecía incapaz de consolarse.

—No hay nada que no podamos conseguir juntos, ¿entiendes? Crearemos nuestro propio camino.

Las palabras cargadas de ánimo de su enamorado le parecieron huecas, ya que la joven creía que los hombres se encontraban predestinados por el albedrío de los dioses desde su mismo alumbramiento, y que daba igual lo que aquellos decidiesen o no hacer. Por ello la melancolía había forjado su carácter hasta tornarlo proclive al conformismo.

—No te rindas, amor mío —la animó él—. Recuerda que el futuro nos pertenece; nosotros así lo hemos decidido. Huyamos juntos, lejos de aquí; a un lugar donde no puedan encontrarnos.

Mut lo miró como si todos los peligros del mundo los acecharan sin compasión.

—No existe nada peor que esto para nosotros —le aclaró Amosis al leerle la mirada—. Saldremos adelante, ya lo verás, y nos amaremos durante toda la vida sin temor a la mezquindad de los demás.

—No sabes lo que dices, amor mío. Ellos son poderosos y nos destruirán; da igual hacia dónde nos dirijamos.

—Lejos de Egipto el sol sale cada mañana, igual que aquí. Su luz nos ocultará.

—¿Vivirías toda la vida fuera de nuestra tierra?

—Seré feliz en cualquier lugar en el que pueda compartir mi vida contigo.

Ella volvió a negar con la cabeza, ya que se sentía muy apegada a su tierra.

—Escúchame con atención. Dentro de dos noches no habrá luna. Vendré a buscarte aquí para huir hacia donde no puedan encontrarnos.

—Pero... nos perseguirán sin descanso. El ecónomo no permitirá un ultraje semejante. Su propio hermano enviaría tropas en nuestra búsqueda.

—Tendré todo dispuesto para esa noche —le aclaró él, haciendo caso omiso de sus palabras—. Por la mañana, cuando descubran tu ausencia, nos encontraremos muy lejos de aquí.

—Tengo miedo —se quejó ella a la vez que volvía a abrazar a su amado—. Tu vida no tendría valor. Sé que mi padre hablaba en serio cuando me advirtió. Acabarían con tu memoria y entonces tu *ba* no conocería el descanso.

—Te repito que no quiero más vida que la que pueda compartir junto a ti. Si nuestro amor llegara a ser la causa de mi muerte, prefiero que Anubis me halle a tu lado. Sé que al dios le parecerá bien.

Mut volvió a mirarlo con ojos desorbitados, ya que no entendía bien el humor que a veces empleaba el joven.

—Debes tener confianza —la animó—. Si no escapamos, nos arrepentiremos toda la vida.

—Tienes razón —dijo ella al tiempo que le acariciaba el cabello—. Llévame lejos, muy lejos. Dondequiera que vayas te seguiré, amor mío. Y ahora tómame de nuevo, como si fuese la primera vez.

61

La noche resultaba tan oscura como se pudiese desear. Huérfana de luna y con el vientre de Nut cubierto por espesas nubes que amenazaban tormenta. En ocasiones estas se desataban sobre la Tebaida con una furia difícil de imaginar, hasta el punto de convertir las quebradas en torrenteras por las que el agua arrastraba cuanto encontraba a su paso. El ambiente se mostraba extrañamente pesado; saturado de partículas que lo hacían particularmente agobiante, cargado con todo el poder que Set tuviese a bien manifestar ante su pueblo en aquella hora. La ciudad entera parecía envuelta en una frazada tejida por el bochorno; un espeso corsé que dificultaba la respiración de la propia capital, que parecía sepultada bajo un manto opresivo. La quietud vagaba por entre las callejas con pasos que la acercaban al misterio; sutiles y al tiempo colmados de turbadores mensajes, de veladas advertencias.

Los paisanos conocían bien aquella especie de magia que en ocasiones llegaba a visitarlos. Entonces Tebas se llenaba de silencio, y sus calles y plazas eran abandonadas a su suerte, olvidadas, como si formaran parte del propio ensalmo. Nadie se atrevía a salir de su casa ya que la urbe quedaba a merced de los súcubos, prontos siempre a apoderarse de las almas incautas. El dios de las tormentas se aprestaba a revelar su siniestro poder, y pocos eran los que parecían estar dispuestos a contrariarlo.

Ajeno a tales cuestiones, Amosis deambulaba por las solitarias callejuelas como si se tratara de alguno de los genios guardianes de las puertas del Inframundo, embozado y con los pies tan ligeros como si fuera un ser sobrenatural. Junto al joven, Abdú apretaba el paso, convencido de que acabarían siendo presa de alguno de los demonios de la noche. Los *ajogun* andaban sueltos en aquella hora, de eso no tenía dudas, y la atmósfera se hallaba tan impregnada de malignidad que mucho se temía que no fueran capaces de salir con bien de la aventura. Los *orishas* le habían advertido, y si estos los abandonaban a su suerte el yoruba se sentiría perdido. Aquel camino solo conduciría a la perdición, y ni el gran Olodumare podría ayudarlos por mucho que Abdú lo invocara. Había un poder maléfico que los acechaba, y el esclavo no cejaba de escudriñar a su alrededor con cada una de sus zancadas.

Amosis había hecho caso omiso de sus quejas, y con la primera protesta le había amenazado con venderlo a Hécuba, algo que había descubierto daba muy buenos resultados. Aquel nombre obraba maravillas en su criado, quien no obstante esa noche se mostraba particularmente receloso, e incluso amedrentado.·

—No salgamos de casa. Hoy el mal anda sin freno. Está fuera, aguardándonos, y ningún *orisha* nos podrá ayudar. ¡Estaremos condenados!

Amosis le recriminó con dureza al tiempo que le hacía comprender que no existía poder conocido capaz de cambiar sus planes. El joven lo tenía todo preparado; una buena bolsa con la que empezar una nueva vida y un esquife dispuesto para trasladarlos hasta Ipu, donde aguardaba su gabarra.

—Será el último servicio que me prestes, yoruba del demonio —le había dicho a su criado—. Luego harás lo que Kamose disponga, y espero que cuides de él como corresponde.

El que los espíritus infernales los aguardaran en las calles de Tebas era algo que al joven le traía sin cuidado. Su razón se ocupaba en otros menesteres, ya que solo pensaba en su amada y en cómo salir con bien de aquella aventura. Estaba decidido a llevársela como fuera; incluso se sentía capaz de asaltar la casa de Neferyu si era preciso. Su tío se había lamentado de su decisión, aunque sabía que no podría hacer cambiar de idea a su sobrino. Solo deseaba que este encontrara la felicidad allá donde lo llevaran sus pasos, y que siempre recordara los buenos consejos que le había dado. En realidad el mercader perdía al hijo que nunca había tenido, como sabía que ocurriría algún día. No podía ser de otro modo. Amosis partía hacia su nueva vida, y él le daría su bendición.

—Cuídate de los hombres, hijo mío, que de los dioses no debes esperar nada malo.

Tío y sobrino se habían abrazado con lágrimas en los ojos, incapaces de decir una palabra. Cuando antes de abandonar la casa Amosis se volvió para mirarlo, ambos sabían que no se verían nunca más. Kamose pensó en los hombres que habían abandonado todo por el amor de una mujer. Él había conocido a algunos, y que el viejo supiese su decisión los había conducido a la ruina. Casi al instante se lamentó de haber reparado en aquello. Si había alguien que no sabía lo que significaba el amor, era él. Poco predicamento podía ofrecer a su sobrino en esta cuestión, y las consecuencias de las decisiones tomadas solo se conocen cuando se anda el camino.

Kamose tenía más que suficiente para sobrellevar su vejez: muchos recuerdos, una conciencia tranquila y la compañía de Abdú, con quien se había encariñado mucho.

Próximos a la villa de Neferyu, las dos ánimas errantes se detuvieron un momento a escudriñar. La oscuridad era tan grande que resultaba difícil ver con claridad. Todo en rededor parecía hallarse suspendido por los hilos de la impaciencia del joven. Su ansiedad se transmitía para formar sutiles cortinajes pintados con el color de su zozobra. Las dudas acudieron en tropel sin proponérselo, pues todo resultaba tan frágil como el aire que respiraban. A lo lejos Amosis vio cómo un relámpago se dibujaba en el firmamento, al que quebró con su zigzag, y al poco el cielo tronó para avisar de que Set se encontraba cerca.

Con sumo sigilo, ambos se apostaron junto a la palmera en la que los enamorados se habían citado, con los sentidos bien alerta, igual que si fuesen felinos. Pero no se oía un ruido, ni siquiera los propios de la noche, nada. El tiempo parecía haberse detenido como si las clepsidras de los templos hubiesen ordenado el fin de las horas. Súbitamente se levantó la brisa, casi sin avisar, y al poco se convirtió en viento; un viento que comenzó a arreciar al tiempo que emitía sus lamentos. Amosis agradeció aquel aire que mitigaba el insoportable bochorno, en tanto los relámpagos no cejaban en su caprichoso culebreo. Cada vez más próximos, estos dejaron oír sus voces, capaces de hacer retumbar la tierra.

—Set se acerca —murmuró Amosis como para sí—. Sus huestes se aprestan a mostrarnos su verdadero poder.

Abdú se mantenía tan quieto como le era posible. Él había visto muchas tormentas durante su niñez, y de forma natural se puso a rezar a Oya, el *orisha* de la tempestad. Los cielos se preparaban para abrirse, y el yoruba sabía lo que se les venía encima. Era una tormenta enorme, y mucho se temía que el *orisha* no estuviera dispuesto a escucharlo.

El vendaval trajo los primeros goterones y el aire se atiborró con el olor a tierra mojada. El vientre de Nut quedaba en el olvido para dejar que Set tomara los cielos. Sus ejércitos bramaban enloquecidos mientras descargaban su furia sobre la ciudad santa. El firmamento parecía rasgarse con cada rayo, y los estampidos resonaban llevados de la mano del dios del caos. Entonces comenzó a llover a cántaros, hasta formar espesos visillos que se antojaban impenetrables. De vez en cuando los relámpagos iluminaban la difusa cortina de agua para crear sombras ilusorias que parecían venidas de ultratumba. Azotados por la tempestad, Amosis y Abdú trataban de protegerse los ojos de los rociones que los fustigaban. Muy cerca tronó el cielo, y acto seguido un nuevo relámpago iluminó el palmeral para dibujar otra escena fantasmagórica. Entonces Amosis lo vio, y al punto pensó que Set llegaba para llevárselos a todos.

62

Cuando Mut escuchó el primer trueno, hacía ya horas que no podía contener las lágrimas. En realidad llevaba angustiada desde la noche en que viera a su amado en el palmeral, la última vez que se habían amado. Su razón no podía apartarse de aquel instante, de las palabras que se susurraron, de los planes concebidos. Estos habían ocupado su corazón durante todo ese tiempo para terminar por convertirse en una montaña que ella se sentía incapaz de escalar. ¿Cómo podía Amosis hablar con tanta ligereza acerca de su futuro? ¿Cómo estaba tan seguro de que serían felices allá donde se refugiaran? ¿Acaso no se daba cuenta del poder al que desafiaban?

Estas y otras muchas preguntas parecidas habían terminado por sumir a la joven en la desesperación. Si de algo adolecía Mut era de falta de seguridad en sí misma, probablemente debido a la vida que había llevado, sin penas a las que se hubiera visto obligada a enfrentarse, o puede que por una mera decisión de los dioses. Esto ella nunca lo sabría, mas en su zozobra la angustia ante lo que se aproximaba la superaba, y lo peor era que no sabía el camino que debía tomar. Amaba a Amosis sobre todas las cosas, como nunca pensó que pudiera hacerlo, y no obstante se sentía aterrorizada ante el hecho de tener que tomar una decisión como aquella. ¿Y si se equivocaba? ¿Podría vivir alejada del valle que tanto amaba? La posibilidad de no volver a contemplar el Nilo cada tarde se le antojaba inaceptable. Sus aguas formaban parte de su mundo, de su propia existencia, de sus creencias más profundas. ¿Y qué era una mujer sin sus creencias? ¿Qué podía esperar de la vida si no resultaba fiel a aquello en lo que creía? La joven se desalentaba ante semejantes interrogantes, sobre todo porque su amor era verdadero, y deseaba pasar el resto de sus días en compañía de su enamorado.

Cuando se cercioró de su incapacidad para decidirse, comenzó a llorar sin consuelo. Aquellas lágrimas eran la respuesta a su vacilación y también al temor que la embargaba. Entonces se le ocurrió pensar en cuanto la rodeaba, y en las consecuencias que tendría el escaparse. Su familia estaría condenada, de eso no tenía ninguna duda, y a pesar del egoísmo que esta le había demostrado, la joven la amaba. Hécuba y Aristeas siempre serían sus padres, y la posibilidad de que fueran condenados por su causa la abatía profundamente. Y luego estaba Amosis, con todos sus intereses, que ella sabía le serían arrebatados. Al tebano no le quedaría otra opción que la de huir durante el resto de sus días. Mut imaginaba que la mano del faraón abarcaría toda la tierra conocida y que el joven nunca se encontraría a salvo. En cierto modo ella se sentiría culpable de su destino, funesto donde los hubiera; un castigo excesivo para unos buenos egipcios como eran ellos, tan apegados a sus tradiciones.

Tantas sombras acabaron por oscurecer el corazón de la enamorada para sumirla en un mar de dudas. Ella sabía que su amor era verdadero y que nunca volvería a querer así a nadie; sin embargo, se preguntaba una y otra vez si eso era suficiente para emprender una aventura como la que Amosis le planteaba; si por primera vez en su vida debía dejar la prudencia a un lado para ponerse en manos del futuro incierto. Lo peor era que se encontraba sola, que en aquellos momentos decisivos no podía esperar un buen consejo, ni una palabra de aliento, nada. Ella apenas contaba, olvidada en su habitación como un ánima condenada.

Sin embargo, en esto último se equivocaba. Sus lloros fueron escuchados, y sus lamentos, tomados en consideración. Hécuba supo de ellos al instante y al poco su esposo, que por primera vez juzgó la situación como mejor correspondía a sus intereses, sin ira contenida. Su hija se encontraba en una encrucijada, y bien conocían ellos el carácter dubitativo que a veces mostraba la joven. Debían ser cautos y sobre todo no dar ninguna posibilidad al escándalo.

Cuando aquella tarde el sol se disponía a ponerse tras las necrópolis del oeste, Mut ya había preparado su equipaje; apenas unas prendas y enseres que le eran queridos. Al terminar de hacer el hatillo, se quedó un rato observando la pequeña figura de Isis, de la que nunca se desprendía. Igual que le ocurriera a Amosis, la joven era una ferviente seguidora de la diosa, a quien elevaba sus plegarias cada día. Como era de esperar Mut la hizo partícipe de sus cuitas, aunque su corazón no recibiera ninguna respuesta. Entonces el cielo comenzó a oscurecerse, y al poco la tormenta se anunció en la lejanía como el peor de los presagios.

El viento se presentó de improviso, perfumado con olor a tierra mojada, y los primeros truenos llegaron diáfanos a los oídos de Mut, quien no paraba de andar por sus aposentos en tanto se frotaba las manos con nerviosismo. El momento se acercaba, y Mut se hallaba en un mar de dudas que la sobrepasaban por completo. La incertidumbre había dejado paso al frenesí, y este amenazaba con convertirse en histeria; un estadio desconocido para la joven.

Cuando los goterones abrieron la puerta a la tempestad, Mut lloraba desconsoladamente mientras se aferraba al hatillo que había preparado. Sentada sobre su cama, sus sollozos se ahogaban entre la tromba de agua que descargaba sobre la ciudad. Los cielos rugían de forma descarnada, con bramidos que iban más allá de lo sobrenatural. Set aullaba desde sus dominios en tanto sus ejércitos tomaban la tierra de Egipto. Su incesante ulular era un aviso para todo aquel que quisiera escucharlo, una prueba de la insignificancia de los hombres ante el poder ordenado por los dioses. Mut se lamentaba, asustada por la tempestad que amenazaba con tragárselos a todos. Fuera Amosis la esperaba, y ella tuvo la certeza de que su enamorado aguardaría a pie firme hasta que ella acudiese a la cita, aunque tuviera que soportar cualquier temporal que el dios del caos quisiera enviarle. Él aguantaría impertérrito los embates del agua, la furia de los elementos.

Fue en ese momento cuando la joven reaccionó de manera imprevista, cual si hubiese recibido una llamada en su interior que la despertara de su indecisión. Entonces miró de nuevo la pequeña estatua de la diosa y se convenció de que Isis le sonreía. Un trueno se escuchó próximo, y con la celeridad de quien se apresta a recuperar el tiempo perdido, Mut abrió la ventana para acceder al jardín. El vendaval salió a recibirla y su rostro se empapó de gruesos goterones que la obligaron a entornar los ojos. El viento soplaba y soplaba, desatado, como ella no recordaba haber visto nunca. Mas aquello no importaba, y con asombrosa agilidad se deslizó hasta el suelo, donde estrechó el fardel contra su pecho. El fragor de la tormenta era tal que se hacía imposible escuchar otra cosa que no fuese su poder. Protegida tras un pequeño muro, la joven permaneció en cuclillas, a la espera de que amainara el vendaval. Mas no podía demorarse demasiado. Su amado aguardaba desde hacía demasiado tiempo, y Mut comenzó a temer que este hubiese terminado por marcharse, cansado de esperar a una mujer que a la postre había decidido no presentarse a la cita. Ahora sus miedos eran otros, y se maldijo por haber pasado horas enteras angustiada por sus cuitas.

Al rato la lluvia se hizo más fina y los bramidos del cielo resonaron algo más distantes. El viento aflojó, y Mut aprovechó para salir de su escondite y encaminarse hacia el palmeral. El jardín se encontraba encharcado y sus pies se hundían en el agua en un extraño chapoteo que se confundía con el sonido producido por las gotas al caer sobre la hojarasca. La joven contuvo la respiración unos instantes, pues se hallaba próxima al palmar, y al poco susurró el nombre de su amado.

—Amosis, soy yo.

Pero nadie respondió. Entonces Mut se apresuró hasta encontrarse bajo el árbol en el que se habían amado.

—Amosis, soy yo —repitió entre susurros—. Ya llegué.

De nuevo el silencio fue su única respuesta, y Mut sintió cómo su corazón se aceleraba sin poder remediarlo.

—Amor mío, ¿estás ahí? Por fin llegué —anunció la joven elevando el tono de su voz.

Durante unos instantes todo permaneció en silencio, pero al poco unos arbustos se movieron junto a una palmera y Mut dio un grito de júbilo.

—¡Amosis! —dijo sin poder contener su alegría.

Justo en ese momento, un hombre gigantesco salió de la espesura para aproximarse a la joven. Un relámpago vino a iluminar la escena, y ella ahogó un grito en su pecho. El extraño tenía el rostro surcado de cicatrices y una espada pendía de su mano. Su voz sonó cavernosa, como ella nunca había escuchado.

—Este no es lugar para una señorita. Hoy Anubis anda suelto.

63

Todo se hallaba dispuesto, tal y como se había planeado. Los poderes de Egipto se despertaban en aquella hora para mostrar su impiedad, prestos a sojuzgar a quien osara oponerse a sus intereses. ¿Acaso no eran ellos la ley? ¿Acaso los dioses no les habían hecho acreedores de sus privilegios? Estos iban mucho más allá de los que disfrutaba su pueblo, y así debían continuar.

La intriga se había fraguado en silencio, con la discreción que le era natural, sin dejar un resquicio al error y menos a la sorpresa. Era el momento oportuno, y hasta la noche parecía dispuesta a acompañarlos.

Aquellos hombres cruzaron el río como si procedieran de las cercanas necrópolis. Quizá fueran chacales a los que un misterioso sortilegio había convertido en hombres, o puede que demonios a los que Anubis había enviado cual si se tratara de sus heraldos para anunciar su llegada. La muerte se aprestaba a cobrar su diezmo, y eso era cuanto importaba.

Kamose se hallaba particularmente melancólico. La despedida de su sobrino había sido tan apresurada como dolorosa, por mucho que hubiese esperado ese momento. Eran razones contra las que nada se podía, que pertenecían a cada hombre y ante las que no cabía la negociación. Cada vida tenía sus propias reglas, como el mercader bien sabía, y era preciso atenerse a ellas si se quería alcanzar la felicidad.

Él, por su parte, se sentía satisfecho consigo mismo, y al final eso era lo que importaba. Si, tal como aseguraban sus mayores, la Sala de las Dos Justicias existía, él iría sin temor a rendir cuentas ante su Tribunal, pues que él supiera todo lo que se había visto obligado a hacer en su vida había sido en defensa de su propia supervivencia; y esta era innegociable.

Pensaba en tales disquisiciones mientras saboreaba un vino de los oasis de Kharga, su preferido, cuando escuchó los primeros truenos. Las tormentas no eran frecuentes en Tebas, pero el viejo conocía su virulencia cuando se desataban. Hacía un bochorno insoportable y el agua que se avecinaba refrescaría el ambiente, al menos durante aquella noche. Los cielos se rasgaron de nuevo, y el comerciante se animó a salir a la terraza para ver el espectáculo. Siempre le había fascinado aquel fenómeno, y se preguntaba qué podría producir semejantes relámpagos y aquellos truenos que llegaban a sobrecogerlo. Seguramente habría una razón, aunque siempre dispusieran de algún dios para poder explicar lo inexplicable. Era lo bueno de poseer nada menos que dos mil.

Como la noche era particularmente oscura, el viejo no pudo deleitarse con el paisaje que de ordinario le ofrecía el Nilo, aunque él mismo se convenciese de que era capaz de olerlo. Sin poder evitarlo, soltó una risita. El río bajaba con la mitad de caudal del que debiera. Pronto estarían en el período de las «aguas altas», y el Nilo se encontraba lejos de alcanzar los diecisiete codos de profundidad que acostumbraba a tener en Elefantina. El río no se desbordaría como debiera, y el viejo se vanaglorió de haber acertado en su predicción. Tras apurar su copa, el mercader suspiró, y entonces escuchó un ruido en el interior de la casa. Enseguida pensó en Abdú, y al punto abandonó la terraza para que su esclavo le contara algún detalle de lo ocurrido. Mas no era Abdú quien lo esperaba.

En cuanto vio a aquellos hombres, Kamose supo que lo iban a matar. Había llegado su hora, sin previo aviso, como acostumbraba a hacer el taimado Anubis. Nunca había sentido aprecio por este dios, y ahora que le enviaba a sus acólitos, mucho menos, pues tampoco era cosa de ir a verlo con tanta precipitación. En realidad ninguna hora resultaba adecuada para algo semejante, y al viejo jamás le habían gustado los asuntos cerrados con premura. Pero mucho se temía que en esta ocasión su opinión valdría de poco. Ya no había trato alguno que negociar, pues el dios de la necrópolis era puntilloso en este sentido y, que el mercader supiese, nunca había accedido a ninguna propuesta que le quisieran hacer; Anubis no escuchaba a nadie, ni al mismísimo faraón.

Los hombres que tenía frente a él eran de lo peor que había visto en su vida, de una catadura atroz. Sin duda debían de hablar directamente con Anubis, ya que parecían sacados del Inframundo. Dentro de poco, él se encontraría en ese lugar y podría comprobarlo por sí mismo. Su vida se acababa, y solo se lamentó de no haberla disfrutado más de lo que lo había hecho, aunque su camino no le hubiera ofrecido demasiadas oportunidades. Sin embargo, sentía que había realizado cuanto Renenutet esperaba de él cuando trazara su suerte antes de nacer. Amosis continuaría su andadura, y el viejo estaba convencido de que su sobrino colmaría todas sus expectativas.

Al pensar en este particular, a Kamose se le ensombreció el rostro. Aquellos canallas no venían solo por él. Su sangre no era la única que querían derramar. Por algún motivo todos estaban condenados, y al punto el mercader adivinó cuanto ocurría. A la postre Amosis tomaba una nueva senda y Kamose se convenció de que, de alguna manera, Shai había decidido velar por el muchacho. Que el amor que se había adueñado de su corazón no era sino uno más de los muchos ardides que empleaba el destino para, de este modo, conducirlo hasta el escenario que los dioses hubieran dispuesto. El viejo lo vio tan claro que al momento su rostro mostró su habitual gesto mordaz. Anubis no se llevaría al joven, pues Shai le tenía preparada una vida que lo llevaría lejos. Abdú lo acompañaría, y eso era más de lo que un viejo como él pudiera desear.

Sin dejar de sonreír, observó a aquellos chacales sin alma y maldijo a todos los que habían convertido a su pueblo en hogar de facinerosos. El *maat* no existía, aunque nunca hubiera sido aficionado a hablar de él. Ya no había justicia en Egipto, y por eso su diosa no tenía razón de ser. Aquella misma noche le pesarían el *ba*, y en presencia de Osiris Kamose clamaría por tanta infamia. La Tierra Negra estaba maldita, y él ya no tenía cabida en ella.

Aquella noche quedaría grabada en la memoria de Amosis durante el resto de sus días. Quienquiera que fuese la potencia divina encargada de ordenar las circunstancias de cada cual, había reservado para la ocasión el más tenebroso de los escenarios. Que el joven recordara nunca había asistido a una tormenta como aquella, ni a un jardín tan carente de vida. Era como si todos hubieran sido abandonados a su suerte en un teatro que les resultaba extraño, en el que desconocían el papel que debían representar. El vergel en nada se parecía al que Amosis recordaba. Allí no había lugar para las esencias, y mucho menos para las pasiones de los enamorados. Las palmeras dibujaban siluetas que formaban parte del espejismo en que se había convertido lo que antaño fuera un edén y las flores zarandeadas por el vendaval se entremezclaban con la hojarasca, víctimas de la furia de los elementos desatados. Llovía de tal forma que resultaba imposible guarecerse del aguacero, pero aquello no importaba. Amosis se mantenía firme junto al tronco del árbol que había sido testigo de su pasión por la bella Mut, la mujer a quien tanto amaba.

De vez en cuando el muchacho trataba de limpiarse los chorreones de agua que le velaban los ojos en tanto escuchaba las preces y juramentos que Abdú elevaba a sus dioses, un poco más atrás. La noche no estaba para invocaciones, mas justo era reconocer que resultaba perfecta a los propósitos del joven. Este comenzó a impacientarse cuando ya llevaba varias horas de espera. La tempestad parecía no tener ninguna prisa por amainar, y los relámpagos creaban extraños espejismos que invitaban al miedo, pues en verdad que cuanto rodeaba a Amosis se le antojaba espectral.

—Oya me advierte —se quejaba de vez en cuando el esclavo—. Este no es lugar para nosotros. Deberíamos marcharnos.

Amosis chasqueaba la lengua con disgusto, cansado de las supersticiones de su criado, que no había parado de lamentarse durante toda la noche.

—Si permanecemos aquí, los *orishas* no podrán ayudarnos. Este lugar está en poder de los *ajogun*.

El joven le recriminaba su actitud, aunque el ulular del viento hiciese que sus palabras de poco le valieran al yoruba.

—Ella no vendrá. Debemos irnos cuanto antes —suplicaba el criado.

Pero Amosis no estaba dispuesto a moverse ni un ápice. Su nueva vida empezaba allí, y no admitiría que nadie lo forzase a tomar un camino equivocado. Mut acudiría a la cita, por muy iracundo que se mostrase Set aquella noche.

Así fue como transcurrió la espera, entre la esperanza inquebrantable del joven enamorado y las exhortaciones de un criado que barruntaba lo peor. Ambos agudizaron sus sentidos, como si con ello Mut fuese a presentarse por fin, mas la única compañía que parecían tener era la del dios de la tempestad, pues la lluvia caía con una fuerza inaudita.

Los relámpagos se sucedieron para volver a iluminar el palmeral con su acostumbrada fantasía. El agua llegaba del cielo como si se tratara de una cascada que se abriera paso a través de su vientre desgarrado, en tanto los truenos retumbaban como si en verdad un mazo formidable martilleara la tierra toda. Súbitamente, unos arbustos cercanos se agitaron con fuerza y un nuevo rayo hizo que la luz explotara en rededor. Fue en ese momento cuando Amosis vio al espectro, un demonio surgido de las entrañas de aquella tormenta, un genio que parecía venir desde el Amenti. Todo ocurrió con tal celeridad que el joven siempre pensaría que aquellos súcubos eran verdaderos. Antes de que el tebano fuera capaz de limpiar el agua de sus ojos, una mano lo agarró del cuello con una fuerza inaudita, como nunca había sentido, y al punto su cabeza pareció estallar en mil pedazos, cual si se tratara de un miserable cántaro. Ya no había lluvia, y el fragor de la tempestad había desaparecido de forma repentina, como empujado por un soplo. Su consciencia se esfumó y su razón partió por el camino que nadie sabe adónde conduce. Solo había oscuridad y vacío. Un vacío espantoso que devoraba su ser, su esencia y hasta su propia alma. Simplemente no existía, y en las profundidades del lóbrego pozo por el que caía no había atisbo alguno de esperanza, ni una mísera candela que le advirtiese de lo que le esperaba. Amosis se hallaba en la nada más absoluta, donde no había cabida para los sentimientos. Era la ausencia, otra dimensión, la del no ser, y Amosis no podía hacer nada por regresar.

Abdú ya había visto a aquel demonio antes de que este se abriera paso entre los arbustos. En realidad eran dos, aunque el otro se encontraba alejado, apostado junto a un árbol, al otro lado del jardín, para cubrir más terreno en su labor de vigilancia. El yoruba se había agazapado como solía hacerlo en la selva durante su niñez, cuando acompañaba a su padre a cazar. Igual que un felino, sus ojos eran capaces de abrirse paso entre una oscuridad que parecía insondable. Shango venía en su ayuda, como siempre que lo había invocado, con el poder del trueno y el relámpago, la fuerza de los elementos. El peligro que los acechaba era cierto y Abdú permanecía mimetizado, sin mover un solo músculo. Sabía que todo se desencadenaría de improviso, pues no en vano se trataba de una cacería, pero él se encontraba presto para cuando llegase el momento; como le había visto hacer tantas veces a su padre.

Cuando el demonio se abrió paso por entre los arbustos, Abdú se preparó para intervenir. Su amo estaba tan desprevenido como suponía el criado, pero fue el resplandor del relámpago el que en realidad precipitó las cosas. Al ver al extraño, el esclavo no pudo evitar observarlo durante unos instantes. Era un hombre muy fuerte y en una mano blandía lo que le pareció una *jepesh*, la antigua espada que llevaban a la guerra los grandes faraones.

Aquellos segundos de indecisión resultaron decisivos, ya que el genio surgido del Amenti alcanzó a Amosis en un suspiro y, acto seguido, lo golpeó en la cabeza con la empuñadura de su arma para derribarlo al momento. Justo entonces, cuando el desconocido se preparaba para rematarlo, una mole se estrelló contra su cuerpo con la fuerza de un elefante. Luego Abdú se sentó sobre el caído y, antes de que este pudiera reaccionar, le partió el cuello como si se tratara de un juguete. Al punto el yoruba ocultó el cadáver entre unos matorrales y se acercó al cuerpo de su amo, que yacía tendido, inmóvil como un difunto. Tras encomendarse a cuantos espíritus conocía, buscó su pulso. El corazón aún hablaba por las muñecas del joven, y con cuidado Abdú se echó aquel cuerpo al hombro para, acto seguido, desaparecer como si fuera un leopardo. En el palmeral todavía llovía a cántaros, y el viento ululaba para contar lo que allí había ocurrido. Anubis tenía un nuevo siervo, daba igual su nombre.

Tan rápido como pudo, Abdú se dirigió al embarcadero donde aguardaba el esquife. Al verlos llegar de semejante forma el marinero que esperaba bajo un cobertizo próximo pensó que a aquellos hombres los perseguía la mismísima serpiente Apofis, y al observar las condiciones en las que se encontraba Amosis miró al esclavo sin comprender.

—Todavía vive —le aclaró este en tanto lo depositaba bajo la techumbre—. Antes de partir debo atender otro asunto. Si al alba no he vuelto partirás hacia Ipu, donde nos aguarda Nicandro. No permitas que muera —le advirtió, señalando el cuerpo de Amosis—. Si fallece, te buscaré y te arrancaré el corazón.

Acto seguido el yoruba desapareció en la noche, acompañado por el *orisha* del trueno y por una lluvia que parecía no querer abandonarlos nunca.

66

El esquife navegaba río abajo meciéndose al compás de la corriente. El día era tan hermoso que resultaba imposible que el sol luciera más de lo que lo hacía. Como el Nilo no se había desbordado, la singladura resultaba plácida, aunque las aguas bajaran convertidas en una especie de gachas. El limo era arrastrado desde el corazón del continente y en algunas zonas formaba espesos depósitos que terminarían por ennegrecer la tierra con su sedimento. El marinero gobernaba la falúa con maestría. No en vano llevaba toda la vida navegando el río junto a su capitán Nicandro. Ahora los tiempos habían cambiado, aunque se sentía feliz de poder continuar haciendo lo que más le gustaba.

Junto a él, su nuevo patrón yacía en la cubierta con un aparatoso vendaje en la cabeza. El marinero no llegaba a entender muy bien cómo alguien tan joven podía ser el dueño de una gabarra, aunque también era cierto que el Egipto en el que vivían poco tenía que ver con el de antaño; así eran las cosas. Que el patrón se encontraba malherido era algo que saltaba a la vista, aunque en su opinión si no había muerto ya pronto se recuperaría. El criado que lo acompañaba era una cuestión aparte, y el marinero procuraba no cruzar mirada con él. Durante la travesía no se había separado un instante de su amo, y al pasar por Koptos había hecho que un médico lo atendiera al tiempo que hacía acopio de algunas hierbas. De vez en cuando el esclavo recitaba letanías en una lengua que el marinero no comprendía, mas se cuidaba mucho de preguntar su significado puesto que aquel negro lo miraba de una forma feroz.

En realidad, Abdú llevaba al demonio en las entrañas. Si había pensado que conocía todo acerca del corazón de los hombres, se equivocaba. La maldad no tiene fronteras cuando hay un alma dispuesta a acogerla, y lo peor era que siempre había alguna preparada para rendirle pleitesía. Mas lo que había visto aquella noche sobrepasaba todo el mal que pudieran ejercer los *ajogun* que conocía.

Al dejar a su amo con el marinero, Abdú había corrido hacia la casa de Kamose, que se encontraba próxima. A cada zancada que daba el yoruba sentía cómo un mal presentimiento se iba apoderando de él sin que pudiera evitarlo. La celada del palmeral estaba planeada de antemano, y mientras corría el criado se temía que aquella suerte de venganza fuese mucho más allá de evitar un enlace no deseado. Los enamorados no habían provocado todo aquello, aunque sí hubieran servido a los fines de la infamia.

Antes de entrar en la casa, Abdú sabía que se iba a encontrar con la muerte, aunque nunca imaginara que esta se hubiera ensañado de semejante forma. Casi sin aire en los pulmones, el esclavo perdió el poco aliento que le quedaba cuando contempló la escena. Allí había habido una carnicería, ya que los restos de Kamose yacían esparcidos como si hubieran sido troceados por un matarife. Abdú apenas ahogó un grito al ver lo que quedaba de su *baba*, el hombre más bueno que había conocido. Brazos, piernas, cabeza…, todo se encontraba separado del tronco, desmembrado por completo. Había verdadera maldad en aquel acto, pues por algún motivo los asesinos habían decidido que su víctima nunca pudiese alcanzar los Campos del Ialú. En un rincón, el yoruba vio el corazón que aquellos demonios le habían sacado del pecho para que no renaciera nunca a la nueva vida. Abdú comenzó a llorar desconsoladamente, y sin poder evitarlo se dedicó a colocar los miembros seccionados donde correspondía, aunque no sirviera de nada. Luego estuvo un rato sollozando sobre los restos de quien había sido como un padre para él, y después se dirigió al jardín, donde cavó un hoyo bien profundo. Allí depositó los restos lo mejor que pudo; al menos a *baba* no se lo comerían las alimañas.

Acto seguido tomó una bolsa con monedas que Kamose tenía bien escondida y el viejo zurrón que guardaban en el arcón. Aún tuvo tiempo de buscar un frasco de miel y un lienzo de lino. Luego salió de la casa tan rápido como se lo permitió su maltrecho ánimo, mientras maldecía a todas las bestias capaces de hablar el lenguaje de la iniquidad.

Abdú suspiró con resignación al recordar aquel episodio, y al punto prestó toda su atención a su amo. Todavía se sorprendía de que a este no le hubieran roto el cráneo, aunque la herida fuese de consideración. En cuanto regresó al esquife, el yoruba había embadurnado bien la herida con miel, y luego la había vendado lo mejor que había podido con lino. Era cuanto podía hacer, pero la corriente era más fuerte en aquella época del año y pronto llegaron a Koptos, donde buscó un médico. Mientras, el criado no paró de invocar a uno de sus habituales *orishas*; en esta ocasión se trataba de Obatalá, el que cura los huesos y los problemas en la cabeza, y durante la corta singladura utilizó la brujería de su pueblo, para espanto de un marinero que no se atrevía a mirar.

En Koptos el médico le cosió la herida, aunque poco más podía hacer.

—En esta zona no se puede trepanar —advirtió con voz grave—. Todo está en manos de Sejmet. Si no despierta en un par de días, mal asunto. Si lo hace necesitará raíz de mandrágora para soportar el dolor, aunque también le puedes dar una cocción de pétalos de nenúfar. Es todo cuanto puedo hacer por él.

Abdú regresó de sus pensamientos para volver a fijar su atención en Amosis. Ahora él era su única familia y juró que nunca lo abandonaría, dondequiera que los llevara el viento. El yoruba estaba convencido de que Obatalá devolvería la consciencia al joven, pues no en vano él era quien hacía funcionar los órganos de la cabeza. Su medicina era más poderosa que la de aquellos médicos que tanta fama tenían, y pronto Amosis abriría los ojos para emprender el camino de una nueva vida. Ese era su destino, como un día ya profetizara el esclavo, y este se sonrió. Entonces, Amosis movió una mano.

67

Apolonia se casó con Posidonio, como había sido estipulado, pues no podía ser de otra forma. Los dioses así lo habían dispuesto, y la joven dejó enterrado su antiguo nombre en algún lugar de la necrópolis que ella misma había elegido. Ese era el sentimiento que siempre la acompañaría, el del fracaso personal al no haber sido capaz de tomar el camino que su corazón anhelaba. Su indecisión le pesaría durante toda su vida, y no había nada que ella pudiera hacer por evitarlo. La búsqueda de excusas en las que escudarse ocupó sus pensamientos durante un tiempo. La hermosa tebana siempre encontraba algún motivo que la indujese a pensar que había obrado con sabiduría, y que los acontecimientos se habían desarrollado tal y como las divinidades creadoras tenían decidido desde antes de que naciera. Estas resultaban infalibles en sus designios, más allá de lo que pudieran llegar a experimentar los corazones, por muy enamorados que se sintieran. Ella había acudido demasiado tarde a la cita porque su camino era otro, y nunca debería lamentarse por ello. ¿Quién era ella para recriminar a Shai o Renenutet en sus decisiones? Sus dudas formaban parte de su sino, y como ferviente devota que era, aceptaría su destino con la piedad que correspondía. Mut ya no existía, y su mero recuerdo solo podía servir para mortificarse, si no para disgustar a los dioses.

Sin embargo, Apolonia sabía que el amor había pasado de largo por su vida. Hathor había desaparecido por el recodo de un camino por el que la joven ya no transitaría, y esto era algo que quedaría grabado en su corazón para siempre.

Después de aquella noche, Apolonia había llorado amargamente sin atreverse a deshacer el hatillo que tenía preparado. Quizá esto fuera una prueba palpable de su vacilación. La incertidumbre nunca estaría dispuesta a abandonarla, y ella era incapaz de librarse de aquella irresolución enfermiza de la que se sentía prisionera. Su madre no necesitó consolarla, y Aristeas se sintió tan complacido que hasta se atrevió a aventurarle una vida colmada de gracia.

—Algún día nos agradecerás la fortuna que hemos puesto en tu camino —le dijo.

Aquello era muy propio de su padre, pero ya daba igual. Amosis se había marchado para siempre y un nuevo enamorado la esperaba ansioso por hacerla su esposa.

Poco tardó la joven en convencerse de que nunca sería feliz con aquel hombre. Posidonio era tal y como ella esperaba; alejado de todo lo que ansiaba su alma. Sin embargo, Apolonia cumpliría su papel con abnegación con la esperanza de que, algún día, su *ka* volviese a encontrarse con el de Amosis para que juntos pudiesen disfrutar de sus esencias; aunque fuese en la otra vida.

68

Amosis parpadeó repetidamente en tanto regresaba de su pasado. Anubis había estado a punto de llevárselo, aunque por alguna extraña razón el dios de los muertos hubiese desistido de sus propósitos en el último instante. En Egipto la magia era capaz de desbordarse mucho más allá que el Nilo en su crecida, y esto era cuanto se le ocurría al joven. En él se había obrado un milagro, sin duda, y ello le había conferido fuerzas para sobreponerse a cuanto había acontecido. El tebano nunca hubiese imaginado que Shai le tuviera preparado algo semejante; una prueba dolorosa de la fragilidad humana en el discurrir de la vida. En los últimos días, las emociones se agolpaban en su interior de tal forma que se veía incapaz de encontrar respuestas. Solo un sentimiento de rabia se había abierto paso entre tanto dolor. Una cólera que lo reconcomía cada vez que la imagen de su tío se le presentaba para sonreírle, como solía. Kamose había tenido un final atroz, el peor que un buen egipcio pudiese desear, que venía a demostrar en lo que había terminado por convertirse su pueblo. Para el joven, Tebas estaba maldita, maldita para siempre, y con ella todas sus gentes; malvados que se arrogaban una espiritualidad de la que eran indignos. Los linos sagrados con que antaño se arropara la ciudad santa no eran ya más que restos de mortaja. La capital del dios Amón había sido asesinada hacía demasiado tiempo, y lo peor era que de una u otra forma sus habitantes habían participado de aquel magnicidio. En opinión de Amosis, todos resultaban culpables. Allí ya no moraba ni un solo justo, ni un alma capaz de vencer la balanza en el Tribunal de Osiris. Él, por su parte, abominaba de ellos. Los tiempos en que los dioses gobernaban aquella tierra en el *maat* habían terminado. Ahora eran los hombres quienes tejían la justicia con los hilos de la infamia.

El vacío en el que había estado sumergido lo había convertido en otro hombre. Era como si al volver a la realidad Amosis hubiera renacido con el convencimiento de que nada bueno podía esperar de los demás; de que las jaurías de las que siempre le hablase su tío eran mucho peores aún de lo que el buen Kamose pensaba. El rencor reconcomía las entrañas del joven, que maldecía una y otra vez en silencio, con la vista clavada en las aguas que dejaba atrás.

Así era la vida, aunque en su fuero interno pensase que resultaba demasiado joven como para defraudarse con ella. Todas sus ilusiones habían desaparecido en tan solo una noche, borradas por completo. Seguramente por la furia de la tormenta, que le enseñó cuál era en realidad el camino que le correspondía tomar. La gabarra era cuanto le quedaba de un sueño que lo había superado por completo. Quizá su tío tuviese razón y él se hubiera equivocado al abandonar el lugar que siempre les había correspondido. Otros habían sacado provecho de ello, y tales consideraciones hicieron que Amosis endureciera su mirada hasta límites insospechados. Nadie lo había visto nunca mirar así, y en los tiempos que se avecinaban muchos serían los que no olvidarían aquel fulgor que parecía surgir del mismísimo infierno. Abdú sería el primero en descubrirlo, aunque el yoruba lo entendiera al instante. El joven había regresado de donde casi nadie podía, y su corazón jamás volvería a ser el mismo.

El buen Abdú era cuanto le quedaba al tebano. Siempre estaría en deuda con él, y pensó que un pobre esclavo arrancado de entre las manos de su familia, en lo más profundo del continente, le había demostrado más amor y nobleza que cualquiera de aquellos que se tenían por dignos hijos de una civilización que se perdía tres mil años en el tiempo. El amor...

Aquel sentimiento se le hacía difícil de entender, aunque llevase ya demasiados días buscando alguna explicación. Era una emoción de la que no se podía librar, que se presentaba una y otra vez para lacerarle las entrañas. Le resultaba imposible odiar a Mut por cuanto había ocurrido, pues la amaba de tal modo que trataba de convencerse a sí mismo de que algo había obligado a su enamorada a faltar a la cita.

No había otra razón, se decía una y otra vez. Sin embargo, las dudas no dejaban de presentársele a la menor oportunidad. Él conocía bien su carácter indeciso, los dilemas que en ocasiones asaltaban a la joven, sus miedos y también el apego que tenía por su tierra. ¿Entonces? ¿Se había arrepentido en el último instante? ¿Se había convencido de que su lugar estaba en realidad en la ciudad que tanto amaba? ¿Sería capaz de pasar el resto de sus días junto a un hombre al que no amaba con tal de no abandonar su tierra?

Amosis no era capaz de contestar a tales cuestiones, pues pudiera ser que todas tuvieran algo de verdad, o acaso ninguna fuera la causa. Eso ya nunca lo sabría. El joven había perdido a Mut para siempre, aunque supiera que su recuerdo permanecería imborrable en su cora- zón, como una sombra que lo acompañaría allá donde fuese; demasia- do dolor para un alma enamorada.

Amosis suspiró y al punto endureció el gesto, pues era poco dado a la resignación. El paisaje que le mostraba el río se le antojaba miste- rioso y lleno de peligros que acechaban en la espesura. Los marjales se extendían hasta donde alcanzaba la vista para formar un laberinto de canales que discurrían por entre los pantanos de forma sinuosa. El delta del Nilo le abría sus puertas para mostrarle el poder que atesora- ba, la vida en todas sus formas. Los cocodrilos lo observaban desde los juncales, y más allá, en tierra firme, las cobras extendían su reino desde Alejandría hasta Pelusio para demostrar por qué eran el símbo- lo del Bajo Egipto.

Aquella región exhibía su salvaje belleza, y Amosis comprendió muy bien cuáles eran las leyes que regían allí. En semejantes aguas la piedad nunca llegaría a la orilla, y entonces el joven se juró que algún día regresaría a Tebas para obtener cumplida venganza.

SEGUNDA PARTE

Alejandría

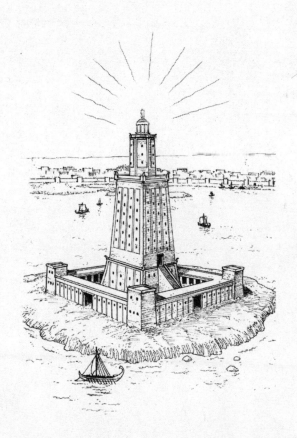

1

Náucratis los acogió con la mirada de quien envejece sin remisión. Para una ciudad como esta, el tiempo había supuesto un escollo que nunca podría superar. Simplemente su época dorada había pasado, aunque la capital aún mantuviese parte de la actividad comercial que la hiciera famosa siglos atrás. Los orígenes de la que en su día fuera un emporio se remontaban a más de quinientos años atrás, cuando la ciudad era una pequeña población habitada por milesios. Fue el faraón Amasis, durante la XXVI dinastía, quien decidió conceder derechos comerciales a los extranjeros allí afincados con el deseo de impulsar el comercio con el Mediterráneo. De este modo se fundó la primera factoría griega en Egipto, en la que participó una confederación formada principalmente por ciudades jonias, encabezadas por Egina, Corinto y Mileto. Así fue como Náucratis se convirtió en el primer puerto comercial de Egipto. Situada en la margen izquierda del brazo Canópico del Nilo, la ciudad era lugar de paso obligado para todos los navegantes que arribaran o salieran de Egipto. Cualquier nave que entrara por el delta debía navegar hacia Náucratis, y si por equivocación lo hacía por alguna otra boca del río, las leyes la obligaban a dirigirse por los medios que fuesen hacia dicho puerto, haciendo jurar a su capitán que el error no había sido intencionado.

Como se puede suponer, la capital floreció hasta convertirse en un referente comercial de primera magnitud. Náucratis tenía el monopolio del comercio con las ciudades griegas, y además era el punto de control para el pago de los derechos reales. Todos los mercantes que salían o entraban en Kemet debían abonar las tasas correspondientes en aquel puerto, y el lugar terminó por convertirse en una ciudad cosmopolita a la que acudían mercaderes llegados desde cualquier punto del Mediterráneo. Los buenos negocios hicieron que se crearan las infraestructuras adecuadas para atender al enorme volumen de mercancías que entraban o salían del país. En sus muelles atracaban no solo embarcaciones fluviales o navíos dedicados a la navegación de cabotaje por los países vecinos, sino también barcos de alto bordo que cruzaban el mar hasta los más lejanos puntos del Egeo. Todos sin excepción eran inspeccionados por el personal de aduanas, que les imponía las tasas correspondientes con arreglo a la ley. A no mucho tardar, el puerto se extendió hasta ocupar las dos márgenes del río a fin de poder dar servicio a la gran cantidad de navíos que anclaban en el puerto. La ciudad se industrializó y su producción de objetos vidriados, figuras de fayenza y terracotas se hizo célebre en todo el Egeo, donde podían encontrarse muchos de los amuletos típicos egipcios, como eran los escarabeos o el ojo de Horus. Tal fue el éxito de este tipo de abalorios que Rodas copió todas aquellas imágenes e hizo la competencia al país de Kemet hasta atestar las islas del Mediterráneo con su industria.

Pero el gran negocio de Egipto era sin duda el grano. Desde Náucratis, este se exportaba a todos los mercados del Gran Verde para abastecer de cereal a pueblos enteros que pagaban un alto precio por él. Se construyeron grandes silos y almacenes en las riberas próximas al puerto, y los mercantes llenaban sus bodegas con el preciado trigo egipcio, la cebada o el carísimo lino.

Pronto la capital se embelleció con hermosos templos como el Helenión, que fuera fundado por ciudades tan dispares como Tea, Quíos, Clazómenas y Focea, todas jonias; Fasélide, Cnido, Rodas y Halicarnaso, dorias; o la eolia Mitilene. Ello demostraba la confluencia de intereses que había en la metrópoli, así como el deseo por parte del mundo griego de asentar unas bases sólidas en el país de la Tierra Negra, donde podían hacerse buenos negocios.

El mundo comenzaba a cambiar, y el Mediterráneo se convertía en el gran artífice que impulsaría la creación de unos lazos comerciales que traerían consigo un nuevo orden.

Sin embargo, Náucratis no estaba llamada a perdurar en el tiempo como la ciudad capaz de abrir la tierra de los faraones a otras culturas.

Todo cambió cuando el gran Alejandro conquistó Egipto y decidió crear una nueva capital que fuera pasmo del mundo conocido. En el año 331 fundó Alejandría, y la antigua Náucratis perdió su preponderancia en favor de la nueva urbe para transformarse en un puerto de segunda fila al que, no obstante, seguían arribando navíos para comerciar. Los viejos silos continuaron almacenando cereal, y algunas de las antiguas familias de comerciantes establecidas en la capital no dejaron de realizar sus lucrativos negocios con los pueblos que se asomaban al Egeo.

Esta fue la ciudad que se encontró Amosis, una villa cargada de nostalgia y con poca convicción en el futuro que le tuvieran reservado los dioses. Una Náucratis diferente para un Amosis distinto, parte de cuya identidad había quedado sepultada para siempre como si en verdad su *ba* reposara en lo más profundo de las milenarias necrópolis. Su periplo por el sagrado Nilo había supuesto una constatación de ello. En cada recodo del río, en cada ciudad que dejaba atrás, el joven abandonaba viejas creencias, ideas forjadas a través de los años que ahora poco significaban para él; simplemente, se habían perdido como si todo formara parte de un espejismo. El destino no era más que una palabra hueca, un engaño urdido con el que dar sentido a todo aquello capaz de sorprender al hombre. Si existía un dios encargado de gobernar semejante artificio, él no lo adoraría. Su estrella sería cosa suya, y jamás disfrazaría sus pasos con la justificación divina para encontrar un significado a sus fracasos; y mucho menos a sus venturas.

Cuando puso su pie sobre el malecón, Amosis supo que tan solo estaba de paso. Aquel lugar había dejado de ser un fin para transformarse en un simple medio para la consecución de sus planes; cualesquiera que estos pudieran ser.

Zenódoto había desembarcado mucho antes; quizá en Koptos para volver con Filitas, en Ipu o en la milenaria Menfis. Solo Isis podría saberlo, aunque al tebano le diera lo mismo. El nombre griego había desaparecido sin despedirse, seguramente mientras todos dormían, algo que no extrañaba al joven en absoluto. Ahora Amosis estaba resuelto a mostrarse como el hombre en el que se había convertido, sin temor a no participar en los hábitos de sus paisanos. Estos le habían hecho ver la mezquindad que anidaba en sus corazones, daba igual el nuevo nombre que eligieran para poder medrar. Por eso, cuando observó desde el muelle cuanto lo rodeaba, el joven captó sin ambages lo que Náucratis podía ofrecerle. Allí olía a rancio, a ciudad condenada, a recuerdos de Egipto transportados por las aguas del Nilo que no quería rememorar. Sus horizontes eran otros, y no cejaría hasta encontrarlos.

2

Leví pertenecía a un linaje que llevaba más de doscientos años en Egipto. Se trataba de una familia considerable que se había afincado en varias ciudades del Bajo Egipto y a la que la fortuna había sonreído. La mayor parte de ella vivía en Alejandría, aunque Leví estuviera afincado en Náucratis desde hacía muchos años por motivo de negocios. El nombre del judío hacía honor a la tribu a la que pertenecía, algo por lo que se sentía particularmente orgulloso. Sus miembros, los levitas, habían sido consagrados por Dios para su servicio en el Tabernáculo y después en el templo de Jerusalén. Su condición sacerdotal les confería el derecho exclusivo de enseñar la Torá a las demás tribus, y ellos constituían una estirpe diferenciada dentro de su pueblo, pero muy respetada.

A pesar de la satisfacción que le producían sus orígenes, Leví se encontraba alejado de la condición sacerdotal y nunca había considerado la posibilidad de ejercer ministerio alguno. Lo suyo eran los negocios y a estos había consagrado su existencia por completo, ya que el judío estaba soltero y, según aseguraba, no había la más mínima posibilidad de que dejara de serlo.

Náucratis había supuesto para Leví el lugar idóneo donde desarrollar sus empresas, y en ella llevaba instalado muchos años para alborozo de su considerable hacienda. Los negocios siempre habían estado presentes en su vida, desde que tuviera uso de razón. Sus mayores le habían mostrado cuáles eran las líneas maestras que seguir, y él había sido educado en ellas con una más que notable aplicación. Sus intereses habían sido diversos, aunque desde que se instalara en Náucratis se dedicara fundamentalmente al tráfico de mercancías con las islas del Egeo. Leví siempre había visto con claridad dónde se encontraban las buenas oportunidades, así como el tipo de mercaderías en las que se debía ocupar. Los precios de los artículos subían y bajaban en función de variables que resultaban imposibles de controlar, y por ello el judío hacía ya muchos años que solo comerciaba con artículos que fueran de primera necesidad, o con los productos demandados por las clases altas alejandrinas; y lo hacía a lo grande.

Para llevar a cabo sus proyectos de forma apropiada disponía de una buena red de información que le ayudaba a decidir sobre los puertos con los que tratar cada año. Leví se vanagloriaba íntimamente de conocer el estado de los mercados un poco antes que los demás para de este modo evitar riesgos. Él evitaba correrlos, como ya le advirtieran sus ancestros, pues la prudencia y la calma eran los únicos medios que conocía para no caer en poder de la codicia; un enemigo velado que acechaba a cualquier mercader que se dejara llevar por la euforia. Conocía a demasiados que se habían arruinado por esta causa, y el judío estaba convencido de que las leyes que regían su oficio rara vez daban una segunda oportunidad.

Sus exportaciones se cimentaban principalmente en los cereales. Leví traficaba con todo el grano egipcio que le permitía la ley, y además acaparaba el trigo que le era posible en otras latitudes, como por ejemplo Cilicia, que poseía fértiles campos de cultivo en sus zonas menos agrestes. Allí el mercado era libre, hecho este que permitía al judío utilizar sus buenos recursos para asegurarse el cereal que deseara. Como artículo de primera necesidad que era, siempre había demanda en algún lugar bañado por las aguas del Mediterráneo. Los constantes conflictos traían indefectiblemente hambrunas, y eso era todo cuanto necesitaba el levita para poder especular; algo en lo que resultaba ser un maestro. Sus agentes, diseminados de forma estratégica, conocían bien el negocio, y el hebreo los mimaba cuanto le era posible, sabedor de que al final estos eran quienes lo enriquecían. Su nombre resultaba bien conocido en todo el Egeo, y pocos eran los que no deseaban comerciar con aquel hebreo capaz de sacar beneficios allí donde los demás no podían. Después de más de treinta años en el negocio, Leví conocía a la mayoría de armadores y buenos capitanes que le garantizasen la mayor seguridad posible. La mar se hallaba llena de sorpresas, y estas formaban parte del oficio.

Como el judío se mostraba generoso a la hora de fletar los buques, no tenía dificultad en conseguir las mejores tripulaciones. Su figura era respetada entre los navieros, ya que tanto el barco como la carga eran asegurados por el levita, que asumía el riesgo de pérdidas. El armador con el que trataba solía tomar a préstamo la cantidad que equivaliera al precio de la mercancía; cantidad que posteriormente era reembolsada a la llegada del buque, menos el quince por ciento de interés que ganaba el armador. En caso de siniestro el fletador hacía suyo el préstamo depositado, que debía asumir cualquier mercader que contrataba una nave.

Muchos se preguntaban por qué un comerciante de la importancia de Leví no se había establecido en Alejandría, emporio comercial donde los hubiera, pero la respuesta era bien sencilla. Desde la llegada de los lágidas a Egipto, se había generalizado el hecho de que el control de la orilla este del Nilo corriera a cargo de los judíos. Ellos se encargaban de la recaudación de impuestos comerciales en dicha margen, fundamentalmente en el delta, y Leví había sido nombrado en su juventud alabarca, esto es, oficial de aduanas. Desempeñar semejante cargo era cuanto podía desear cualquier mercader dispuesto a hacer buenos negocios. Nada menos que funcionario de aduanas en un puerto al que todavía arribaban buques llegados desde el otro lado del Gran Verde. A Leví no se le ocurría una ocupación mejor que pudiera compaginar con sus empresas mercantiles, aunque siempre se hubiese cuidado de despertar la más mínima sospecha que invitase al escándalo. Él velaba por sus bienes, y lo hacía con todos los medios que el Señor le había procurado.

Aquella mañana, el levita se encontraba de buen humor. No era para menos, ya que una de sus naves había atracado en el muelle con su preciado cargamento a bordo. El navío había echado el ancla sin novedad, lo cual ya era motivo de alegría para un hombre acostumbrado a los avatares propios de su oficio. En ocasiones los buques no llegaban con su carga completa, pues debido a los imprevistos que se podían presentar durante la travesía los capitanes se veían obligados a tirar parte de las mercancías al mar para de este modo poder salvar el barco junto con el resto de la carga. Sin embargo la fortuna le había sonreído durante aquella singladura y el *Hefesto,* que así se llamaba la embarcación, había navegado bajo los mejores auspicios hasta fondear justo enfrente de su oficina.

Aquel bajel procedía de Lesbos y transportaba en sus bodegas nada menos que doscientas toneladas de uno de los mejores vinos que se pudiesen comercializar. Se trataba del *pramnian,* una variedad melosa y dulce muy cotizada que se producía en tres zonas distintas de la famosa isla: Mitilene, Methymna y Ereso, esta última en opinión del judío la de mejor calidad. Nada menos que un año había pasado desde que el buque zarpara de Egipto repleto de cereal rumbo a las islas griegas, y al verlo ahora suavemente mecido por las tranquilas aguas del río, el levita no pudo sino suspirar y dar gracias a Dios por la generosidad que le mostraba.

Uno de sus empleados vino a sacarlo de sus pensamientos, ya que tenía visita. Se trataba del joven que se hacía llamar Zenódoto, con quien había hecho un buen negocio. Siempre le habían parecido ridículos todos aquellos nombres griegos elegidos por los egipcios, aunque comprendía que se vieran obligados a utilizarlos para poder salir adelante. El joven en cuestión le resultaba simpático y además le tenía en consideración, pues había mostrado buenas maneras al tratar con él. Al parecer había llegado de forma apresurada en su vieja gabarra, y en cuanto lo vio entrar supo que era víctima de la adversidad. El muchacho le pareció ya todo un hombre, y tras los saludos de rigor escuchó de sus labios la historia de una traición.

Desde la primera palabra Leví no tuvo dudas de que cuanto le contaban era cierto, e incluso estaba convencido de que había mucho más que el joven callaba por vergüenza. El judío había sido testigo de tantos engaños e infamias que no le extrañó en absoluto nada de lo que le había ocurrido a aquel desdichado, y mucho menos si había habido una joven de por medio.

El hebreo asintió en tanto miraba fijamente a Amosis.

—Amor y dinero —apuntó con su habitual tono suave—. Agua y aceite.

El egipcio se quedó pensativo, y al punto se lamentó.

—No concibo mayor crueldad que la de valerse del más puro de los sentimientos para cometer tamaña vileza.

—Cualquier medio es válido, y el diablo los conoce todos.

—Me he convertido en poco menos que un proscrito, Leví. Mi mundo fue tragado por la tierra en una sola noche.

—Mi pueblo ha sido errante toda la vida; comprendo tu pesar —señaló el levita mientras volvía a observar el *Hefesto*. El judío tenía la facultad de participar en cualquier conversación mientras pensaba en otro asunto, e incluso había desarrollado la habilidad de calcular.

—Me temo que eso mismo me acabe ocurriendo a mí.

Leví asintió en silencio y Amosis se animó a contarle más detalles; en tanto lo escuchaba, el judío deducía el beneficio que iba a obtener con aquella carga. El *Hefesto* transportaba cinco mil ánforas con una capacidad de veintiséis litros cada una, lo cual hacía un total de ciento treinta mil litros. Leví había negociado cada litro a dos dracmas, lo cual no estaba nada mal si se tenía en cuenta que se trataba del mismo precio que se pagaba dos siglos atrás. Doscientos sesenta mil dracmas había desembolsado el levita, a los cuales el fisco les aplicaría nada menos que una tasa del cincuenta por ciento que él mismo se tendría que deducir como agente aduanero que era. A dicho impuesto había que añadirle el quince por ciento de interés que recibiría el armador, treinta y nueve mil dracmas, lo que hacía un gasto final de cuatrocientos veintinueve mil dracmas. Sin duda se trataba de una cantidad enorme, pero a pesar de ello Leví conseguiría un beneficio mucho mayor pues vendería cada litro en Alejandría por lo menos a cinco dracmas. Más de doscientos veinte mil dracmas podría ganar con aquella operación, o lo que era lo mismo, cerca de cuarenta talentos de plata; una cantidad respetable.

—Nada me ata ya al Nilo —oyó el levita que le decía el joven—, incluso mi nombre se marchó. —Leví se volvió para mirar al egipcio—. Vuelvo a ser Amosis. Ese es mi verdadero nombre.

El judío hizo un gesto de conformidad. Aquel joven le gustaba, y se congratuló al comprobar lo poco que se había equivocado con él en sus juicios.

—El río siempre amarra a todo aquel que vive en Egipto —observó Leví con suavidad—. El uno sin el otro no tendrían razón de ser. Me temo que, mientras permanezcas en Kemet, tus ojos no podrán evitar desviarse hacia las aguas del Nilo. Créeme si te digo que entiendo que lo consideréis sagrado, aunque me halle muy lejos de adorar a vuestros dioses.

El tebano pareció meditar aquellas palabras.

—Amosis... —indicó el hebreo—. Me temo que no te vaya a resultar tan sencillo escapar de la influencia del río. Náucratis se encuentra en sus riberas, y que yo sepa aquí tenemos intereses en común que no conviene olvidar.

3

La vida en la ciudad se convertiría en un eslabón más de la cadena de cambios que habría de experimentar el joven. Años más tarde, Amosis se convencería de que todos los pasos que había dado en su vida habían cumplido una función, y que sin ellos jamás se habría convertido en el hombre que llegaría a ser. Náucratis se hallaba en su camino, y el tebano se estableció en ella lo mejor que pudo, aunque fuese incapaz de disfrutarla. Per-Meryt, la Casa del Puerto, nombre con el que los egipcios la bautizaran en la antigüedad, era una capital pensada para negociar y, más allá de lo que la fortuna le pudiera tener reservado al joven, este no encontraba ningún otro motivo que lo invitase a ser feliz. La metrópoli estaba dividida principalmente en dos zonas. Al norte se hallaba el barrio griego, donde se levantaban tres templos dedicados a los Dióscuros, Apolo y Hera, y donde se agrupaban los descendientes de las ciudades griegas que un día consolidaron el crecimiento de la urbe. El santuario principal, el Helenión, los representaba a todos, así como el templo de Afrodita, considerada patrona de los marineros, que se hallaba frente a uno de los talleres de terracota más importantes de la ciudad, en el que eran famosos sus escarabeos de alabastro. En el barrio sur vivían los egipcios, que procuraban no mezclarse demasiado con sus vecinos. A Amosis le pareció que aquel velado desencuentro entre griegos e indígenas nunca terminaría. Entre ambos se había levantado una muralla en la que todos habían aportado su esfuerzo. Demasiada piedra de por medio para quienes eran incapaces de restañar sus heridas.

Sin embargo, la comunidad vivía en paz, y si los griegos adoraban a sus dioses, los egipcios acudían al gran templo dedicado a Amón-Ra que se alzaba al sur de la villa. Por ello, no todo eran rencillas o resquemores. La propia concepción de la ciudad creaba un nexo de unión entre sus habitantes, que se beneficiaban por igual de las oportunidades que brindaba aquel emporio comercial. Náucratis se abría al mar para todo el que se estableciera allí, sin que importara cuál fuera su origen o adónde decidiese ir después.

Amosis lo comprendió desde el primer momento. Aquel puerto tan solo representaría para él un lugar de paso en el que permanecer hasta que su horizonte lo reclamase de nuevo. Náucratis todavía ofrecía buenas oportunidades a la vez que mostraba todo un escaparate de lo que podía encontrarse al otro lado del mar. Al joven no le extrañaba en absoluto el nombre con el que había sido bautizada la ciudad, «la que gobierna barcos», pues eso era lo que significaba Náucratis en la lengua de los griegos.

Los buques de alto bordo ejercían sobre el tebano una suerte de fascinación difícil de explicar. Seguramente para alguien como él, acostumbrado a las embarcaciones fluviales, y para quien una simple gabarra era el paradigma del poder naviero, aquellos mercantes encarnaban un sueño imposible que, no obstante, había formado parte de su persona desde hacía ya muchos años. Sin saber por qué, los egipcios que fondeaban en aquel puerto representaban el anhelo máximo de sus ilusiones. Para un hombre que había pasado la mayor parte de su vida recorriendo las polvorientas pistas del desierto, semejantes ambiciones eran difíciles de explicar. El Gran Verde, nombre con el que los egipcios se referían al mar Mediterráneo, era desde los orígenes de su civilización un lugar inhóspito y poco recomendable, cargado de peligros, en el que señoreaba el temible dios Set, quien como era bien sabido tenía una propensión innata a mostrar su cólera a la menor oportunidad. Sin embargo, el joven no albergaba la menor duda al respecto: algún día comerciaría por mar con aquellos barcos, pues su horizonte así se lo demandaría.

Leví tenía mucha razón al advertirle. El Nilo y Egipto formaban una misma identidad, un concepto unitario. Resultaba imposible poderlos dividir, hacerlos existir por separado. Aquella sagrada tierra necesitaba del río para vivir, para no morir de sed, y este serpenteaba entre sus arenas al abrigo de un valle que en ocasiones parecía eterno, como si los milenios se hubiesen detenido mecidos por el rumor de la corriente. El valle del Nilo era un nombre magnífico, y Amosis no se extrañaba de que los dioses creadores lo hubieran elegido un día para que les rindieran pleitesía en lo más recóndito de los templos. Pero la eternidad era una idea demasiado abstracta que no tenía lugar en el corazón de los hombres. Estos olvidan con facilidad, hasta extraviarse por caminos que a menudo los conducen hacia su propia destrucción.

Amosis era plenamente consciente de ello y cada tarde, cuando se sentaba en la orilla, el joven se convencía de que la historia pasada ya nada contaba; que las aguas del río que tanto amaba discurrían camino del mar como si en verdad el Nilo ansiara deshacerse de ellas.

Ahora no eran más que un lastre del que Hapy, el dios que habitaba en su interior, se quería librar para siempre, por motivos que solo él conocía.

El tebano sentía cierta melancolía al observar fluir la corriente, río abajo. Esta acariciaba las amuras de los navíos amarrados en el puerto, para crear ante el joven una estampa que parecía extraída de lo ilusorio y que lo animaba a pensar si en realidad se encontraba en la tierra de los faraones. Era una imagen que en nada se parecía a las de antaño, quizá porque Kemet era consciente de que su tiempo había pasado.

Su relación con el levita era todo lo buena que se pudiese desear. Aquellos intereses comunes eran cuanto le quedaba al joven, y a ellos se dedicó en compañía de un socio del que no se cansaba de aprender. El tebano era consciente de su ignorancia, de lo alejado que se encontraba del judío. El mundo en el que este vivía ejercía una poderosa atracción sobre el egipcio, que ahora veía su propio pasado junto a Kamose como una permanente huida para poder subsistir.

Un día, Leví se dirigió al joven con su habitual tono suave.

—Habría que pensar en cómo sacar el mayor provecho del cereal que poseemos —dijo aquella mañana. Amosis hizo un gesto con el que daba a entender que era lo que esperaba—. No me estoy refiriendo a su venta en los mercados locales, amigo mío —matizó el judío con mordacidad.

—La cosecha del año próximo será deplorable, de las peores que se conocen.

—Mucho peor resultará la que esté por venir —apuntó el levita sin dejar de sonreír—. Habrá hambruna con toda seguridad.

El egipcio hizo un ademán con el que mostraba su satisfacción. Desde hacía tiempo, Amosis había dejado de sentir pesar por las penurias que pudiera sufrir su pueblo.

—Precisamente —continuó Leví, a quien agradaba el hecho de que a su singular socio no le asaltaran los remordimientos a la hora de hacer negocios. Este pareció pensativo un instante—. ¿Sabes lo que ocurrirá si el hambre se presenta en la tierra de Gosén?

El joven continuó en silencio pues sentía curiosidad por cuanto tuviera que decirle su interlocutor, quien en ocasiones se refería a Egipto con el nombre de la zona en la que habían permanecido esclavizados los israelitas hacía más de mil años.

—Seguro que sí —prosiguió el levita—. El faraón ordenará incautar todo el grano que haya en el país con el pretexto de aliviar el hambre de su pueblo, aunque probablemente acabe por comerciar con él. ¿Tienes idea de lo que nos pasaría si tratáramos de engañar a los chacales de Ptolomeo?

—La tengo, Leví, aunque tú conozcas los detalles mucho mejor que yo.

El judío soltó una risita, pues no en vano él mismo formaba parte del funcionariado real.

—Por eso te advierto, antes de que la jauría salga de caza. Disponemos de tiempo, y si lo aprovechamos podremos sacar un buen beneficio. Recuerda siempre que el tiempo es lo más valioso. Nadie podrá comprarlo nunca.

El joven esbozó una sonrisa, ya que la frase le gustó.

—Tú dispones del sesenta por ciento del grano que negociamos —matizó el egipcio—. Estaré encantado de escuchar cuanto quieras proponerme.

—En ese caso, te hablaré de la conveniencia de exportar ese cereal ahora que podemos. Dentro de poco se cerrarán los puertos y no se abrirán a la navegación hasta que llegue la primavera. Si el próximo verano el Nilo no crece como es debido, nuestro grano estará comprometido.

—Tu previsión va más allá del pesimismo.

—Te aconsejo que pienses así si quieres evitar sobresaltos, aunque no seré yo quien te obligue a hacer aquello que no deseas.

—¿Entiendo que quieres que exportemos todo el cereal?

—La mayor parte, al menos.

Amosis juntó ambas manos sobre su nariz.

—Me temo que no disponga de medios para acometer lo que me planteas, Leví.

—Eso ya lo sé. Podríamos llegar a un acuerdo que resulte satisfactorio para ambos.

El joven no perdía detalle de cada palabra del judío, y con un gesto lo animó a continuar.

—Supongo que no estarás muy versado en las leyes que rigen el transporte marítimo, ¿me equivoco?

—Ni lo más mínimo, Leví. En mi familia no hemos asegurado las mercancías jamás; ni cuando acompañábamos a las caravanas.

—Me hago cargo, buen Amosis, aunque con los años desearía que llegaras a conocerlas bien; ello significaría que tus negocios serían prósperos.

El egipcio asintió de forma instintiva, ya que se mantenía muy atento.

—En nuestro caso partimos con la ventaja de conocer al armador apropiado y también a la tripulación, y créeme si te digo que no es poco.

—Buen Leví, yo no puedo hacer frente a una aventura semejante...

El judío le mostró la palma de su mano para que se calmara.

—Permíteme continuar, joven, permíteme ser generoso.

Este hizo un ademán para disculparse, y el judío le expuso el desembolso que se acostumbraba a hacer al fletar una nave, así como el porcentaje del naviero. Cuando el levita terminó su explicación, el egipcio lo observaba con los ojos entornados en tanto calculaba tan deprisa como le era posible.

—Me temo que tu generosidad no pueda alcanzar las cifras que se necesitan —concluyó Amosis.

—Todo acuerdo es posible en los negocios, siempre que se sea justo —apuntó el judío, señalando hacia el cielo con el dedo índice—. No hay nada tan grato a los ojos de Yahvé como la justicia entre sus hijos, y en confianza te diré que el Señor de Israel es mi herencia.

Amosis se quedó sorprendido ante la solemnidad de aquellas palabras, aunque poco supiese acerca del dios hebreo.

—Las leyes rodias permiten asegurar la carga entre varios comerciantes, que hacen frente de este modo a los posibles riesgos que pueda conllevar la empresa, entre otros muchos aspectos. En nuestro caso, yo me haría cargo de tu parte y no necesitarías desembolsar ni un óbolo.

—En verdad que eres muy magnánimo, Leví —dijo el egipcio con gesto forzado, ya que no eran posibles semejantes tratos a no ser que hubiese algún engaño.

—Sé muy bien lo que estás pensando, y no te lo recrimino, pues yo haría lo mismo en tu lugar. Mas permíteme que continúe. El buque transportaría el cereal hasta el Egeo. La isla de Delos sería un destino muy apropiado ya que es puerto franco y sacaríamos buenos beneficios, aunque luego navegaríamos por las Cícladas, donde nos quitarán el grano de las manos. Las guerras siempre traen penurias, pero también magníficos negocios, y la de Mitrídates Eupátor contra Roma merece un capítulo aparte.

Amosis desvió la mirada unos instantes, ya que se avergonzaba de no haber oído hablar nunca de aquel asunto.

—No te aburriré con detalles que no vienen al caso —continuó el judío—. Solo te diré que venderemos el trigo a un precio muy ventajoso, y luego lo invertiremos como corresponde para sacarle el mayor rendimiento a nuestro viaje.

El joven enarcó una ceja.

—Estoy convencido de que ya habrás pensado en el tipo de inversión más conveniente, ¿me equivoco?

—Je, je. ¿Qué pensarías de mí si no fuese así, dilecto Amosis? Tampoco quisiera decepcionarte por algo semejante. ¿Has visto el *Hefesto*? —preguntó de forma súbita.

El joven se sorprendió un instante.

—¿Te refieres al buque que arribó al puerto el día de mi llegada?

—Tienes buena memoria. Transportaba cinco mil ánforas en su bodega, lo cual no está nada mal, aunque existan barcos más grandes.

—¿Quieres decir que importaríamos vino a Egipto?

—Y de la mejor calidad. El que llevaba el *Hefesto* había sido adquirido en Ereso, en la isla de Lesbos.

El joven se acarició la barbilla.

—Claro que en nuestro caso te propongo que cambiemos de variedad. ¿Has oído hablar del vino de Quíos?

—Mi tío lo nombró en alguna ocasión. Se refería a él como un elixir digno de los dioses, aunque te aseguro que nunca lo vi tomarlo.

Leví rio con suavidad.

—Me hago cargo. Su precio resulta prohibitivo, aunque bien lo merezca el caldo. El vino en cuestión se llama Chian, es tinto y se produce en la localidad de Ariusan.

—Espléndido, Leví. Ya sé que me ahorrarás el tener que calcular el resto de los detalles —señaló el joven sin poder remediarlo.

—Escucha, buen Amosis —observó el levita, haciendo caso omiso del anterior comentario—, solo me intereso por los negocios que me parecen seguros. Y el que te cuento ofrece buenas posibilidades.

—¿El *Hefesto* regresaría con doscientas toneladas de vino de Quíos?

—Ciento treinta, para ser exactos. Cada ánfora pesa diecisiete kilos y tiene una capacidad de veintiséis litros. Aunque también aprovecharemos para traer plata ática de la mejor calidad; no como la que circula por aquí. ¿Tienes idea del beneficio que podríamos obtener?

Amosis hacía rato que llevaba haciendo cálculos al respecto.

—Calculo que podríamos hablar de unos ochocientos mil dracmas —dijo el joven mientras aún cavilaba.

—Un millón si negociamos como corresponde. Después de pagar los impuestos, claro.

—¡Cerca de doscientos talentos! —murmuró Amosis en tanto regresaba de sus deducciones.

—Algo menos, diría yo —matizó el judío.

El joven lo miró con seriedad.

—Es obvio que el reparto no sería equitativo, pues supongo que tu generosidad tendrá un límite.

—Como te dije antes, Yahvé, el único Dios, es firme defensor de la justicia entre sus hijos, y el trato que voy a ofrecerte me parece justo donde los haya. Digamos que un treinta por ciento del beneficio para ti sería lo correcto.

—Buen reparto has dictaminado, Leví, no hay duda.

—Así lo pienso. Tienes derecho a un cuarenta por ciento del cereal, y por solo un diez por ciento menos te cubres de cualquier riesgo que podamos encontrar en el viaje. El mar no entiende de negocios y puede ofrecer lo peor de sí mismo.

Amosis fijó su mirada en el cercano puerto, donde continuaba atracado el *Hefesto*. El judío tenía razón, y la propuesta que le hacía era sin duda ventajosa. No arriesgaría un solo dracma en la operación, aunque dejaba todo en manos del levita hasta el regreso del buque, si es que volvía. Sin lugar a dudas podría ganar una fortuna, y ahí radicaba el problema. Todo resultaba tan tentador como etéreo. Sesenta talentos era una cantidad enorme con la que podría permitirse partir en busca de aquel horizonte que sabía que le aguardaba en algún lugar. Por un momento pensó en su tío y en los consejos que este le diera. Con toda seguridad el viejo habría declinado la oferta, arguyendo que era demasiado buena. Su mentalidad de mercader no le invitaría a fiarse, aunque justo era considerar que Kamose había pertenecido a un mundo bien distinto. La ambición, siempre rondando el corazón del joven, lo animaba, alborozada, a tomar el camino con el que siempre había soñado. Si no lo hacía, quizá se arrepentiría toda su vida. Sin embargo...

Amosis suspiró en tanto regresaba al habitáculo. Su mirada se clavó entonces en los ojos del judío, que lo observaba en silencio con la astucia que lo caracterizaba.

—Quizá podamos llegar a un acuerdo, buen Leví. Como tú bien has dicho la justicia es palabra para los hijos de buen corazón, aunque en mi caso adore a otros dioses. Mi situación dista mucho de ser la tuya, aunque agradezco tu generosidad. No obstante, tendrás que aceptar mi punto de vista. Seguro que en tal caso cerraríamos nuestro acuerdo.

Leví hizo un ademán con sus manos con el que invitaba al joven a proseguir.

—Me temo que en las actuales circunstancias no pueda arriesgar todo mi cereal en una empresa como la que me propones. Estaría dispuesto a aventurar dos terceras partes del grano, pero el resto lo venderíamos en Alejandría antes de que el próximo verano el Nilo pueda traer malas noticias de nuevo. Solo en ese caso aceptaría tus condiciones, Leví.

Este permaneció pensativo unos momentos, y el joven adivinó que estaba realizando sus habituales cálculos. Al poco, el judío sonrió.

—Tu prudencia me satisface, buen Amosis; yo en tu lugar hubiese procedido igual. Haremos el trato tal y como propones, mas debemos darnos prisa. El *Hefesto* ha de zarpar cuanto antes si queremos verlo atracar en Náucratis a finales del verano próximo. Como te dije, el tiempo no tiene valor.

Amosis hizo un gesto de conformidad y ambos socios dieron por cerrado el trato.

—Por cierto —dijo Leví, antes de despedirse—, tengo entendido que deseas vender la gabarra.

—De poca utilidad me resulta dadas las circunstancias, aunque no quisiera perder dinero en su venta. Nicandro, su antiguo capitán, estaría dispuesto a comprarla, aunque no dispone de suficiente dinero. El muy bribón se gastó gran parte del medio talento que le pagué por la embarcación.

Leví puso cara de entenderlo todo a la perfección.

—Conozco lo proclives que son los capitanes a gastar las monedas. Muchos lo hacen sin haberlas visto todavía siquiera. Imaginan el sonido que producen sin ninguna dificultad. Pero ¿quién puede resistirse al tintineo de la buena plata?

Amosis intentó adivinar adónde quería llegar el judío.

—Permíteme que resuelva ese problema. Yo le prestaré a Nicandro medio talento para que compre tu gabarra. Aunque eso sí, al interés habitual, el veinticuatro por ciento.

El joven no pudo ocultar su sorpresa.

—Esa será una cuestión que deberá resolver Nicandro, ¿no te parece? —continuó el levita—. Acepta mi propuesta como prueba de buena voluntad hacia ti. Creo que hoy los dos debemos sentirnos satisfechos.

4

Abdú observaba el horizonte con indisimulada abstracción. Miraba hacia el suroeste, donde se encontraba su tierra, e imaginó todo lo que estaría ocurriendo a aquella hora en su poblado. Su madre prepararía la comida, y sus hermanos pequeños habrían crecido tanto que estarían a punto de tomar esposa, si no lo habían hecho ya. Las voces de las mujeres se escucharían sobre todo lo demás. Ellas eran la alegría de su pueblo y acostumbraban a hablar en corrillos e incluso a cantar cuando regresaban de lavar en el río. Los hombres volverían de sus cacerías, con diversa fortuna, y los niños corretearían felices, incansables en sus juegos. Era un lugar hermoso, en el que las leyes se cumplían sin necesidad de que estuviesen escritas. Todo el mundo sabía lo que estaba bien y lo que no, y en caso de duda los ancianos resolvían las cuestiones con la sabiduría que conferían los años. Allí nadie necesitaba barcos tan grandes como los que se encontraban atracados en Náucratis, ni templos donde visitar a los dioses. ¿Para qué? El dios supremo, Olodumare, los observaba desde el cielo. Él estaba por todas partes, vigilando cada una de las acciones de los hombres. ¿Qué necesidad había de construir un lugar donde adorarlo? Al yoruba semejante práctica le parecía absurda, ya que podía hablar con su dios donde mejor le pareciese. Así era el mundo del que procedía, tan diferente a aquel en el que se encontraba como pudiera serlo el día de la noche. Sin embargo, algo había cambiado. Un hecho inesperado había venido a complicar las cosas de tal modo que por primera vez en su vida Abdú se sentía desconcertado. Los *orishas*, en ocasiones, eran muy aficionados a enredar sin previo aviso, y a fe que esta vez lo habían conseguido.

El yoruba respiró con pesar y fijó un poco más su atención en aquel horizonte que pronto se cubriría de rojo y azul. Era como si estuviera esperando a alguien, aunque no hubiera nada que buscar. La inmensa llanura se perdía entre los marjales del delta para ir a encontrarse con el rey de los desiertos, la tierra más yerma que pudiera pisar el hombre. Esta lo separaba de su pueblo como si en verdad se tratase de un mar infranqueable que pocas naves podrían cruzar; sin embargo, ahora él tenía la posibilidad de regresar.

Sentado en el suelo, con ambos brazos abarcando sus rodillas, Abdú no hacía otra cosa que pensar en ello, en el nuevo camino que le ofrecían los *orishas*, en el hecho de que pudiera decidir sobre su vida. Semejante posibilidad se le antojaba tan ilusoria que se sentía incapaz de tomarla en consideración. Las rejas de la prisión en la que se hallaba confinado se abrían de forma inesperada y él no sabía lo que debía hacer, seguramente abrumado por el peso que le suponía su libertad.

Todo había ocurrido de forma tan rápida como repentina, sin que pudiera haber llegado a sospecharlo. En su interior, el yoruba se encontraba particularmente molesto con sus *orishas*. ¿Por qué no le habían advertido? ¿Qué forma era esa de tratar a un creyente? Aquello había resultado ser una broma colosal, un escenario para el que no estaba preparado y que le presentaba un dilema al que se debía enfrentar. Qué sencillo resultaba no tener que elegir cuando no existía ninguna posibilidad de hacerlo.

Aquella misma mañana, Amosis le había pedido que lo acompañase; así, sin más explicaciones. Cierto era que el amo había cambiado desde que lo golpearan en la cabeza, y que Abdú había llegado a pensar que quizá algún *ajogun* había aprovechado esta circunstancia para introducirse en su interior, pues a veces el egipcio miraba de una forma un tanto aviesa, como no se le conociera con anterioridad. Su humor era propenso al desagrado, y daba la impresión de que había olvidado su risa en alguno de los meandros del río, junto con su nombre griego. Que el amo se sentía mortificado era cosa bien sabida, y con ello le tocaría convivir hasta que el tiempo decidiera otra cosa.

De este modo se habían presentado ambos en una de las oficinas de la administración local, en la que los esperaban un escriba y un grupo de personas que el criado no conocía. Este miró sorprendido a su alrededor, y al punto se preguntó si no iba a recibir algún tipo de castigo, aunque, que él recordara, no había cometido ningún acto deshonroso durante el último mes. Sin poder evitarlo fijó su mirada en su señor, con los ojos muy abiertos, ya que no encontraba ninguna explicación. Amosis frunció el ceño y se limitó a pedirle unos documentos al escriba, que este ya tenía preparados. El yoruba pensó que la cosa no pintaba bien y que los demonios habían trastornado al tebano con alguna de sus habituales argucias. Entonces volvió a mirar a todos los presentes sin poder disimular su zozobra; incluso le empezaron a temblar las piernas, pues de sobra sabía él cómo se las gastaban aquellos escribas.

Como Amosis se mantenía absorto en la lectura de los papiros, Abdú se convenció de que algo grave ocurría con su persona. En Egipto las leyes eran tan enrevesadas que cualquier eventualidad era posible sin que uno fuese consciente de ello. Fue en ese momento cuando el tebano se volvió hacia él para mostrarle unos papiros en los que acababa de estampar su sello.

—Debes firmar aquí, Abdú, para que quede constancia de que lo has recibido.

¿Constancia? El yoruba pensó que en verdad no saldría con bien de aquella oficina, sobre todo porque el resto de los presentes también habían sido invitados a firmar. Fue tal la cara de angustia que debió de mostrar que, al verla, Amosis soltó una carcajada al tiempo que le palmeaba la espalda.

—Es un documento de manumisión —aclaró el joven, divertido—. Espero que no te parezca mal, ja, ja.

—¿Manumisión?

—Sí, manumisión. Desde hoy eres libre por completo, Abdú. Quedas manumitido.

El yoruba no daba crédito a lo que escuchaba, e incluso se pellizcó. Al parecer el amo había decidido prescindir de sus servicios, y lo había hecho sin avisarlo de lo que se proponía. Esta vez sus *orishas* se habían pasado de la raya.

Fue precisa la intervención de todos los allí presentes para que Abdú reaccionase, y hasta el escriba hubo de mostrar su mal humor para que el yoruba se decidiera a firmar donde le pedían.

—Los documentos están estipulados en griego y en demótico, para que quede constancia en Egipto de tu condición. Abdú, eres libre de ir donde te plazca.

Así, como el que no quiere la cosa, lo habían despachado. Ahora era un liberto que había dejado su condición de esclavo en el olvido, y todo tras dibujar una cruz donde le decían.

Como es fácil de comprender, el yoruba se quedó sin habla y apenas fue capaz de algún balbuceo inconexo, pues se le habían olvidado las palabras. Para cuando pudo reponerse, ya se encontraba en la calle como un ciudadano más.

—Mi hermano no puede ser esclavo de nadie —oyó Abdú que le decían. Este miró hacia Amosis, que lo observaba con una media sonrisa—. Es lo que habría deseado Kamose —recalcó el joven—. Mi corazón ahora está satisfecho.

Sin poder evitarlo al yoruba se le escapó una lágrima, y al momento se abrazó a quien hasta hacía poco había sido su señor.

—Ya es hora de que puedas volver con los tuyos. Entre tanta desgracia, Kemet ha sido hoy testigo de una noble acción —sentenció el egipcio.

Durante el resto del día Abdú había deambulado de acá para allá sin saber qué hacer, aunque al menos fuera un hombre libre. En realidad él nunca se había sentido esclavo en aquella casa, y cuando al atardecer se sentó en la orilla del río recordó la vida que había llevado y pensó en la que le aguardaba. Este particular le resultó tan indescifrable que no tuvo otra opción que pedir a sus sempiternos espíritus que lo ayudaran en aquel trance. Su vista se perdió así en el horizonte, aunque en realidad mirara dentro de sí. El Abdú que dejara la aldea tantos años atrás nada tenía que ver con él, y su poblado poco significaba a la vista de aquel río majestuoso capaz de forjar una civilización milenaria. Entonces rememoró cuanto había ocurrido en los últimos tiempos, y sin pretenderlo recordó su juramento. Justo cuando el sol se ponía, el horizonte le mostró el camino.

Esa noche, Amosis le habló de su futuro.

—Mañana zarpará una gabarra hacia Koptos. Si lo deseas, puedes tomarla y unirte a alguna de las caravanas que parten desde la ciudad hacia los oasis del oeste. Luego tendrás que aventurarte por rutas que pueden resultar procelosas, pero al cabo llegarás a tu tierra, con los tuyos, y pensarás en cómo fue tu vida en el desierto y en tus andanzas en el país de los faraones; pero estarás en casa.

Abdú asintió en silencio, y luego le dedicó al egipcio una de aquellas miradas misteriosas que a veces prodigaba.

—Hermano —le respondió—. Creo que ya estoy en casa.

5

El acuerdo con el judío ocupó los pensamientos del joven durante un tiempo. Se trataba de un escenario tan diferente a aquel al que estaba acostumbrado que el tebano no podía evitar una cierta sensación de inseguridad, consciente de que fiaba gran parte de su hacienda a la caprichosa suerte. Había cierta malignidad en el asunto, y no porque temiese engaño alguno por parte del levita; simplemente se trataba de aceptar el sinfín de variables que entraban en juego para llevar a cabo la empresa. Era obvio que la fortuna que podía ganar le invitaba a ser audaz. En realidad el sueño largo tiempo forjado por sus ilusiones se había presentado de improviso, y si quería participar de él no tenía más remedio que arriesgarse. Sus propias ambiciones no le dejaban otra opción, y Amosis sabía que debía aprender a calibrar los riesgos si quería llegar a ser algún día un comerciante de la talla de Leví.

Aquel hombre dominaba su oficio como nadie. Cada día Amosis descubría en el judío nuevas habilidades que le mostraban la distancia abismal que los separaba; todo un reto para un joven que no paraba de aprender y que estaba firmemente decidido a hacer realidad sus sueños al precio que fuese.

Todas las mañanas, Amosis se dirigía a los muelles para estudiar los detalles. Los barcos, los armadores, los marineros, las mercancías, las rutas... Los grandes mercantes le fascinaban, y gracias al concurso del hebreo tuvo oportunidad de visitar sus bodegas y ver cómo estibaban la carga. Un universo de posibilidades aparecía ante los ojos del egipcio, que era plenamente consciente de las oportunidades que la vida se disponía a ofrecerle. De este modo entró en contacto con el mundo que se movía alrededor de aquellos buques: agentes, estibadores, prestamistas, marineros, oficiales de aduanas, capitanes...

Amosis nunca olvidaría el día que Leví le presentó a uno de estos, su preferido según aseguraba, el mismo que había traído al *Hefesto* sano y salvo hasta Náucratis con las entrañas repletas de vino *pramnian*. Se llamaba Filipo, y al joven le causó una impresión deplorable.

El tal Filipo era un cretense malencarado de cejas espesas, ancha frente y un cabello ensortijado que le llegaba hasta los hombros. Su rostro era todo un compendio de arrugas abandonadas a su suerte que habían sido curtidas por los años en el mar. Sus manos, fuertes y callosas, hablaban bien a las claras de la dura vida que había llevado, y en una de ellas le faltaban dos dedos; según aseguraba el capitán, se los había arrancado una sirena, algo que le gustaba explicar de forma fantasiosa. En su juventud Filipo tuvo que ser un hombre apuesto, aunque con los años se quedara tuerto del ojo izquierdo, que llevaba cubierto, y apenas le quedaban ya poco más que seis dientes. Su afición a la bebida iba pareja a la que sentía por las mujeres, algo por otra parte usual entre los de su oficio. La mayoría de aquellos marinos dilapidaban los buenos sueldos que cobraban, y que se ganaban bien. El mar no era lugar para pusilánimes y Filipo se tenía por el mejor capitán que surcara el Mediterráneo, como solía ocurrirle a la mayoría de sus colegas. Pero el cretense era un experimentado conocedor de los peligros que acechaban en aquellas aguas y se vanagloriaba de no haber naufragado nunca.

—No necesitamos a un hombre versado en filosofía —apuntó Leví al adivinar la impresión que Filipo había causado en su socio—. Debe bastarnos con que gobierne la nave de la mejor forma posible y regrese con el *Hefesto* y nuestra preciada carga. —Amosis no dijo nada, ya que poco sabía acerca de las gentes del mar—. Él siempre llevó sus naves a buen puerto, por eso lo elijo en mis fletes. Y te advierto que, a pesar de su aspecto, Filipo es un gran navegante.

Que conocía bien su oficio fue algo de lo que el egipcio no tuvo dudas. Durante la conversación que mantuvieron, Filipo hablaba de los puertos del Egeo como si los hubiera diseñado él; conocía de sobra aquel mar, así como las gentes que habitaban sus riberas. Hablaba un griego espantoso, y no decía palabra que no acompañara con alguna blasfemia.

Filipo los apremió a que cargaran la nave cuanto antes.

—El viento del noroeste se está encalmando. Si no zarpamos en un mes, habrá que esperar hasta la primavera —avisó con voz cavernosa.

Leví le aseguró que todo estaría dispuesto, y ambos socios se pusieron manos a la obra para no demorar la salida del *Hefesto*. Amosis se sentía presa de una excitación desconocida. Era como si la vida volviese a cobrar sentido después de los avatares sufridos. Ahora volcaba sus esperanzas en el trabajo, lo único por lo que, aseguraba, estaba dispuesto a interesarse. En realidad su actividad le ayudaba en la huida que había emprendido. El futuro que se le presentaba pugnaba por ocultar un pasado que porfiaba en apartar de sus pensamientos, y esto era cuanto deseaba el joven. Sin embargo, se engañaba en vano. Hacía tiempo que las desgracias acaecidas se habían hecho un lugar en su corazón; heridas que dejarían cicatrices que nunca podría borrar, aunque no lo supiese. Y luego estaba Apolonia, la mujer a la que todavía amaba aunque él se resistiese a aceptarlo. Mut, el nombre que el joven había decidido emplear en su memoria, se hallaba en su interior a pesar del despecho que pudiera sentir. Su recuerdo se convertía de este modo en un fantasma capaz de presentarse a la menor oportunidad; una sombra con la que tendría que acostumbrarse a vivir, o acaso un mal sueño del que temía no volver a despertar nunca.

En ocasiones la imagen de Mut se le revelaba sin avisar para mirarlo con sus ojos de gacela, como solo ella sabía hacer. Entonces Amosis se sentía presa de la impotencia, prisionero de sus propios sentimientos, contra los que luchaba de forma encarnizada sin apenas éxito. Por las noches, mientras intentaba conciliar el sueño, trataba de convencerse a sí mismo de lo imperdonable que resultaba aquella infamia; la traición que se había obrado en su persona sin que su amada le ayudase, cuando él lo hubiera dado todo por ella. Su decepción lo laceraba de tal modo que le resultaba imposible encontrar las respuestas adecuadas. Era mejor buscar el olvido allá donde pudiese, sin volver a formularse preguntas que no podía contestar. Mut formaba parte de un enigma que siempre lo acompañaría.

Cuando por fin todo quedó dispuesto, Amosis se sintió satisfecho. Ver al *Hefesto* a punto de zarpar con su preciada carga a bordo produjo en el joven una emoción difícil de explicar. Había toda una vida detrás de aquella aventura presta a iniciarse. La suya y también la de sus mayores. Su tío había estado presente en todo momento mientras las bodegas del mercante se atiborraban con el mejor cereal. Amosis aseguraría haber visto sonreír a Kamose como acostumbraba a hacerlo, siempre tan socarrón, y también que este había dejado escapar algunas lágrimas de sentimiento al comprobar cómo su sobrino se abría paso allí donde él nunca hubiera podido.

Pero aquella mañana, mientras se desamarraban los cabos del noray, Amosis sabía que su padre también estaba presente, seguramente con los ojos velados por el orgullo que sentiría al contemplar la escena. Su hijo se había hecho un hombre y Nectanebo le daba su bendición, ufano por saber que Amosis no tendría que arrastrar sus pies para ganar un miserable dracma; que sus horizontes serían tan amplios como nunca él hubiera podido imaginar, y eso era todo cuanto necesitaba.

Mucho después de que el *Hefesto* se hubiera perdido en la lontananza, el joven aún permanecía de pie en el muelle, sin atreverse a romper la emoción que experimentaba. Sus pensamientos continuaban acompañando al barco, a la vez que echaba a volar sus esperanzas para que no abandonasen al mercante durante su travesía.

Cuando al cabo regresó de su ensoñación, Leví lo observaba con su habitual media sonrisa en el rostro. Entonces Amosis se encomendó a Isis, la gran madre, para que no lo abandonara, para que velara por aquel buque en el que navegaban todas sus ilusiones.

6

Abdú se adaptó a su nueva situación con toda la premura que cabía esperar. ¿Acaso no era dueño de su vida? Si aquel escriba lechuguino le había instado a firmar en el registro era porque la cosa iba muy en serio, y era por todos bien sabido lo puntillosos que resultaban los funcionarios egipcios a la hora de dejar constancia de cuanto pasaba en su país. La verdad era que, vista desde la nueva perspectiva que le proporcionaba su condición, la tierra de los faraones le parecía un magnífico lugar en el que vivir. Ahora que podía deambular a sus anchas como liberto, descubría en Náucratis aspectos que le producían gran satisfacción, pues se paseaba por el puerto dándose una gran importancia y hasta miraba por encima del hombro a quien se le antojaba sin que ocurriese nada. En eso consistía ser libre, se ufanaba el yoruba, y justo era reconocer que hasta el aire le resultaba más límpido y respiraba mejor. No tardó mucho el gigante de ébano en ser conocido en los muelles, y hasta llegó a hacerse popular. Como ocurriera en la mayoría de los puertos de la época, en Náucratis abundaban los locales de mala nota, por mucho que maquillaran sus nombres con el consabido de «Casa de la Cerveza». En realidad poca cerveza se consumía en ellos, aunque por el contrario corriera el vino con una prodigalidad que daba gloria. Abdú no sentía ninguna afición por la bebida, ya que solo tomaba zumo de granada, aunque no le ocurriera lo mismo con las mujeres, que eran su perdición. En ocasiones luchaba contra aquellos instintos que no sabía de dónde le venían con desigual suerte. Y es que, a pesar de sus inclinaciones terrenales, Abdú se tenía por hombre místico y fiel seguidor de la espiritualidad que encerraba la religión que profesaba, como le habían enseñado los *babalawos* en su niñez. Claro que a los rectos maestros querría él ver en su situación, rodeados por todas aquellas beldades que ofrecían sus encantos con la mejor de sus sonrisas.

Las cortesanas de Náucratis eran famosas no solo en Egipto sino en todo el Mediterráneo. Por algún motivo que el yoruba no llegaba a entender, en aquel puerto se daban cita mujeres de las etnias más diversas, aunque todas tuvieran por denominador común la belleza; o al menos eso le parecía a él. Comparadas con ellas, las jóvenes que había visitado en los garitos de Tebas eran brujas de la peor condición, y entre los marineros que frecuentaban aquellos locales corría la aseveración de que ni en Alejandría podían encontrarse hembras como aquellas. Poco podía opinar Abdú al respecto, aunque no le extrañaba nada cuanto escuchaba acerca de este particular. En cuanto se cruzaba con alguna de aquellas beldades los *orishas* desaparecían de su corazón como por ensalmo, y daba lo mismo que se encomendara a Shango, el espíritu encargado de la virilidad, ya que su voluntad se lanzaba al río para desaparecer en sus aguas y dejarlo así en poder de las bajas inclinaciones y de unos impulsos que apenas podía controlar.

—Qué vergüenza —le dijo un día Amosis—. Mira en lo que malgastas tu libertad.

Y no andaba descaminado el joven, como el mismo yoruba reconocía cuando entraba en razón. Una cosa era solazarse de vez en cuando y otra muy distinta la afición que había adquirido el antiguo esclavo por el tema. Abdú hizo propósito de contrición y hasta visitó el templo de Afrodita para pedirle consejo, ya que sus *orishas* lo habían abandonado. No en vano se trataba de la diosa del amor para aquellos griegos, y alguna señal podría mostrarle para que se templara un poco. Pero tampoco aquello dio resultado, y a la salida del santuario ya se encontraba de nuevo enzarzado con una de las cortesanas que hacían la carrera por las inmediaciones.

Sin lugar a dudas que el negocio de la carne había encontrado en el gigante a un acólito incondicional, aunque a la postre no fuese sino uno más de entre la legión de condenados que se entregaban al fornicio. En cuanto un barco atracaba en el puerto, la marinería desaparecía como si en verdad hubieran sido embaucados por el canto de las sirenas y muchos no regresaban más, por lo que era habitual que sus buques partieran de nuevo sin que se volviese a saber de ellos. Como la afición por el juego solía estar bien arraigada entre las gentes del mar, algunos capitanes acostumbraban a retener parte del salario de sus hombres para que no se lo gastaran en su totalidad y, sobre todo, para que volviesen a bordo, con lo que evitaban quedarse sin la marinería.

La llegada del invierno trajo consigo un poco de sosiego a aquel espíritu descarnado y, si bien no abandonó sus aficiones, Abdú se dedicó a recuperar parte de su perdido misticismo y a trabajar a las órdenes de su antiguo amo, aunque ahora lo hiciese como liberto.

—Dilapidaste todos los dracmas que te di, que no eran pocos, para que empezaras una nueva vida —le reprendió el tebano—. Ahora veo que hice mal en manumitirte.

—No digas lo que no sientes, gran Amosis. Yo tengo mis *orishas* como tú los tuyos.

—A buen sitio te han enviado esta vez.

—Era la senda que me correspondía en ese momento. Debía conocerla.

—Ja. La senda de la perdición, diría yo. Y si sigues por ella acabarás mal.

—Mi camino está trazado hace ya mucho, gran Amosis. Es el mismo que el tuyo. —El egipcio hizo un gesto de disgusto, pues le desagradaba que le llamasen así—. Para mí siempre serás grande, aunque también seas mi hermano —señaló el yoruba.

—Este lugar no es grato a mi corazón —le confió el joven—. Me siento prisionero en él, y ardo en deseos de abandonarlo.

—Tus ambiciones son las que te atan; por eso hemos venido hasta aquí.

—Veo que en cuanto te olvidas de tus fornicaciones eres capaz de recuperar el misterio de antaño. Pero me imagino que tú no tendrías inconveniente en quedarte a vivir aquí para siempre.

—Creo que podría ser feliz en este lugar —dijo el yoruba en tono burlón.

Amosis soltó un bufido, pues su humor era cada día peor. Con el paso del tiempo las dudas lo asaltaban con frecuencia a la vez que creaban en él oscuros presentimientos que lo volvían irritable. El egipcio no tenía más remedio que esperar, aunque continuase visitando los muelles a diario. Abdú tenía razón. Eran sus ambiciones las que lo retenían en Náucratis, y cada jornada que pasaba Amosis forjaba nuevos proyectos en su corazón, cual si en verdad quisiera comerse el mundo. Algún día comerciaría con todo lo bueno que se pudiera desear, y poseería barcos que llegarían hasta los confines de aquel mar que lo aguardaba allá fuera. Tebas y sus recuerdos quedaban de esta forma olvidados por sus propósitos. Fervientes deseos que amenazaban con convertirse en una parte más del sueño en el que se había transformado su vida. Todo era tan etéreo como un soplo.

—Escucha —señaló Abdú, que sabía del sufrimiento del alma de su hermano—. Tus ambiciones no van en ese barco en el que no dejas de pensar. Es él el que forma parte de ellas.

7

La mala cosecha de aquel año trajo las esperadas consecuencias. El cereal escaseaba y fue preciso utilizar parte de las reservas que solían acumular los silos para hacer frente a la penuria. El precio del trigo subió, y en las grandes ciudades los mercados intentaban comprar todo el que podían para no quedar desabastecidos. El Estado era dueño de la mayor parte del grano; sin embargo, el excedente al que tenían derecho los particulares podía llegar a ser cuantioso, sobre todo si había sido reservado aprovechando las buenas cosechas anteriores. Tal había sido el caso, ya que en los últimos años las crecidas se habían mostrado generosas y la producción, excelente. Aunque Egipto hacía acopio de cereal, el faraón exportaba la mayor parte de este a los mercados de los países mediterráneos, ya que le reportaba grandes beneficios, y resultaba inevitable que en los años de escasez surgiera la especulación.

Leví advirtió a su socio sobre la conveniencia de vender el trigo que conservaban cuanto antes.

—El próximo mes se anunciará la crecida. Debemos tenerlo todo preparado para entonces.

Amosis había estado esperando con impaciencia la llegada del verano. Este se presentaba como el heraldo capaz de traerle noticias de su fortuna aunque la incertidumbre persiguiese al joven de manera inevitable. Según pasaban los días esta se hacía más patente, y al escuchar al judío su propuesta pensó que debía negociar aquel cereal lo mejor que pudiera.

—Si el río empieza a crecer como corresponde no haremos un buen negocio. Deberíamos adelantarnos a la subida del nivel de las aguas —dijo Amosis con cierta preocupación.

El judío lo miró fijamente.

—Si la crecida no es buena podríamos duplicar los beneficios —le advirtió.

—Pero si no es así correremos el riesgo de tener que venderlo a bajo precio. La situación no nos permitirá especular.

—El riesgo siempre corre paralelo a los buenos beneficios, aunque en este caso podremos jugar con cierta ventaja.

Amosis lo interrogó con la mirada.

—El mercado, como tú dices, es proclive al miedo —explicó el levita—. Cuando este penetra en sus entrañas, el terror se apodera de él con una facilidad que causa perplejidad. Tendremos el cereal preparado para su venta inmediata. Si el río se anuncia pletórico, haremos correr la voz de que la avenida será desastrosa y comprarán a buen precio.

El joven lo miró con perplejidad.

—Pero... apenas dos semanas después sabrán cuál será el verdadero nivel que alcance el río en la época de las aguas altas. Además, dudo que se dejen engañar.

—Je, je. Te aseguro que dispongo de los medios para hacerlo. Dos semanas es cuanto necesitamos.

El egipcio permaneció pensativo, pues se jugaba gran parte de lo que le quedaba.

—Conseguiremos una buena ganancia, aunque esta será mucho mayor si la crecida es pobre, como espero. Pero no podremos especular durante más de un mes, pues como sabes muy bien el riesgo de que nos incauten el grano será grande.

Amosis asintió. En aquel asunto se hallaba tan comprometido como en el caso del *Hefesto*. Era el problema de tener un socio más poderoso, y comprendió que en el futuro debía evitar aventurarse más allá de sus posibilidades.

Todo ocurrió tal y como le adelantó el judío. El joven era un iluso si pensaba que el hebreo iba a perder un solo dracma en aquel negocio. Como en todo lo que hacía, el levita tenía pensado hasta el último detalle. Era como si se adelantase a los acontecimientos, de tal forma que estos nunca lo pillaran desprevenido. Leví estudiaba las eventualidades y si podía les sacaba rendimiento, como a todo lo demás. Sin lugar a dudas, Amosis le creyó muy capaz de intoxicar el mercado con informaciones sesgadas, con la misma habilidad que mostraba en el resto de sus empresas. Su lenguaje se encontraba por encima de la comprensión de los demás, y en el papiro donde escribía no había caligrafía que se pudiera comparar con la suya. Amosis recordó la advertencia de su tío cuando le aseguró que Leví ya sabía acerca de ellos mucho antes de que iniciara su acuerdo. Ahora estaba convencido de ello, y también de que todo formaba parte de futuros planes que el levita había trazado con anterioridad.

El hebreo había adivinado bien lo que le ocurría al Nilo. Aquel año la crecida resultaría desastrosa y la cosecha volvería a ser mala. Venderían el grano a un precio astronómico, y Amosis no podría sino reconocer que se había asociado con un verdadero maestro.

8

Sin embargo, nadie podía determinar lo que aún estaba por llegar; ni siquiera el judío. Las ideas, los proyectos, las ambiciones, forman parte de la naturaleza humana y esta no está preparada para interpretar los designios del azar, y mucho menos para adivinarlos. Estos simplemente se presentan sin dar lugar a consideraciones, pues de poco valen las palabras cuando quien decide es el acaso. La suerte y la desventura caminan de la mano y resulta imposible elegirlas con tiempo, por mucho que madrugue nuestro ánimo. Se revelan con arreglo a su capricho, al cual no cabe entender, para procurarnos la sonrisa efímera o tal vez el llanto más amargo. No hay moral en sus acciones, ya que la ventura rara vez es justa, y hasta los dioses se ven sujetos a ella. De nada valen los rezos entonces, y menos los desafíos. Lo mejor es no entrar en su juego para no llamar la atención y dejar que sea la suerte la que venga a visitarte sin haberla invocado, pues si se busca todo puede ocurrir.

Amosis se veía incapaz de ir más allá de tales razonamientos, prisionero de su propia condena. No existían soluciones para sobreponerse al lamento, solo la clara conciencia de su propia insignificancia; de lo poco que contaban las ambiciones humanas cuando quien decidía era la diosa Fortuna. Tiqué, como la llamaban aquellos griegos, era soberana de la suerte, a la que gobernaba de forma aleatoria en compañía del invidente Pluto, dios de la riqueza incapaz de saber a quién otorgaba su favor. Al joven nunca se le había ocurrido reparar en ellos, y menos invocarlos. Sus dioses eran otros, aunque siempre se hubiera mostrado poco proclive a creer en la influencia que Renenutet, Mesjenet o Shepset, todas ellas deidades relacionadas con el sino del individuo, pudieran llegar a tener en su destino. Con Shai ya había mantenido su propia conversación; palabras gruesas donde las hubiera, impropias de ser dirigidas a un dios y que habrían horrorizado a cualquiera de sus paisanos de haberlas escuchado. Sus desgracias lo habían conducido a mostrarse irreverente, y ahora el egipcio se percataba de que sus reproches y lamentaciones resultaban ser una consecuencia de su arrogancia, de un orgullo vapuleado por las circunstancias de la vida.

Visto desde la perspectiva del resto de los mortales, sus increpaciones habían terminado por ser oídas. Los griegos no albergaban la menor duda al respecto y, en opinión de estos, la soberbia que al parecer el joven tendía a mostrar con alguna frecuencia había hecho intervenir a Némesis para castigar su altivez.

No obstante lo anterior, Amosis se resistía a participar de tales juicios, y mucho menos a derramar ninguna lágrima debido a su impiedad. Si su corazón había de ser de granito, el joven elegiría el de Asuán, que le parecía el más duro, y lo tallaría a golpe de cincel con los martillazos que la vida decidiera asestarle. En aquella cantera de poco valía el arrepentimiento si no era para abrir grietas; solo quedaba seguir caminando con el ánimo maltrecho, como hacía la mayoría.

La desventura se había presentado bien de mañana, como si tuviera prisa en hacerse ver, o bien pudiera ser que tuviese demasiados lugares que recorrer en aquella jornada. Era un día de mediados de verano, tan luminoso como cabía esperar para la época del año en que se encontraban. La brisa del norte soplaba suave y Amosis la respiró con placer en tanto se dirigía a los muelles, como acostumbraba a hacer a diario. Mientras caminaba prestó atención a los mercantes anclados, en busca de algún nuevo atraque, y entonces un hombre le salió al paso para decirle que Leví lo estaba esperando. El joven apretó el paso, y cuando llegó a la oficina encontró al levita en compañía de un desconocido con aspecto de marino. El egipcio no se equivocaba en absoluto, y al punto tuvo un mal presentimiento. Ambos hombres lo miraron con gesto serio, y Leví lo invitó a sentarse.

—Este es Polemón —dijo el judío para hacer las presentaciones—, capitán del *Áyax*, que llegó ayer tarde procedente de la isla de Quíos, y me temo que con las peores noticias.

Amosis mantuvo el gesto y se preparó para escuchar lo que nunca hubiese querido oír.

—El mar tiene estas cosas —se lamentó Polemón.

El joven enarcó una de sus cejas y miró de tal forma al capitán que este supo que era mejor no andarse con rodeos.

—El *Hefesto* se hundió en el estrecho de Sifnos; yo mismo vi cómo se lo tragaba el mar.

El tebano apenas reaccionó, y continuó observando fijamente al marino.

—Ocurrió durante una tempestad. Poseidón nos mostró lo peor de su carácter. A veces se enfurece sin motivo, aunque lo hayamos honrado como se merece.

Leví permanecía en silencio, con aire compungido.

—Con suerte pudimos capear el temporal y refugiarnos en la isla de Sifnos, pero el *Hefesto* comenzó a escorarse y se fue a pique en un santiamén. Cuando el mar se calmó salimos a buscar supervivientes, pero no había ni rastro. Con aquella tormenta era difícil que se salvara nadie. Tuvimos suerte de no sufrir su misma desgracia.

El judío se lamentó.

—Me temía que algo así hubiese ocurrido. Había pasado demasiado tiempo sin que tuviésemos ninguna noticia —murmuró como para sí.

—El *Hefesto* ya es historia —recalcó Polemón—. Mañana puede pasarme a mí.

Amosis apenas atendió a aquellas palabras. Sus pensamientos se hallaban junto al pecio que permanecía en el fondo del Gran Verde, en un estrecho junto a la isla de Sifnos. El joven no tenía ni idea de dónde se encontraba aquel lugar, pero fuera donde fuese que hubiera naufragado el mercante, la mayoría de sus ambiciones se habían hundido con él. Exactamente las tres cuartas partes de su hacienda habían sido devoradas por el Egeo, y el egipcio pensó que aquella diosa de la fortuna griega, Tiqué, se había hecho cargo de su irreverente vanidad para mostrarle cuán rencorosos y vengativos podían llegar a ser los dioses. Esta en particular era hija del titán Océano y de Tetis, y una de las tres mil oceánides que ambos habían tenido. De este modo, el mar y la fortuna se habían conjurado de una forma natural para mandarlo de vuelta a los caminos, donde lo conminaban a que pasara el resto de sus días, como un simple mercader más. Luego pensó en Kamose, como siempre que le sorprendía la vida, y se imaginó la mirada reprobadora que le echaría.

«Nunca se sabe lo suficiente —recordó que le decía su tío a menudo—. De eso se trata.»

Casi siempre Kamose remataba su frase con alguna de sus sentencias mordaces, mas en aquella ocasión Amosis dudaba que el viejo se hubiese atrevido a hacerlo. El asunto había ido tan mal como pudiera esperarse cuando el desastre viene a visitarnos. El joven odiaba la palabra suerte, y quizá por ese motivo la noticia afectaba aún más a su maltrecho ánimo. Esta vez había jugado para perder, y ello lo llevó a recordar las dudas que ya había sentido desde el principio. En realidad, se había engañado a sí mismo al poner gran parte de lo que poseía en manos de un destino al que aborrecía. Se había equivocado y de nada servía ya lamentarse.

Leví trató de consolarlo lo mejor que pudo. Se hacía cargo del gran pesar que sentía su socio, pues no en vano a él también le había tocado perder en ocasiones. Ello lo había hecho más fuerte y, aunque nadie estuviera nunca a salvo de los avatares de la caprichosa fortuna, pensaba que el muchacho saldría adelante y se convertiría en todo lo que ansiaba ser. Su simpatía por el joven era verdadera, pero esto no era suficiente para sobrevivir en el voraz mundo de los negocios. Los sentimientos no tenían cabida en ellos, ni tampoco los amigos. Así eran las cosas, y Leví se convenció de que aquella mañana la vida iba a hacer del joven un hombre diferente al que fuese la noche anterior, al tiempo que comprendería la importancia de medir los riesgos.

—Me marcho, Leví. Ya no hay nada que me ate a Náucratis —le

dijo el joven en voz queda. —El judío asintió, pues lo mismo pensaba él—. Creo que Alejandría es el lugar apropiado para un alma atribulada como la mía. Al fin y al cabo, siempre fue mi sueño visitarla. Esta vez quizá todo me resulte favorable.

—Así será —señaló Leví, convencido—. Pero antes de que te vayas quiero darte una carta de recomendación.

Amosis lo miró sorprendido.

—Es para mi primo Eleazar. Es un respetado miembro de la diáspora, y te ayudará en lo que necesites. Éramos como hermanos.

El joven hizo un gesto de conformidad.

—No te mortificaré con más detalles de lo que ha ocurrido. Mañana verás las cosas con mejor humor. Además, con lo que has ganado en la venta del cereal podrás iniciar un nuevo camino. Pero no te fíes de nadie. Recuérdalo.

Ahora Amosis le sonrió abiertamente.

—Ah, y no olvides visitar a Eleazar. Además de ser mi primo, es banquero.

9

Cuando entró en Alejandría, Amosis comprendió que su camino no había hecho sino empezar. Su sueño, largo tiempo deseado, y sus viejos anhelos no representaban más que el comienzo de nuevas esperanzas forjadas en cada uno de sus pasos. El espejismo se desvanecía ante sus ojos borrado por los dedos de una realidad que sobrepasaba cualquier ilusión, por irrealizable que esta pudiera parecer. La fantasía acogía al peregrino en el interior de su propio santuario, al tiempo que aliviaba el zurrón del caminante de las penas recogidas en las tortuosas sendas. De repente la pesada carga se convertía en liviana y la fatiga no era más que una parte del mismo sueño, ahora abandonado para siempre. Pero ¿cómo era posible? ¿Qué suerte de prodigio obraba en aquella hora? El errabundo despertaba de su letargo para verse sumido en el ensueño; una visión imposible que, no obstante, no daba lugar al equívoco y mucho menos a la quimera.

El suelo que pisaba el joven era real, y el fulgor desprendido por los mármoles, los alabastros y las más finas calizas cegaba sus ojos con el poder de mil centellas surgidas de una metrópoli pintada de blanco. El sol arrancaba de ella la mejor de sus sonrisas para ofrecérsela al viajero con la generosidad que le era propia, pues nadie era extranjero bajo su amparo. Más de medio millón de almas se cobijaban en la urbe; muchas venidas de lejos, empujadas por el viento que traía el mensaje de un nuevo orden en el que la cultura llegaría a universalizarse.

Como en su día advirtiese el oráculo Aristandro, la ciudad había nacido para proveer sin medida, a pesar de los malos auspicios que acompañaron su fundación, cuando varias bandadas de aves picotearon la harina con la que el arquitecto, Dinócrates de Rodas, había dibujado sobre el suelo el contorno amurallado de la ciudad. El gran Alejandro no se dejó impresionar por aquel hecho, y menos su arquitecto rodio, un hombre de gran genio y energía, que fue capaz de proyectar para el legendario rey una ciudad que con el tiempo llegaría a ser grandiosa.

Para levantar aquella capital, Alejandro eligió una franja de tierra situada en el delta del Nilo, entre la costa del Mediterráneo y el lago Mareotis, que se hallaba unido al Nilo a través del canal Canópico, junto a una antigua población de pescadores que se llamaba Rakotis. En ese lugar, sobre un plano que abarcaría una superficie de seis kilómetros de largo por uno y medio de ancho, Dinócrates proyectó la ciudad partiendo del diseño de la jonia Mileto, un plan hipodámico, con grandes avenidas y calles que se cruzaban en ángulo recto. Este fue el origen de la populosa Alejandría, que acabaría por convertirse en un lugar estratégico desde cuyos puertos se podía acceder a las valiosas rutas comerciales que surcaban el Gran Verde. Los sucesores del gran Alejandro se propusieron hacer de la capital un crisol en el que tuviesen cabida todas las creencias y culturas, así como el saber de su tiempo. Oriente y Occidente se tendieron de este modo la mano para formar en aquella metrópoli una sociedad multicultural en la que se dieron cita multitud de etnias diferentes, dispuestas a instalarse bajo el manto de la tolerancia que proporcionaban los Ptolomeos. Los dioses egipcios convivían con los de otros credos sin que ello supusiera baldón alguno, sino todo lo contrario, ya que con el paso de los siglos muchos de ellos llegaron a sincretizarse, e incluso a extender su culto por otras ciudades del Mediterráneo.

Fueron los tres primeros lágidas los que se encargaron de embellecer la capital para dotarla de un esplendor que resultaba desconocido. Bajo el mecenazgo de los faraones, los más grandes sabios y eruditos de la época se instalaron en la urbe para desarrollar la ciencia y la cultura hasta límites nunca vistos. La influencia de tales mentes preclaras fructificó en toda la comunidad, la cual se sentía orgullosa de pertenecer a una ciudad como aquella, que no tenía parangón con el resto del mundo conocido.

Con el tiempo la capital se tornó majestuosa y las grandes avenidas se festonearon con plazas, parques y jardines, para solaz de sus habitantes. La opulencia se abría paso entre la ciudadanía, que veía cómo su metrópoli se engrandecía con la construcción de templos, baños, juzgados, mercados, el gimnasio, el ágora y los grandes monumentos que constituían el mayor orgullo de la urbe: el Mouseión, con la Gran Biblioteca anexa, la Biblioteca Hija y el faro, que se elevaba sobre la isla que le daba su nombre. Así era la ciudad de los mil palacios, pletórica de belleza y ornamentos, de cultura y sabiduría ancestral, garante de antiquísimos conocimientos, refugio de ritos místéricos ya casi olvidados, de adivinos y astrólogos, de brujas y hechiceras, de maestros envenenadores, de mujeres libres como nunca se conociera; de artistas y sacerdotes, acólitos, mimos y prostitutas, hetairas y músicos; aventureros todos de la vida, al fin y al cabo, que vivían felices al abrigo de los dos grandes puertos: el occidental, llamado Eunostos, o puerto del Buen Regreso, y el situado al este, el Megas Limen, el Gran Puerto, el principal de la ciudad, en el que atracaban los grandes mercantes que proporcionaban a la capital la mayor parte de la riqueza que esta atesoraba. Aquellos puertos se hallaban separados por un malecón llamado el Heptastadion, debido a que medía siete estadios,[1] y representaban la vida misma para unos habitantes que miraban al mar orgullosos de vivir en Alejandría.

Amosis fue consciente de aquel sentimiento que se respiraba en la metrópoli desde que desembarcara en la dársena del lago Mareotis. Este se encontraba en el sur de la ciudad y proporcionaba atraque a los pequeños barcos, y sobre todo a los que se dedicaban a la navegación fluvial. A través del ramal Canópico, que lo conectaba con el Nilo, las embarcaciones podían dirigirse hacia el Alto Egipto y comunicar de este modo las principales ciudades con la capital. El lago era de agua dulce, aunque no resultara apta para el consumo de la ciudadanía. Para el abastecimiento de agua potable existían setecientas cisternas subterráneas, algunas de las cuales conectaban directamente con los palacios y las grandes villas que se levantaban al noreste de la capital.

Sin duda aquella ciudad representaba un mundo nuevo para el joven, cuyos sueños ya se habían visto superados con el primer golpe de vista de la urbe, antes incluso de que desembarcara. Ningún otro lugar que hubiera conocido podía compararse con aquel, y al caminar por primera vez por sus calles el egipcio se sintió insignificante, desconcertado, perdido entre el gentío cual si se tratase de un náufrago en aquel mar de edificios de una blancura como nunca imaginara encontrar. La luz reverberaba de tal modo que las calles lucían toldos oscuros para que los viandantes se protegiesen de tanta claridad. Sin lugar a dudas Alejandría sobrepasaba todas sus expectativas, y al poco se sintió lleno de optimismo, como si la ciudad le hubiese insuflado nuevos ánimos. Abdú caminaba a su lado, boquiabierto.

—Nunca imaginé que el hombre pudiera construir algo así. Esta ciudad me agrada —dijo el yoruba.

—¿Crees que esta vez tus *orishas* nos han enviado al sitio adecuado? —le preguntó Amosis, mordaz.

—¡Ja, ja! Ellos nunca se equivocan, hermano. Aquí prosperaremos.

10

Amosis y su particular liberto se establecieron en el barrio de los libreros, en el distrito de Rakotis, donde residían la mayoría de los egipcios. Alejandría estaba dividida en cinco distritos cuyos nombres atendían a las cinco primeras letras del alfabeto griego: Alfa, Beta, Gamma, Delta y Épsilon. En cada una de estas áreas habitaban las diferentes etnias que conformaban la ciudadanía, de tal suerte que aunque todas vivieran separadas, en ningún caso se hallaban segregadas. En el distrito Alfa, situado al oeste de la urbe, moraban los egipcios y las clases medias, que colindaban a su vez con las más bajas que se extendían hasta la isla de Faros. El distrito en sí se había desarrollado en torno al poblado primitivo que ocupaba el lugar, del que había conservado el nombre: Rakotis. Esta era una de las cinco colinas que poseía la metrópoli y, con diferencia, el mejor observatorio para contemplar las espléndidas vistas que ofrecía la capital. Desde allí la ciudad se extendía hasta los puertos, con su manto nacarado que refulgía bajo los rayos del sol, y luego estaba la bahía del Gran Puerto, que regalaba una vista magnífica en la que los navíos anclados en los muelles se mecían suavemente entre las aguas calmas que contrastaban con el oleaje del mar, más allá de la escollera. El intenso azul del Mediterráneo contrastaba con la blancura de los edificios y el verdor de los parques y jardines que salpicaban la ciudad; por no decir de los palacios, que se levantaban en el aristocrático barrio del Bruchión, al noreste, ocupaban una cuarta parte de la capital y, vistos desde Rakotis, se mostraban arrogantes y altivos frente a aquel mar que casi podían acariciar.

Sin embargo, aquella colina representaba el orgullo de los habitantes del barrio, ya que no en vano en ella se habían erigido dos de los monumentos más representativos de la ciudad, que serían recordados en los siglos venideros como prueba de la grandeza que llegó a atesorar la capital de los lágidas.

Una de las primeras cosas que hizo Ptolomeo I al instaurar su dinastía tras la muerte de Alejandro fue crear un nuevo dios que fuera aceptado tanto por los nativos egipcios como por los griegos y que, por tanto, pudiera aglutinar alrededor de su figura las diversas creencias que proliferaban en la metrópoli. De este modo, el astuto faraón conseguiría la creación de un nuevo culto, libre de servidumbres a los antiguos y poderosos cleros, que se convertiría en símbolo religioso de Alejandría, desde donde podría extender su influencia por todo el Mediterráneo, como así ocurrió.

Este fue el motivo por el cual el faraón hizo llamar al egipcio Manetón de Sabenitos, sacerdote de Ra en Heliópolis, y al griego Timoteo de Atenas, nada menos que uno de los Eumólpidas, una antiquísima familia de sacerdotes de Eleusis de cuyo linaje procedían los hierofantes encargados de realizar los llamados misterios eleusinos. Con semejantes consejeros a sus órdenes, Ptolomeo no tuvo dudas de que la nueva divinidad que pretendía se haría realidad bajo los mejores auspicios. Este fue el origen de la concepción de Serapis, y para darle visos de santidad el faraón adornó la divina creación con la historia de un sueño en el que un hombre de gran belleza y enorme estatura lo conminaba a enviar al lejano Ponto a personas de confianza con la misión de recoger una estatua que llevaría prosperidad y poder a su reino. Acto seguido, aquel hombre gigantesco subía a los cielos entre grandes llamaradas; un prodigio que el taimado rey se encargó de extender entre sus súbditos como correspondía. La imagen elegida para representarlo era totalmente griega, ya que el dios se mostraba como un hombre ya entrado en la madurez —y que en ocasiones llegó a ser anciano— que lucía una larga melena rizada y barba. En su mano portaba un cetro, y cubría su cabeza con una corona que simbolizaba el *calathos*, el celemín que solía utilizarse para medir el grano.

Un dios con semejante apariencia tenía pocas posibilidades de ser bien recibido por los nativos egipcios, por lo que se decidió que el nombre de la nueva divinidad resultase de la fusión de Osiris con el toro Apis, que no en vano era considerado como una encarnación del dios Ptah y que tras su muerte se le identificaba con Osiris. Así fue como Serapis se elevó a los altares, y para atribuirle la enjundia que correspondía a toda divinidad que se preciara, formó su propia tríada al tomar por esposa nada menos que a la gran madre Isis, de cuyos cultos sacaría provecho con el correr del tiempo, y por hijo a Harpócrates, quien ya formaba parte de la Enéada heliopolitana, como hijo de Isis y Osiris.

De este modo Serapis se convirtió en poco tiempo en símbolo idolatrado de Alejandría, pues proporcionaba abundancia y realizaba sanaciones y milagros entre los fieles que le rendían culto.

Para un dios de semejante grandeza, Ptolomeo I hizo erigir un santuario sobre la colina de Rakotis a fin de que toda la ciudad supiese cuál era la morada del nuevo dios. Sin embargo, sería Ptolomeo III Evérgetes quien ampliaría aquel templo —conocido como el Serapeum— para anexionar, en una de sus alas que daba a un gran patio columnado, la segunda biblioteca de Alejandría, la que sería conocida a partir de ese momento como la Biblioteca Hija de Rakotis; una verdadera joya de la cultura que nació para dar continuidad a la labor de recopilación de todo el saber conocido iniciada por su hermana mayor, la Gran Biblioteca, en la que ya apenas cabían más volúmenes.

Por ese motivo, la nueva biblioteca se especializó en todo el conocimiento de los pueblos de Oriente. La antigua Mesopotamia, Etiopía, la seductora Persia, la lejana India, la sabiduría hebraica, los misteriosos ritos egipcios..., todos se dieron cita en forma de papiros, tablillas o legajos en la Biblioteca Hija para que aquel templo del saber los cobijara como al tesoro más valioso.

Ambos monumentos señoreaban desde la colina sobre toda la ciudad, y los marinos aseguraban que en los días luminosos lo primero que veían desde el mar al aproximarse al puerto era el Serapeum y su espléndida biblioteca, como si en verdad se tratara de otro faro que les alumbrase el camino.

No era de extrañar que a los pies de dichos monumentos hubiese surgido el barrio de los libreros. Sin duda, no podía encontrarse un lugar más apropiado que aquel para comerciar con la sabiduría. Las librerías abrían sus puertas a los ciudadanos para que se empaparan de erudición, de toda la sapiencia que el hombre había dejado por escrito a través de los tiempos. En los comercios había agentes especializados en autores o en las temáticas más diversas, y los copistas se afanaban en su trabajo para atender los pedidos que recibían a diario. Así, podían encontrarse lujosas ediciones y, junto a los libreros, los locales de los anticuarios exhibían las piezas más singulares y exclusivas, a las que tan aficionados eran los alejandrinos de clase alta.

Era un barrio que rezumaba cultura, y cuando Amosis salió aquella mañana a recorrer sus calles, respiró con deleite el perfume que parecía emanar de cada comercio, de cada tienda. Olía a conocimiento, y a él le gustaba.

11

Cada rincón de aquella calle parecía tener algo que ofrecer. A los bazares abiertos al público se unían los vendedores ambulantes, los mimos o los malabaristas, que se encontraban por todas partes. Los adivinos ofrecían sus servicios, y algunas mujeres porfiaban en leer el futuro en la palma de la mano de cualquier viandante. Las calles bullían de vida y en las esquinas parecían esconderse nuevas aventuras, agazapadas, para sorprender a quien estuviese dispuesto a emprenderlas.

La luz cegadora se abría paso por entre los toldos que pendían de los establecimientos para mirarse en la fina caliza, y muchos transeúntes vestían ropas oscuras para destacarse mejor entre aquella claridad que había terminado por convertirse en uno de los sellos de identidad de la metrópoli.

Al caminar calle abajo, Amosis descubría nuevos matices que no dejaban de sorprenderle. Los edificios, de un blanco inmaculado, le parecían levantados con primor, ya que nunca había visto el joven casas de semejante altura y con tal profusión de adornos. Muchos tenían graciosas columnas en sus fachadas y todas se le antojaban distintas, con pequeños detalles que las diferenciaban. Pero fue al llegar a la vía Canópica cuando el tebano creyó perder el habla, pues nunca pensó que pudiera existir una avenida semejante.

—Ahora sé por qué los *orishas* nos han traído hasta aquí —murmuró Abdú, que no salía de su asombro.

Amosis asintió en silencio, ya que no encontraba las palabras. Aquella vía, que se extendía sobre una longitud de seis kilómetros, era única en el mundo conocido. Cruzaba Alejandría de este a oeste en una línea tan recta que parecía haber sido trazada por el mejor geómetra. Era una avenida de generosas aceras cuya parte central tenía más de treinta metros de anchura y por la que podían circular las cuadrigas en ambos sentidos, algo impensable en otras capitales. Si los edificios que había visto con anterioridad le habían asombrado, los que jalonaban aquella vía le impresionaron. Allí el mármol y el alabastro destacaban hasta en los más mínimos detalles, y en las fachadas proliferaban las columnas y las arcadas, que proporcionaban sombra a los ciudadanos en las horas más calurosas del día. Bajo ellas se concentraban comercios de todo tipo y, según aseguraban, no había nada que no se pudiera encontrar en ellos. La gente se arremolinaba alrededor de los establecimientos mientras por las aceras paseaban hermosas mujeres vestidas a la última moda en compañía de sus esclavos, o ricos comerciantes que se exhibían junto a algún efebo. Decían que la vía no dormía nunca, ya que al ponerse el sol las arcadas que flanqueaban la avenida se llenaban de lámparas de aceite que iluminaban la travesía en toda su extensión para darle nueva vida durante la noche. Señalaban que, junto con Pérgamo y Antioquía, Alejandría era la ciudad mejor iluminada del mundo, aunque, según aseguraban quienes las habían visitado, no había ninguna que se pudiera comparar con la capital egipcia.

A la vía se accedía desde el este por la Puerta Canópica, y desde el oeste por la Necrópica. Estas conformaban los dos extremos de la avenida, si bien los habitantes se referían a ellas de forma diferente. Quien llegara a la gran travesía por el este lo haría por la Puerta del Sol, y quien entrara por el oeste, por la de la Luna, y a Amosis se le ocurrió que ninguno de esos nombres podía haber sido mejor elegido.

Los alejandrinos daban muestras de su arrogancia en sus conversaciones. La mayoría se sentían ciudadanos de una clase superior a la de los demás. ¿Qué tenían ellos que ver con los menfitas, o con aquellos provincianos que habitaban más al sur? Alejandría era un universo en sí mismo, y se hallaba tan alejada de cuanto la rodeaba que sus habitantes bien podían hacer gala de su ciudadanía. Ellos eran libres de pensar como se les antojara, pues para eso albergaban en sus bibliotecas los libros escritos por los más sabios, lo cual los llevaba a opinar de las cuestiones más peregrinas, aunque fuera la política una de sus aficiones favoritas. Y es que los alejandrinos eran de espíritu levantisco y proclives a incitar a los disturbios cuando lo consideraban necesario, e incluso tenían a gala el haberse tomado la justicia por su mano cuando asesinaron a los seguidores de Ptolomeo IV, expulsaron con cajas destempladas a Ptolomeo IX y dieron muerte de forma atroz a Ptolomeo XI.

A Amosis no le extrañó, por tanto, encontrar a tantos ciudadanos que hablaban libremente y sin temor en la vía pública, ni tampoco las encendidas discusiones filosóficas que a veces se mantenían en mitad de la calle. Había genio entre aquellas gentes, así como una acusada afición por el lujo que no se molestaban en ocultar, y el que podía hacía ostentación de ello sin que eso fuera mal visto por los demás.

Alejandría era el centro de un microcosmos formado por egipcios, griegos, arameos, fenicios y judíos que habían conducido a la capital a una nueva dimensión. La cultura impregnaba sus raíces, y el comercio le procuraba un progreso que resultaba impensable en Egipto siglos atrás.

Sobre este particular, Amosis no pudo dejar de comparar aquella metrópoli con su amada Tebas. Ahora se hacía la luz en su corazón para comprender que el sino de la vieja ciudad del sur estaba trazado de forma definitiva. Waset, como siempre habían llamado los tebanos a su capital, estaba simplemente condenada. Su época de esplendor hacía demasiados siglos que había pasado. No había lugar para ella en los tiempos presentes, y mucho menos en los que se avecinaban. Había quedado anclada en el pasado, y su nueva existencia resultaba anacrónica para todos aquellos alejandrinos que consideraban a la antigua villa como una vetusta reliquia de una civilización con la que la mayoría no se sentía identificada. Los mismos dioses que durante milenios habían impuesto su poder desde el Alto Egipto no eran más que sombras en una sociedad que ya no los necesitaba para vivir. Cierto que algunos de ellos seguían manteniéndose en el panteón con la dignidad que siempre les había correspondido, pero la mayoría de los habitantes de Alejandría eran griegos, y eran sus dioses los que cobraban protagonismo.

El tebano lo veía con claridad. Aquellos puertos que abrían la ciudad al mar representaban un cambio que resultaba imparable. El Mediterráneo era un catalizador formidable, capaz de hacer fusionar las culturas de sus pueblos hacia nuevos horizontes. Ya no había lugar para el aislamiento, so pena de caer en el ostracismo o simplemente desaparecer. Los dioses ocupaban un nuevo lugar, y si era necesario los hombres serían capaces de crear uno nuevo, como había ocurrido con Serapis.

Ahora los intereses de uno afectaban a los demás, y los reinos se miraban con desconfianza en tanto percibían en el ambiente una amenaza que se extendía de forma inexorable, dispuesta a devorarlos a todos: Roma.

Al observar aquel bullicio que recorría la gran avenida, Amosis hubo de reconocer que no había un lugar mejor desde el cual dar cuerpo a sus ilusiones. Todo lo que había escuchado acerca de la ciudad no eran sino vagas referencias que se encontraban alejadas de una realidad de la que él mismo ya participaba.

Por unos instantes, el tebano entornó los ojos hasta captar en toda su magnitud la escena que ofrecía la calle. La brisa le llegó entonces como una caricia. Procedente del mar, era fresca y agradable, y al respirarla percibió olores que resultaban nuevos para él y que sin embargo le parecieron fragantes. Aquella brisa aliviaba los rigores del verano egipcio, y como enseguida supo el joven se debía a los vientos del noroeste, a los que los alejandrinos denominaban etesios, pues se producían cada año durante el estío. Estos mitigaban las altas temperaturas, y a Amosis se le antojó que se hallaba en los Campos del Ialú, sobre todo al recordar las privaciones que se había visto obligado a padecer en los desiertos de Egipto.

—Tenías mucha razón en lo que dijiste, Abdú —señaló el joven en tanto regresaba de su ensoñación—. Aquí prosperaremos.

12

Amosis y su fiel liberto vivían en un piso de un edificio de tres alturas en cuya planta baja se encontraba un negocio singular. En Alejandría era usual que en los bajos que daban acceso a la calle se establecieran comercios de todo tipo, y a fe que aquel en particular resultaba único en su género, más por quien lo regentaba que por lo que ofrecía.

El establecimiento atendía al nombre de Teofrasto, Copias y Originales, un título que se hallaba generosamente rotulado sobre la puerta de la entrada, así como en un toldo de color rojizo donde sobresalía con letras doradas. Era un local amplio, lleno de estanterías que llegaban hasta el techo y se encontraban abarrotadas de rollos de papiros y legajos en un desorden difícil de imaginar. En el centro había una gran mesa, repleta también de papiros que se hacían acompañar de tinteros, cálamos y demás útiles vinculados al noble oficio de escriba. Sin embargo, su propietario era mucho más que eso.

Amosis había reparado en el lugar desde el primer momento en que pusiera los pies en su nueva casa, y sintió tal curiosidad que tardó poco en ir a visitarlo. El joven no había visto en su vida semejante cantidad de legajos, ni tampoco la caótica forma en que se encontraban apilados. Junto a la mesa había un hombre menudo, con barba descuidada, de pelo canoso y ensortijado tal y como si nunca hubiese sido peinado, que sujetaba con una cinta que un día fuera dorada alrededor de su frente. Al ver entrar al tebano, el susodicho se incorporó como impulsado por un resorte y le regaló al recién llegado una sonrisa con la que mostró la precariedad en la que se encontraban sus dientes; no más de la mitad debían de habitar aquella boca. El hombrecillo lo miró con vivacidad, y desde el primer instante ambos se resultaron simpáticos.

—Soy Teofrasto, librero, copista, agente y *grammatistais*[2] si lo deseas. Aunque también puedes tomarme como un *epistates*[3] entre los de mi gremio. Así es como me consideran en general.

Amosis se quedó perplejo ante aquella retahíla soltada como si nada.

—Solo vengo a presentarte mis respetos, como vecino tuyo que soy. Además, tu tienda atrajo mi curiosidad.

El hombrecillo se quedó boquiabierto ya que el tebano hablaba un griego inusual, nada que ver con la koiné que se utilizaba en la calle y que, por desgracia, se había universalizado. Aquel vecino debía de pertenecer a la nobleza, que eran los que todavía se esforzaban en hablar con corrección, aunque no tuviese aspecto de ser ningún príncipe.

—¡Ah! —exclamó al cabo con teatralidad—. Bienvenido seas a mi establecimiento, noble inquilino. Por fin se han decidido a alquilar esta casa a personas de bien. No he conocido nunca a nadie interesado en los libros que no sea civilizado.

—Palabra hueca es esa que dices en los tiempos que corren —dijo el tebano sin dejar de sonreír.

El librero hizo un gesto verdaderamente gracioso, e incluso abrió los brazos como si se dispusiera a abrazar al joven. Este tuvo que hacer esfuerzos por no soltar una carcajada.

—¡Palabra hueca! —volvió a exclamar Teofrasto—. Qué gran verdad y qué donaire al expresarla. ¡Civilizado! Qué pocos son los que merecen semejante calificación.

Amosis se limitó a sonreír de nuevo, ya que su interlocutor parecía dado a la exageración.

—Y dime, noble vecino, ¿en qué podría serte útil? Puedo ofrecerte una *Olímpica* de Píndaro, *Las traquinias* de Sófocles o *Las suplicantes* de Esquilo. No las encontrarás en ninguna otra librería de la ciudad, aunque también dispongo de una obra única como es *Las estaciones* de Pródico de Ceos, uno de los primeros sofistas. Te lo digo porque yo mismo me he encargado de copiarlas; como corresponde, naturalmente.

Amosis se sintió algo avergonzado, pues carecía de erudición como para conocer a aquellos autores a los que se refería el librero.

—Claro que si prefieres algo del maestro también poseo una *Poética*; no en vano me dedico a la enseñanza, aunque ya te adelanto que este conjunto de notas han sido pensadas más para ser oídas que leídas. Pero si gustas, un día te las puedo recitar. Todo sea en honor del gran Aristóteles.

Amosis había oído hablar de él, aunque nunca hubiese accedido a sus obras. En realidad, se veía tan insignificante en aquel lugar que apenas se atrevía a decir nada. Su única lectura habitual era la historia de Odiseo, que nunca había dejado de repasar. Sentía tal amor por aquellos versos que era capaz de declamarlos de memoria en muchos de los pasajes de la obra. Era uno de los pocos recuerdos que todavía conservaba de su infancia, pues el bueno de Abdú había tenido el detalle de recoger su viejo zurrón de la casa de Kamose la noche en que abandonaron Tebas precipitadamente.

—Como seguramente ya habrás adivinado, mi nombre lo dice todo.

Amosis asintió de forma mecánica, ya que no sabía a lo que se refería aquel buen hombre.

—No podía ser de otro modo —aseguró este en un tono grandilocuente—, y estoy muy agradecido a mi madre por ello.

—Es un nombre magnífico —corroboró el joven para salir del paso.

—No se me ocurre otro mejor. Como seguramente sabrás, Teofrasto fue el más íntimo colaborador de Aristóteles, de quien heredó su obra. Él presidió en Atenas el Liceo a la muerte del maestro, nada menos que durante treinta y seis años. No hace falta que te hable de la importancia del individuo en cuestión.

—Tu madre te hizo un gran honor, noble librero.

—Hizo mucho más que eso —prosiguió el hombrecillo—. Me transmitió su herencia.

Amosis lo miró con perplejidad.

—Sí, ya sé que dicho de esta forma el hecho impresiona sobremanera, pero qué quieres... Ella me aseguró que me bautizaba como correspondía, puesto que descendía del gran naturista.

—¿Teofrasto es antepasado tuyo?

—Diez generaciones han pasado desde que el Padre de la Botánica se marchara a visitar el Hades. Y ya ves, estimado contertulio, lo que queda de su progenie. Este humilde librero que se gana la vida como puede en tanto persevera en hacer entrar en razón a las mentes obtusas.

—De lejos viniste entonces. Atenas se encuentra un poco retirada de este barrio, aunque te confío que no la conozco.

—Yo tampoco, no te vayas a creer. Sin embargo, en cierto modo me siento continuador de la obra de mi glorioso antepasado. Él debía haberse establecido aquí, pero... —Amosis hizo un gesto de sorpresa—. ¡Cómo! ¿No conocías ese detalle? —inquirió el librero con teatralidad.

—Pronto descubrirás que soy un neófito en casi todo.

—Pues es como te cuento —continuó el hombrecillo, haciendo caso omiso del comentario—. Cuando Ptolomeo I Sóter decidió poner en marcha el proyecto de la Gran Biblioteca pensó en Teofrasto para dirigir el Mouseión, que como sabes se encuentra junto a ella. Quién mejor que mi ancestro para presidir un centro tan elevado como ese. Mas Teofrasto tenía ya una edad muy avanzada, y ese fue el motivo por el que declinó el ofrecimiento. Eso sí, se permitió la osadía de recomendar en su lugar a Demetrio de Falero, quien había sido alumno suyo en el Liceo y, por consiguiente, un fiel seguidor de la escuela peripatética.

—Entiendo.

—¿Te imaginas qué habría ocurrido si Teofrasto hubiese sido más joven? Estoy convencido de que mi vida habría resultado diferente.

—No me cabe duda, noble librero, de que el Mouseión habría reservado un lugar para ti.

—Gracias, gracias, buen amigo. Pero fue Demetrio quien se encargó de llevar adelante tan magna obra. A él le debemos el honor de hacer realidad las bases que Aristóteles estableció para que una biblioteca fuese considerada como tal.

Amosis se limitaba a asentir, ya que aquel hombre parecía saberlo todo sobre el particular.

—En realidad, el bueno de Demetrio acabó mal. Es lo que tienen estos Ptolomeos; no creo que haya existido uno bueno, aunque al menos los tres primeros se esforzaron por hacer de Alejandría un paradigma de la cultura —aseguró Teofrasto—. Pues como te decía, Demetrio tuvo un final poco deseable. Como tenía un gran ascendente sobre Ptolomeo I, a este no se le ocurrió otra cosa que pedir consejo al sabio acerca de cuál de sus vástagos sería el más adecuado para ser nombrado corregente, y Demetrio le recomendó a Ptolomeo Keraunos, que era hijo de su primera esposa. Como te puedes imaginar el error no pudo ser más grueso, pues a Sóter le sucedió Ptolomeo II Filadelfo, que tardó poco en desterrar al bibliotecario a la ciudad de Busiris, en el delta, donde murió.

—Triste fin para alguien a quien debemos tanto.

—Ni que lo digas, noble vecino. Ya te prevengo sobre estos lágidas. Son gentuza de la peor especie.

El joven hizo una mueca de disgusto.

—Lo sé muy bien —dijo, lacónico.

—¡Ah! —exclamó el librero con gesto adusto—. Según parece, no guardas simpatía por estos bribones. Sospecho que tendrás tus razones.

—Las tengo, por diferentes motivos.

El librero se sobresaltó al escuchar el tono de voz que empleaba aquel desconocido que, al parecer, era vecino del piso de arriba.

—Así fue como el sueño terminó por hacerse real, y la biblioteca quedó definitivamente establecida por Ptolomeo II Filadelfo —concluyó Teofrasto, que pensó que se había extendido demasiado en el relato de aquel asunto.

El joven se hizo cargo.

—Ruego que perdones mi desconocimiento en todo cuanto me has relatado. Muy pronto comprobarás que no estoy versado en los clásicos ni en sus obras y que ignoro por completo lo que encierra esta capital, más allá de lo que he podido ver en los dos días que llevo en ella. —Teofrasto lo observó boquiabierto, ya que no le resultaba creíble que alguien que hablase un griego tan elegante no hubiese leído nunca a los clásicos—. En realidad mi nombre podrá decirte todo sobre mí, buen librero. Soy Amosis, hijo de Nectanebo, tebano de pura cepa desde hace cien generaciones.

—Amosis —masculló Teofrasto, pues no conocía a ningún egipcio capaz de hablar de semejante forma la lengua de su maestro.

—Así me llamo. Y mi cultura la adquirí en los caminos; entre caravaneros, mercaderes y gente mucho menos recomendable. Solo sé de engaños y embaucamientos, aunque no por eso tenga el corazón carente de desventuras.

—Entonces... ¿cómo es posible...?

—Tuve un buen maestro; el mejor que podía encontrar dadas las circunstancias. Si en verdad el destino existe, nunca hubiese podido desear a alguien que me resultara más útil.

Teofrasto no salía de su estupor.

—Perdona mi atrevimiento, y espero que no te lo hayas tomado a mal —dijo—. Aquí, en Alejandría, existe un lugar para todo aquel que lo desee, da lo mismo de dónde venga y cómo piense.

El joven le mostró la palma de la mano de forma amistosa.

—No importa. Mi maestro me enseñó tu lengua, la de Homero, el único a quien leo.

Teofrasto hizo un aspaviento.

—¡No me extraña! —exclamó—. Alejandría se halla rendida a los pies del rey de reyes de las letras, aunque ya te adelanto que el gran Hesíodo cuenta con muchos adeptos.

—Algún día lo leeré. Entretanto, me conformo con recitar las aventuras de Odiseo, de quien no me he separado desde hace años.

—¡Oh, la *Odisea*! Cuánta fuerza, sabiduría y belleza encierra.

¿Sabías que yo mismo he copiado sus versos muchas veces? —Y acto seguido se puso a declamar las primeras líneas:

Musa, dime del hábil varón que en su largo extravío,
tras haber arrasado el alcázar sagrado de Troya,
conoció las ciudades y el genio de innumerables gentes.

Amosis asintió y sin poder evitarlo continuó con el canto:

Muchos males pasó por las rutas marinas luchando
por sí mismo y su vida y la vuelta al hogar de sus hombres.

—¡Oh! —volvió a exclamar Teofrasto, esta vez sin disimular su entusiasmo—. Nunca escuché de labio alguno semejante perfección. Estos versos parecen haber sido concebidos para que tú los recitaras algún día. Su canto es chispeante; tal y como debió de crearlos Homero.

Entonces Teofrasto entornó sus ojillos vivaces y murmuró con ensoñación el último párrafo de la inmortal obra:

Así dijo Atenea, gozose él de oírla, aquietose...

Amosis escuchó el resto del último canto, el XXIV, para terminar declamando él mismo la última línea:

... simulando la voz de Mento y su cuerpo y figura.

—¡Atenea me valga y haga que no me falten luces! —volvió a exclamar el librero con verdadero entusiasmo—. ¿Y aseguras que no has leído ninguna otra obra?

Amosis asintió mientras sonreía.

—En tal caso has de leer la *Ilíada*, que por algo antecede al libro de Odiseo —dijo, aproximándose a uno de los anaqueles, en los que revolvió hasta encontrar lo que buscaba—. Son casi seis rollos *symmigeis*. En ellos están los veinticuatro libros que contiene la obra —señaló Teofrasto en tanto se los mostraba al joven.

Este no entendió lo que le querían decir.

—¿*Symmigeis*? —se atrevió al fin a preguntar.

El librero parpadeó durante unos instantes, y luego le aclaró el término a su nuevo amigo.

—Así es, noble vecino. Se llaman de este modo porque se hallan mezclados los libros en un mismo volumen. Juntos conforman la obra completa.

Amosis pareció interesado.

—Mi *Odisea* está escrita de este modo, aunque he visto obras transcritas en un solo rollo, y por una única cara —precisó el joven.

—Es lo habitual. A este tipo de rollo se le llama *amygeis*, y es el que suelen seleccionar en la biblioteca.

El egipcio hizo un gesto de conformidad.

—Muchos de los *symmigeis* están escritos por las dos caras, y por eso se les llama *opistographoi*. Espero que no te importe.

—Pero... no pretenderás regalarme los libros...

Teofrasto hizo un gesto con el que daba por concluido el asunto.

—Es mi privilegio, yo mismo los copié. ¿Sabías que Zenódoto de Éfeso fue el primero que estudió en profundidad los textos homéricos y eliminó de ellos lo que creyó superfluo?

Al oír aquel nombre, Amosis no pudo evitar emocionarse e inclinó la cabeza.

—Sí, lo sabía —dijo en voz baja.

Teofrasto se sorprendió ante la actitud de su invitado y pensó que quizá le hubiese ofendido en algo. El egipcio comprendió al momento lo que le ocurría al librero y le explicó someramente el significado que aquel nombre tenía para él.

—¡Atenea me ilumine! —volvió a exclamar Teofrasto—. Buen nombre elegiste, sin duda. ¿Y dices que has de renunciar a él? Qué fatalidad.

—Me temo que sí, noble librero, por distintas razones y distinta fortuna.

Los comentarios del joven provocaron nuevos gestos en su contertulio, a los que, no había duda, era muy aficionado.

—Ahora mi nombre es Amosis, y mientras Isis no me lo demande, no tengo intención de volver a cambiarlo.

—Buen Amosis, no tengo dudas de que las Moiras te han traído hasta mi comercio por algún motivo.

—No creo en el destino, se llame como se llame el dios que lo represente. En confianza te diré que llegué a abominar de él.

Teofrasto hizo otra mueca teatral.

—¡Dioses benditos! —exclamó—. Con qué ligereza provocas a Atropos,[4] la inflexible, e incluso a las Erinias.[5] —El tebano asintió como haciéndose cargo, mas al punto adoptó un semblante más serio—. Pues yo también he de confiarte algo. Aunque siempre tenga presente a Atenea por motivos obvios, de quien en realidad soy devoto es de Dioniso. Es algo que no puedo evitar.

—Hice bien en venir a visitarte, noble Teofrasto —dijo el joven con ánimo de despedirse.

—Y espero que lo hagas a menudo. Te enseñaría aspectos de Alejandría que estoy seguro te gustarían.

—Confío en que me la muestres, tal y como me dices.

Teofrasto pareció encantado ante semejante idea.

—Pero antes de abandonar mi humilde establecimiento deberás hacer algo por mí.

—Lo que precises, si está en mi mano.

—Como pago por la obra que te llevas, has de acceder a leerme su comienzo. Esos versos hexámetros representan la perfecta opulencia. Declámalos para mí.

Amosis sonrió y, tras aclararse la voz, comenzó a leer.

La cólera canta, diosa, del pélida Aquiles
cólera funesta, que miríadas de dolores causó a los aqueos...

13

El verano resultó ser el mejor aliado de Amosis. Los vientos etesios soplarían incansables hasta comienzos del otoño, lo que obligaba a la mayoría de las naves a permanecer en puerto. Los buques que arribaban a Alejandría impulsados por el viento del norte quedaban, de esta forma, atracados hasta que dejara de soplar el ventarrón y pudieran hacerse de nuevo a la mar. Casi de inmediato se cerraría la navegación de altura por el Mediterráneo, debido a la proximidad del invierno, y los navíos se mantendrían varados hasta que llegase la primavera. Solo las naves dedicadas al cabotaje se atreverían a salir de Alejandría cuando el mar les asegurara bonanza, y sobre las aguas de ambas bahías los barcos permanecerían de esta forma dormidos en su sueño invernal.

Por estos motivos aquella mañana reinaba una gran actividad en el Eunostos, el puerto más occidental de la ciudad. Los muelles del Buen Regreso se hallaban atestados de gente que iba y venía al compás de la prisa. Al joven la actividad se le antojó frenética, ya que todos querían tener a punto sus negocios para cuando el mar se encalmara. Capitanes, marineros, armadores, agentes, funcionarios de aduanas, estibadores, carpinteros, prostitutas, rateros... El malecón parecía poseer vida propia; una ciudad diferente que en nada se parecía al barrio de Rakotis, y mucho menos al elegante ambiente que envolvía la vía Canópica. Justo a la derecha del puerto, junto al Heptastadion, que unía la costa con la isla de Faros, se encontraban los astilleros navales. El Kibotos —la Caja, como se conocían— se hallaba a rebosar de carpinteros de ribera y gentes del mar que los acuciaban para que llevaran a cabo las reparaciones con la mayor prontitud. Amosis llevaba días observando todo aquel movimiento en tanto apuntaba cada detalle que consideraba de su interés. Alejandría había superado con creces sus expectativas y el tebano estaba decidido a establecerse en la urbe, desde donde confiaba poder acometer sus proyectos. El comercio de aquellos puertos le ofrecía las mejores perspectivas, y el joven estaba convencido de que las aprovecharía. Su experiencia en Náucratis le había servido para aprender a tratar con cuantos se movían por los muelles, y también a no volver a dar nunca la espalda a la prudencia. Ahora calibraba las oportunidades que se le ofrecían y el modo en que debía emplearse. De esta forma fue como trabó contacto con Tirios.

Tirios era uno de los muchos agentes que pululaban por los muelles cada día para ofrecer sus servicios a marinos y comerciantes. Llevaba toda su vida haciéndolo y, aunque poseía una pequeña oficina justo enfrente de los astilleros, gustaba de pasear por el puerto, según aseguraba porque era capaz de adivinar dónde podrían necesitarse sus servicios.

El tipo en cuestión era de sobra conocido en las dársenas, aunque nadie supiese con exactitud cuál era su verdadero nombre. Todos le llamaban Tirios, ya que el susodicho era natural de Tiro, una ciudad dedicada al comercio desde hacía casi tres milenios. El fenicio hacía honor a su procedencia, pues era avispado y sumamente embaucador al tiempo que jovial y dado a la sonrisa fácil. El negocio era su vida, ya que tras enviudar se prometió no volver a casarse jamás, y de eso hacía ya mucho tiempo. Sus conexiones con todo el litoral desde Alejandría hasta la isla de Rodas eran sólidas como pocas, lo que aprovechaba para aumentar sus porcentajes cuanto podía. Esta era la persona idónea para Amosis, un hombre con el que poder afianzarse en las rutas dedicadas al cabotaje sin correr demasiados riesgos.

El joven llevaba esperándolo tranquilamente sentado en el malecón desde hacía horas, y cuando lo vio venir lo abordó sin más preámbulos.

—Eres Tirios, ¿no es así? —le preguntó el egipcio.

El fenicio hizo un gesto de desconcierto, pero enseguida escrutó a aquel extraño con la mirada.

—¿Quién quiere saberlo? Me temo que no te conozco.

—Es por eso por lo que vengo a presentarme. Mi nombre es Amosis, y tengo la intención de hacerte rico.

Hasta aquella mañana, Tirios había creído conocer todos los ardides del negocio. El joven en cuestión le pareció tan osado como poco corriente, ya que aquellas no eran las formas habituales de llevar a cabo los tratos en los muelles. En un principio pensó que el asunto no era más que una broma, pero enseguida se dio cuenta de que aquel desconocido hablaba en serio. Al punto supo el fenicio que el egipcio era astuto como el que más; sin embargo, el olfato que había desarrollado después de tantos años lo animó a escucharlo, e incluso a mostrarle su simpatía.

—Nunca pensé que alguien tuviera la idea de hacerme rico. Como comprenderás, no puedo sino sonreír ante semejante posibilidad, aunque no niego que me agrade, je, je.

—Me alegro, Tirios. Comprendo tu sorpresa, no vayas a creer, pero a veces la vida tiene estas cosas.

—Pocas son esas ocasiones, diría yo, en las que la fortuna decide sonreírte sin más, aunque por lo que parece tú estés decidido a que así ocurra.

—Completamente.

Tirios lanzó una carcajada. Aquel joven le pareció ingenioso, y a él le gustaban las buenas conversaciones.

—¡Melkart me asista en esta hora! —exclamó al fin—. Debe de haber más de cincuenta agentes recorriendo los puertos, y la suerte se aviene a elegirme en esta mañana clara de verano. ¿Acaso te envía la diosa Tiqué?

—No tengo la menor idea de quién es esa señora —aseguró el joven, con desdén.

Tirios volvió a reír con ganas.

—Perdóname, noble Amosis, por un momento se me olvidó que eras egipcio y que por tanto veneras a otras divinidades.

—Aquí no hay más devoción que la que siento por el dinero que podamos ganar. Lo demás es conversación, buen Tirios.

—Ya veo —señaló este en tanto volvía a examinar al joven, esta vez con más atención.

El tebano ya había despertado en él su curiosidad, y entonces Amosis le contó cuanto se proponía mientras ambos caminaban hacia la oficina del fenicio. Cuando llegaron, este le ofreció a su acompañante vino y también unos pastelillos, aunque el joven declinó el ofrecimiento.

—Hum... —dijo Tirios acariciándose la barba—. Lo que me propones no es ninguna novedad; por ese motivo se dirige la gente a mí. Si quieren negociar con mi tierra, quién mejor que un fenicio para conseguir buenas mercancías al mejor precio, je, je. ¿Y dices que deseas importar púrpura tiria?

—Y las mejores telas de Oriente, entre otras cosas. Estoy abierto a cualquier sugerencia que desees hacerme al respecto. Yo soy así.

Tirios volvió a reír con ganas. Aquel joven le andaba tanteando con una astucia que le agradaba.

—¿Y de qué cantidad estamos hablando? —quiso saber.

—Había pensado en un buque de veinte toneladas. Seguro que conocerás el más conveniente.

—Me parece muy apropiado. Son los usuales para hacer cabotaje, y habría donde elegir.

—También había pensado en la calidad de las telas, ¿sabes? Solo quiero las mejores.

—Ya veo, aunque no podré garantizarte tantas como desees. Las caravanas tienen su límite.

—Conozco muy bien cuál es el límite de las caravanas —apuntó Amosis en un tono que sorprendió al agente—. Ya contaba con ello.

—Me temo que el viaje pueda no resultar rentable, amigo.

—Lo será, buen Tirios.

Este se sintió algo incómodo, pues sabía que el desconocido le ocultaba algo.

—Te adelanto que mi comisión es del quince por ciento, y no es negociable —le advirtió el fenicio, con una media sonrisa.

—Todo es negociable, buen Tirios, incluso tu comisión. Pero te confiaré que había pensado en la necesidad de que el mercante transportara carga en su salida de Alejandría. Algún producto que no esté monopolizado, como amuletos de cerámica y vasos vidriados.

—Sería muy conveniente —apuntó el fenicio.

—Volviendo a tu comisión... Como te adelanté, mi deseo es que te enriquezcas en lo posible. Por eso, un quince por ciento no me parece justo.

Tirios lo miró perplejo.

—Sí, ya sé que no es lo usual, pero tampoco yo lo soy. Te ofrezco un treinta por ciento de los beneficios.

El fenicio no pudo evitar dar un respingo.

—¿Te encuentras bien, noble amigo? —preguntó—. ¿No te habrás expuesto demasiado al sol mientras te encontrabas en el puerto?

—Me siento feliz ante la posibilidad de poder llegar a un acuerdo contigo.

El fenicio tragó saliva con dificultad.

—¿Un treinta por ciento, dices? ¿Estás seguro?

—Por completo. Claro que cuento de antemano con que me proporcionarás todo lo que te he sugerido, y también que te encargarás de los pormenores para preparar la partida del navío en cuanto dejen de soplar los etesios. No en vano te he convertido en mi socio. Si gano, ambos ganaremos.

Tirios no podía creerse lo que le proponían, pero aceptó al punto, pues dudaba de que en varias vidas volviera a recibir una proposición semejante. Nada menos que un treinta por ciento, y sin arriesgar ni un óbolo. Amosis lo miró en tanto se sonreía para sí. Aquel hombre le abriría los mercados, y luego haría los negocios como más le conviniese.

—Ah, se me olvidó decirte algo de suma importancia, querido socio —apuntó el egipcio—. Me proporcionarás toda la madera que puedas, y también betún de Judea.

—Siempre son bienvenidos en este país —interrumpió el fenicio, que ya parecía estar haciendo cálculos de lo que podía ganar.

—Y conseguirás un buen acuerdo para importar algo en lo que me encuentro muy interesado —continuó Amosis. Tirios lo miró con atención, y el egipcio le sonrió—. Traeremos aceite de cedro.

14

Mientras callejeaba en compañía de Abdú, Amosis se encontraba particularmente feliz, como hacía mucho que no recordaba. El otoño ya se anunciaba, y el ambiente era tan agradable que invitaba a pasear para disfrutar de aquella bendición que los dioses ofrecían con tanta magnanimidad a la metrópoli. El barrio en cuestión no era el más recomendable, ya que se encontraban al oeste del distrito Alfa, el egipcio, algo alejados del Serapeum. Era lo que tenía Rakotis; en cuanto se descendía por las calles camino del puerto, el barrio se transformaba como por ensalmo, y las avenidas se convertían en todo un laberinto de callejuelas tan estrechas que en ocasiones era posible saltar desde una ventana a la de enfrente sin ninguna dificultad. El bullicio era seña de identidad de unas callejas por las que a veces resultaba difícil caminar. Allí se vendía de todo, y además a voz en grito. Era el reino de los vendedores ambulantes, los rateros y las meretrices; y las tabernas eran tan abundantes que parecía que se abrazaran las unas a las otras en la más franca camaradería, pues los establecimientos se encontraban contiguos en no pocas ocasiones. Abdú parecía encantado con lo que veía, pues era muy aficionado al ir y venir.

—Gran Amosis, este es el lugar indicado para un hombre de mis características —dijo el liberto muy convencido. Su acompañante hizo un mohín de fastidio, más por el apelativo que tanto le disgustaba que por otra cosa—. ¿Te has fijado en la cantidad de magos y adivinos que recorren el barrio?

Amosis pareció considerar por un momento lo que le decían, ya que al yoruba no le faltaba razón. El barrio simulaba estar bajo el influjo de la magia, y los vecinos se mostraban encantados con el particular. Brujas y adivinos montaban sus puestos en plena calle dispuestos a hacer el hechizo que se terciara, cuando no a predecir el futuro de manera infalible.

Al doblar por uno de los estrechos callejones, ambos amigos se encontraron ante un gentío que se apiñaba frente a la entrada de uno de aquellos edificios destartalados que daba pena ver y que tanto proliferaban por el barrio. Los allí presentes se zarandeaban y daban empellones para mantener su posición. La mayoría eran mujeres que se gritaban de muy mala manera. Amosis hizo tal gesto de extrañeza que uno de los viandantes se acercó para aclararle lo que ocurría sin que nadie le hubiera preguntado.

—Están haciendo cola; todas las tardes ocurre lo mismo.

El tebano no ocultó su estupor, sobre todo porque allí había señoras de la más diversa condición, y al fijarse un poco más descubrió que algunas incluso se hacían acompañar en las literas por sus esclavos, quienes intentaban poner orden entre aquella algarabía.

Los dos amigos se aproximaron cuanto pudieron y descubrieron un letrero situado encima de la puerta frente a la que se apiñaba aquel tumulto. Amosis leyó en voz alta:

—Madre Isis. Hechizos, Amarres y Filtros de Amor.

—Asombroso —musitó Abdú, que estaba boquiabierto.

—No sabía que Isis se hubiera reencarnado en este lugar —comentó Amosis en tono jocoso.

—Pues así es —le aclaró una mujer ya entrada en años que demostraba no sentir ningún interés por guardar la línea—. La gran madre ha elegido nuestro distrito para encarnarse como corresponde. ¡Qué más podemos pedir!

Amosis parpadeó durante unos instantes, más por saber si se encontraba en un sueño que por otra cosa.

—No hay en Alejandría otra como ella, y me quedo corta —remató la dama—. Tiene a toda la ciudad rendida a sus pies. Hasta del Bruchión viene a verla la gente principal.

Al tebano semejante concurrencia se le antojaba un poco exagerada, y al prestar un poco más de atención a la mujer observó que esta bizqueaba y tenía churretes en la cara producidos por el efecto del sudor sobre el maquillaje. Eso sí, a la señora no parecía faltarle entusiasmo.

—¿Y dice que su magia resulta infalible? —quiso saber Amosis, con disimulada mordacidad.

—De todo punto. Míreme a mí. Dos veces he acudido a verla, y siempre con los mejores resultados.

El egipcio arqueó una de sus cejas, como solía hacer en ocasiones.

—Dos maridos llevo gracias a la maga, y voy a por el tercero.

Ahora fue Abdú el que hizo un gesto de sorpresa, y al verlo la señora lanzó una carcajada.

—No temas, hombretón —le dijo ella, aún riendo—. El que me interesa vive cerca de mi casa y tiene la piel más clara que la tuya; aunque quién sabe, visto lo buen mozo que pareces, quizá me decida a cambiar de enamorado, ¡ja, ja!

El liberto se estremeció sin querer, ya que la dama le resultaba un tanto desagradable; mucho peor que Hécuba. Al ver a todas aquellas mujeres atropellándose unas a otras para conseguir un amante, pensó en lo difícil que podría ser encontrar el amor en la capital.

—Isis me conseguirá el tercer marido —aseguró la señora en tanto entrelazaba las manos y miraba hacia el cielo—, aunque para ello tenga que utilizar la espada de Dárdano.

—¿La espada de Dárdano? —Amosis estaba perplejo.

—Sí —señaló la mujer soltando otra carcajada—. Veo que no sois aptos para permanecer en este lugar, y que solo deseáis escuchar chismes. Seguid vuestro camino si no queréis que encargue algún hechizo contra vosotros.

Ambos amigos se miraron con incredulidad, y la dama volvió a reír de forma exagerada.

—Venga, marchaos de una vez o encargaré un diábole para vosotros. Os advierto que ya he enviudado dos veces, ¡ja, ja!

Abdú empujó con suavidad a su antiguo amo, pues no le gustaba nada el cariz que estaba tomando el asunto.

—En mi vida había oído hablar de semejante espada —confesó Amosis a su liberto—. Y menos del tal diábole.

El yoruba se encogió de hombros ya que su magia era muy diferente a aquella, mas el egipcio no pudo evitar recordar su tierra natal. Tebas, la que durante tanto tiempo fuese considerada capital espiritual de la Tierra Negra, estaba envuelta en una magia ancestral. Los sacerdotes habían estado practicándola en el interior de los templos desde los albores de su civilización, a la vez que la encerraban en papiros cuya lectura solo se autorizaba a los iniciados. Ritos que impregnaban las más recónditas salas de los santuarios con el propósito de acercarse a los dioses y obtener su sabiduría. Aquel mercado del sortilegio habría horrorizado a los venerables profetas, e incluso los *hekas*, que desde antiguo habían realizado toda suerte de hechizos entre los vecinos, se sentirían espantados al ver semejante tumulto.

—Es una bruja negra —apuntó Abdú mientras continuaban su camino—. Dignataria de la noche.

—¿Dignataria? Me temo que me encuentre demasiado alejado de todas esas luminarias.

—También se los conoce como los ancianos de la noche —prosiguió el yoruba sin hacer caso al comentario—. Pero todos están por debajo de Iyami Oshooronga. No hay más reina que ella.

Amosis se lamentó con un gesto de disgusto, pues debía de ser uno de los pocos egipcios a los que no les interesaba la magia. Aquella tarde sus propósitos eran bien diferentes; debía preparar de forma apropiada la segunda parte de sus planes, y por ese motivo se dirigía a visitar a todo un personaje: el hombre que se hallaba al frente del gremio de los teraqueutas, es decir, de los embalsamadores.

Cerca de la muralla que separaba la ciudad del barrio de los muertos se encontraba la residencia del primer teraqueuta de Alejandría, próximo a la necrópolis, como correspondía a quien ejercía un oficio semejante. El individuo en cuestión había elegido un nombre rimbombante donde los hubiera, y si lo que deseaba era causar impresión al nombrarlo, Amosis estaba seguro de que lo conseguía sin ninguna dificultad. Se llamaba Epaminondas, quien, como el tebano supo con posterioridad, había sido un famoso general y político griego que viviera casi tres siglos atrás. El nombre, sin duda, le iba como anillo al dedo, ya que el embalsamador era alto como pocos y mostraba una delgadez tan acusada que entre sus colegas del reino corrían chanzas al respecto, a cual más jocosa, de tal forma que muchos aseguraban que practicaba en su propia persona el arte de embalsamar pues parecía una momia andante.

En realidad, aquel tipo era tan egipcio como el joven tebano y su verdadero nombre era Nebka, que no resultaba malo del todo dada su ocupación. A Amosis este nombre se le antojaba mucho más apropiado ya que su significado, «señor del *ka*», tenía verdadero poder; sin embargo, el teraqueuta no debía de ser de la misma opinión y se había adherido a la generalizada moda de buscarse un nombre acorde con los tiempos. Que Nebka se había helenizado saltaba a la vista, y también que no le había ido mal del todo al hacerlo, algo de lo que el individuo era plenamente consciente. El tal Epaminondas tenía una familia comprometida por completo con la profesión. Todos se dedicaban al antiquísimo oficio de procurar al difunto la mejor cara ante la muerte, y se sentían orgullosos de su trabajo por mucho que este hubiese variado algo respecto al que se realizara en la antigüedad; no en vano la muerte también parecía haberse helenizado.

—Lejos quedan los tiempos en los que se excavaban hipogeos en la roca viva, por no hablar de las mastabas sepultadas bajo las arenas de Saqqara —se lamentó el embalsamador—. En confianza te diré que me hubiera gustado vivir en aquellas épocas.

Amosis se hizo cargo, sobre todo porque desde pequeño había visto los altos farallones del oeste donde se ubicaban las antiguas necrópolis, justo al otro lado del río. Ambos simpatizaron al poco y decidieron hablar en demótico, que era lo más adecuado.

—Siempre he querido visitar Tebas, pero me temo que no vaya a ser posible. Los años me pesan más de la cuenta, y aquí hay mucho trabajo, je, je —aseguró el embalsamador.

El joven asintió, pues bien conocía él ese asunto. Una ciudad que albergaba a cerca de medio millón de personas era un buen negocio para quienes trataban con la muerte; por ese motivo había ido a visitar a aquel hombre.

—En fin, ahora los entierros se hacen en nichos; criptas donde se pueden amontonar hasta cien finados. Es la moda, aunque los reyes sigan haciéndose erigir mausoleos.

—Es lo propio —dijo el joven, a quien poco extrañó este detalle.

Durante unos momentos permanecieron en silencio, y Epaminondas observó con más atención la figura del yoruba, en la que apenas había reparado. Este permanecía como si fuera una estatua de basalto, sin hacer un gesto, y el embalsamador tuvo la impresión de que lo habían tallado en la piedra. Sin poder evitarlo pensó en la posibilidad de poder embalsamarlo algún día, si llegaba la ocasión; hasta tales extremos alcanzaba su vocación por el oficio.

—Pero ahora pasemos a los detalles —dijo Epaminondas—. ¿En qué puedo resultarte útil?

—Digamos que ambos podríamos beneficiarnos de tu noble arte de un modo que me atrevería a llamar complementario.

Epaminondas se puso muy serio, ya que esta última palabra le había causado una gran impresión.

—Al menos es lo que yo opino, noble teraqueuta —continuó el joven—. Los tiempos que corren no son los mejores. La moneda no circula como debiera y eso repercute en el negocio, ¿me equivoco?

—Serapis reconoce la verdad de tus palabras, y bien a mi pesar. Los entierros son cada vez más caros, y me temo que como continuemos así acabaremos por sepultarnos bajo las ardientes arenas del desierto, como hace cuatro mil años. ¡Quién lo hubiese sospechado!

Amosis asintió, ya que conocía de sobra los costes funerarios, pues los había estudiado con anterioridad.

—Mira esta factura —le invitó el teraqueuta al tiempo que le mostraba un legajo—. Y no es de las más caras.

—Hasta Anubis se escandalizaría si viera estos precios. En total, cuatrocientos cuarenta dracmas y dieciséis óbolos.

—Intentamos aliviar las cargas de los familiares del difunto en lo posible, pero el margen resulta pequeño y...

—Bueno, solamente el lino utilizado supone ciento treinta y seis dracmas y dieciséis óbolos —interrumpió el joven—. Y sobre esta partida poco se puede hacer.

—El lino está monopolizado por el Estado y su precio es abusivo. Es un negocio seguro por el cual recauda cantidades astronómicas.

—El negocio de la muerte —apuntó Amosis, que recordaba los consejos del judío en cuanto a comerciar con artículos de primera necesidad.

—Y eso que en mi caso no me debo quejar, ya que toda mi familia participa en la empresa y no me veo obligado a contratar a nadie. Mi hijo mayor es coaquita, ya sabes, el encargado de organizar el entierro y contratar los servicios y las ofrendas al finado durante los años que así estipulen sus allegados. Es un hombre honrado, aunque su figura sea sinónimo de mal agüero. Es el precio que debe pagar por ocuparse de los demás cuando les llega el final. Así de injusta es la vida.

—Me hago cargo, noble teraqueuta —señaló Amosis mientras memorizaba los precios de la factura.

—Mi segundo hijo desempeña una función todavía más delicada, a la vez que ingrata. Es el *parascytes*, el encargado de hacer la incisión sobre el lado izquierdo del abdomen para extraer las vísceras. Una labor necesaria que nadie reconoce, y no exenta de peligros. Hasta hace no mucho, los *parascytes* eran perseguidos por ciudadanos que les llegaban a tirar piedras. Ptolomeo X tomó medidas para que no se produjeran semejantes agresiones, y en la necrópolis podrás ver placas que recuerdan la dignidad de nuestro oficio así como el respeto que nos merecemos.

—Desagradables, sin duda, los hechos que me cuentas.

—Todo lo que rodea a la muerte es desagradable, pero nosotros escogimos este oficio y debemos sobrellevarlo con dignidad. Eso es lo que hace el tercero de mis vástagos, que es necrótafo. Raro es el día que no regresa a casa con alguna magulladura.

—¿Necrótafo? —inquirió el joven, ya que era la primera vez que escuchaba ese nombre.

—Así es, y muy considerado. Se encarga de llevar los cuerpos de acá para allá, y eso a veces le trae consecuencias.

Amosis se imaginó los trances por los que debía de pasar a diario el necrótafo.

—Incluso mi mujer participa en la empresa —añadió Epaminondas—, ya que tiene mucha mano para contratar a las plañideras; pues, como puedes ver, no resultan baratas.

—Treinta y dos dracmas —concretó el joven, tal y como había leído en la factura.

—Un dineral.

—Así es. Como también ocurre con la mirra, el aceite de cedro y el betún de Judea, que juntos hacen un total de cincuenta y siete dracmas y cuatro óbolos.[6]

—Una barbaridad, como tú bien dices —se quejó el embalsamador.

—Que no obstante podrías deducir de tus facturas en su totalidad.

El teraqueuta puso cara de asombro.

—¿Cómo puede ser eso?

—A través de mi mediación, noble embalsamador. Ese es el motivo de mi visita. Si aceptas mi propuesta, recibirás gratis dichas partidas. Como verás, estoy dispuesto a ser generoso. —Ahora Epaminondas adoptó un aire receloso—. No guardes cuidado, que no hay engaño en mi visita; tú mismo te convencerás enseguida.

Entonces Amosis le explicó lo que le proponía.

—Hum... —dijo el teraqueuta, pensativo—. Según veo lo traes todo bien estudiado, tebano.

—No puede ser de otra forma. ¿Qué pensarías de mí si no? Procuro ser tan buen comerciante como tú embalsamador.

—¿Y dices que estos tres productos me los distribuirías sin coste alguno?

—En la cantidad que precises, pero a cambio me apoyarás dentro del gremio que presides para poder vender mis productos a tus queridos colegas. Si me recomiendas como procede, prometo ofrecerlos a un precio muy por debajo del que haya en el mercado. Como verás, no hay trampa en mi trato, y todos saldríamos beneficiados.

Epaminondas asintió con la cabeza y su rostro pareció iluminarse con lo que se suponía era una sonrisa. Solo el aceite de cedro le costaba treinta y nueve dracmas, y únicamente obtenía dos de beneficio por su utilización. En poco tiempo calculó lo que ganaría con los cincuenta y siete dracmas que podría ahorrar en cada trabajo y los ojos le brillaron como ascuas; en Alejandría moría mucha gente a diario.

—De acuerdo, tebano —convino el teraqueuta—. El trato queda cerrado.

Una vez en la calle Amosis miró de reojo a su liberto, que no había abierto la boca durante la conversación. El sol declinaba y de las apiñadas casas de adobe salía un olor a fritanga que amenazaba con extenderse por toda la ciudad.

—Los *orishas* te trajeron donde debían; en este lugar los negocios surgen tan deprisa como los adivinos —dijo Abdú con sorna.

El tebano rio en voz queda, ya que había pensado lo mismo con anterioridad. Epaminondas le había abierto las puertas a un asunto que pensaba le proporcionaría buenas ganancias. No estaba mal si tenía en cuenta el poco tiempo que llevaba en la capital. Esto sería solo el principio, pues había tejido planes mucho más ambiciosos, como nunca imaginara.

—Tienes razón, Abdú —apuntó el joven mientras se alejaban por el callejón—. Aquí todo baila alrededor del brillo de las monedas.

15

Con el tiempo, Teofrasto se convirtió en algo más que un vecino ilustrado. Amosis se aficionó mucho a la compañía del librero, de cuyos conocimientos se empapaba como la tierra de Egipto se alimentaba del Nilo durante su crecida. Los innumerables volúmenes que atesoraba el griego resultaron ser como aquel limo oscuro que nutría los campos y daba nombre al país de Kemet, ya que proporcionaban tal sapiencia al tebano que este acabó por desarrollar su interés por la cultura clásica. En ocasiones ambos vecinos recitaban versos de las obras homéricas durante horas, y así fue como acabaron por forjar una gran amistad.

Aquel día, los dos amigos recorrían las calles de la ciudad camino de la isla de Faros. Era una mañana de invierno y el sol resultaba tan suave que era agradable pasear por el viejo barrio. Durante la caminata Teofrasto no paraba de hablar de esto y de aquello, mezclando temas de conversación con una facilidad que causaba pasmo. Aquel individuo parecía saber de todo.

—¡Bendito milagro el que la palabra oral haya dado pie a la escrita! —exclamó Teofrasto con su acostumbrada teatralidad—. Y suerte hemos tenido al haber podido recopilar las obras inmortales de los poetas épicos. La escritura universaliza la divulgación, como nos recuerda Platón en su obra *Fedro*: «Basta con que algo se haya escrito una sola vez para que el escrito circule por todas partes.»[7]

Amosis escuchaba con atención, pues poco más podía hacer ante la locuacidad de su acompañante.

—¿Sabes cuándo un libro se consideraba publicado en la antigüedad, noble Amosis?

—Las Musas me iluminen para poder responderte.

—Je, je. Cuando se leía en público por primera vez. Con eso era suficiente.

—Me imagino las disputas que debieron de surgir por ese motivo.

—Las propias de los hombres cuando cruzan sus intereses. Menos mal que Palámedes inventó la escritura para ayudarnos a salir de la cueva de la ignorancia. Con el tiempo todo se pudo reconducir.

—¿Palámedes? ¿Te refieres al Palámedes de Argos del que nos habla Odiseo? Mis noticias sobre semejante ventura son muy diferentes —apuntó el joven con ironía.

—El mismo, hijo de Nauplio, y de un ingenio proverbial. Su *metis* era inigualable.

—¿Te refieres a su astucia?

—A eso mismo. Aunque siempre para ser utilizada con el fin de persuadir, de seducir con la palabra a quien la escucha. Los grandes oradores poseen *metis*.

Amosis pensó que el librero andaba sobrado de ella.

—Pero no creas —continuó el hombre—, Palámedes no solo descubrió el arte de escribir. También ideó la métrica, y hasta el sistema numérico. Ah, y hay quien asegura que el juego de los dados.

—¡Ja, ja! Un héroe singular —apostilló el egipcio al recordar cómo aquel descubrió la fingida locura de Odiseo con la que pretendía librarse de acudir a combatir a Troya, y la posterior venganza del rey de Ítaca por tal motivo.

—Comprendo que en el interior de los templos donde te educaste te dijeran otras cosas, pero Palámedes fue el inventor de la escritura. No en vano los tres grandes trágicos escribieron obras acerca de él.

—Entre vuestro pueblo hay quien atribuye a Orfeo tan magno descubrimiento —apuntó Amosis con ánimo de enredar.

—¿Orfeo, dices? —Teofrasto dio un saltito e hizo una mueca cómica ante la que el joven no pudo sino reír—. Exactamente eso mismo me produce a mí semejante sandez: hilaridad. La tradición que asegura que Orfeo aprendió la escritura de las Musas es muy posterior. Resulta totalmente imposible. ¿Sabías que Orfeo era tracio?

—No. Desconozco tales detalles.

—Mucho mejor. Los tracios son bárbaros como pocos. Lo peor que se puede encontrar en la Hélade, unos absolutos analfabetos. ¿Cómo piensas que alguien así pudo descubrir la escritura? —Amosis hizo un gesto con el que le daba la razón a su amigo—. No siento el más mínimo interés por los textos órficos, y la única simpatía que tengo por ese nombre se debe a que el poeta prehomérico era seguidor de Dioniso, por quien siento verdadera debilidad, como tú ya sabes.

Así continuaron recorriendo las callejas del sur del barrio egipcio, camino del puerto, casi sin darse cuenta. Teofrasto parecía estar pletórico aquella mañana.

—¿Te he hablado ya de los quebraderos de cabeza que me dan los niños cuando trato de que aprendan algo útil? —continuó el librero.

El joven negó con la cabeza, y se preparó para otra lección que ignoraba adónde podría conducirlos.

—Como podrás imaginar, hace siglos la enseñanza era oral por completo. Gracias a los textos hemos avanzado notablemente, aunque en demasiadas ocasiones el arte de enseñar resulte una tarea baldía. Porque es un arte, no te vayas a creer, a pesar de que no consigamos los objetivos perseguidos en demasiadas ocasiones.

—Me imagino los sinsabores que deberás sufrir —señaló Amosis, que recordaba lo estrictos que eran los sacerdotes cuando de niño acudía a la Casa de la Vida.

—La realidad supera cualquier idea preconcebida que puedas desarrollar, je, je. Todo se reduce a una palabra: esfuerzo. Lo malo es que no la conocen la mayoría de esos pequeños truhanes a los que trato de aleccionar, ni sus insufribles padres. Demócrito tenía mucha razón cuando decía: «Los niños que no se esfuerzan, ni aprenderán las letras, ni la música, ni el ejercicio corporal.»[8]

Al egipcio no le quedaba otro remedio que asentir a cuanto le decían, en tanto descubría a cada paso nuevas callejas y callejones que se cruzaban de forma aleatoria en lo que parecía una capital que nada tenía que ver con la que ofrecía el esplendor de la vía Canópica. Las tabernas ganaban protagonismo, y también los burdeles, que proliferaban de forma sorprendente.

—¡Oh, bienvenidos hijos de la madre naturaleza! —exclamó Teofrasto para sorpresa del joven—. Esta es la realidad de la vida, no te vayas a creer. La miseria humana se encuentra por doquier, y lo peor es que no podemos librarnos de ella bajo ninguna circunstancia.

Amosis observó a su acompañante durante unos instantes, ya que no se le había ocurrido pensar en algo semejante.

—Esto es viejo como el mundo, y como la alegría de las gentes del mar a su regreso de sus procelosos viajes. ¿Qué pueden hacer sino celebrar la vuelta a la vida? Mira, ya llegamos al puerto. Es posible oler el mar desde estos burdeles.

El joven entornó los ojos para aspirar aquel olor que le satisfacía tanto. ¿Cómo era posible que las Dos Tierras pudieran ofrecer aspectos tan diferentes? Poco tenían que ver la una con la otra, aunque las gobernara el mismo faraón.

Por fin los amigos salieron del laberinto que los había atrapado durante gran parte de la mañana para desembocar justo frente al Heptastadion. Este tenía dos puentes en arco que permitían el paso de los barcos entre ambos puertos. Reinaba una gran actividad en los alrededores, y muchos turistas y curiosos iban y venían de visitar el famoso faro que se alzaba a lo lejos para regocijo de navegantes.

—He ahí una maravilla más de entre las que hacen grandiosa a esta tierra. Un prodigio concebido por un genio que, no obstante, tuvo que soportar al lágida de turno y su vileza.

Amosis no dejaba de sorprenderse ante la animadversión que su amigo demostraba tener hacia los Ptolomeos.

—El primero de los Ptolomeos —continuó Teofrasto—, que se hizo apodar Sóter, el Salvador, aunque ya me dirás tú a quién salvó aquel rey sino a sus intereses, decidió un buen día que el mundo debía conocer su grandeza y su poder. Y para ello, ¿qué mejor que hacer ostentación de riqueza y pregonar su dominio en los mares? Era necesario, por tanto, levantar un monumento acorde con su megalomanía; algo que resultara ostentoso en la medida de lo posible. Sin embargo, el hombre que lo construyó tuvo el genio de convertir lo ostentoso en sublime. El arquitecto a quien debemos esta maravilla se llamaba Sóstrato de Cnido. Él fue quien logró que el faro se alzara como símbolo de la ciudad ante los ojos del mundo; a pesar del faraón, que no paró de enredar cuanto pudo.

Amosis escuchaba mientras observaba el monumento con atención. Sin duda lucía soberbio, y visto en la distancia, con el mar justo a sus pies, parecía un gigante de hermosa piedra surgido de entre la escollera para desafiar al dios de los océanos, ya fuera Set o el temido Poseidón.

—La obra la terminó el buen arquitecto en tiempos del segundo Ptolomeo, Filadelfo, quien, a pesar de sus aires de grandeza y los problemas que surgieron entre ambos, le pagó bien. Nada menos que ochocientos talentos cobró Sóstrato por su obra.

Amosis no pudo evitar sorprenderse, ya que semejante cantidad era una verdadera fortuna. Claro que el monumento bien lo valía.

—Pero Sóstrato fue mucho más listo que el faraón. Este le exigió al arquitecto incluir dentro de la grandiosa obra una inscripción en la que se declarara a Ptolomeo como constructor del monumento. Imagínate lo que pretendía el lágida, cuando el verdadero artífice de la maravilla había sido el gran Sóstrato.

El joven hizo un gesto de incredulidad, pues las anécdotas de su amigo a veces le parecían inverosímiles.

—Tú mismo podrás ser testigo de cuanto te digo —se apresuró a decir el librero—. El arquitecto fue tan ingenioso que, en el zócalo del edificio situado sobre el fundamento, inscribió la siguiente frase: «Sóstrato, hijo de Dexifanes de Cnido, en nombre de todos los marinos, a los dioses salvadores», para acto seguido cubrirla con mortero y cincelar la misma sentencia pero esta vez con el nombre del rey en su lugar.

El egipcio miró a su amigo con astucia.

—Así quedaría como realizador de la obra durante los siglos venideros —dijo el joven.

—Mucho mejor que eso. Sóstrato sabía muy bien que con el paso de los años las grietas aparecerían en el enorme edificio de forma inevitable y que el yeso llegaría a resquebrajarse para borrar de forma definitiva el nombre de Ptolomeo. Hace demasiado tiempo que ambos murieron; sin embargo, el nombre que ha quedado inscrito para la posteridad es el de Sóstrato. Ingenioso, como te decía.

Amosis rio ante la astucia que había demostrado poseer el arquitecto, y Teofrasto aprovechó para hacer otra de sus muecas burlescas.

—Ya hemos llegado —dijo Teofrasto, señalando con un dedo—. He aquí el faro de Faros.

Amosis lo estudió con atención. Para alguien como él, acostumbrado a la vista diaria de los grandes templos de Tebas, la obra le pareció grandiosa; más por su concepción y arquitectura que por su monumentalidad. Poco tenía que ver el faro con Karnak o con las pirámides que señoreaban en Guiza; sin embargo, el edificio transmitía emociones a todo aquel que se detuviera a contemplarlo. El arquitecto había diseñado el monumento dividiéndolo en tres partes. La primera, de forma cuadrangular, era la más alta, y Amosis calculó que debía de medir cerca de sesenta metros de altura. Era de piedra caliza, y sobre ella se levantaba otro piso de construcción octogonal revestido de mármol con una elevación próxima a los treinta metros. La obra se coronaba con una última planta, esta vez cilíndrica, de unos diez metros, en cuya parte superior se encontraba el gran ingenio de Sóstrato: una cámara de iluminación donde un juego de gigantescos espejos de bronce pulido proyectaba el reflejo de los rayos del sol durante el día, y el resplandor producido por el fuego en la noche, hasta cerca de cien kilómetros de distancia. Al verlo, los marinos sabían que se encontraban a un día de navegación de Alejandría, al tiempo que les advertía de los peligrosos arrecifes situados junto a la entrada de la bahía. Y es que el faro se había levantado sobre un islote en la bocana del puerto, muy próximo a la isla que le daba nombre, a la que se encontraba unido por medio de una pequeña escollera. Todo el conjunto monumental se alzaba sobre una gran base cuadrangular, y el acceso se realizaba por una rampa cubierta. El interior del edificio contenía una gran escalera de forma helicoidal por la que se abastecía de combustible a los grandes reflectores del faro, y en su cúspide una estatua de Poseidón[9] señoreaba sobre los mares que a sus pies le rendían pleitesía.

Alejandría se encontraba tan por encima de todo cuanto conocía, que Amosis se preguntó si en verdad existiría alguna ciudad en el mundo capaz de sobrepasar en magnificencia a la capital egipcia. Al abandonar el recinto, el joven no albergaba dudas acerca de la preponderancia de aquel puerto en el Mediterráneo y de las repercusiones comerciales que esta conllevaba.

El camino de vuelta discurría a través de la isla de Faros, donde se hacinaban las clases más bajas en un barrio muy popular. Allí se habían construido dos templos dedicados a dioses tan dispares como pudieran ser Isis y Apolo, quizá para que todas las creencias tuviesen cabida en aquel pedazo de tierra tan reducido.

Teofrasto continuó con su acostumbrada perorata.

—Observa cuánta alegría hay en rededor —explicaba—. Esta es una ciudad que ama la vida, que se entrega a sus placeres, que disfruta de cada momento de solaz que los dioses tengan a bien concedernos. Lo único que hay que hacer para vivir feliz es olvidarse de los gobernantes que tenemos, aunque admito que en ocasiones sea una cuestión harto difícil.

Amosis pensó que el librero no se hacía una idea de lo acertadas que resultaban tales palabras en su caso, pero se abstuvo de hacer ningún comentario.

—El que tenemos ahora es un golfo de cuidado —continuó Teofrasto—, aunque la mayoría no se haya percatado aún de las condiciones que atesora para hacernos la vida más difícil. Pero a mí no me engaña, ni a otros muchos fuera de Egipto.

El joven lo miró con curiosidad, pues nunca se había interesado por la política.

—Ptolomeo XII, Teo Filopátor Filadelfo. Así fue como se hizo coronar el muy truhan. «El que ama a su padre y a su hermana.» Este se ama sobre todo a sí mismo —aseguró el librero—. Claro que eso no resulta novedoso.

—Según tengo entendido, tardaron cuatro años en coronarlo.

—¡Y gracias! —exclamó Teofrasto con indisimulada inquina—. Marchó a Menfis a que le hiciera dios reencarnado del país de las Dos Tierras su propio primo.

A Amosis semejante comentario le pareció una exageración.

—No pongas esa cara, que me quedo corto en mis afirmaciones —indicó el librero—. El faraón no tiene madre conocida, aunque aquí todos estemos convencidos de que su real padre, Ptolomeo IX, tuvo amores con la hermana del jefe de los Artesanos, ya sabes, el primer profeta de Ptah, y de resultas de estos vino el actual rey al mundo. Todo es oscuro alrededor de este personaje desde el principio de sus días.

—He de confesar que en el profundo sur no se comenta nada de lo que tú me aseguras.

—Pues ya te lo comento yo, noble Amosis. De hecho, fue el actual sumo sacerdote del dios de Menfis, Pasherenptah III, el encargado de coronarlo; y si es cierto lo que se cuenta, este sería su primo carnal, aunque solo contase con catorce años cuando oficiara el solemne acto. Una vergüenza. Claro que si aquí tardó cuatro años en que lo coronaran, más allá de nuestras fronteras no es reconocido por nadie, y menos por Roma, lo cual es mucho peor. Y si no mira lo que ocurrió hace poco más de un año. Los romanos nos arrebataron la Cirenaica, y nadie ha dicho nada. Esos hijos del Tíber son peligrosos de verdad; dentro de poco los tendremos aquí, ya lo verás.

Amosis no perdía detalle de cuanto decía su amigo, aunque como de costumbre se abstuviera de comentar nada. Pensaba que el anonimato era una ventaja en una ciudad como Alejandría, en la que los chismes eran cosa diaria.

—Tenía entendido que el faraón había tenido un buen preceptor; un tal Queremón, si no me equivoco —se animó a decir el joven.

—O no es tan bueno, o no lo escucharon como se merecía —aseguró Teofrasto—. Lo único que aprendió el rey fue a tocar el *aulas*; de ahí su sobrenombre de Auletes, el Flautista, aunque ya te adelanto que aquí escucharás otros motivos muy diferentes a este. Unos aseguran que su mote le viene por el hecho de que tenga unas mejillas rojizas como las de los flautistas que suelen acompañar con su música a las prostitutas, pero otros, entre los que me incluyo, preferimos apodarle de otra forma. No te escandalices cuando lo oigas. Le llamamos Nothos.

—¿Te refieres a «bastardo»?

—No hay como saber griego, amigo mío. Es un reputado bastardo, y su esposa, una bruja con la que más vale andarse con cuidado.

—Supongo que hablas de Cleopatra V. He de reconocer que en el Egipto profundo poco sabemos acerca de nuestros gobernantes, más allá de sus habituales abusos, claro está.

—Je, je. —Aquel comentario satisfizo mucho a Teofrasto—. Esta se casó con el faraón nada más acceder al trono. Tiene un pasado tan oscuro como el de su real marido. La llaman Triphena, la Opulenta, por su desmedida afición al lujo y la ostentación.

—Comprendo —musitó el joven, ya que el apodo derivaba de la palabra *triphe*, que significaba «exhibición de lujo».

—Ambos forman una pareja peculiar, aunque no creo que te escandalices si te digo que son aficionadísimos a las habituales orgías palaciegas; sobre todo Auletes, que se dedica a hacer concursos de flauta con hetairas y efebos de toda condición, je, je.

El egipcio había oído desde niño sórdidas historias sobre las aficiones de los Ptolomeos, así como de su escandalosa vida privada. Teofrasto pareció leerle el pensamiento.

—Nada nuevo, desde luego; llevan casi tres siglos así. Al menos Auletes asegura estar interesado por la filosofía, aunque yo lo dudo. Nada que ver con los tres primeros faraones de la dinastía, que sí se preocuparon por engrandecer culturalmente a Alejandría. Eso hay que reconocérselo.

—Aunque hubiera quien se viese obligado a engañarlos —apuntó Amosis al recordar la anécdota del arquitecto Sóstrato.

—Je, je... Con estos lágidas conviene andarse con cuidado, ya que son muy rencorosos. Y crueles.

—Lo sé muy bien —apuntó el joven sin poder contenerse.

Teofrasto lo miró con sorpresa, pero enseguida continuó con una de sus historias.

—El mismo Filadelfo, de quien hablamos en el faro, dio buenas muestras de lo que te he dicho. Se casó con su hermana, Arsinoe II, y era tal la pasión que debía de sentir por ella que hasta le creó un culto.

De este modo surgió la canéfora, o portadora de la cesta, una sacerdotisa epónima encargada de dicha exaltación.

—Ya he oído hablar de ello, y según tengo entendido ideó un impuesto para mantenerlo.

—La *apomoira*. Aprovechan la más mínima oportunidad para imponernos alguna nueva tasa. Luego se quejan de que somos proclives al levantamiento. —Amosis rio la ocurrencia—. No hay una ciudadanía como la de esta capital. Lo que ocurre es que no existe ningún gobernante al que le gusten las críticas de sus súbditos, y menos si estos son cultivados. Eso fue lo que le ocurrió a Filadelfo. La unión escandalosa con su hermana trajo consigo censuras e incluso sátiras que tuvieron fatales consecuencias. Se alzaron voces prestigiosas contra el faraón, como la de Sótades el Obsceno, quien no tenía pelos en la lengua.

—¡Sótades el Obsceno! —exclamó Amosis en tanto lanzaba una carcajada—. Por Isis que nunca escuché sobrenombre igual, ¡ja, ja!

Teofrasto guardó la compostura, muy serio.

—Has de saber que tengo a Sótades en gran estima. ¡Un genio es lo que era! Él fue el inventor del palíndromo.

—¿Te refieres a las palabras o frases que se leen por igual de izquierda a derecha que de derecha a izquierda?

—A esas mismas. Convendrás conmigo en que no resulta fácil componer versos de este tipo. Sótades lo hacía con una maestría sin igual. Además, se animó a escribir sobre lo que la mayoría pensaba y no se atrevía a hacer público: los placeres de la carne.

—¿Construía versos impúdicos?

—De la mejor calidad. Agudos y ciertamente divertidos, en mi opinión. Su mente era viva y ocurrente, y su lengua siempre estaba preparada con la palabra justa. Yo lo definiría como martillo de puritanos. Además, era difícil hacerlo callar.

—Ya tengo curiosidad por saber qué le ocurrió al tal Sótades.

—El Obsceno hizo pública su aversión a la unión de los reales hermanos con inusitada vehemencia. La endogamia le parecía algo injustificable, lo que en un tipo de sus características no dejaba de resultar curioso. Inundó Alejandría con sus versos, en los que satirizaba al faraón y a su divina esposa; hasta se le ocurrió mandarle uno al mismo Ptolomeo en los siguientes términos difamatorios: «Hundes el aguijón en un agujero impuro.»

Amosis lanzó tal carcajada que al punto los transeúntes los miraron con curiosidad.

—¡Asombroso! —exclamó Teofrasto, encantado—. Ese hombre era verdaderamente subversivo, pero sus indecentes poemas le acarrearon funestas consecuencias. Fue detenido y enviado a prisión, pero el muy astuto logró escaparse y huir a la isla de Caunus.

El joven egipcio parecía entusiasmado con la historia.

—Mas el taimado faraón no dejó correr el asunto, y mandó nada menos que a su almirante, Patroclo, a buscar al poeta.

—¿Y lo capturaron?

—De mala manera. El gran Sótades fue llevado ante Filadelfo, quien no mostró ninguna compasión hacia él. Lo encerraron en un baúl de plomo y luego lo arrojaron al mar. Triste final para tan satírica lengua, pero así acabó Sótades el Obsceno. Aquí, en Alejandría, sigue siendo muy recordado, je, je.

Amosis movía la cabeza, divertido, pues el tal Sótades debía de haber sido un tipo de cuidado.

—Parece que esta capital esconde siempre algún relato digno de ser contado —apuntó el joven.

—Hay quien opina que Alejandría es una ciudad situada junto a Egipto. Ese es el motivo por el que muchos alejandrinos se creen superiores al resto de sus compatriotas; aunque yo no sea de la misma opinión, querido amigo.

Amosis se quedó pensativo, sobre todo por el hecho de que gran parte de aquellos hombres ilustres hubieran pasado muchos años en el interior de los templos egipcios aplicados en el estudio de los viejos papiros, bajo la tutela de sapientísimos sacerdotes. El Egipto profundo siempre permanecería hermético para los no iniciados, pues ello formaba parte de su propia concepción del cosmos. Solo los elegidos podían alcanzar el conocimiento, oculto en la quietud de los santuarios desde hacía milenios. Kemet, siempre encerrada en sí misma, veía cómo los más aventajados alumnos que habían podido estudiar en las Casas de la Vida desarrollaban su sabiduría para convertirse en grandes pensadores capaces de universalizar la cultura.

La tarde volvía a caer cuando llegaron a la librería. Abdú se hallaba recostado tranquilamente contra la pared, junto a la puerta, observando a la gente pasar. Al verlo, Teofrasto hizo una de sus habituales muecas, ya que el yoruba le causaba un irremediable temor.

—¿Y me aseguras que no resulta peligroso? —le preguntó a Amosis en voz baja.

—¡Ja, ja! Solo si eres capaz de desatar sus malos instintos —bromeó el joven.

El librero dio un saltito.

—Las Erinias no lo permitan.

—Te advierto que Abdú es un hombre muy sabio. Te sorprenderías al escuchar sus juicios.

—¿Hablas en serio, buen Amosis?

—Completamente. Posee un don que le permite ver donde los demás no podemos, y un corazón fundido en oro.

—¡Esas son palabras mayores! —exclamó el librero—. El observar su tamaño me infunde temor. Claro que, como verás, yo resulto más bien poca cosa. —El egipcio asintió, divertido—. Ahora has de prometerme que me permitirás acompañarte cuando visites la Gran Biblioteca y el Mouseión. Allí soy bien conocido, ¿sabes?, y podré mostrarte el lugar donde mora el conocimiento, je, je. Además, te presentaré a todo un personaje.

Amosis miró al librero con cierta ironía, pues ya sabía lo ocurrente que podía llegar a ser. Este se detuvo de repente para hacer otro de sus característicos gestos, verdaderamente cómicos.

—¿Y dices que tu amigo posee un don? —inquirió como si pensara en voz alta.

—Se halla tocado por los dioses; aunque estos sean diferentes a los tuyos —aseguró el tebano.

—Pero ¿ha leído a los clásicos?

Amosis soltó una risita.

—No sabe leer, y me temo que no tenga demasiado interés en aprender.

—¿Cómo puede ser? —se sorprendió el librero.

—Sus creencias son distintas a las nuestras, pero te advierto que harías bien en respetarlas.

—¿Tiene poderes? ¿Acaso es un mago?

—¡Ja, ja! Es mucho más que eso. Su ciencia le viene de la tierra donde nació, en lo más profundo del continente. En Egipto no conozco a nadie capaz de comparársele.

—¡Isis bendita! ¿Es cierto cuanto dices?

—De todo punto, noble Teofrasto. Abdú no tiene igual.

El librero se acarició la barba durante unos instantes y luego le dedicó al egipcio una mirada astuta.

—En ese caso, dejaremos que nos acompañe a la biblioteca. ¿No te parece, amigo mío?

16

Quienesquiera que fueran los dioses encargados del destino de los hombres, sin duda habían decidido mostrarse benévolos con el sino del joven egipcio, por no decir magnánimos. La alianza comercial de este con el fenicio había resultado ser todo un acierto que auguraba los mayores éxitos. Tirios conocía bien su trabajo, y aquel instinto de comerciante que había desarrollado durante toda su vida poco se había equivocado. El egipcio estaba predestinado a conseguir grandes metas, y el fenicio haría bien en mostrarle lo ventajoso que podía resultarle hacer negocios con un agente como él. Era obvio que Tirios conocía cuál sería el futuro que le esperaba junto a un joven que se mostraba dispuesto a conquistar el Mediterráneo si le dejaban. Llegaría el día en que Amosis no necesitaría darle un treinta por ciento de los beneficios para poder comerciar, aunque Tirios esperaba poder sacar un buen partido de aquel trato; así eran los negocios. Lo importante era crear una red de abastecimiento adecuada, algo en lo que se consideraba un maestro, y a través de ella él mismo podría beneficiarse al contratar los mejores precios.

El invierno había resultado inusualmente benigno, algo muy de agradecer cuando se comenzaban los negocios en la mar. Los pequeños cargueros habían navegado por todo el litoral hasta la isla de Chipre sin ningún contratiempo, y ambos socios habían ganado lo suficiente como para aventurarse a trazar planes más ambiciosos. El aceite de cedro y el betún de Judea habían sido recibidos por Epaminondas como un verdadero regalo enviado por Anubis, y, tal y como habían acordado, el gremio de embalsamadores había recomendado los productos a todos sus asociados a un precio que era imposible rechazar.

Amosis había adquirido unos almacenes situados cerca de Kibotos —los astilleros navales— para guardar la carga, al tiempo que abría una oficina desde la que podía controlar sus empresas. Al invierno le siguió una primavera en la que primó la bonanza y los tradicionales vientos etesios tardaron más de lo habitual en presentarse, para gran júbilo de comerciantes y gentes del mar, que veían de esta forma disminuir el inevitable tiempo de espera que deparaba el verano, durante el cual los mercantes estaban obligados a quedarse en tierra.

Todas las mercancías con las que había negociado el egipcio le habían proporcionado grandes ganancias, y ello lo había animado a buscar nuevas rutas donde comerciar con otras mercaderías. Tirios se había mostrado muy hábil al cerrar los tratos, y Amosis se alegraba de haber sido generoso con él. Aquel porcentaje representaba una garantía para el joven, quien no se cansaba de observar el puerto y los navíos que en él atracaban. Reinaba una actividad que le hacía albergar un sinfín de ilusiones de las que le resultaba imposible desprenderse. El mar obraba sobre el egipcio un influjo difícil de entender. En ocasiones se pasaba horas contemplando su azul intenso, el embate de las olas o la espuma que estas levantaban al romper contra los arrecifes situados en la bocana del puerto. Para un hombre del desierto como él, aquella vista representaba un espectáculo para el que no encontraba palabras que pudieran definirlo. No cabía duda de que Set había elegido bien sus reinos; ambos dispares y al tiempo fascinantes, henchidos de poder y misterio. Solo los afortunados sobrevivían a su ira, aunque hubiese muchos hombres capaces de desafiarlo. Las arenas habían cubierto de olvido a los incautos que se habían aventurado por ellas sin el favor del dios de las tormentas y lo mismo había ocurrido en el Gran Verde, cuyas aguas, aseguraban, no se saciaban jamás.

Amosis prestó atención a la entrada en el puerto de una nave que enseguida reconoció. Llevaba esperándola varios días, y su llegada le suponía grandes beneficios, pues cargaba preciosa madera y las más finas telas traídas del lejano Oriente. El joven suspiró aliviado y pensó en lo diferente que era su vida en aquella ciudad que parecía tocada por el favor de los dioses. Se le antojaba inimaginable el haber conseguido cuanto poseía en tan poco tiempo, y al punto recordó los largos años pasados junto a su tío, que parecían pertenecer a una vida pasada con la que ya poco tenía que ver. ¿Cuánto de aquel muchacho tebano había ahora en él? Resultaba difícil contestar a esta cuestión; probablemente porque siempre quedaría en su memoria un poco del niño que aprendió a leer en Karnak y estudió el griego en Koptos.

Sin poder evitarlo, la imagen de Mut se le presentó tan nítida como siempre que la recordaba. Su rostro era el de la última noche en que la amó, y lo miraba con aquellos ojos de gacela que lo habían embaucado desde el día que la viera por primera vez. En algunas ocasiones la imagen parecía formar parte de un ensueño, aunque en otras permanecía frente a él de forma obstinada, como si no deseara marcharse de su lado. Amosis recordaba cada detalle del cuerpo de la única mujer a quien había amado, cada palabra de amor que le habían susurrado sus labios, cada beso, y hasta la menor de sus caricias. Luego, sin avisar, la visión se difuminaba como por ensalmo, cual si se tratase de un espejismo obstinado en herir su alma. Mut desaparecía como lo hiciese antaño, aunque esta vez el joven sintiera a su corazón dispuesto a aceptarlo, como si fuera algo inevitable; una carga que había de llevar sin conocer bien la causa. Lo peor era lo doloroso que podía resultar transportarla, pues no hay nada que pese más en el corazón que la pena.

Amosis regresó al puerto y a sus preciadas mercancías, el único mundo que se encontraba en condiciones de entender. Apolonia se había marchado, aunque el joven sabía que antes o después volvería a visitarlo. Entornando los ojos suspiró en tanto calculaba de nuevo lo que iba a ganar con la carga de aquel barco, y sin poder evitarlo se sonrió. Dentro de poco tendría lo suficiente como para acometer el plan que desde hacía un tiempo venía madurando. Suponía mucho más que una ambición. Algo en lo que nunca se le había ocurrido pensar y que ahora, sin embargo, porfiaba en hacerse realidad, como si estuviera esperando el momento oportuno, agazapado en un rincón del mundo de sus ilusiones. Representaba el camino que conducía al verdadero poder, y a Amosis le subyugaba.

17

Abdú nunca había imaginado que pudiera llegar a ser tan feliz. No conocía ningún *orisha* capaz de asegurarle el estado de bienestar en el que se encontraba, y ello le daba que pensar. Que los *orishas* se encargaban de mostrar los caminos era una realidad que el yoruba no se cansaba de pregonar a todo aquel que estuviese dispuesto a escucharlo; no obstante, su situación se le antojaba lejana a los espíritus en los que tanto confiaba, y se preguntaba si no sería obra de Olodumare en persona, pues resultaba difícil de creer cuanto le estaba pasando. Seguramente sería eso. El dios de los cielos había tomado cartas en el asunto y, por motivos que desconocía, tenía un especial interés en que las cosas le fueran tan bien como en realidad le iban. Abdú estaba convencido de que nadie en su antiguo poblado podía ser tan feliz como él, y se le ocurrió que todo lo que había sufrido en el pasado no era más que el precio que había tenido que pagar para alcanzar su situación actual. Hacía mucho que había llegado a esa conclusión, y al contemplar a cuantos lo rodeaban se decía que en verdad todas aquellas gentes no eran conscientes de las venturas de las que gozaban. El mismo Amosis era una prueba palpable de lo anterior; el egipcio contaba con todo lo necesario para ser dichoso durante el resto de sus días y, sin embargo, su ambición parecía no conocer el descanso. En opinión del yoruba el joven nunca se mostraría satisfecho, pues siempre tendría un escalón más que subir, un nuevo proyecto que llevar a cabo, otra conquista que realizar. Los *ajogun* se habían apoderado de su corazón hacía demasiado y nunca cejarían en su empeño de enviarle empresas que acometer, hasta convertir su vida en un negocio que no tendría fin. Abdú guardaba pocas dudas al respecto, y estaba seguro de que, a la postre, semejante insatisfacción tendría consecuencias.

Por su parte, el yoruba pensaba que se encontraba en lo que los egipcios denominaban los Campos del Ialú. Estos debían de ser muy parecidos, ya que, personalmente, Abdú no necesitaba más. Con el transcurso del tiempo su nombre había llegado a ser bien conocido en Rakotis, y su figura era un emblema de lo que representaba; un poder terrenal venido desde las profundidades de la magia. Aquellos dones, que siempre habían sido alabados por sus antiguos amos, resultaban ser mucho más que meros aspectos misteriosos en torno a su persona, hasta convertirse en verdaderos poderes enviados por los dioses que habitaban en la oscuridad de la procelosa África. Ritos mistéricos siglos atrás olvidados que habían sido recuperados de forma natural por aquel gigantesco hombre de ébano. El mago de Rakotis, como muchos ya le llamaban.

Al bueno de Abdú semejantes sobrenombres le causaban una indisimulada satisfacción. El vecindario hacía que cada una de sus palabras se convirtiera en una suerte de oráculo, pues era proclive a la exageración hasta límites insospechados, y lo que había comenzado como un simple entretenimiento se había convertido en una cuestión que amenazaba con írsele de las manos, sobre todo porque había quien aseguraba que aquel yoruba podía hacer milagros.

Así, si Abdú había iniciado su comunicación espiritual con los vecinos en un simple puesto ambulante, al poco le daría continuidad en un pequeño local situado dos calles más abajo de donde vivía y que ya era bien conocido por los prodigios que se obraban en su interior. Estos eran de naturaleza tan misteriosa como los que pudieran esperarse de un mago que procedía de lugares ignotos de los que nadie había oído hablar; detalle este que daba al asunto aún más secretismo si cabía y del que se hablaba en los corrillos en voz baja.

La clientela era en verdad variopinta, aunque las señoras, por lo general llegadas a la madurez, fueran mayoría. El amor era el principal motivo de las consultas, aunque en muchos casos no fuese más que un pretexto para conseguir algún buen partido. Abdú disfrutaba muchísimo con aquellas citas, aunque desde el primer momento advirtiera que él no tenía nada que ver con la magia negra, de cuyos practicantes Alejandría se encontraba llena.

—Yo solo practico la religión yoruba —les advertía con voz misteriosa—. Las enseñanzas que un día nos legó el gran profeta místico Orunmila. Solo a través de la meditación, la oración y los baños espirituales podemos conseguir el equilibrio que nos lleve a la felicidad. Yo combato a los *ajogun*, y cuando Olodumare, el señor de los cielos, lo permite, cultivo la adivinación.

Con estas palabras se presentaba Abdú a su público, que al poco quedaba embaucado por el poder de la palabra de aquel maestro. Pronto los *orishas* fueron algo habitual entre el vecindario, y el yoruba hizo los primeros acólitos.

—Si son hechicerías lo que buscáis, mejor id a visitar a quien se hace llamar Madre Isis. Yo no celebro el culto a la magia negra. Me enfrento a los seres demoníacos e invoco las fuerzas positivas a través de los *orishas* para que nos abran los caminos —les aseguraba Abdú.

En el barrio pronto no se habló de otra cosa que de aquel gigantón que podía comunicarse con los espíritus protectores sin ninguna dificultad. Aseguraban que entraba en una especie de trance, y que al salir de él era capaz de aconsejar al consultante acerca de lo que debía hacer ante lo que se le avecinaba. Como al parecer sus premoniciones se cumplían, la clientela se encargaba de contarlo a la menor oportunidad y el yoruba se hizo famoso. Aquello de los baños espirituales tenía un efecto inmediato, y los acólitos abandonaban el consultorio asombrados por las extrañas palabras que recitaba aquel mago en una lengua indescifrable.

—Es el idioma de las divinidades a las que invoca —decían algunos con los ojos muy abiertos debido a la impresión.

—A los *orishas*, querrás decir. Por lo visto es a ellos a quienes reza —aseguraban otros.

Delante de su puerta empezaron a formarse largas colas. Sobre todo porque Abdú solo cobraba la voluntad, y eso le hizo parecer más creíble. A no mucho tardar los baños espirituales se convirtieron en medicinales, y el yoruba hizo acopio de hierbas para tratar determinadas dolencias. El problema se presentaba cuando alguien se obstinaba en conquistar a algún amante por el medio que fuese.

—No realizo amarres ni nada que se le parezca —le advirtió a una señora que se empeñaba en acudir cada día a visitarlo.

—Pero si es algo natural, gran Abdú. No hay pecado en ello. Cientos de brujos lo llevan a cabo en la ciudad —se quejó la dama.

—En tal caso, visítalos a ellos. En mis manos solo está la luz.

—¡No tendría el mismo efecto! Imagínate, sapientísimo Abdú, el poder que alcanzaría un sortilegio escrito de tu puño y letra. El resultado sería devastador, que es lo que busco, ¡ja, ja!

El yoruba negó con la cabeza por enésima vez, y por fin la mujer empezó a hacer mohínes y a adoptar una actitud mimosa.

—Gran Abdú, hazme lo que sea que a mí me parecerá bien. Estoy decidida a tener a ese hombre y no cejaré en mi empeño, me cueste lo que me cueste.

Abdú se acarició la barbilla, pensativo. Aquellas últimas palabras no le habían gustado nada, y para evitar males mayores decidió que lo mejor sería hacerse cargo del asunto.

—Está bien, buena mujer. Utilizaré mi magia para ayudarte. Pero te advierto que deberás hacer cuanto te diga.

—Lo que sea —se apresuró a decir la señora.

—Me temo que habrá que invocar a uno de mis *orishas* y realizar algún rito más. ¿Tienes los días impuros? —inquirió el yoruba.

La señora lo miró muy encendida, y al momento le sonrió.

—Me libré de ellos hace ya una semana, gran mago.

Abdú hizo un gesto de disgusto, pues la dama había tomado sus palabras como una insinuación.

—Tanto mejor —concluyó el africano—. Mañana vendrás a la misma hora después de haber ayunado durante todo el día.

La mujer dio un grito de contento y regresó al día siguiente en ayunas, tal y como le habían pedido.

—Y dime, gran Abdú —dijo—, ¿a quién invocaremos para que me ayude en mi deseo?

—Al *orisha* Yemoja. Él te abrirá el camino que pides y te mostrará ante tu amado como un regalo imposible de rechazar.

—¡Isis me proteja! —exclamó la mujer al tiempo que se llevaba ambas manos al pecho—. ¡Cuánta sabiduría!

—Ahora deberás tomar un baño con el que alejaré de ti a los *ajogun* y te purificaré como corresponde.

—¡Ah! —dijo la dama.

Acto seguido, ambos pasaron a un pequeño habitáculo en el que Abdú tenía preparadas dos tinajas. Entonces la señora se despojó de su vestido y el yoruba comenzó a verter el contenido del cántaro sobre su cabeza.

—¿Qué contiene? —quiso saber ella.

—Algas marinas, las plantas preferidas de Yemoja.

Abdú extendió el agua con las algas lo mejor que pudo.

—Frota sin temor por donde sea oportuno —señaló la mujer—. Lo importante son los resultados.

Abdú se abstuvo de soltar un improperio, pues aquella señora le desagradaba de forma particular. Cuando terminó, dio gracias a Olodumare y se prometió no atender nunca más a la susodicha, bajo ningún concepto.

Con lo que no contaba el yoruba era con lo que aconteció más tarde. Apenas pasaron unos días cuando se originó una gran algarabía a la puerta de su establecimiento; gritos, exclamaciones y juramentos. Abdú acudió al momento para ver lo que ocurría y enseguida descubrió a la dama, a la que habían rodeado en un corro, chillando como si estuviera poseída.

—¡Nunca vi cosa parecida! ¡No hay poder en la tierra que se le pueda igualar! ¡Este hombre es el elegido! —alababa la mujer.

La gente trataba de calmarla, pero no había forma.

—¡Tres días he tardado en conseguir lo que se me ha negado durante años! —gritaba—. ¡Tres días!

Los que allí se encontraban se hicieron cargo de la cuestión al instante, pues no era para menos.

—¡Y nada de figuras y alfileres! —exclamaba sin poder contenerse—. Con un bañito es suficiente.

Al punto el revuelo aumentó y todos se convencieron de que en verdad se había obrado un milagro, porque la interfecta en cuestión era poco agraciada y su pretendido, un buen partido. Las señoras comenzaron a mirarse unas a otras, y al poco ya todos pregonaban el prodigio por la calle.

—¡Es Thot redivivo! ¡Es Thot redivivo! —exclamaba la interesada—. Es un mago entre los magos.

Al ver la algazara que se había formado, Abdú decidió que lo mejor sería regresar a su casa y dejar a los *orishas* tranquilos durante el resto del día. Así pues, tras armarse de valor, abandonó el local tan rápido como pudo, casi sin despedirse.

Pero sus acólitos no parecían dispuestos a dar por zanjado el asunto, y la dama de marras lo persiguió calle arriba en compañía de un grupo de curiosos que aumentaba a cada paso que daban.

—¡Permite que te bese los pies, gran mago! —exclamaba la señora.

Como la mujer no paraba de gritar, los viandantes se le acercaban y se preguntaban unos a otros.

—¿Qué es lo que ocurre? ¿Qué algarabía es esta?

—No sé, hermano. Al parecer ha ocurrido un milagro.

Amosis se encontraba en la librería en compañía de Teofrasto discutiendo sobre quiénes eran los poetas más respetados por los alejandrinos.

—En mi opinión —aseguraba el librero—, Homero y Hesíodo

son los preferidos dentro de los poetas épicos, Píndaro entre los líricos, y probablemente Arquíloco entre los yámbicos.

El egipcio escuchaba con atención cuando hasta el interior del establecimiento llegó un rumor desde la calle que crecía por momentos. Al poco el griterío se hizo patente, y ambos amigos salieron a curiosear. Al ver a Abdú perseguido por toda aquella gente, Amosis se quedó sin habla.

—¡Atenea se apiade de ese hombre! —exclamó el librero—. ¿Habrá matado a alguien?

El joven egipcio se lamentó al observar la escena.

—¡Inaudito! Ni el gran Hesíodo habría conseguido que lo siguieran por la calle de ese modo. ¡Fíjate, hasta lo aclaman! ¿Cómo es posible? —continuó el librero.

—No tengo palabras.

—¿Estás seguro de que no sabe leer?

—No me cabe la menor duda.

—¡Asombroso! Ese hombre es un mago. No cabe otra explicación. ¡Imagínate de lo que sería capaz si fuera ilustrado!

—Me lo imagino —se lamentó el joven.

Como el yoruba ya se encontraba próximo al establecimiento, ambos amigos pudieron leer en sus ojos cierta expresión de zozobra, y hasta de inesperado temor.

—¡Es Thot, que al fin se ha reencarnado para alumbrarnos con su sabiduría! —gritó de nuevo la señora para que todos pudieran oírla.

Al escuchar aquello, Teofrasto abrió los ojos de forma exagerada.

—¡Isis bendita! ¿Has oído lo que yo? Lo tienen por un dios, y encima el de la sabiduría.

—Hermanos, libradme de esta turba o el fin de mis días se encontrará cercano —rogó Abdú, con una expresión de verdadera angustia.

Al ver que allí no había fingimiento, el librero le instó a que entrara en su local en tanto se encaraba con los perseguidores.

—La paz de las Musas sea con vosotros, nobles conciudadanos —proclamó el hombrecillo con mucha dignidad—. En mi humilde negocio solo hay lugar para el recogimiento y las nobles aspiraciones. Todo el mundo será bienvenido en tales términos.

El gentío se detuvo al momento, como desconcertado; no se sabía si por motivo de las Musas o por el recogimiento.

—Queremos ver al mago —exigió uno de los presentes—. Él es nuestra esperanza.

Teofrasto continuaba sin dar crédito a cuanto escuchaba, aunque adoptara un gesto de condescendencia.

—Entiendo vuestra desazón, qué me vais a decir. Tengo la fortuna de contar con la confianza de ese hombre, que más bien parece un semidiós, ya que a menudo soy testigo de sus prodigios.

Aquellas palabras desataron nuevas protestas y más viandantes se unieron al alboroto.

Amosis pensó que la tierra se abría bajo sus pies para tragárselos a todos.

—Haya calma, nobles seguidores del mago entre los magos, no vayamos a perturbar la espiritualidad del gran Abdú. Tened en cuenta que él no es como los demás hechiceros del tres al cuarto que tanto proliferan en esta ciudad. El maestro necesita de la paz y la quietud para llevar a cabo sus prodigios.

—¿Y tú cómo sabes eso? —preguntó alguien de muy malos modos.

—Viene a diario a mi establecimiento a empaparse de los conocimientos que nos legaron nuestros más insignes ancestros —señaló el librero con desparpajo—. Me vanaglorio de que me tenga por uno de sus amigos terrenales.

Esta última frase levantó nuevos comentarios en tanto Amosis observaba la escena, atónito ante lo que veía.

—Buen librero —señaló la dama que encabezaba la marcha—. Yo he sido testigo de uno de los prodigios de los que hablas, y es mi obligación hacerlo público y también agradecer al gran mago su ayuda como se merece.

El hombrecillo hizo un exagerado gesto de sorpresa.

—¿Y en qué consiste tu agradecimiento, nobilísima señora?

—Con besarle los pies bastará; aunque haría lo que me pidiera.

Semejante comentario levantó algunas risas y también miradas maliciosas por parte de las mujeres que allí se encontraban.

—¡Oh! Muy loables tus intenciones, que yo mismo transmitiré al mago —aseguró el librero.

—¿Y quién eres tú para arrogarte en tales términos? —inquirió una voz.

Aquella pregunta agradó sobremanera al gramático, a quien gustaba la confrontación verbal en cualquier circunstancia.

—Hermosa palabra sin duda, caro vecino. Arrogarse es sinónimo de atribuirse, asignarse e incluso apropiarse, y lejos me encuentro de apoderarme de los inmensos poderes que atesora el gran Abdú, ya que soy terrenal, como la mayoría de vosotros.

Aquello despertó nuevas risas.

—Gracias, gracias, dignos vecinos —continuó el librero—. Claro que también podríamos encontrarle otro sinónimo con el que sí me hallo identificado, y este no es otro que el de aplicarse.

Los allí presentes se miraron durante unos instantes sin saber qué decir.

—Como seguramente muchos ya sabéis, mi nombre es Teofrasto de Alejandría, descendiente del gran Teofrasto de Ereso, y como mi antepasado, yo también me dedico al estudio y a la búsqueda del conocimiento, y me honro en intentar trasladar lo poco que sé a mis conciudadanos si estos así lo desean.

—Es un sabio —apuntó alguien en voz alta—. Un hombre docto.

Aquello levantó algunos murmullos en tanto Teofrasto asentía, como si se hiciera cargo del asunto.

—Gracias, nobles amigos. Es por ello que acojo con frecuencia al incomparable Abdú; un portento que atesora los dones que solo les son propios a los dioses. En mi humilde local hablamos de todo lo que resulta trascendente, al tiempo que impregna mi establecimiento con la magia que desprende por los poros de su piel, de la cual me beneficio.

—Ese hombre es un enviado de Serapis —exclamó otro—. Los lugares por donde pasa quedan bendecidos. Dinos, librero, ¿has sentido su poder en ti?

—¿Que si lo he sentido? Desde que me honra con su presencia, soy otro hombre.

—Debemos instarle a que se preste a darnos su bendición —indicó una de las señoras—. Yo también quiero encontrar un buen partido.

Ahora las carcajadas se generalizaron, como era natural.

—Calmaos, que veré qué es lo que puedo hacer —dijo Teofrasto para apaciguar los ánimos.

—¡Sí, que salga! ¡Que salga! —pidieron a voces.

—Escuchad —trató de hacerse oír el hombrecillo—. El mago se halla enfrascado en uno de sus habituales estudios, con el que poder ayudar a resolver vuestros problemas futuros. En confianza os diré que, en ocasiones, entra en una suerte de trance del que es mejor no sacarlo. Debéis comprender que él no es como nosotros.

—En eso tiene razón el librero —aseguró la dama causante de aquel pandemónium—. Como nosotros no es. Si lo sabré yo.

—¿En qué tipo de estudio se halla ahora concentrado el gran Abdú? —inquirió otro de los presentes.

—Ritos dionisíacos, fundamentalmente —apuntó el hombrecillo de forma rotunda.

Otra vez se oyeron las risas entre los curiosos.

—No os moféis de tan sagrado cometido. Es una suerte que tengamos en el barrio a un mago como el gran Abdú, para quien la adivinación no tiene secretos, y que además esté versado en los cultos a Dioniso. Con franqueza os diré que, al igual que el dios del vino, Abdú se crio en las profundidades de los bosques de su lejana tierra, en compañía de las ninfas y los sátiros del lugar.

Semejante confesión levantó todo tipo de comentarios.

—¿Y dices que tu tienda se encuentra influenciada por la presencia de ese ser semidivino?

—Os invito a visitarla, para que lo comprobéis por vosotros mismos. Pero tened en cuenta que haríais bien en interesaros por la cultura que almacenan mis anaqueles, como hace el gran Abdú. Si así obrarais, estoy convencido de que os convertiríais en personas más elevadas.

Lo de elevadas fue muy del agrado de los allí reunidos, que se prometieron visitar la tienda de Teofrasto con más asiduidad.

—Si así lo consideráis —continuó este—, os prometo interceder por cada uno de vosotros ante el maestro cuando las circunstancias apremien; ya sabéis lo ocupadísimo que se encuentra. Al parecer, dentro de poco lo requerirán en palacio; es lo que tiene la fama.

De esta forma despidió Teofrasto a los presentes, con sus habituales ademanes teatrales y palabras embaucadoras. Amosis apenas podía creer cuanto había presenciado.

18

Aquellos hechos trajeron consecuencias para todos, como Amosis bien se temía. La figura de su antiguo esclavo tomó una dimensión inimaginable, sobre todo después de que Teofrasto asegurara que el yoruba era un rendido seguidor de los ritos dionisíacos. Semejante confesión era para tomársela muy en serio en una ciudad como Alejandría, y pronto Abdú conoció el alcance de la misma. Sus consultas espirituales fueron derivando hacia otros derroteros, y el misterioso mago terminó por entregarse en brazos de la cópula sin apenas oponer resistencia.

Que Abdú tenía afición por las mujeres no era ninguna novedad para Amosis. Lo que sí le produjo cierta desazón al joven fueron las hablillas que comenzaron a circular por el barrio. Según decían, el yoruba era todo un portento y su vigor no podía ser igualado por ningún humano conocido; claro que por eso se trataba de un mago.

—¡Ya te advertí que ese hombre era un prodigio! —exclamó Teofrasto—. ¡Qué barbaridad! ¡No da abasto!

—A veces me arrepiento de haberlo manumitido —se quejó Amosis—. Ahora sé que acabará mal por mi culpa.

—No lo lamentes, noble Amosis, que no ha lugar en esta escena. El inimitable Aristóteles podría haber compuesto su mejor obra de haber conocido a tu liberto. ¡Qué comedia se han perdido los tiempos!

—No hagas burlas sobre el particular, pues el asunto se pone cada vez más complicado. Antes o después, tales prácticas acarrearán funestas consecuencias.

—¿Funestas? Afrodita no lo permita. Si el hombre de ébano tiene aptitudes, es justo que las desarrolle. Me aseguran que sus habilidades no son de este mundo.

Amosis lo miró escandalizado, con el ceño fruncido.

—¿Y tú cómo sabes eso? —inquirió con disgusto.

—Es lo que me cuentan mis alabados clientes. Como te dije, desde que les hablé acerca de los efluvios que Abdú dejaba en la tienda, todos los días viene alguien a visitarme. Algo que agradezco en sumo grado, ya que los tiempos no son precisamente boyantes para los libreros.

El egipcio lo observó boquiabierto, pues se imaginaba todo lo demás.

—Yo los reconduzco en lo posible, ya que la mayoría viene a mí en un estado lamentable; desanimados, sin esperanza y convencidos de que no conseguirán alcanzar sus anhelos. Conmigo se sienten reconfortados, y cuando se marchan parecen otros.

—¡Isis nos proteja! Tú también has caído en poder de la hechicería. Qué vergüenza, Teofrasto, un hombre tan instruido como tú.

—Líbreme Hado[10] de semejante destino. Mi único propósito es intentar encauzar sus vidas de la forma más apropiada. En mi humilde local, estas buenas gentes tienden a liberar su espíritu de todo lo que los acongoja para, de esta forma, sentirse más livianos y propensos a escuchar mis juicios. El hecho de que Abdú haya pisado esta sala hace que capten la magia del gran mago y se avengan a impregnarse de ella.

—Qué diría tu ilustre antepasado si viera en lo que te has convertido —se lamentó el joven.

—Seguramente estaría de acuerdo conmigo. Casi todos se llevan algún legajo de recuerdo, que no es poco, pues los hay que no aprenderán a leer nunca. Piensa en el favor que le hago a nuestro amigo yoruba al ocuparme de estas gentes. Él bastante tiene con su quehacer diario. Aseguran que no da abasto, y yo aporto mi esfuerzo para que su buen nombre no quede mancillado. Las señoras que me visitan se marchan muy contentas.

Amosis se echó las manos a la cabeza.

—No caigamos en el error de transformar en tragedia lo que como mucho es comedia de Cratino. Aunque no proceda del interior de las profundas selvas africanas, me siento con el mismo derecho que nuestro amado yoruba a practicar los ritos dionisíacos.

—Te referirás al fornicio.

—Dicho así parece ciertamente grosero. En realidad se trata de una ceremonia que va mucho más allá de lo carnal, pues participa el espíritu, que es el que consigue que la satisfacción pueda resultar excelsa.

—Me hago una idea.

—Hum... No estoy tan seguro, buen Amosis. Algunos de los que vienen a verme llevaban años pasando frente a mi puerta sin que hubieran experimentado ninguna necesidad por saber qué era lo que se ocultaba tras ella. Ahora se sienten dichosos por haber dado ese paso, e incluso los hay que se ufanan al decidirse a aprender a leer y escribir.

—Encomiable labor la que realizas —indicó el joven, jocoso.

—Je, je... Sabía que lo comprenderías. Además, entre las señoras que tengo la suerte de reconducir, la experiencia suele resultar gratificante, pues me entrego como corresponde. —Amosis abrió los ojos cual si contemplara a algún súcubo—. Sí, ya sé que ellas vienen en busca de Abdú, y que mis atributos no pueden compararse con los del prodigio, pero son conscientes de la imposibilidad de que el yoruba las reciba y participan gustosas de la experiencia.

—¡Los atributos de Abdú! —exclamó el egipcio sin dar crédito a lo que escuchaba.

—Sí. En el barrio no se habla de otra cosa. Debes de ser el único que no lo sabe.

Amosis volvió a llevarse las manos a la cabeza.

—No es para que te lo tomes así. Abdú no tiene la culpa de que la naturaleza lo haya dotado de semejante manera. Claro que en confianza te diré que creo que el hecho de ser mago ha tenido algo que ver en el asunto; solo así puede entenderse tamaño portento.

El egipcio estaba estupefacto, sobre todo porque parecía vivir en un mundo paralelo al de los demás en el que no había lugar más que para las ambiciones y los futuros negocios. Solo así podía entenderse el que se sorprendiera por hechos como aquel, que al parecer eran de dominio público.

—Deberías alegrarte, amigo mío. Entre las artes adivinatorias que posee el yoruba y su descomunal potencia, podría hacer fortuna. A no mucho tardar vendrán a visitarlo las damas principales que habitan en el Bruchión, ya lo verás. Abdú ha encontrado su particular Parnaso, je, je.

19

El templo del conocimiento decidió abrir sus puertas a los peregrinos, impulsado por el capricho de las Musas. La joya más preciada de Alejandría, la que perduraría durante los siglos venideros en la memoria de los hombres, permitía de esta forma la entrada en su reino a aquellos neófitos perdidos en el mar de su propia ignorancia. Cual si fueran tres náufragos, los extraños recibían el beneplácito divino al tiempo que se aferraban a la tabla salvadora que en aquella hora les brindaba la sabiduría. Todos eran conscientes de ello, sobre todo Teofrasto, de largo el que más conocimientos poseía, ya que su erudición le permitía comprender lo mucho que le quedaba por aprender.

—¡He aquí el verdadero corazón de Alejandría! —exclamó con pomposidad el librero—. El único motivo que hará que esta ciudad resulte eterna.

Sus dos acompañantes lo miraron en silencio, pues se sentían conmovidos ante lo que veían y, sobre todo, por lo que representaba. Ambos habían oído hablar muchas veces acerca de aquella leyenda surgida de la realidad, y al contemplarla en toda su magnitud captaron el poder que emanaba de los majestuosos monumentos que desafiaban a la ignorancia.

La Gran Biblioteca y el Mouseión se alzaban anexos junto a la muralla interior que separaba el distrito real del resto de la ciudad, en el barrio del Bruchión, rodeados por todo el esplendor que habían sido capaces de proporcionarles los Ptolomeos. Aunque se tratara de dos instituciones independientes, ambas cumplían funciones complementarias, al tiempo que participaban de la misma grandeza.

Los lágidas habían elegido con cuidado su ubicación, pues las columnas que rodeaban el espléndido edificio de la biblioteca se dejaban envolver por bosquecillos que salpicaban los frondosos jardines que se extendían hasta la residencia real en el istmo de Lochias. Allí, fuentes y estatuas de un mármol resplandeciente se daban la mano con los mil palacios que, aseguraban, se levantaron en aquel distrito concebido para soñar; siempre con la vista perdida en el mar, en el inmenso azul de un Mediterráneo que se mecía a los pies de la que bien pudiera haber sido catalogada como la octava maravilla de la antigüedad. En el Gran Puerto, que se extendía un poco más abajo como si fuera una alfombra teñida de añil, los barcos se abigarraban apenas mecidos por la seguridad que les proporcionaban aquellas aguas. Casi enfrente se asomaba al mar el templo dedicado a Poseidón, y un poco más alejada se recortaba la isla de Antirrodas, con su palacio y el Puerto Real a su espalda.

Amosis, hechizado por cuanto contemplaban sus ojos, apenas era capaz de pronunciar palabra. Los frondosos palmerales quedaban pintados, aquí y allá, por el rojo brillante de los flamboyanes, al tiempo que pugnaban por dar cobijo a espléndidas mansiones de las que surgían las plantas más exóticas, que se arrullaban al rumor del agua de las fuentes.

Todo parecía tan perfecto que el joven temía poder quebrar aquel ensueño con una simple palabra, si acaso con un suspiro.

—Solo el señor de los cielos podría concebir algo así —se atrevió a murmurar Abdú con expresión atónita.

Sus acompañantes lo observaron un instante.

—Dioses fueron quienes construyeron esto, aunque de naturaleza distinta a la de aquel a quien te refieres, je, je —se apresuró a intervenir Teofrasto, a quien le resultaba difícil estar mucho tiempo sin hablar—. Ellos así lo pregonaron a aquellos que estuvieran dispuestos a escucharlos, aunque he de reconocer que con la biblioteca sacaron lustre a su apellido.

El hombrecillo hizo una seña para que lo siguieran, y los tres se encaminaron hacia el Mouseión.

—Debéis ser conscientes de lo afortunados que somos por encontrarnos hoy aquí —continuó el librero—. Solo la realeza y los eruditos pueden visitar tan sagrados lugares. Bien podríamos ser considerados como proscritos, je, je.

Amosis pensó que el librero no dejaba de tener razón. El lugar parecía ideado para el recreo del pensamiento y el solaz espiritual, y nada podía estar más alejado de una naturaleza tan mercantilista como la que poseía.

—Como recordarás, estimado Amosis, Ptolomeo I fue el impulsor de esta magna obra junto con el bueno de Demetrio de Falero. Luego, Ptolomeo II Filadelfo se encargó de desarrollar el proyecto al tiempo que promovía la llegada de los más insignes sabios de la época y la adquisición de todas las obras de que fue capaz, por medio de agentes que se encargaron de recorrer todos los caminos conocidos en busca de manuscritos. Bueno, ya casi hemos llegado. Este es el Mouseión —dijo, señalándolo con el dedo.

—¿El Mouseión? —preguntó Abdú sin poder evitarlo, ya que no tenía ni idea de lo que significaba.

—Tal y como te lo digo, gran mago —apuntó Teofrasto—. El museo o el santuario de las Musas, noble yoruba.

—Mis *orishas* nunca me llevaron tan lejos —se lamentó el gigante.

—Je, je. No importa, amigo. Se refiere a las hijas de Zeus y Mnemósine, la Memoria. Son nueve, y cuando vengas más por mi tienda te hablaré de ellas.

Abdú asintió pensativo, y enseguida reflexionó que, igual que su religión tenía profusión de espíritus de todo tipo, aquellos griegos disponían de unos dioses propios que, en su opinión, venían a hacer lo mismo aunque tuvieran otros nombres.

—Hoy nos espera un hombre que me honra con su amistad y que se ha prestado a recibirnos para mostrarnos cuanto veis. Nos hace un gran honor, ya que se trata de un reputado erudito al que consulta el mismísimo faraón; imaginaos. Sobre todo porque pertenece a la escuela de los cínicos, que poco tiene que ver con las costumbres de Auletes. Ni con las mías, je, je.

—¿Dijiste cínicos? —inquirió Abdú, con sorpresa.

—Je, je. Ya te lo explicaré en profundidad, pero te adelanto que buscan llevar una vida apartada de los lujos sociales y las preocupaciones materiales. Son muy virtuosos.

Durante unos instantes caminaron en silencio, pero enseguida el librero señaló hacia la puerta, donde se encontraba un hombre de aspecto distraído.

—Demetrio —llamó al punto el hombrecillo—. Cuánta alegría.

Ambos amigos se saludaron efusivamente, y enseguida Teofrasto hizo las presentaciones. A Abdú lo catalogó como gran conocedor de los profundos misterios de la religión yoruba, y a Amosis como poeta sin par en la declamación de los versos homéricos.

El filósofo pareció muy impresionado, sobre todo por el saber arcano de los yorubas, de quienes no tenía conocimiento alguno.

—El griego lo habla con dificultad —se apresuró a decir el librero—, aunque domine otras muchas lenguas.

Demetrio se hizo cargo con un gesto que evidenciaba la bondad que atesoraba aquel sabio. Mas cuando escuchó a Amosis sus ojos se iluminaron, pues era difícil encontrar a alguien que tuviera un acento tan bueno.

—Oh. En verdad que hablas como los príncipes de antaño. Confío en poder escuchar algún canto de tus labios antes de que te marches —señaló el filósofo.

Amosis no pudo evitar ruborizarse, pues él mejor que nadie era consciente de la limitación de su sapiencia.

—Sed bienvenidos a la mansión del conocimiento —dijo su anfitrión en un tono que invitaba a la quietud—. Este es mi hogar. Soy uno de los afortunados en poder pasar mis días dedicado al estudio y la reflexión. La musa Clío, la de la historia, me trajo hasta aquí. Debe de ser que siente predilección por mí.

El egipcio observó al filósofo con disimulada atención. Le pareció una persona cuya edad resultaba imposible de adivinar, aunque ya fuese muy mayor. Tenía el pelo y la barba ensortijados pero muy limpios, como la túnica, que, sin embargo, se hallaba llena de remiendos y carecía de adorno alguno. Aquel hombre se movía sin premura, como si el tiempo hubiese dejado de importarle hacía mucho. Demetrio no era hijo de la prisa, y cuando hablaba sus palabras parecían fluir con la cadencia precisa. Sus pasos resonaban apagados, y al explicarse se acompañaba con ademanes de tranquila elegancia.

—Aquí se encuentran confinadas las mentes más preclaras de nuestra cultura. Príncipes del pensamiento, diría yo.

Amosis juzgó que tales palabras no podían ser más certeras. El Mouseión era un palacio levantado para mayor gloria de aquellos pensadores que lo habían habitado desde hacía doscientos años. El lugar se le antojaba digno de los aristócratas de la razón, con sus grandes salas preparadas para el estudio, sus patios columnados, donde, sentados en bancos, los eruditos se enfrascaban en el análisis de los papiros, y sus hermosos jardines, por donde paseaban en tanto discutían en voz baja acerca de sus ideas. Este era su único cometido, y a él se dedicaban con exclusividad.

Todos estos sabios vivían en el Mouseión, donde compartían la comida y las horas de estudio hasta que llegaba la hora en que se retiraban a sus aposentos. Si había un lugar donde las Musas podían hacerse presentes, Amosis pensó que era aquel.

—Vivimos por y para la ciencia, y eso es lo que espera de nosotros el faraón. Estamos liberados de acometer ningún trabajo que no sea el de la búsqueda de la erudición, y el monarca nos proporciona todo lo necesario para vivir sin estrecheces. Hasta nos remunera con un salario que sería la envidia de cualquier hombre de ciencia —señaló Demetrio con su pausa habitual.

—Doce talentos anuales —apuntó Teofrasto sin poder contenerse—. Quién pudiera ganarlos.

Demetrio hizo un gesto de fastidio.

—Para un cínico como yo significa una fortuna, bien lo sabes, amigo Teofrasto, aunque justo es reconocer que el faraón se lo cobra sobradamente.

Amosis miró al librero intrigado, ya que no sabía a qué se refería el sabio. Este asintió, resignado.

—Aquí todos estamos a su servicio durante el tiempo que permanezcamos en el museo. Si Auletes nos requiere para conversar, debemos acudir al instante. El rey se tiene por gran aficionado a la filosofía, aunque lo que verdaderamente le gusta es tocar la flauta durante los certámenes que organiza en palacio. En ocasiones he de asistir a sus fiestas para presenciar los excesos a los que tan aficionada es la corte. Nunca un cínico se halló tan alejado de la escuela a la que pertenece —se lamentó Demetrio.

—Es una jaula de oro —dijo Amosis de forma espontánea.

—En la que no me importaría encontrarme —matizó el librero—. Nada menos que doce talentos. Por un salario como ese me dejaría llevar a cualquier acto que tuvieran a bien, je, je.

—Tienes razón, viejo amigo. La vanidad siempre está dispuesta a prevalecer sobre todo lo demás. El privilegio que supone vivir aquí hace que aceptemos cuanto nos propongan —reconoció el filósofo—. Cuánta razón tenía Timón de Fliunte al asegurar que somos «ermitaños, ratas de biblioteca, discutiendo sin cesar en la jaula de las Musas».[11]

—¿Te refieres a Timón el Silógrafo? —intervino Teofrasto, que llevaba un buen rato sin abrir la boca.

—El mismo. Hijo de Timarco y muy querido por Ptolomeo II Filadelfo.

—Je, je. Fue un filósofo escéptico con un ingenio agudo como pocos, y muy aficionado a burlarse de los demás. Al parecer era tuerto.

—Como veréis, caros visitantes, aquí todos desempeñamos una función específica. Fundamentalmente, relacionada con los análisis filológicos y la corrección de textos. Todas las disciplinas tienen cabida en este templo del saber, y por ello podréis encontrar desde poetas y retóricos hasta historiadores y sofistas, pasando por médicos, geógrafos, matemáticos y hasta adivinos.

Teofrasto dio un respingo y al punto miró a Abdú, que no podía borrar el asombro de su rostro ante lo que veía.

—¿Has oído, gran Abdú? —quiso saber el librero—. Si sigues por el camino que has emprendido, muy pronto te veré en este lugar como el más digno representante de la religión yoruba.

—Sería un nuevo acicate para estas viejas paredes, que en no pocas ocasiones se me antojan algo anquilosadas. El hecho de que solo nos dediquemos a intentar sacar brillo a la cultura griega hace que parezca que por aquí no pasan los siglos. Cuando llegas a este santuario el tiempo se detiene, y tú con él —apuntó Demetrio.

—Está en la misma concepción de su naturaleza —intervino Teofrasto—. Este lugar no deja de constituir una continuación del Liceo ateniense y un firme baluarte del pensamiento aristotélico. Ese es su origen. Pero qué te voy yo a contar, buen Demetrio.

—Así es, pero justo sería reconocer que el Mouseión no es ya ni la sombra de lo que fue. Hubo un día en el que la luz que emitía la Gran Biblioteca era capaz de iluminar la razón del mundo conocido. La lista de insignes sabios que han pasado por aquí abrumaría nuestro ego.

—He de rendirme a los hechos, aunque fuese Filadelfo quien impulsara esta obra sin par —reconoció el librero.

—Ptolomeo tuvo la feliz idea de enviar una carta a todos los reyes y gobernadores del mundo conocido en la que les rogaba que le enviasen todas las obras que pudieran, al tiempo que animaba a cualquier hombre de ciencia a establecerse en Alejandría, con la promesa de poder dedicarse por completo al estudio bajo la protección del faraón. Hasta exento de pagar impuestos se encontraría quien se animase a instalarse en la capital. Ya me diréis quién podía negarse —señaló el filósofo.

—Costumbre esta última que sigue en vigor —recalcó Teofrasto, malicioso.

—Ya conoces el valor que doy yo a las monedas: ninguno —puntualizó Demetrio—. Pero he de reconocer que supuso todo un acicate para aventurarme a venir aquí.

—El faraón se dedicó a la búsqueda y captura de obras y colecciones, por las que llegó a pagar una fortuna. Su pasión por los libros hasta a mí me sorprende —aseguró Teofrasto.

—Solo los avances conseguidos desde la quietud de estos patios me hacen palidecer. Grandes filósofos como Zenódoto de Éfeso, el primer director que tuvo la biblioteca, o Calímaco de Cirene, su sucesor, un hombre que desempeñaba su trabajo en el barrio de Eleusis como maestro elemental y que llegó a ser nombrado poeta de la corte por Filadelfo, quien lo reverenciaba. En estos claustros Euclides escribió los trece volúmenes de su obra *Los elementos*, y Aristarco de Samos sugirió que la Tierra giraba alrededor del Sol, en contra de la teoría geocéntrica. Arquímedes de Siracusa estudió aquí en su juventud, y Apolonio de Pérgamo desarrolló su hipótesis de las órbitas excéntricas o teoría de los epiciclos y llegó a ser nombrado dioceta por Ptolomeo Filadelfo. Eso por no hablar del genial Eratóstenes de Cirene, que calculó la circunferencia de la Tierra en doscientos cincuenta y dos mil estadios e inventó la esfera armilar, o de Hiparco de Nicea, que realizó el primer catálogo de estrellas y descubrió la precesión de los equinoccios. Y qué decir de Herófilo de Calcedonia, que fue el primer médico que diseccionó cadáveres en público e incluso hizo vivisecciones.

—¿Vivisecciones? —quiso saber Abdú, que tenía dificultades para entender otro griego que no fuese la koiné.

—Sí —se apresuró a intervenir Teofrasto—. El maestro Demetrio se refiere a las disecciones en humanos cuando todavía están vivos.

Sin poder evitarlo el yoruba se estremeció, y el filósofo quiso aclarárselo.

—No debemos impresionarnos —señaló Demetrio—. Los experimentos los realizaba en criminales y esclavos condenados a muerte.

Abdú pensó que los ojos se le salían de las órbitas. Ni en su lejana tierra había escuchado nunca que se llevaran a cabo acciones semejantes. Al ver su expresión, Teofrasto rio en voz queda, algo a lo que era muy aficionado.

—Claro que su colega Erasístrato de Ceos no le iba a la zaga. Fundó la fisiología y realizó experimentos en el campo de la neuroanatomía. Aún se recuerdan sus disertaciones sobre la vena cava y las válvulas venosas.

El yoruba, que escuchaba con gran atención al filósofo, no pudo reprimir un comentario.

—Mi señor Olodumare me libre de semejantes carniceros.

Al oírlo, Teofrasto no pudo evitar lanzar una carcajada, para disgusto de los eruditos que por allí pasaban, que enseguida chistaron para reprenderle.

—Al sapientísimo maestro yoruba no le falta razón. Todas aquellas prácticas provocaron grandes desórdenes entre la ciudadanía, ya que incitaban a la intranquilidad —explicó Demetrio.

—Imaginaos la zozobra que debían de sentir los reos en aquella época. Un sinvivir —aseveró Teofrasto.

—El faraón no tuvo más remedio que redactar un edicto que prohibía aquellas costumbres. Bien conocía lo levantiscos que podían llegar a ser los alejandrinos.

Abdú miró a su antiguo amo con la perplejidad propia de quien procedía de un mundo que nada tenía que ver con aquel. Amosis comprendió aquella mirada, pues no en vano él también venía de un Egipto que parecía de otro tiempo. En Alejandría los dioses habían dejado de regir el destino de los hombres.

—Estimados amigos, no creáis que solo los príncipes de la ciencia han sido admitidos en este santuario. He de confiaros que aquí grabó su nombre con letras de oro el hijo de un peluquero. Se llamaba Ctesibio, y fue un inventor genial. En la barbería de su padre concibió un sistema de elevación de espejos con contrapeso. Claro que luego, ya al servicio de Ptolomeo I Sóter, elaboró bombas neumáticas y hasta un cañón antiincendios. Sus relojes son de sobra conocidos, pero lo que más me cautiva de su obra es la invención del *hydraulis*, el órgano acuático, ji, ji...

Ante semejante cúmulo de revelaciones, Abdú se sentía como si en verdad ocupara el penúltimo escalón del conocimiento universal; al menos había subido uno después de escuchar al filósofo. Este parecía muy animado tras haber ilustrado a sus visitantes, deseoso de continuar con sus explicaciones.

—Ahora vayamos a la biblioteca, donde en realidad se guardan nuestros mayores tesoros. Gracias a los dos primeros faraones de la actual dinastía se logró acumular la nada desdeñable cifra de quinientos treinta y dos mil ochocientos rollos, entre los *symmigeis*, los *amygeis* y los cuarenta y dos mil ochocientos que se guardaban en los depósitos externos.

—No hay duda de que Filadelfo estaba firmemente decidido a encumbrar su obra —dijo Amosis—. No reparó en esfuerzos.

—Y no te equivocas ni un ápice, amigo mío —intervino de nuevo Teofrasto—. Ante tan ingente cantidad de libros no había más remedio que crear un monumento cuyo esplendor no desentonara con los tesoros que custodiaba. Así nació la *bibliotheke*: el depósito de libros.

Demetrio asintió con una sonrisa beatífica.

—Ya hemos llegado —dijo con suavidad—. Hoy podremos respirar siglos de conocimiento.

La única palabra que se le ocurrió a Amosis para definir lo que vieron sus ojos fue asombro. Un estupor que iba mucho más allá del causado por el refulgir de los mármoles, de las graciosas columnas que abrazaban el edificio sin par, de los jardines y fuentes que festoneaban el mayor santuario de la cultura de toda una época. Los atrios saludaban a la luz acompañados por magníficas estatuas, también del mármol más blanco, y hacia el oriente el singular edificio se abría para de este modo poder recibir los rayos del sol de la mañana en toda su plenitud, con el fin de facilitar la lectura. Al oeste, dando la mano al oleaje de azul y plata, la figura del faro se elevaba airosa para solaz de cuantos se encontraban en la biblioteca, ansiosos de aprender lo que un día dejaran allí escrito los más sabios. Así, los dos monumentos, símbolos del poder de los lágidas, quedaban hermanados en la distancia, como si en verdad fueran capaces de trascender los tiempos.

La actividad que reinaba en el interior de la Gran Biblioteca nada tenía que ver con la quietud que se respiraba en el Mouseión. Un verdadero ejército de empleados se ocupaba de agrupar, clasificar y entregar a los copistas cada volumen en el que debían trabajar.

—Los *hyperetae* son los encargados de entregar cada rollo a los amanuenses —explicó Demetrio—. A estos no se les puede molestar, y muchos de ellos cobran por línea copiada. Hubo una época en la que era un trabajo muy codiciado, pero de un tiempo a esta parte el faraón hace uso de los esclavos ilustrados para así ahorrarse el gasto que le suponen los escribas.

El joven egipcio asentía en silencio en tanto Abdú observaba a aquellos esclavos que se dedicaban a escribir sobre los rollos de papiro.

—Como podéis comprobar, todas las paredes se encuentran cubiertas por grandes estanterías y armarios donde se archivan los libros. Muchos proceden de tierras lejanas, aunque la mayoría fueran adquiridos en los reinos formados tras la muerte del gran Alejandro —explicó el filósofo.

Amosis observó los enormes anaqueles de madera y los llamados *armaria*, armarios repletos de volúmenes, algunos tan antiguos como la propia memoria del hombre.

—Cuando veo estas salas rebosantes de sabiduría, no puedo dejar de pensar en la ingente labor de catalogación que tuvo que llevar a cabo Calímaco de Cirene —recordó Teofrasto—. Un trabajo inestimable. El que en su día fuera conservador de esta institución se encargó de confeccionar las llamadas «tablas», las *pinakes*, un monumental catálogo que inscribió en el sorprendente número de ciento veinte rollos de papiro. A él le debemos la división en secciones que posee la biblioteca —matizó el librero, que parecía subyugado ante lo que veían sus ojos.

—Todas las disciplinas se hallan entre estas paredes, desde la poesía lírica a la tragedia, pasando por las matemáticas, la medicina o la astronomía. Como seguramente ya sabréis, Ptolomeo Filadelfo compró toda la colección de libros perteneciente al gran maestro, Aristóteles, y Ptolomeo Evérgetes, su sucesor, llevado por su pasión bibliófila, fue mucho más lejos ya que se dedicó a confiscar libros en favor de la biblioteca —recordó Demetrio.

—Sus funcionarios estaban por todas partes —intervino Teofrasto—, sobre todo en el puerto. Todos los viajeros llegados a Alejandría tenían la obligación de depositar en esta biblioteca cualquier manuscrito original que llevasen en su equipaje. Los agentes del faraón inspeccionaban cada palmo de las bodegas de los mercantes en busca de los preciados papiros, y la búsqueda llegó a cobrar tal importancia que la ocultación de los documentos se castigaba con las penas más severas. Cuando un manuscrito caía en manos de los funcionarios, estos ordenaban hacer una copia que seguidamente se entregaba al dueño, junto con una cantidad de dinero compensatoria.

—En poco tiempo las obras de los clásicos griegos quedaron archivadas dentro de este sagrado recinto. Los Ptolomeos llegaron a adquirirlas a precio de oro, y eso dio pie a que todos los agentes que se preciaban se dedicaran a visitar cualquier colección privada con el ánimo de hacer un buen negocio —puntualizó el filósofo.

—Ahora entiendo por qué fue necesaria la construcción de otra biblioteca en el Serapeum —dijo Amosis, admirado.

—No había otro remedio —aseguró Demetrio—. Solo en esta institución tenemos en la actualidad setecientos mil rollos. Una cifra asombrosa, diría yo.

El joven egipcio se fijó en los bustos que salpicaban las estanterías y armarios situados en las salas y preguntó acerca de su significado.

—Indican el tipo de contenido que se guarda en ese estante —precisó Teofrasto—. Cada figura representa a un autor que haya escrito con relación a esos temas, de tal modo que resulta todo un honor para cualquier escritor que se precie el poder ser inmortalizado junto a las obras de los clásicos por medio de un busto. Como veis, las colecciones suelen estar divididas en secciones y ordenadas alfabéticamente.

Abdú pensó que aquellos griegos habían enloquecido en su afán por acumular papiros, por muy sabias que pudieran resultar las palabras que guardaran.

Demetrio hizo una seña a uno de los *hyperetae*, quien al punto extrajo de uno de los *armaria* un rollo con especial delicadeza para entregárselo al filósofo. Este hizo aproximarse a sus invitados.

—Observad esta joya. Quizá se trate de uno de los manuscritos más antiguos atesorados aquí. Como podéis observar, en el rollo se puede leer el título de la obra, así como el autor.

—*Ditirambo*, de Baquílides —leyó Amosis con interés.

—Así es. Se trata de una composición lírica en honor a Dioniso —se apresuró a decir Teofrasto, que por algo era devoto de ese dios—. Que yo recuerde, era sobrino del poeta Simónides de Ceos y estuvo durante algún tiempo en la corte de Hierón I de Siracusa.

—Tuvo la desgracia de ser coetáneo de Píndaro, cuya rivalidad era bien conocida y que lo eclipsó —señaló el filósofo.

—Es cierto, pero al menos dejó una frase para la posteridad: «Más valiera a los hombres no haber nacido» —añadió el librero, que en citas no había quien lo superase—. La poesía de Píndaro se me antoja complicada hasta a mí, je, je.

—Este rollo en particular es una rareza —continuó Demetrio—, y como podéis apreciar está escrito con tinta amarilla diluida en mirra.

Tanto Amosis como Abdú apenas se atrevían a pronunciar palabra, impresionados ante la magnitud de lo que veían.

—No creáis que esta es la única biblioteca con la que el hombre se decidió por fin a salir de la barbarie, je, je —apuntó Teofrasto, que parecía haber recuperado su natural locuacidad—. La de Antioquía se remonta a hace ciento cincuenta años, y la de Pérgamo fue impulsada por los atálidas, en concreto por Atalo I y su hijo Eumenes II. Aseguran que guarda en sus anaqueles trescientos mil volúmenes; una cifra considerable, en mi opinión.

—Todas tratan de imitarnos, buen Teofrasto, qué te voy a contar. Hasta ese bárbaro de Mitrídates del Ponto ha levantado una. Lo cierto es que no entiendo muy bien la razón, ya que se pasa la vida guerreando sin descanso; algo atroz para un hombre de mis convicciones.

—¡Anatema! —exclamó el librero haciendo una de sus poses.

—Estoy de acuerdo contigo, amigo Teofrasto. Pero, por más batallas que gane Mitrídates, jamás conseguirá para su causa todo este conocimiento.

—Me temo que este lugar se convertirá en el postrer baluarte de la cultura durante muchos siglos —se lamentó el librero—. Los tiempos que se avecinan parecen haber sido pensados por el belicoso Ares.

—Guerras por doquier. Al final Mitrídates no lucha contra sí mismo. Roma se encarga de sacar lo peor de ese rey, y de paso nos muestra lo que nos espera —se quejó Demetrio—. Los hijos del Tíber, siempre proclives a mostrar su brutalidad. Mira si no lo que hizo Sila tras vencer en Queronea hace poco más de diez años.

—Dicen que degolló a noventa mil prisioneros —aclaró el librero—. Claro que Mitrídates ya había ordenado matar a ochenta mil romanos en Éfeso.

Demetrio se llevó ambas manos a la cabeza en tanto Abdú no salía de su perplejidad al escuchar semejantes barbaridades.

—Olvidemos esa cruel palabra que no tiene lugar en este santuario —prosiguió el filósofo—. La guerra jamás podrá anidar en nuestros anaqueles, y, dada mi edad, solo me siento interesado por aquellas cuestiones capaces de elevar mi espíritu.

—Tienes razón, viejo amigo —apuntó Teofrasto—. Solo el conocimiento de las cosas hace a los pueblos más tolerantes. Alejandría es una buena prueba de lo que digo.

—Llevamos conviviendo en paz en esta ciudad gentes de la más diversa procedencia desde hace casi trescientos años, y esta biblioteca puede dar buena fe de ello casi desde su fundación. ¿Habéis oído hablar de la *Septuaginta*? —preguntó el filósofo a sus dos jóvenes invitados.

Estos pusieron cara de no saber de lo que les hablaban, y el erudito soltó una risita.

—Es una historia que demuestra hasta qué punto la cultura puede hermanar a los pueblos —prosiguió Demetrio en un tono muy digno—. Los hechos se remontan a los tiempos del buen Ptolomeo II Filadelfo, a quien mi amigo Teofrasto no tiene en mucha estima pero que impulsó de forma definitiva esta institución. El faraón simpatizaba con el pueblo judío, y decidió escuchar la petición de Demetrio de Falero respecto a la posibilidad de traducir al griego la Biblia hebrea. A Filadelfo la idea le pareció interesante y envió presentes al templo de Jerusalén, no sin antes liberar a todos los judíos que permanecían en la esclavitud desde los años de lucha mantenida entre los diádocos[12] e indemnizarlos uno por uno. Semejante gesto fue alabado por Eleazar, sumo sacerdote de Jerusalén, quien se animó a enviar al faraón setenta y dos traductores, seis por cada una de las doce tribus de Israel, con el fin de llevar a cabo la obra. Filadelfo recibió a los sabios con satisfacción y les brindó su hospitalidad para que trabajaran en la traducción por separado, de modo que al finalizar su labor pudieran comparar esta a fin de conseguir el texto más riguroso posible.

Demetrio hizo una pausa para ver el efecto que causaba la historia en sus acompañantes, y estos lo animaron a continuar, pues se mostraban muy interesados.

—Parece cosa de magos lo que ocurrió, pero así consta en los anales —prosiguió el filósofo—. Los setenta y dos eruditos concluyeron su trabajo en setenta y dos días y, lo que es más asombroso, su transcripción coincidía hasta en los menores detalles. Así fue como quedó traducido al griego el Pentateuco, del que se hicieron copias para alegría del resto de comunidades judías que vivían en la diáspora y hablaban en griego. Filadelfo quedó tan complacido con el resultado que recompensó a los sabios antes de que estos regresaran a Jerusalén.

—La Biblia de los Setenta —musitó Teofrasto.

—Define el espíritu con el que se creó esta biblioteca: hermanar a los hombres por medio del conocimiento —recordó el filósofo.

El pequeño grupo había recorrido las salas, patios y jardines en tanto platicaban. Ya próximos a la salida, Demetrio les hizo reparar en los nombres de quienes habían dirigido aquella institución.

—Solo con recordarlos se me saltan las lágrimas. Resulta imposible hoy en día encontrar hombres de una talla semejante. Decidme si no tengo razón. —Entonces Demetrio comenzó a enumerarlos—. A Demetrio de Falero le siguió Zenódoto de Éfeso, que en realidad fue el primer bibliotecario y ocupó su cargo durante veintidós años; luego le sucedieron Calímaco de Cirene,[13] otros veinte años, Apolonio de Rodas, que estuvo al frente diez, Eratóstenes de Cirene, treinta y cinco, Aristófanes de Bizancio, quince, Apolonio el Idógrafo, veinte, Aristarco de Samotracia, veintinueve, a quien siguió un militar llamado Cydas...[14]

El filósofo continuó enumerándolos a todos ante el pasmo de Abdú, que se veía tan perdido como cupiese imaginar. Cuando terminó con su disertación, todos lo observaban boquiabiertos, anonadados ante la erudición que acumulaba aquel hombre.

—Luego las cosas cambiaron —se lamentó Demetrio—. Llegaron reyes que poco o ningún interés mostraron por tan magno patrimonio, y todo se precipitó cuando Ptolomeo VIII Fiscón, el Barrigón, declaró la guerra a todos los intelectuales de la ciudad por haberse opuesto a su tiranía. El aire se volvió irrespirable en la capital, y por primera vez Alejandría fue víctima de purgas y expulsiones. La mayor parte de los sabios abandonaron la metrópoli y hubo actos de venganza ruin contra la comunidad judía. Imaginaos que hasta Apolodoro y el mismísimo director de la biblioteca, Aristarco de Samotracia, tuvieron que marcharse.

—La ciudad no ha vuelto a ser la misma desde entonces —apuntó Teofrasto.

—¿Quién iba a querer permanecer en una capital gobernada por semejante monstruo?

—Nunca escuché palabras tan acertadas —contestó el librero—. ¡Qué se puede esperar de un faraón capaz de casarse con la hija que ya tenía su esposa, Cleopatra II, sin divorciarse previamente de esta!

—En esta ciudad parece fácil que los *orishas* confundan los caminos —dijo Abdú con pesar.

—En aquella ocasión los alejandrinos los tuvimos claros, gran yoruba —indicó el librero—. Incendiamos el palacio del Barrigón. Qué menos podíamos hacer.

Al abandonar el edificio, Demetrio y Teofrasto continuaban disertando sobre este o aquel hecho acaecido en el pasado. Amosis tuvo la sensación de que el conocimiento no se encontraba muy alejado de sus ambiciones mercantiles. Ambos lo invitaban a continuar. Ni en cien vidas que pasase en el interior del santuario de las Musas podría el egipcio acaparar todo el saber conocido. Lo mismo ocurría con sus ilusiones, y cuando aquel día se vio rodeado de nuevo por los espléndidos jardines que señoreaban en el Bruchión, el egipcio se convenció de que aquel era el lugar que le correspondía para vivir, y que antes o después sería el dueño de alguna de aquellas lujosas mansiones envueltas en magia. Alejandría estaría a sus pies, y desde su terraza Amosis observaría los barcos entrar y salir del puerto para comerciar. Esta palabra se le antojaba la llave de cuanto ocurría en la ciudad. Sin ella, ninguna de aquellas maravillas que se le mostraban habrían sido posibles. Sencillamente nunca se habrían levantado, y en su corazón de mercader se convenció de que todos los templos dedicados al culto al conocimiento que habían visitado eran una consecuencia de la prosperidad. Sin aquellos mercantes que se agolpaban en los muelles no habría bibliotecas ni museos, y mucho menos faro. Los dracmas que se movían en los negocios hacían posible todo eso, y a ellos pensaba dedicarse.

Al despedirse, ambos eruditos continuaban discutiendo acerca de los aspectos más peregrinos de la poesía de Teócrito, a quien según parecía admiraban mucho.

—Ah, los *Idilios*, amigo Demetrio. He de confesarte que son mi perdición. Esos escenarios campestres en los que los pastores se cuentan sus penas de amor... En ocasiones paso tardes enteras recitándolos en la quietud de mi librería.

—Ji, ji. Un buen lugar para imaginar un paisaje paradisíaco como la Arcadia.

Así fue como se dijeron adiós, entre poemas bucólicos y la firme promesa de volver a verse pronto. Para Abdú aquella visita representaba una anécdota que contar. Siempre recordaría aquel día en el que había descubierto aspectos tan distintos en los seres humanos a los habituales. Por algún motivo los *orishas* habían querido que viese todo aquello, y él estaba convencido de que aquel comportamiento anacrónico que tan a menudo mostraban los hombres no era sino parte de su aprendizaje.

—Me siento verdaderamente bendecido —dijo Teofrasto, exultante, mientras caminaban de regreso—. Seguro que habréis captado el poder de todo el saber encerrado entre esas paredes, ¿verdad?

—Nunca vi nada semejante —se atrevió a decir Abdú, que se sentía como si en verdad hubiese estado en el interior de una irrealidad.

—Ni lo verás, gran mago —aseguró el librero—. Es más, te adelanto que tus poderes se verán incrementados desde este momento.

El yoruba lo miró con escepticismo.

—Recuerda mis palabras. Hay un antes y un después de este día —recalcó Teofrasto—. No quiero ni imaginar en lo que se convertirá el barrio, je, je.

Amosis permanecía en silencio mientras sus dos acompañantes bromeaban con cierto ingenio, y ni siquiera se percató de la proximidad del zoológico. Cuando llegaron a la vía del Soma, una amplia avenida trazada en perpendicular a la Canópica, con la que se cruzaba, el egipcio no podía dejar de pensar en lo alejada que se encontraba aquella sociedad de la que había habitado Egipto durante milenios. En Alejandría, hablar de la Tierra Negra se le antojaba una broma colosal. Allí Kemet no tenía sentido, e incluso el Nilo había decidido vivir a espaldas de la capital. Si acaso se asomaba a ella, como con curiosidad, a través de dos afluentes. Uno procedente del propio canal Canópico, que desembocaba junto al Puerto Real, y otro que alimentaba el lago Mareotis y buscaba el mar cerca de los astilleros del Eunostos. Poco bagaje para una capital semejante que, curiosamente, se veía libre de la inundación anual del río y por ello nunca se hallaba anegada por las aguas.

Para un egipcio del sur como era Amosis, aquella urbe bien pudiera haberse encontrado en cualquier otro lugar que le resultara desconocido. Allí no hacía calor, ni se sufrían los desagradables olores que solían originarse durante el verano en otras poblaciones, sobre todo cuando el Nilo dejaba su agua estancada a finales del estío. La brisa procedente del mar resultaba vivificante, y en los inviernos la lluvia y el viento aparecían como una suerte de prodigio a los ojos del joven.

Al llegar al ágora, justo en la intersección de aquella avenida con la espléndida vía Canópica, Amosis pareció salir de sus cuitas pues le estaban esperando.

—Me hago cargo de la impresión que te han producido los baluartes del pensamiento —oyó que le decía Teofrasto—. No es para menos después del honor que nos ha hecho el bueno de Demetrio al permitirnos la entrada. Son muchos los que han soñado con visitar la biblioteca y no han podido.

El librero no había parado de hablar con Abdú, por quien sentía un especial aprecio. Su curiosidad lo había llevado a interesarse por aspectos de la religión yoruba y otras costumbres de la tierra del liberto. Este destilaba sus explicaciones en pequeñas gotas, ya que le gustaba envolver sus palabras con dosis de calculado misterio, quizá porque estaba en su naturaleza. Teofrasto no perdía detalle, y cuanto más conocía a aquel gigante más seguro estaba de querer cultivar su amistad. En cuanto tuvo ocasión le habló al yoruba de sus aficiones por los ritos dionisíacos, algo a lo que el mago se mostró receptivo.

—Te comentaba la gran alegría que siento al ver que el poderoso mago y yo tenemos tantos puntos en común —le aclaró el librero al joven cuando este salió de su trance. Amosis parpadeó repetidamente, como si estuviera escuchando algo incomprensible—. No es necesario poseer grandes conocimientos; con la actitud adecuada es suficiente, je, je. En mi opinión, el gran mago podría desempeñar un papel principal en las próximas fiestas en honor a Dioniso, a finales del invierno. No sé qué opinarás tú.

—El gran Abdú es libre de hacer lo que crea oportuno, y no seré yo quien juzgue su libertina naturaleza —respondió Amosis algo molesto, ya que estaba pensando en sus negocios.

—Es lo que a mí me parecía —se apresuró a decir el librero—. Esas celebraciones le mostrarán una nueva dimensión de cuanto lo rodea, je, je.

—Ya me lo imagino —contestó el joven, lacónico.

—Hasta había pensado en la posibilidad de que representara la figura del dios en alguna de las carrozas que desfilan durante la procesión. De este modo yo podría formar parte de su *tiaso*; ya sabes, el séquito de Dioniso.

—Entre sátiros y bacantes. Me hago una idea, amigo Teofrasto.

—Je, je. En dónde si no he de enterrar las penurias de mi infortunio, buen Amosis. No hay nada como ser consciente de las propias debilidades para así darles el alimento justo.

Durante un rato, el librero habló de las particularidades de aquellos ritos para luego hacer una nueva confidencia al egipcio.

—En realidad te diré que lo que más me gustaría sería celebrar un *symposium*; uno como poco, je, je.

Amosis arqueó una ceja, divertido, y Abdú puso cara de no saber a qué se refería el librero.

—Un *symposium* alejandrino, claro está —quiso matizar Teofrasto—. Los celebrados en otros lugares no resultan iguales.

—Reunión de bebedores —apuntó Amosis, pues ese era el significado de la palabra.

—Dicho de esa forma suena un tanto elemental, querido amigo —señaló el hombrecillo—. De sobra son conocidos los *symposiums* desde hace siglos. No hay duda de que se puede disfrutar durante su transcurso de un ágape en condiciones, y también de exquisitos vinos. Mas he de aclararos, nobles compañeros, que aquí en Alejandría son particularmente deseables.

Sus dos acompañantes le hicieron ver lo poco que estaban al corriente del asunto.

—Cómo, ¿no sabéis de lo que hablo? —inquirió el librero con teatralidad.

—No tenemos ni idea, eminente Teofrasto.

—Oh, hijo dilecto de Tebas. Pues he de confiaros que en los últimos tiempos se han puesto de moda determinadas asociaciones en las que se rinde el homenaje preceptivo al *symposium*.

—¿Qué clase de asociaciones son esas? —se interesó Abdú.

—De hombres de bien, gran mago, no te vayas a pensar. Lo malo es que suelen ser personas acaudaladas con las que me resultaría imposible poder alternar. La liturgia del encuentro suele ser la habitual, aunque eso sí, acompañados por hetairas de la mejor condición; verdaderas ninfas que harían palidecer de envidia a la mismísima Alseide. Las hay que tocan el *aulas* con maestría sin igual, y suelen venir acompañadas de artistas y mimos que harían las delicias del propio faraón.

—Al menos hay quien se encarga de los invitados cuando estos desfallecen por los efectos del vino.

—No existen mejores brazos que los de una hetaira alejandrina para tales menesteres. ¡Abrir los ojos y ver cómo el rostro de una ninfa te sonríe! ¿Qué más podría desear? Pensaría que forma parte del sueño que el divino Dioniso me produce con mi embriaguez.

—Me temo que por el momento deberás regresar solo a casa, buen amigo, ¡ja, ja! —exclamó Amosis.

—Como de costumbre. Aunque os tengo que decir que el buen beber puede ser beneficioso para el organismo. —Amosis rio quedamente—. Sí, ya sé que eres abstemio y por ello proclive a la severidad, dicho con el mayor de los respetos, pero el gran Mnesiteo de Atenas, respetado médico que pasara por esta ciudad para mayor gloria, aseguraba que de todos los medios para purgarse el vino era el mejor, siempre que se hiciera de forma ocasional y durante varios días. Eso sí, hay que esperar a vomitar antes de retirarse a descansar; si es copiosamente, mejor.

—Los miembros de la asociación de bebedores a la que te gustaría incorporarte seguro que siguen las directrices del buen médico —señaló el tebano, burlón.

—No te rías por el hecho de desconocer los tratados de tan insigne científico. Es más, Mnesiteo nos aconseja tomar un baño ligero tras los vómitos antes de ir a dormir.

Amosis lanzó una carcajada.

—Como os lo digo, probos amigos. Además, aconseja que en caso de beber en demasía debemos abstenernos de tomar vino de mala calidad o vino sin mezclar, así como de comer ningún tipo de dulce mientras bebemos.[15]

—Me hago una idea de lo que acontece en los *symposiums* alejandrinos.

—Sabía que lo entenderías, querido amigo.

—¿Y dices que las hetairas y los jóvenes flautistas acostumbran a formar parte del ágape?

—Tal y como lo oyes, dilecto Amosis. Las únicas que no son bienvenidas son las esposas, je, je.

—Me temo que hoy me sienta más tebano que nunca, buen Teofrasto.

20

Habían pasado ya dos años desde que se estableciera en Alejandría cuando Amosis vio llegado el momento de visitar a Eleazar. Durante todo aquel tiempo el recuerdo de Leví se había mantenido vívido en su memoria, pues el tebano era consciente de la influencia que el viejo mercader había tenido en su vida. A pesar de contar con tan solo veintitrés años, al joven se le antojaba haber cumplido más de sesenta, al tiempo que pensaba que su juventud había quedado olvidada en alguno de los antiguos caminos que había recorrido junto a su tío. Todo le parecía extrañamente lejano y tenía la sensación de que sus mejores años se habían marchitado sin que fuera consciente de ello. Sus pensamientos habían ido siempre en una misma dirección, tan solo apartados fugazmente por la aparición del sentimiento más puro que pueda concebir el hombre: el amor. Este había terminado por convertirse en funesta decepción, en artífice de desgracias, en una frustración que había acabado por transformar su ánimo. Ya no había lugar en él para emociones elevadas pues, como ocurre a menudo, el rencor se había abierto paso en su corazón para encontrar acomodo, al tiempo que lo oscurecía con su acostumbrado barniz, que todo lo vela, sin importarle el tiempo.

Leví había sido determinante en el devenir de los acontecimientos. El judío representaba la única luz que el joven estaba dispuesto a reconocer en aquellas horas y hacia ella había decidido encaminar sus pasos. El mundo que en su día viera en Náucratis era el único que estaba dispuesto a aceptar, y el hecho de haber perdido una fortuna al estrechar su procelosa mano solo significaba un acto más de la obra que se había decidido a interpretar. El viejo comerciante le había mostrado cuál era el argumento, y al joven le gustaba.

Amosis guardaba celosamente la carta de recomendación que Leví le diera en su despedida, a la espera de que llegase el momento de hacerla valer. Aunque escrita en hebreo, él ya sabía lo que decía, y aquellas palabras en las que le mostraba su afecto habían supuesto todo un alivio para él, a pesar de su infortunio.

Pero el tebano había aprendido muy bien aquella dolorosa lección, y solo visitaría a Eleazar cuando tuviera seguridad de obtener provecho. Durante aquellos dos años pasados en Alejandría, sus horizontes habían sido alumbrados por el sol más rutilante, y las velas que impulsaban sus intereses, favorecidas por los mejores vientos. Tiqué, la diosa a quien los griegos reverenciaban como proveedora de fortuna, había decidido acogerlo bajo su tutela por razones que era imposible comprender. Sin embargo, en el puerto no se hablaba de otra cosa. Aquel egipcio advenedizo en los negocios del mar se hallaba tocado por la bendición de la diosa, ya que semejante fortuna resultaba insólita.

A quienes hablaban en tales términos no les faltaba razón. El comercio marítimo se encontraba repleto de sinsabores y desagradables sorpresas. Poseidón nunca garantizaba un feliz regreso, ni tampoco los Dióscuros, a los que honraban los navegantes. El mar tenía sus propias leyes y gustaba de recibir sacrificios. Los armadores sabían lo que encerraba aquella frase. Todo se volvía tan frágil como dispusieran los dioses y, a menudo, a las procelosas aguas se unía el peligro de la piratería que infestaba el Mediterráneo y de la que nadie estaba a salvo. Pero aquel joven parecía encontrarse exento de todo riesgo. ¿Cómo si no explicar el que se viera libre de cualquier desventura? Sus barcos habían zarpado cuando los demás se recogían al abrigo de las aguas seguras, para regresar envueltos en la bonanza y con las bodegas repletas de ricas mercaderías. ¡Dos años sin perder ni una carga! No existía explicación a semejante suerte.

Para gente tan supersticiosa como eran los marinos, la única razón posible procedía de los caprichosos dioses. Por alguna causa que desconocían, el tebano había hecho un pacto con el océano, y en los muelles no se hablaba de otra cosa.

Amosis estaba al corriente de cuanto ocurría, y desde su oficina se embriagaba con el perfume que le procuraban las ambiciones cumplidas. Era una fragancia que le satisfacía en grado sumo, al tiempo que lo invitaba a alimentar nuevos proyectos, ilusiones que parecían no tener fin. Su nombre se había convertido en sinónimo de éxito, y los armadores se mostraban ansiosos por hacer negocios con aquel egipcio prohijado por el mismísimo Poseidón. Su asociación con Tirios había demostrado ser todo un acierto, y lo que comenzara como una osada aventura de comercio de cabotaje se había convertido en tan solo dos años en un próspero negocio en permanente expansión. De hecho, este particular había tenido ocupado al tebano desde hacía tiempo. Las buenas prácticas del agente fenicio habían favorecido los propósitos del joven, que veía cómo nuevos mercados que en su día parecieran impensables se le abrían de forma natural, tal y como si estuvieran pensados para él. El cabotaje ya no era suficiente para el egipcio, que había decidido aventurarse por las rutas que lo llevaban al otro lado del mar en busca de nuevas mercancías. El primer mercante con el que había navegado le había hecho ganar una fortuna. El mármol y la plata eran valores seguros, y la audacia que había demostrado el joven al apostar parte de su hacienda en viajar hasta el Ática era la comidilla de capitanes, navieros y agentes, que venían a proponerle los más variopintos negocios. Amosis se había ganado un lugar en aquellos muelles, que no sabían de sentimientos, y desde los ventanales que daban al puerto el joven permanecía ajeno a estos, quizá porque ya los había dejado atrás hacía mucho tiempo. Ahora su mirada volvía a perderse en la lejanía; en aquellos horizontes que, estaba convencido, nunca lo abandonarían. Estos parecían no tener fin, y sin pretenderlo el tebano se preguntó si con ellos podría abarcar toda la tierra, por muy ignota que esta fuera. Los muelles no representaban sino una etapa más de su viaje. Un periplo que podía resultar tan proceloso como dictaminaran todos aquellos dioses a los que eran tan aficionados los griegos. Los suyos habían quedado olvidados hacía demasiado; recluidos en la quietud del sanctasanctórum de los templos de la antigua Tebas, quizá relegados para siempre.

Al dirigir la vista hacia la lejana escollera, el egipcio pensó en

Odiseo. Su héroe había llegado a desafiar a los dioses, y semejante osadía lo había conducido a permanecer perdido en la inmensidad de su mundo durante demasiados años. Sin embargo, su agudeza y determinación consiguieron que su horizonte se mantuviera vívido en su corazón, para llevarlo de regreso a casa en pos de lo que le pertenecía.

Por alguna extraña razón, Amosis tuvo el convencimiento de que el mundo se le quedaba pequeño, y que este era el motivo por el cual sus ambiciones no encontraban el descanso. Como una vez hiciese Odiseo, él también había iniciado su propio viaje, sin temor a cuanto tuvieran que decidir los dioses; daba igual quién estuviese esperándolo en las tierras que lo aguardaban en el futuro.

El tebano regresó de su ensoñación para observar el ajetreo que presentaban los muelles en aquella hora. Los barcos le habían proporcionado riqueza, pero la verdadera fortuna se encontraba en otro lado, y había llegado el momento de ir a su encuentro.

21

El barrio judío era casi tan antiguo como la propia Alejandría y representaba una tercera parte de la ciudad. Enclavado en el distrito Delta, en él convivían cerca de doscientas mil personas, en lo que suponía la mayor diáspora de su tiempo. Desde que Ptolomeo Filadelfo les mostrara su amistad y les otorgara los mismos derechos que a los *encorioi*, los nativos, los judíos se establecieron en la capital al amparo de la tolerancia religiosa que se les ofrecía. Dicha tolerancia los llevó a gozar no solo de los mismos derechos que cualquier otro ciudadano, sino también de privilegios que nadie más poseía. Aunque sujeta al faraón, la comunidad judía disfrutaba de una autonomía política, religiosa, cultural y hasta económica, gobernada por sus propios cargos, que velaban por la buena marcha de los asuntos de su pueblo. De este modo se ocupaban tanto de las cuestiones administrativas y judiciales como de las religiosas, con un etnarca encargado de representar todos los derechos de la comunidad ante el monarca. Aislados en su barrio, los judíos se mantenían fieles a sus leyes y antiguas tradiciones, al tiempo que conservaban su lengua e identidad.

No obstante, la convivencia con el resto de etnias de la metrópoli había sido buena, quizá debido a la influencia helénica que siempre recibieron. La traducción al griego de la Torá no fue un hecho aislado, ya que se desarrolló una auténtica escuela judía de Alejandría a la sombra del conocimiento que emanaba de la Gran Biblioteca. Así, se transcribieron muchos otros textos judíos al tiempo que surgían conceptos que tendían a conciliar la filosofía griega con la ley mosaica. Un buen ejemplo de lo anterior recayó en la figura del filósofo hebreo Aristóbulo de Alejandría, que no dudó en hacer proselitismo del judaísmo entre los alejandrinos al asegurar que el mismísimo Platón había encontrado en la tradición hebrea una fuente de la que extraer sus ideas; algo que sorprendió al provenir de labios de un filósofo peripatético.

Amosis no conocía aquella historia, y la única relación que había tenido con los judíos había recaído en la figura de Leví. Cierto que existían comunidades de esta religión repartidas por gran parte del país, mas el joven nunca había tratado con ellas, aunque conocía la inquina que despertaban entre muchos egipcios por haber conseguido más prerrogativas de las que ellos disfrutaban. Que el barrio judío de Alejandría era el más floreciente de todo Egipto era algo bien sabido, y también que en él se rendía culto al comercio y a los buenos oficios. Su único Dios, Yahvé, gobernaba sus almas, y en las sinagogas repartidas por todo el distrito los fieles se reunían para orar e interpretar las enseñanzas de la Torá.

Allí era donde vivía Eleazar, uno de los pocos banqueros de la ciudad que no era griego.

Desde el comienzo de la dinastía, los lágidas se habían encargado de controlar el sistema bancario con mano de hierro. El faraón era el principal poseedor de la moneda, y a través del Banco Real de Alejandría y sus sucursales se efectuaban las transacciones y cobros pertinentes. El Estado era dueño y señor de la economía del país de Kemet, y si era necesario prestar dinero, para eso estaba el rey, como dejó claro el primer Ptolomeo cuando otorgó un préstamo a los sacerdotes de Menfis con motivo del entierro del buey Apis. En tal ocasión el faraón les entregó cincuenta talentos, una cantidad respetable que no obstante resultaría ridícula si se comparara con los dos mil que le prestara a Cartago.

El Banco Real formaba parte de una administración financiera conocida como el Basilicón, en la que estaba incluido el Tesoro del rey; de esta forma, todos los banqueros reales eran agentes del faraón encargados de administrar sus bienes. Sin embargo, con el paso de los años el empleo de la moneda en los negocios personales fue desarrollándose de forma paulatina, y con ello comenzaron a aparecer banqueros privados dispuestos a ofrecer inversiones a sus clientes. A dichos banqueros griegos se les llamó trapezitas, y se dedicaban principalmente a prestar dinero o a facilitar los pagos como representantes de quien lo prestara, con su permiso y siempre ante testigos. Por ello, pronto comenzaron a participar en las transacciones entre particulares y, con el tiempo, a actuar en connivencia con prestamistas y comerciantes que buscaban una mayor opacidad en sus negocios.

A Amosis siempre le había parecido curioso el hecho de que la mayoría de los banqueros fuesen griegos y, sobre todo, que no hubiera ni un solo egipcio dedicado al negocio de la banca. Claro que tampoco era habitual ver a los naturales del país entre la clientela de los prestamistas, sobre todo porque la mayoría de los egipcios disponían de pocos recursos, y aquellos que tenían algo que guardar preferían hacerlo en los templos, como había sido costumbre. Por este motivo, la visita de aquella mañana al barrio judío no dejaba de tener su singularidad; un banquero judío y un cliente egipcio era algo inusual, de lo que se hablaría en el distrito durante algún tiempo.

El joven nunca olvidaría la impresión que le causó Eleazar la primera vez que lo vio. Hubo en ella una cierta similitud con el efecto que ya sintiera el tebano cuando conociera a Leví, y el egipcio pensó que debía de ser cosa de familia. Al igual que su primo, Eleazar pertenecía a la tribu de Leví, aunque el sacerdocio no estuviera nunca entre sus prerrogativas.

—El Señor, Dios de Israel, es nuestra herencia, y no se nos permitió ser dueños de tierras, como seguramente ya sabrás —apuntó el judío en tanto le ofrecía un poco de vino dulce a su huésped—. No deja de tener gracia que un miembro de la tribu destinada al servicio de Dios haya terminado por dedicarse a cuestiones de tan distinta naturaleza.

Amosis asintió, sin perder detalle de cada gesto de aquel hombre que aparentaba encontrarse próximo a la vejez. Su pelo níveo y su poblada barba del mismo color le hacían parecer vulnerable, pero eran sus ojos, pintados de un azul pálido, los que transmitían la sabiduría que atesoraba el judío. Como ocurriera con Leví, su primo mantenía el mismo aire pausado, al tiempo que utilizaba las palabras justas sin ninguna dificultad.

—Mis derechos para enseñar la Torá a las demás tribus ignoro dónde se encuentran, y me temo que tales privilegios no me alcancen ni para leer las escrituras en las sinagogas. Si Jacob levantase la cabeza y viera en lo que se ha convertido este descendiente de su tercer vástago, me tildaría públicamente de gentil, como poco.

—En ocasiones resulta inevitable sentirse como un gentil. A mí me ocurre a menudo, y somos muchos en esta tierra los que creemos vivir en la diáspora, buen Eleazar.

—Mala cosa es esa.

—Lo es. Sobre todo por lo que significa el encontrarte exiliado en tu propia tierra.

Eleazar asintió, circunspecto, ya que sabía muy bien a lo que se refería el joven.

—Iniciamos nuestro exilio hace quinientos años. El cautiverio de Babilonia se convirtió en la primera gran diáspora judía, pero sobrevivimos. Nuestras convicciones y nuestra fe inquebrantable nos hicieron fuertes, y estas particularidades nos mantendrán siempre unidos; da igual el lugar en el que nos hallemos.

El tebano consideró aquellas palabras cargadas de razón. Su propio pueblo era una buena prueba de ello. ¿Qué quedaba de los tres mil años de grandeza pasada en el país de las Dos Tierras? Templos abandonados, olvidados por los mismos dioses que un día los habitaran; colosos solitarios cuyas piedras resquebrajadas llorarían en el silencio de la noche; pirámides dispuestas a desafiar al tiempo, cuando no a la barbarie de los hombres; misterios que se perdían en los albores de una época en la que Egipto todavía era dueño de su propio destino. Esa era la razón por la cual su pueblo estaba condenado. Su identidad había sido arrojada al río hacía ya demasiados siglos y el Nilo se encargaría de llevarla hasta el mar, sin que ya nada pudieran hacer por evitarlo.

Eleazar observó a su huésped para adivinar sus pensamientos.

—Al parecer, mi primo Leví te tiene en alta consideración —dijo Eleazar al poco—. Su carta está escrita en los mejores términos.

—Leví fue un maestro para mí. Siempre tendré en cuenta sus juicios y también la ayuda que me prestó.

—Me alegra oírte decir eso, buen tebano, ya que al parecer la suerte te fue esquiva en algunos detalles —apuntó el judío en tanto señalaba el papiro con el dedo.

—La suerte viene y va, aunque no conviene tenerla por consejera en los negocios. Lo mejor es no tentarla; aunque tú de eso sabrás mucho más que yo, noble Eleazar.

Este asintió complacido, ya que no existía una palabra peor en su vocabulario que la del riesgo.

—Cuánta razón tienen tus juicios. En ocasiones, es el último recurso que le queda al comerciante para salir adelante. La suerte siempre es caprichosa, y abusa cuanto puede cuando la situación le es favorable.

—Tú más que nadie conoces los apuros a los que debemos enfrentarnos los mercaderes, y la poca ayuda que podemos esperar.

—Así es, amigo Amosis. Alejandría no es precisamente el mejor lugar para un comerciante que quiera prosperar como es debido, je, je.

El tebano hizo un gesto con los brazos con el que mostraba su indefensión.

—Todo obedece a la política económica por la que optaron los Ptolomeos. Como bien sabes, ellos tuvieron la deferencia de procurarnos un sitio donde vivir en esta ciudad, y leyes propias con las que autogobernarnos. Mi agradecimiento sea para todos los lágidas menos para el octavo, que nos persiguió en su locura, entre otros muchos desatinos que fue capaz de perpetrar. Pero dicho esto, lo cierto es que la codicia de esta dinastía es digna de ser recordada en los siglos venideros, je, je.

—Conozco el alcance de su codicia, Eleazar.

—En realidad todo proviene de basar la acuñación de moneda en el oro, al encontrarse con un país que disponía de este recurso en las minas del lejano Kush. Esto no significa que no acuñaran moneda en otros metales, pero las de oro fueron las más abundantes hasta hace poco más de un siglo, y hay que reconocer que también las más suntuosas.

Amosis asintió pues había tenido en sus manos alguna de ellas, como las estáteras, que pesaban algo más de ocho gramos. Sin embargo, la moneda patrón en circulación en Alejandría era el tetradracma, que equivalía a cuatro dracmas o veinticuatro óbolos, aunque también existieran los didracmas, tridracmas, pentadracmas, octodracmas o los decadracmas.

—No obstante, lo que en realidad buscaban los Ptolomeos era vetar la circulación de cualquier moneda que no fuese la que ellos acuñaban —continuó Eleazar.

—El control monetario y comercial de Egipto.

—No solo aquí. También en sus posesiones. Una forma de imperialismo monetario en toda regla, je, je. De ahí la obligatoriedad impuesta por los lágidas de cambiar cualquier moneda extranjera en el Banco Real si se quería realizar algún tipo de transacción.

El tebano se exasperaba al escuchar tales detalles, ya que conocía las maniobras de Ptolomeo I Sóter cuando rehusó adoptar el peso ático del tetradracma de plata, el usual, que era de algo más de diecisiete gramos, para decantarse por otro menor de unos catorce gramos. Una verdadera estafa para los mercaderes extranjeros, que se veían obligados a cambiar sus tetradracmas de mayor peso por otros más ligeros si querían realizar sus negocios en Egipto. Con semejante operación, el Estado obtenía un beneficio de algo más del diecisiete por ciento por cada tetradracma que se cambiaba, al existir una diferencia entre las monedas de casi tres gramos a su favor.

—Su ansia especulativa ha supuesto un escollo para cualquier comerciante en esta tierra, buen Eleazar —se lamentó el joven.

—Por eso impusieron la relación entre el oro y la plata más elevada del Mediterráneo, je, je. Si fuera del área de influencia de los Ptolomeos esta era de uno a diez, el faraón decidió que en sus dominios sería de uno a doce. Un indudable negocio para un Estado en el que, como antes apunté, la acuñación de oro era abundante.

—A veces me pregunto cómo los mercaderes de otras tierras se decidieron a venir a negociar aquí —señaló el tebano con sorna.

—Eso no resultó complicado. Los lágidas mantuvieron unos precios competitivos que podían controlar gracias a sus monopolios. El problema se presentó debido a la gran afluencia de comerciantes que demandaban productos de nuestro mercado. El resultado fue que las cecas tuvieron que acuñar una gran cantidad de moneda, y al circular esta con profusión, alimentó el consumo.

—Esto llevaría a subir los precios, como es habitual —dijo el egipcio como para sí.

—Efectivamente, joven, y con ello apareció la inflación.

—Con semejante monopolio del cambio de moneda, el Tesoro Real se dedicó a reacuñar.

—En un principio, porque Filadelfo pensó que la solución sería acuñar monedas de bronce, más pesadas, en detrimento de las de plata para uso interno, manteniendo el oro y la plata para el comercio exterior —indicó Eleazar con suavidad.

Amosis sonrió, ladino.

—De este modo se generalizó el uso de las monedas de bronce, y con el tiempo dejaron de estar en circulación las de oro y plata, que fueron a parar a las arcas reales —observó el joven.[16]

—Je, je. Así son los negocios, buen tebano, y los Ptolomeos no hicieron más que cuidar del suyo. No seré yo quien los critique.

—Me temo que no sea de la misma opinión, buen judío. Semejante política ha supuesto una rémora para todos los que están decididos a emprender una nueva empresa.

—Lo comprendo, joven tebano, pero a mi negocio la actual situación del mercado le resulta muy útil —añadió el levita.

—Ese es el motivo que me empuja a visitarte, Eleazar. Cualquier comerciante con ambiciones necesita liquidez. El tuyo es, sin duda, el negocio adecuado.

—Eso ya lo sé desde hace mucho tiempo. El tetradracma de bronce ha traído consigo la falta de circulación del resto de monedas. El resultado es, como ya has apuntado, una falta de liquidez que nos permite a todos los que prestamos dinero mantener un alto interés en las operaciones.

—Significativamente alto, me atrevería a decir —concretó Amosis, jocoso.

Eleazar hizo un ademán con el que daba la razón a su huésped.

—El veinticuatro por ciento, estimado amigo. Es el que la situación actual nos invita a fijar.

—El doble que el ofrecido por los bancos del Egeo —matizó el joven.

—En todo caso el que nos podemos permitir, y, si quieres que te sea sincero, hasta puede que se vea incrementado.

Amosis interrogó con la mirada al judío.

—El país está en la ruina, aunque el faraón se cuide mucho de hacerlo público —explicó Eleazar—. Y lo peor es que quedan pocas áreas donde poder ajustar con mayor rigor los impuestos. El pequeño y mediano comerciante pasará estrecheces para salir adelante. Además, me temo que Auletes termine por disminuir aún más el peso del tetradracma.

Al joven semejante posibilidad le pareció escandalosa, pero no dijo nada, ya que conocía muy bien hasta dónde podía llegar la codicia del faraón.

—Me temo que, a la postre, nuestro barrio se convierta en una isla más dentro de la ciudad, como Faros —concretó Eleazar.

Durante un rato, ambos contertulios intercambiaron opiniones acerca de los mercados extranjeros, así como de la posible devaluación que podría llevar a efecto el faraón.

—Aventuro que el Flautista pueda llegar a disminuir hasta en dos gramos el peso del tetradracma de plata, je, je.

—Y seguramente la que acuñe será de muy baja calidad.

—Sería lo deseable para alguien de mi condición.

—Aumentarás tu fortuna, buen Eleazar.

—Eso espero, joven amigo.

Amosis asintió en tanto le sostenía la mirada al judío.

—Ese es el motivo por el que hoy vengo a visitarte, noble hebreo. Yo también quiero participar de tu fortuna, y de paso proponerte un buen negocio.

Eleazar le sonrió como haría un padre con su hijo, y con un suave ademán invitó a hablar a aquel joven acerca de quien su querido primo le había escrito en los mejores términos. Entonces el tebano le contó cuanto se proponía ante la estupefacción del levita, que no recordaba haber visto tanta osadía.

22

Amosis caminaba por la vía Canópica envuelto en ilusiones del color de la plata más pura. Se sentía más liviano que de costumbre, y a cada paso su corazón se embriagaba con el fuerte elixir que su ambición desmedida destilaba. El ajetreo en la avenida era el habitual, y los bazares y establecimientos de lujo se encontraban atestados de clientes y curiosos que, al menos, no se resignaban a dejar de soñar. Las telas más ricas, los más finos bordados, las joyas más exquisitas, el marfil más primoroso, calzado principesco, perfumes destilados por los dedos de los dioses, aceites de infinitas fragancias, delicados abalorios, mármoles del Pentélico, vinos de Lesbos, Quíos o Buto, todos de la mejor calidad, por no hablar del exquisito Falerno, llegado desde la Campania tras dejarlo envejecer durante quince años en ánforas de barro. Una rareza de la que podían disfrutar los aristócratas alejandrinos igual que haría un patricio romano. Blanco y dulce, y con casi un treinta por ciento en volumen de contenido alcohólico, aquel néctar estaba causando furor entre las clases altas de la ciudad, como ya ocurriera en otras capitales del Mediterráneo. El mundo seguía su perpetuo movimiento sin que le importaran los tiempos que lo acompañaban. Las reglas siempre serían las mismas, y los corazones de los hombres demandarían los productos más caros que pudieran permitirse. Las modas irían y vendrían, pero nunca faltarían a la cita con las mujeres más hermosas, e incluso con cualquiera que quisiera parecerlo. Sus cuellos, siempre prestos para ser rodeados por el collar más bello, y sus muñecas por las pulseras más exquisitas. Pendientes, diademas, sandalias, peplos... Todas se encontrarían prestas a lucirlos, pues las más valiosas alhajas nacían pensadas para aquellas damas en cuyas figuras cobrarían vida.

Amosis observaba todo aquello al tiempo que se sentía invadido por una euforia que le resultaba imposible de controlar. Aquella espléndida avenida que atravesaba la capital de Egipto pronto sabría de él, y su nombre se convertiría en sinónimo de sueños largamente acariciados que terminaban por hacerse posibles cual si formaran parte de la magia con la que estaban construidos.

Ni el fresco viento que, procedente del mar, llegaba hasta la vía a través de las calles que la cruzaban hizo mella en el tebano, absorto en sus entelequias aristotélicas. Estas distaban de ser irreales, pues el egipcio no tenía ninguna duda de que, algún día, aquella avenida de seis kilómetros repleta de bazares y rebosante de lujo le pertenecería por completo.

Al cruzar la vía del Soma, una ráfaga le golpeó el rostro para sacarlo de sus pensamientos. Su reunión con Eleazar había resultado más provechosa de lo que esperaba, y aún recordaba el gesto de estupefacción que dibujó el judío al oír que aquel joven llegado del Egipto profundo deseaba convertirse en prestamista y aprender el oficio de banquero a su lado.

—¿Banquero? ¡El Señor evite que se te nuble el juicio, hijo mío!

Amosis se sonrió al recordar la expresión del levita, quien no obstante se volvió más receptivo al oír los detalles, y hasta se comprometió a considerarlos con seriedad.

—¿Y dices que aportarías parte de tu hacienda en mi banco para negociar desde él? —quiso aclarar el viejo levita.

—Trescientos talentos para empezar, como prueba de mis buenas intenciones.

Por primera vez el judío le había dirigido una de aquellas miradas que, como luego supo el joven, guardaba para estas ocasiones; astuta como nunca imaginara.

—No es que sea una gran cantidad —apuntó Eleazar—, aunque servirá para tus comienzos. Mas he de decirte que no veo cómo puedo yo beneficiarme de ello.

Amosis había sonreído al escuchar aquellas palabras, ya que disfrutaba mucho negociando.

—En un principio había pensado cederte la mitad de mis intereses en cada trato suscrito. Un doce por ciento por préstamo firmado, y sin que necesites aventurar ni un solo óbolo.

Eleazar lo había atravesado con la palidez de su mirada, y en el azul de sus ojos Amosis descubrió aquel brillo que caracterizaba a la codicia y que tanto le gustaba. Hacía mucho que el joven había pensado en ese momento, así como en la cifra que le había ofrecido al levita. Era una cantidad inalcanzable para cualquier ciudadano —incluso representaba una fortuna—, pero no para un banquero como el judío. Sin embargo, esta era la mejor baza para el tebano, pues los trescientos talentos nunca podrían suponer una amenaza para el negocio de Eleazar.

—Veo que eres proclive a la generosidad, amigo Amosis, je, je. Virtud esta que no deberías ejercitar cuando hay dinero de por medio. Los dracmas son como las mujerzuelas: propensos a irse con el primero que ofrece cuidados.

—Tú me enseñarás a refrenar mi naturaleza, buen levita.

Aquella frase había causado una gran hilaridad en Eleazar, que rio con ganas durante un rato.

—Perdóname, Amosis, pero no estoy acostumbrado a este tipo de tratos, desmesurados donde los haya.

Amosis no había perdido la sonrisa ni por un instante, y al hacer saber al judío el resto de lo que se proponía, este se vio en la obligación de preguntarle si su razón no se encontraba menoscabada.

—Es justo que ofrezca cuando lo que busco es la excelencia. Quién mejor que Eleazar a la hora de templar mis juicios.

Semejante contestación dejó al viejo estupefacto. Aquel joven llevaba la determinación grabada en la frente, con todo lo bueno y lo malo que ello suponía. Sin embargo, al judío le agradó, y no pudo evitar sentir curiosidad por saber hasta dónde conducirían al egipcio sus ambiciones.

—Al parecer me ofreces mucho más que los trescientos talentos que te propones invertir en mi banco. Deseas que participe de tu empresa comercial —dijo el levita sin dejar de mirar al joven.

—Y en términos muy provechosos. Prestaríamos la cantidad necesaria para asegurar la carga de los fletes. De sobra conoces las dificultades que encuentran los mercaderes a la hora de conseguir ese dinero, pues no en vano equivale al valor de la carga del buque. Pero el negocio estaría en poseer también los mercantes fletados. De este modo los comerciantes pagarían por el flete y por el seguro, y nosotros controlaríamos la operación en todo momento. No quedaría ni un solo dracma al azar.

El levita se acarició la barba hasta dejar sus dedos enredados en ella.

—El puerto se rendiría a nuestros propósitos —continuó el tebano—. Para los comerciantes, negociar el flete y el seguro con la misma persona sería una ventaja. Además, siempre podríamos mercadear por nuestra cuenta. En poco tiempo ganaríamos una fortuna.

Eleazar volvió a sonreír, y es que el empeño de aquel joven le gustaba sobremanera.

—Es una lástima que necesites mi plata, hijo mío —señaló el levita.

—Por eso he venido a verte, honorable hebreo. No hay engaño en mi conducta. Sin tus tetradracmas jamás podría acometer semejante empresa. Me abstuve de visitarte antes, como bien puedes ver, con la carta de recomendación del buen Leví. Si lo hubiese hecho, solo habría acudido a ti para pedir. ¿Qué habrías pensado entonces de mí?

Eleazar movió la cabeza, complacido, ya que le gustaban aquel tipo de representaciones. Tenía mucha razón su primo en los elogios vertidos hacia el joven, en quien podían adivinarse buenas cualidades.

—Es por eso por lo que hoy he llegado a tu casa con el propósito de ofrecer para conseguir tu ayuda.

—Y Leví me invita a que te la preste. Buena amistad hicisteis, hijo mío. Pero, como comprenderás, un trato semejante necesita de las garantías oportunas.

—No hay más riesgo en tu crédito que el que puedas encontrar en cualquier cliente habitual. El coste de los mercantes quedaría amortizado con el primer viaje, y todo estaría debidamente constituido en un contrato por escrito.

—Esa es una de las particularidades que nos diferencian de los banqueros griegos. Para ellos, el contrato oral tiene una validez que a mí se me antoja tan frágil como un susurro, je, je.

—Además, se redactará en arameo —apuntó el joven, sabedor de que esa era la lengua utilizada por los judíos alejandrinos a la hora de formalizar cualquier documento.

Eleazar pareció reflexionar un instante.

—¿De cuántos buques precisas? —quiso saber el levita.

—Hum... Creo que con cuatro bastará.

Así había terminado el encuentro, sin ningún pronunciamiento por parte de Eleazar que resultara definitivo. El judío prometió pensar en cuanto le proponían, y que en breve le daría una respuesta al tebano. Sin embargo, este apenas albergaba dudas. A través de aquellos ojos azules como el cielo de verano, él había sido capaz de leer en el interior del judío como si se tratara de un papiro. Amosis comenzaba un nuevo camino que, como a su querido Odiseo, habría de conducirlo a Ítaca. Y él lo sabía.

23

Eleazar y Amosis firmaron su alianza apenas una semana después de su encuentro, y lo hicieron en los mejores términos. La vida venía a demostrarle al joven lo vanas que pueden llegar a ser las determinaciones, ya que de nuevo el egipcio tenía un socio más poderoso que él, algo que se había jurado no repetir nunca. Sin embargo, el tebano se encontraba exultante, y veía el cielo tan libre de nubes como se pudiese desear. Ahora todo se hallaba en su mano, y en esta ocasión mantendría el pulso firme en su viaje, y el ánimo inquebrantable.

Eleazar conocía estos detalles y otros muchos que habrían sorprendido a su joven amigo. El levita estaba al corriente de todo lo relativo al buen Amosis, incluida la singularidad de su carácter. Él ya sabía todo aquello desde que cruzaran las primeras palabras, pero le satisfacía el comprobar lo poco que se equivocaba con las personas. En realidad, su nueva alianza poco riesgo representaba para él, más allá de algunos talentos con los que adquirir los navíos. El levita siempre había sido reacio a negociar en el puerto, debido a su poco contacto con las gentes del mar y al hecho de que los banqueros griegos fueran desde antiguo los encargados de facilitar los préstamos para contratar los fletes. El judío poco tenía que ver con ellos, y mucho menos con el modo de conducir sus negocios. Los trapezitas continuaban desempeñando su oficio como hacía trescientos años, y en nada se parecía la Atenas del siglo IV a la Alejandría actual; y mucho menos al mundo que los rodeaba.

Eleazar sentía verdadera inquina por todos aquellos banqueros obstinados en vivir en la blasfemia de su comportamiento. Sus dioses eran polvo barrido por el viento, y si el Señor permitía prácticas idólatras sería con el fin de alimentar su propia cólera hasta que se decidiese a enviar su castigo.

Las prácticas de los trapezitas resultaban de todo punto obsoletas. En general se limitaban al uso de depósitos, a actuar como intermediarios en las transacciones entre particulares en representación del prestamista —por lo que cobraban una comisión— y a la concesión de préstamos.

Pero los tiempos estaban cambiando de forma inusualmente rápida, y Eleazar hacía ya mucho que había decidido amoldarse a ellos. El concepto de la moneda como un bien fungible llevaba años siendo utilizado por los banqueros romanos. La combinación del uso de depósitos con el crédito había hecho posible la aparición de las cuentas bancarias y la compensación financiera. El judío había visto la magnitud de lo que esto significaba en toda su extensión, así como la necesidad de facilitar la circulación de la moneda. Una refinada contabilidad y el uso del balance en una misma cuenta de dinero procedente de créditos y deudas llevó al levita a organizar su banco de forma distinta a la habitual. Eleazar concedió cuantos préstamos le resultó posible, al tiempo que invitaba a sus clientes a invertir los ahorros que le confiaban de una forma segura. Sus préstamos hipotecarios eran bien conocidos en

Alejandría, así como el buen ojo que demostraba el levita en todas las operaciones que emprendía. Su interés por el negocio portuario tardó bien poco en correr por los muelles como si se tratara de alguna plaga. Algo con lo que, por otro lado, el viejo se hallaba encantado.

El fondo de la cuestión se encontraba precisamente en aquellos malecones que tanta antipatía le habían despertado en el pasado. Había llegado el momento de fomentar su amistad y de esta forma terminar con el control financiero que los banqueros griegos habían ejercido sobre el comercio marítimo. La estructura de su negocio le haría aumentar la clientela entre las gentes del mar con facilidad. Solo necesitaba ganarse su confianza, algo en lo que el Señor se había mostrado siempre generoso al concederle el don de la seducción.

El primero en sentir aquella facultad había sido el buen Amosis. El joven había llegado a él como si el Señor hubiese enviado a uno de sus ángeles para comunicarle el camino que debía seguir. El tebano representaba el instrumento idóneo para acometer semejante empresa, y ese era el valor que le daba el levita. Una bendición inesperada de la que podía obtener pingües beneficios. Cierto que el egipcio se enriquecería con el trato, mas a la postre todos los talentos del joven acabarían en el banco del judío, pues ¿en qué lugar podrían estar mejor?

Eleazar se dispuso a escribir a su primo. Debía agradecerle la confianza depositada en el egipcio y su natural perspicacia a la hora de descubrir la valía de los hombres. Aquella noche brindaría por Leví, y así se lo haría saber.

24

Cuando entró en la librería, Amosis halló a Teofrasto en estado de éxtasis, declamando textos mientras gesticulaba.

Oh, feliz y próspero linaje
de aquellos mortales,
que sin vejez y sin mancha erigiera
el templo del soberano Apolo...

—Ignoro a quién recitas, mas me resultan hermosos tus versos —dijo Amosis, divertido.

Al punto el librero volvió la cabeza con expresión de suma sorpresa, cual si hubiera sido pillado en falta.

—Oh, gran Amosis, dilecto amigo del inmortal Odiseo. Disculpa mi abstracción, pero estaba enfrascado en un poema que, por desconocido, ha encendido la luz de mi curiosidad; una rareza que tengo a bien poseer y que espero me resulte de utilidad.

Como el egipcio hiciera un gesto de no saber a qué se refería su amigo, este aprovechó para enfrascarse en una de sus habituales peroratas.

—He de decirte, hijo del sapientísimo Thot, que has sido testigo de un prodigio literario que no tiene parangón. ¿Cómo si no podría calificarlo?

—¿Y quién es el artífice de tan inusual milagro? —quiso saber el tebano, mordaz.

—Filodamo el Escarfeo —dijo Teofrasto con pomposidad.

Amosis no supo qué decir, aunque a punto estuviera de lanzar una carcajada al ver la cara del librero, que parecía iluminada por las Musas.

—Tal y como te digo, amigo mío. Hijo de Enesidamo por más señas, y natural de Escarfea.

Anonadado, Amosis observó a su amigo como si se tratase de una aparición.

—Es un lugar que se halla en la Lócride, ¿sabes?

—No. No tenía idea de semejante detalle.

—Pues me apena en grado sumo tu respuesta, admirado vecino, ya que demuestra el poco interés que has mostrado por el libro que te regalé.

Amosis parpadeó sin saber qué decir.

—Tu gesto es la peor respuesta que esperaba de ti —recalcó el librero.

—Habrás de perdonarme entonces, querido Teofrasto, y en confianza te confesaré que el tiempo no ha sido mi mejor aliado últimamente. Merezco tu castigo, aunque harías bien en instruirme con tu sapiencia.

Teofrasto hizo un gesto cómico con los labios, cual si fuese a silbar, y al momento se aproximó a su amigo como si se dispusiera a hacerle una confidencia.

—Escarfea se encuentra en la Lócride Epicnemidia. Homero habla de ella en el «Catálogo de las naves».

Amosis bajó la cabeza, abochornado, pues bien sabía él lo que le diría su amigo a continuación.

—El «Catálogo de las naves» es una sección que se encuentra en el canto II de la *Ilíada*, ya sabes, el libro que te regalé.

—Homero no me perdonará semejante desliz, aunque espero que tú sí lo hagas, príncipe de los *grammatikae*.

Aquel apelativo gustó mucho al librero, que al punto continuó la conversación como si nada hubiese ocurrido.

—Lo más curioso del caso es que el bueno de Filodamo no dejó escrita ninguna obra en papiro que se precie, sino en roca, y de las más sagradas.

—¿Te refieres a que grabó su obra en la piedra?

—Concretamente en la del santuario de Delfos.[17] ¡Inaudito!

—Yo diría que en tal caso eres dueño de un tesoro, amigo mío.

—Sin duda, aunque sea el único de esta nefanda vecindad que sea consciente de ello, sin que esto mengüe tu honra, claro está.

Amosis rio con suavidad.

—El tener una copia de semejante rareza ha supuesto para mí una verdadera alegría; sobre todo ahora que las fiestas en honor a mi amado Dioniso se hallan ya próximas.

Amosis enarcó una de sus cejas, como solía hacer cuando se preguntaba adónde quería ir a parar su amigo.

—Ya sé que vives en el mundo de los hombres que solo honran los metales de los dioses. Para los que participamos del legado de las costumbres divinas, la cosa es bien diferente. Para mí supone toda una obligación honrar al sin par Dioniso.

—Me hago cargo, buen Teofrasto, no te vayas a pensar.

—Me alegra escuchar de tus labios tales términos. No hay nada como pronunciarse en la forma debida. Ya que estás en antecedentes, permíteme que te lea una parte del peán.

—Hoy reconozco mi ignorancia en cada una de tus frases, amigo mío.

—¡Oh! El peán es un canto dirigido a Apolo que luego se hizo extensivo a otros dioses. Escucha estos versos y dime qué te parecen.

Ea pues, acoged a Dioniso,
báquico comensal, y en las calles
junto con coros adornados
de hiedra invocad.

Al terminar el canto, Teofrasto miró a su amigo en busca de su opinión.

—Sublime —mintió Amosis, que no sabía cómo calificar el poema.

El librero dio unas palmas de alegría.

—Sabía que lo entenderías. Creo que es lo más adecuado para declamar durante la procesión dionisíaca en la que tengo el honor de participar.

Amosis miró a su amigo sin ocultar su sorpresa.

—Por una vez se ha hecho justicia en la ciudad. He sido elegido para formar parte del *tiaso*. La comitiva extática de Dioniso —aclaró el librero con satisfacción.

—¿Extática?

—Es lo usual en este tipo de actos. Todo el séquito se encontrará en éxtasis, incluido Abdú; es lo deseable.

—¿Abdú participará en la comitiva? —preguntó Amosis, escandalizado.

—Sí, aunque ignoro qué papel será el que represente. Todo se lleva muy en secreto.

El tebano musitó un juramento e hizo un gesto de fastidio.

—No sé a qué vienen tus ademanes, virtuoso joven. En mi opinión tienes abandonado a tu amigo, sumido en el ostracismo. Menos mal que estoy aquí para aconsejarle como corresponde.

—Me temo que tus consejos hayan ido en esta ocasión demasiado lejos —se lamentó el egipcio.

—En absoluto. La inteligencia del gran Abdú es sorprendente. Ha hecho considerables avances en la lengua de la Hélade. Aunque, en confianza, he de reconocer que lo suyo es otra cosa.

Amosis miró a Teofrasto con cara de espanto.

—Es lo que tiene su naturaleza, y contra eso poco se puede hacer —aseguró el librero—. En el barrio es toda una celebridad.

—El Amenti me lleve si entiendo algo —juró el tebano.

—Si el Flautista lo conociera, lo nombraría dioceta. Ese hombre podría gobernar el país si se lo propusiese.

—Pero... ¡Nunca escuché tamaños disparates!

—Lamento que pienses así. Creí que tendrías al gran mago en una mayor estima.

Ahora el joven no pudo evitar soltar un exabrupto.

—Al menos así lo reconoce todo Rakotis. Da paz al vecindario, y es refugio de corazones solitarios. Su labor no tiene precio. ¡Si hablara como tú!

—Dime cuánto *shedeh* has bebido esta mañana, dilecto Teofrasto, y que tus palabras quizá sean producto de tus excesos. Dímelo y comprenderé todo lo demás.

—Yo no tomo semejantes brebajes infernales. Otra cosa sería el vino, pero últimamente me tienes desabastecido, se ve que estás sometido a un gran trajín en los muelles. Ese vino de Quíos me habría venido muy bien para poder sobrellevar los difíciles momentos por los que estoy atravesando. Antes eras más generoso conmigo.

—¿Que estás atravesando momentos difíciles? No comprendo nada.

—Eso ya lo sabemos el poderoso mago y yo, pero no te lo tendremos en cuenta. Los amigos están para eso.

—¡Disculpa, oh sapientísimo remedo del sin par Homero, por mi desconocimiento y abandono de las cuestiones mundanas! —exclamó el joven—. No me había percatado de tu pesar.

—Es lógico, ya que hacía tiempo que no me visitabas; mas no es cuestión baladí.

Amosis hizo un ademán con el que animaba a su amigo a proseguir a fin de desvelar aquella intriga.

—Creo, noble Amosis, que estoy sufriendo una transformación —dijo el librero, muy serio.

El tebano lo miró perplejo.

—Me hallo en un estado de elevación personal como nunca imaginara y, estoy convencido, todo es debido a la influencia del gran Abdú. —Amosis no supo si reír o abandonar el local con cajas destempladas—. Comprendo tu sorpresa, pero desde que sigo los pasos del yoruba la vida ha cambiado para mí. Ahora veo donde antes solo existía la oscuridad; ese hombre se ha convertido en una especie de guía espiritual.

El egipcio no pudo evitar lanzar una carcajada.

—Tu hilaridad no hará mella en mi ánimo, conspicuo joven —prosiguió el librero—. Has de saber que todo Rakotis se halla rendido a los pies de tu liberto, quien, por otra parte, está realizando una encomiable labor social.

Amosis era incapaz de articular palabra.

—Proclama el amor para todos como medio para encontrar la felicidad, y sus *orishas* forman ya parte indisoluble del barrio. Cada cual tiene el suyo, y la gente se muestra encantada.

—¿Y en qué te has convertido pues, noble Teofrasto?

—No tengo palabras, aunque he de confesarte que cada día me entrego a la causa del amor con todas mis fuerzas. Ese es el camino que me ha mostrado el noble Abdú.

—Así pues, mi liberto adjudica *orishas* como si se tratara de algo natural. Y por lo que parece, tú ya tienes uno.

—Se llama Elegba. Él me ha mostrado el camino, y estoy muy contento de haberlo seguido.

—¡Elegba!

—El Mensajero. Es el encargado de negociar entre las fuerzas positivas y negativas del cuerpo, ¿sabes? La primera barrera contra las malas influencias.

—No puede ser cierto cuanto oigo —se lamentó el joven—. Sirves de freno a las potencias del mal.

—Por así decirlo. Mi amplio conocimiento de la naturaleza humana me permite discernir entre el bien y el mal con facilidad, seguramente influido por mi dominio sobre la tragedia griega, en la que es posible encontrar todo lo que pueda ocurrirle al hombre en su caminar por la vida. No hay nada como leer, querido amigo; es lo que siempre digo.

—¡Qué podría decir ante tanta elocuencia! —exclamó el tebano.

—Es lo que imaginaba, gran Amosis.

—¿Y en qué consiste tu labor entre vuestros acólitos?

—Ayudo en lo posible al poderoso Abdú al hacer proselitismo de su obra, y me encargo de dar la más cálida acogida a aquellos que no tienen posibilidad de ser atendidos por el gran mago.

—Me lo imaginaba. Ya vi en cierta ocasión lo que tenías dispuesto en tu honorable establecimiento. Habéis convertido vuestras creencias en un altar dedicado al fornicio.

—¡Qué exageración! Deberían glorificarte como incansable defensor de la virginidad de Hestia —apuntó el librero con su acostumbrada comicidad.

—Supongo que la mayoría de almas atormentadas a las que procuras esperanza pertenecerán a mujeres, ¿me equivoco?

—En absoluto, digno bardo de los cantos homéricos. Estas ninfas encuentran en mí un puerto donde recogerse.

—¿Las llamas ninfas?

—Así me dirijo a ellas desde el primer momento, y quedan muy agradecidas. Nunca en mi vida pensé que pudiera llegar a tener el cuerpo tan templado.

—Ya sabía yo lo que escondían tus prácticas. Los sátiros te darían la bienvenida sin ninguna dificultad.

—A ello aspiro, noble tebano. Es por eso por lo que me preparo para poder formar parte del séquito del divino Dioniso, como te adelanté. Son magníficos los versos de Filodamo, ¿no crees?

Amosis se marchó de la tienda sin ocultar su disgusto. Desde hacía demasiado tiempo, el joven se sentía como una isla desolada en la inmensidad del océano de pasiones que cubría la ciudad. Estas podían resultar tan bajas como cupiese imaginar, y lo curioso era que los alejandrinos las aceptaban como una singularidad más de entre las muchas que encerraba la capital. En Alejandría nadie se escandalizaba por rendir culto al erotismo excepto los judíos y Amosis, que parecía decidido a permanecer célibe durante el resto de sus días. El tebano no entendía la obstinación por el fornicio en un hombre tan cultivado como el viejo librero, y se preguntó si en realidad Abdú no lo habría embaucado con alguna de las hechicerías a las que era tan aficionado.

Los que sí parecían seducidos eran los adeptos al yoruba, que no paraban de aumentar. Al parecer, las recetas de este continuaban siendo tan efectivas como se pudiera desear. Su fama trascendía ya los límites de Rakotis, y los entendidos aseguraban que pronto vendrían clientes de otros barrios en busca de su magia.

—Es infalible —aseguraba un hombrecillo a todo aquel que estuviese dispuesto a escucharlo.

Como de costumbre, la entrada a su consultorio se encontraba atestada de feligreses y curiosos que querían enterarse de primera mano de los resultados de las consultas.

—¡Tres años sin poder concebir! ¡Ha sido venir a ver al gran mago y ya estoy embarazada! —exclamaba una mujer, alborozada.

Todos los días se veían cosas similares, mas al parecer cuando el yoruba resultaba más eficaz era a la hora de encontrar pareja a los parroquianos.

—Alejandría no ha presenciado nunca tales poderes. En trescientos años no ha existido nadie como el gran Abdú. Dicen que hasta la famosa Madre Isis está preocupada —manifestaba una señora con rotundidad.

—Seguro que la bruja ya le está clavando alfileres con alguna de sus oscuras hechicerías —anunció otra dama.

—Será en vano —añadió una tercera—. No existe magia como la del gran mago. Ese hombre tiene verdadero poder.

—Eso os lo garantizo —se oyó decir a una cuarta—. Menudo hombre; si lo sabré yo.

Aquel comentario levantó la hilaridad general y las carcajadas se oyeron hasta en la librería de Teofrasto, dos calles más arriba. Amosis hizo un mohín de disgusto y se imaginó el trajín que se traía el viejo librero. Allí había más mujeres de las que Abdú podría nunca recibir, y el joven se prometió hablar con su antiguo esclavo a la primera oportunidad.

Semejante propósito no resultó sencillo. Al liberto parecía que se lo hubiese tragado la tierra, pues no regresaba a dormir a casa. La única prueba que el egipcio tenía de que se encontraba con vida era la constante afluencia de clientes que lo visitaba a diario. Por fin, una noche Abdú se presentó en la vivienda con un arcón en sus manos y la mejor de las sonrisas, como si nada hubiera ocurrido.

—Estás en boca de media Alejandría; qué vergüenza. Tú y Teofrasto andáis sumidos en la confusión de los sentidos más bajos —se lamentó Amosis.

El yoruba no dijo nada, y sin abandonar su sonrisa depositó el baúl sobre la mesa. El tebano lo miró atónito.

—Hay unos seis mil dracmas, un talento, como a ti te gusta llamarlo, aunque las monedas sean de bronce.

El joven se quedó tan sorprendido que apenas pudo replicar.

—Lo invertiré como me aconsejes, gran Amosis. Yo también tengo mis negocios.

25

Poco tenía que decirle Amosis a quien un día fuese su esclavo. Hacía años que él mismo le había otorgado la libertad que le correspondía, y no había más dueño de su persona que Abdú. Este ya era un hombre mucho antes de que el egipcio sintiera la primera visita del amor, y en ocasiones el tebano tenía la impresión de que en realidad el liberto velaba por él desde cierta distancia. Su discreción y aquel aire misterioso que envolvía al yoruba siempre habían provocado en el joven una innegable seducción que, al parecer, el hombre de ébano se había encargado de extender por el barrio.

Al tebano le desagradaban las prácticas de Abdú, aunque no tuvo fuerzas para recriminarle su comportamiento cuando este le hizo entrega de los seis mil dracmas. Sin embargo, Amosis se sentía escandalizado ante el constante trasiego amoroso en el que vivía su antiguo esclavo. La sola idea de que Rakotis en pleno pudiera considerar al yoruba como una especie de semental surgido de las profundidades del continente desagradaba al joven sobremanera; por mucho que la magia quisiera enmascarar aquella afición a la cópula. Lo del librero era de prever. Tiqué había ido a visitarlo en forma de mago para procurarle aquello por lo que siempre había suspirado y tan poco había disfrutado. Ahora había llegado su oportunidad, y a la sombra del gran Abdú pensaba resarcirse hasta que su cuerpo aguantara. En eso habían desembocado sus largos años de estudio de las obras de los clásicos; penoso.

En realidad, Amosis mantenía una sorda lucha consigo mismo desde hacía mucho tiempo. Quizá desde que tuviera su primera experiencia amorosa, tras la representación teatral. Hacía ya demasiados años de aquello y, no obstante, por algún extraño motivo el sabor amargo que le había producido el desengaño se mantenía vivo en algún lugar de su corazón. Su posterior fracaso con Mut había resultado ser un espejismo que, a la postre, había cubierto con el manto de la traición cualquier atisbo de felicidad que para el joven pudiera ofrecer el acto amoroso. Amosis había decidido vivir al margen de su propia naturaleza e incluso ignorarla, como hacía con casi todo aquello que no tuviese que ver con sus ambiciones.

Quizá por estos motivos el tebano no estuviera listo para presenciar lo que la capital le tenía preparado. Todos los dioses paganos parecían haberse conjurado en aquella hora para mostrarle al egipcio lo que más aborrecía.

Alejandría se despertó dispuesta a ofrecer un panegírico a la desmesura. La gran bebedora de vino, como muchos la llamaban, o la ciudad donde el pecado podía mostrarse sin miedo al extravío, ofrecía a sus habitantes una de sus fiestas más renombradas, que servían para conmemorar tanto a los dioses como a los reyes de la última dinastía que habían gobernado Egipto.

La Ptolemaia era una celebración cuatrienal de ámbito nacional en la que se rendía culto al primer faraón lágida, Ptolomeo I, como dios que ocupaba un lugar en el Olimpo. Su entrada en el sagrado panteón se hacía coincidir con el festival anual dionisíaco para ofrecer a la ciudadanía un espectáculo memorable. Por tal motivo, a los juegos conmemorativos que se organizaban se unían una gran profusión de desfiles y sacrificios y, en general, una invitación al exceso en todas sus formas.

Amosis ya había sido testigo en su infancia de una de aquellas celebraciones, aunque en nada se pareciera lo vivido en Tebas a lo que Alejandría le tenía reservado. Toda la metrópoli se echaba a la calle para participar de unas fiestas de las que se sentía particularmente orgullosa y que representaban, según el parecer general, la tolerancia con que había sido concebida la capital desde su fundación. Toda la urbe lucía engalanada para la ocasión, y la vía Canópica, la arteria principal de la villa, despertaba cubierta por un manto kilométrico de flores de diversa variedad, traídas desde los lugares más dispares.

El tebano no pudo dejar de sorprenderse ante esta escenificación, ya que se encontraban en el mes de *pashons*, finales de marzo, y la avenida parecía un prado de principios del verano. A ambos lados de la vía se habían levantado tiendas donde se celebraban opulentos banquetes y en las que se glorificaría al vino en su justa medida. Claro que esta iba más allá de lo que pudiera tenerse por razonable, pues Alejandría entera quedaba inundada por los más de ciento catorce mil litros del zumo de vid fermentado que se servía en las calzadas.

Cuando Amosis observó a la muchedumbre echada a la calle beber sin tino, pensó que la condición humana había quedado olvidada en algún lugar ignoto del que los alejandrinos no habían oído hablar. No obstante estos se hallaban encantados, y si existía alguien en la ciudad que desentonara con la celebración que estaba teniendo lugar, no eran precisamente ellos. Mas el egipcio se vio envuelto en aquella turba que danzaba y cantaba al son de los *aulas* y tamboriles sin ningún interés por mostrar recato. Jóvenes vestidas de ménades corrían aquí y allá en tanto mostraban sus pechos con desvergüenza e incitaban a todo aquel que quisiera seguirlas. Varios hombres disfrazados de sátiros pasaron junto al joven tocando los címbalos y haciendo gestos deshonestos, en tanto elevaban sus copas para ofrecer continuas libaciones en honor al dios de la embriaguez.

Para cuando Amosis pudo alcanzar una buena situación desde la que presenciar los desfiles, la calle era un pandemónium de gritos, risas y sonidos estridentes procedentes de los miles de flautas y tambores que sonaban por doquier. El tebano apenas daba crédito a cuanto veía, pues sus conciudadanos se mostraban tan desinhibidos como se suponía que era preceptivo en una celebración semejante. Dioniso requería a sus acólitos que se abandonaran a los sentidos, y los alejandrinos no parecían dispuestos a que el dios de la embriaguez hubiera de repetírselo, y menos aún reprobarles su comportamiento. Hasta el día se había levantado dispuesto a regalar su mejor ofrenda al divino habitante del monte Nisa. Helio había abandonado aquella mañana el país de los etíopes para recorrer la bóveda celeste sin nube alguna que pudiera eclipsar su fulgor. Justo en su zenit, el sol resplandecía en toda su majestad, y los fogosos corceles del dios tiraban de un refulgente carro de oro cuyas ruedas de plata recorrerían el firmamento hasta su regreso al océano.

Las procesiones se habían desarrollado desde las primeras horas del día, unas dedicadas a «la estrella de la mañana», otras a dioses protectores que desde su Olimpo miraban por el bienestar de la ciudad, y por último había discurrido la consagrada a «los padres del rey»,[18] en la que Ptolomeo XII hacía las veces de anfitrión en recuerdo de sus ancestros, y en particular del primer Ptolomeo de su dinastía. El faraón, que era un rendido seguidor del dios de las vendimias, había participado activamente a la hora de tocar el *aulas*, como solía ser habitual, ya que el rey se consideraba un virtuoso flautista.

Por fin se anunció la sagrada comitiva en la que se aproximaba el dios. La avenida parecía sacada de un sueño concebido por la locura del hombre. Edificios engalanados con ornamentos dorados, guirnaldas de flores entretejidas que se descolgaban desde las terrazas para cubrir los muros de la avenida con mil pinceladas de colores sin fin. Cánticos, procacidades y un público expectante ante las primeras carrozas de la comitiva. Al anunciarse, las mujeres elevaron unas figurillas de madera de hombres desnudos de las que pendía un cordel que, al tirar de él, hacía que surgiera un miembro erecto en verdad desproporcionado, entre el jolgorio general.

—¡Librémonos de las preocupaciones y abracemos la locura! —gritaban enfervorecidos.

—Dioniso ahuyenta las penas y nos bendice con su abundancia. Él nos ofrece todo lo bueno que anhelan nuestros corazones; alabémoslo como su generosidad merece —proclamó uno de los heraldos que encabezaban la marcha.

La ciudadanía se hizo eco de la proclama y convirtió la calle en un clamor que se elevó a los cielos como la primera de las ofrendas al dios. Este se aproximaba envuelto en su majestad bajo la forma de una gran estatua cubierta por los más ricos vestidos de púrpura, en tanto ofrecía libaciones a sus fieles desde su copa dorada. Las ménades danzaban a su alrededor en tanto arrojaban pétalos de flores al público que brindaba a su paso. Amosis vio cómo tras la carroza un elefante transportaba otra enorme figura de Dioniso junto a la que desfilaban cientos de sátiros que tocaban el *aulas* y saltaban desvergonzados, sin pudor de mostrar sus miembros entre la algarabía general. La opulencia se había adueñado del cortejo, ya que a cada paso seguía otro aún más pródigo con el que la palabra *tryphe* mostraba su verdadero significado. Carruajes repletos de tesoros cuyo brillo bajo los rayos del sol desataba el delirio.

—¡Mirad! —gritaba alguien—. Es la corona de Ptolomeo I. ¡Nunca los tiempos vieron algo semejante!

—Está confeccionada con diez mil monedas de oro —replicó otra voz que se hizo oír entre el bullicio.

Entonces se aproximó una carroza enorme sobre la que se había escenificado una cueva de cuyo interior comenzaron a salir tórtolas, pichones y palomas cuyas patas se hallaban sujetas con grandes cintas multicolores, así dispuestas para que los alejandrinos fueran capaces de atraparlas.

El revuelo que se originó fue de consideración, y Amosis se sorprendió al ver la habilidad que mostraban sus convecinos a la hora de capturar las aves. Aquella cueva montada sobre el carruaje parecía la tierra de promisión, pues tras los ovíparos aparecieron unas fuentes de las que brotaba no solo vino sino también leche, algo que, por lo que pudo comprobar el tebano, resultó muy del gusto de los presentes, que no cejaron en sus loas.

Carrozas sobre las que se escenificaban las más diversas escenas mitológicas, músicos, actores, poetas y representantes del clero del dios a los que acompañaban sus feligreses más distinguidos... Toda una interminable variedad de animales exóticos desfiló por la avenida en un número que causó perplejidad. Mas la apoteosis estaba por llegar.

Cuando Amosis vio lo que se avecinaba, no supo si mantenerse a pie firme o salir huyendo de aquella cabalgata del demonio. Un verdadero ejército de sátiros y ménades abrían paso con sus gestos procaces a una gigantesca prensa de vino sobre la que sesenta de aquellos sátiros cantaban sin cesar mientras pisaban la uva. Las ménades, compañeras de orgía del dios, los invitaban a tomarlas con todo tipo de gestos desvergonzados, al tiempo que animaban a la concurrencia a dejarse embargar por el éxtasis dionisíaco. La muchedumbre volvió a aclamar, en tanto se abrazaban los unos a los otros, aunque muchos ya casi no se tuvieran en pie después de horas de festivo trasiego.

—¡Mirad, mirad! ¡Es Sileno! —se oyó entre el tumulto—. ¡Llega Sileno! —repitieron—. ¡El viejo sátiro!

Amosis prestó más atención al cortejo y vio cómo un hombrecillo se aproximaba montado en un burro, rodeado de sátiros que lo aclamaban y servían vino en su copa cada vez que esta se vaciaba. Sobre la cabeza llevaba una corona de hiedra dorada, y no paraba de dirigirse a la multitud en lo que parecía ser una declamación. Al observar sus ademanes, el joven creyó que se trataba de una aparición, pero era tan real como aquella locura en la que se hallaba inmerso.

—Teofrasto... —musitó, anonadado—. Adónde fueron a parar tus versos hexámetros.

El librero desfilaba ante el tebano, como había asegurado que lo haría, aunque nunca pensara el egipcio que fuese a hacerlo de semejante guisa. El hombrecillo iba desnudo como cuando viniera a este mundo, cubiertos los hombros tan solo con un manto escarlata a la par que mostraba un miembro decrépito que daba pena ver, debido seguramente a los litros de vino que ya debía de llevar en el cuerpo el susodicho. Sin embargo, al librero no parecía importarle tal detalle, y no paraba de bendecir a diestra y siniestra.

—Es Sileno —le dijo a Amosis la señora de al lado, muy emocionada—. Es el mayor crápula de todos los sátiros, ¡ja, ja! Borracho como ninguno. ¡Háblanos, Sileno, háblanos! —gritó la mujer.

Sileno detuvo su montura un instante y miró hacia el grupo de donde había salido la voz. Entonces comenzó a recitar los versos de Filodamo el Escarfeo, pero como se le trababa la lengua, mezclaba unas estrofas con otras de forma atropellada e inconexa.

Oh, felices y prósperos mortales
acoged a Dioniso en las calles
como báquico comensal
en el templo de Apolo.

El aplauso fue estruendoso y las carcajadas llegaron hasta el Olimpo en tanto Amosis veía con claridad cómo Teofrasto bizqueaba mientras su guardia personal de sátiros lo sujetaba sobre el pollino para evitar que se cayese.

—¡Más vino, hijos míos! —exclamó Sileno, que era considerado por muchos como el padre adoptivo de Dioniso.

Estos obedecieron al momento, y la comitiva prosiguió su marcha como si tal cosa. Otra enorme prensa de vino siguió al viejo sátiro, y junto a ella una verdadera hueste de ménades portaban lo que jamás pensó el joven que podría ver en su vida. Amosis pestañeó repetidamente, ya que aquello le parecía digno del sueño más escabroso. Aquellas ninfas de naturaleza salvaje y vida enajenada con quienes no cabían las razones transportaban entre sus manos un falo tan descomunal, que hasta la señora que se encontraba al lado del tebano no pudo sino exclamar en voz baja al tiempo que se llevaba una mano al pecho. Y no era para menos, pues el joven calculó que aquel instrumento debía de medir cerca de cincuenta y cinco metros. Colosal, sin duda.[19]

Pero aquellos alardes resultaban muy del gusto de la ciudadanía, que manifestaba su alborozo profiriendo barbaridades, pues era lo que tocaba. Mas apenas había digerido el egipcio aquella escenificación cuando aconteció lo inesperado. Tras el paso de unas panteras, felino sobre el que solía viajar Dioniso, se presentó este en toda su magnificencia.

Al compás de címbalos, *aulas* y tamboriles, se acercaba el carruaje en el que se encontraba el dios reencarnado. Con gran pompa, sátiros y ménades alzaban sus brazos implorando al dios al que adoraban. Poseídas por su locura mística, las mujeres que formaban parte de aquel séquito se rasgaban las túnicas para mostrar su desnudez a su señor, en tanto los sátiros danzaban traviesos en rededor para incitar al culto orgiástico. Sentada sobre un trono, una figura envuelta en su majestad brillaba bajo los rayos del sol cual si fuera un lucero. De forma súbita se hizo el silencio, y Amosis pudo escuchar los cantos que el *tiaso*, el cortejo dionisíaco, dedicaba a su dios.

Entonces, ya próximo al egipcio, Dioniso decidió levantarse de su sillón de oro para mostrarse a sus acólitos. Los murmullos cesaron y hasta hubo quien aguantó la respiración, pues la escena resultaba deslumbrante. El dios se presentaba en toda su gloria, como si en verdad resultara inalcanzable. Era una figura enorme, y sobre ella los rayos del sol incidían de tal forma que daba la impresión de que en verdad se encontraba envuelto en magia. Estaba completamente desnudo, y el formidable cuerpo parecía haber sido tallado en los talleres de Escopas por las manos del maestro de Paros. El aceite que lo cubría creaba aquella pátina sobre la que refulgía el poderoso Helio, y desde su posición el dios hacía sentir su magnetismo a todos los allí presentes. Dioniso se giró hacia donde se encontraba el joven, y la mujer situada a su lado apagó un grito.

—¡Afrodita me procurara ese hombre cada noche! —exclamó como para sí—. ¡Nunca vi cosa igual!

Amosis se quedó petrificado. Ante sus ojos, y cual si se tratara de Dioniso redivivo, Abdú les otorgaba su bendición.

26

Las fiestas se prolongaron durante varios días en los que hubo desfiles militares, certámenes poéticos y toda suerte de celebraciones conmemorativas. Los juegos se desarrollaron con la acostumbrada expectación, y las sacerdotisas atlóforas entregaron los trofeos a los vencedores en tanto las estefanóforas los coronaban. Los campeones serían citados en todos los documentos oficiales durante un año, para mayor gloria de sus nombres, pero ningún acontecimiento pudo eclipsar a lo acaecido aquel día durante la procesión dionisíaca. Toda Alejandría hablaba de ello, y en boca de los ciudadanos destacaba un nombre sobre todos los demás: Abdú.

Teofrasto se hacía eco de la magnitud de lo acontecido.

—Hay un antes y un después en la historia de esta ciudad tras los acontecimientos en los que tuve el honor de participar —le aseguraba a Amosis en la librería.

—Cada vez estoy más convencido de que vivo en un tiempo que no me corresponde —se lamentó este.

—Eso es porque no eres capaz de ver con claridad. Has sido testigo de hechos comparables a la erección de la Gran Biblioteca o el orgulloso faro.

—Vergüenza es la única palabra que se me ocurre ante lo que presencié. Un conspicuo librero convertido en Sileno es más de lo que un hombre juicioso podría tener por razonable. Aquello fue una indecencia.

—¡Oh! Hestia salió del pritaneo[20] para hacer gala de su virginidad. Deberían encargarte el mantener siempre encendido el fuego perpetuo de su altar.

—Tu afición a la perífrasis no se corresponde con el comportamiento de un hombre probo. Deberías haberte visto, desnudo y borracho como un cargamento de ánforas, a lomos de aquel pobre asno. Qué indecencia.

—Pues según dicen mi actuación ha sido motivo de alabanzas, y aseguran que el mismísimo Auletes ha tenido palabras de elogio hacia mi concurso. Sileno es muy querido entre el pueblo.

—Me lo imagino —se lamentó de nuevo el tebano.

—No puedo explicarte lo que resultaría imposible que entendieses —indicó el librero, muy digno.

—No es necesario, viejo sátiro. Este calificativo te iría muy bien, sin duda.

—Tampoco hay que exagerar, aunque reconozco que siento una predilección especial por esos simpáticos genios.

—Me hago cargo, buen Sileno.

—Je, je. No creas que me ofende el que me llames así. El viejo fue, nada menos, preceptor del gran Dioniso; como podrás comprender, me honras más que otra cosa.

—Esclavizado a tus instintos es lo que estás. Prefiero no saber qué ocurrió al finalizar la función —le reprendió el joven.

—El populacho fue muy considerado conmigo. Esas almas caritativas se encargaron de que reposara debidamente hasta que recobrara el aliento. Me acostaron y, tras recuperar el ánimo, unas jóvenes ménades me ungieron con los mejores afeites y rescataron mi virilidad de forma placentera.

Amosis chasqueó la lengua con disgusto.

—Tus expresiones son en verdad zafias, célibe joven —continuó el librero—. Mas te diré que mi humilde persona apenas resulta una anécdota si la comparamos con la de tu antiguo esclavo.

Semejantes palabras disgustaron al tebano, que no se molestó en ocultarlo.

—Alejandría en pleno se encuentra rendida a sus pies, ¿sabes? —prosiguió Teofrasto, con ánimo de zaherir un poco más a su remilgado amigo—. Deberías haber visto cómo fue recibido a su regreso a Rakotis. El barrio entero lo adoraba como si en verdad se tratase de la reencarnación del dios de la vendimia. Parecía una visión sobrenatural, y no había vecino que no quisiera tocarlo para recibir sus divinas influencias. Algunas mujeres porfiaron en tocar su masculinidad, pero el gran mago las contuvo con su poderosa magia para terminar por desaparecer con varias ninfas de su séquito personal.

—¡Ahora tiene esclavas! —se escandalizó Amosis.

—Tu exclamación resultaría exagerada hasta para el gran Isócrates, tímido donde los hubiese. Solo espero que no elijas la misma muerte que tuvo el eminente político, que decidió ayunar para acabar con sus días.

—Me temo que ya pocos refugios me quedan más allá de los que me procuren mis ambiciones, que tanto criticas.

—A estas te debes, dilecto tebano. Pero qué puedo yo decirte... —subrayó el viejo con su natural teatralidad.

—En verdad que tus ardides oratorios llegan a convertirte en un sofista —dijo Amosis, malhumorado.

—¡Ah! He aquí un término que me interesa y del cual se hace el peor de los usos, que de seguro es el que deseas atribuirle, fiel admirador de los milenarios dioses de esta tierra —apuntó Teofrasto mientras señalaba con su índice hacia lo alto—. Pero me veo en la obligación de decirte que el origen de tan singular palabra hace referencia al sabio y a la sabiduría, y que solo con el devenir de los siglos evolucionó para terminar por ser considerada como sinónimo de embaucador. Aunque Píndaro le llegara a dar un significado más despectivo, como era el de charlatán.

Amosis decidió que lo mejor sería marcharse, pues cuando el librero iniciaba sus particulares representaciones no existía argumento que pudiera rebatirlo.

—Trampas dialécticas; eso es lo que acostumbras a utilizar —apuntó muy digno el joven en tanto se levantaba.

—¡Oh! He aquí a Platón redivivo, quién lo hubiera podido imaginar —se apresuró a contestar el librero, que se encontraba en su elemento—. Mas te advierto que también podrías hacer referencia al maestro, lo que dicho por un peripatético como yo no deja de tener su importancia. Aristóteles se refirió de forma peyorativa a quienes se valen del sofismo a la hora de razonar. El más grande estudió las falacias en su obra *Refutaciones Sofísticas*, donde llegó a clasificar hasta trece clases de falacias, je, je. Todo sea por lograr la persuasión.

—En verdad que no pude elegir mejor adjetivo para quien se ha coronado como rey de los sátiros —respondió el joven, enojado.

—Elevemos pues nuestras loas al viejo Sileno, que es quien las merece, gran Amosis. En cuanto al adjetivo que me dedicas, y para terminar con la cuestión, he de manifestarte que el buen Isócrates, de quien antes te hablé, abominaba del hecho de que el término hubiera caído en la deshonra. En fin, qué más puedo decirte, insigne adorador de la tríada tebana, sino que siento verdadera debilidad por destacados sofistas como fueron Protágoras, Hipias, Pródico o Critias, que además era tío de Platón, je, je.

Amosis soltó un exabrupto y se dirigió hacia la puerta sin disimular su enfado.

—No te dejes llevar por la cólera cual el pélida Aquiles —le advirtió Teofrasto, divertido—. Recuerda el primer canto de la *Ilíada*. Algún día entenderás mis razones.

El joven caminó calle abajo con gesto adusto, el ánimo crispado y el convencimiento de que el mundo estaba loco. Era un penitente en una tierra de agnósticos, y ya solo era capaz de reconocer una senda, la única que podía seguir. Aún resonaban en su corazón las últimas palabras de Teofrasto cuando dobló la esquina en dirección al puerto, el lugar que le correspondía.

27

Cuando se cumplieron tres años de su llegada a Alejandría, Amosis cayó en poder del brillo del metal acuñado por los dioses. Los tetradracmas ocuparon su corazón, y no existía palabra alguna que le interesara más que aquella. Eleazar observaba con curiosidad el curso que el egipcio había decidido seguir en su vida, y atisbaba en él una suerte de sórdida lucha entre ambiciones que adivinaba nunca serían satisfechas. Sin embargo, justo era reconocer que los negocios no podían haber resultado más fructíferos, como también lo habían sido sus intereses en los asuntos portuarios. El tebano había proporcionado al judío la llave para tratar con las gentes del mar, y no había nadie como él a la hora de persuadir a los clientes. El gremio de armadores había recibido una oferta por parte del levita difícil de rechazar, y Amosis se había encargado del resto. El hebreo veía en el joven las cualidades propias de un buen comerciante, pero, en su opinión, era preciso que atemperara aquel carácter que le hacía parecer permanentemente insatisfecho con todo lo que conseguía. Si serenaba su ánimo, el egipcio podría llegar a ser magnífico, pues tenía el don de conocer el valor de las cosas y también cómo conseguirlas.

Como cliente de su banco Amosis había buscado el permanente consejo de Eleazar, y este había comprobado cómo asimilaba con facilidad las explicaciones acerca del funcionamiento y la buena marcha del negocio.

Poco se había equivocado el tebano en sus discernimientos. La fortuna se encontraba detrás de todos aquellos préstamos que el judío otorgaba con tan buen juicio, y el joven solo necesitó emularlo para percatarse del verdadero alcance que encerraban semejantes tratos. Había todo un universo dispuesto a ofrecerle los caminos que anhelaban sus ambiciones; los únicos en los que estas podrían verse cumplidas. Por ellos transitaba el verdadero poder ante el cual hasta el último rey de la tierra se postraba de hinojos, como lo haría cualquier mendigo.

La euforia se desató en su interior hasta embriagarlo con el elixir que solo degustaban los dioses, pues tal era la naturaleza de la que se sentía imbuido Amosis. Su codicia lo llevaba a convertirse en un dios entre los hombres con los que se cruzaba. Estos se hallaban sujetos a sus bajos instintos, subyugados por una tiranía de la que se mostraban incapaces de desprenderse. El tebano veía en sus debilidades un rasgo de inferioridad del que se sentía libre, como si en verdad se tratara de un ser superior. Los tetradracmas tenían la virtud de poder encadenarlos a todos bajo su yugo, y ese era el único lenguaje que el egipcio estaba decidido a emplear. ¿Qué quedaba en su corazón de todo lo que aprendiera bajo la tutela de su tío? ¿Cuánto de los sensatos consejos que el buen Kamose le regalaba a la menor ocasión? ¿Qué había de la prudencia a la que se refería tan a menudo el viejo mercader? ¿Acaso no había sido todo más que un sueño?

Amosis rememoraba aquellas reflexiones como si hubieran sido vertidas en una vida anterior; un escenario tan lejano como irreal, quizá porque al tebano se le antojaba fuera de lugar. Alejandría poco tenía que ver con el oasis de Kharga, y mucho menos los negocios que hasta allí lo habían conducido. Su pasado formaba parte de un mundo trasnochado que él mismo se había encargado de sepultar con premura. Ahora permanecía olvidado en algún lugar de su persona, sin sitio que ocupar en el nuevo orden que él mismo había diseñado para su vida; perdido en una disposición que no permitía rememorarlo.

Pero lo peor era el hecho de que el tebano estuviese dispuesto a renunciar a aquel pasado como algo necesario en el devenir de sus días, como si pudiese constituir un obstáculo. A sus veinticuatro años, hacía ya tiempo que Amosis había dejado de considerarse un joven del Egipto profundo, y el lejano sur había terminado por convertirse en un recuerdo pintoresco cargado de epopeyas de otra época en la que los dioses todavía gobernaban a los hombres. Estos se sentían ahora capaces de ordenar lo que antes no podían, y el mismo tebano se vanagloriaba de ello pues era un juego que le subyugaba. De esta forma su corazón se tornó despiadado, inflexible para con quienes no resultaran afines a sus intereses, y lo peor era que estos pugnaban por anegarlo todo, igual que les ocurriera a las aguas del Nilo en su crecida.

Muy pronto el Megas Limen, el Gran Puerto, y el Eunostos, el puerto del Buen Regreso, supieron de su naturaleza, así como de la falta de compasión que podían esperar de ella. Aquel egipcio había llegado dispuesto a señalar con su ambición hasta el último rincón de las atarazanas, y quien más y quien menos barruntaba en la persona del tebano los nuevos tiempos que se avecinaban. El mundo cambiaba demasiado deprisa, y nadie podía evitarlo.

A Amosis le importaba poco lo que los demás estuviesen dispuestos a hacer con sus vidas. Él había sido consciente de dicho cambio mucho antes de que los comerciantes del puerto comenzaran a preocuparse por ello; y desde su aventajada posición se hallaba dispuesto a golpear con su martillo cualquier yunque que se prestara a ello. Con los años había desarrollado sus innatas facultades para los negocios hasta llegar a convertirse en un depredador de almas incautas. Conocía el valor de cada mercancía, de cada transacción, así como los riesgos que comportaba el más insignificante de los tratos. Sus ojos se transformaron en ascuas, y quienes lo frecuentaban aseguraban que su mirada irradiaba una luz que parecía provenir del mismísimo Amenti y que era capaz de recorrerle a uno las entrañas.

Amosis era consciente de su poder, y también del desprecio que había terminado por desarrollar para con sus paisanos. Los consideraba taimados y capaces de las mayores traiciones, como él mismo había tenido oportunidad de padecer. En su opinión eran culpables del funesto sino de su milenaria cultura, y cada vez que pensaba en ello las figuras de su difunto padre y de su hermano se agigantaban en su memoria, como si en verdad se tratara del último hálito expelido por dos corazones insobornables. Ellos se aferraron a su identidad, sabedores del valor que esta tenía, aun a costa de sus propias vidas.

Pero Egipto nunca se lo agradecería y este detalle enervaba aún más al tebano, que veía en ello cuentas pendientes que algún día se vería en la obligación de saldar. A veces, durante las noches en vela, la imagen de Sekenenre se le presentaba sin avisar, como si se tratase de un fantasma que se resistiera a abandonarlo. Su mirada desafiante, así como su aire resuelto, venían a insuflarle ánimos en su andadura por aquella extraña tierra en la que se había convertido Kemet. ¿Qué sería de su hermano? ¿Habría visitado ya a Osiris, tal y como él mismo aseguraba que haría de forma prematura? ¿O por el contrario se hallaría perdido en algún lugar ignoto en los confines de la Tierra, vendiendo su poderoso brazo a algún señor de la guerra? Tales pensamientos desazonaban sobremanera al tebano, que indefectiblemente corría a refugiarse en la lectura de los viejos versos que Filitas le regalara años atrás. Al final estos se habían convertido en un fiel compañero al que acudía para reconfortarse cuando su alma se atormentaba; una forma curiosa de olvidar sus pesares y que le había procurado un amigo del que no cesaba de aprender. Odiseo siempre parecía dispuesto a aconsejarle.

Eleazar observaba desde la quietud que le confería su espíritu sosegado el devenir de los acontecimientos. Sus influencias se habían extendido tal y como el levita deseara, y poco más le quedaba por pedir a una vida que se había mostrado tan generosa con su persona.

—El Señor me ha dado más de lo que nunca me hubiese atrevido a pedirle —decía con frecuencia, ya que en su vejez el hebreo disfrutaba al ver la buena marcha de sus negocios y lo lejos que había sido capaz de llegar.

Su relación con Amosis había terminado por estrecharse, aun cuando el corazón del egipcio le pareciera al viejo un ánima atormentada dispuesta a hacerle sufrir el resto de sus días. Él sabía lo equivocado que se encontraba el tebano, y también lo inútil que resultaría comportarse con él como el buen samaritano. Sus viejos ojos iban mucho más allá de la poca piedad que se obstinaba en demostrar el joven ante los demás. Ciertamente había bondad en su interior, y Eleazar confiaba en que esta saliera triunfante de la contienda que Amosis libraba consigo mismo, aunque supiese que su ya avanzada edad no le permitiría verlo. El hebreo sentía un sincero afecto por su particular socio, que ya había dado sobradas muestras de hasta dónde estaba dispuesto a llegar.

En realidad, Amosis se había convertido en toda una celebridad y en un incordio para los trapezitas, que veían cómo los nuevos tiempos traían prestamistas capaces de convertirse en una verdadera amenaza para sus intereses. Los banqueros griegos habían trabajado en la capital de la mano de los Ptolomeos, quienes en realidad habían mantenido el monopolio de la banca con mano de hierro. No obstante, aquellos habían hecho buenos negocios a la sombra de los lágidas, y ahora que el Mediterráneo se mostraba como un mercado en permanente expansión, sus desfasadas formas de trabajo quedaban en evidencia ante la agilidad que exhibían los banqueros judíos y algunos aventureros a los que consideraban unos intrusos.

Sin embargo, la cuestión no resultaba baladí en absoluto. Los trescientos talentos con que Amosis iniciara en su día su carrera de prestamista se habían convertido ya en más de mil, y sus tratos comerciales con armadores y teraqueutas habían desembocado en acuerdos globales con los gremios que los representaban para dibujar un escenario que se aproximaba al monopolio que durante siglos los prestamistas griegos no habían tenido más remedio que soportar por parte de la realeza. Cierto que poco podían hacer los trapezitas contra los banqueros judíos, aunque no cejaran en sus intrigas, pero los advenedizos eran una cuestión bien distinta, como quedó claro aquella tarde en la villa que Ergino poseía en el aristocrático barrio del Bruchión.

—Queridos colegas —dijo el anfitrión—, nunca imaginé que mis temores llegaran tan lejos. Parece cosa de las Erinias. ¿Acaso las diosas se vengan de nosotros por algún motivo?

—Más bien diría que son los Hecatonquiros[21] los que nos amenazan, ja, ja —contestó uno de los presentes.

—Tienes razón, buen Erecteo —respondió su interlocutor—. Por el momento, tan solo representan a las fuerzas perturbadoras.

—En tal caso habrá que relegarlas al Tártaro, igual que hizo Urano con sus peligrosos hijos —añadió el otro invitado, que atendía al nombre de Creón.

Los tres hombres se miraron con astucia y rieron con suavidad.

—Sería una solución, pero dadas las circunstancias podríamos obtener un beneficio mayor si obráramos como corresponde a nuestra condición —apuntó el anfitrión—. No olvides, querido Creón, que al fin y al cabo somos banqueros.

El comentario hizo reír a Erecteo, que disfrutaba mucho con las habituales chanzas que solían cruzar sus dos acompañantes. Ergino acostumbraba a iniciarlas a la menor oportunidad, pues, según reconocía, cuando se le soltaba la lengua sus meros nombres daban pie a ello. Y es que Ergino tenía su homólogo en la mitología en la figura del rey de Orcómeno, a quien el soberano de Tebas, también de nombre Creón, le pagaba un tributo de cien bueyes. Ergino, claro está, aprovechaba esta circunstancia para hacer alguna burla siempre que podía, ya que por algo eran trapezitas.

Erecteo asistía complacido a tales cuestiones. Él era el más rico de los tres y eso le otorgaba una clara ventaja, aunque su nombre lo invitara a darse importancia. Según aseguraba a todo aquel dispuesto a creerlo, su linaje procedía del segundo rey que había gobernado en Atenas, que se llamaba como él y que además había pasado a la historia por introducir en la ciudad el culto a Atenea y Poseidón.

—Convendrás conmigo, querido Creón, en que en este caso Ergino anda sobrado de razón. Enviar a unos sicarios no nos reportaría beneficio alguno.

—¿El de la desaparición del problema no os parece suficiente? —contestó Creón con su habitual mal humor.

—Tampoco es cuestión de dejar Alejandría cubierta por los cadáveres de todos cuantos nos incomodan —señaló Ergino—. Claro que al buen Creón le gustaría retroceder en el tiempo tres siglos; a la Atenas del célebre Pasión, ¡ja, ja!

Creón hizo un gesto de disgusto.

—Tus sarcasmos tienen la virtud de aburrirme —apuntó este—. Pero te diré que ya he trasladado mis temores al faraón, con quien como sabéis comparto algunas aficiones.

El comentario provocó las carcajadas de sus colegas, ya que Creón era particularmente lascivo y aficionadísimo a tocar la flauta.

—¿Acaso intrigas mientras competís con el *aulas*? —se mofó Ergino.

—Auletes mandaría que te cortasen las orejas si te escuchara —amenazó Creón—. Pero en mi opinión debería emular los pasos de Ptolomeo VIII.

—Ya me lo imagino —intervino Erecteo—. Seguro que ya le has propuesto al rey la expulsión de todos los judíos de Alejandría, como hiciera Fiscón en su día.

—Poco te equivocas en tus juicios, amigo mío, y bien que te respeto por ello —señaló Creón—. ¡Imaginad vuestra posición si desaparecieran los hebreos! Claro que también perseguiría a los intelectuales y haría purgas de todo tipo. Es una lástima que no pueda llegar a ser rey.

Esta vez sus acompañantes lanzaron una carcajada.

—Siempre te caracterizaste por tu espíritu tolerante, querido colega —se apresuró a decir Ergino—. El problema estriba en que a Auletes le gustan por igual tanto el sonido del *aulas* como el tintineo de los tetradracmas, siempre que estos sean de plata, claro está.

—Sería muy feliz si viviera en tiempos de Fiscón —insistió Creón—. Un rey cruel es lo que necesita este país.

—Nos fue bien con el Barrigón —reconoció Erecteo—, aunque hay que adaptarse a la época que corresponde. Es lo que han hecho nuestras familias desde que se instalaron en Alejandría hace casi tres siglos, y así debemos continuar.

Creón movió la cabeza con disgusto, pero no dijo nada.

—Este faraón ya ha demostrado la buena disposición que tiene para endeudarse. A no mucho tardar, no habrá banquero a quien no brinde su amistad. Jamás expulsará a los judíos —aclaró Ergino.

—Dentro de poco Auletes devaluará otra vez la moneda —apuntó Erecteo.

—Exactamente a doce gramos por cada tetradracma. Desde que subió al poder ha quitado más de dos gramos de plata al peso de la moneda —matizó el anfitrión.

—Precisamente —indicó Creón—. ¿Qué será de nosotros si permitimos que los intrusos se hagan con nuestros negocios? Acabaríamos dedicándonos a la industria de la salazón.

—Tus palabras ahora sí me resultan acertadas, amigo mío —apuntó Ergino—. El problema radica en el intrusismo, y por eso nos hemos reunido hoy en mi casa.

—¿Os imagináis lo que ocurriría si molestáramos a los judíos? —inquirió Erecteo—. Sería como azuzar un avispero, con consecuencias que no podemos calibrar.

—Pero ese joven... —matizó Creón—. ¡Además, es egipcio!

—Tebano, por más señas —aclaró Ergino con sorna.

—Y de la peor calaña. Su familia dejó cuentas pendientes; pero se benefició del perdón real —aseguró Creón, que se mostraba encendido.

—¡Encomiable! Es lo que suele ocurrir con las amnistías —se burló Ergino—. Pero ahora tales detalles poco importan. El tebano es un tipo listo y haríamos mal en infravalorarlo.

—¡Atiende al nombre de Amosis! —exclamó Creón—. ¡Qué desvergüenza! No se ha dignado siquiera a cambiarse el nombre por otro griego, que hubiese sido lo decente.

—Tienes mucha razón, buen Ergino —observó Erecteo, sin hacer caso al comentario de Creón—. Debemos reconocer la valía del tal Amosis como corresponde. De ese modo podremos resolver la cuestión.

—¿Cómo? ¿Acaso pensáis tratar con él? —se escandalizó Creón.

—Ja, ja. Haremos lo que sea menester para recuperar lo que siempre ha sido nuestro, estimado Creón —intervino Ergino—. Incluso le cobraremos los intereses.

Creón miró a sus colegas con gesto de no entender nada. Estos le sonrieron, ladinos.

—Haremos que sus beneficios reviertan en nuestro provecho —explicó Erecteo—. Ese Amosis posee una fortuna nada desdeñable que creo debemos repartirnos de forma conveniente. Como verás, buen Creón, el joven tebano nos resulta mucho más útil vivo que muerto.

El aludido se acarició la barbilla, pensativo.

—Si hay algo por lo que siento debilidad es por las intrigas, queridos amigos —reconoció—. ¿Acaso habéis tramado alguna?

—Cuando terminemos con el egipcio, no habrá lugar en Alejandría para su memoria —le aclaró Ergino—. De este modo ningún aventurero volverá a meter la nariz en nuestros asuntos, amigos míos.

Sus colegas sonrieron, maliciosos.

—Ahora acercaos un poco; debo hablaros acerca de mi plan.

28

Teofrasto observaba al yoruba mientras paladeaba el vino de Lesbos. Era tal su afición por aquel néctar que chasqueaba la lengua una y otra vez, sin el menor recato, como si en realidad se encontrara solo.

—¡Sublime, inmejorable, propio de la mejor cosecha de la que pudiera disfrutar Dioniso! Al menos podré sentirme como un dios a la hora de degustar este vino —afirmaba el librero con satisfacción. Abdú lo miró divertido, pues le agradaba mucho la compañía del viejo sabio—. Es el único recuerdo que me queda del gran Amosis, de quien poco sé últimamente. Al menos me llegan un par de ánforas al mes de este elixir sin igual, lo cual significa que tu antiguo amo todavía se acuerda de mí.

El hombre de ébano asintió sin decir nada, ya que le gustaba mucho escuchar al librero.

—No hay nada comparable a una libación generosa con este caldo, mientras releo la *Teogonía* del sin par Hesíodo. ¿Te he hablado alguna vez de este hombre?

Abdú negó con la cabeza sin desdibujar su sonrisa.

—¡Oh! Un sabio de otra época. Un pensador al que no se le ha hecho la justicia que merece. Su épica trasciende los tiempos. ¿Sabías que decidió convertirse en poeta un día en el que se le aparecieron las Musas mientras pastoreaba a los pies del monte Helicón?

—No tenía constancia de ello, sapientísimo Teofrasto.

—Como te lo cuento, poderoso mago —subrayó el librero con teatralidad—. Fue una pena que Hesíodo no tuviese una vida feliz. Mantuvo graves disputas con su hermano, ¿sabes? Por cuestiones de herencia.

—La eterna desavenencia —apuntó el yoruba.

—Cuánta razón encierran tus juicios; lástima que no te hayas interesado por la épica. ¡Qué poeta se han perdido los tiempos! En fin, como te decía, gran Abdú, su hermano Perses le dio muy mala vida. El muy taimado dilapidó lo que heredó con rapidez y luego pretendió quedarse con una parte de lo que le correspondía a su pariente, a quien llevó a juicio. Lo malo es que los tribunales escucharon sus razones y Hesíodo se vio obligado a darle lo que le reclamaban. Es lo que tiene la justicia: hombres que se encargan de ella.

Tal razonamiento resultó muy del gusto del yoruba, que alabó los puntos de vista de su anfitrión.

—En fin, qué puedo yo decirle a quien ha sido privado de su libertad para comerciar con su carne —apostilló el librero.

—No hay frase mejor que esa para definir la perfidia, acólito predilecto de Dioniso.

—¡Oh! Qué honor me haces con tus palabras. ¿Te imaginas, gran mago, que pudiéramos extender nuestro manto como representantes verdaderos del dios de las vendimias sobre la faz de la tierra? Quién mejor que tú, prodigio de la naturaleza, para ser considerado como reencarnación del divino Dioniso, y quién mejor que mi persona a la hora de revivir la figura del sátiro Sileno. Ambos constituiríamos el pasmo de las gentes, la cúspide que coronaría cualquier representación que se preciara —manifestó el viejo con ensoñación.

—En verdad que eres tú quien demuestras ser un prodigio, sabio Teofrasto. Y además aprovecho la ocasión para agradecerte la ayuda que me dispensas al hacerte cargo de los parroquianos a quienes me resulta imposible atender. Tu labor me es inestimable.

Ante tales palabras, Teofrasto cayó de rodillas como si en verdad se encontrara en presencia del mismísimo Zeus.

—¡Me siento abrumado, mago entre los magos! —exclamó, emocionado—. ¿Y dices que cumplo a tu satisfacción?

—No solo eso. Eres admirado y querido entre la vecindad. Aseguran que tienes el don de tranquilizar a las almas sin sosiego.

—¿Eso dicen?

—Sí, y también que muestras el camino a los que se encuentran descarriados.

—¡Oh! Jamás había escuchado palabras tan turbadoras. Me siento conmovido ante el hecho de que provengan de tus labios, fénix de los misterios.

Abdú soltó una risita.

—Levanta, buen Teofrasto, que si no fuese por tus conocimientos tan solo nos separaría el color de mi piel.

—Y algunas cosas más —se apresuró a añadir el viejo—. Aseguran que el poder de tu virilidad trasciende todo lo conocido.

—Exageraciones, amigo mío. Ya conoces lo proclives que somos a hacer leyenda de lo que debería avergonzarnos.

—¡Oh! —volvió a exclamar el viejo al tiempo que abría sus brazos—. Semejante frase bien podría haber sido acuñada en el Liceo. ¡Cuánta sabiduría! Nunca escuché sentencia igual a la hora de referirse a un miembro viril; aun cuando atienda a tus características.

—Tus palabras son tan poderosas como el más enhiesto de los falos a los que aludes. Aquellos que visitan tu establecimiento lo abandonan elevando loas a tu agudeza y entrañable trato —aseguró Abdú.

—¿Es cierto cuanto dices, asombro del África profunda?

—De todo punto. Te has convertido en pastor que cuida de su rebaño. Igual que el gran Hesíodo, de quien hablas con tanto respeto.

—Resulta imposible no convertirse en acólito de tu persona. Creo que veo llegado el momento de que reflexiones profundamente acerca de tu verdadera naturaleza. Pero dime, ¿es verdad lo que aseguran? ¿Que posees el don de descifrar los sueños?

—Mis *orishas* me ayudan en cuanto les propongo. No hay artificio alguno en lo que hago.

—¡Inaudito! Es una suerte tener amigos tan poderosos, gran Abdú. Por mucho que me lo propusiera, los *orishas* de los que hablas no me harían el menor caso.

—Ellos son los que deciden, noble Teofrasto.

—¡Cuánta sabiduría! Creo que ha llegado la hora de que consideres la posibilidad de abrir tu propia iglesia aquí, en Alejandría. Constituiría el colofón a una pirámide de conocimientos en la que te situarías en la cúspide. Tu brillo los cegaría.

Abdú lanzó una carcajada, ya que el librero se mostraba aquella tarde en verdad ingenioso.

—No te rías, portento de los trópicos, que bien sabes la ímproba labor a la que te verías sujeto —continuó Teofrasto—. Poner en el buen camino a tanto blasfemo se me antoja solo al alcance de tu divina condición; claro que yo podría ayudarte en cuanto necesitaras. Dedicaría el resto de mis días a sacar lustre a tu palabra como se merece.

—¡Ja, ja! Si te oyeran en el lugar del que procedo, los *babalawos* caerían fulminados por la risa, buen Teofrasto.

—Esa humildad que demuestras en ocasiones te pierde, no te vayas a creer. A la gente le gusta lo desmedido. Aquí son aficionadísimos a las luminarias; lo importante es que brilles más que el resto.

Abdú sacudió la cabeza. Con aquel librero solo había lugar para el exceso.

—Sé lo que piensas, poderoso mago, y no te culpo por ello. Así soy yo. Un soñador empedernido en busca de poemas imposibles y, en demasiadas ocasiones, un contumaz admirador de la prosopopeya.

Abdú no supo qué contestar, ya que a menudo era incapaz de entender el trasfondo de las palabras utilizadas por el librero. Este se lo quedó mirando un momento con los ojos muy abiertos, cuan si se tratara de una aparición, y acto seguido dio un buen sorbo de su copa para volver a relamerse, como si tal cosa.

—No sabes lo preocupado que estoy por el gran Amosis —le confió el viejo—. No hay noticias sobre él. Me temo que se encuentre en un mal trance. Quizá se halle atado al mástil de su nave mientras escucha cantar a las sirenas.

—¿Te refieres a algún pasaje de uno de esos libros que ocupan la mayor parte de tu tiempo? —quiso saber Abdú.

—A uno de los preferidos de nuestro buen amigo —dijo Teofrasto con pesar—. Amosis ha decidido navegar solo, sin temor a los arrecifes.

—Sigue el camino que tiene señalado.

—¿Crees que todo obedece a los designios de los dioses?

—Su senda está trazada desde hace mucho, buen Teofrasto. Yo soy testigo de ello.

El librero dio un respingo, pues le gustaba mucho que el yoruba se mostrara misterioso con él.

—¿Conoces adónde conduce ese sendero? —quiso saber el viejo.

—Los *orishas* lo dibujaron para él en mi presencia, años atrás.

—En verdad que me abrumas con tu magia. Quizá tú puedas conseguir que nuestro amigo vuelva a nosotros. Dicen que no sale del puerto, y que incluso duerme en su oficina.

El yoruba asintió, como si se tratara de lo más natural del mundo.

—No volverá por aquí, amigo mío —advirtió Abdú.

—¡Cómo! ¿No volveremos a verlo? No es posible tanta desgracia —señaló el librero con su acostumbrado histrionismo.

—Como bien adelantaste, debe navegar solo. No hay nada que podamos hacer por evitarlo.

—Me abrumo con tus vaticinios, oh, taumaturgo alejandrino. Me hubiese gustado que nos acompañase, ahora que se avecinan las fiestas en honor a Serapis. Habría disfrutado mucho de ellas.

Abdú soltó una risita.

—Dudo que el gran Amosis se hubiese avenido a ello. Creo que lo que presenció durante los fastos dionisíacos colmó sus expectativas, querido librero.

Este hizo un gesto de sorpresa.

—¡Imposible! Alejandría en pleno se abraza a la alegría. El lago Mareotis se convierte en un festival en el que se da cita cualquier embarcación que se precie, todas engalanadas para la ocasión. Luego navegarán a través del canal Canópico, envueltas en la fanfarria y el júbilo de la multitud —explicó Teofrasto.

—Me temo que el corazón de nuestro amigo no se sienta proclive a la llamada de Serapis.

—Pues ya te adelanto que se equivoca. No existe alma en la ciudad que no vaya a disfrutar de tamaña alegría.

—Será una celebración virtuosa, por lo que veo.

—¿Virtuosa? Una exaltación de los excesos, diría yo, gran mago. Desde la primera de las damas a la última de las rameras coincidirán en las celebraciones. Correrá el vino en abundancia, y desde las orillas las mujeres danzarán desnudas, invitando a cuantos paseen por el canal en sus barcas a participar con ellas del desenfreno.

—Por lo que parece, nuestra procesión dionisíaca quedará en una simple anécdota.

—Serapis no deja de ser un advenedizo a quien no se puede comparar con mi reverenciado Dioniso. Convendrás conmigo en que, más allá de la algarabía que suponen sus celebraciones, existe un indudable misticismo en torno a la figura del dios de la vendimia. Tú mismo fuiste testigo de ello cuando la vía Canópica en pleno se postró a tu paso. ¡Qué momento! Digno de ser cantado por el mismísimo Píndaro.

—Las almas se despojarán de su virtud —comentó Abdú con sorna.

—Por completo. El fornicio tomará las calles como corresponde, sin que nadie se sienta ofendido.

—Intuyo que participarás de la solemnidad, amigo mío.

—Con toda seguridad. Ahora que he vuelto a la vida, me encuentro capacitado para entender mejor el verdadero significado de esta conmemoración.

—Oculto entre las públicas fornicaciones, ja, ja.

—Como tantas veces aseguras, mis *orishas* me han mostrado el camino que debo seguir, y no seré yo quien los contradiga.

—Shango te proporcione el vigor necesario.

—Espero que seas testigo de ello. Tu presencia resulta imprescindible para la buena marcha de los festejos —aseguró Teofrasto.

Abdú lo miró con ironía.

—¿Acaso pretendes que me vuelvan a adorar? —inquirió el yoruba, mordaz.

—Sería muy conveniente. Tu naturaleza es causa de habladurías sin fin en la capital, y se me antoja necesario que demuestres que tu aparición como Dioniso redivivo no obedece a ningún tipo de milagro.

El yoruba hizo una mueca de malestar.

—Dicho con el mayor de los respetos —se apresuró a matizar el librero—. Pocas dudas pueden existir acerca de la magia que te envuelve, gran mago.

Abdú sacudió la cabeza con desagrado.

—Además, bendecirías a cuantos te rodearan con tus efluvios —prosiguió Teofrasto—. Luego podrías considerar la idea de establecer una iglesia donde enseñar tu filosofía.

El yoruba hizo un gesto con la mano con el que daba por terminada aquella conversación, ya que era muy respetuoso con sus creencias.

—Espero que el poderoso Abdú no se ofenda por las veleidades de este viejo lascivo. Cuando me dejo llevar por mis inclinaciones más bajas soy una verdadera calamidad.

Abdú volvió a sonreír y le dio unas palmadas en la espalda.

—Es una lástima lo del buen Amosis. Solo pido a los dioses que velen por él —señaló Teofrasto mientras acompañaba a su invitado hasta la salida.

Ya en la puerta, y antes de despedirse de su amigo, el librero le preguntó:

—Según aseguras, conoces el camino que le aguarda a nuestro amigo, ¿verdad?

—Así es.

—¿Y adónde lo conducirá? —preguntó Teofrasto, sin ocultar su incertidumbre.

Abdú lo observó un instante con su semblante más serio.

—Lo llevará hasta los infiernos.

El librero dio un brinco y, sin poder evitarlo, se llevó las manos al pecho.

—¡Oh, Tiqué, diosa de la fortuna, aboga por su alma mortal! —exclamó con los ojos desorbitados—. ¿Quién lo protegerá?

Abdú volvió a sonreír, esta vez envuelto en su particular aire misterioso.

—No te preocupes, amigo mío. Yo lo protegeré.

29

Amosis nunca hubiese podido imaginar que vería la vida pasar desde los ventanales que daban al puerto; trirremes, cuatrirremes, quinquerremes y, cada vez con más frecuencia, aquellas galeras romanas que atracaban en los muelles ávidas del grano egipcio con el que alimentarían a Roma. El incesante ajetreo en las dársenas y astilleros se había convertido en algo habitual en su quehacer diario; por todos lados el comercio en sus más diversas formas bajo la tutela de un mar que siempre los esperaba para medir su fortuna. Poco más necesitaba el egipcio para vivir: negocios, ilusiones y un lugar en el que poder echar una cabezada cuando sus ojos se negaban a continuar mirando hacia el azul infinito. No existían más imágenes en su corazón que aquellas que le procuraban las empresas en las que se hallaba comprometido; nuevos fletes, préstamos por doquier y proyectos que parecían no tener fin, bajo la sombra siempre alargada del tetradracma de plata. Daba igual la imagen del rey que mostrara en el anverso; el tebano se encargaría de extraer de cada una de aquellas monedas el verdadero valor que acuñaban, al que incluso se veían sujetos los monarcas de cualquier país. Esa era la grandeza del dinero, y en su inmenso poder Amosis veía el camino que debían recorrer sus pasos, allá donde pudieran llegar a conducirlo.

Todos los asuntos que en su día emprendiera habían terminado por consolidarse, y su figura se había alargado de tal modo en los malecones que su nombre era mencionado con respeto y admiración, ya que ni los más viejos recordaban un joven que hubiese hecho fortuna en tan poco tiempo. Los embalsamadores hacía mucho que solo trataban con él, y los pequeños mercaderes le estaban agradecidos por las facilidades que les otorgaba a la hora de poder transportar sus géneros en las embarcaciones del tebano de forma mancomunada. Las leyes rodias permitían asegurar la carga entre los asociados de manera proporcional a su volumen, y aquel nuevo sistema de hacer negocios que llevaba a cabo Amosis conseguía que las monedas se multiplicaran de un modo sorprendente, y para muchos inexplicable. La sapiencia de Eleazar había supuesto un hallazgo inconmensurable para el egipcio, y este pensaba aplicarla a rajatabla durante el resto de sus días. De nada le valían los dracmas acumulados, encerrados en las cámaras que al efecto poseían algunos templos; el dinero había que moverlo, y Amosis había descubierto que poseía un don innato para ello.

Así era su vida, y cuando aquella mañana un heraldo real acudió a visitarlo, poco se imaginó el joven el cambio que el destino, del que en tantas ocasiones había abominado, le tenía reservado.

—Teo Filopátor Filadelfo, dios que ama a su padre y a su hermano, el del loto y el papiro, señor del Alto y Bajo Egipto, hijo de Ra, fuerza, salud y prosperidad le sean dadas, te hace saber que desea hacerte partícipe de su alegría con motivo de la fiesta que tendrá lugar en su palacio, y a la que espera que asistas, pues tal es la confianza que te ofrece su divina majestad. Un honor, como comprenderás, noble Amosis.

De esta guisa había hecho saber al tebano aquel individuo relamido donde los hubiese que Auletes deseaba verlo en su palacio, como si fuese conocido suyo de toda la vida. Amosis no supo si tomar semejante invitación como un halago o como el peor de los castigos. Que el

Flautista quisiera compartir con su persona cualquier tipo de celebración era un hecho que desagradaba de una forma especial al joven, quien, como era bien sabido, aborrecía a aquella dinastía sin poder remediarlo. La calaña, como en ocasiones se refería a la familia real, deseaba contar con su presencia, y eso no podía traerle más que problemas. Pero ¿qué querría de su persona el faraón? ¿Cómo era que había dirigido su mirada a aquella pequeña oficina situada frente al Eunostos? ¿Qué tramaba el lágida?

Tales cuestiones fueron motivo de congoja y no pocas suspicacias durante un tiempo en el que Amosis comprobó cómo su humor empeoraba de manera manifiesta. Si había algo por lo que el rey demostraba una franca predilección era por los tetradracmas, y esto fue causa de preocupación para el tebano, que se temía lo peor. Ptolomeo había vuelto a disminuir el peso de las monedas acuñadas por el Estado, y la situación económica de Egipto iba de mal en peor. Mantener los privilegios de la casta que gobernaba suponía para el pueblo una carga que resultaba insoportable. Los impuestos subían a la menor ocasión, y no eran pocos los alejandrinos que aseguraban que algún día tendrían que pagar por el mero hecho de respirar la fragancia que les regalaba el Mediterráneo. El rey y su corte eran sinónimo de vicio, antesala de todo aquello que detestaba la moral del tebano, y allí era donde lo esperaban, sin que él pudiera hacer nada por evitarlo.

30

Ra-Atum se ponía sobre el horizonte tal y como venía haciendo desde tiempos inmemoriales. La tierra de Egipto se tomaba un respiro, calcinada por su abrasador aliento, en tanto el mar extendía su reparadora brisa hasta donde le llegaban las fuerzas. Alejandría en pleno se beneficiaba de ello, y en particular aquel distrito que parecía haber sido dibujado por la mano más excelsa. El Bruchión volvía a recibir al tebano envuelto en su propia magnificencia. ¿Cómo definir si no un barrio capaz de albergar la cultura de los siglos pretéritos, más de mil palacios o la misma tumba donde reposaban los restos del mayor conquistador que hubiesen conocido los milenios?

El Soma, la tumba de Alejandro, había decidido unirse en su grandeza a cuanto la rodeaba para admirar la obra surgida de la voluntad de su fundador. Aquella era la ciudad que había deseado el macedonio y, alrededor de su sepultura, la capital le mostraba todo aquello que pudiera desear el hombre civilizado; un sueño en el que descansar para siempre.

Amosis se dejaba embriagar por todo lo que veía, por cuanto aspiraba. Sus sentidos encontraban a cada paso nuevos matices a los que resultaba sencillo abandonarse. Olía a perfumes llegados de otras tierras, a flores cuyos nombres se perdían en la ignorancia del joven, a delicadas fragancias. Los bosquecillos salpicaban las veredas con un verde intenso, y los parques se arrebujaban entre los palacios para crear figuras que parecían surgidas del imaginario. Todo resultaba fantástico, fabuloso, quizá utópico, y al cerrar sus ojos el egipcio podía percibir aquella colosal quimera como parte de alguno de los espejismos que tan bien conocía. Sin embargo, era auténtico. Por una vez la ilusión se había transformado en realidad. Una realidad que aplastaba al individuo con el peso de lo imposible, con el genio creador de quienes se creen capaces de equipararse a los dioses. No era posible concebir un lugar que se le asemejase.

El agua de las fuentes salpicaba el mármol con nitidez, y en su repiqueteo creaba notas que invitaban a perderse en ella, como hacían los nenúfares al llegar la noche. Los flamboyanes se elevaban, majestuosos, hasta alturas que el tebano nunca había visto, y entre sus flores carmesí las elegantes villas se asomaban, vergonzosas, como si en verdad quisieran guardar con celo su intimidad. De las terrazas se descolgaban las más exóticas plantas hasta crear cortinajes de un verde ilusorio y, junto a aquellas, los dioses sorprendían al caminante con sus templos tallados en piedra, de una blancura cegadora, cual espejos ciclópeos. Isis y Poseidón miraban hacia el Gran Puerto como parte de un pasado y un presente que se daban la mano en aquella ciudad abierta al futuro, y Amosis, admirado, se dejaba llevar por sus pasos sin perder detalle de cuanto lo rodeaba, prisionero del embeleso. Aquellas sendas poco se parecían a las que le mostrara su tío, y en el atardecer el joven no pudo evitar recordar al bueno de Kamose, que de seguro le sonreiría al ver hasta dónde había sido capaz de llegar con su ingenio. Nectanebo le hablaría de su dignidad, así como del valor que esta tenía, y Sekenenre le prevendría acerca de la condición humana, de la artería y el artificio, de la sutileza y el ardid. Todos lo acompañaban en ese día a palacio donde aguardaba el gran felón junto a toda su fanfarria.

El ensueño siguió su curso, como no podía ser de otra manera, y cuando Amosis entró en la residencia real pensó que las formidables columnas cobraban vida y que los capiteles se animaban a mostrar dibujos imposibles tallados en oro y plata, tan gráciles que solo las manos de los dioses podían encontrarse detrás de semejante prodigio.

Quizá me halle en la isla de los cíclopes, se dijo el tebano al ver que cuanto lo rodeaba bien pudiera ser morada de gigantes; el reino de Polifemo.

En realidad su visita bien pudiera haber pasado desapercibida entre el bullicio y la algarabía, y en su interior Amosis se sintió satisfecho de que así ocurriera. El escenario en sí sobrepasó con mucho la idea que tenía forjada acerca de cómo pudiera ser la corte. Si su padre se hubiese encontrado presente, de seguro le habría dicho que allí se hallaban reunidos los campeones del abuso, los responsables de la opresión de la mayoría de su pueblo, los causantes de todos los males que acuciaban a la Tierra Negra. Así era el bueno de Nectanebo, a quien no le faltaba razón en muchos de sus juicios. Si los cíclopes eran los artífices de aquel colosal palacio, el legendario Creso lo sería de la sala en la que se encontraba. Allí se rendía culto al oro, en todas sus formas, en todos los tamaños, hasta donde alcanzara la imaginación. Techos, paredes, columnas, mobiliario... El color dorado reverberaba al abrigo de las mil lámparas que extraían los más centelleantes matices de tan preciado metal. Si Hefesto abriera sus fraguas, bien podría fundir aquella sala para convertirla en el Cocito, el río del llanto, el curso infernal que circundaba el Tártaro. Sin duda esto habría sido lo que hubiera pensado el buen Teofrasto de haber sido testigo de tan desmesurada opulencia, y también Amosis de haber sabido de la existencia de aquel río mitológico.

Que todos los allí reunidos se conocían resultaba obvio, así como las intrigas que debían forjarse en los innumerables corrillos repartidos por la estancia. Era lo natural, lo que había venido ocurriendo en Egipto desde que Ptolomeo Sóter instaurara la dinastía. Allí nadie estaba a salvo de ellas, ni siquiera el faraón, que desde un sillón dorado libaba una y otra vez con efebos y ninfas que parecían sacados de algún verso inmortal.

Al ser anunciada su llegada, nadie pareció reparar en él. Su nombre bien pudiera invitar a ello, ya que Amosis nunca sería bien recibido en una corte macedónica. Al joven bien poco le importó el detalle, y de este modo pudo observar con discreción el nuevo mundo que le abría sus puertas en aquella velada. Allí el vino corría por doquier, como si tuviera prisa por alcanzar alguna meta perdida en la distancia, en tanto las más exquisitas viandas eran ofrecidas por esclavos ataviados con túnicas doradas. En aquel lugar no parecía tener cabida otro color que no fuese aquel, y hasta los más excelsos manjares se servían en platos de refulgente oro. Al fondo, una orquesta de hombres de ébano tocaba al son de las flautas y los timbales mientras algunas mujeres danzaban, despreocupadamente, con contoneos y pasos atrevidos. Amosis las observó unos instantes, pero enseguida desvió la vista pues alguien había llamado su atención. Se trataba de un hombre de avanzada edad, que desentonaba en semejante ambiente casi tanto como él; justo cuando se aproximaba, el tebano lo reconoció.

—¡Demetrio! —exclamó el joven—. ¿Acaso ya no me recuerdas?

El aludido se acercó con paso cansino y forzó su mirada para intentar reconocer a quien lo llamaba.

—El buen Teofrasto me permitió conocerte un día, y tú nos mostraste de lo que es capaz el genio humano.

Demetrio pareció pensativo un momento, pero enseguida se acordó del egipcio.

—Claro que te recuerdo. Venías en compañía de mi gran amigo y un hombre enorme, tan oscuro como la noche —señaló el sabio con alegría.

—Amosis es mi nombre. Seguro que pocos de los que te visitan se llaman así.

—¡Amosis! —repitió el anciano—. Qué sorpresa encontrarte aquí.

El tebano asintió pero no dijo nada, ya que el filósofo no podía tener más razón. Claro que el buen hombre parecía hallarse tan perdido como él en aquella sala.

—Y dime, noble joven, ¿qué se le ha perdido a un hombre interesado por la razón en un lugar como este?

—No sabría contestarte, venerable Demetrio. Ignoro por qué circunstancia me han hecho venir hoy aquí. Para mí también representa una sorpresa encontrar a un cínico entre tanto epicúreo.

—Ji, ji. Buena observación, joven, muy buena diría yo. Si el gran Antístenes, el fundador de mi escuela, me viese, me echaría a patadas. Cuánta vergüenza.

Amosis lo observó sin saber qué decir, ya que el anciano parecía compungido.

—¿Acaso no estás al corriente de mi ignominia? ¿Puede ser eso posible?

El tebano se sintió confundido, pues no sabía a lo que se refería su acompañante.

—Diógenes de Sinope se habría quitado la vida antes de aceptar lo que yo no tuve el valor de rechazar —se lamentó el anciano.

Como Amosis se mostraba ciertamente azorado, Demetrio se animó a continuar:

—Todo ocurrió como consecuencia de las pasadas fiestas dionisíacas, de infausto recuerdo para mi persona, y en las que no tuve otra opción que participar. Mi cometido en el Mouseión me obliga a estar al servicio del faraón para lo que este designe.

Amosis asintió, pues recordaba este particular.

—Fui requerido en palacio para presenciar la orgía en la que desembocó el festival. El faraón participó activamente de los actos, y ordenó travestirse a los asistentes en tanto ofrecía uno de sus acostumbrados conciertos de flauta. Los hombres olvidaron cuál era la naturaleza que les correspondía, y el vino corrió por palacio como si se tratara del Nilo. Pero yo me mantuve firme, no te vayas a pensar, y solo bebí agua.

El joven se hizo una idea de cómo debió de transcurrir la celebración, y se acordó de Teofrasto y del espectáculo que él mismo tuviera ocasión de presenciar.

—Pensé que mis costumbres serían respetadas, pero estaba equivocado —prosiguió Demetrio—. El faraón, al verme sereno y con mi atuendo acostumbrado, montó en cólera y me obligó a participar como lo hacía el resto de invitados.

Amosis bajó la mirada al imaginarse lo que ocurrió.

—Auletes me vistió de mujerzuela, con túnica incluida, e hizo que bebiese como si fuese un sátiro. Pero lo malo no fue eso, dilecto joven, lo peor fue que me forzaron a bailar y tocar los címbalos como si fuese un saltimbanqui.[22]

El tebano se hizo una idea de la escena.

—¡Cuánta vergüenza! Toda la corte en pleno se burló de mí. Imagina mi cuerpecillo decrépito disfrazado de cortesana dando saltos por la sala al son de los címbalos. Cuando regresé a la Gran Biblioteca no me atrevía a mirar a mis colegas. El faraón me humilló por tener costumbres que le resultan ridículas; pensé que habías oído hablar de ello.

Amosis negó con la cabeza.

—Hace demasiado que Kemet perdió la razón —dijo el joven con pesar.

Demetrio lo miró con pena.

—Te prevengo para que no te sorprenda, como me pasó a mí. En cuanto el faraón comience a tocar el *aulas* te recomiendo que te ausentes, o puede que te obliguen a participar de cualquier barbaridad. Por mi parte, hijo mío, yo ya me marcho, pues no tengo ánimo para más indignidades. Espero volver a verte en mi biblioteca, de donde no pienso salir si no es por obligación.

De este modo se despidieron, justo cuando el faraón se levantaba de su real asiento para proponer uno de aquellos concursos a los que era tan aficionado.

—Honremos al dios Pan con su instrumento favorito —exclamó el rey en voz alta—, y entonemos junto a las ninfas Oréades himnos maravillosos. Quizá de esta forma la bellísima Siringe preste atención al encendido amor que el dios siente por ella.

Tales palabras fueron muy alabadas, y todos al unísono prorrumpieron en elogios sin fin. El faraón hizo un gesto de agradecimiento y al momento empezó a tocar la flauta para regocijo de los presentes, que aplaudieron calurosamente.

—¡Orfeo se reencarna en buena hora! —gritaron algunos—. Ni el virtuoso Lino, prodigioso músico, se atrevería a tocar de esta manera.

—¡Bravo, rey de reyes! Tu música es pasmo para quienes la escuchan —aseguraron otros.

Auletes parecía encantado con el entusiasmo que le demostraban sus súbditos, y al poco bailaba de acá para allá, a través de la sala, en tanto hacía sonar su *aulas*. Los cortesanos asentían satisfechos, y los más proclives a la adulación se sumaron a la danza en tanto elevaban sus copas para brindar con los dioses.

Amosis observaba la escena no sin cierta perplejidad, ya que ver al Horus viviente de aquella guisa no era corriente. La reina se mantenía al margen de la representación, como recluida en un mundo que la hacía parecer ausente. Su figura era tan misteriosa como su pasado, y en palacio no pocos eran los que temían a Cleopatra; la quinta reina que llevaba ese nombre.

En esto que se produjo un pequeño revuelo, y al poco los murmullos se convirtieron en aplausos para regocijo general. Los cortesanos se hicieron a un lado, y de entre los allí presentes surgió una figura grácil, envuelta en una túnica que parecía etérea, y tan hermosa que bien hubiera podido parecer surgida de alguna de las notas compuestas por el mismísimo Pan. Bailaba cubierta de magia, empapada en el hechizo que ella misma se encargaba de desprender de la forma más natural, hasta crear un clima ilusorio alrededor de su persona que la hacía parecer intangible. Sus pies desnudos se deslizaban por la sala incapaces de tocar el suelo, pues tal era el efecto que causaba con cada uno de sus pasos, y sus movimientos eran tan sutiles como precisos, hasta adueñarse de la perfección en todas sus formas. En verdad que aquella imagen resultaba ajena a lo mundano, quizá porque emergiera del propio sueño del que pareciera proceder; como salida de la misma Teogonía que un día Hesíodo se encargara de mostrarnos para acercar el reino de los dioses a los mortales. Seguramente se trataría de eso, pues la corte en pleno, hechizada, elevó al Olimpo sus ditirambos, entre la fascinación y el sometimiento.

Cabalgando sobre el embeleso, aquella suerte de ninfa danzaba y danzaba como harían los inmortales, en tanto que el rey tocaba la flauta y los címbalos emitían las notas más delicadas. Sin cejar en sus contoneos, la sílfide se apoderó del *aulas* del faraón y, cual si se tratase de un ser fantástico, extrajo sonidos pocas veces escuchados, capaces de transportar a los oyentes hasta la legendaria Arcadia, allá en las montañas del Peloponeso. Auletes observaba el espejismo sumido en la hipnosis, convertido en siervo de aquella enviada de Zeus.

Amosis vio cómo el rey clavaba una rodilla en tierra al tiempo que extendía sus brazos en señal de vasallaje. Entonces el ritmo de la música aumentó, y los hombres de ébano hicieron sonar los tamboriles con frenesí hasta desatar la locura. La danza se hizo vertiginosa, y la corte en pleno se sintió enardecida con el corazón convertido en galopar de caballos. Los compases se volvieron aún más trepidantes, y el baile desembocó en la apoteosis en tanto el palacio en pleno estallaba hecho un clamor.

—¡Bravo, bravo! —exclamaban entusiasmados, al tiempo que rendían pleitesía a aquella suerte de diosa capaz de conquistar sus almas.

—¡Solo Euterpe puede danzar de esta forma! ¡Oh, musa, yo te venero! —gritó alguien.

Hubo murmullos de aprobación, y enseguida otro se hizo oír entre los allí presentes:

—Nunca un nombre resultó mejor elegido —señaló—. La musa de la lírica se hizo corpórea esta noche para asomarnos a nuestra propia insignificancia. Adorémosla entonces.

La sala se llenó de alabanzas en tanto muchos se arrodillaban y elevaban sus loas. El faraón parecía emocionado, y tras asir a la sin par bailarina de la mano, la levantó en reconocimiento de su triunfo.

—Eres digna hija de Mnemósine, la diosa protectora de la memoria, pues los tiempos no recuerdan nada semejante —pronunció el rey con solemnidad—. Noble Euterpe, permite entonces que te adoremos.

Todos prorrumpieron en aplausos, y hasta el último de los presentes juró que no existía doncella sobre la tierra capaz de hacerles olvidar cuanto habían visto. El mismo Amosis parecía salir de un trance. Para un alma como la suya, fraguada en los altares de Karnak, el espectáculo le había causado una impresión que le resultaba difícil de definir. Poco tenía que ver aquella danza con las presenciadas en los festivales celebrados en honor a Dioniso, y mucho menos la mujer que la había interpretado. Había verdadero arte en cada paso, en cada uno de los movimientos, en cada nota extraída del *aulas*, y, sin embargo, todo junto había tenido la facultad de embriagar a cuantos habían estado presentes hasta el punto de hacerles desfallecer. Había gracia, belleza, sensualidad, genio en aquella ninfa a la que calificaban de musa, pero a la vez Amosis había sido testigo de la voluptuosidad y calculada provocación que ocultaba cada movimiento. La línea que separaba dichas percepciones era tan difusa que hacía que todas ellas se mezclaran en el crisol de donde nacían las pasiones que esclavizaban al hombre. Aquella mujer había amarrado las voluntades con su danza, y el mismo tebano se sentía confundido por este hecho. Había una fuerza oculta en Euterpe mucho más poderosa que la belleza que ella pudiera atesorar; algo que al egipcio le resultaba imposible de definir pero que captaba en toda su magnitud.

Los cortesanos volvieron a reunirse en corros, dispuestos a beber y comer hasta que quedasen saciados. La música continuó, aunque la diosa se abstuviese de volver a embrujar a la corte con su baile. El faraón la honraba con su favor, pues Euterpe era motivo de atenciones por doquier, como las ofrecidas a una persona principal.

El tebano deambuló por la estancia, tan perdido como cuando llegara, y al poco decidió salir a una de las terrazas a tomar el aire, pues se sentía incómodo en aquel ambiente que se le antojaba hueco. Al recibir la brisa en su rostro, Amosis la respiró con fruición, y al momento fue a apoyarse sobre la balaustrada para deleitarse con el espléndido paisaje que se postraba a sus pies. Justo enfrente la bahía real se extendía con sus aguas calmas, sobre las que apenas se mecían los trirremes. Toda la flota del faraón se encontraba atracada en los muelles, en un número que sorprendió al joven. Allí había más de cien buques, todos aparejados como correspondía a los navíos de un dios. Las dársenas poseían sus propios astilleros, y a la derecha, junto al palacio, un largo malecón, el Diabathra, se extendía desde la península de Lochias hasta la misma entrada del Gran Puerto, frente al faro. Allí se hallaba el que llamaban la Boca del Toro, el estrecho canal rodeado de peligrosos bajíos por el que entraban y salían los barcos de la ensenada. El egipcio se detuvo a contemplar la pequeña isla de Antirrodas, y enseguida volvió a prestar atención a la entrada de la bahía y al faro que conducía a los navegantes al abrigo de las aguas mansas. La noche era hermosa, y la luna, en su creciente, iluminaba vagamente el mar que se extendía más allá de las dársenas para crear sobre su superficie un cierto halo de misterio. Era un privilegio poder observar la ciudad desde tan distinguida atalaya, reservada para los reyes que gobernaban aquella tierra. Todos los Ptolomeos se habían hecho construir un palacio durante su reinado, de manera que aquella parte del Bruchión era conocida como los Palacios Interiores, y a ella no tenían acceso más que aquellos que hubiesen sido requeridos por el faraón o se hallaran a su servicio.

Absorto en la contemplación del cuadro que dibujaba el ensueño, el joven no se percató de la llegada del extraño hasta que este le dirigió la palabra.

—Cuesta resistirse a tanta belleza, ¿verdad?

Amosis hizo un gesto de sorpresa en tanto miraba con curiosidad al desconocido.

—Oh, espero no haberte sobresaltado, pero es difícil permanecer más tiempo del recomendable en compañía de la corte; dicho sea con el mayor respeto hacia nuestro rey —señaló el extraño con cortesía—. Resulta sumamente grato encontrar almas sensibles capaces de experimentar lo mismo que yo.

—Me siento ajeno a la corte, aunque no a la belleza que encierra esta ciudad. Vista desde aquí, Alejandría se me antoja envuelta en púrpura —apuntó el tebano.

El desconocido pareció admirado.

—Permíteme, noble joven, que te honre con la lisonja. Hacía tiempo que no escuchaba un acento como el tuyo. ¿Quizá lo adquiriste en el Liceo, con el maestro Aristóteles? ¿O acudiste a la Academia para escuchar a Platón?

—Me temo que en ambos lugares no hubiera sido más que motivo de mofa. Además, nunca he estado en el Ática.

—¡Oh! ¿Cómo es posible entonces tu hablar principesco?

—Un misterio más de entre los que me rodean, aunque en confianza te diré que la culpa de todo la tiene Odiseo.

El extraño lanzó una carcajada.

—Buen preceptor tuviste entonces, astuto como nadie, sin que lo tomes como reproche.

Amosis ladeó ligeramente la cabeza para mirar con atención a su acompañante. Se trataba de un hombre ya entrado en la madurez con los rasgos que hacían comunes a muchos griegos: nariz recta, labios plenos y ojos vivos en los que se adivinaba la sagacidad. Su barba estaba recortada con esmero, y el largo cabello, sujeto por una cinta que rodeaba su frente, formaba bucles tras las orejas. El tono de su voz resultaba agradable, y vestía una rica túnica bordada en oro del color de sus sandalias. Al saberse examinado, el desconocido se apresuró a presentarse.

—¡Oh! Qué torpeza la mía; ruego que me perdones por mi mala educación. Me llamo Ergino, y soy alejandrino de diez generaciones.

El egipcio asintió.

—Pues mi nombre es Amosis, y mis ancestros llevan pisando esta tierra desde hace cien.

Ergino rio de nuevo al tiempo que saludaba la ocurrencia.

—¡Encomiable, noble Amosis; sin duda encomiable!

El egipcio volvió a fijar su vista en el puerto, como distraído.

—Creo que en algo nos parecemos —dijo el griego, quien también miraba hacia la bahía—. Siento verdadera debilidad por el puerto. Él es el verdadero corazón de esta metrópoli. Sería imposible imaginar Alejandría sin él.

—Este mar es el que le proporciona el sustento.

—Es cierto. El Mediterráneo puede convertirse en una verdadera pasión. ¿Conoces a algún griego a quien no le guste? Ja, ja. Gran parte de mis intereses se encuentran en él.

Amosis asintió, ya que comprendía cuanto le decía Ergino, y durante un rato ambos entablaron una agradable conversación que los llevó a saber un poco más de ellos. Pronto los negocios hicieron acto de presencia, y el griego se sorprendió al comprobar con cuánto entusiasmo se refería el joven a ellos. El tal Amosis era un pozo de ambición, y esto agradó a Ergino de forma particular.

—Me complace en grado sumo cuanto me cuentas, noble Amosis, aunque me extraña que no hayamos tenido la oportunidad de hacer ningún negocio juntos. Sobre todo por el hecho de que soy banquero.

El tebano fijó su mirada en el griego por un instante, como acostumbraba a hacer a veces.

—¿Banquero, dices? Eso es debido a que no tengo necesidad, sin que por ello me juzgues de fatuo o malintencionado.

Ergino hizo un ademán de complacencia.

—¡Encomiable! —exclamó de nuevo, ya que aquella palabra resultaba ser una apostilla de la que el griego rara vez se desprendía—. No hay como emprender sin servidumbre. ¿Y dices que posees muchos barcos?

—Los suficientes para llevar a buen puerto mis asuntos —indicó el joven, que no tenía intención de ser prolijo en detalles.

Ergino hizo un gesto de satisfacción, pero enseguida vio en las palabras del tebano el sello de los mercaderes de toda la vida; el de los caravaneros que eran capaces de cruzar el desierto si con ello podían ganar un óbolo. El griego los detestaba. Eran astutos y de poco fiar, aunque en alguna ocasión hubiera hecho negocios con ellos.

—Magnífico, entonces. Te confieso que siempre me hallo dispuesto a considerar los buenos tratos. Mi familia lleva tantos años recorriendo el Egeo que resulta imposible no tener intereses de los que ocuparse, como comprenderás.

Amosis asintió, pensativo, pues aquel griego estaba empezando a negociar con él sin ningún disimulo.

—Te felicito, en tal caso —apuntó el egipcio—. Más allá de esta ciudad existe todo un mundo de posibilidades.

—¡Oh, cuánta clarividencia! ¡De nuevo encomiable! En fin, noble Amosis, nuestro encuentro me ha resultado muy placentero, y espero que nos proporcione la oportunidad de conocernos mejor. Un hombre como yo siempre necesita mercantes con los que ampliar sus fronteras, y también socios dispuestos a acompañarlo.

—Un buen trato es algo a lo que nunca podré negarme —señaló Amosis—, da igual adónde me lleve el viento.

—¡Encomiable! —repitió el griego por enésima vez—. ¿Honrarías mi casa con tu visita si así te lo pidiera? —quiso saber.

—En el sur, de donde procedo, la hospitalidad forma parte de la dignidad de las personas, y yo por mi parte pienso resistirme encarecidamente a perder la mía.

—Entonces tanto mejor, pues ya te adelanto que corren malos tiempos para la palabra verdadera; aunque de seguro que tú ya lo sabes de sobra.

—Es lo que ocurre cuando se trata con hombres.

—¡Ja, ja! Me agradas, noble tebano. Solo me resta saber dónde puedo encontrarte.

El egipcio le explicó dónde vivía, y Ergino enarcó una de sus cejas en un gesto de sorpresa.

—Frugal es la vida que llevas —dijo el griego—. Y claros los caminos que quieres recorrer. Me temo que no podrás escapar a mi invitación, buen Amosis. Estoy convencido de que nuestros intereses confluirán para suerte de ambos.

—Eres muy amable, Ergino. Tendré mucho gusto en visitarte, si así lo deseas —respondió el egipcio, que llevaba un rato haciendo cálculos.

En ese momento alguien salió a la terraza, y al volverse Amosis vio a la hermosa bailarina que se les aproximaba. El tebano se quedó sin palabras. Aquella mujer representaba el misterio en movimiento.

—¡Ah! La musa se aviene a tratar con los mortales, noble Amosis —se apresuró a decir el griego—. He aquí a Euterpe, diosa de la corte, y por más señas sobrina mía.

31

Tumbado sobre el duro jergón en el que acostumbraba a dormir, Amosis aún recordaba la velada a la que había asistido en palacio y el efecto que le había causado la joven. Solo se le ocurría una palabra para definirlo, y esta era desasosiego. Esa era la impresión que había extraído el egipcio de su fugaz encuentro, por encima de la belleza que pudiera atesorar la bailarina. El tebano ya lo había percibido cuando la viera bailar, y al hallarse próximo a ella sintió con claridad aquel poder capaz de perturbar el ánimo, de agitar el espíritu. Era una sensación tan etérea como intensa de la que nadie, estaba convencido, se sentía libre. Apenas cruzaron unas palabras, más allá de las que dictaba la cortesía, aunque fuesen suficientes para descubrir una voz aterciopelada y embaucadora como el tebano no recordaba haber escuchado jamás. Amosis advirtió en ella el don de la caricia, la invitación al abandono, pero a la vez un aviso a la prudencia, a la medida en el juicio, al peligro a lo desconocido. Había un indudable atractivo en el misterio que rodeaba a Euterpe, y el egipcio comprendió que esa era su verdadera arma, de la que todo hombre debía cuidarse y que sobrepasaba la perfección de sus formas o su hermoso rostro de musa reencarnada, que parecía extraído del taller de algún maestro.

A través de la ventana, la pálida luz de la luna creciente dibujaba sombras de insospechada apariencia, siluetas que cambiaban con el paso de las horas, con el discurrir del viaje que el satélite había emprendido aquella noche. Así es la vida, siempre en movimiento, aunque no seamos capaces de percibirlo más que cuando nos sorprende con su ley inexorable. Amosis era plenamente consciente de ello, a pesar de que hacía ya tiempo que había decidido no escuchar sus disposiciones. Su visita al palacio había resultado reveladora, sobre todo porque había confirmado lo que ya intuía; lo distante que se hallaba de aquellos poderes que gobernaban su tierra. Sus ancestros habían sido sabios al adelantarle cuanto había visto esa noche sin necesidad de ser testigos de ello.

Sin embargo, el joven se encontraba satisfecho al comprobar que sus ambiciones no iban desencaminadas; que su propia existencia era en sí una ilusión que no era posible satisfacer en su tierra. Hacía tiempo que el tebano llevaba pensando en ello, como si una voz en su interior se obstinara en hacerle reflexionar una y otra vez acerca de los caminos que debiera tomar. Estos se le presentaban para mostrarle nuevos paisajes; horizontes ignotos a los que, no obstante, el joven no temía. Alejandría se le quedaba pequeña, a pesar de su grandiosidad y de la fortuna que le había proporcionado. Existía un mundo más allá del mar que lo esperaba para medir su talla, para mostrarle su generosidad si en verdad era merecedor de ella. Por alguna extraña razón las velas de su navío siempre se hallaban desplegadas, y él no era capaz de arriarlas. El viento de la vida las impulsaría hacia donde su suerte decidiese, quizá rumbo a Ítaca, el nombre con el que Amosis designaba el puerto al que un día llegaría para quedarse.

El egipcio se había desvelado al pensar sobre este particular. Su conversación con Ergino le había hecho reconsiderar la posibilidad de asentarse en otros lugares; de establecer una buena parte de sus intereses lejos de Alejandría, ciudad en la que no podía evitar sentirse un extraño. Aquel griego se prestaba a abrirle la puerta a nuevos mercados, y por ende a nuevos clientes para su floreciente actividad como prestamista. Una cosa llevaba a la otra, pues, como a menudo le dijera su tío, lo más difícil era ganar el primer talento.

Unos perros ladraron en el malecón, y al poco se escuchó un juramento de alguno de los vagabundos que solían dormir en los muelles. Después se oyeron risas y procacidades, seguramente de alguna ramera en compañía del marinero de turno. Allí cada cual se ganaba el pan como podía, y el joven volvió a pensar en el banquero griego, y también en la impresión que le causara. Que fuera astuto formaba parte de lo habitual, aunque su facilidad de palabra y buena conversación acabaran por convertirse en motivo de desconfianza para el joven. Amosis había estudiado en la escuela del engaño, mas no obstante su alma de mercader lo impulsaba a interesarse por lo que pudiese ofrecerle Ergino, por quien por otra parte no sentía la menor consideración.

Cuando por fin Amosis cerró los ojos, la luna marchaba hacia occidente en tanto la habitación se sumía en la penumbra más absoluta. Las sombras eran cuanto quedaba de aquella lánguida luz plateada que había bañado el cuarto, y los propósitos del joven habían acabado por perderse en las profundidades del reino del sueño que velaba su respiración acompasada.

Mientras, en el Bruchión, Ergino se apoyaba en la balaustrada de la terraza a la espera de ver amanecer. La velada se había extendido hasta altas horas de la madrugada, como era habitual, para dejar un rastro de excesos de todo tipo en el palacio de Auletes. La afición del rey por el libertinaje era bien conocida, y la corte gustaba de participar en las bacanales en las que solían desembocar aquellas reuniones. Mas al banquero no le preocupaban tales detalles. Sus intereses eran de otra índole, y visto lo acaecido aquella noche se sentía satisfecho. Todo había discurrido según lo planeado, pues aquel tebano había resultado ser como preveía: astuto y curtido en el engaño. Era preciso ser cautos y dejar que el tiempo cubriese el ardid con el velo de la confianza. El tiempo y Euterpe, la artífice de la obra que se habría de representar.

Ergino se sonrió al recordar cómo Amosis devoraba cada paso de baile que daba su sobrina. Sin duda no era cosa de culpar al joven por ello, ya que hasta el mismísimo faraón bebía los vientos por la sílfide, a la que acosaba en no pocas ocasiones. No había mujer en Egipto capaz de negarse a fornicar con Ptolomeo, aunque Euterpe mostrara su natural habilidad para manejar el asunto como más le convenía. Ella siempre sacaba provecho de las situaciones, y Ergino volvió a sonreír al pensar en ello. Cuando el griego le presentó a su sobrina en la terraza del palacio, observó con atención la reacción del egipcio. Nadie se encontraba a salvo del poder de la misteriosa Euterpe, aunque el banquero tuviese que reconocer que Amosis disimuló bien la impresión que la joven le pudiera causar. Semejante detalle resultó de su agrado, ya que denotaba el efecto devastador que podrían producir las pasiones desbocadas en aquel tebano. Ergino había conocido a algunos hombres como él, para quienes los negocios representaban el único acicate que movía sus vidas, y sabía lo que podría ocurrir cuando se despertaba en ellos una parte de sí mismos que había permanecido oculta, y por tanto desconocida. Este pensamiento provocó cierta hilaridad en el banquero, que rio quedamente. Desde que se presentase en palacio, Ergino y sus dos amigos no le habían quitado ojo de encima al egipcio, y el banquero se vanagloriaba al ver lo poco que creía haberse equivocado al catalogar al tebano.

Absorto en sus reflexiones, Ergino no se percató de la salida del sol hasta que sus primeros rayos resbalaron por la balaustrada. Helio se preparaba para cabalgar de nuevo en su carro a través de la bóveda celeste, y Eos, la aurora, hacía tiempo que había teñido el horizonte con sus dedos rosados para anunciar la llegada de su divino hermano. Pronto la vida regresaría a la ciudad y el puerto se llenaría de velas multicolores, de navíos dispuestos a desafiar la cólera de Poseidón, de barcos que regresaban tras cruzar el proceloso mar.

Ergino suspiró con placer. Pronto iniciaría una nueva aventura.

32

Amosis volvió a encontrarse preso en la vorágine de sus ambiciones. Estaba en su naturaleza, y contra eso poco podía hacer el hijo de Nectanebo. Era algo que lo superaba por completo, un impulso que parecía provocado por la fuerza de los titanes o quién sabe si por los genios del Amenti, que de seguro lo estarían esperando llegado el momento. Si había algo que caracterizara a la monstruosa Ammit, la Devoradora de los Muertos, era la paciencia que demostraba hasta que engullía el alma de los condenados. Para Amosis, semejante aspecto era cosa segura. Hacía mucho que había aceptado aquella posibilidad y, libre de ningún escollo moral que le hiciese reconducirse, volcaba de nuevo sus energías en lo que de verdad le importaba: poseer sin medida. Sus amigos y gran parte de su pasado habían desaparecido de su corazón como si fuese cosa de *hekas*, y lo peor era que lo habían hecho como impulsados por un soplo que ni siquiera había dejado rastro. Aquella tarde, en casa de Ergino, el egipcio trazaba nuevos planes con la velocidad que le era propia, mientras hablaba o atendía, sin ninguna dificultad.

—Como podrás observar, hoy he dejado abandonada mi condición de banquero para atenderte como mereces, noble Amosis, pues este es un asunto en el que todos ganamos al hacer uso de nuestros recursos —dijo Ergino con cierta solemnidad.

El tebano calculaba con rapidez los riesgos que reportaba cuanto le proponían, así como los cuantiosos beneficios que aquel trato le podía procurar.

—Tus barcos y nuestro mercado. Con una inversión a partes iguales —apuntó Erecteo, que junto con Creón también había acudido a la villa del banquero.

—¿Qué cantidad habíais pensado aventurar? —preguntó el egipcio.

—Habíamos considerado que doscientos talentos cada uno sería una cifra aceptable. Entre los tres supondría la nada desdeñable cantidad de seiscientos talentos —continuó Ergino—, cerca de cuatro millones de dracmas de plata ática, de mayor peso que la que se acuña en Alejandría. Una buena suma, diría yo.

—Con la que haríamos fortuna, queridos amigos. Al menos triplicaríamos la inversión —señaló Creón.

Amosis asintió. En su fuero interno sentía una euforia que le resultaba imposible contener; era en aquellos momentos cuando el joven se sentía verdaderamente feliz, entre nuevos desafíos y gente sin escrúpulos con los que poder medirse. Aquel asunto le había entusiasmado desde el momento en que supo acerca de su naturaleza, detestable donde las hubiera: la guerra.

Aquellos griegos le habían propuesto comerciar con armas: espadas, dagas y puñales, para ser exactos; todas de la mejor calidad, listas para ser transportadas desde la isla de Creta al resto del Egeo, hasta el lejano Ponto Euxino. Era un negocio seguro, como también lo fuera el comercio de grano, de primera necesidad, ya que los hombres no habían dejado de matarse los unos a los otros desde que se tuviera memoria, y en opinión del tebano así continuarían mientras existieran dos sobre la faz de la tierra. La oportunidad de entrar en el mercado de las armas era algo inesperado, y suponía convertirse en algo más que un comerciante. Reyes y reinos dependían de ellas, y eso significaba que en adelante podría negociar con el poder.

El hecho de disponer de los mercantes necesarios para llevar a cabo el transporte constituía para el tebano la mejor defensa contra el engaño. Sus capitanes gobernarían de forma apropiada el asunto, y por su parte estaba decidido a afrontar cualquier contingencia.

—Mitrídates siempre está ávido de armas, y no digamos los piratas cilicios. Con ellos trataremos en las Cícladas, sin necesidad de acercarnos a la costa; siempre pagan con buena plata —explicó Creón.

—Y lo mejor son los impuestos que nos ahorramos en el asunto. No habrá que gastar ni un óbolo, ja, ja —apuntó Erecteo.

Amosis comprendió la magnitud de la ganancia, aunque al cabo mirase a sus futuros socios con evidente gesto de perplejidad, ya que al final los mercantes deberían regresar a Alejandría, y por todos era bien conocido lo puntillosos que podían llegar a ser los funcionarios de aduanas.

—¡Oh! No debes preocuparte por ese detalle, buen Amosis —dijo Ergino al momento—. Tan solo será necesario acallar el celo de una única voluntad; es lo habitual, ja, ja.

Amosis conocía de sobra los manejos que solían llevarse a cabo en el puerto, donde los intereses podían llegar a ser considerables. Sin embargo, una cosa era que el inspector de turno hiciese la vista gorda con unas cuantas ánforas de vino, y otra muy distinta ocultarle cerca de doce millones de dracmas de plata. No había que pensar demasiado para imaginar que alguna autoridad de la administración estaría también en el asunto, como si fuese un socio más; alguien con suficiente poder como para evitar que algún funcionario metiera la nariz en el negocio.

—¿Y cuán generosos espera nuestro celoso amigo que seamos? —se interesó el joven.

Todos rieron con suavidad y hasta con petulancia, como si aquella fuese cuestión baladí, algo que ocurría todos los días.

—El diez por ciento de los beneficios será suficiente para acallar la conciencia de nuestro benefactor —aclaró Erecteo.

—Es lo usual —recalcó Creón, a quien le costaba guardar silencio.

Ergino lo miró con disgusto y Amosis hizo como que consideraba las palabras de sus socios, aunque en realidad ya hubiese finiquitado el asunto por su cuenta. Fuera quien fuese su valedor, este podría llegar a ganar en el negocio hasta ciento ochenta talentos; una fortuna solo al alcance de algún preboste del Tesoro, como el ecónomo o quizá el epístato. Aquella suma tan considerable representaba una garantía para la buena marcha del trato, aunque también le hablara al joven de las influencias que manejaban aquellos griegos y de cuál era la verdadera posición del tebano en el asunto. Sin embargo, su desventaja no era motivo de recelo para el egipcio, sino un acicate más para alcanzar sus propósitos.

—Mis barcos estarán listos para zarpar mañana mismo si lo deseáis, y también mis monedas —dijo Amosis con gravedad—. Cerremos el trato como corresponde.

Todo quedó convenientemente ultimado y aquella misma noche el tebano fraguó sus propios planes, en los que no tenían cabida sus nuevos socios. Él sacaría ventaja de aquella travesía, pues aprovecharía la ocasión que los trapezitas griegos le brindaban para regresar a Alejandría con las bodegas de sus barcos atestadas con las más caras mercaderías. Libre del control aduanero, el joven ganaría una fortuna de la que no tenía por qué dar razón a nadie. El horizonte hacia donde navegaba su nave volvía a cambiar de color; un color teñido de púrpura, como correspondía a quien ansiaba convertirse en rey, y eso a él le gustaba.

33

Aquellos vientos resultaron tan favorables al tebano como pudiese desear. Si Set ejercía su poder sobre los elementos, justo era considerar que el dios del caos sentía un inquebrantable aprecio por el joven. Durante los años pasados en el desierto Amosis siempre había recibido la deferencia del Ombita, aun en los peores momentos, y ahora que su hacienda surcaba las aguas del inmenso mar, Set no había dejado de sonreírle, como si quisiera resarcirlo de las cuentas pendientes que había dejado en Tebas, o puede que por piedad. Al fin y al cabo, el tebano representaba el único hijo de Karnak que se aventuraba a navegar por el Mediterráneo; un peregrino que desafiaba a su tiempo. Solo de este modo podía entenderse la suerte que parecía perseguir a Amosis en sus andanzas. Su empresa se había aliado con el éxito, y el brillo de este orlaba su persona a los ojos de los demás, que no albergaban dudas respecto a misteriosas alianzas con los dioses.

Si Set había hecho amistad con Poseidón era algo que Amosis desconocía, y aunque el joven se cuidara de blasfemar ante las divinidades marinas, no creía en absoluto en ninguna de estas, ni en la bonanza ni en la tempestad; mas no obstante recordaba a su gran amigo Odiseo, y el precio que tuvo que pagar por su desafío a los vengativos dioses.

Su alianza con los trapezitas le había hecho ganar una fortuna y, desde su nueva atalaya, Amosis volvía a trazarse otro horizonte, como siempre le había ocurrido en su vida. Había descubierto el Egeo, y las infinitas posibilidades que este le ofrecía en un mundo que cambiaba de forma inexorable y al que, no obstante, el joven había tomado la medida. No existía nadie capaz de detenerlo; o al menos eso creía él.

Obviamente, Shai —el milenario dios egipcio del destino al que en tantas ocasiones Amosis había declarado su animadversión— tenía sus propios planes con respecto a aquel apóstata, ya que de otra forma no se hubiese entendido cuanto aconteció. Él siempre decidiría, y cuando aquella mañana la viera aparecer, el tebano no pudo imaginar las consecuencias que se derivarían de ello.

Todo ocurrió en un bazar de la vía Canópica, famoso por lo fastuoso de su decoración y la exclusividad de su venta. Allí podían encontrarse desde piedras preciosas hasta la orfebrería más delicada, además de riquísimas telas llegadas de Oriente, bordadas en el más exquisito oro, o tallas trabajadas con singular maestría, capaces de hacerse un sitio en el palacio del mismísimo faraón. El local respondía al pomposo nombre de Midas, y en opinión de los siempre lenguaraces alejandrinos nunca un establecimiento había sido bautizado de forma tan apropiada. Sin duda todo era opulencia en el interior de aquella tienda, como correspondería a un lugar en el que habitase el mítico personaje. Allí Midas se habría sentido feliz, pues todo brillaba como el oro, como si en verdad hubiese sido tocado por su mano.

Pero la gracia no residía en aquel particular, sino en el individuo que regentaba el negocio; un fenicio ladino y tan codicioso como lo fuese Midas y que, por voluntad de los dioses, poseía unas orejas de tal calibre que formaban parte del chascarrillo ciudadano desde hacía tiempo. «Tiene unas orejas como Midas» era cosa corriente de escuchar en cualquier parte, como algo verdaderamente sobrenatural. Igual que el legendario personaje, el fenicio tenía apéndices de burro y, seguramente sin saberlo, llevaba un birrete purpúreo sobre la cabeza con la intención de disimular en lo posible su defecto, como también hiciera Midas después de que Apolo lo castigase por haber criticado su arte a la hora de tañer la lira.

El birrete de poco le valía para evitar que se fijaran en su deformidad, y había quien aseguraba que no eran pocos los que acudían a su establecimiento para admirar sus orejas, como si se tratase de un prodigio. Como hacía ya mucho tiempo que el fenicio se había acostumbrado a las bromas pesadas, este se resarcía plenamente al vender sus artículos a unos precios astronómicos a todos aquellos helenos relamidos, que eran en su mayor parte quienes acudían a su tienda. Amosis lo conocía desde hacía tiempo, ya que le proporcionaba valiosas mercaderías a un buen precio. Ambos se encontraban examinando unas preciadas sedas cuando se abrió la puerta del local y entró ella: la musa del Bruchión.

Acompañada por uno de sus esclavos, Euterpe avanzó hacia ellos con la gracia que le era propia, como si se hallara en cualquiera de las estancias del palacio del faraón. Todo parecía pertenecerle, hasta el último de los objetos que adornaban aquel bazar de los ensueños. No había lugar más apropiado para la naturaleza de una diosa y Euterpe lo sabía, como tantas otras cosas. Durante unos instantes fijó su atención en una preciosa gargantilla de lapislázuli engarzada en oro para enseguida mirar hacia los dos hombres, como si no hubiera reparado en ellos hasta ese momento.

—Hoy deberás prestarme la atención debida y afinar bien tu cálamo, querido fenicio, y puede que así muestre tus pequeños tesoros al mismo faraón —dijo la joven con la suficiencia acostumbrada.

El aludido hizo un gesto servil y se apresuró a atender a la musa, a quien conocía de sobra.

—¡Nobilísima Euterpe! —exclamó Midas al tiempo que hacía una nueva reverencia—. Honras mi tienda, como cada vez que te dignas a visitarme. Hoy dispongo de género digno de tu condición; objetos que harían languidecer a Afrodita y que en ti cobrarían el brillo que se merecen.

La joven rio, cantarina.

—Como adulador no tienes igual, fenicio; lástima que luego pretendas cobrarte cada una de tus lisonjas al fijar esos precios disparatados.

—Tan solo el valor de lo que resulta excelso. Lo sublime solo está al alcance de los dioses y de algún mortal en quien se hayan reencarnado. Será un privilegio atender tus deseos como corresponde.

Euterpe volvió a reír, pues le gustaba que la adularan.

—¿Quizá tus ojos sin par se fijaron en esas sandalias? —quiso saber el fenicio en tanto le señalaba las que lucían una finísima pedrería sobre ribetes dorados. La musa las examinó con interés, pues eran magníficas—. No se me ocurre un lugar mejor para ellas que tus pies. Fueron creadas para ti; si no te las llevas, languidecerán de tristeza.

Euterpe rio con coquetería.

—Ya me imagino —dijo ella con afectación.

—Te advierto que fueron diseñadas por los mejores orfebres de Antioquía. En su día causaron furor en la corte de Antíoco.

—Supongo que su precio estará a la altura de cuanto aseguras, ¿me equivoco?

—Si estás interesada en ellas llegaremos a un acuerdo, nobilísima Euterpe, como siempre que te dignas a visitar mi bazar. Te adelanto que no existen otras sandalias iguales en la ciudad. Si me haces el honor de llevártelas, tus pies serán los únicos que las luzcan.

Euterpe miró al fenicio con malicia, ya que este sabía muy bien cómo conseguir que se interesara por algo. Con calculada displicencia, la joven dejó las sandalias sobre una mesa y paseó por el establecimiento en tanto miraba cuanto este le ofrecía de forma distraída. Al poco volvió a fijarse en la exquisita gargantilla, y al punto se la quiso probar.

—¡Oh, excelso, sin duda! —exclamó Midas—. No encontrarás en Alejandría un lapislázuli tan puro. Es digno de las antiguas reinas que gobernaron esta tierra hace mil años. No conozco un cuello más idóneo que el tuyo para llevar esta joya. De seguro que la corte te envidiaría aún más si cabe al vértelo lucir. Hasta Cleopatra lo desearía.

Euterpe acarició la alhaja con la yema de sus dedos, pues se sentía prendada por aquel collar soberbio donde los hubiera.

—Por tres mil dracmas sería tuyo, gran señora —se apresuró a decir el fenicio—, y además te haría un buen precio por las sandalias.

—¡Medio talento! —exclamó Euterpe escandalizada—. Tu codicia hace honor al nombre de tu negocio —apuntó ella con una media sonrisa.

—Solo los maestros del lejano Oriente son capaces de trabajar una joya así. El viaje de esta gargantilla resultó arduo hasta recalar aquí —señaló el comerciante.

—¡Ja, ja! Tu fama de embaucador está bien ganada, Midas, aunque me temo que en esta ocasión tendré que conformarme con las sandalias.

En ese momento entraron unos clientes en la tienda, y el fenicio se disculpó con la joven en tanto los atendía. Esta paseó su mirada por los estantes, con el collar aún alrededor de su cuello, y entonces reparó en Amosis como por casualidad. El joven, que había atendido al regateo con particular interés, hizo un gesto de salutación y ella lo miró con calculada altivez, elevando un poco la barbilla como le gustaba hacer.

—¿Acaso nos conocemos? —preguntó Euterpe.

Amosis enarcó una de sus cejas en tanto sonreía.

—Si eres sobrina de Ergino, me temo que sí —dijo él.

La joven se le aproximó, como llevada por la curiosidad.

—Tengo buena memoria, pero lo cierto es que no te recuerdo —señaló.

El tebano la observó unos instantes, para percibir de nuevo en ella aquel misterio desasosegador que ya experimentara la primera vez que la viera. Ahora sus ojos lo miraban fijamente, y el egipcio sintió que aquella mirada provenía de la oscuridad más insondable, pues aquella mujer poseía el poder del embrujo.

—La terraza se encontraba en penumbra aquella noche —apuntó el tebano sin dejar traslucir sus emociones—. Aunque yo sí que te recuerdo a ti. Tu tío nos presentó.

Ella pareció cavilar un instante, y enseguida le sonrió como sabía hacer cuando la ocasión lo requería.

—¡Ah! —exclamó con coquetería—. Ahora te recuerdo. Me temo que esa noche me había excedido con el vino de Lesbos. Ese néctar se ha convertido en mi perdición —aseguró en tanto volvía a reír como solía.

El egipcio se hizo cargo mientras notaba cómo la fuerza que emanaba de aquella mujer lo envolvía por completo. Su voz le llegó más embaucadora que la noche en que se conocieran, y sus labios se entreabrieron para atraparlo con su sonrisa.

—Sin embargo, conozco tu nombre —subrayó ella con presunción.

—En ese caso, qué más puedo pedir —se apresuró a contestar el joven—. Para un tebano no hay nada como que su nombre sea recordado y pase a la posteridad.

Ella volvió a reír.

—Amosis. Ese es tu nombre. ¿Me equivoco?

—Sabes muy bien que no.

—Te seré sincera. Mi tío lo repite a menudo. Habla de vuestros negocios con frecuencia, y siempre en los mejores términos. Te tiene en gran consideración.

—En tus labios, cuanto me dices supone un halago. En los negocios no resulta tan usual expresar las emociones —aseguró él.

Euterpe vio por primera vez el fuego que se escondía detrás de la mirada del egipcio y leyó su ambición al momento, así como la determinación que encerraba; sin embargo, disimuló muy bien la impresión que le causara, algo a lo que estaba acostumbrada.

—Sin duda, las mujeres nos encontramos perdidas en ese mundo sin sentimientos del que me hablas —aclaró ella con la mayor naturalidad—. Ergino me trata como si fuese su hija y me habla con el corazón; seamos comprensivos.

Amosis hizo un gesto de aquiescencia en tanto se bañaba en el hechizo que desprendía la joven. Esta se percató al instante e hizo uno de sus habituales gestos calculados que le servían de ordinario para seducir a los hombres. El tebano la miró de forma extraña. Euterpe representaba la fastuosidad, el mundo del que pugnaba por apartarse y que tanto le desagradaba; sin embargo, el egipcio se dejaba acariciar por el perfume que ella desprendía, por su fatuidad, por su encanto, contra los que al poco se rebelaba su propia esencia para advertirle cuál era en realidad la senda que le correspondía. Su *ka* no lo engañaba, y aunque los tiempos en los que esta palabra era venerada en la Tierra Negra hubieran pasado, para un tebano como él seguía significando lo más profundo del ser humano, su esencia vital. Aquella atracción encerraba caminos por los que no debía aventurarse.

Euterpe adivinó sus pensamientos, pues tenía facilidad para ello. Su magia entró en el corazón del tebano para percibir la dureza que encerraba en su interior, una emoción que ella nunca había encontrado con anterioridad en ningún otro hombre, ni siquiera en el faraón. Esto le dio que pensar, pero al momento volvió a hacer uso de sus habituales mohínes para frivolizar con el fenicio, que se acercaba de nuevo tras haber despachado a sus clientes.

—Me temo que en esta ocasión solo me llevaré las sandalias. Tu alma de mercader no es la más apropiada para quien en verdad ama la belleza sobre todo lo demás —suspiró la joven—. Espero que tu precio no me obligue a marcharme con las manos vacías.

Midas escenificó todo un repertorio de gestos teatrales para, al final, llegar a un acuerdo con la dama. Esta devolvió con cuidado la gargantilla al comerciante y seguidamente se despidió del tebano con su sonrisa más seductora.

—Espero que nos volvamos a ver, noble Amosis; tu compañía me resultó muy grata.

De ese modo se habían dicho adiós, y cuando se tumbó en su jergón aquella noche, el joven rememoró cada palabra, cada gesto que ella le dedicara. Los ruidos del puerto parecieron desaparecer de forma misteriosa, como si en verdad el tebano se encontrara en poder de la abstracción más absoluta. Era una sensación extraña, en la que participaban fuerzas que Amosis no era capaz de definir. Existía una cierta lucha entre ellas, aunque todo resultara a la postre tan ilusorio como el mismo sentimiento que amenazaba con aparecer.

Al rato su ánimo se sosegó y los sonidos propios del malecón regresaron a él, como cada noche, para invitarlo a dormir. Era curioso el efecto que estos operaban sobre el joven, como si en verdad no tuviese más hogar que aquel a la hora de poder conciliar el sueño, entre los exabruptos de los marineros y el suave rumor del oleaje que acariciaba los muelles. Un insospechado paisaje para quien en el fondo era un hijo del desierto, un caminante de sendas polvorientas. Todo en su vida resultaba anacrónico, y sin embargo la isla de Ítaca no se apartaba de él, siempre presente como aquel faro que anunciaba a los navegantes la cercanía de los arrecifes, así como un puerto en el que poder refugiarse.

Sus ojos parpadearon en la somnolencia, y mientras se rendía al letargo Amosis pudo reconocer de nuevo aquel rostro que en ocasiones se le presentaba sin avisar, como un vago recuerdo que porfiaba en mantener un lugar en su corazón. Mut le volvía a sonreír para destrozarle el alma, para hacerle prisionero una vez más de lo que había terminado por convertirse en un sueño imposible.

34

Los dracmas llamaban a los dracmas, impulsados por el dios de la codicia, comoquiera que este se llamara. Amosis se superaba a sí mismo, y las expectativas que un día se forjara como parte de un sueño hacía tiempo que se hallaban sobrepasadas. El egipcio era un hombre rico, y, sin embargo, su único lujo residía en aquella pequeña oficina que miraba al puerto y el duro camastro en el que dormía. Su verdadera felicidad radicaba en los negocios, en emprender nuevos desafíos, en llegar a ser el primer comerciante de Alejandría, en el más poderoso. Su intuición se había convertido en tema de conversación entre los mercaderes, y alrededor de su figura fue tejiéndose cierta leyenda que parecía surgida del misterio.

—Aseguran que lo crio una *heka* en la lejana Tebas, que tiene tratos con las fuerzas oscuras —decían algunos.

—Cuentan que vendió su alma para salir adelante, pues era muy pobre. Al parecer, su familia fue muerta por sediciosa —aseguraban otros.

—Vivió entre caravanas, a través de los desiertos del sur, donde solo sobreviven la cobra y el escorpión. Set es quien lo ha prohijado —señalaban también.

—Ese es el motivo de su frugalidad. Mirad dónde vive. Cualquier otro en su posición ya tendría un palacio en el Bruchión —apuntaban no pocos.

Amosis vivía ajeno a semejantes cuestiones. Era un hombre diferente a los demás, y no tenía ningún interés en que le entendieran ni esperaba ayuda de nadie si algún día lo necesitara. Sin embargo, su alma de asceta se hallaba mal dispuesta, fuera del lugar que le correspondía, y pocas posibilidades tenía de encontrar la paz para la que había nacido. En ocasiones ocurría que Mesjenet, la diosa encargada de elaborar el *ka* del individuo, ataba a este a un destino que no era el adecuado, sin que nadie conociera la razón. Así se mostraban a menudo los dioses, caprichosos con los humanos y hasta faltos de consideración. Sin poder evitarlo, el éxito que Amosis se forjaba en la vida fue empujándolo hacia ambientes para los que su *ka* no estaba preparado. Su esencia vital pertenecía a otra época, y probablemente ese fuese el motivo por el cual el joven siempre se sintiese como un extraño allá donde recalara. Sin familia y sin amigos, el tebano era un ánima errante obligada a seguir el camino que determinaban las ambiciones, sin que hubiese ninguna posibilidad de que estas se parasen a escuchar sus razones.

Su existencia se veía impulsada por un viento contra el que era inútil luchar, y el egipcio se dejó llevar por él, aprovechando cada brizna que le regalase, con la única idea de llegar el primero a una meta que él mismo desconocía dónde se encontraba. Ahora era un hombre muy conocido, un personaje en quien muchos se miraban para intentar emular su éxito, y como tal fue agasajado aquella tarde en la que Ergino decidió celebrar la fortuna de su empresa conjunta ante todo el Bruchión en una fiesta que resultaría memorable.

Lo más granado de la sociedad alejandrina se dio cita en la villa del trapezita para hacer alarde de la *tryphe* —la opulencia—, la palabra ante la cual claudicaba cualquier griego que se preciase. Los más finos vestidos, las joyas más costosas, la ostentación en todas sus formas se conjuraron para envolver el palacio del banquero en una atmósfera abigarrada que haría palidecer las fiestas del mismísimo faraón. Los cargos más influyentes, los hombres más poderosos de Egipto acudieron a bañarse en su soberbia, a hacer gala de su arrogancia, de su insufrible vanidad. Gente que ocupaba una posición preponderante gracias a su capacidad para la intriga, al amiguismo, a la influencia que sus familias habían mantenido desde hacía muchos años sobre la monarquía. Verdaderos ineptos que se conjuraban para gobernar el país bajo el dosel de una palabra que reverenciaban: la codicia.

Los banqueros y prestamistas los conocían bien. Toda aquella caterva de cortesanos les era muy útil desde su lamentable mediocridad, pues no en vano aquellos poseían el fin último de cuanto perseguían estos con avidez: el dinero. Lo verdaderamente curioso era lo sencillo que les resultaba a los trapezitas enriquecerse aún más a costa de unas voluntades fáciles de contentar. Solo había que ofrecerles su precio, y alimentar su pedantería para que la mostraran en público.

Los corrillos del palacio de Auletes se repitieron aquel atardecer en la casa de Ergino. Una villa de ensueño bajo la cual la fatuidad podía manifestarse libremente, sin miedo a ser mal considerada.

Los trapezitas griegos se encontraban encantados de dar pábulo a la jactancia, y de paso cerrar nuevas alianzas que les proporcionasen facilidades a la hora de emprender prósperos negocios. Ergino se había preocupado por que nada faltara en aquella velada, desde los más exquisitos manjares y codiciados vinos hasta las más bellas hetairas y renombrados efebos. Músicos, bailarinas y todo un ejército de esclavos dispuestos a que la abundancia se hiciera un lugar para siempre en la memoria de la ciudad.

Erecteo observaba con satisfacción cómo los cortesanos hacían política en los jardines, en las galerías porticadas, en las terrazas. Los entresijos de la administración les serían revelados a la mañana siguiente, pues si por algo se había caracterizado aquella corte era por su desmedida afición a la intriga.

Creón escuchaba a su colega hacer los habituales comentarios sobre los allí presentes mientras observaba a las damas distraídamente. El banquero tenía gran afición por las mujeres y, sobre todo, por las historias sórdidas que tenían lugar entre la aristocracia local. Era un morboso impenitente, y le satisfacía sobremanera ver a los amantes disimular ante sus parejas. En su opinión media corte estaba liada con la otra media, y muchos de los vástagos de aquellas familias no conocerían nunca al padre que los engendró. Aquella misma noche algunos sucumbirían a sus bajas pasiones y acabarían copulando tras los fragantes macizos de arbustos que salpicaban los jardines, y este pensamiento le hizo sonreír con deleite.

—Nuestro amigo Creón, siempre tan aficionado al escarnecimiento —oyó este que le decían—. Llevo un rato hablando contigo acerca de lo que en verdad nos importa —subrayó Erecteo con disgusto.

Su colega lo miró como si saliese de una suerte de abstracción.

—Mejor harías en ver si el gran Eteocles cumple con su cometido como corresponde —le reprochó Erecteo.

Creón le sonrió con malicia.

—¿Quién podría resistirse a un campeón como él? El gimnasio nunca tuvo efebo que se le pudiera igualar, ja, ja. Nuestro amigo podrá gozar de sus favores a su plena satisfacción.

—Eso espero, aunque estaré más tranquilo cuando los vea juntos. Observa cuántas mujeres estarían dispuestas a disputárselo.

—Ja, ja. Hoy recibirá un regalo por adelantado. Todo está cerrado y podremos cambiar parte de nuestra plata ática a un precio ventajoso; algo que resultaría impensable hace un siglo.

Erecteo evitó hacer ningún comentario, ya que el trato en cuestión se había llevado a cabo con un alto funcionario del Basilicón, la oficina del Tesoro al cargo de las transacciones monetarias a las que estaban obligados todos aquellos que quisieran comerciar en Egipto. El susodicho, de quien se abstuvieron de pronunciar el nombre, sentía verdadera pasión por los atletas, por quienes llegaba a perder la cabeza.

Ergino se les unió al momento y al poco vieron a Amosis, que se les aproximaba con su habitual aire de sempiterno peregrino.

Sin embargo, el egipcio hubo de reconocer que aquella noche sus socios hicieron cuanto estuvo en su mano para abrumarlo con su hospitalidad. Públicamente lo agasajaron para pregonar ante el Bruchión las excelsas virtudes que como empresario atesoraba el tebano. Este se sorprendió ante las palabras de sus anfitriones, pero mantuvo la cabeza fría, como él sabía, para no dejarse llevar por las emociones. Para el egipcio, aquella fastuosa velada no tenía más valor que el de los negocios que pudiera realizar en ella. Su tiempo solo se rendía ante el provecho, y no tenía ninguna intención de disimularlo.

Ergino hacía ya tiempo que conocía la singular personalidad del tebano, así como las dificultades que habría de vencer para llevar a cabo sus propósitos. No obstante confiaba en su estrategia, que, estaba convencido, procuraría los resultados apetecidos. Mientras, aquel acuerdo les había hecho ganar a todos una fortuna. Cerca de dos mil talentos en poco más de un año.

—Puede que pronto necesitemos más barcos —le había dicho al joven en un aparte—. Hay nuevos proyectos que nos interesaría compartir contigo y que proporcionarían cuantiosos beneficios.

—Siempre estoy preparado para emprender futuras empresas —fue la respuesta de Amosis, pues en verdad era cierto.

Durante la velada, el tebano había notado cómo su persona era motivo de miradas curiosas. Después de las amables palabras del anfitrión, muchos lo observaban al conocer algunos detalles acerca de su fortuna. Él poseía lo que la mayoría deseaba, y sus tetradracmas tenían el brillo suficiente como para acaparar la atención, independientemente de que su nombre les resultara incómodo. En los corrillos, Amosis reparaba en las miradas huidizas, en los gestos fingidos y en las palabras dichas en voz baja, como si temiesen ser pronunciadas. La pompa y la fastuosidad mecían al compás del lujo más exacerbado a todos aquellos hijos de la *tryphe*, que bailaban cual movidos por resortes nacidos de su propia codicia.

Mientras departía con sus socios, el egipcio fue testigo de la facilidad con la que podía llegar a desmoronarse la dignidad humana. El vino había corrido de tal forma que pocos eran los que habían podido resistirse a sus efectos; y luego estaban aquellos manjares, de los que se atiborraban sin el menor retraimiento, como si en verdad no existiera un mañana, sin la más mínima consideración hacia sus sufridos estómagos. Las damas reían sin preocuparse por guardar las formas. Algunas lo hacían de manera escandalosa, y según aumentó el ritmo de la música fueron perdiendo el control de sus propios pasos, entre el mareo y las risotadas. Toda la altanería de unas horas antes se había convertido en la ruindad propia de la más infame de las Casas de la Cerveza de Egipto, y aquellas señoras emperifolladas, en mujeres soeces donde las hubiera a quienes resultaba imposible poner freno.

Creón no andaba desencaminado al aventurar lo que ocurriría, pues siendo ya noche cerrada unos y otras se dedicaron a entregarse a los placeres de la carne, medio ocultos entre los arbustos cuando no yaciendo en los sitios más insospechados. Amosis había oído muchas veces historias escabrosas acerca de las prácticas que se acostumbraban a realizar en la corte de los Ptolomeos. Estos habían llegado a institucionalizar la lascivia como una pauta de comportamiento y en las fiestas de palacio tenían lugar las prácticas más abyectas, que solían desembocar en escenas orgiásticas en las que todos participaban. Ya nadie se asustaba porque los invitados a un ágape fornicaran a la menor oportunidad, y el egipcio se imaginó lo denigrante que tuvo que ser para el buen Demetrio el ser obligado a travestirse contra su voluntad para satisfacer a todos aquellos degenerados.

Para cuando los tambores se cansaron de retumbar y cesó el estrépito los invitados apenas se sostenían en pie, y mientras unos dormían sobre la hierba o en los bancos de las galerías porticadas, otros eran incapaces de aguantar la risa en tanto pedían más vino o proferían procacidades.

Amosis volvió a recordar su Tebas natal y lo diferente que eran las cosas allí. Karnak se le apareció como un reducto de santidad olvidado para siempre en el que hasta el último de los profetas hubiese abominado de cuanto el joven había visto aquella noche.

Al poco la luna se alzó sobre el Bruchión para iluminar el escándalo con una pátina ilusoria. El tebano pensó en marcharse pero una figura llamó su atención, pues se mantenía sobria y se movía con una gracia que le resultaba conocida. Solo había una mujer capaz de caminar así, y sin poder evitarlo el egipcio la siguió en la distancia, como hacía el chacal con su presa, movido por un impulso que no correspondía a su naturaleza. Al poco ella llegó hasta una de las terrazas desde las que se veía la bahía en toda su magnitud, para apoyarse sobre la barandilla de forma distraída. La luna iluminaba la escena de forma singular, hasta recrear el ensueño. Era como si las sombras cobraran vida, y aquella joven ensimismada en su contemplación surgiera del mismo satélite, como si en realidad formara parte de algún haz.

El tebano se le acercó, como ella ya sabía que haría desde hacía tiempo. Sin embargo, fingió sorpresa, y al volver su rostro hacia el joven le regaló una de aquellas sonrisas por las que hubiese claudicado cualquier rey sobre la tierra.

Al punto se estiró con languidez, igual que haría una gata, para mostrar todo su poder. Euterpe parecía surgir de un sueño.

—El buen Amosis, siempre dispuesto a sorprenderme —lo saludó ella con aquella voz ante la que era difícil no rendirse.

Este la observó unos instantes para empaparse con su fragancia. Euterpe estaba deslumbrante, y resultaba imposible no mirarla. Aquella noche vestía una túnica de color carmesí con una orla dorada que dejaba uno de sus hombros al descubierto y caía ajustada a su cuerpo para realzar sus formas de manera singular. Llevaba un brazalete de oro, a juego con una gargantilla de finas cuentas, y su pelo, recogido por una diadema dorada, caía sobre su espalda en una cascada oscura de la que se desprendían matices cobrizos bajo la luz de la luna. Sus labios hacían juego con el color de su túnica, y las perlas que lucían sus pendientes, con aquellos dientes que se anunciaban tentadores más allá de la sonrisa que desafiaba a la noche.

El egipcio observó cómo los pies asomaban bajo el chitón para mostrar las sandalias con pedrería que ella comprara en el bazar de Midas. Eran dignas de una mujer como Euterpe, sin duda, y Amosis volvió a sentir cómo sus temores hacían acto de presencia. Pero él los apartó de su ánimo, como si una fuerza extraña lo impulsara a saber más acerca de aquella misteriosa dama que aparecía en su vida de forma inesperada.

—Tú eres la sorpresa. En verdad que representas una quimera entre toda esta gente. ¿Quizá un espejismo? —inquirió el joven, galante.

Ella rio con suavidad, halagada, y al punto pensó en el acento del tebano, que parecía propio de príncipes. Sin dejar de sonreír, dio unas palmaditas sobre la balaustrada para que él se aproximara un poco más.

—Solo por este momento merece la pena haber venido, ¿no te parece, buen Amosis? El puerto ofrece una estampa para la que no encuentro palabras —dijo la joven.

—Resulta difícil encontrarlas en tu compañía.

Ella volvió a reír, como acostumbraba.

—Me temo que lo mío no sea la lisonja. Thot no me dio luces para la seducción.

Euterpe se giró hacia él, sorprendida, no solo por sus palabras sino también por el hecho de que el tebano hubiese mencionado al milenario dios de la sabiduría, de quien apenas ya nadie se acordaba en Egipto. Amosis se encontraba en conflicto con cuanto lo rodeaba, y la joven supo percibirlo al momento. No obstante lanzó una carcajada, tan clara como el agua cristalina.

—¿Entiendo que te gustaría seducirme, buen Amosis? Te advierto que esto no supone ninguna novedad para mí.

—Estoy convencido de ello, musa del Bruchión. ¿No es así como muchos te llaman? —replicó el egipcio al tiempo que esbozaba una media sonrisa.

—Ja, ja. Tengo muchos nombres en esta ciudad que no calla, aunque mi preferido sea Euterpe, con el que me bautizaron. Sin embargo, el tuyo resulta singular, y sin lugar a dudas poco usual en los tiempos que corren. Pero me parece hermoso. No habrás pensado en cambiarlo, como hace la mayoría de los egipcios, ¿verdad? —inquirió con indisimulada malicia.

Amosis mantuvo su sonrisa.

—¿Cómo podría? Aunque te confieso que ya lo hice una vez, para mi pesar. Me sirvió para ser consciente de quién soy en realidad, y del país al que pertenezco. Tú misma me lo recuerdas con tus palabras. Te refieres a mí como el extranjero que soy en mi propia tierra, aunque esta ciudad se signifique por dar cabida a todos cuantos buscan asilo.

A pesar de la penumbra en la que se encontraban, Euterpe lo miró con fulgor, pues el egipcio le parecía interesante.

—Esa es la grandeza de Alejandría —dijo ella en tanto volvía a fijar su atención en la bahía—. Esta capital se encuentra abierta al mundo, y da lo mismo el lugar de donde procedas. Alejandría tiene la potestad de poder coronar a sus propios reyes, aquellos que se hallen dispuestos a hacer valer su sello allá donde vayan.

—Buena reina serías tú en una empresa semejante.

—Ja, ja. En verdad que sabes adular a pesar de que Thot te sea esquivo, como aseguras.

—Tú misma eres testigo. Solo me dio conocimiento para el vil mercadeo. Aunque te advierto que soy muy capaz de apreciar la belleza.

Euterpe hizo un pequeño mohín, y la pálida luz de la luna perfiló su rostro para hacerlo aún más sugestivo. Luego alzó la barbilla, como a ella le gustaba, para desafiar a su acompañante.

—¿Solo te interesas por el mercadeo? —quiso saber ella, utilizando sus mismas palabras—. ¿No existe nada en Alejandría que te pueda cautivar?

Amosis no supo qué contestar, y otra vez volvió a sentir el hechizo que emanaba de la joven. Era capaz de olerlo, como el más sutil de los perfumes creados por la mano del hombre. Resultaba tan etéreo que parecía surgido del alambique de los dioses, y, sin embargo, se encontraba colmado de poder, hasta el punto de ser capaz de saturar la atmósfera que los rodeaba para transformar aquella terraza en un edén ilusorio pero al tiempo cautivador, capaz de conducir al embeleso. Sus sentidos se rendían a este sin remisión, tal y como si poseyeran voluntad propia, en tanto que el corazón de Amosis se recubría de aquella fría coraza que conseguía hacer del joven un individuo anacrónico.

Euterpe respiró profundamente para realzar su figura, que se recortaba ahora con mayor claridad. Su cuerpo se perfilaba rodeado de plata, como si la luna tuviese un especial interés en agasajar a la musa en aquella hora. La joven aparecía rodeada de un halo que obraba en ella una suerte de metamorfosis divina; igual que Afrodita surgía de las aguas, Euterpe emergía de los cielos cubierta de argento, cabalgando en algún suspiro de la luna que los alumbraba. Magia que invitaba al sortilegio de cuanto permanecía oculto.

Semejante atracción trascendía la carne a la vez que auguraba emociones insatisfechas, fuegos capaces de arder por toda la eternidad. En aquel instante Amosis se sintió vulnerable, prisionero de aquel conjuro que la mera presencia de la musa era capaz de tejer en rededor. Su ánimo desfallecía, y por primera vez en mucho tiempo el joven experimentó la presencia del deseo, de un ardor perdido en su memoria contra el cual se rebeló al momento, dispuesto a no dejarse vencer por él.

Euterpe se percató de cuanto le ocurría y se humedeció íntimamente, ya que aquella lucha que percibía en el egipcio le satisfizo sobremanera. Ella fue consciente de que aquel mundo tenebroso al que gustaba abandonarse desazonaba al tebano al tiempo que lo embaucaba con su encantamiento. Su lucha sería inútil, aunque él no se hubiese dado cuenta todavía. Por fin Amosis salió de su embeleso y retomó la conversación donde ambos la dejaran.

—Este momento me cautiva —dijo con suavidad, al tiempo que se apoyaba sobre la barandilla para señalar hacia el puerto—. Admirarlo en tu compañía es motivo suficiente para sentirse dichoso.

—Ja, ja. Sabes ser galante cuando la ocasión se presta, aunque por lo que parece ese puerto es capaz de colmar tus expectativas.

—Es mi hogar. Allí es donde vivo —precisó él indicando con el dedo—, frente al Eunostos; muy cerca del astillero.

—Un lugar modesto para un hombre de tu influencia.

—Cumple su función —contestó él, lacónico.

—Pues me temo que en eso no nos parezcamos. Yo vivo aquí, en el Bruchión, de donde no tengo deseos de moverme.

Amosis hizo una mueca divertida, pues no le extrañaban aquellas palabras.

—Aunque no en una villa como esta —se apresuró a aclarar la joven—. Mi tío ya fue generoso al regalarme la casa donde vivo; él administra los bienes que me legaron mis padres y cuida de mi reputación. ¿Qué más le puedo pedir? Ja, ja.

El joven asintió y al punto se acordó de Kamose, aunque por motivos bien distintos. Ella lo miró de soslayo, y acto seguido se llevó una mano a los labios para ahogar un bostezo.

—Me temo que hoy me encuentre fatigada. Es hora de retirarme, buen Amosis.

Este hizo un ademán de cortesía y se brindó a acompañarla. Ella aceptó, y de camino, en compañía de aquel esclavo que parecía no separarse nunca de la joven, hablaron de cuestiones banales y también de alguno de los negocios en los que se hallaba inmerso el egipcio. Su casa se encontraba próxima, justo frente a la isla de Antirrodas, muy cerca del templo de Isis.

—Visítame cuando lo desees —dijo ella para despedirse—. Te agasajaré como te mereces. —Luego apoyó con suavidad una mano sobre el antebrazo del joven—. Me agradas, tebano; no olvides venir a verme.

Amosis regresó a su humilde morada envuelto aún en el hechizo. El recuerdo de la figura de la musa rodeada por aquel ilusorio halo de plata había quedado grabado en su memoria de forma indeleble, como si hubiese sido marcado con fuego. Sin poder evitarlo, sus pensamientos volvían una y otra vez a aquella terraza donde había tenido lugar el encantamiento; un ensueño sin igual. El egipcio recordaba cada palabra, cada gesto, medidos donde los hubiera; extraídos quizá de algún viejo papiro que hablara acerca de conjuros milenarios. Sin embargo, Amosis sentía cómo una parte de sí mismo se rebelaba, molesta por su actitud, contra aquellos pensamientos que amenazaban con apartarlo del camino que se había trazado. Su eterna lucha seguía su curso, como una maldición que pugnara por perseguirlo.

Ya en su camastro el tebano apartó por completo las imágenes que lo habían acompañado, y al punto cerró los ojos pues le invadía el sopor; entonces, sin saber por qué, notó que el antebrazo le quemaba allí donde ella había puesto su mano.

Euterpe también ocupó sus pensamientos con el egipcio. Su compañía aquella noche le había resultado reveladora por distintos motivos. Era un hombre diferente a cualquier otro que hubiese conocido, con un corazón duro como el granito de las esfinges que adornaban las avenidas del Bruchión. Cierto que había frialdad en su interior, y también determinación en todo cuanto aquel joven emprendía. Su personalidad había tomado derroteros para los que no estaba preparada, seguramente a consecuencia de la vida que había llevado. Eso dejaba resquicios por los que se vislumbraba su alma, su verdadera esencia, que en nada se parecía a cuanto mostraba ser el tebano. Semejante particular le satisfizo, e incluso se sintió excitada al percatarse del sufrimiento que, llevado por su sórdido conflicto, podía llegar a sentir aquel joven. Todo ello la hizo reflexionar acerca de la naturaleza de Amosis. Con él no le valdrían sus usuales métodos de seducción. Era necesario que aquel embrujo al que se mostraba sensible le devorara el alma. Y ella sabía a quién acudir.

Como si se tratase de la diosa Bastet reencarnada, Euterpe se estiró en la cama con parsimonia. Su cuerpo desnudo se dejó abrazar por las sábanas con voluptuosidad. Aquel momento de excitación que había experimentado junto a la balaustrada parecía reacio a abandonarla. Entonces llamó a su esclavo, pues aquella noche deseaba que le diera placer.

35

La noche se mostraba oscura como la mismísima antesala del Amenti. Si en verdad los genios existían, no podían elegir una vigilia mejor que aquella para vagar por la faz de la Tierra, pues todo parecía abandonado a su merced. Una atmósfera opresiva parecía amenazar la ciudad, como empujada por titanes. Las calles se mostraban extrañamente desiertas, y las lamparillas que colgaban en las esquinas proyectaban sombras fantasmagóricas, siluetas tenebrosas que terminaban por ser devoradas por las tinieblas. Los súcubos andaban sueltos en busca de incautos a quienes arrebatar su alma en tanto Rakotis dormía, abrazada al sueño que se cernía sobre el barrio, sin ánimo para despertar.

Unos pasos apagados se anunciaron entre las callejuelas, desde la distancia. Sonaban presurosos, como empujados por el mismo hálito que insuflaba el temor a deambular en la negrura. Todo era silencio a su alrededor, y ni siquiera los perros se atrevían a quejarse en aquella hora, como si hubieran desaparecido a causa de algún encantamiento. Los pasos se aproximaron para repiquetear con la ligereza de su propia prisa, y por el callejón una claridad espectral desgarró las tinieblas para dar entrada a los aparecidos, a los hijos de las sombras que se mostraban cual si surgieran del Inframundo.

La recóndita plazuela quedó iluminada por las antorchas para sumirse en un tenebroso espejismo. Las siluetas de aquellos hombres parecían tan ilusorias como la propia luz que se esforzaba por iluminar el lugar. Todo resultaba tan siniestro que la escena bien hubiera podido ser extraída de las profundidades del reino de la noche, o incluso del *Libro de las puertas*.

Los fornidos porteadores depositaron la litera sobre el suelo mientras miraban en rededor, como si temiesen encontrarse con algún otro genio que los reconociese. Eran seis los hombres que rodeaban el palanquín, de donde surgió una figura embozada que se movía de forma inusual. Sus pasos eran gráciles, y con presteza se dirigió hacia la puerta de la vieja casa de cuya entrada pendía una lámpara de aceite tan vetusta como todo cuanto era capaz de iluminar. Al llegar al portal, la encapuchada se volvió para asegurarse de que nadie la reconocería. Al punto la puerta se abrió con un sonido quejumbroso, como el lamento de las ánimas condenadas. Entonces el cielo tronó y un relámpago surgió de la noche para iluminar el rostro de la figura encapotada. Era Euterpe.

—Ese hombre está perdido. Sin embargo...

Euterpe miró fijamente a los ojos de la bruja para sentir el poder de sus palabras con mayor intensidad, como siempre hacía.

—Hay luz dentro de él, aunque apenas la muestre.

—Lo sé —dijo Euterpe—. Pero está moribunda.

—Hum... Veo poder en ella. Se forjó en un lugar santo, donde no hay cabida para la oscuridad.

—Pero... he sido capaz de leer las dudas en su corazón. Su sórdida lucha —apuntó la joven en tanto observaba a la hechicera remover las cenizas con las que jugaba.

—Eso no debe extrañarte. Llevas la tentación contigo allí donde vas. No conviene que te confíes.

—Por eso vengo a ti, Madre Isis, como en otras ocasiones, pues necesito tu magia.

La aludida asintió levemente, sin apartar la mirada de aquellas cenizas sobre las que aparecían extraños dibujos.

—El lugar de donde procede está lleno de espiritualidad, mas... por algún motivo ese hombre se siente traicionado. Veo desgracias en su pasado, penalidades, y también muerte.

Euterpe se estremeció, pues le gustaban las historias truculentas.

—Pero... aquí hay algo extraño —precisó la bruja. La joven la observó, agitada por el tono que había empleado la vieja hechicera—. Hay un poder alrededor de ese hombre. Una fuerza que envuelve su alma, que la protege de la oscuridad, que la hace inmune a las malas influencias —aclaró la vidente.

Euterpe pareció recapacitar un momento, en un intento por dar sentido a cuanto le decían. Llevaba muchos años visitando de forma regular a aquella maga de quien se aseguraba no había tenido igual en toda la historia de la milenaria Kemet. Su nombre era de sobra conocido en Alejandría y, según aseguraban, gente de otros países venía a escuchar su palabra, su oráculo sobre todo aquello que tuviera a bien vaticinarles. Nadie dudaba de su poder, y alrededor de su persona se había tejido una leyenda que la acercaba a las fuerzas oscuras. Aseguraban que había aprendido sus artes de los sacerdotes de Heka, la magia por antonomasia. Quizá por ese motivo la sala se hallaba repleta de objetos que hacían referencia a sus símbolos. Ranas y serpientes observaban desde los rincones, atentas a los visitantes, cual si en verdad los estudiaran, a la vez que jugueteaban junto a una gran barca solar como la que utilizaba Ra en su viaje nocturno. No en vano Heka era una de las hipóstasis de Ra, al tiempo que uno de sus catorce *kas*, y su concurso resultaba fundamental para repeler a la temible serpiente

Apofis durante el viaje del sol a través de las doce horas de la noche. Era su defensor más decidido, y por ese motivo fue considerado como un dios primordial al que rendía culto un clero de sacerdotes que eran considerados poderosos magos. Ellos eran los celosos guardianes de los papiros milenarios en los que se habían transcrito los conjuros más antiguos, la magia más poderosa que había albergado la tierra de Egipto. Pocos eran ya los que conocían sus secretos, y Madre Isis se sentía heredera de un saber ancestral al que sacaba todo el partido que podía entre letanías, amarres o filtros de amor. No existía nadie en Alejandría que no tuviese un pariente que hubiese acudido a la hechicera en busca de su magia, y la mención de su nombre era motivo de respeto, como si en verdad temiesen a la bruja de una forma particular.

Madre Isis conocía de sobra su reputación, y adornaba sus consultas con una parafernalia que solo eran capaces de comprender los iniciados en las oscuras artes que la vieja manejaba. Hacía mucho tiempo que el reino de las sombras se había apoderado del alma de aquella bruja, y ella no tenía ningún reparo en llevar a cabo los rituales más siniestros. La magia negra no tenía secretos para ella, y recibía a sus clientes con un elaborado sombrero sobre el que se encontraba representada una rana que sujetaba sendas serpientes en las patas; como si se tratara de la reencarnación del dios Heka.

—Su espíritu no será capaz de hacer frente a la fuerza oculta de su lado oscuro —dijo al fin Euterpe—. Un pequeño soplo y ese hombre se despeñará hacia los abismos.

—Tienes fe en tu oscura influencia, je, je. Pero primero habrá que desatar el nudo que encorseta su esencia con la luz de la pureza. Solo de este modo podrás arrastrarlo hacia el abismo del que hablas.

—¿Cómo es ese lazo? ¿Cuál es su naturaleza? —inquirió la joven, que sentía verdadera pasión por las ciencias ocultas.

—No se parece a nada de lo que hemos trabajado antes.

—Habrás de deshacerlo, Madre Isis, cueste lo que cueste.

—Je, je. Ya veo. Al parecer tienes una especial fascinación por el joven.

—Existen intereses a su alrededor a los que conviene contentar —advirtió Euterpe.

La bruja pareció considerar aquellas palabras.

—Entiendo —indicó, lacónica—. No te importaría descender a los infiernos si fuera preciso.

—Hace mucho que las tinieblas me hicieron princesa —apuntó la joven con un brillo especial en la mirada—. Lo sabes mejor que nadie.

—Je, je. Al menos conoces el lugar que te corresponde. Dudo que alguien sea capaz de arrebatarte tu trono.

—Quiero apoderarme de la voluntad de ese hombre, y eso es lo que me ha traído esta noche ante ti —señaló Euterpe para terminar de una vez con los circunloquios.

La llamada Madre Isis la observó con frialdad, y enseguida volvió a remover las cenizas.

—Como te adelanté, ese hombre está protegido por fuerzas poderosas —señaló la vieja.

—¿Te son desconocidas, acaso? —inquirió la joven con insolencia.

—Provienen de una magia lejana —continuó Madre Isis sin hacer caso del tono de Euterpe—. Una fuerza desconocida entre nosotros.

La consultante hizo un mohín de fastidio, pues no había cosa que le disgustara más que no salir triunfante de todo aquello que se propusiese.

—Esta vez recibirás el doble de lo acostumbrado —le adelantó la joven.

—Ese lazo tiene guardianes contra los que nada se puede. Nunca había oído hablar de ellos, pero son invencibles —matizó la bruja con un tono en el que reflejaba su asombro.

—Invencibles... —murmuró Euterpe sin ocultar su excitación—. Pero ¿cómo es posible? ¿Qué tipo de magia es esa? ¿Cómo puede existir algo contra lo que no podamos luchar?

—A eso no puedo contestarte. Mas te prevengo que haríamos mal en molestarlos. El reino de los conjuros tiene sus jerarquías. Desataríamos fuerzas imposibles de controlar. No debemos luchar contra ellas. Son príncipes entre los príncipes.

Euterpe se sentía tan agitada que se veía incapaz de articular palabra.

—Hay una parte que no podemos tocar. Sin embargo...

—Dime, Madre Isis, ¿acaso has descubierto algún resquicio por donde introducir tus sortilegios? ¿Alguna debilidad que nos resulte de utilidad? —inquirió la joven con ansiedad.

La vieja sonrió, ladina.

—Je, je. Nunca podrás poseer su alma —advirtió—, pero su naturaleza esconde el fuego de la destrucción.

Euterpe sonrió, nerviosa.

—Una naturaleza que podrás abatir, y que a ti misma te sorprenderá —matizó Madre Isis, que parecía ver con claridad algunos detalles.

—Conozco esa naturaleza —se apresuró a decir la joven—. La he percibido desde el primer momento.

—Es cuanto podemos hacer. Adormeceremos su esencia para liberar sus instintos hacia donde dispongas. Pero recuerda que debes evitar despertar las fuerzas que esconde su *ka* —le advirtió la *heka*. Euterpe asintió de forma mecánica, con la mirada perdida en su propia abstracción—. Será suficiente para llevarlo hasta el pozo que tienes preparado. Mas no podrás amarrarlo para siempre.

La joven pareció pensativa durante unos instantes, y luego miró a la hechicera con verdadera malicia.

—Lo encadenaré a mi persona. Eso le ocasionará sufrimiento —dijo como para sí.

—Tendremos que valernos de los conjuros más poderosos, pero todo está preparado. Si quieres atarlo a tu pasión, habrá que utilizar la espada de Dárdano.

Euterpe dio un respingo, pues aquel era un hechizo legendario, casi olvidado, de cuyos efectos resultaba imposible librarse.

—¡La espada de Dárdano![23] —musitó la joven, emocionada.

—Aunque, como te he explicado, nos abstendremos de sojuzgar el alma de ese hombre.

Euterpe asintió al tiempo que observaba cómo la vieja le mostraba una pequeña lámina de oro con conjuros destinados a apoderarse de la voluntad del elegido. A dichas fórmulas aplicadas sobre la lámina se las denominaba espadas, y Madre Isis la tenía preparada de antemano con el nombre de Amosis grabado en el reverso, para que la joven lo llevara cerca del corazón cuando esta lo utilizara como collar.

La hechicera miró un instante a su cliente y sonrió maliciosa; acto seguido, envolvió la lámina en una especie de pasta y se aproximó a un arcón, de donde sacó una perdiz. Euterpe la observaba como hipnotizada, sin perder detalle de cuanto hacía. Entonces la vieja le dio a comer aquella pequeña bola al ave, que la tragó al momento, y a continuación Madre Isis sacó un cuchillo para degollar al animal de un solo tajo. La escena excitó a la joven de forma particular y, con la perdiz aún convulsa, observó cómo la bruja recuperaba la lámina dorada para mostrarla con gesto malévolo.

—Ahora deberás colgarla de tu cuello. Lleva inscritos conjuros que amarrarán a tu elegido durante todos los días de su vida, je, je.

Euterpe se dejó hacer, y al punto vio cómo la pequeña lámina pendía sobre su pecho. Le resultó misterioso, y sin poder evitarlo pasó la yema de los dedos sobre aquellos jeroglíficos que la fascinaban.

—Ahora deberás introducirte este otro amuleto en la boca para recitar conmigo las plegarias.

La joven tomó el pequeño talismán para estudiarlo un momento. Era de piedra imantada, con diversos símbolos en ambas caras.

—En el anverso podrás observar a Afrodita cabalgando sobre Psique y bajo ellos a Eros quemando a esta, la hermosísima doncella que, como sin duda ya conoces, había suscitado la envidia de la diosa del amor al haber levantado la pasión de Eros. Como verás, en el reverso Eros y Psiqué aparecen entrelazados.

Euterpe parecía fascinada.

—La violencia de la sumisión y la unión placentera. No se me ocurre un contraste mejor, je, je —señaló Madre Isis—. Ahora deberás introducirte la piedra bajo la lengua y darle vueltas mientras elevamos nuestro conjuro.

Entonces la hechicera realizó un sahumerio a base de semilla de coriandro, goma, opio, mirra, incienso, azafrán y resina aromática con el propósito de vivificar a Eros, y acto seguido comenzó a elevar sus preces al dios en compañía de Euterpe.

Yo te invoco, guía de toda generación, que extiendes
tus alas hasta la totalidad del universo, tú, el inaccesible
e inconmensurable, que insuflas en todas
las almas el razonamiento que engendra vida, tú que
armonizas todo con tu propia potencia, primer
engendrado, creador de todo, el de las alas de oro,
el de la negra apariencia...

La hechicera invocaba al dios con sus conjuros en tanto Euterpe repetía cada verso al tiempo que movía el amuleto bajo su lengua. Con los ojos muy abiertos, la joven no perdía detalle de la escena que allí se representaba, de cada gesto, de cada palabra.

Eres el más joven, sin ley, inexorable, implacable,
invisible, incorpóreo, engendrador del aguijón,
arquero, portador de la antorcha, señor de toda
sensación espiritual, de todas las cosas ocultas...

Euterpe sentía cómo su excitación aumentaba conforme el hechizo seguía su curso. La voz de la bruja sonaba ciertamente extraña, cual si surgiera de las profundidades del Hades, pues infundía temor, y cuando pronunció las estrofas finales la joven tuvo la impresión de que Erebo, desde la antesala del infierno, se hacía oír en aquella habitación cargada de magia.

Yo te invoco, inexorable, con tu gran nombre,
el primer aparecido, el que aparece en la noche,
el que en la noche engendra, el que escucha,
destructor de los espíritus de la muerte, abismal,
marino, oculto, el más anciano, haz que se
vuelva hacia mí el alma de Amosis, para que
me quiera, para que me desee, para que me
dé lo que tiene en sus manos. Que me diga
lo que hay en su alma porque he invocado tu
gran nombre.[24]

Cuando Madre Isis finalizó de recitar los textos mágicos, su rostro parecía transfigurado, cubierto de sudor y con la mirada llena de espanto. Con paso torpe apenas acertó a sentarse de nuevo, como si en realidad le pesara el alma. Sus manos temblaban, y cuando por fin pudo recuperar el ánimo, su mirada continuaba mostrando temor, igual que si regresara de un trance.

Euterpe humedeció sus labios, presa de la fascinación que sentía. Tenía alma de bruja, y un espíritu tan oscuro que solo en el reino que le mostraban las sombras era capaz de alcanzar la felicidad. El sufrimiento le satisfacía, y la mera idea de esclavizar el alma de Amosis a su voluntad le provocaba una excitación que iba mucho más allá de lo carnal. La posibilidad de hacer realidad sus propósitos la embriagaba como si se hubiera tomado un ánfora de vino de Lesbos, su preferido. Dentro de poco tendría al egipcio a sus pies, y aquella sensación de poder le producía un estado que la acercaba al éxtasis.

La joven salió de sus pensamientos, y justo en ese instante el cielo volvió a tronar en la distancia. Ahora Madre Isis la miraba, muy seria, mientras jugaba con una de sus serpientes.

—Deberás realizar invocaciones cada noche. En tres días, el hechizo surtirá su efecto. Pero recuerda esto, Euterpe, te abstendrás de querer poseer su alma inmortal. Si lo haces, te expondrás a tu propia destrucción —le advirtió la hechicera con voz fatigada.

La joven asintió mientras observaba otra vez la lámina dorada que colgaba de su cuello. De nuevo pasó la yema de los dedos por ella, casi con reverencia, y un rictus malévolo cruzó sus labios de forma fugaz. Entonces la hechicera se estremeció.

36

Amosis pensó que sus entrañas se abrirían sin remisión. Llevaba todo el día angustiado, como si un pesar desconocido se hubiese apoderado de él sin motivo alguno. Sentía una extraña desazón cuyo origen amenazaba con encontrarse más allá de la razón, fuera de su dominio. Era como si en su interior tuviera lugar una lucha en la que participara su esencia vital o quién sabe si hasta su conciencia, pues experimentaba el pesar producido por actos de un pasado lejano que, sin embargo, habían quedado guardados en su corazón por motivos que no acertaba a comprender. La congoja acabó por dar paso a la inquietud. Una zozobra que se asía a su estómago con una fuerza inusitada, que le hacía padecer.

Por la noche se sintió indispuesto hasta el vómito, y luego se tumbó en el jergón al tiempo que trataba de controlar su respiración. Al rato, más calmado, el rostro de Mut se le presentó de improviso, como a veces le había ocurrido, solo que en esta ocasión su mirada le resultaba diferente. Había temor en ella, y sus ojos parecían advertirle de algo, como haría una madre con sus pequeños. El joven se movió, inquieto, cual si tratase de luchar contra aquella imagen que se resistía a desaparecer de su vida, igual que si fuese un castigo. Pero al poco Mut se esfumó, empujada por un soplo caprichoso. Luego, durante un tiempo, el tebano notó cómo su pesadumbre desaparecía para dar paso a un estado de bienestar que terminó por conducirlo al sopor. El sueño se convirtió en duermevela, como si en realidad todo formara parte de una entelequia capaz de hacerse presente, de convertirse en certeza.

Amosis dio vueltas y más vueltas sobre su modesto camastro en tanto una figura pugnaba por abrirse paso desde su propia inconsciencia. Al principio aparecía difusa, desdibujada, hasta que poco a poco fue definiendo su forma, cada detalle, con una precisión que la hizo parecer real. Al verla con claridad el egipcio se sintió inflamado, como si el más poderoso de los resortes impeliera su vigor de forma inusitada hasta despertar en él sus instintos más básicos. Era un deseo que crecía y crecía sin necesidad de que el joven tuviese que ir a buscarlo, que surgía de un lugar desconocido, insondable, en donde su voluntad no tenía cabida. La imagen llegó a hacerse tan patente que el joven se convenció de que podría alcanzarla con sus manos, recorrerla hasta saciar su deseo, acariciar aquellas formas que se le ofrecían, desafiantes. La desazón se apoderó de él. Al abrazar aquel cuerpo este se desvanecía, llevado por algún sortilegio que no acertaba a comprender. Y luego estaba aquella risa, cristalina, que el joven conocía tan bien y que lo llevaba a desesperarse todavía más.

Unos ojos lo miraron con la fuerza de quien todo lo puede, con el misterio de lo desconocido. Eran oscuros, imposibles de leer, pletóricos de poder, surgidos de un pozo inescrutable, como de otra dimensión. Sin embargo, Amosis sabía a quién pertenecían, y el embrujo que encerraban. Cuando el rostro se le mostró por completo, el tebano ya musitaba su nombre, el que correspondía a la musa de quien lo había tomado: Euterpe.

Fue en ese momento cuando sus labios se le aproximaron, y Amosis sintió cómo se enardecía sin poder hacer nada por evitarlo, presa de una excitación desconocida para él que le produjo una erección como no recordaba haber sufrido nunca. El joven intentó asirse con desesperación a aquel cuerpo que se le ofrecía, hacerlo suyo en aquella hora, formar parte de él hasta derramarse por completo, hasta el último hálito que le proporcionaran sus fuerzas. Mas de improviso la diosa se transformó en humo y, justo cuando sus labios se aprestaban a besarla, Euterpe se esfumó, igual que un espejismo nacido de su propio deseo, emergido de una pasión desbocada que se había hecho presente aquella noche sin previo aviso, brotada de lo más profundo de la naturaleza del joven, de un lugar desconocido para él.

Amosis se incorporó, jadeante, con el cuerpo cubierto de un sudor febril y un regusto amargo en la boca. Sentía una extraña quemazón en el antebrazo, allí donde la musa pusiera una vez su mano, y su miembro, erguido como un ariete, desafiaba su voluntad sin posibilidad de ser atemperado, dominado por su soberbia.

El tebano fue a beber agua de un cántaro y se mojó el rostro, con la sensación de haber vivido una realidad que le habían arrebatado en el último momento. Luego volvió a acostarse, y durante un rato se acarició con la imagen de Euterpe aún fresca en su memoria. Después se durmió con la sensación de que algo había cambiado en su persona, de que ya nada sería igual.

Al día siguiente, Amosis vivió presa de una excitación difícil de entender. Durante toda la jornada, la figura de la joven se le presentó una y otra vez, sin previo aviso, siempre dispuesta a sorprenderle. A veces era su rostro el que surgía, risueño, con aquella expresión embaucadora que tan bien conocía, mientras el tebano se encontraba conversando con algún mercader, o en su ajetreo habitual por los muelles. Era como si un espectro hubiese decidido apoderarse de su razón y para conseguirlo hubiese enviado a la musa del Bruchión, dispuesta a empujarlo a la locura. Resultaba imposible entenderlo de otro modo, ya que Amosis se mostraba incapaz de pensar en nada que no fuesen los labios de la diosa, su cuerpo y el hecho de poseerla, de tomarla hasta la extenuación.

Cuando llegó la noche, el tebano se echó sobre el jergón con el deseo de que Euterpe regresara de nuevo, ansioso de ella. Con los ojos entornados, la buscó una y otra vez entre sus sueños, anhelante de su figura, al menos de su mirada. Removió su corazón para perseguir aquellas formas que lo habían embrujado, aquellos ojos de hechicera, pero no encontró nada, ni el más mínimo vestigio de la joven. Sin poder evitarlo, Amosis se agitó sobre su humilde camastro a la espera de que la musa se apiadara de él y lo enviase al reino de los sueños en donde ella señoreaba, si acaso para recibir una de sus sonrisas; pero todo fue inútil y, ya de madrugada, con el anuncio del alba reverberando sobre las aguas del puerto, el tebano se supo prisionero de un poder que le sobrepasaba y ante el que solo le quedaba rendir su homenaje. Ya no tenía control sobre sus actos, pues por razones que no acertaba a comprender estos lo impulsaban en una sola dirección, llevados de un ansia que resultaba febril y le reconcomían las entrañas. Un fuego devorador amenazaba con consumirlo, mas no tenía capacidad para atacarlo, y mucho menos para apagarlo. Aquella llama que había prendido en su interior se mantendría viva, independientemente de que el egipcio tratara de ocultarla bajo el manto de sus creencias más profundas. Era una lucha baldía; una partida que tenía perdida.

A la mañana siguiente, Amosis se levantó diligente para dirigirse al bazar del fenicio. Este lo saludó con la mejor de sus sonrisas, aunque, que él supiese, no tuviera asuntos pendientes que tratar con el tebano aquel día. Midas se sorprendió al ver que Amosis requería su consejo para hacerse con algunas túnicas de la mejor calidad para su uso personal, ya que el joven acostumbraba a vestir de forma más bien modesta, aunque sus ropajes nunca apareciesen zurcidos. Al final eligió algunas del lino más exquisito, propias de príncipes, y también unas sandalias de piel que hacían juego.

Antes de marcharse, Amosis le pidió al fenicio que le enseñara la gargantilla de lapislázuli que todavía tenía expuesta en uno de los mostradores. Midas se sintió extrañado, pero no dijo nada y se limitó a mostrársela como le solicitaban. El joven la examinó con atención durante unos momentos.

—Supongo que me harás un precio mejor que el que acostumbras a pedir, ¿verdad? —señaló Amosis, mirando al comerciante—. Sé muy bien cuál es el valor de esta joya, y también la cantidad que en justicia te corresponde por su venta. Así pues, lleguemos a un acuerdo.

Midas conocía de sobra al tebano, y también lo que significaba hacer negocios con él; así pues, dio su conformidad a la cantidad ofrecida por el egipcio y cerraron el trato.

Al despedirse, el fenicio se quedó un rato en la puerta, observando cómo se alejaba Amosis por la vía Canópica, y pensó en Euterpe. La joven tenía una nueva presa que devorar, y el mercader no pudo sino lamentarse, pues aquel joven le resultaba simpático.

Esa misma tarde, Amosis recorrió el Bruchión cual si en verdad fuese perseguido por todos los genios del Amenti. A cada paso que daba su cadencia aumentaba, arrojado ya a los brazos de la prisa. Miraba a uno y otro lado sin ver cuanto acontecía, presa de un anhelo que empujaba sus pies con celeridad insospechada. Los jardines, veredas, bosquecillos y palacios sucumbían a su paso, olvidados, tal y como si no existiesen. Solo había una idea capaz de llamar la atención del joven; una idea que había terminado por convertirse en obsesión, que lo llevaba de la mano en busca del ensueño: Euterpe.

La casa apareció entre los flamboyanes, rodeada de una plétora de adelfillas y arbustos de alheña, fragantes donde los hubiera. El joven aspiró su aroma con fruición, pues le gustaba mucho, y al instante le trajo recuerdos de la lejana Tebas, donde abundaba aquel tipo de plantas. El aroma parecía transfigurarse con el resto del paisaje para crear un ambiente de ensueño que invitaba al abandono. Era como si la villa se encontrase en medio del mismo encantamiento, cuan si se tratase de una parte más que lo conformara. El lugar se mostraba particularmente solitario, y del palacete emanaba un indudable misterio que conseguía darle una apariencia de intemporalidad, como si llevase allí milenios. Junto a la entrada había una vieja fuente de granito, cubierta de lotos, de la cual brotaba un agua cristalina que canturreaba al golpear contra la piedra. Amosis permaneció un rato pensativo, como ensimismado con cuanto lo rodeaba; luego se aproximó al portón que daba acceso a la casa, y al tocarlo este cedió. La puerta se encontraba abierta.

37

Euterpe se hallaba en un estado de agitación como no recordaba. La idea de amarrar al tebano a su voluntad había despertado en ella una ansiedad que la había conducido hasta las mismas puertas de la fantasía. Era como si en verdad se sintiera imbuida del poder de los dioses, cual si sus invocaciones y preces diarias hubieran despertado la curiosidad de Eros y este la hubiese señalado con su gracia. Se sentía pletórica, invencible, inmortal... Era una sensación diferente a todas las que había vivido con anterioridad; una impresión que nunca había percibido en su larga experiencia con los hombres. Aunque Euterpe contara con solo veinte años, llevaba rindiendo culto al amor desde su más tierna adolescencia, cuando descubriera sus dotes naturales, dotes que la habían llevado a convertirse en una sacerdotisa para quien el placer no tenía secretos.

Durante todo el día, la joven se había bañado en su propio anhelo hasta alcanzar un grado de excitación que la satisfizo en grado sumo. Su alma oscura se mostraba hambrienta, y el hecho de poder colmar sus apetitos más bajos se convirtió en un sufrimiento, a la espera de que sus deseos se viesen cumplidos. Sin embargo, el momento se acercaba, y Euterpe estaba convencida de que aquella noche el egipcio quedaría aferrado a su yugo, como parte de un sacrificio que resultaba inevitable. El saberse por encima de los mortales hacía que la musa se sintiera en otra dimensión; un estadio desde el cual se creía capaz de ordenar lo mundano sin ninguna dificultad.

Ello la llevó a arrepentirse como correspondía a su nueva naturaleza. Los más delicados afeites, los óleos más perfumados, las esencias más refinadas... Euterpe había dejado de ser una musa para sentarse a la diestra de Eros, y su resplandor resultaría tan cegador que no habría hombre capaz de soportarlo; solo quedaría rendirse para caer de hinojos e implorar su bendición.

Para la ocasión, la joven se había vestido de la forma más apropiada a su nueva condición, con una túnica finísima, casi translúcida, por la que asomaban todas sus formas hasta el menor detalle. El vestido se ajustaba a su pecho, pequeño pero bien formado, y siguiendo la moda que tan en boga estaba en la corte, Euterpe había pintado sus areolas de un rojo carmesí que hacía que sus senos parecieran granadas maduras. Su pelo, recogido con una diadema de plata, hacía caer el cabello sobre su espalda, a borbotones, oscuro con pinceladas cobrizas. Sus ojos, tan negros como su corazón, aparecían rodeados de la malaquita más pura, maquillados a la usanza de las reinas antiguas, las más hermosas que gobernaran nunca la tierra de los faraones, y sus labios, plenos como los dátiles de los oasis, se hallaban pintados de un rojo intenso que hacíales parecer prisioneros de su propia pasión.

Hacía ya tres noches que Euterpe visitara a la vieja hechicera, y por fin los antiquísimos conjuros demostrarían el poder que encerraban. A la joven solo le restaba enfrentarse a su propia impaciencia.

Al caer la tarde, Euterpe se aseguró de que todo quedase bien dispuesto. Su casa se sumió en la magia, y cuando vio llegar al tebano la bailarina se encendió hasta el paroxismo.

Al entrar en la villa, Amosis creyó encontrarse en las profundidades de un templo. La antesala al sanctasanctórum de cualquiera de los santuarios que festoneaban Egipto no mostraría un silencio como aquel, una quietud semejante. El lugar invitaba al recogimiento, a la plegaria. Todo se hallaba en penumbra, y solo las lámparas de aceite situadas de un modo estratégico daban una idea de la forma de la sala en la que se encontraba el tebano. De unos grandes pebeteros salían volutas de humo de resinas quemadas. Olía a canela, y al poco de hallarse allí el egipcio notó cómo su efecto embriagador hacíale sentirse más ligero de corazón, al tiempo que sus sentidos se despertaban por completo. Sin poder evitarlo el joven aspiró el aire con fruición, y enseguida notó que la cabeza se le iba. El tebano avanzó despacio por aquella habitación que parecía surgida de la necrópolis. El silencio se tornó opresivo por momentos, y el recién llegado se preguntó si el lugar no se encontraría abandonado, o bien cumpliría funciones litúrgicas que desconocía. Entonces sus pisadas resonaron sobre las baldosas de forma apagada, mientras avanzaba sin saber muy bien hacia dónde dirigirse; todo era tan misterioso que el deseo que reconcomía sus entrañas se vio envuelto en una especie de sortilegio que lo hizo aún más exacerbado. Hacía demasiado que su razón había desaparecido, y el tebano no era ya más que un ánima perdida dejada a su suerte; mas lo peor era que lo sabía.

Justo cuando se encontraba en el centro de aquella tenebrosa sala, Amosis oyó su nombre. Al punto el joven se detuvo. Alguien lo llamaba, estaba seguro, e impulsado por la ansiedad miró en rededor; entonces volvió a escucharlo.

—Amosis, Amosis, Amosis...

Su nombre retumbaba con el eco al tiempo que se alejaba por algún rincón. El egipcio avanzó hacia el fondo de la estancia, y de nuevo su nombre resonó con claridad.

—Amosis, Amosis, Amosis...

Ahora llegaba con nitidez a los oídos del tebano, quien se encaminó hacia una pared de donde pendía una cortina de grandes dimensiones. Con gesto nervioso, la apartó, justo para descubrir un corredor cuyo suelo se encontraba repleto de pequeñas lamparillas que lo iluminaban de un modo especial.

—Amosis, Amosis, Amosis... ¿No ves que te llamo?

El aludido creyó que el corazón se le saldría del pecho. Aquella voz era inconfundible. Solo una musa, aquella que lo había visitado para hechizarlo, hablaba de forma semejante.

—La luz te guiará hasta mí. Te estoy esperando.

Amosis sintió un nudo en la garganta y apresuró su paso, apenas sin dominio de sí mismo.

El pasillo lo condujo a una pequeña antesala de donde partía una escalinata; mientras, las lámparas centelleaban en la oscuridad, dispuestas a ambos lados de la escalera.

—No tardes —volvió a oír que le decían.

El tebano subió con presteza los escalones para llegar a una habitación mejor iluminada, donde el lujo señoreaba en cada rincón, en cada detalle. Muebles de las más costosas maderas, telas traídas de Oriente, alfombras de singular belleza, y por todos lados el brillo del oro, para proclamar su hegemonía en aquella habitación que daba paso a la fantasía.

Al fondo, tras unos enormes visillos apenas agitados por la corriente, el suelo volvía a llenarse de pequeñas lámparas como las que viera en los pasillos. Amosis atravesó la estancia y apartó las cortinas con cuidado. Al momento sintió la suave brisa del mar sobre su rostro. Frente a él se extendía una terraza salpicada de plantas y aromas sin fin. Respirarlos era una invitación al abandono, cual si en verdad se tratara del edén. Amosis pensó que los Campos del Ialú no podrían oler mejor, que era imposible hallar un lugar más apropiado para recibir la visita del inefable Anubis. Sin embargo, la terraza estaba repleta de vida, de fragancias que exhortaban a disfrutarlas con todos los sentidos que los dioses le habían regalado. Allí se rendía culto a Hathor o puede que a Afrodita, a quien honraban los griegos. Esta parecía haberse reencarnado en aquel atardecer que moría sin remisión para colocarse junto a la balaustrada que daba a la bahía. Allí, recostada contra el pretil, se hallaba la diosa, altiva y a la vez insinuante, hermosa y enigmática, cubierta de magia.

Euterpe se le quedó mirando como solo son capaces de hacerlo los inmortales y aquellos que se encuentran más allá de la miseria del hombre. Al punto le sonrió para reclamar aquel alma que ansiaba sobre todo lo demás.

38

Si la locura pudiera medirse, no habría medio de cuantificar la que se apoderó del joven. El misterio que se escondía detrás de aquellos ojos lo atrapó para conducirlo a través de un pozo, insondable donde los hubiera. Amosis se vio arrastrado por una fuerza contra la que no podía luchar, que le hacía caer sin remedio hasta donde fuese que quisieran llevarlo. No había lugar para la razón, como le ocurriera cuando el deseo encarnado en un sueño lo visitara aquella noche en su casa de forma furtiva. Un nuevo mundo se abría ante él, como una dimensión desconocida, impensable, imposible de concebir para su corazón. Sin embargo este poco tenía que decir, pues apenas contaba. No eran sentimientos los que allí se ponían en juego, sino pasiones; las más recónditas que pudiera el tebano imaginar, aquellas que él mismo ignoraba que existiesen.

Todo se precipitó desde el primer suspiro, con la primera mirada. El deseo se desbocaba antes de que sus labios se besaran, quizá con el mero hecho de anunciarse, de verse próximos. Su tacto produjo en Amosis una sensación que lo transportó a la antesala del éxtasis; un lugar para el que no estaba preparado y que lo engulló de inmediato. El frenesí se presentó a golpe de ariete, como si todos los ejércitos del mundo se encontrasen prestos para tomar la fortaleza que tanto ansiaban, al precio que fuese. No había lugar al parlamento, a discutir condiciones. Era una lucha sin tregua en la que solo importaba rendir cuentas de las pasiones. Estas se desbocaron con ansia devoradora, impelidas por la fuerza de la tormenta. Set soplaba furioso en aquella hora, enajenado, enloquecido al poder mostrar su inconmensurable poder. Aquella era su tierra, y los dos amantes que se aferraban para compartir el mismo soplo de aire sus criaturas, por mucho que se empeñaran en invocar a dioses paganos que nunca pertenecerían a la Tierra Negra.

Era la manifestación del verdadero poder que regía en Kemet desde tiempos inmemoriales y desde su trono en el panteón de las divinidades primordiales, Hathor sonreía gozosa ante el encuentro de los dos amantes en tanto miraba con desdén a aquella que se hacía llamar Afrodita, nacida del misterio de su antiguo recuerdo. Daba igual que este se borrara con el paso de los siglos, su nombre permanecería incólume, aunque otros lo bautizaran de nuevo. Hathor siempre continuaría presente en el corazón de los amantes para mover su *menat*[25] y hacer que las emociones corrieran desenfrenadas.

Esa era la palabra que mejor se ajustaba a la realidad de aquellas almas que luchaban en las tumultuosas aguas de sus pasiones. No había lugar para la concesión; todo era delirio desbocado, cual si se tratara de briosos corceles midiendo sus fuerzas en alguna de las habituales carreras que se celebraban en el circo. El paroxismo regía el momento, y a él se entregaron sin importarles las consecuencias.

Amosis se aferró a su diosa como si en verdad necesitase de su hálito para poder sobrevivir. En eso se había convertido, en un superviviente abrazado a un sueño en el que poder dar rienda suelta a sus instintos. Estos le sorprendieron desde el primer beso, ya que mostraban una parte de sí mismo que desconocía por completo, igual que si se tratara de otro hombre. Pero no había margen para el engaño; el tebano cabalgaba a lomos de su propia locura y esta lo transportaba a un lugar del que ya no estaba dispuesto a marcharse. El cuerpo de Euterpe se convirtió en el edén al que aspiraba su deseo, y este se abrió paso a través de sus labios, de sus manos, de su propia respiración. Las yemas de sus dedos lo recorrían cual si se tratara de un invidente que necesitara del tacto para poder reconocer el escenario en el que se hallaba. Mas este resultaba diáfano para su corazón, y al sentir aquella boca por la que había suspirado en la soledad de la noche sobre su viejo jergón, el egipcio se sintió enloquecer como nunca pensó que fuera posible. Los pechos de la musa lo observaron desafiantes, y al ver su areolas teñidas de aquel rojo arrebatador, el fuego consumió su voluntad para entregarse a ellos con toda la vehemencia de que fue capaz.

Euterpe lo observó gozosa, con un rictus de malignidad en sus labios. La pieza sucumbía ante sus ejércitos para rendirse sin condiciones, como ella sabía que ocurriría. Su cuerpo representaba el anhelo máximo para aquel hombre que gemía lastimeramente mientras mordisqueaba sus pechos con desesperación. Su ansia lo llevaba a devorarlos en tanto acariciaba todo su cuerpo, hambriento de su carne. Ella lo acarició como sabía, con la habilidad de quien ha nacido para el amor, y al apoderarse de su miembro oyó cómo Amosis caía preso de la exasperación, cómo suplicaba por convertirse en su esclavo.

Euterpe lo llevó por donde debía hasta que sus cuerpos se unieron para compartir la carrera que los conduciría al éxtasis. Este era su pináculo, en el que debían permanecer amarrados para siempre; condenados por los poderes oscuros que ella misma había invocado llevada por su tenebrosa alma. Esta representaba su fin último en aquel juego que había iniciado y que pensaba llevar más allá de lo que en realidad correspondía. Por algún extraño motivo, el egipcio había despertado en ella lo peor de sí misma; un deseo que iba mucho más lejos de los propósitos que la habían acercado a él; un afán febril por apoderarse de su voluntad para siempre, como si verdaderamente se hubiese convertido en una diosa. La fantasía en la que se encontraba la había animado a forjarse esa idea, quizá debido al poder que ejercía sobre el sexo opuesto o a las prácticas ocultas a las que se había aficionado.

En el fondo aborrecía a los hombres, y su desprecio la había conducido hasta el lugar en el que se hallaba; siempre dispuesta a valerse de ellos, a utilizarlos cuanto le fuera posible, a encadenarlos a su albedrío. ¿Acaso no era eso lo que acostumbraban a hacer los dioses? En Amosis la musa había encontrado el alma perdida con la que llegar a hacer realidad sus anhelos más ocultos. Obtendría de él cuanto deseara, hasta que nada le quedase.

La idea de que suplicase sus caricias, sus besos y hasta su mera mirada producía en Euterpe un placer difícil de imaginar. Era una complacencia que iba mucho más allá de lo carnal y que le proporcionaba un gozo que le resultaba incomparable a cuantos conocía.

Las advertencias de la vieja bruja no tenían valor para la joven. Esta se veía invulnerable, por encima de las consecuencias que pudieran traer consigo las malas artes, aquello que se hallaba prohibido incluso para los nigromantes. Euterpe condenaría el alma del tebano a los infiernos, y no existía mortal que pudiese impedirlo; o al menos eso pensaba ella.

Aquella noche, la musa condujo a su amante hasta el éxtasis más absoluto. Una y otra vez Amosis se derramó en ella cual si se sintiese imbuido por un poder sobrenatural, con ansia desmedida. El tebano parecía incapaz de quedar satisfecho, y al finalizar cada cópula al punto volvía a sentirse inflamado, en poder de una ansiedad que formaba parte del encantamiento en el que se encontraba. Euterpe conocía muy bien cuáles eran los efectos, y también que no existía antídoto capaz de neutralizar el veneno que el tebano llevaba inoculado en su corazón.

Cuando, jadeante, Amosis entornó los ojos tras declararle su amor para toda la eternidad, la diosa lo acogió entre sus caricias para invitarlo al sueño entre dulces palabras y susurros de sirena. Ella representaba su refugio y también la tempestad, y él se durmió sin que ello le importara.

A la mañana siguiente, Amosis se despertó mecido por la suave brisa que llegaba desde el puerto. La luz resbaló por sus mejillas y el joven se desperezó con una parsimonia impropia, que no conocía. De forma inconsciente estiró uno de sus brazos en busca de su amada, pero no la encontró. Enseguida se incorporó, ávido de su presencia, mas sus ojos no la hallaron. Las sábanas se encontraban revueltas, y el egipcio se las llevó al rostro para empaparse con el olor que ella había dejado, para aspirarlo con fruición. El tebano se sentía tan embriagado que tardó un rato en levantarse, y cuando por fin se decidió, se asomó a la terraza que daba a la bahía para bañarse con su belleza. Hacía un día espléndido, y tras vestirse Amosis llamó a su musa en tanto recorría cada una de las estancias, pero no recibió respuesta alguna. Allí no había nadie, y al momento el joven recordó su llegada la noche anterior, y la soledad que parecía envolver aquella casa, como si estuviese abandonada.

El egipcio se encogió de hombros y salió al jardín por la misma puerta por la que entrara. El sol se hallaba próximo a su zenit, y el tebano recordó que tenía algunos asuntos que atender en el puerto. Al incorporarse al camino que conducía a la cercana avenida, Amosis volvió a echar un vistazo al misterioso palacete. Aquella noche regresaría, pues su voluntad había quedado encadenada a aquella casa para siempre.

39

Durante los días siguientes, Amosis corrió a visitar a su amada cada atardecer, consumido por el deseo. Sus pensamientos pertenecían a la dama, y mientras dedicaba su tiempo a los negocios la imagen de Euterpe se le presentaba de improviso, una y otra vez, con una nitidez que llegaba a desesperar al tebano. Este no veía llegar la hora de correr hacia el Bruchión, a aquella casa solitaria cargada de misterio. Ella siempre lo recibía igual, seductora como una diosa del amor, dominante, con la mirada por encima de la voluntad del joven. El tebano se sabía prisionero de sus encantos, de su magnetismo, de cada movimiento que la musa realizaba, de su figura toda. El verle puesta la gargantilla de lapislázuli que le regalara lo llenaba de satisfacción, y al punto se dijo que colmaría a aquella ninfa con las joyas más exquisitas que los maestros orfebres pudieran concebir. En Euterpe todo adquiría una trascendencia inusitada, quizá porque en verdad su persona era inmortal, como ella le hacía ver cada vez que la tenía entre sus brazos.

—Recuerda que fuiste tú quien vino a mí —le dijo ella una noche—. Que no existe servidumbre por mi parte hacia tu persona.

—Si aceptas, te haré mi esposa —intervino él, atropellándose—. Pondré el mundo a tus pies si así lo deseas.

—Ja, ja. Tus palabras me halagan, querido. ¿Estarías dispuesto a lo que dices?

Amosis apenas pudo tragar saliva. La risa era tan cantarina que lo subyugaba, como todo lo demás en ella.

—Probemos. Dime qué reino deseas y te lo conseguiré.

Euterpe volvió a reír.

—Cuidado. Podría llevarte toda una vida conseguir lo que quiero.

—Nunca existiría una vida mejor empleada. Te la ofrecería como prueba de mi amor, gustoso.

—¡Ja, ja! Eso lo dices para halagarme y nada más.

—Te equivocas, amor mío. Todo cuanto tengo te pertenece. Casémonos. ¿Existe mayor prueba que esa?

—Eres arrojado, tebano. Pero has de saber que solo yo seré dueña de mis actos. Nunca aceptaré un señor en mi vida.

—Te cubriré de cuanto desees —dijo Amosis, excitado.

—Jamás te pediré nada. Cuanto quieras darme será por tu propia voluntad, amado mío.

Amosis sacudió la cabeza con desesperación.

—Mi mayor anhelo es que me tomes para siempre. Sentirte cerca de mí cada noche; ver tu rostro en mi corazón cada hora del día.

—Como te advertí, solo yo decido lo que me conviene en cada momento.

—En ese caso permíteme servirte, si con ello puedo volver a amarte todas las noches.

—¡Ja, ja! ¿Acaso me propones que te haga mi esclavo?

—Ya me has esclavizado. Desde el primer momento en que mis ojos te vieron, mi corazón te pertenece por completo.

Euterpe hizo un gesto de satisfacción.

—¿Es cierto lo que aseguras? —inquirió ella, al tiempo que lo atravesaba con la mirada.

Amosis se estremeció, y se sintió tan insignificante que adoptó un gesto que denotaba su embeleso, como si fuese incapaz de pensar con claridad.

—Te juro por mis dioses tebanos que nunca pronuncié palabras más sinceras —se apresuró a decir el joven.

—Hum... Los juramentos de los hombres son como los tetradracmas de Auletes; no tienen el valor que se les presupone.

—Pronto te convencerás de que cuanto te digo es cierto —señaló el egipcio muy serio.

Ella entornó los ojos para envolverlo con su hechizo.

—Ya veo —le susurró—. Estás dispuesto a servirme en cuanto determine.

—Por tus caricias haré lo que me pidas —dijo él con ansiedad.

Euterpe hizo un gesto de complacencia y se aproximó a su enamorado para regalarle sus labios. Este se apresuró a tomarlos con ansia desmedida, y al punto ambos rodaron por el lecho, abrazados a la vorágine.

Ya desnudos, ella lo miró para ofrecerse.

—Hazme tuya y cerraremos el pacto para siempre. Tu voluntad me pertenecerá, y me complacerás en cuanto dictamine —le pidió la musa.

Amosis pareció desesperado, como si necesitase imperiosamente tomar aquel cuerpo que se le entregaba. Incapaz de hablar, el tebano se arrojó a los brazos de aquella mujer dispuesto a ser suyo para siempre, y al penetrarla supo que ya no había vuelta atrás, que otorgaba a la diosa cuanto poseía, que su voluntad quedaba olvidada para siempre en algún rincón de aquella habitación. Todo resultaba tan difuso como la propia irrealidad en la que parecía hallarse, y, sin embargo, sus instintos cabalgaban a lomos de una tormenta que lo invadía por completo. Era un poder devastador, como su propio deseo, del que nunca se sentía satisfecho. A cada cópula le seguía otra, pues el joven era incapaz de sentirse colmado; nunca era suficiente, y semejante sensación terminó por apoderarse de su corazón para atormentarlo de forma irremediable. Su sufrimiento no tendría fin, como le ocurría a su deseo, siempre febril, que terminaría por consumirlo.

40

Euterpe se arrebujó entre sus brazos, como hacía habitualmente, y con sus dedos dibujó arabescos imaginarios en tanto besaba su cuello con suavidad.

—Deberás ser cuidadosa ahora que la presa está cobrada —le advirtió su amante.

—Mmm... —murmuró ella, mimosa—. No hay nada que pueda hacer para evitar lo que Tiqué le tiene reservado.

—Poco me fío de los dioses, y lo sabes. Preferiría tener la seguridad de que tus muslos no lo dejen escapar.

Semejante comentario despertó la hilaridad de aquel hombre, que lanzó una risotada.

—Son más fuertes que las maromas que amarran el trirreme real, y mucho más deseables, ¿no te parece?

Su acompañante volvió a reír.

—Es necesario que deposite su confianza en ti sin ambages, hasta que sienta que no solo debe entregarte su pasión, sino todo lo demás.

—Él se muestra solícito con cuanto le pido. Hará mi voluntad, y espero recibir mi recompensa por ello.

El amante se inclinó un momento para observarla mejor. Él la conocía bien, y sabía la perfidia que encerraba aquel cuerpo de diosa.

—¿Acaso has dejado alguna vez de recibirla? —preguntó el hombre—. De sobra conoces mi generosidad, y también hasta dónde puede llegar mi cólera si las cosas no se desarrollan como espero.

Ella se acurrucó mejor para mordisquearle el lóbulo de la oreja.

—Todo se hará con arreglo a tus deseos, como de costumbre —le susurró ella.

—En ello confío. En esta ocasión hay en juego intereses que no podrías calibrar, bella Euterpe. Asuntos que te sobrepasarían por completo. No hay lugar para la equivocación. No debemos infravalorar al egipcio; es astuto donde los haya.

—Pronto comprobarás el lugar en el que se encontrará su voluntad; aferrada a mis deseos, sin posibilidad de que se libere de mi influencia.

Él volvió a tumbarse mientras reflexionaba.

—Deberás ser cuidadosa con él. Abstente de mostrarle a tus amantes. Es un tipo criado en el sur, incapaz de aceptar determinadas prácticas.

Euterpe rio con suavidad.

—Eso no debe preocuparte. Si me lo propusiera, le haría participar de ellas. Le obligaré a descender hasta el último peldaño de su dignidad. Esta quedará menoscabada para siempre. Ya sabes lo que disfruto con estas cuestiones.

—En verdad que el Hades te reserva un lugar de privilegio. Eres diabólica. Hasta yo mismo haría bien en guardarme de ti.

—Sabes que solo puedo honrarte —lo aduló ella—. Estoy a tu servicio desde que me hiciste mujer. Ni siquiera el faraón podría aspirar a algo semejante.

—Me complace que no olvides tales detalles. Yo soy el artífice de cuanto posees, y podría destruirte con la misma facilidad.

—Haré cuanto me ordenes —musitó la joven en tanto deslizaba una mano hacia el bajo vientre de su acompañante. Al momento se apoderó de su miembro, para jugar con él hasta conseguir que saliera de su letargo. Cuando lo notó inflamado lo movió como sabía hasta que lo encontró a su gusto.

—Ahora tómame, y olvídate de tus preocupaciones —le pidió ella en tanto hacía un mohín caprichoso.

Él resopló enardecido, dispuesto a penetrarla como quería. Aquella mujer tenía el don de levantar su pasión como ninguna otra, de desbocar sus instintos cada vez que ella se lo proponía. Era una embaucadora, una hechicera capaz de asolar las conciencias ajenas si así se lo proponía. Claro que por ese motivo la mantenía a su servicio, pues su concurso no tenía precio en una ciudad sin moral como aquella.

Después de fornicar hasta la extenuación, ella lo observó un rato mientras él recuperaba la respiración.

—Nunca debe saber que somos amantes, ¿me entiendes? Nunca —le advirtió su acompañante con seriedad.

—Forma parte de nuestro gran secreto, Ergino. No lo sabrá jamás.

El banquero asintió, complacido, y al poco se levantó del lecho para vestirse, pues tenía otros asuntos que tratar.

41

La pasión se convirtió en locura y esta lo arrastró hasta el Amenti, donde quedó encadenado por fuerzas contra las que le resultaba imposible luchar. No había defensa que valiera, ya que su voluntad erraba perdida por un camino tenebroso que nunca podría reconocer; Euterpe lo había amarrado a su antojo, a su propio albedrío, y poco tardó el tebano en estar a su merced cual si se tratara del último de los esclavos que vivía en Alejandría. Él haría cuanto le demandase su musa, y esta no pudo evitar conducirlo por los tortuosos senderos que a ella tanto le gustaban. Las sombras se extendieron sin remisión, más oscuras cada día, hasta que Amosis fue capaz de resignarse a perder su dignidad. Ella lo tenía bien calculado, y una vez perdida aquella todo le resultó mucho más fácil aún.

El egipcio se sentía incapaz de negarse a cualquier cosa que deseara su amada. Su razón para con ella había desaparecido para no regresar. No era necesario, y cuando la musa le pidió que participase en su primer juego amoroso, Amosis permaneció boquiabierto, sin articular palabra, pues su opinión nada contaba.

—Si quieres continuar amándome, tendrás que aceptar mi voluntad —le advirtió ella una vez más, en tanto hacía venir al esclavo fornido que solía acompañarla a todas partes—. Esta noche deberás compartirme con él, pues me proporciona mucho placer.

El tebano apenas tuvo oportunidad para pensar. Él mismo se había convertido en su esclavo, y de este modo le serviría, como le jurara aquel día por todos los dioses de Egipto. Sus emociones estaban sujetas al capricho de Euterpe y, sin alzar una protesta, se vio inmerso en un torbellino que solo podía conducirlo al Inframundo. Su alma se condenaba para siempre, y lo malo era que se sentía incapacitado para redimirse, para tomar el camino que lo llevase de nuevo hacia la luz, para regresar a la senda que de niño le mostraran los santos profetas de Karnak.

Aquello solo fue el principio. Si Amosis creía que tales actos no representaban más que un capricho que formaba parte de la fantasía, se equivocaba. A la musa le gustaba experimentar, alimentar los más oscuros deseos, buscar el placer allá donde se encontrase. Su afición por las mujeres se hizo patente al poco tiempo, y a no mucho tardar Amosis se vio compartiendo a su diosa con todo tipo de amantes, así como participando en las escenas más escabrosas, impensables en otro tiempo para un corazón como el suyo.

Mas el solapado Shai había decidido tomar cumplida venganza por las abominaciones del joven. El dios del destino nunca olvidaba, y había decidido arrastrar a Amosis a los infiernos para que pagase su pena; al Tártaro, como lo denominaban en ocasiones aquellos helenos que habían terminado por prostituir la sagrada Tierra Negra. Sus prácticas abyectas eran motivo de conversación entre los dioses ancestrales, que contemplaban horrorizados en lo que se había convertido Kemet; el camino que había decidido tomar su pueblo. Los corazones eran ahora fácilmente corrompibles y las almas se vendían en pos del lujo, los placeres, la ostentación; aquella *tryphe* de la que se vanagloriaban los lágidas.

Amosis había sido condenado en vida, pues su conducta causaba espanto a los padres divinos. El *maat* hacía ya demasiado tiempo que carecía de sentido para el joven. Pero ¿qué había sido de su educación? ¿Qué quedaba de todo aquello que le enseñaran en el templo? ¿Adónde habían ido a parar las admoniciones recibidas, las instrucciones que el sabio Ptahotep dejara escritas más de dos mil años atrás a fin de llevar una vida virtuosa? ¿Qué había sido de la línea que le marcase su *ka*, de la que no debía apartarse nunca?

El joven se había convertido en un pagano; un egipcio a quien las enseñanzas forjadas por la civilización milenaria a la que pertenecía le traían sin cuidado. Su corazón se había transformado en un pozo de ambición que haría palidecer a la mismísima Enéada heliopolitana, y su alma... Resultaba inútil hablar de lo que no existía. Cualquier bestia en Egipto tendría mayor voluntad que él; así eran las cosas. El vicio recorría sus entrañas hasta desnaturalizarlo por completo, y aquello que Amosis llamaba amor no era más que la explosión de una pasión desmedida nacida de sus más bajos instintos. Amor era lo que hacía tiempo él había decidido apartar de su vida. Sus recuerdos más sagrados, sus verdaderos amigos. Nada de esto existía ya; borrados por el soplo infernal que la propia naturaleza del joven había ido forjando en su interior para convertirse en un monstruo. Hasta Ammit, la terrorífica Devoradora de los Muertos, se horrorizaría de cuanto acontecía en el corazón del tebano al tiempo que se aprestaba para la pitanza, ya que aquel alma sería suya para siempre, sin posibilidad de salvación.

Amosis era incapaz de discurrir tales detalles, y con el tiempo terminó por acostumbrarse a aquel tipo de comportamientos hasta participar de ellos como si fuera lo más natural. Sus negocios seguían su curso, como si se tratara de una isla que aún se mantenía visible entre las tumultuosas aguas en las que vivía. Sin embargo, el tebano había terminado por endurecer su trato con cuantos lo rodeaban, y de su usual afabilidad a la hora de cerrar sus acuerdos había pasado a mostrarse distante y pretencioso; un hombre a quien los demás le traían sin cuidado, que solo era capaz de vivir entre la soberbia y las bajas inclinaciones.

Euterpe se encontraba muy satisfecha por el resultado de sus malas artes. Había descubierto en ella misma nuevas sensaciones que le producían verdadero placer. El ver sometido al egipcio a su voluntad de aquella forma había supuesto un hallazgo que alimentaba su alma tenebrosa de un modo particular. Nunca renunciaría a él, y por lo que se refería a ella jamás soltaría al tebano del yugo al que lo había encadenado. Ahora estaba listo para que Ergino llevase a cabo los planes que tenía diseñados desde hacía tiempo para él, y Euterpe se vanagloriaba íntimamente por su conocimiento de los hombres; de su naturaleza en todos los órdenes. Su triunfo había sido completo, y sin poder evitarlo pensó que merecía mucho más que los tetradracmas que su protector le procuraría. Ergino era el origen de cuanto ella poseía, su valedor secreto, su eterno amante, pero Euterpe aspiraba a algo más que a aquel banquero insaciable al que utilizaba cuanto podía y a quien en el fondo detestaba; como al resto de los hombres. La musa era digna de un trono; menuda reina se había perdido Egipto al no poder aspirar a su gobierno. En ocasiones se había dejado seducir por el faraón, pero necesitó poco tiempo para saber qué era lo que le interesaba. Haría fortuna con los hombres; los exprimiría hasta obtener de ellos cuanto pudiese; aprovecharía sus buenos años para ello hasta lograr la fortuna que se había marcado. Luego abandonaría Alejandría para siempre, y se instalaría en alguna isla del Egeo para disfrutar de su libertad en compañía de sus amantes; para terminar en los brazos de alguna joven a la que acabaría por dar su amor tras amarrarla a ella, como le gustaba hacer.

Ahora debía ser muy cauta, pues habría de manejar el corazón del egipcio en un ámbito bien distinto al del amor. Aprovecharía su locura amorosa para hacerle dirigir sus negocios allá donde debía; donde Ergino deseaba. Parecía una tarea difícil, aunque no para una mujer como ella. La musa controlaba los resortes que daban vida a su enfervorecido amante, y este ya no podía concebir su existencia sin ellos. Amosis lo perdería todo, y esto proporcionaría un nuevo placer a la reina de las tinieblas.

42

—Los vientos nos sean propicios una vez más y Poseidón nos sonría benevolente. Qué puedo decirte de su carácter que no sepas ya.

Amosis asintió, circunspecto, ya que como de costumbre sus pensamientos se encontraban en otro lugar.

—Por algún motivo te tiene en gran consideración, y no seré yo quien se lo reproche.

El egipcio alzó la vista un instante para mirar a su interlocutor. Ergino se hallaba ciertamente animado; incluso podía decirse que próximo a la euforia.

—Disculpa mi lenguaje metafórico, pero he de confesarte que me siento colmado por el optimismo por primera vez en muchos años —apuntó el banquero con satisfacción.

—Creí que los negocios te habían alegrado ya lo suficiente —contestó el tebano, mordaz.

—La alegría dura poco en casa del comerciante. Siempre con nuevos proyectos, con planes con los que puedas superar lo que ya has conseguido.

—En eso tienes razón —reconoció el joven.

—Y créeme que los que me traigo entre manos harían palidecer de envidia a los anteriores. Una empresa que me gustaría compartir contigo.

Amosis hizo un ademán con las manos con el que lo animó a continuar.

—Se trata de un negocio de envergadura que tiene sus implicaciones, y para el que es necesaria la participación de la propia conciencia.

El tebano hizo un gesto de sorpresa al advertir los circunloquios que empleaba el banquero. Este sirvió un poco de vino y observó a su invitado.

—En realidad no se trata de nada que nos resulte extraño, pues lleva en vigor milenios, aunque te adelanto que no es fácil hacerse un hueco entre los que se dedican a tales asuntos.

El egipcio observó a Ergino con atención, tratando de adivinar adónde quería llegar. Al punto juntó ambas manos sobre sus labios.

—El mercado de la carne —musitó el joven, como para sí.

Ergino asintió.

—No existe nada tan lucrativo, si exceptuamos el negocio de la guerra, claro está, cada día más complicado, ya que Roma controla sus propias necesidades. Cada vez son menos los que osan hacer frente a los hijos del Tíber; sin embargo, la venta de esclavos no tiene fronteras. Es una empresa floreciente de la que puedo participar, y tú conmigo si así lo deseas.

Amosis apenas pestañeó. Su familia solo había llegado a adquirir uno, a quien él mismo terminó por liberar, pero todo el que podía tenía esclavos, con mayor o menor fortuna para estos, pues no en vano formaban parte de aquella sociedad. Pero una cosa era poseerlos y otra muy diferente traficar con ellos. Al egipcio siempre le había parecido un negocio deleznable, el peor que pudiera llegar a ocupar a cualquier mercader. En su opinión, no era solo con personas con lo que se comerciaba, sino también con la propia conciencia; aunque esta no tuviera nada que decir a la hora de comprarlos. Aquel aspecto resultaba curioso, sin duda, aunque Amosis no pensara en ello en aquel momento.

Esa era la cuestión. El tebano se sentía incapaz de discernir en tales asuntos, como si no tuviese opinión al respecto; sin criterio alguno ante lo que le proponían.

—Necesitaríamos barcos, y los que posees nos permitirían transportar trescientos esclavos en cada uno de ellos. Eso sí, un poco apretados, ja, ja —señaló Ergino.

El egipcio asintió, sin saber muy bien por qué, y debió de adoptar un gesto particularmente estúpido, ya que Ergino lo celebró al instante.

—Sabía que podría contar contigo —exclamó el banquero, alborozado—. Tus bodegas se llenarán de la carne más diversa, que te encargarás de repartir allí donde sea necesario. ¡Encomiable! Cierto es que este tipo de negocio requiere un tratamiento distinto al habitual, pero al cabo resulta sumamente lucrativo, pues es una mercancía que siempre se vende.

Amosis se limitaba a escuchar, incapaz de argumentar juicio alguno. Aunque los negreros estaban muy mal considerados, eran raras las personas que, pudiéndoselo permitir, no tenían un esclavo; así de hipócrita resultaba la naturaleza humana.

—Como podrás adivinar, es sumamente complicado meter la nariz en un negocio como este, pero Tiqué decidió venir a visitarme sin ser invitada, y la diosa de la fortuna me sorprendió con su favor al ofrecerme esta posibilidad.

El tebano interrogó al banquero con la mirada.

—Comprendo que pueda parecerte extraño, pero créeme que así fue como ocurrió. Imagínate que me convertí, sin proponérmelo, en máximo acreedor de quien controla la venta de esclavos en Delos; hasta el punto de hacer peligrar su propia libertad y la de su familia si así yo lo decidía. Hubiera sido una paradoja colosal, ¿no te parece? De captor a cautivo, ¡ja, ja! Su nombre no viene al caso, como comprenderás, pero el susodicho tuvo buen cuidado de llegar a un acuerdo conmigo para evitar su ruina. Durante cinco años controlaré su negocio. Ese es el tiempo de que dispone para pagar lo que me debe. Pasado dicho período, habrá de rendir cuentas de nuevo. Quién sabe. Quizá al final acabe por convertirse en carne de mercado, ja, ja. ¡Encomiable!

Al tebano todo aquello le sonaba como el repiqueteo del agua de las fuentes al percutir contra la piedra. No experimentó ninguna sensación, ni buena ni mala; como si en verdad nada importase en su vida más allá de Euterpe.

—Ganarás una fortuna con el negocio —oyó Amosis que le decían—. ¿Tienes idea de la cantidad de esclavos que se venden en Delos a diario?

El joven debió de hacer un gesto cómico, ya que Ergino lanzó una carcajada.

—No te culpo, no vayas a creer —se apresuró a decir el griego—. Mas te adelanto que la cifra resulta sorprendente, difícil de aceptar; claro que también es necesario tener en cuenta ciertas consideraciones. Con los piratas cilicios campando por sus respetos y las interminables guerras mitridáticas, no es de extrañar semejante movimiento. Y luego están las legiones romanas, que no pierden oportunidad de sacar rendimiento de cualquier escaramuza en la que participen.

Amosis volvió a asentir, lo cual dio ánimos a su anfitrión para continuar.

—No seré yo quien te explique las particularidades de esa isla; toda una bendición para el comercio. Desde que fuese declarada puerto franco hace años, supone el lugar idóneo para realizar cualquier tipo de trato. Roma fue muy hábil al conceder a Delos ese reconocimiento, tras el cual lo único que se escondía era quitarle a la isla de Rodas la supremacía económica en el Egeo, ja, ja. Las monedas siempre fraguando caminos en los que sentirse libres. Fue una maniobra genial. ¡Encomiable!

El egipcio conocía aquellos detalles, como también el declive que con el tiempo había ido apoderándose de la isla desde que Rodas se aliase con Roma en sus guerras contra Mitrídates.

—Volviendo a lo que nos interesa —prosiguió Ergino—, te diré que el mercado de esclavos en Delos se me antoja digno de pasmo. ¡Unos dos mil infelices son vendidos en la isla a diario! ¿Podrías imaginar algo semejante? ¡Dos mil esclavos diarios! ¿Entiendes ahora por qué Tiqué vino a visitarme, buen tebano?

Amosis hacía ya demasiado tiempo que no entendía nada. De otro modo no hubiera permanecido allí, impertérrito. Jamás se hubiese interesado por semejante empresa y, no obstante, iba a terminar por proporcionar el vehículo para llevar a cabo los planes del trapezita.

A pesar del estado en que se encontraba, el egipcio conocía las consecuencias que un negocio como ese le reportaría. Su nombre quedaría unido al de aquellos mercaderes de la carne a quienes nadie apreciaba, y sus barcos se convertirían en jaulas para hombres. Cárceles en las que hacinar el infortunio, la miseria humana. Su olor invadiría las bodegas para impregnarlas sin remedio. No existía forma de eliminarlo, y su propio corazón se empaparía de él para siempre.

—Como comprenderás, harías bien en convocar a tus capitanes para advertirles de lo que se espera de ellos. Siempre existen almas cándidas dispuestas a poner reparos. Mas en el momento que les muestres los tetradracmas verás lo proclives que se vuelven a la obediencia, ¡ja, ja! Págales como corresponde y no habrá problemas. Tú mejor que nadie conoces bien a esa caterva.

Así fue como Amosis se introdujo en el negocio de la venta de esclavos, sin abrir siquiera los labios. Todo se encontraba decidido de antemano, daba lo mismo cuanto él pudiese pensar. El tebano ya no era dueño de nada, pues sus mismas pasiones estaban controladas por otras manos. Se había convertido en gregario de voluntades ajenas, y aceptaba aquella sumisión con una resignación que ignoraba de dónde había surgido y contra la que resultaba imposible rebelarse.

Sus pasos terminaron por llevarlo de nuevo hasta la casa encantada. El misterioso palacete del Bruchión en el que todo parecía estar envuelto en el misterio. El silencio que señoreaba en el lugar, la soledad que dormía en cada uno de los rincones... y Euterpe, la dueña absoluta de sus actos, de cada uno de los pensamientos del joven. Amosis acudía a ella cada tarde para refugiarse, o puede que para dar sentido a su desdicha. Sin su diosa, el tebano se hallaba perdido, y él había llegado a asumirlo como algo natural.

43

El intenso azul del Egeo sumió a Amosis en la melancolía. Su nombre hacía mucho que había dejado de importarle, y de su persona apenas quedaban recuerdos. El momento en que perdiera su *ka* representaba todo un enigma para él, y lo único que le devolvía a su pasado eran los viajes del inmortal Odiseo, que permanecían fieles en su memoria sin que el joven supiese muy bien por qué. Aquel era el mar de su héroe, inmenso en la aventura, proceloso en el devenir de los días. Sin poder evitarlo, el tebano se sintió como si hubiese navegado toda su vida por aquellas aguas, cual si formara parte de ellas desde el instante en que el buen Filitas le declamase el primer verso en Koptos.

El rey de Ítaca había sido su compañero inseparable durante todos aquellos años, en los que habían compartido lances sin fin. El astuto griego había alumbrado sus horas de cautiverio en la sórdida cueva a la que el destino lo envió, y no había pasado día en que, de uno u otro modo, se le presentara para recordarle alguno de sus ardides.

No fue de extrañar, por tanto, que la primera imagen que se le viniese al tebano a la cabeza en cuanto desembarcó en la isla fuese la del aqueo más ingenioso. Amosis recordaba el pasaje en el que Odiseo comparaba una palmera de Delos con la sin par Nausícaa, así como la importancia religiosa que tenía la isla para los griegos. Su mitología aseguraba que fue Poseidón quien hizo emerger a Delos de las aguas gracias a su tridente, para quedar flotando hasta que el todopoderoso Zeus la amarró al fondo del mar con cadenas. De esta forma la isla quedó asegurada para que Leto, hija de los titanes Ceo y Febe, pudiera dar a luz a los dos hijos que había concebido del dios principal del panteón olímpico; los mellizos Apolo y Artemisa. Era por ello un lugar de peregrinaje que recibía una gran afluencia de visitantes, que llegaban para rendir culto a Apolo en su magnífico santuario.

A Amosis la isla en sí le pareció de un tamaño ridículo para la importancia comercial que había llegado a adquirir, ya que apenas tenía cinco kilómetros de largo; sin embargo, poseía hermosos templos y edificios que competían en fastuosidad, sobre todo en el barrio del Lago, donde vivían las familias más ricas, a las que gustaba hacer ostentación del lujo en lo posible.

Separada de la vecina isla de Rinia, casi tan pequeña como ella, por un estrecho canal, Delos había sido lugar de paso obligado para el comercio que unía Oriente y Occidente durante el último siglo, sobre todo desde que Roma la declarara puerto franco.

Ya mucho antes la isla había mantenido una clara dependencia de Egipto, desde que pasara a formar parte de una liga insular en época de Ptolomeo I después de haber sido declarada independiente del control ateniense a la muerte del gran Alejandro. Su progreso económico no había dejado de resultar sorprendente al tratarse de una ínsula tan diminuta, pero lo cierto era que los mercaderes de todo el Mediterráneo acudían a comerciar a aquel islote sagrado en el que, en realidad, no existía ningún recurso propio. Todo lo necesario para la supervivencia debía ser importado, y Amosis no tuvo más remedio que considerar aquel particular como el triunfo de las ambiciones en las que siempre había creído. El comercio era el motor de la sociedad, y esta podía obtener cuanto necesitara si daba facilidades para poder mercadear libremente. ¿Cómo era posible si no semejante milagro? Y encima en una isla que no llegaba a los trescientos metros de anchura, y con un puerto más bien mediocre.

Todos estos inconvenientes habían sido salvados por una razón que se mostraba evidente: en Delos no había impuestos que pagar. Aquel era el paraíso de los de su condición, y el egipcio no tenía más que observar la aglomeración que presentaban los muelles para percatarse del volumen de negocio que se desarrollaba en el lugar.

Indudablemente, Delos había conocido mejores tiempos. Había quien aseguraba que aquel enclave tenía los días contados, y puede que tuviera razón. Las guerras mitridáticas habían tenido un efecto devastador que había afectado también a aquella pequeña isla de las Cícladas. Desde hacía siete años Roma se encontraba inmersa en la tercera confrontación contra Mitrídates VI, rey del Ponto, y las aguas del Egeo habían terminado por convertirse en un lugar poco seguro para la navegación al estar infestadas por la piratería.

Las guerras proporcionaban buenos negocios, y no era de extrañar que Delos hubiese terminado por traficar con esclavos, pues capturarlos había llegado a convertirse en una tarea asombrosamente fácil. Daba lo mismo de dónde procediesen, ya que el mercado era amplio y sumamente rico. El negocio era el negocio, y Roma necesitaba cautivos en grandes cantidades. Esta era la principal receptora del mercado de la carne, aunque Chipre y Egipto se aprovecharan de sus antiguos intereses en la isla para beneficiarse a su vez del tráfico nefando.

Amosis comprendió al momento las influencias que debían de poseer sus socios banqueros para poder inmiscuirse en un asunto como aquel, que, saltaba a la vista, podía llegar a resultar peligroso, sobre todo debido a los enormes beneficios que procuraba. Sin embargo, no había trampa en aquella empresa; todo se había desarrollado tal y como se esperaba, y sus barcos se encontraban prestos para recibir tan infortunada carga.

Los agentes acudieron a su encuentro, con miradas aceradas y sonrisas de chacal, para conducirlo hasta el ágora, donde se ejecutaba la venta. Se trataba de una plaza que, en comparación con el resto de las que había en la ciudad, era mucho más grande, y cuya monumentalidad no dejaba de sorprender por el uso al que estaba destinada. Poseía dos pórticos superpuestos, de orden jónico el superior y dórico el inferior, exedras y dos entradas, situadas al este y al oeste, que daban acceso a aquella plaza porticada cerrada al exterior. Dichas entradas eran sumamente estrechas, a fin de que solo pudiese pasar una persona, lo que permitía contar el número de esclavos con facilidad. Tales detalles resultaban entendibles al comprobar los miles de esclavos que se daban cita a diario en aquel mercado. Amosis no pudo ocultar su perplejidad cuando advirtió la magnitud del negocio. Las naves abarrotadas de infelices desembarcaban su mercancía para que esta fuese trasladada de forma inmediata a la plaza, donde se les daba entrada para contarlos, de forma que no se cometieran errores, ya que era tal la afluencia de cautivos que los compradores solían adquirirlos por lotes enteros. Estos acostumbraban a emplazarse en las galerías superiores del recinto, y una vez realizada la transacción, los cautivos volvían a ser contados al salir por el lado opuesto de la plaza. Luego eran embarcados de nuevo para enviarlos a otros mercados en los que serían vendidos públicamente a cambio de sumas astronómicas.

Amosis debía supervisar la entrega de casi mil esclavos, la mitad de los que se venderían aquel día en Delos. Todo se encontraba preparado de antemano, pues los infelices ya habían sido elegidos. El tebano jamás olvidaría aquel día en el que su esencia vital participó del infortunio humano. El hijo de Nectanebo nunca hubiera jugado con la suerte de tantos desdichados, pero aquella mañana Amosis fue consciente de su propia indignidad, del lugar en el que en verdad se había acomodado su alma, de su incapacidad moral. Casi mil miradas se cruzaron con la suya, suplicantes, temerosas del destino que les tuvieran reservado, mas al egipcio le fue imposible sostenerlas, y no pudo sino volver su cabeza como el peor de los rufianes.

—Niños, mujeres y hombres robustos del este —oyó que le decía el esclavista de turno—. Todo se encuentra convenientemente pagado. Espero que des tu conformidad, gran Amosis.

Este miró a su interlocutor boquiabierto, sin saber muy bien por qué. Quizá debido a que su corazón ya se había manifestado lo suficiente, o puede que el oír que le llamaban gran Amosis despertara en él cierta vergüenza.

—Por los más jóvenes calculo que se podrá sacar un beneficio de cuatro mil dracmas por cabeza. Y por las doncellas mucho más. En Alejandría nos las quitarán de las manos. Los hombres deberán ir a

Chipre, donde los aguardan. Como podrás comprobar, todos llevan agujereado el lóbulo de una oreja como símbolo de su esclavitud; marcados de por vida. —El tebano escuchaba con la mirada perdida, como correspondía a su naturaleza—. El beneficio final superará los seiscientos talentos, una fortuna, si me permites el comentario, gran Amosis.

Este asintió como hacía en los últimos tiempos a cuanto le decían, y mostró un gesto con el que daba a entender su conformidad, para acto seguido salir de allí cabizbajo, como lo haría un malhechor arrepentido.

«Mercader, desembarca, descarga, todo está vendido.»[26] Nunca un dicho había resultado tan sórdido a los oídos del tebano como aquel, que hacía referencia al mercado de Delos.

No se necesitaba mucho tiempo para hacer negocios en la isla. Tal y como aseguraba aquel dicho popular, Delos era la reina del comercio, y Amosis se detuvo a pensar lo que debió de ser el lugar en su época dorada, apenas ochenta años atrás. El mapa del Mediterráneo había cambiado demasiado deprisa durante aquel intervalo, pero aun así cualquier tipo de transacción parecía posible.

No era de extrañar que se erigieran pequeños templos en honor de otros países, ante la afluencia de comerciantes extranjeros que la isla recibía. Muchos habían terminado por establecerse en la ciudad, sobre todo los procedentes del Lacio, que vivían en el barrio del Teatro.

Amosis permaneció un rato frente al santuario de Isis. Su alma tebana seguía emocionándose con el recuerdo de la única diosa a la que invocaba, y cuyo culto había terminado por extenderse por el Mediterráneo. Cuán lejos había viajado la gran madre —se decía el egipcio, consciente de su influencia sobre otros pueblos—. Con ella iba una parte de Egipto, la que atesoraba su magia más profunda, su auténtica identidad. Kemet no significaba nada sin su gran maga, y el joven se convenció de que, gracias a esta, la memoria de su pueblo perduraría en los milenios futuros, fuera cual fuese la suerte que llegara a correr Egipto.

Sin embargo, su verdadero interés aquella tarde se encontraba en otro templo, el más importante de la ciudad, el dedicado a Apolo. Los motivos que lo llevaban hasta el santuario nada tenían que ver con la religión, y mucho menos con el culto al dios. Eran de otra índole, en donde el único fervor era el que producía la plata ática.

Aquella cuestión había sido la verdadera causa de su viaje. Como si su razón hubiera recibido un rayo de luz en la oscuridad en la que se hallaba inmersa, Amosis había recordado el significado de una palabra hacía tiempo olvidada: prudencia.

A la sombra de la abominable aventura en la que se había embarcado, el tebano aprovechó para viajar hasta Delos con el fin de salvaguardar parte de sus intereses. Su natural astucia encontró un resquicio en las tinieblas que lo rodeaban, e hizo ver a Ergino lo necesaria que resultaría su presencia en la isla para asegurarse de que sus barcos comerciarían con la miseria como todos esperaban.

—He de cerciorarme de que mis capitanes cumplirán con su deber —le dijo al trapezita—. La carga que van a transportar no se parece a ninguna otra con la que hayan podido navegar.

Aquel era un buen pretexto, aunque no por ello consiguiera engañar al taimado banquero, quien no obstante disimuló con un gesto de beneplácito. Si Amosis deseaba viajar a Delos no era por prurito profesional sino por visitar el templo de Apolo, en cuyas criptas se encontraba uno de los bancos más reputados del Egeo. Esa era la razón que impulsaba al egipcio a marchar y, como no podía ser de otro modo, la cuestión dio que pensar a Ergino.

Sin embargo, el trapezita alabó la idea y se ocupó de que Euterpe se abstuviera de interferir en el asunto. Sus planes seguirían el curso previsto, sobre todo ahora que el desenlace se le antojaba próximo.

Cuando el egipcio se vio frente a la entrada del santuario, apenas fue capaz de reparar en los grandiosos pórticos que lo flanqueaban, en la estatua del general Epígenes de Pérgamo o en el formidable Coloso de los naxios, un kurós de más de nueve metros de altura con casi seis siglos a sus espaldas. Sus pasos solo obedecían a sus propósitos y por ese motivo se dirigió hacia el Gran Templo, el mayor de los tres dedicados a Apolo en aquel lugar. Ese era su destino, y en sus sótanos el tebano formalizó la custodia de cien talentos de plata a su nombre, en tanto sus navíos se aprestaban para zarpar al servicio de la infamia.

En Delos quedó depositado su dinero y también la poca dignidad que pudiera quedarle. El inmenso azul lo acogió de nuevo en sus brazos para mecerlo en una singladura particularmente plácida. La bonanza se convirtió en su fiel acompañante y, mientras surcaba el mar de Odiseo, Amosis se perdió en sus aventuras, que tantas veces había leído, quizá para desprenderse de su propia vergüenza. Pero a esta no la podía engañar; a pesar de que se hubiera cuidado de regresar solo en su barco, escondido de la ignominia. Las miradas de aquellos desafortunados se le presentaban de improviso para acusarlo de su desgracia, y por la noche, al cerrar los ojos, veía la enorme plaza a la que llegaban por miles los condenados, hasta convertirla en el ágora de la miseria humana.

44

Abdú caminaba calle arriba, taciturno, sumido en sus pensamientos. Hacía ya mucho tiempo que vivía su propia vida, la que él sabía que tenía marcada, aunque no por ello olvidase cuanto le había acontecido ni el juramento que él mismo se hiciese un día ya demasiado lejano. Había pensado largamente sobre el particular, y su corazón se había entristecido en tantas ocasiones que muchas noches había sido incapaz de conciliar el sueño, sumido en aquel pesar del que no podía librarse. Abdú sabía que poco tenía que hacer en semejante cuestión. Los *orishas* así lo habían determinado, y solo quedaba aceptar el camino designado por ellos.

Hacía ya demasiados años que el yoruba había vislumbrado el mal que se cernía sobre su amigo. Era una oscuridad que sobrepasaba cuanto hubiera percibido nunca y que surgía desde lo más tenebroso. Por algún motivo, Olodumare, el señor de los cielos, había decidido enviar a uno de sus *orishas* Oddé, comúnmente conocidos como «los guerreros», para conducir a Amosis hasta los infiernos. Eshu, pues así se llamaba el *orisha*, se encargaba de regir las manifestaciones del mal, y su presencia demostraba lo que el yoruba ya sabía: la permanente confusión en la que vivía su antiguo amo desde hacía mucho tiempo.

A Abdú no le extrañaba en absoluto su presencia, ya que Amosis se había convertido en un condenado en vida; un ánima a quien solo movían las ambiciones huérfanas de escrúpulos, una sombra de lo que en verdad había sido. Hacía casi dos años que no lo veía, y durante aquel tiempo el yoruba había llegado a convertirse en todo un personaje al que muchos acudían para resolver sus problemas. Como el liberto poseyera ciertas dotes a la hora de descifrar los sueños, su fama había terminado por sobrepasar las fronteras de Rakotis y gente de otros barrios iba a visitarlo con cierta regularidad para relatarle las pesadillas más peregrinas, que el mago escuchaba sin pestañear, muy en su papel. Las artes adivinatorias a la hora de descifrar los sueños hacían furor en Alejandría, y Abdú se beneficiaba de ello. Qué duda cabe que las cosas le iban mejor de lo que nunca hubiese pensado; sin embargo, el misterioso hombre de ébano no había dejado de permanecer fiel a su esencia, ni olvidado el lugar del que procedía.

A pesar de no ver a Amosis desde hacía tiempo, Abdú conocía cuál era su situación en los negocios, así como la fortuna que había llegado a atesorar. Sabía que tarde o temprano volverían a encontrarse, y que la senda por la que transitaba el tebano habría de conducirlo al infortunio. Muchas noches pensaba en ello, aunque se mantuviera reservado, sobre todo cuando hablaba con Teofrasto, con quien mantenía una estrecha amistad.

Aún iba el yoruba absorto en sus cavilaciones aquella tarde cuando entró en la librería de su amigo, que declamaba alegremente versos de la *Etiópida*. Al verlo entrar en el establecimiento, Teofrasto lo miró como si el gran Aquiles acudiese a participar de sus cantos.

—¡Oh guerrero entre guerreros! —exclamó el librero con su acostumbrada teatralidad—. ¿Acaso oíste mis versos y decidiste abandonar tu santuario en la isla de Leuce para visitarme?

Abdú no dijo nada, pues estaba habituado a las excentricidades del hombrecillo.

—Te advierto, oh vástago de la nereida Tetis, que Pentesilea, reina de las amazonas, no se halla en mi humilde morada, y te será imposible darle muerte, tal y como hiciste en Troya.

El yoruba tomó asiento con parsimonia e hizo ademán de aplaudir. Teofrasto pareció considerar sus palabras, y al momento regresó a su recitación.

—¡Oh inmortal encarnación de mi adorado Dioniso! —volvió a exclamar—. Disculpa a este viejo por su torpeza. Ante ti no es posible la justificación, pero debes comprender que estos versos me subyugan de tal modo que pierdo la noción de cuanto me rodea.

Abdú asintió e hizo un gesto con el que quitaba importancia al asunto.

—¡Se trata de la *Etiópida*! —alabó Teofrasto, sin hacer el menor caso a su amigo—. Un poema épico escrito en versos hexámetros dáctilos por el sin par Arctino de Mileto. ¿Has oído hablar de él?

El yoruba no supo si reír o levantar al hombrecillo en vilo y sentarlo para que se callase, aunque supiese de antemano que tal extremo resultaba harto improbable.

—¡Cómo! ¿No conoces a Arctino? —continuó Teofrasto como si en verdad se encontrara escandalizado.

—Nunca imaginé que alguien pudiera llegar a tener un nombre semejante —apuntó Abdú, que había decidido que lo mejor sería sonreír.

—¡Imposible! Su fama legendaria lo acompaña desde el mismo momento de su nacimiento, en tiempos de la novena Olimpiada.

El yoruba no pudo reprimir un gesto de disgusto. Sobre todo porque el librero era aficionadísimo al circunloquio y a hablar de términos que el buen Abdú ignoraba por completo.

—¡Oh, poderoso mago! —se disculpó su amigo—. No está en mi ánimo el zaherirte, pero no lo puedo remediar. Al fin y al cabo los libros son mi oficio y, en confianza, he de reconocer que ya me gustaría a mí dominar mi empleo como tú el tuyo. Soy un simple aprendiz, y tú todo un maestro.

Abdú movió la cabeza, resignado, ya que el librero solía utilizar la adulación para continuar con sus peroratas.

—De esa Olimpiada hace casi setecientos años —quiso aclarar el viejo—. Demasiado tiempo para un poeta del que solo nos quedan dos obras: la *Etiópida* y *El saqueo de Troya*. Sin embargo, fue un autor extraordinario.

—Te creo, amigo Teofrasto. Poco sé yo de tales cuestiones como para juzgarlas.

El aludido parpadeó repetidamente, como si considerara aquellas palabras.

—Bueno, se trataba de un poeta épico sin igual, aunque Fanias de Ereso aseguró que fue derrotado en un certamen poético por Lesques de Pirra. A este seguro que lo conoces.

—De toda la vida —se mofó el yoruba.

—Ya me lo imaginaba. Como seguramente sabes, escribió una obra llamada la *Pequeña Ilíada*, y creo que su padre se llamaba Esquilino.

—Y su madre se me presenta a veces durante los momentos en los que me encuentro en trance —bromeó Abdú—. Una señora de carácter difícil, por cierto.

Teofrasto lo observó, boquiabierto, cual si se hallase en presencia de una aparición. Al punto hizo un ademán de postrarse a sus pies.

—¡Oh, gran mago, perdona mi vanidad! —se disculpó el librero—. El leer con tanta asiduidad llega a confundirme. Debe de ser cosa de la edad.

El yoruba lo miró fijamente un momento, y Teofrasto se estremeció.

—Sabes que honras mi casa con tu presencia —dijo el librero, compungido—. Tú no necesitas declamar poemas para mostrar tu poder. Te seguiría allá donde me pidieses.

Abdú asintió, sin hacer caso a las zalamerías. Su amigo había conseguido que aprendiera a leer y a hablar la koiné dignamente. Sus hábitos apenas habían cambiado, y Teofrasto continuaba sacando el mayor beneficio posible de las actividades de su misterioso vecino.

—Es hora de apartar esos poemas que tanto te seducen durante un tiempo, pues los *ajogun* vagan a sus anchas y las almas corren peligro —señaló Abdú con gravedad.

El librero abrió los ojos de forma desmesurada e hizo un gesto de sobrecogido temor.

—¿Te refieres a los demonios, poderoso señor? —se atrevió apenas a preguntar.

—He de tener todo dispuesto para cuando llegue el momento.

Teofrasto dio un respingo.

—Comprende que me sobresalte con tus palabras. Al fin y al cabo, soy un pobre librero.

—Y como tal deberás comportarte —le advirtió el yoruba muy serio. El viejo pareció estremecerse—. Nuestro buen Amosis anda ciego, sordo y mudo por unos caminos que no podemos recorrer. Pero su alma es otra cosa.

Teofrasto se llevó una mano al pecho.

—Amosis —musitó—. He de confesarte que me causa un gran disgusto el hecho de recordarlo. No ha vuelto por aquí desde hace demasiado tiempo. Por lo que dicen, hizo fortuna.

—No debemos juzgar tales detalles. Hay fuerzas contra las que poco podemos hacer.

—¿Te refieres a esos *orishas* de los que me hablas en ocasiones? —quiso saber el librero, intrigado.

—¿Has oído hablar alguna vez de Eshu? —preguntó Abdú, enigmático.

—Jamás —se apresuró a contestar el hombrecillo, atemorizado.

—Eshu es el significado de todas las desgracias y penalidades que nos ocurren en nuestra vida cuando no nos hallamos en armonía con cuanto nos rodea.

—¿Es ese el *orisha* que ha conducido a Amosis lejos de aquí? —quiso saber el librero. —Abdú asintió—. Entonces es un demonio. ¿Qué va a ser del tebano?

—No se trata de ningún demonio. Es la tentación. Su principal objetivo es sembrar el caos; pero con la intención de que se consigan tomar medidas a fin de recuperar el equilibrio y la armonía.

Teofrasto puso cara de no entender nada.

—A veces es necesario recorrer el camino que conduce al infierno para poder librarse de él —explicó el yoruba.

—¿Te refieres a que se trata de un aprendizaje? ¿Una prueba que le envían los dioses?

—Algo parecido. Mas solo él puede desviarse de la senda en la que se encuentra, y para que eso ocurra deberá ser capaz de mirar en su interior.

Teofrasto se rascó su ensortijada cabellera.

—Sufrirá —vaticinó el hombre de ébano.

Al librero el tono de su amigo le erizó el vello.

—Esos *ajogun* de los que hablaste...

—Son espíritus oscuros que acompañan a nuestro amigo para causarle un gran pesar —aclaró el yoruba.

—Entonces, ¿se encuentra perdido?

—Me temo que así sea. Le espera el mundo tenebroso.

—El Hades —murmuró el hombrecillo—. Seguirá los pasos de Odiseo, su héroe. Pero... entonces está condenado.

—Su alma aún no ha sido juzgada —puntualizó Abdú.

—¡Tú tienes poder para ayudarle, gran mago! —exclamó Teofrasto, que no escondía el miedo que le producía todo aquello.

—Los dos le ayudaremos, querido amigo. ¿Has oído hablar de la espada de Dárdano?

El librero se quedó lívido.

—¿Te refieres al hechizo? —El yoruba asintió—. Conozco la historia. Aseguran que Demócrito encontró en la sepultura de Dárdano los papiros mágicos escritos por este. Claro que la leyenda está envuelta en curiosas singularidades, ya que la figura de Dárdano se pierde dentro de la propia mitología por mucho que fundara la futura Troya, a la que llamó Dardania.

Abdú lo observó en silencio, y Teofrasto se sobresaltó.

—¿Crees que existen tales papiros? —preguntó el hombrecillo.

—Tú deberías saberlo mejor que nadie.

El librero se acarició la barba.

—Bueno, si hubo un buen viajero en su época, ese fue Demócrito. Que yo sepa, visitó Etiopía, Persia, Babilonia, Mesopotamia y Egipto. Dicen que estudió con los magos caldeos que acompañaban a Jerjes —precisó el buen hombre tras hacer memoria.

—Esta es la tierra de la magia —dijo Abdú—. Muchos pueblos la copiaron para hacerla suya, pero nunca podrán igualarla. Esos papiros existen, y para ayudar a Amosis deberás encontrarlos.

45

Eleazar paseaba por el barrio como solía hacer cada mañana, con el espíritu sereno y la tranquilidad propia de aquel a quien poco le resta por hacer. La mañana resultaba pródiga, hermosa donde las hubiera, y a cada paso el levita daba gracias al Señor por su generosidad al tiempo que se lamentaba de la insensatez humana. Cuando esta hacía acto de presencia para apoderarse de los corazones todo podía suceder, y el individuo más probo era capaz de transformarse en el más abyecto, y su moral desaparecer convertida en parte de un soplo. Eleazar conocía todo eso, y mientras paseaba pensó en las lecciones que la vida le daba a diario y en el hecho de que el único refugio posible para la naturaleza humana estuviera en Dios. Ahí radicaba el problema de todos aquellos paganos que porfiaban en vivir su existencia ajenos a los preceptos del Señor, perdidos en la vorágine de sus pecados.

A su paso los vecinos lo saludaban, y el hebreo se detenía a veces para interesarse por los detalles más peregrinos; siempre dispuesto a ayudar a quien se lo demandara. Sin duda que Eleazar había cambiado, y poco quedaba en él del joven presuntuoso que fuera un día o de la vanidad que le reconcomiera. Su ego había sido satisfecho hacía ya mucho tiempo, y sus ambiciones alimentadas con mayor generosidad de la que convenía. Era lo usual, por otro lado, en un joven dispuesto a devorar los caminos que el Señor tuviera a bien mostrarle; sin embargo, Yahvé siempre estuvo presto a alumbrar su razón cuando fue necesario y el judío mantuvo su fe incólume, como había aprendido de sus ancestros.

A su avanzada edad, Eleazar estaba dispuesto a considerar aspectos que años atrás hubiera pasado por alto. Este particular lo llevaba a mostrarse cercano a los demás y hasta a lamentarse por las equivocaciones ajenas. Aquella precisa mañana el levita se sentía como el buen samaritano, y quizá fuese la misericordia la que lo llevase a pensar en Amosis mientras repartía saludos por doquier.

Eleazar se encontraba al tanto de las andanzas de su peculiar socio, desde sus últimas empresas hasta los oscuros derroteros por los que deambulaba. Como es fácil de entender, el hebreo había visto de casi todo en la vida y nunca se había sentido proclive a inmiscuirse en la existencia ajena, mucho menos si se trataba de un pagano. Sin embargo, en la persona del joven egipcio confluían determinados aspectos que habían llevado al viejo banquero a sentir inclinación por él. Sin lugar a dudas, aquel tebano poseía un don; una gracia otorgada desde lo alto que lo llevaba a sobresalir de entre los demás de manera notoria. Si en su infinita sabiduría el Señor lo había dotado de semejante facultad, Eleazar no era quién para discutirla y sí para alabarla como correspondía. Amosis había nacido para hacer negocios, para alcanzar la fortuna, para conquistar el mundo.

Precisamente este último detalle había sido el vehículo elegido por el príncipe de las tinieblas para asaltar su alma. Era lo natural desde que el hombre tuviera memoria, y nadie como el maligno a la hora de utilizar las debilidades de quienes han sido elegidos. El hebreo lo había visto tantas veces que ya no le extrañaba que la historia volviera a repetirse, aunque no por ello dejara de lamentarse. Amosis poseía una espiritualidad que el viejo había percibido con claridad desde el primer momento. El joven tenía buen corazón, y aquel detalle le había hecho inclinarse hacia su persona, a mostrarle lo que se escondía detrás del dinero; su verdadero valor y también cómo manejarlo.

El tebano se había revelado como un buen socio, y con ello había hecho ganar una suma considerable al judío; mas aquella ambición que el egipcio mostrara desde el primer momento había terminado por convertirse en un monstruo en el que Eleazar había pensado mucho durante los últimos meses. La sombra de Satán acompañaba al joven desde hacía demasiado y en ocasiones, al rezar por las noches, el levita había invocado a Dios a través del *Hashkiveinu* para que ayudase al egipcio, para que alejara al diablo de su compañía, para que lo cubriera con la protección de sus alas. Mas por alguna razón el Señor había determinado no escuchar sus plegarias, y Amosis se precipitaba a un abismo en el que solo encontraría oscuridad.

El levita conocía los detalles de los negocios que el tebano tenía con los trapezitas. Estos representaban todo lo que el hebreo abominaba, pues eran impíos e inmorales, aficionados al lujo, al exceso y al pecado nefando; aquellos sodomitas eran una afrenta a Dios.

Al judío le parecía bien que cada cual se dedicara a sus asuntos como mejor le pareciese. El negocio era el negocio. Pero tampoco ocultaba sus críticas a quienes se embarcaban en empresas que iban contra la ley de Dios. Cuando supo que Amosis se dedicaba al transporte de armas, Eleazar se disgustó sobremanera. Para un hombre como él, la guerra representaba la culminación de la barbarie, el triunfo de Satán, la oscuridad más absoluta. Él había huido de aquel negocio durante toda su vida, ya que las ganancias que reportaba estaban malditas. Sin embargo, y para su decepción, el tebano no era de su misma opinión, y no había tenido reparos en comerciar con la muerte si con ello se enriquecía.

El levita se detuvo un instante para recibir los rayos del sol sobre su rostro y suspiró con pesar, apenado por cómo se habían desarrollado los acontecimientos. Lo malo era que aquello solo había sido el principio, pues Amosis no tuvo el más mínimo escrúpulo en perpetrar el peor pecado que Eleazar pudiese imaginar: comerciar con sus semejantes.

Si había algo que pudiese horrorizar al buen levita, era el tráfico de esclavos. En un mundo en el que semejante actividad formaba parte de lo cotidiano y muchos de sus hermanos participaban de ella, Eleazar se rebelaba contra esa práctica sin poder evitarlo, aunque supiera que él mismo no era más que una isla en medio del océano. La sociedad judía permitía la esclavitud, aunque no se consintiera un dominio total sobre el ser humano. Los esclavos estaban más próximos a la servidumbre, y llegaban a formar parte del hogar. Existían normas que regían el trato que recibían los esclavos, a quienes diferenciaban en dos grupos: los que eran hebreos y los que no. A estos últimos los llamaban cananeos, y estaban sujetos a leyes más duras.

Entre la comunidad judía existían mercaderes que se dedicaban tanto al tráfico de armas como al de esclavos, y Eleazar odiaba ambos, quizá porque era descendiente de la línea de Leví y su verdadera misión hubiera debido ser la de consagrarse por entero al servicio de Dios, y no poseer tierra ni heredad; o puede que los años hubiesen forjado en él un corazón bondadoso que lo invitaba a compadecerse del sufrimiento ajeno.

El hebreo se volvió a detener, como le gustaba hacer mientras paseaba, y movió la cabeza, apesadumbrado. En el fondo no era más que un hipócrita redomado, ya que él mismo tenía esclavos, por mucho que se empeñara en llamarlos siervos y los tratase con miramientos. El viejo se defendía ante su conciencia aduciendo que algunos se habían presentado libremente en su casa para ofrecerse, al hallarse en un estado de la mayor pobreza, y otros dispuestos a condonar alguna deuda pendiente.

Seguramente tales detalles influyesen en su ánimo y le hiciesen sentir vergüenza, mas lo cierto era que Eleazar consideraba aquel negocio ignominioso, y se sentía dichoso de no haber participado nunca en él. Durante su caminata matinal, el levita se dijo que por Amosis poco podía hacer. Por si no fuesen suficientes las malas compañías que frecuentaba, al joven se le había unido la gran ramera, dispuesta a dar fin a lo poco que pudiese quedar de bueno en el tebano. Aquella figura era vieja como el mundo y se presentaba una y otra vez a través de los siglos, dispuesta a hacer patente lo frágiles que podían llegar a ser las voluntades. Aquella mujer con la que andaba el egipcio estaba decidida a devorar su corazón, y había llegado el momento de que el hebreo se protegiera de ello.

Este era uno de los aspectos que más preocupaban a Eleazar, y que debía atender de inmediato. Sus intereses con Amosis tocaban a su fin, y era preciso dar por terminada su relación comercial. Existía un peligro cierto en ella, y el levita presentía que, de no hacerlo, él mismo podía llegar a verse arrastrado al infortunio. Pensó largamente sobre ello y, justo al terminar su caminata, su natural astucia le hizo ver que quizá el propio egipcio se presentara para solucionarle el problema. Los miles de tetradracmas depositados por Amosis no permanecerían demasiado tiempo en su banco. Entonces comprendió la magnitud de lo que se avecinaba.

46

Los meses de ausencia habían llevado a Amosis al paroxismo. Su ansiedad lo consumía de tal modo que el mero hecho de cruzar la bahía del Gran Puerto de Alejandría le resultó tan largo como su viaje de vuelta. En realidad no había pasado día sin que el joven se acordase de su amada, ni noche en la que no deseara entregarse a ella, a sus caricias, a su voluntad. Su imagen se le había presentado una y otra vez durante la travesía, como si en verdad lo persiguiera en su singladura a bordo de su propio navío; aquel en el que solo los dioses tenían cabida. En no pocas ocasiones Odiseo había desaparecido de aquel mar que hechizaba al tebano para dar paso a Euterpe, la musa a la que amaba y sin la cual su vida se le antojaba imposible de concebir. En las noches sin luna, bajo un cielo embriagador salpicado de luceros, Amosis era capaz de vislumbrar sus ojos; aquellos que lo habían embaucado desde el primer momento y que le indicaban el camino de vuelta, donde ella lo esperaba como si se tratase de la inmortal Penélope.

Según se aproximaban a Alejandría aquella mirada se hizo más patente, y al cabo su rostro comenzó a presentarse para esbozar aquella sonrisa tan suya que embrujaba al egipcio sin remisión y ante la que sucumbía. La vista del faro hizo que Amosis sintiera una desazón en el estómago, y cuando la embarcación atravesó la Boca del Toro para entrar en el puerto, sus pulsos se desbocaron y la excitación se le hizo insoportable, cual si un fuego lo consumiera por dentro.

Al poco los muelles le dieron la bienvenida, pero el tebano apenas reparó en ellos. Sus pensamientos se hallaban en otra parte, y en su corazón no había lugar más que para la diosa que lo aguardaba en el Bruchión. El joven apenas tuvo tiempo de saludar forzadamente a quienes se encontraban en su oficina; Euterpe lo esperaba, y esto era cuanto le importaba después de todo aquel tiempo de ausencia. Ya en la vereda que conducía hacia la casa, el egipcio se desprendió de la poca razón que pudiera quedarle para arrojarse a los brazos de su dueña. En eso se había convertido Amosis hacía ya mucho tiempo, en un siervo a quien no importaba entregarse para satisfacer a la musa. Era incapaz de ver otra cosa que no fuera su rostro en cada jardín, en cada fuente, en cada recodo; y al distinguir por fin el misterioso palacete recortado entre los flamboyanes, Amosis experimentó de nuevo aquella sensación en el estómago que porfiaba en aferrarse con garras de fiera y una extraña sequedad en su boca, como si se hubiera visto obligado a cruzar todos los desiertos de Egipto para llegar hasta allí. Euterpe...

La sola mención de su nombre fue suficiente para que completara los últimos pasos hasta la villa envuelto en el ensueño. Todo resultaba tan irreal como el mundo que él mismo había elegido para vivir. La mansión se encontraba arropada por la soledad, como de costumbre, y el silencio continuaba gobernando el lugar con mano de hierro. En el suelo, las lamparillas alumbraban con timidez el camino, y los peldaños que conducían hasta el altar de la diosa permanecían como el tebano los recordaba, cual si el tiempo se hubiese detenido durante los meses de ausencia. Todo resultaba igual que siempre, y al subir el último escalón que daba a la sala de exquisita opulencia, Amosis se encontró con su sueño, aquel que no lo había abandonado ni un solo día, que lo aguardaba donde acostumbraba; apoyada en la balaustrada, envuelta en su magia. Al verla, el joven perdió la noción de sí mismo, pues él apenas contaba. Tan solo pudo correr, con la pasión encendida, para arrojarse a sus brazos con la desesperación del náufrago.

El elixir que destilaba Euterpe lo embriagó una vez más para conducirlo a lomos de caballos desbocados en su alocada carrera. Esta no acababa nunca, y Amosis volvió a experimentar las sensaciones que lo habían llevado hasta aquel estado. Era un poder al que se había entregado hacía ya demasiado, y sin el cual se le hacía imposible vivir. Su esclavitud era toda una ventura, un privilegio al que nunca renunciaría, una droga para su alma perdida entre las voluntades ajenas. Él condujo la cuadriga de sus deseos hasta quedar extenuado, sin apenas aire con el que alimentar su pecho. Mas nunca era suficiente. Sin poder remediarlo, su ansia no quedaba colmada, y un sufrimiento atroz se apoderaba de su corazón para convertirlo en un ser servil donde los hubiera, capaz de cualquier cosa con tal de conseguir una nueva caricia de su amada.

Sin embargo, aquella noche Euterpe se mostró generosa con su esclavo, hasta llegar a colmarlo con cuanto este deseaba. Ella conducía sus pasos, y a la mañana siguiente despertó a su lado por primera vez para alimentar aquel apetito insaciable que tanto hacía disfrutar a la diosa. Luego lo miró largamente, para sumergirse en su interior en busca de aquella alma que deseaba poseer. Amosis era un hombre sin voluntad, un cautivo de las pasiones que ella misma se había encargado de inocular; una marioneta cuyos hilos nunca dejaría de mover. Pero la musa quería más. Por primera vez en su vida, Euterpe estaba convencida de poder atesorar el *ba* de un hombre, lo más sagrado de aquellos seres viles a quienes detestaba, y no cejaría en su empeño, pues el fin se hallaba cerca.

Con gran habilidad, la joven anduvo halagándolo toda la mañana, hasta que Amosis hizo ademán de despedirse.

—¿Apenas has llegado a mi casa y ya piensas en marcharte? —se quejó ella, mimosa—. Tu amor no es verdadero.

El tebano la miró, sorprendido.

—¿Cómo puedes decir tal cosa? Eres alimento para mi corazón. Sin ti hasta me falta el aire —se defendió él.

—Ya he escuchado antes esas palabras. ¿Cómo sé que no soy una simple diversión para ti? ¿Un entretenimiento del que pronto te cansarás?

—Sabes muy bien que mi amor por ti hace mucho que se convirtió en delirio.

—Palabras. Si es como aseguras, quédate hoy conmigo.

El egipcio se revolvió, incómodo.

—Hoy se espera la llegada de los esclavos y he de estar presente. Son muchos los intereses que hay en juego.

Euterpe rio con suavidad, y Amosis la observó hechizado.

—Olvidaba que te has convertido en una celebridad. Muchos aseguran que no existe en la ciudad un comerciante que se te pueda comparar y que tu fortuna es incalculable.

—Habladurías, que en todo caso poco tienen que preocuparte.

—¿Ah, no? —inquirió ella muy digna—. Alejandría se encuentra a tus pies. ¿Cómo sé que no me dejarás por otra mujer? Las más hermosas se acercarán a ti en busca de tu gloria. ¿Qué será de mí entonces? Acabaré con el corazón destrozado.

—No digas eso, amor mío —se apresuró a indicar él—. Mi vida gira en torno a tu persona. Tú misma me advertiste de lo que esperabas de mí, y cómo sería la relación que deseabas.

—No contaba con la profundidad de mis sentimientos hacia ti —señaló ella en tanto las lágrimas afloraban a sus ojos—. Sin ti moriría.

Amosis se sintió arrebatado.

—Oh, amor mío, nunca me separaré de ti. Te haré mi esposa si así lo deseas, te daré cuanto quieras con tal de que seas feliz. Pero no llores, o me romperás el corazón.

Entonces Euterpe se le abrazó al cuello y comenzó a susurrarle palabras de amor. El tebano creyó enloquecer.

—Tengo miedo de perderte, de que tu amor no sea verdadero —le confió ella.

—Yo te demostraré que tu temor es infundado. Estaré a tu lado cada día, todas las noches, para servirte como te mereces.

Ella le sonrió y simuló sentirse halagada.

—Sabes que no te pedí que vinieras a mí, mas ahora... ¿qué prueba de amor podrías ofrecerme?

—Pídeme cuanto desees, lo mío será tuyo. No habrá nada que te pueda negar.

Euterpe pareció considerar aquellas palabras con un gesto de zozobra, como si se sintiera insegura.

—Quiero permanecer a tu lado como si fuese tu reina —murmuró ella con timidez—. Como haría la mismísima Cleopatra Trifena. Tú serías mi Ptolomeo, el hombre más poderoso de Egipto.

—Si lo deseas, pondré el mundo a tus pies. Te cubriré de oro, y Alejandría palidecerá ante tu resplandor —le aseguró enardecido.

—Durante todos estos meses en los que has estado ausente, no había noche que no soñara contigo. Imaginaba que tu amor era para siempre, y me sentía protegida a tu lado, colmada de dicha.

—Todo ocurrirá como en tus sueños, amor mío; te lo prometo.

—Oh, Amosis —suspiró ella abrazándolo de nuevo—. Cómo desearía que todo fuese como me aseguras.

Ambos amantes juntaron sus labios para besarse largamente.

—Quiero que todos conozcan tu poder —dijo ella al desprenderse del abrazo, en tanto lo miraba a los ojos—. Que ocupes el lugar que te corresponde para que me ilumines con tu luz.

El tebano parpadeó, sin comprender.

—Tú estás por encima de todos esos trapezitas con los que tratas. Ergino y sus insufribles amigos palidecen ante ti. Es el momento de que todos sepan quién eres en realidad. Hasta los reyes se postrarán ante ti.

—¿Qué quieres decir?

—Hace mucho que sé que los dioses te han elegido para llegar a lo más alto —aseguró la joven—, y no debemos enojarlos. Ellos esperan que utilices los dones que te han regalado.

—¿A qué te refieres? —preguntó él, intrigado.

—Conviértete en banquero. —Amosis esbozó una sonrisa—. No me refiero al hecho de prestar dinero, como ya haces —se apresuró a continuar ella—, sino a llegar a tener un día tu propio banco. A ser respetado por el mismísimo faraón. Si te lo propones, algún día serías el banquero de Alejandría.

Amosis se quedó estupefacto, y al ver la mirada que le transmitía su amada se sintió poseído por un ardor difícil de imaginar que removió en su interior hasta la última de sus ambiciones.

—Nadie mejor que tú sabe cómo multiplicar los dracmas. Debes seguir el camino que ha sido trazado para ti. Yo te acompañaré, si así me lo pides.

El egipcio se halló de repente en lo más profundo de un hechizo colosal. La magia de Euterpe lo aplastaba como si se tratara de uno de aquellos gigantescos obeliscos que erigieran los antiguos dioses que gobernaron en Kemet. Su sortilegio había vislumbrado todas y cada una de sus ambiciones para hacerlas despertar al unísono, como nunca antes había experimentado el joven. Era una sensación inaudita, pletórica de poder, que lo entregaba sin remisión en brazos de la codicia más absoluta. Euterpe lo captó al instante, y notó cómo una oleada de satisfacción la invadía por completo.

—El banquero de Alejandría... —murmuró el tebano.

—Así te recordarán los tiempos —apuntó ella—. De este modo yo podría convertirme en tu reina, tal y como te dije antes. ¿Qué mayor prueba de amor hacia mí que esa? Entonces te creería.

—Me convertiré en banquero o en príncipe si tú me lo pides —señaló el joven, enardecido.

La musa lanzó una de sus acostumbradas carcajadas cantarinas, que tanto embrujaban al tebano.

—Si me demuestras cuanto me has prometido, quizá consienta en convertirme en tu esposa.

Amosis volvió a sentir cómo su razón se nublaba, incapaz de ir más allá de Euterpe y de todo lo que esta significaba. No existía más voluntad que la de la diosa.

—¿Acaso olvidas que me convertí en tu esclavo? —le recordó el egipcio sin dejar de mirarla a los ojos—. Te serviré bien.

47

Todo ocurrió como Eleazar había predicho, para gran disgusto del levita. Una mañana Amosis se presentó para dar por finalizada su sociedad, sin que fuesen necesarias demasiadas explicaciones. El joven apenas era capaz de sostenerle la mirada, y el hebreo se entristeció al comprobar la fragilidad del alma humana. Aquello no era nada nuevo para él, pero el hecho de que los siglos no enseñaran al hombre a guardarse de sus debilidades lo llevaba a pensar en el poder de Satán, cuya sombra veía por todas partes desde hacía tiempo.

Cuando se despidió del tebano, Eleazar tuvo la impresión de que el egipcio padecía un gran sufrimiento, aunque no pareciese ser consciente de ello. El camino que tomaba Amosis el judío lo conocía de sobra, y sabía muy bien adónde lo conduciría. El joven era carne de trapezita griego, y al comprobar la altivez que le demostró en su despedida, Eleazar se dijo que el Señor debía de tener su mano tras las desgracias que se avecinaban, aunque el tebano fuese un redomado pagano.

Durante un rato, el levita observó alejarse a Amosis, pensativo, sin poder evitar lamentarse. Los negocios con su socio le habían resultado provechosos, y eso era cuanto debía importarle a partir de aquel momento. La vida le había vuelto a enseñar algo valioso: las personas cambian con facilidad cuando olvidan sus creencias. Al menos eso era lo que opinaba él, que las mantenía incólumes y más arraigadas cada día, gracias a Dios.

Eleazar suspiró con pesar. Amosis tenía el corazón negro como la pez, y la ponzoña acabaría por devorarlo si el Señor no ponía remedio. Todo en el joven le resultaba oscuro.

Para el egipcio, la situación era bien diferente. Se sentía liviano aquel día, como si se hubiese liberado de un peso que le impidiera avanzar como correspondía. Libre de él, ya nada obstaculizaría sus propósitos, y ello le hizo experimentar un bienestar al que se abandonó mientras se alejaba del barrio judío. Eleazar formaba parte del pasado, y por lo que al tebano concernía, ambos habían obtenido buenos beneficios de su alianza. Todo se reducía a eso; así eran los negocios para el joven. El judío ya no le resultaba útil, y la empresa que lo aguardaba necesitaba de una ambición que el hebreo no poseía.

Euterpe le había abierto los ojos, y ella estaba en lo cierto, como siempre que le aconsejaba; o al menos eso era lo que él pensaba.

Por eso, cuando el joven se presentó en la villa de Ergino aquella tarde, lo hizo con el convencimiento de que para él comenzaba una nueva era; que había un antes y un después de aquella jornada; que su vida tomaba un sesgo insospechado que, estaba convencido, lo llevaría a convertirse en un hombre poderoso del que hablarían las generaciones futuras. El banquero de Alejandría.

Justo era reconocer que semejante título había terminado por hacerse cargo del resto de sus ambiciones. Había verdadero poder en él, y Amosis se sentía tan subyugado ante aquella posibilidad que, cuando entró en casa del trapezita, no pudo evitar experimentar emociones que le resultaban nuevas. El tebano tuvo la impresión de que su valía se hallaba muy por encima de la que presentaban sus socios; que estos, a su vez, pronto se quedarían por detrás de sus expectativas, que el mundo le pertenecería por completo.

Sin embargo, Amosis había decidido seguir los consejos de Ergino y fortalecer los lazos de intereses que mantenían. Para ello el tebano depositaría su fortuna en el mismo banco que regentaban sus socios, quienes le habían prometido absoluta libertad para negociar como mejor le conviniera.

—Hoy has hecho que nuestra sociedad sea aún más fuerte. Solo el Tesoro Real puede presumir de poseer un valor superior al nuestro. Juntos formamos una empresa formidable, y todo el Mediterráneo se postrará a nuestros pies para poder hacer negocios con nosotros. ¡Brindemos por Amosis! —exclamó el griego sin poder contener su euforia—. Desde hoy, es miembro de nuestra hermandad.

Todos bebieron, aunque el agasajado supiese que aquella representación solo era humo. Ahora se veía con ánimos de emprender cuanto le propusieran, y también con la certeza de que podría engañarlos a todos cuando se le antojara. Quienesquiera que fuesen los dioses, estos lo iluminaban, y eso era cuanto importaba. Pero aquella luz a la que el joven se refería solo existía en el interior del sueño en el que se encontraba. Los divinos padres no son proclives a favorecer las ambiciones devoradoras, y sí a confundir al incauto que se cree capaz de igualárseles. Amosis era un necio si creía poder burlarse de ellos, pues su juicio ya se había celebrado y el veredicto era firme.

Ergino lo observaba con mirada de lobo por encima de la copa que se llevaba a los labios. Él era un elegido de las tinieblas, y por ellas deambulaba sin ninguna dificultad. Su facilidad para la intriga era proverbial, y poseía una habilidad innata a la hora de cerrar las trampas que él mismo preparaba de antemano de la cual se ufanaba públicamente a la primera oportunidad. Olía la sangre de sus víctimas a estadios de distancia, y sentía verdadero placer al ejecutar sus planes. Ergino no tenía amigos, algo de lo que él mismo presumía.

Aquella tarde lo acompañaban sus inseparables colegas, todos pertenecientes a la misma manada. Sus miradas nada tenían que envidiar a la de Ergino, y si hubiesen podido, hacía ya tiempo que habrían acabado con él sin contemplaciones. Sin embargo, a todos les había ido bien juntos, y ese detalle era suficiente para mantener su fingida amistad ya que lo que importaba era el dinero, así como acaparar todo el poder que este pudiese proporcionarles. Todos se encontraban particularmente dichosos aquel día, y tanto Erecteo como Creón tuvieron que aceptar la maestría con la que Ergino había llevado aquel asunto.

—He de reconocer, buen Amosis, que tu amistad ha significado todo un hallazgo para nosotros. Nos sentimos afortunados al participar contigo en los negocios. Este paso que has decidido dar junto a nosotros nos convierte en los banqueros más importantes de Alejandría, lo cual redundará en todas las empresas que consideremos emprender. Si nos lo propusiéramos, podríamos monopolizar el Egeo con alguna de nuestras mercancías —señaló Ergino—. Algo que se me antoja encomiable, ja, ja.

—Ergino tiene razón —intervino Erecteo—. Las armas nos han proporcionado unas ganancias superiores a las que pensábamos, y en cuanto a los esclavos...

—¡Ja, ja! —rio Creón—. No hay nada mejor que ser acreedor de quien no puede pagarte y posee algo en lo que estés interesado. Los esclavos representan un negocio inagotable al que pienso dedicarme mientras viva.

—¿Sabéis cuántos fueron vendidos en Roma el año pasado? —preguntó Erecteo—. ¡Cerca de medio millón! Una cifra asombrosa. Ya sé que muchos de ellos procedían de las conquistas romanas, pero lo cierto es que hay un mercado para todos. El mar que baña nuestras costas es una bendición para los pueblos que se asoman a él.

Amosis bajó la cabeza, incómodo, pues aquel tema le desagradaba sobremanera. Ergino se percató al instante.

—Bueno, queridos amigos, dejemos la cuestión de la miseria humana para pasar a otra que creo que nos interesará —apuntó el anfitrión—. Como bien sabéis, los dracmas llaman a los dracmas, y hay todo un océano repleto de monedas esperándonos ahí fuera.

—Te veo dispuesto a sorprendernos una vez más, buen Ergino —se burló Creón—. ¿En qué has pensado ahora?

El aludido hizo como que no había escuchado las palabras de su colega y adoptó un gesto de afectación.

—Necesitaremos tus barcos, buen Amosis, como de costumbre, y también el uso de fondos comunes. Todos debemos participar en esta empresa a partes iguales, ya que la ganancia será cuantiosa.

—Supongo que estarás dispuesto a hacernos también cómplices de los detalles, ¿verdad? —se mofó Creón.

—A su debido tiempo, amigo mío, aunque he de reconocer que tus juicios siempre me resultan encomiables.

Todos rieron la ocurrencia, y Ergino continuó:

—Como os adelanté, la inversión será cuantiosa, pero es seguro que triplicaremos nuestros beneficios sin ninguna dificultad. Comerciaremos desde el Ponto Euxino hasta la lejana Hispania, y para controlar de forma apropiada el mercado agilizaremos nuestras redes comerciales y el uso de nuestros fondos siempre que sea necesario —apuntó Ergino.

—Me parece muy apropiado —intervino Erecteo.

Todos parecieron estar de acuerdo y brindaron por las nuevas expectativas que proporcionaría la unión de sus fortunas.

—Para comenzar con los mejores augurios —prosiguió Ergino—, había considerado un asunto que ocupa mis pensamientos desde hace tiempo y por el que siento debilidad. Un negocio que estaría a nuestra altura, ja, ja.

Como de costumbre, Creón frunció el ceño y Erecteo enarcó una de sus cejas, ladino.

—Seguro que ya has pensado en los tetradracmas que debemos aportar. ¿Me equivoco, querido colega? —inquirió Erecteo.

—Pocas veces te equivocas, amigo mío —dijo Ergino en tanto esbozaba una sonrisa—. Pero eso no debe preocuparte. Lo importante es la mercadería con la que comerciaremos. No existe ninguna otra que se le pueda comparar. Solo los dioses pueden permitírsela.

Todos se miraron durante unos instantes, y Amosis asintió.

—Oro —dijo el joven en voz baja.

—¿Nos propones que mercadeemos con oro? —intervino Creón.

—No se me ocurre nada que se le pueda parecer —indicó Ergino sin inmutarse.

—Pero... el comercio de oro está prohibido en Egipto —señaló Amosis—. El Estado mantiene su monopolio y las minas del país de Kush son explotadas por el faraón.

—Por eso triplicaremos los beneficios —apuntó Ergino, como si no hubiera nada que temer.

—¿Pretendes que terminemos todos amarrados al banco de un trirreme? —se burló Creón.

—Encomiables palabras, como siempre, buen Creón. Aunque no te imagino bogando durante mucho tiempo, ¡ja, ja! —rio el anfitrión—. Conocéis de sobra lo escrupuloso que soy con los asuntos que puedan resultar delicados. No habría ninguna posibilidad de que te condenaran a remar durante el resto de tus días, Creón. La misma oficina del Tesoro sería la encargada de comprarnos el oro, y a buen precio.

Erecteo y Creón se miraron, escandalizados.

—Reconozco que esta vez se me hace difícil creerte —dijo el primero.

—Ya lo supongo. Pero permitidme que os recuerde algún detalle. El Basilicón se halla próximo a la bancarrota. Auletes tiene poco margen de maniobra. Volverá a subir los impuestos, como bien sabéis, y con seguridad devaluará la moneda. Pero acabará por pedir prestado a los bancos privados; tan cierto como que hoy nos encontramos aquí.

—Ya conocemos todo eso —indicó Erecteo con desgana—. Pero, aun así, comerciar con oro no deja de ser un riesgo, y ya sabes lo reacio que soy a correrlos.

—La seguridad de la empresa será garantizada por la propia oficina del Tesoro, como ya os he adelantado. Estarían dispuestos a respetar el cambio actual de un dieciseisavo.

Creón puso cara de asombro.

—¿Pretendes que crea que Auletes nos dará dieciséis partes de plata por cada una de oro? —inquirió Creón.

—Es lo que marca la ley —le contestó Ergino.

—¿De dónde piensas obtener el oro? —preguntó de repente Amosis.

Su anfitrión lo miró con astucia durante unos instantes.

—Del Ponto. —Sus colegas hicieron un gesto de extrañeza—. Mitrídates nos lo proporcionará —aclaró Ergino.

—¿Te refieres al rey del Ponto? ¿Y cómo le pagaremos? —preguntó Creón con incredulidad.

—Con armas —contestó Amosis, que había permanecido en silencio desde hacía rato.

—Así es, amigo mío —lo felicitó Ergino—. Sus guerras contra Roma son interminables, y os aseguro que ahora anda necesitado de armas. Él será quien nos lo facilite; oro de Armenia, de las lejanas tierras que se extienden al norte del reino del Bósforo. Licinio Lúculo lo acosa sin cesar, y mi acuerdo con Mitrídates ya está cerrado.

Sus invitados lo observaron boquiabiertos, sobre todo por el hecho de que su anfitrión hubiera estado negociando con el rey del Ponto sin que se enteraran; pero así era Ergino.

—Poco lugar queda para las objeciones —apuntó Erecteo, mordaz.

—Ja, ja. Sabía que os gustaría mi proposición; no en vano sois inteligentes —señaló Ergino.

—Traficar con armas con un enemigo de Roma no es cualquier cosa —dijo Amosis con gesto serio.

—Es el riesgo que deberemos correr. Además, ya le hemos vendido armas con anterioridad —apuntó Ergino.

—¿Y qué ocurrirá cuando los barcos atraquen en los muelles tras su regreso? —se interesó Creón—. En mi opinión, ese es el mayor riesgo que asumimos.

Ergino lo miró con condescendencia, como le gustaba hacer a menudo con su colega, y acto seguido le hizo una señal a uno de los esclavos. Al punto, un hombre de aspecto grave, vestido de un blanco inmaculado, entró en la habitación. Ergino sonrió satisfecho.

—Os presento a Pelias —dijo el banquero—, epístato de la oficina del Tesoro; él nos hablará de los detalles.

Los invitados observaron a aquel individuo, envarado donde los hubiese y seco como un sarmiento. El epístato, que parecía disfrutar con la impresión que les causaba, les dirigió una de sus habituales miradas, siempre por encima del bien y del mal. Ergino sonrió complacido.

—En lo sucesivo, Pelias formará parte de nuestros intereses, si os parece bien. No hay nada más provechoso para una empresa que disfrutar del privilegio de un buen epístato —señaló el anfitrión.

Los allí presentes dieron su conformidad, por razones obvias.

—¡Encomiable! —alabó Ergino al tiempo que se palmeaba los muslos—. Convendréis conmigo en que esto merece una celebración, y no se me ocurre nada mejor que el vino de Quíos para agasajarnos como corresponde. Esta será nuestra primera empresa. Me parece que doscientas toneladas de tan preciado néctar sería una cantidad adecuada; con uno de tus mercantes nos bastará para esta ocasión, buen Amosis.

—¡Encomiable!, como acostumbras a decir, amigo mío —intervino Creón, que por una vez parecía estar de acuerdo con su colega.

Erecteo rio con suavidad mientras Pelias mantenía su habitual gesto adusto.

—De este modo, el buen epístato podría disfrutar de un elixir digno de los dioses olímpicos; como prueba de nuestro reconocimiento, desviaríamos cuantas ánforas necesitase para su solaz —se atrevió a decir Ergino.

—Es lo adecuado —afirmó Erecteo—. Todos tenemos en gran estima a Pelias.

Otra vez alzaron sus copas para brindar en franca camaradería. El futuro de cuantos allí se encontraban estaba trazado y brindaron por Tiqué, la diosa que les procuraría la fortuna y a la cual honrarían con aquella partida de vino de Quíos con el que sellarían su pacto. Amosis se encargaría de transportarlo; luego emprendería el nuevo camino que aquella tarde había sido planeado por Ergino, a la conquista del metal de los dioses. El brillo del oro se abría paso en su horizonte, y no existía nada que pudiese evitar que partiera en su busca.

Aquella noche, el joven corrió a refugiarse entre los brazos de su musa en busca de algo que resultaba imposible de encontrar. Ella lo llenó de caricias y encendió su deseo con la habilidad acostumbrada. El frenesí se desbocó, indómito, para acabar por procurarle al joven aquella sensación de ansia insatisfecha que siempre le quedaba después de sus encuentros con Euterpe. Sin embargo, más allá de los goces que ella le proporcionaba nada existía. El vacío más absoluto se presentaba ante el tebano mientras, tendido sobre el lecho, jadeaba para buscar un poco de aire que llevar a sus pulmones. Este era el amor que le daba Euterpe, el único posible que ella podía ofrecer, surgido de una diosa que había nacido sin corazón. En su ceguera Amosis sufría por ello, pero nada podía hacer ante el poder de aquella hermosa hechicera. Ella gobernaba su voluntad desde hacía demasiado.

48

En la penumbra de su cuarto, Abdú perdía la mirada por entre los viejos manuscritos. La magia había trazado sus signos en ellos con los cálamos del misterio y la seguridad de que solo unos pocos serían capaces de entenderlos. Con el correr de los siglos se convertirían en enigmáticos, y los milenios les harían participar de la leyenda que se forjaría a su alrededor. Llegarían tiempos en los que el misticismo surgido del conocimiento hermético no tendría cabida en la vida de los hombres; en los que estos no necesitarían de los dioses para trazar sus caminos, aunque fuesen errabundos. Daba igual, el mundo se tornaría espectral; un lugar en el que solo regirían los intereses humanos, capaces de adorar lo peor de su naturaleza. Lo divino no tendría cabida, pues el conocimiento llegaría a juzgarlo con el poder de su propia intransigencia. No habría lugar para el espíritu, y la sola mención de su nombre provocaría sonrisas, miradas jocosas; el desprecio del falso sabio.

Los dioses observarían con espanto el epílogo de su creación, de sus enseñanzas más profundas, de aquello que el hombre había terminado por desdeñar. Todo se habría perdido, y solo los vestigios de los ruinosos templos traerían recuerdos de otras épocas. Sin embargo, todo estaba escrito; olvidado entre las telarañas tejidas por los milenios y la suficiencia humana. Esta pugnaría por gobernarlo todo sin desprenderse de la barbarie, pues renegaría del conocimiento surgido del alma, de la esencia del individuo.

Como cavilaba Abdú, quizá en los tiempos venideros existirían hombres capaces de comprender lo que se escondía más allá de la razón, en las cavernas de lo que parecía imposible, tras los velos de lo que permanecía oculto.

Al pasar con reverencia sus dedos por aquel papiro, el yoruba pensó en todo eso, como si en verdad tuviera una premonición; en el valor del texto que tenía ante sus ojos, en lo que se escondía detrás de sus elegantes trazos, en su auténtico significado. Había permanecido perdido mucho tiempo, y con toda probabilidad volvería a perderse, quizá para siempre. Teofrasto había tenido la fortuna de encontrarlo, abandonado en el rincón de una vieja librería cuyo dueño ya apenas veía. Era tan antiguo que ni siquiera la Biblioteca Hija de Rakotis, donde se almacenaban todos los textos herméticos, poseía una copia de él. Nadie podía asegurar cuándo había sido redactado, pero estaba dedicado a Heka, el dios de la magia del Antiguo Egipto. Teofrasto se había encargado de traducir los conjuros escritos en hierático, y al leerlos juntos por primera vez ambos amigos se habían estremecido hasta en lo más profundo de su ser. La magia tomaba forma a través de la palabra, y ya no había nadie capaz de pararla.

Oh, tiniebla, aléjate de él,
quítate de delante.
Oh luz, acércale la luz.
Pshai que estás en los abismos,
tráele la luz.
Osiris que estás en la barca Neshem,
llévale la luz.
Los cuatro vientos que estáis en ella,
llevadle la luz.[27]

Apenas iluminado por el débil candil, Abdú recordaba el gesto del librero al leer aquellas frases, así como el silencio que siguió. Los hechos se habían producido tal y como se imaginaba el yoruba, y a este no le fue difícil averiguar quién se escondía detrás de aquella bruja que se hacía llamar Madre Isis. Su mero nombre le había hecho soltar un bufido de desagrado, aunque ya estuviese acostumbrado a los títulos más rimbombantes entre sus colegas. Alejandría se hallaba entregada por completo a la magia, y había llegado un momento en el que a cualquier mago que se preciara le resultaba difícil encontrar un nombre apropiado y, sobre todo, que no dispusiese ya de dueño.

Pero, más allá del folclore que pudieran encerrar las prácticas de sus cofrades, Abdú vislumbró la naturaleza que ocultaba aquella hechicera. Solo había oscuridad en ella, y sus conjuros siempre iban dirigidos a las tinieblas para procurar sufrimiento, para infligir dolor a quien se terciara si con ello ganaba algún dracma. El yoruba conocía de sobra aquel tipo de brujería, y también a quienes la ejercitaban. Era un mundo tenebroso en el que no existía más luz para el alma que la de lo efímero, pues una vez conseguido lo que se buscaba con anhelo, las sombras se cernían implacables para reclamar lo que les pertenecía, para devorar a quienquiera que hubiese invadido su reino.

Cuando Abdú fue consciente de la magnitud de lo que ocurría, no pudo evitar lamentarse por su torpeza. Durante días había estado pensando en ello, en su juramento olvidado, en la seguridad de que si se hubiese mantenido fiel a este la situación no habría desembocado en aquel escenario tenebroso. Mas ya había llegado el momento, y los *orishas* que habían conducido a Amosis por la senda de la desgracia, confiaban en que el joven hubiera aprendido de su infortunio y consentían en que recuperara el camino que correspondía a su verdadera esencia. Las jaurías se aprestaban a destruir al tebano, y las fuerzas en las que se amparaban habitaban en los mismísimos infiernos.

La invocación que llevaba consigo la llamada espada de Dárdano no era en sí más que un conjuro para conseguir el amor de la persona deseada. Un amarre que, sin embargo, nunca sería capaz de conseguir el amor verdadero, por mucho que Eros anduviese de por medio. Por tal motivo, semejantes uniones solían terminar entre sufrimientos al haber sido forzadas. Abdú había estudiado el hechizo y se hallaba presto a deshacerlo, pero había otra cuestión que preocupaba al yoruba. Aquella joven a la que llamaban Euterpe buscaba mucho más que el corazón de su amante. El hombre de ébano no albergaba la menor duda al respecto; la joven deseaba de Amosis aquello que nadie podía poseer: su alma inmortal.

Los *ajogun* cabalgaban de la mano de la musa allá donde esta se dirigiera. Su alma estaba podrida, y solo el mal podía anidar en un corazón que había sido forjado en los fuegos del Inframundo. Ella anhelaba arrastrar al egipcio hasta el Amenti, destruirlo por completo. Para ello no había dudado en acudir a Madre Isis e invocar a todas las fuerzas del mal con tal de conseguir sus propósitos.

Pero ningún hombre podía reclamar para sí el alma de otro. No existían leyes que rigieran tales prácticas, y menos que las permitieran. Hasta los conjuros tenían sus reglas; principios que, de no respetarse, podían desencadenar las más funestas consecuencias contra los transgresores.

Abdú jamás invocaría a ninguna fuerza para hacer el mal a nadie, pues su religión se lo impedía. Sin embargo, rezó a su dios supremo, al único y omnipotente, al gran Olodumare, y a todos los *orishas* para que arrojaran luz en el camino de su amigo. Con sus malas artes, Euterpe desataría poderes que la superarían por completo y acabarían por destruirla.

El yoruba se lamentó una vez más, ya que conocía las consecuencias de todo aquello, así como el futuro próximo que los esperaba. Había dolor en él, mas supondría el final del camino que era necesario recorrer para liberarse de tanta oscuridad. De una u otra forma las penas eran purgadas de esta manera, y a veces era posible encontrar la salvación.

Abdú volvió a prestar atención al papiro. Parecía tan antiguo que sus dedos apenas lo acariciaban con reverencia, pues temía que se deshiciera como un soplo al contacto de su mano. Casi se lo sabía de memoria. Y una vez más volvió a recitar el conjuro con voz pausada, casi con temor:

> *Ay de ti, tú que envías el poder y que presides*
> *sobre todos los misterios. Mira que se ha*
> *pronunciado contra Amosis, el tebano, hijo de*
> *Nectanebo, una palabra de parte de un dios*
> *que está airado con él, pero sean lavadas las*
> *malas acciones y recaigan en manos del*
> *Señor de la Justicia, puesto que maliciosamente*
> *le has perjudicado. El que es respetado*
> *se ha unido con Maat, su dios lo mira con*
> *benevolencia, y recaiga en otro su impedimento.*
> *Oh, señor de las ofrendas, mira que*
> *comparezco ante ti, y tráigase la vida en*
> *virtud de ello, y puedas tú participar de*
> *ella. Sé benevolente con Amosis y libra*
> *tu corazón de la ira que concebiste contra él.*[28]

Con infinito cuidado, casi con reverencia, Abdú enrolló aquel papiro y lo depositó dentro de un pequeño zurrón. El combate se encontraba próximo, y dentro de poco se desatarían las fuerzas que habían permanecido dormidas. Entonces el yoruba suspiró y, tras cerrar los ojos, se dispuso a invocar a la más grande entre las grandes, la reina de las hechiceras, Iyami Oshooronga, a la que ningún poder sería capaz de doblegar.

49

Aquella noche, los muelles se acostaron arropados por la bruma. Por alguna razón el aire no se movía, y las dársenas porfiaban en hacerse presentes entre la neblina. Esta se descolgaba del cielo como si se tratara de un gigantesco visillo tejido por las manos de Tefnú, el dios de la humedad. Aquella niebla había llegado desde el mar para sumir la ciudad en un ambiente espectral, muy propio de la magia que, aseguraban, atesoraba la urbe. Hacía horas que Alejandría dormía, impregnada de vapor fantasmal, mecida en el embrujo. El puerto respiraba misterio, y los barcos atracados en los malecones se habían convertido en espectros apenas dibujados entre los cortinajes de vaho. Junto a los diques, los pasos resonaban en la calzada como perdidos en su propia irrealidad, y ni los habituales ladridos de los perros se manifestaban, quizá por temor a lo desconocido, o a la nada en la que parecían hallarse inmersos. La noche invitaba al recogimiento y el puerto se sumía en su propio sueño, abrigado por unas escolleras contra las que el mar apenas susurraba, olvidado por el viento. Aquella quietud había terminado por hacerse opresiva, cual si en verdad un invisible corsé aprisionara la capital contra su incertidumbre. Todo se hallaba en calma; sumido en el espejismo que todo lo cubría.

Una luz apareció de improviso para abrirse paso entre aquella atmósfera cargada de irrealidad, y con ella otra vez el repiqueteo de pasos, cada vez más claros, como de pies apresurados. Al aproximarse, aquella claridad creó un halo por entre el pesado vapor que parecía capaz de tragárselo todo. El fantasmagórico resplandor se movía de forma errática, como si buscara con ahínco un camino perdido.

Los pasos se detuvieron de improviso, y la luz que los animaba dejó de moverse, quizá por haber llegado a su destino, junto a aquel almacén. Entonces una puerta se abrió con sonido quejumbroso y al momento aquella luz desapareció, engullida por la noche, o puede que por aquel sueño al que se abrazaba Alejandría. Mañana todo sería diferente.

50

El día despertó envuelto en una extraña calma, como suspendido por los hilos del tiempo. Sin embargo, todo resultaba engañoso y tan efímero como el propio paso de las horas.

Cuando a media mañana se levantó la niebla, el escenario del puerto cambió por completo. Los muelles se llenaron de hierro, de escribas petulantes, de funcionarios hambrientos de fingida justicia. El *Príamo*, un mercante cargado de vino de Quíos, se mecía perezoso amarrado a la dársena, condenado de antemano.

Los escribas se ajustaban las pelucas, ligeramente encorvados mientras garabateaban en los papiros, casi con saña. Habían descubierto un delito, de los más graves que podían acontecer entre los de su profesión, y estaban satisfechos. ¿Qué más podían desear? Aquello superaba sus expectativas; podrían aplicar la ley: denuncias, juicios, escarnio y, a la postre, la más dura de las condenas. Los inculpados terminarían sus días como galeotes, en el mejor de los casos. Se había perpetrado nada menos que un crimen contra el Estado, y ellos, funcionarios conspicuos, darían cumplida fe de ello.

El revuelo en el puerto era digno de consideración, pues a las diligencias siguieron las carreras y detenciones; incluso fue preciso recoger a los que se habían tirado al mar para tratar de escapar. Vano intento, sin duda, que no consiguió más que complicar las cosas y volver a los inspectores sumamente puntillosos. Ahora que habían olido la sangre no cejarían hasta devorar la presa, y ni los buitres tendrían cabida en la pitanza.

Algunos serían ascendidos después de aquello, y no tuvieron inconveniente en disfrutar de su particular momento de gloria rodeados por los curiosos que habían llegado a congregarse.

—¿Qué ocurre? —preguntaban intrigados los recién llegados.

—Algo gordo, sin duda. Mira, si no, los rostros de rapaces que muestran los escribas, compañero —decía uno.

—Al parecer, han encontrado algo más que vino en el *Príamo* —aclaró otro que llevaba más tiempo curioseando.

—He escuchado la palabra oro —comentó un tercero, que no perdía detalle de cuanto ocurría.

—No será verdad —le contestaron—. De ser cierto, esos pobres desgraciados van a remar hasta que Osiris los llame.

—O Radamantis —se apresuró a señalar uno de los presentes, muy digno él, en referencia a uno de los tres jueces que asignaban el destino a los muertos, pues no en vano quería dejar constancia de su cultura helénica.

Nadie dijo nada, ya que unos y otros andaban pendientes del ir y venir de los inspectores de aduanas y los soldados que los acompañaban. Cuando empezaron a desembarcar a los infortunados se originó un pequeño revuelo y se oyeron comentarios de toda índole; a aquellas alturas, a pocos les quedaban dudas de que la mañana iba a dar para mucho.

Pronto el capitán y la marinería quedaron expuestos al escarnio, atados con los codos a la espalda y una soga que iba de cuello en cuello. Semejante escena era muy del gusto del respetable, siempre tan aficionado a presenciar los males ajenos.

—¡Esta vez os pillaron! —gritó el que se tenía por primero de los griegos—. Remaréis en la Estigia, aunque no tengáis aliento.

Hubo algunas risas, aunque en general el comentario gustara más bien poco. La referencia a las marismas del infierno griego desagradó a los egipcios que por allí deambulaban, pues por algo tenían ellos el Amenti, mucho más antiguo. Además, allí el que más y el que menos pensaba que, si pudiese, también robaría cuanto le fuera posible.

Como los curiosos se convirtieron en multitud, terminaron por correr noticias que arrojaban luz sobre lo ocurrido; un escándalo mayúsculo que alimentaba el chisme.

—Oro, compañeros, oro en cantidad. Se lo he oído decir al epístato. Nada menos que diez talentos —indicó un tipo con suficiencia.

No pasó mucho tiempo hasta que el asunto se magnificó, y cuando los soldados se disponían a llevarse a los detenidos a empellones, la cantidad de oro encontrada iba ya por los cien talentos.

—¡Lo habían escondido en la sentina! —exclamó un estibador que pasaba por allí—. Oro de la mayor pureza. Para comprar una flota entera.

Aquello era más de lo que podían escuchar los desocupados, pues que alguien hubiese atesorado semejante cantidad se les antojaba inadmisible. Por ese motivo, cuando llovieron algunos bastonazos sobre los detenidos, los curiosos prorrumpieron en carcajadas, e incluso llegaron a animar a los verdugos para que los atizaran.

Aquella mañana, Amosis se encontraba en su oficina desde bien temprano. La noche anterior la había pasado en su viejo jergón, ya que esperaba la arribada de su mercante procedente de Quíos. El *Príamo* había atracado con las últimas luces, antes de que se echara la niebla, y el egipcio quería estar presente cuando al día siguiente se desembarcara la carga.

Por alguna razón, Tirios, su agente, no se había presentado en la oficina, algo que extrañó sobremanera al tebano, pues el fenicio solía ser muy madrugador y, que él supiera, nunca había faltado a su trabajo. Pensó que quizá se hallase indispuesto, o bien que la niebla le había impedido llegar a tiempo, mas cuando la bruma se disipó comenzó a preocuparse.

Alguien llamó a su puerta con la insistencia de quien tenía prisa, y al abrir el joven se encontró con un rostro algo crispado que conocía de haberlo visto en algunas ocasiones en compañía de Eleazar, de quien era pariente.

—¿Me recuerdas, Amosis? Soy Efraín, sobrino de Eleazar. Él es quien me manda para que te prevenga. Si tienes en estima tu vida, debes irte inmediatamente.

El tebano se quedó estupefacto, sobre todo por el hecho de que el viejo levita hubiese enviado a su sobrino para avisarle de un peligro. Entonces llegaron hasta su oficina los rumores del conflicto que se desataba en los muelles.

—¿No oyes? —se apresuró a decir Efraín—. Se trata de tu barco, el *Príamo*. Han hallado oro escondido en su interior. Tu suerte está echada.

—¿Oro, dices?

Amosis apenas podía salir de su asombro, e incluso miró en rededor para cerciorarse de que se encontraba despierto.

—Veinte talentos, de la mejor pureza. Tienes que marcharte antes de que los oficiales de aduanas se presenten.

—Pero... no hay nada de lo que me puedan acusar... Eso que me imputas es imposible. El *Príamo* tan solo transporta vino...

—No importa lo que creas, buen Amosis. Eleazar me conminó a que te avisara. Él conoce lo que la mayoría ignora, y debes saber que estás condenado.

—¿Condenado? ¿Por qué? —inquirió el egipcio, incapaz de considerar cuanto le decían.

—Sobre tu persona se ha tejido una intriga que sobrepasa mis juicios, pero mi tío conoce lo que se oculta tras ella, y también lo que te ocurrirá si no escapas a tiempo. El Señor me envía a ti, pero ya no se pueden parar los acontecimientos.

—¿De qué oro me hablas? —preguntó el joven, de malos modos.

—El *Príamo* llevaba oculto en su bodega veinte talentos, como te dije. Los funcionarios no escucharán tus razones. No puedes permanecer aquí por más tiempo.

—Te digo que ese mercante solo trafica con vino de Quíos —repitió el tebano, molesto.

—A estas horas el capitán y la tripulación ya se encuentran detenidos, y ninguno sabe nada al respecto, como te ocurre a ti.

Amosis miró al judío con gesto estúpido, sin dar crédito a lo que le decían.

—Detenidos... —murmuró al fin—. Es mi obligación aclarar este asunto —dijo, resuelto a dirigirse hacia la dársena.

—No es tu ruina lo que desea Eleazar, sino tu salvación. Si quieres arrojar luz sobre lo que ocurre, antes tendrás que huir.

—Huir, dices. Aun siendo inocente...

En ese momento, la algarabía subió de tono y las voces llegaron desde el malecón con mayor claridad.

—Nunca podrás probarlo. Así lo han dispuesto. Si te das prisa, Eleazar te ayudará a escapar.

Amosis cambió la expresión de su rostro. Las palabras de aquel hombre sonaban apresuradas, cargadas de impaciencia, temerosas. Eleazar no era hombre de juicios banales, y ello lo condujo a considerar por primera vez cuanto escuchaba.

—Pero..., si es como aseguras, ¿cómo ha podido llegar ese oro hasta el barco? —preguntó el joven.

—Lo depositaron anoche, aprovechando la niebla, mientras la tripulación dormía. Solo dos marineros se hallaban a bordo. El resto andaba en los prostíbulos del puerto, como acostumbran a hacer cuando llegan de sus travesías.

Amosis se acarició el mentón un instante, en tanto trataba de pensar.

—¿Quién puso el oro en mi barco? Todo debe de ser producto de una confusión. Hoy mismo aclararé el entuerto —decidió el tebano con resolución.

—Te repito que mi tío me pidió que te advirtiera del peligro que corres. Ha sido tramada una intriga contra la que nada puedes hacer.

El oro escondido en la bodega del *Príamo* es una prueba evidente de cuanto te digo.

—Una intriga... Pero ¿por qué?

—Eso tú mejor que nadie lo debes de saber, aunque ahora no dispongas de luces para comprenderlo. En cuanto al oro... Cuando la traición se consuma, los más allegados suelen haber participado de ella.

El tebano pareció reaccionar y durante unos instantes interrogó al judío con la mirada.

—Tirios —susurró apenas—. Por eso no ha venido hoy a la oficina...

—Ni lo volverás a ver. Su salario ya ha sido pactado de antemano, aunque pocos detalles más podría darte sobre el asunto.

El griterío del puerto pareció hacerse más cercano y Efraín miró al egipcio con impaciencia.

—No podemos permanecer aquí por más tiempo. He venido para avisarte del peligro que se cierne sobre tu persona. Solo mi tío te puede ayudar.

Amosis asintió en silencio en tanto trataba de ordenar sus ideas. Aquello que le contaban le parecía imposible, y se resistía a darle crédito. Sin embargo, algo grave había ocurrido, y si quería aclararlo debía abandonar el puerto lo antes posible. Entonces pensó en Ergino y en su amada Euterpe, para convencerse de que ellos le ayudarían. Sí..., sus amigos arrojarían luz sobre aquellos hechos. Debía verlos de inmediato.

51

Sus pasos lo condujeron por las veredas que serpenteaban por los parques del Bruchión cual si en realidad todos los guardias del faraón lo hostigaran. De vez en cuando, el egipcio miraba hacia atrás para convencerse de que nadie lo seguía, de que su huida de la oficina había pasado desapercibida para los inspectores de aduanas. Sabía que no disponía de mucho tiempo y que, en cuanto las órdenes fuesen cursadas, lo buscarían por toda Alejandría como si se tratase del mayor criminal del Estado. Este era particularmente inflexible con aquel tipo de delito. Traficar con oro era una falta muy grave, castigada con las mayores penas, y veinte talentos representaban una cantidad suficiente como para temer por su propia vida.

Sin embargo, Amosis confiaba en aclararlo todo de forma apropiada. Efraín había vertido en sus oídos palabras que le hacían desconfiar, razones a las que se resistía a dar crédito. Mas el caso era que el *Príamo* había sido retenido en los muelles junto con toda su carga; algo que nunca había visto el egipcio que ocurriera. Entonces pensó en Pelias, y sintió un atisbo de esperanza. El epístato se haría cargo del asunto y lo resolvería como fuera procedente. Había sido todo un acierto el trabar lazos con él, como de seguro quedaría demostrado en breve.

El tebano dio un pequeño rodeo por detrás del zoológico y se adentró en un bosquecillo próximo a la casa de Euterpe. Ella arrojaría luz sobre el caso y templaría su ánimo con la magia. Entonces recordó las palabras que Eleazar había puesto en boca de su sobrino. El que existiera una intriga contra su persona era algo que le resultaba difícil de creer, sobre todo por el hecho de que el joven consideraba no tener enemigos. Que él supiera no mantenía litigios con nadie, y mucho menos deudas que saldar.

Cuando al fin divisó el palacete recortándose entre los flamboyanes, Amosis se sintió aliviado. En breve se encontraría en los brazos de la musa, la única que podía dibujarle el verdadero camino que debía seguir.

Casi atropellándose, el joven llegó hasta la puerta para empujarla con más brío que de costumbre. Como era habitual se hallaba abierta, y la casa tan silenciosa y oscura como si se tratara de alguna tumba de las necrópolis del oeste. Aquel día no había ninguna lamparilla que alumbrase el camino, tan solo un hachón que pendía en un rincón cual si estuviera olvidado. Amosis se acercó hasta él para tomarlo, y luego lo movió en rededor para atisbar más allá de las sombras en las que estaba sumido el lugar. Despacio, el joven avanzó con la sensación de que la casa se encontraba más solitaria que nunca, como si se hallara abandonada. Entonces el tebano la llamó, como solía hacer en ocasiones cuando llegaba preso del deseo.

—Euterpe, Euterpe... Euterpe...

El eco arrastró aquel nombre por cada hueco para devolverlo multiplicado por el poder de las piedras, pero nadie contestó; como si no hubiese sido reconocido, o acaso no existiera.

Amosis volvió a repetirlo, pero solo el eco le contestó. Entonces puso más atención a aquella sala umbría y solitaria por la que deambulaba. El suelo parecía polvoriento, y al alumbrar hacia el techo las telas de araña se descolgaban por las esquinas hasta revestirlas de olvido. El egipcio tuvo un presentimiento, y al momento aceleró su paso en tanto levantaba la tea para iluminar mejor aquella sala. Esta parecía encontrarse en el más completo abandono, cubierta de polvo, como si nadie hubiese habitado allí en mucho tiempo.

Tras ahogar un grito de sorpresa, el tebano corrió hacia la escalera que llevaba a los aposentos de la diosa. Sus pasos sonaron extraños, como envueltos en un misterio que le resultaba desconocido y a la vez amenazador. Era como si Anubis se le hubiese presentado de improviso para acompañarlo de la mano a ver al señor del Más Allá. Aquel palacete, otrora antesala de refinados goces, se había convertido en un lugar de ultratumba, y Amosis sintió cómo se le aceleraba el pulso mientras trastabillaba al subir los peldaños que tan bien conocía.

Cuando por fin el egipcio llegó al primer piso, su confusión se tradujo en una especie de locura. ¡Cómo era posible!, se preguntó asombrado mientras recorría con la antorcha aquella sala que había admirado en tantas ocasiones. Allí no había sino abandono, como si el lugar se hubiese mantenido cerrado desde hacía años. Nada quedaba en aquella habitación de su pasada opulencia, de sus exquisitas telas, de sus delicados muebles... El suelo mantenía una espesa capa de polvo que los pies del egipcio horadaban por primera vez en mucho tiempo. Olía a cerrado, a miseria contenida, a guarida de súcubos. De repente, Amosis fue capaz de percibir el mal que encerraba aquella casa, la podredumbre de las almas perdidas, el sisear de Apofis. Si existía en el mundo de los vivos un antro para la infernal serpiente, aquel sería el apropiado, y sin pretenderlo el tebano aguzó sus sentidos a la espera de escuchar la presencia del tenebroso ofidio.

El joven notó que se le revolvía el estómago y que el aire que respiraba llegaba a sus pulmones henchido de ponzoña. La cabeza comenzó a darle vueltas, y al punto trató de correr para salir de aquel lugar cargado de llanto. Había verdadera aflicción en la habitación en la que se hallaba, como si esta hubiese sido testigo de numerosas penas, de un dolor inaudito. El joven tuvo la impresión de que infinitos ojos lo observaban en la oscuridad para implorar su ayuda, y que las voces de los condenados retumbaban quejumbrosas dentro de sí mismo, como si se tratase de un coro de ánimas sin esperanza. Debía marcharse de allí de inmediato, pero por alguna razón que no acertaba a comprender sus piernas no le obedecían. ¿Qué suerte de hechizo obraba allí? ¿Adónde había ido a parar su *ka*? ¿Qué querían de él?

Amosis sintió cómo lo invadía un sudor frío. Era una percepción espantosa que parecía surgir de su interior, como si en verdad hubiese estado agazapada durante una eternidad. Una sensación desconocida que lo llevaba a mirar dentro de sí mismo para descubrir caminos cubiertos de sombras. Eran sombras tenebrosas por las que el joven se resistía a transitar; repletas de horror, de maldad, de oscuridad insondable. Trató de escapar, de regresar a aquella habitación para poder huir. Pero una mano poderosa lo empujó sin compasión hacia aquel infierno que se le presentaba de forma aterradora. Lo peor era que se encontraba dentro de sí mismo, quizá en alguno de los *metu* que, como aseguraban los *sunu*,[29] recorrían el cuerpo humano. Sí, eso debía de ser, los *metu* se habían apoderado de su razón para hacerle ver aquella pesadilla.

Mas al poco la angustia que sintiera en un principio se volvió insoportable, y un sufrimiento atroz le devoró las entrañas. Ahora era capaz de ver con claridad en aquella terrible oscuridad en la que se hallaba su alma. Eso era lo que lo atormentaba, y como si de improviso una lamparilla acudiera en su ayuda, atisbó partes de sí mismo que desconocía, que lo habían conducido hasta aquel mundo tenebroso que se había apoderado de su propia esencia. Su voluntad, perdida en las tinieblas, parecía regresar desde las profundidades de un pozo tan negro como la pez para mostrarle cuál era el camino que aquella titilante llama le ofrecía de nuevo. Su yo profundo alargó una mano cual si en verdad quisiese aferrarse a aquel paupérrimo candil que lo conducía a la salvación, pues ahora su *ka* podía ver con claridad cuál era la senda que le correspondía. Los dioses de la luz tocaron a rebato, y un grito descarnado surgió desde lo más profundo de su ser al tiempo que su esencia vital se aferraba con fuerza al centelleo. Entonces las náuseas se adueñaron del joven por completo, un malestar como nunca antes había sentido, y al momento Amosis empezó a vomitar cual si en verdad sufriera la mayor de las indigestiones. Durante un buen rato, el egipcio anduvo sumido en la angustia. Con cada arcada sentía cómo se liberaba de un profundo pesar, y cuando por fin cesaron los vómitos el joven se sintió extrañamente liviano, como si se hubiera desprendido de alguna ciclópea piedra.

Sin dilación, Amosis se puso en pie presto a salir de aquella antesala que conducía al Inframundo. Ahora sus piernas le obedecieron como él deseaba, y de este modo bajó aquellos peldaños para desandar la senda a la que jamás regresaría. Al salir del palacete, la luz lo envolvió para bendecirlo como si en realidad se tratara de su hijo pródigo y el tebano respiró con fruición la brisa procedente de la bahía. Luego volvió su rostro hacia la casa. Ahora era capaz de entender, de comprender lo que podía llegar a encerrar el alma humana. Había estado maldito, como aquel lugar perdido entre los flamboyanes.

52

Los pensamientos acudieron en tropel, como impulsados por una fuerza devastadora. De repente, Amosis era testigo de un escenario que parecía surgido de un sueño imposible; un horror en el que él mismo había participado como actor destacado para escribir lo inconcebible.

Mientras caminaba por aquella vereda salpicada de ilusiones, el tebano apenas se reconocía. ¿Quién era en realidad? ¿Cuánto quedaba en él de las enseñanzas recibidas, de lo que un día le mostraran sus mayores? ¿Qué había hecho con el *maat* en el que un día creyera? ¿En qué se había convertido su vida?

Estas y otras muchas cuestiones se le presentaron a un tiempo, y en tanto trataba de ordenar sus pensamientos la imagen de Euterpe se le presentaba cubierta por un velo que empañaba cada uno de sus gestos, su mirada, cual si se tratara de un ser intangible cuyo lugar solo pudiera situarse en el sueño del que había despertado. Esa era la impresión que tenía; una sensación que lo llevaba a desconfiar de sí mismo, de todo cuanto había vivido, y que hizo que un sudor frío se apoderara de él por momentos. Sus empresas, sus negocios, sus ilusiones..., todo se encontraba comprometido, y Amosis vislumbró con tal claridad la situación en la que se hallaba que apenas le quedaron ánimos más que para apretar los dientes y maldecirse por su estupidez.

Sus pies lo conducían por sí mismos y, sin proponérselo, al rato se vio frente a la villa de Ergino, el trapezita al que había confiado su hacienda. Al menos pensaba que el griego desharía aquel entuerto, que todo se aclararía, que el infundio desaparecería y los culpables serían castigados como se merecían. Tales eran sus esperanzas, a las que el joven se aferraba con obstinación cuando entró en la mansión del banquero aquella mañana, ajeno a lo que el destino hubiera dispuesto para él.

Los criados lo miraron con desdén, e incluso le hablaron con palabras de desprecio.

—No hay nada que tengas que hacer en esta casa —le advirtió un esclavo en tono amenazador.

—Eso seré yo quien lo decida —lo desafió el joven, que se sentía invadido por la indignación.

—Nadie te quiere ver por aquí. Ya no eres bienvenido —le avisó el lacayo.

Entonces se produjo una fuerte discusión, y el tono de Amosis se volvió amenazador.

—No saldré de aquí hasta que haya visto a tu señor —advirtió el tebano—. Da igual lo que puedas decir.

Al punto se originó un forcejeo y al momento aparecieron más criados, algunos tan grandes como Hércules reencarnados. Hubo insultos y juramentos y el egipcio acabó siendo zarandeado, pues aquellos brutos se mostraron decididos a sacarlo de allí a empellones. En ese instante, en el fragor del pequeño tumulto, una voz llamó a la calma y a las buenas maneras.

—No deseo ver mi casa convertida en la antesala del circo —dijo alguien.

Todos se detuvieron en su porfía y miraron hacia lo alto de la escalinata desde donde los observaban. Amosis no pudo dar crédito a la escena que veían sus ojos. Desde la escalera Ergino lo miraba burlón, apenas cubierto por una clámide, y junto a este la diosa se aferraba a su cintura envuelta en transparencias que mostraban cada una de sus formas, cada detalle.

—Pero... —balbuceó el joven, en un intento por comprender.

Ella lo miró con arrogancia.

—¿Olvidas que te advertí, tebano? —señaló la musa—. Pronto abandonaste tus buenos propósitos.

Amosis frunció el ceño e intentó avanzar hacia ellos, pero unas manos poderosas se lo impidieron.

—¿Qué clase de burla es esta? —preguntó, airado—. Dime, Ergino, ¿qué indignidad has tramado?

El aludido lanzó una carcajada, y sin el menor pudor acarició con su mano uno de los pechos de Euterpe a través de su túnica.

—¿Indignidad? Dímelo tú, egipcio. Al parecer te has convertido en el hombre más buscado de la ciudad, y no precisamente por tus buenas artes.

Amosis se quedó atónito.

—Nada tengo que ver con aquello de lo que se me acusa, y tú mejor que nadie deberías saberlo. ¿Acaso has olvidado nuestros negocios, los intereses que nos unen?

Ergino observó al joven en silencio, y acto seguido pasó sus dedos por el rostro de Euterpe. Esta abrió los labios para mordisquearlos, y luego ambos volvieron a reír con displicencia. El tebano se enfureció sin remedio.

—Hijos del Amenti... —juró, encendido—. Criaturas abyectas, espectros del Inframundo.

A cada juramento, los anfitriones reían y hacían gestos de mofa.

—Hago mal en recibirte en mi casa. Al parecer, eres un criminal. Quizá debiera entregarte a la justicia —lo amenazó Ergino—. Aunque prefiero no verme mezclado contigo. Tu calaña me daría mala fama.

El tebano soltó un bufido.

—¡Los tiempos nunca vieron farsa igual! —estalló el joven, cuya mirada parecía surgida de las ascuas.

—¿Tú crees? En verdad que no sé a lo que te refieres. No tengo negocios contigo, y en cuanto a Euterpe... Ella y yo siempre nos hemos amado. ¿No es verdad, querida?

—Desde el día en que me hiciste mujer —dijo ella con complacencia.

—Los dioses abominen de vosotros, hijos del incesto —maldijo el tebano.

Los aludidos volvieron a reír.

—Me habían llamado muchas cosas, aunque reconozco que esta resulta singularmente graciosa —apuntó el trapezita—. ¿En qué mundo vives?

Amosis no supo qué contestar, pues no en vano se había denigrado a sí mismo.

—En el Egipto de los dos mil dioses de su amada Tebas —intervino Euterpe con desdén—. Es allí adonde deberías regresar, para cumplir con el *maat* que tanto proclamáis. Ese es el lugar que te corresponde. En Alejandría adoramos a los dioses que nos son útiles; no necesitamos tantos, por eso hemos escogido a los más apropiados de la Tierra Negra. ¿No es así como se llamaba este país antes de que llegara el gran Alejandro?

El egipcio la miró fijamente.

—¿Esto es cuanto tienes que decirme después de todo este tiempo? —se lamentó.

Ella hizo un gesto ambiguo.

—¿Qué es lo que esperabas? ¿Acaso una declaración pública por parte de los heraldos de Auletes? Eres un ciego en el país de los engaños —volvió a burlarse ella—. No creerás que iré a recordarte, ¿verdad?

—¿Nunca sentiste nada junto a mí? ¿Ni en una sola ocasión? —quiso saber el joven.

—No me diste más placer que la mayoría. En realidad, debo confesarte que me resultabas aburrido. Pero qué puede esperarse de un tebano.

Ergino la miró un instante, y ambos rieron la ocurrencia. Amosis los observó con detenimiento. Euterpe tenía razón. Había sido un ciego, y la prueba de ello la tenía frente a sus ojos, en aquellos dos seres despreciables que hacían befa de su propia iniquidad, de su degeneración. El egipcio se fijó en quien había sido su diosa durante tanto tiempo. Era curioso, pero poco veía ya de divino en ella. Su grácil figura, sus formas tentadoras, aquellas areolas pintadas de rojo que se anunciaban bajo su vestido y que tanto le enloquecieran, ahora lo dejaban frío como si estuviera tendido sobre la arena en la noche del desierto. No había en él el más mínimo impulso, ni el deseo más escondido, y al mirar su rostro, otrora embaucador, de belleza intangible, solo pudo ver una máscara que ocultaba la maldad hecha mujer. El hechizo de su amada, el embrujo de aquella mirada, no eran sino parte de un encantamiento, de un conjuro colosal en el que había permanecido prisionero sin necesidad de grilletes. Bajo la careta solo había oscuridad; lo peor del ser humano se hallaba disimulado tras el antifaz del oropel, y Amosis era capaz de percibirlo con claridad, libre ya del maleficio. Entonces se sintió despreciable, irritado consigo mismo. Pero ¿cómo podía haber sido esclavo de aquella mujer? ¿Cómo había podido denigrarse para alimentar sus vicios?

En aquel instante, Euterpe adivinó cuanto el joven estaba pensando y lo atravesó con su mirada de bruja. En ella Amosis pudo percibir todo el mal que atesoraba aquella musa del Amenti, y pensó que Apofis no podía ser peor. En realidad Euterpe era la verdadera esclava del mal, y nadie podría nunca manumitirla.

En cuanto a Ergino... Un simple vistazo era suficiente para calibrar el tipo que era. Rufianes como aquel abundaban por doquier, y lo que en verdad lamentaba el tebano era el haberse visto embaucado por un truhan semejante. Sin poder evitarlo, la imagen de su tío se le presentó con su habitual sonrisa mordaz para reprocharle su actitud. Kamose habría visto venir a Ergino de lejos, y seguramente hubiese sido su tío quien habría engañado al banquero; pero así eran las cosas; los incautos son atrapados mediante el ardid, y Amosis sufriría las consecuencias.

—Ya nada me retiene en tu casa —dijo el egipcio tras volver de sus pensamientos—. Retiraré mi dinero del banco ahora mismo.

—¿Dinero? Ya veo, tebano. Ve y retira cuanto puedas, aunque me temo que el Estado haya confiscado ya tus bienes. Son muy puntillosos en determinados aspectos. Ya deberías saberlo. —Amosis apretó los puños, inflamado por la cólera—. Sospecho que tus malas acciones van a tener consecuencias desagradables para ti —le advirtió Ergino, jocoso—. No comprendemos cómo has sido capaz de algo tan estúpido. Traficar con oro... Quién lo hubiese podido pensar, ja, ja.

—Maldito seas, Ergino —exclamó el joven, exasperado—. Bien se puede ver tu mano en todo este asunto.

—¿Ah, sí? ¿Cuánto tenías depositado? ¿Mil, dos mil talentos? —le escarneció el banquero—. Encomiable.

El egipcio soltó un exabrupto y al punto fue sujetado por tres hombres, que lo tumbaron de bruces en tanto él juraba en vano.

—¡Lleváoslo de mi presencia! —gritó Ergino, que ya se había cansado de la representación—. ¡Fuera de mi casa! ¡Echadlo a los perros si es preciso!

Los esclavos lo sacaron a rastras de la sala en tanto Amosis profería amenazas que no hicieron sino despertar la hilaridad del griego.

—¡Algún día regresaré! ¡Recuerda este momento, Ergino! —vociferaba el joven.

El trapezita observó cómo su antiguo socio desaparecía, y acto seguido hizo una mueca de alivio.

—Por fin nos libramos de él, musa entre las musas. Vayamos a celebrarlo como corresponde, ja, ja.

Tal y como había ordenado el banquero, Amosis fue agarrado de pies y manos y arrojado a la calle entre las risotadas de los esclavos, que allí lo dejaron mientras hacían mofa de su persona. Amosis se sentía tan humillado que permaneció un rato en el suelo, recostado sobre uno de sus brazos, sumido en la desesperación. Lo peor no era la afrenta, sino el hecho de haber perdido su fortuna a manos de aquellos granujas griegos. Su propia codicia había participado en el engaño; su ambición desmedida, su pasión desenfrenada por un alma podrida. Al cabo se levantó con parsimonia, con una idea clara de lo que debía hacer. Jamás permitiría que le quitaran lo que con tanto esfuerzo había ganado. De una u otra forma recuperaría su fortuna, aunque le fuera la vida en ello.

De este modo se puso en camino sin dilación hacia el templo en cuyos sótanos habían quedado depositados sus tetradracmas. Durante el trayecto cruzaron por la mente del tebano todo tipo de pensamientos, algunos encontrados, seguramente debido a su pasada torpeza. Ya no podía hacer nada por remediar los errores cometidos, más que jurarse una y otra vez que aprendería de ellos y que algún día regresaría para tomarse cumplida venganza, como le había asegurado a Ergino. Mas, por el momento, aquello no eran sino palabras producto de la rabia que lo reconcomía. Había muchas más cosas en juego, entre ellas la más importante: su propia vida. El judío le había advertido con prontitud, y gracias a él no se encontraba ya en manos de la justicia del faraón, aquella que no había hecho más que cubrir su vida con el atropello. Sintió una culpa en su corazón cuando pensó en Eleazar, y en la forma tan mezquina que había empleado a la hora de despedirse del hebreo. Este había permanecido fiel a su persona, y aquel sentimiento hizo que se le velaran los ojos por el egoísmo que le había demostrado al viejo. Pero ahora pensaba resarcirlo con creces, y la mayor parte de su fortuna iría a parar al banco del levita, donde la depositaría hasta su regreso. Tal y como le aconsejara Eleazar, su vida estaba lejos de aquella ciudad. Debía abandonar Alejandría a la mayor brevedad, antes de que los hombres del faraón removieran la capital para encontrarlo. Ahora comprendía que su suerte estaba echada, y que el poder de Ergino y sus colegas no permitiría jamás que saliera con bien de aquel asunto. Había una indudable maldad en todo lo que había ocurrido, incluso en el final que le tenían reservado. No deseaban su muerte, sino su sufrimiento, y seguramente le tendrían preparado un lugar en el peor banco de algún trirreme, donde remaría hasta reventar. Esto cumpliría las expectativas de los banqueros, y Amosis se imaginó que a cada golpe de remo que diera pensaría en Ergino brindando por su recuerdo mientras manoseaba a Euterpe.

En tanto se aproximaba al templo, Amosis pensó en la posibilidad de que aún no hubiera sido enviada ninguna orden contra él desde la oficina del Tesoro. La pesada maquinaria burocrática egipcia necesitaba su tiempo para tales menesteres, y ello lo animó a mostrarse confiado en sus posibilidades. Sin embargo, ya próximo a la entrada, el tebano vio a un grupo de funcionarios que parecían discutir entre ellos, como si hubieran de cumplir alguna orden. El joven se apostó al abrigo de un frondoso palmeral rodeado de arbustos de alheña. Sin poder evitarlo se maldijo, pero al poco observó cómo cada uno de aquellos burócratas tomaba con presteza un camino diferente. Estaba tan obcecado que era incapaz de pensar con claridad. De nuevo su ambición afloraba para demandarle lo que ya no poseía. Entonces, como en tantas ocasiones, Amosis maldijo a Shai y, presa del arrebato, decidió entrar en el templo para afrontar el destino por el que tanto había trabajado y al que le resultaba imposible renunciar. Sin embargo, apenas había salido de su escondite cuando algo lo golpeó en el rostro con la fuerza de un ariete. Luego la luz desapareció, como si formara parte de un prodigio.

53

Durante varios días, Abdú había vivido en los límites de la realidad. El mundo que se encontraba más allá de lo tangible le había abierto sus puertas para invitarlo a participar de él, de sus misterios, de unas leyes que nada tenían que ver con todo lo conocido. Él sabía de su existencia desde su niñez, así como del riesgo que entrañaba jugar con poderes que no eran posibles de controlar. Los *babalawos* le habían enseñado a respetarlos, y también a mantenerse fiel a una religión en la que el yoruba creía profundamente. Eso era lo que lo diferenciaba de la mayoría de los magos que proliferaban en Alejandría; Abdú seguía una filosofía que le había sido inculcada desde su nacimiento y que conocía bien.

Aquellas jornadas lo habían conducido al agotamiento, pues el mal al que se enfrentaba había sido concebido por las fuerzas más tenebrosas; súcubos llegados desde la oscuridad más absoluta.

Sin embargo, los príncipes de la luz habían respondido a su llamada, y los guerreros que guardaban las almas puras se aprestaron a escuchar su invocación. La sempiterna lucha entre el bien y el mal volvía a producirse, más allá de las miradas de los mortales.

Cuando todo acabó, el propio Abdú se sintió liberado del pesar que lo atormentaba desde días atrás, y una mañana caminó con paso presto hasta el barrio judío para ver al levita, a quien conocía desde hacía tiempo. Las cosas le habían ido bien al yoruba, y con los años había llegado a acumular cerca de cuatro talentos; más de lo que nunca hubiese podido soñar.

Con la sensatez que le era propia, el yoruba había depositado sus ahorros bajo el cuidado de Eleazar, pues había leído en su corazón desde la primera vez que lo viera. Había bondad en el levita, y Abdú supo que sus ganancias estarían a buen recaudo con él. Ahora había llegado el momento de hacer uso de ellas, pues las necesitaría para emprender un nuevo camino.

Al verlo aquella mañana, Eleazar supo a lo que venía el yoruba. En realidad llevaba días esperándolo, ya que conocía bien la relación que este había mantenido con Amosis en el pasado. Juntos tomaron un zumo de granada, y durante un rato permanecieron en silencio, lamentándose de cuanto estaba ocurriendo.

El hebreo parecía saberlo todo, y Abdú fue consciente de que el viejo banquero conocía detalles que él mismo ignoraba y que nunca le contaría. Daba igual; el yoruba se aprestaba a tomar la senda que los *orishas* habían determinado para que siguieran con sus vidas, y la razón por la que se hubiera llegado a aquella situación resultaba irrelevante.

Sin embargo, el hombre de ébano se sorprendió al escuchar al judío.

—Atiéndeme bien, Abdú. El Señor ha querido que Amosis no disponga de más voluntad que la que tú le procures. Solo Dios determinará cuándo el corazón de nuestro amigo será merecedor de su luz.

Entretanto, el tebano no gozará de más razón que la tuya, ni de otros ojos que los que tú posees. Anda ciego, pues he sido testigo de ello.

Abdú lo miró con aquella fuerza que le era natural.

—Tú, en cambio, ves el camino sin dificultad, y por ello todo está en tus manos —continuó el levita—. Mas todo está dispuesto, y deberás obrar con presteza.

El yoruba interrogó al hebreo con un gesto elocuente.

—Hoy mismo pensaba enviar a alguien para advertirte. Mañana, la justicia del pagano caerá sobre el egipcio con el poder que le confiere su propia iniquidad. —Abdú asintió, como si aquellas palabras no le extrañaran en absoluto—. Deberás obligarlo a abandonar Alejandría, por la fuerza si es necesario. Un mercante zarpará rumbo a Rodas a la caída de la tarde. El capitán os ocultará sin hacer preguntas, aunque deberás pagar su silencio. Dos talentos serán suficiente. Sé que es una fortuna, pero cuando lo que está en juego es la propia vida todo se encarece. Todavía dispondrás de doce mil dracmas para que podáis abriros paso en otro lugar. Todo está pactado con la tripulación. El barco se llama *Naxos*. Pero recuerda que no os esperará durante mucho tiempo. Habréis de estar a bordo al atardecer.

—Tu Dios sembró en ti la semilla de los justos —respondió Abdú—. Esta no deja de germinar nunca. Hasta el final del viaje. Rezaré a mis *orishas* por ti, Eleazar, allí donde me encuentre.

Al hebreo le enternecieron aquellas palabras, aunque procediesen de un pagano. Luego se despidieron, y el judío observó al yoruba hasta que este desapareció en la distancia. Al regresar al interior de su casa suspiró con pesar, pues poco más podía hacer. Al día siguiente, Eleazar advertiría a Amosis; después, todo quedaría en manos del Señor.

Abdú lo preparó todo como más convenía. Sus días en la ciudad estaban contados, y aquella misma tarde acudió a despedirse de Teofrasto, quien prorrumpió en sollozos como si hubiese acontecido la mayor de las desgracias.

—¡Las Erinias me lleven en mala hora! —gritó el viejo, desconsolado—. ¡Que el Erebo me acoja en su profunda penumbra! ¡Qué será de mí sin tu compañía!

—Nada has de temer, buen amigo, ya que mis *orishas* han sido advertidos y cuidarán de ti como mereces.

Teofrasto lo miró con unos ojos desmesuradamente abiertos, velados por las lágrimas.

—Sin tu poder, nada será lo mismo. ¡Hasta el barrio de Rakotis caerá en la desventura!

—Ja, ja. Tú te encargarás de que eso no ocurra.

—Pero ¿qué será de las pobres gentes que lo habitan?

—Cuidarás de ellas. Les darás sosiego, como acostumbras a hacer, ja, ja.

—Los dioses son poco piadosos con un viejo como yo.

—Siguen su camino.

—Pero… todas esas almas perdidas en la confusión que las rodea —volvió a quejarse el librero.

—Tú continuarás la obra que ambos empezamos —se burló Abdú con una sonrisa—. Agradecerán tu sabiduría. Créeme, buen Teofrasto.

Este se llevó ambas manos a la cara para cubrirse el rostro, como si en verdad estuviese participando de alguna representación teatral.

—Nunca veré satisfecha mi ilusión de ver constituida tu iglesia. Incluso, debo confesarte, tenía el convencimiento de llegar a convertirme en sacerdote de tu culto. ¡Ya nunca veré cumplidas mis ambiciones!

Abdú rio quedamente.

—Mis *orishas* me demandan hacia otros lugares. He de encargarme de Amosis.

Teofrasto dio un saltito y corrió a abrazarse al gigante.

—No llores, amigo mío, que los yorubas también somos sentimentales. Además, deseo obsequiarte con este cofre. Para que brindes a nuestra salud cada día.

Y dicho esto le entregó lo prometido, que el librero aceptó con manos temblorosas. Al abrirlo movió la cabeza, emocionado.

—Hay cerca de mil dracmas que espero que administres bien. Si lo haces, no pasarás penurias. Ahora debo irme, buen librero. La justicia del faraón no suele hacerse esperar.

—¿Justicia, dices? La de los Ptolomeos será proverbial. Cuida del buen Amosis. Me hubiese gustado abrazarlo.

—Algún día lo harás, Teofrasto. Volveremos a vernos.

De esta forma se habían dicho adiós ambos amigos, y mientras caminaba por aquella calle que tan bien conocía, Abdú pensó por un buen rato en el viejo librero hasta recordar el rostro compungido de este al despedirse. Así era la vida, y a la postre nadie dejaba de estar de paso, como le ocurría a él mismo. Mañana abandonaría Rakotis, y el recuerdo hacia su persona acabaría por morir algún día, tarde o temprano, pues de este modo eran las cosas.

Un grupo de vecinos agrupados en un corrillo gesticulaban, como impresionados, en tanto hablaban con temor en voz baja. Al parecer, aquella misma tarde habían encontrado muerta a Madre Isis, cubierta de espumarajos y un líquido viscoso. Cosa de genios, decían, venidos del Amenti para cobrar alguna cuenta pendiente.

Casi al alba, Abdú se dirigió al puerto en medio de una niebla como nunca antes había visto. Con cautela, se apostó cerca de la oficina del tebano para ser testigo de cuanto ocurría en los muelles. Al aclararse por fin la mañana vio salir a Efraín y al poco a su buen amigo, a quien encontró envejecido. Hacía rato que la dársena se había convertido en un ir y venir de inspectores de aduanas y gente de armas, y el yoruba siguió con discreción al egipcio durante todo el día para ser testigo de su desdicha. Al ver que se dirigía al templo en busca de su dinero, Abdú se le adelantó dando un pequeño rodeo para esperarlo escondido en el palmeral situado frente a las puertas del edificio. Su amigo llegó al poco, para ocultarse a apenas unos metros de donde él se encontraba. El yoruba lo acechó con sigilo, y en la expresión de Amosis pudo observar la desesperación que consumía su alma. Aquella ambición que persistía en aflorar a la menor oportunidad y que tanto daño le había causado. Otra vez esta parecía ser capaz de conducir al joven hasta la locura, a su completa destrucción, y cuando con el rostro crispado y la mirada iracunda Amosis se incorporó dispuesto a dirigirse al banco sin importarle las consecuencias, Abdú salió de su escondite como lo haría un felino para descargar su puño sobre el mentón de su amigo con una fuerza descomunal.

El joven cayó como fulminado por el rayo de los dioses, y durante un momento el hombre de ébano lo observó con los ojos velados por el pesar que sentía. Ya no había tiempo que perder. Un barco los esperaba para llevarlos lejos, al lugar que ya había sido elegido para ellos.

TERCERA PARTE

El Egeo

1

El mundo había cambiado de color. La centelleante blancura que devoraba Alejandría desde sus infinitos mármoles se había transformado en un azul profundo con pinceladas de nácar. Era un escenario inmenso, libre de caminos, de montañas ignotas o campos que cultivar. Solo había soledad, sujeta al poder del viento, y una sensación de insignificancia ante la magnitud de lo que los rodeaba.

El barco cabalgaba sobre el oleaje, arriba y abajo, saltarín, decidido a bailar al compás del ventarrón. Los vientos etesios ya se anunciaban, y había sido una suerte poder abandonar el Gran Puerto a tiempo, antes de que se cerrara hasta el final del verano. El constante bamboleo se había cobrado sus víctimas, y algunos soportaban las náuseas a duras penas mientras otros, como Abdú, se entregaban a ellas sin remisión.

—En unos días se te pasará —se burló el hipotrierarco, el segundo oficial al mando—. Puede que al final hasta cambies de color.

El yoruba era incapaz de escuchar nada que no fuesen sus arcadas o el alboroto que se producía en su estómago, que lo llevaba a temer lo peor. Aquel no era lugar para un yoruba, se decía una y otra vez el hombre de ébano, lamentándose en vano, ni senda que un *orisha* pudiera obligar a recorrer a un buen creyente. Aquello era cosa de algún *babalawo* enojado con su recuerdo, o quizá una broma, a las que eran tan aficionados; solo así podía explicarse el que todavía surgieran vómitos de donde resultaba imposible, pues llevaba ya dos días inclinado sobre la borda convertido en una piltrafa.

La tripulación reía de forma inconexa, como si todos hubiesen perdido la razón tiempo atrás; claro que también era cierto que estaban borrachos casi desde la tarde en que zarparon, lo que según parecía no era inusual entre los de su oficio.

A Amosis, lo que en realidad le dolía era la cabeza. Se sentía perplejo, sobre todo por el hecho de encontrarse con vida después del golpe que recibiera. En su opinión, Abdú no hubiese necesitado propinarle semejante puñetazo para enviarlo al reino de los sueños, y mucho menos haberlo embarcado como si se tratara de un fardo. Valiente energúmeno, se decía el egipcio; y al observar a su amigo con medio cuerpo sobre la regala en poder del mareo se alegró en su fuero interno, ya que aún no entendía cómo no lo había dejado sin dientes.

Por algún motivo la marejada no le causaba incomodidad, y con cada cabeceo de la nave el tebano dejaba perder la mirada en el sinuoso horizonte salpicado de espuma blanca. Aquel era el Gran Verde, dominio del dios Set, por mucho que los griegos tratasen de otorgárselo a Poseidón. Desde los albores de su civilización, los egipcios habían aborrecido aquellas aguas, y mucho más aventurarse en ellas más allá de la vista de la costa; sin embargo, el tebano experimentaba una extraña sensación de alivio, cuan si surcara el piélago libre de una pesada armadura que lo hubiese encorsetado durante demasiado tiempo. Cada soplo de aquel viento del norte hacíale sentirse liviano, al tiempo que lo invitaba a admirar el poder inconmensurable del mar por el que navegaban. Set se hallaba en cada una de aquellas olas, igual que también se encontraba en las dunas de los desiertos que tantas veces había atravesado. Por eso no le temía. El joven conocía bien el lenguaje de aquel dios, y sabía leer sus mensajes tal y como le había enseñado una vez su tío.

Mas, en su corazón, Amosis también sentía la congoja que le provocaban sus culpas; la zozobra de sus propias equivocaciones, aquellas que lo habían llevado a abandonar Alejandría convertido en un prófugo. Aquella liberación experimentada sobre la cubierta del barco le había hecho comprender sus errores, así como descubrir una parte de sí mismo que nunca hubiese sospechado poseer. Era oscura como las tumbas perdidas en las necrópolis del oeste, y su capacidad para destruir cuanto de bueno albergaba su *ka* había resultado devastadora. Lo peor había sido ver hasta dónde era capaz de conducirlo semejante naturaleza, y la facilidad con la que había dado la espalda a aquellos que lo querían. Él mismo se sentía abrumado ante la presencia de Abdú y era incapaz de mirarlo a los ojos, quizá porque su propia mirada se encontraba cargada de todo lo que iba contra el *maat*; las enseñanzas que un día le inculcaran en Karnak y que tan pronto había olvidado. La diosa del orden y la justicia lo había puesto a prueba, y aquel había sido el resultado. Había transgredido todo cuanto le resultaba grato a Maat, a la tríada tebana, en cuyos templos había estudiado, a la mismísima Isis, de la que había sido devoto y de quien también se había olvidado. Uno por uno había cometido todos los pecados que le eran despreciables, y su ruindad lo había llevado a arrastrarse por el barro para participar en prácticas incalificables, consumido por el vicio.

Durante aquella travesía Amosis había pensado en todo ello, así como en el castigo que merecía. El hecho de haber perdido su fortuna no era pago suficiente, y al balancearse sobre la cubierta a merced de cuanto el mar decidiese enviarle se convenció de que se había convertido en un remedo de Odiseo, el héroe de quien a la postre tan poco había aprendido, y que, como el rey de Ítaca, también él vagaría por aquellas aguas para penar sus faltas, hasta que Isis se apiadara de él, si así lo determinaba la diosa, o quién sabe si para siempre. El tebano era capaz de percibir el sufrimiento que le tenían reservado, y no le quedaba sino aceptarlo.

Su dolor de cabeza no le había impedido pensar en los genios que habían descorrido los cierres de la puerta que daba acceso a lo peor de sí mismo. Él se había unido libremente a ellos, aunque no por eso dejaran de parecerle diabólicos, monstruosos. Este símil se le antojó adecuado al recordar a Euterpe. La musa era en realidad la reencarnación de Ammit, e igual que hiciera la Devoradora de los Muertos, Euterpe se alimentaba de los corazones incautos que, como el suyo, caían bajo su influjo. Ahora ella no era más que parte de una pesadilla, y su mera evocación le producía unas irreprimibles náuseas. De esta forma decidió que aquellas aguas cargadas de mitos eran el lugar indicado para enterrar su recuerdo, lanzado por la borda para que no regresara jamás.

Ergino formaba parte del mundo de los hombres y merecía otro tratamiento, como también Tirios, el agente fenicio que se había convertido en brazo ejecutor de la felonía. El viento del norte tenía la facultad de hacerle ver con claridad cómo habían sido los hechos, y estos se habían producido tal y como Efraín le había adelantado. Las traiciones iban de la mano de los hombres; así había ocurrido siempre. Sin embargo, el tebano se convenció de que algún día los dioses le permitirían volver a encontrarse con aquellos truhanes, y que, de una u otra forma, todos tendrían que hacer frente a su propia penitencia. Sentía no haberle dicho adiós al buen Eleazar para mostrarle su gratitud, y sobre todo no haber abrazado a Teofrasto, a quien nunca podría olvidar. Todos formaban ya parte de su tripulación, con la que navegaría el resto de su vida en busca de su horizonte.

El *Naxos* surcaba el Mediterráneo en curso a la isla de Rodas, en compañía de los vientos etesios y bajo un cielo tan azul que invitaba a la esperanza.

2

El tercer día de navegación el capitán permaneció en cubierta, oteando el horizonte con gesto de preocupación. Parecía nervioso, pues no paraba de ir de proa a popa, ni de babor a estribor, como si midiese sus incesantes pasos. De vez en cuando se detenía para observar los aparejos y calcular la fuerza del viento. Este se había intensificado durante la noche anterior y soplaba como si Bóreas[1] tuviese un interés especial en hacer de la travesía una prueba para cualquier estómago que se preciara. Y es que el ventarrón del norte se había mostrado pertinaz, como el capitán hacía mucho que no recordaba, y ello lo llevaba a temer que la nave hubiese derivado más de lo deseado y —sobre todo— de lo que la prudencia aconsejaba. Ese era el motivo por el cual no se cansaba de examinar el horizonte desde la amura de babor con más ansiedad de la acostumbrada. La isla de Rodas debería hallarse próxima a ser avistada, y el marino la buscaba con especial ahínco. El cielo continuaba despejado, espléndido, hasta regalar el mejor de sus azules a quienes estuvieran dispuestos a aventurarse por los mares de Odiseo. Todo resultaba inmenso, y el capitán esperó ver durante aquella mañana la lejana estampa del monte Atábiris destacarse en la lontananza. Muy cerca se encontraba la ciudad de Lindos, de donde él era natural, y cuya vista tenía la facultad de alegrarle el corazón al regreso de sus viajes. Mas aquel monte consagrado a Zeus Atabirio no aparecía, y a primera hora de la tarde el rodio atisbó por estribor en busca de algún accidente con el que pudiese determinar su posición. Con semejante viento todo era posible, incluso que la nave hubiera derivado de tal modo que se hallase próxima al mar Panfilio. Esta era su mayor preocupación, ya que, de ser así, aquellas aguas se encontraban infestadas de piratas, y bien sabía él lo que esto suponía.

Ajeno a tales cuestiones, Amosis disfrutaba de la singladura tanto como podía. Cualquiera que lo observara bien podría asegurar que tenía corazón de marino, ya que parecía gozar sobremanera con aquel vendaval que le azotaba el rostro cual si Set lo abofeteara. No sería el tebano quien se negara a recibir tal castigo, y mientras cabalgaba sobre las encrespadas olas pensaba en lo azaroso de su sino y en lo que pudiera aguardarle más allá de aquel azul interminable. Ahora comprendía a su héroe y la extraordinaria aventura de su vida. Odiseo había sido capaz de desafiar a reyes y dioses, a héroes inmortales, a hechiceras y ninfas de inmensa belleza, y también al tiempo y a los hombres infames que asediaron su reino, y a cuantos allí aguardaban su regreso con el propósito de apoderarse de su mundo, de todo lo que Odiseo había construido con sus manos.

Cada hombre conforma su propio reino, aquel que desea, el que aspira a encontrar algún día, aunque luego la vida le impida alcanzarlo. Entre el fragor de las olas orladas de plata, Amosis vio con claridad cuál era el suyo. Él también viviría su propia epopeya, aunque Homero nunca pudiese cantarla.

Abdú, en cambio, se mantenía circunspecto, más callado que de costumbre. Su estómago por fin había decidido que no era necesario arrojar nada más, aunque había dejado postrado al yoruba en un estado lamentable. De vez en cuando el hombre de ébano observaba a su amigo con cierto pesar, ya que este aparentaba disfrutar de aquel horrible viaje de un modo particular. Incluso entornaba los ojos y todo, para aspirar aquel aire con fruición inusitada. Los *orishas* habían enviado al gigante a un lugar que no le correspondía y este no acertaba a comprenderlo, pues parecía que quien en realidad debía penar por sus culpas fuera él y no su antiguo amo. Sin embargo, Abdú aceptaba lo que le tuvieran reservado. Sabía que aquel no era más que el comienzo de una nueva andadura, y que esta resultaría incierta, adornada por el artificio. Solo quedaba recorrerla, pues todo estaba escrito, como los papiros que tan celosamente guardaba Teofrasto.

Al atardecer el viento amainó, y el navío detuvo su infernal cabeceo para descansar sobre el oleaje. Entonces una vela apareció por oriente, ya desde el ocaso, y el mercante se convirtió en un pandemónium.

El capitán observó con atención aquel barco que ponía proa hacia el *Naxos* y al momento su rostro se descompuso, como si en realidad se tratase de las Gorgonas,[2] que se aproximaban desde su morada en los confines del mundo. El rodio miró hacia el oeste, donde el sol pronto se pondría, y cambió el rumbo de su nave para dirigirse al amparo de la noche. Con rapidez calculó la distancia que los separaba de aquel misterioso navío que se acercaba presuroso, y confió en la suerte que los Dióscuros[3] siempre le habían procurado. Estaban en la luna nueva y la oscuridad los arroparía en su apresurada huida; no había nada más que pudieran hacer.

Aquella noche, el cielo brindó el espectáculo de lo sobrenatural. Si Nut cubría Egipto con su vientre estrellado, Urano mostró a Amosis cuál era el poder de la bóveda celeste que envolvía aquellos mares. Los luceros brillaban abigarrados hasta perderse en los confines del mundo conocido. El tebano se extasió al contemplarlos como tantas veces hiciera antaño, cuando su vida pertenecía a los desiertos. Al igual que ocurriera cuando dormía sobre las dunas, el cielo que gravitaba sobre sus cabezas le enseñaba cuál era la verdadera magia que habitaba más allá de la Tierra. No había nada que se le pudiese comparar, y en su ensoñación pensó que, como también sucediese en Kemet, aquellas estrellas eran ánimas que habían tenido la fortuna de unirse a los dioses, que ahora observaban el mundo para hacerle ver cuán insignificantes eran los hombres que lo habitaban. Una nave se les acercaba, sigilosa, pero al egipcio poco parecía importarle, y con las manos entrelazadas bajo la nuca navegó por aquel cielo al que se asomaban miríadas de luceros, o quién sabe si las almas de aquellos que combatieron en Troya.

El capitán, sin embargo, no tenía ánimos para pensar en los héroes inmortales, y mucho menos en Troya. Él observaba las estrellas para gobernar la nave hacia donde debía, al tiempo que se encomendaba a Euro, el viento del este, para que se entablara y viniera en ayuda de su barco, aunque de sobra supiese que aquel solía presentarse en el solsticio de invierno. Pero por capricho de Hado, el misterioso destino, el ventarrón se había encalmado casi por completo y el mar parecía dispuesto a dejarse arrullar por una serena brisa. El rodio viró en varias ocasiones para cambiar el rumbo y aprovechar el poco viento que le regalaba la noche. Próximo al amanecer el marino se preparó para lo peor, pues su mercante era demasiado lento como para huir de lo que se avecinaba.

Con la ansiedad reflejada en su rostro, el capitán observó la salida del sol de entre las entrañas del mar. Era un orto espléndido, envuelto en el hechizo de unas aguas repletas de mitos y que al punto llenó el corazón del capitán de esperanza, pues el horizonte se mostraba como una línea solitaria, carente de vida. Desde hacía rato soplaba una breve brisa del norte, y entonces el marino atendió a los aparejos de su buque y al cielo que clareaba ya por el oeste. Fue en ese momento cuando ahogó un juramento, para seguidamente blasfemar contra todos los dioses que conociera. Justo a barlovento, un trirreme lo aguardaba a apenas cinco estadios de su posición, como lo haría un felino para cobrar su presa. Al punto reconoció la nave. Eran piratas panfilios, y al momento supo que su suerte estaba echada.

3

Ni en la peor de sus pesadillas Amosis hubiera podido pensar que el destino llegaría a enviarlo a la sentina de un barco pirata. Estaba claro que el tebano había despotricado lo suyo contra Shai, el dios egipcio que gobernaba el sino del individuo, e incluso había llegado a blasfemar contra su memoria en más ocasiones de las debidas. El joven bien sabía lo rencorosos que podían llegar a ser los dioses, y en su fuero interno se burlaba de sí mismo, de lo sinuoso que había resultado ser su camino y, sobre todo, de sus equivocaciones. Los grilletes a los que se veía sujeto no eran sino la consecuencia de su enorme estupidez, y como tal los aceptaba, sin consideraciones de otra índole.

Junto a él, Abdú perdía la mirada en los rincones de la lóbrega bodega. Este ya sabía lo que se escondía detrás de aquellos grilletes, y el futuro que les aguardaba. Sin embargo, su experiencia no era motivo de aceptación. El reino de la brutalidad volvía a reclamarlo, y rememorar semejante escenario era algo que lo abrumaba. Sobrevivir en aquellas circunstancias no era fácil, por mucha experiencia que él tuviera al respecto.

En realidad, al yoruba no le extrañaba cuanto había ocurrido. Se imaginaba que los *orishas* le tenían preparada alguna sorpresa desagradable, mas siempre había confiado en no volver a probar el sabor del látigo, ni a oír los insultos de los más infames. Mucho se temía que habían caído en manos de los peores, y que terminarían remando en aquel trirreme o en otro parecido. Esa era su senda, y convenía recorrerla a la mayor brevedad, pues si de algo estaba seguro era de que los *orishas* no se olvidarían de él y que al final acabarían por salir con bien de aquella desgracia.

No había duda de que la situación no invitaba a la esperanza. Desde el instante en que habían puesto los pies en el *Naxos*, aquellos bribones habían dejado claro cuál era la calaña a la que pertenecían; la peor que pudiera encontrarse cualquier ser civilizado. Hasta el nombre del trirreme resultaba inquietante: *Euriae*, la Errante; una de las tres hermanas conocidas como las Gorgonas. Claro que semejante apelativo no había sido elegido al azar. Aquel navío surcaba incansable las aguas de todo el Mediterráneo, desde el Ponto hasta la lejana Iberia, para perpetrar sus fechorías allá donde determinase su capitán, un verdadero canalla. Era tal su catadura y tan baja su condición que incluso entre los de su gremio tenía mala fama; bien ganada, en cualquier caso, pues era un reputado asesino. Nadie conocía en realidad cuál era su verdadera identidad, aunque con toda justicia hiciérase llamar Tersites.

Cuando vio a aquel enviado de Apofis subir a la cubierta del mercante, Amosis se dijo que en verdad el ingenio humano no tenía límites. Quienquiera que hubiera elegido aquel nombre no habría podido hacerlo mejor, ya que el capitán pirata parecía surgido de uno de los pasajes de la *Ilíada*, que el tebano conocía bien al haberlo leído en incontables ocasiones. A su parecer, Tersites era, con toda probabilidad, el personaje más bajo y despreciable de la obra. Su vileza no conocía límites, y en opinión del joven Homero hizo representar en su persona lo peor del alma humana, así como la crueldad más insospechada. Incluso su físico bien pudiera corresponder al del personaje de la epopeya homérica ya que, aunque no fuese jorobado, aquel rufián de los mares era bizco y cojo cual Tersites, y sumamente irreverente, como demostró al abrir la boca por primera vez. Sus blasfemias hicieron temblar hasta la quilla del mercante, y cuantos lo acompañaban se mostraban muy complacidos por ello.

Tersites preguntó por el capitán, quien, de pie sobre la cubierta de su nave, hacía tiempo que se había encomendado a Zeus Atabirio. En cuanto se mostró, el pirata se aproximó, renqueante, y con la presteza que confería la práctica lo degolló allí mismo, entre las alabanzas de los suyos. Luego ordenó tirar el cuerpo al mar en tanto seguía maldiciendo.

—¡Casi un día me habéis hecho perder! —vociferó el asesino en una koiné que apenas se entendía—. Espero por vuestro bien que tengáis algo que merezca la pena después de remar durante toda la noche.

Esas fueron sus palabras, y como las bodegas del mercante apenas llevaban carga, el energúmeno montó en cólera y ordenó arrojar a otros dos marineros al mar, para regocijo de sus hombres. Luego pensó que lo mejor sería dejar con vida al resto, por quienes algo sacaría con su venta, y al descubrir el arcón con los doce mil dracmas del yoruba su furia se atemperó e incluso lanzó una carcajada. Al reparar en el hombre de ébano, Tersites calculó que podría obtener otros seis mil, pues se trataba de un buen ejemplar, aunque no ocurriera lo mismo con el joven que lo acompañaba, que no parecía gran cosa. Así era su negocio, al que llevaba dedicándose toda su vida, y en el que no había lugar para el remordimiento.

El negocio al que se refería Tersites venía de antiguo, aunque había alcanzado un auge difícil de imaginar durante el último siglo. Tras la firma de la Paz de Apamea, después de que Roma derrotara a Antíoco III en la batalla de Magnesia, todos los territorios de la Cilicia Transtáurica quedaron controlados por el reino seléucida. Las constantes disputas de estos con los Ptolomeos, las sublevaciones internas y las rivalidades entre los propios seléucidas crearon una gran inestabilidad en la zona que fue el origen de la piratería cilicia. De este modo, las laderas septentrionales del Tauro, en el área de Licaonia, Pisidia y Cilicia, se convirtieron en tierra de bandidaje bajo las órdenes de pequeños señores de la guerra, a los que se unieron los piratas asentados en las costas de Panfilia y la propia Cilicia, para asolar aldeas y pueblos enteros en busca sobre todo de esclavos, ya que estos reportaban una gran ganancia, en particular si se vendían en el mercado de

Delos. Ello dio lugar a que la piratería se organizara de forma notable, hasta el punto de que Roma no tardó en advertir la amenaza que para ella suponía aquel verdadero ejército de maleantes.

Por este motivo, en el año 102 el pretor Marco Antonio[4] dirigió una expedición punitiva contra aquellas gentes que obtuvo escasos resultados, y posteriormente tampoco Sila ni Murena, que ocupó la Cibirátide, pudieron doblegar a los cilicios. Hubo que esperar a la campaña llevada a cabo entre los años 77 y 75 por Publio Servilio contra los bandidos del Tauro para que Roma pudiese alcanzar al fin una victoria. Servilio derrotó a todas las tribus que poblaban la región de Isáurice para tomar el apodo con el que pasaría a la posteridad: Isáurico. El procónsul se enfrentó además a Cenicetes, el principal cabecilla de la piratería, a quien venció y condujo al suicidio. Isáurico organizó Cilicia como provincia romana y en el 74 regresó a Roma, que le concedió un triunfo en el que paseó a varios de los cabecillas piratas capturados.

Sin embargo, el comienzo de la tercera guerra mitridática hizo que el rey Mitrídates y los corsarios hiciesen un frente común contra los romanos, y de este modo la piratería se extendió por todo el Mediterráneo como si se tratase de una plaga. El Senado envió al cónsul Lucio Licinio Lúculo a combatir la gran amenaza que suponía el ejército de Mitrídates, y ello llevó al general a una lucha sin cuartel contra el rey del Ponto y su aliado Tigranes el Grande, rey de Armenia, a quienes persiguió sin cuartel.

Ante dicha ofensiva, los piratas aprovecharon el conflicto en el interior del Asia Menor para volverse aún más codiciosos, y desde los fondeaderos y puertos naturales, tan abundantes en las costas de Cilicia y Panfilia, se entregaron al saqueo sistemático de ciudades y a la captura de cuantos barcos pudieron. Fue así como, a no mucho tardar, al tráfico de esclavos se unió el cobro por el rescate de rehenes, que llegaría a convertirse en proverbial.

Tal era la situación en los mares que surcaban el *Euriae*, con su dotación de doscientos hombres, su presa, el *Naxos*, tras su estela, y un puñado de infelices que habían despertado aquella mañana para convertirse en cautivos.

4

El trirreme atracó en el puerto de Side a la caída de la tarde. Side era una ciudad de la costa panfilia que poseía unos buenos astilleros y a la que acudían barcos cilicios para comprar o vender esclavos, ya que existía de siempre una buena relación entre ambos pueblos. Todos se dedicaban a lo mismo, y en numerosas ocasiones unían sus flotas para perpetrar incursiones en el Mediterráneo. Side, por tanto, era un buen lugar en el que avituallarse y reparar las naves, así como un punto de encuentro de muchos de aquellos bandidos que habían llegado a hacer de la piratería un negocio floreciente.

Aquel era el hogar de Tersites, que regresaba después de varios meses de navegación con una buena cantidad de plata en la bodega de su barco y un mercante del que sacaría algún provecho. Los pocos hombres que había capturado junto con el *Naxos* no compensaban el viaje hasta Delos para venderlos. En Side encontraría algún comprador interesado, aunque no obtuviese el mismo beneficio.

El capitán era un hombre muy popular en aquella localidad, y no precisamente a causa de su buen carácter. Muchos aseguraban que este se debía a la permanente compañía que le hacían las Erinias, y seguramente sería cierto, ya que las implacables vengadoras del orden inexorable se colocaban junto a aquellos que habían cometido delitos de sangre hasta provocar con su terrible presencia la locura o la muerte de aquel a quien habían señalado. Si había alguien en Side que podía vanagloriarse de tener las manos cubiertas de sangre, ese era Tersites, y si no había muerto todavía, al menos mostraba signos sobrados de locura, lo cual ya era suficiente.

Como casi todo lo que rodeaba a su persona, su edad era un enigma, pues bien pudiera atribuírsele la que más conviniese, debido a las innumerables cicatrices que marcaban su rostro. Los más viejos aseguraban que Tersites ya era conocido en el mar cuando eran jóvenes, aunque bien sabido era el gusto por la exageración de las gentes que habitaban la costa cilicia. Semejantes aspectos habían forjado alrededor de la persona del bandido un sinfín de historias que habían ido transformándose con el paso de los años hasta convertirlo en leyenda. Los más avezados marinos contaban que el cónsul Publio Servilio Isáurico no había sido capaz de doblegarlo después de que el pirata perdiera una pierna en una emboscada; y era cosa sabida que el filibustero se había reído de Licinio Lúculo al pasear su trirreme ante sus narices sin que el legado romano pudiera capturarlo. Decían que el Senado de Roma había puesto precio a su cabeza, y seguramente sería verdad. Junto con otras naves, Tersites había tenido la feliz idea de remontar el Tíber desde su desembocadura para saquear sus orillas hasta cerca de la mismísima Roma. Muchos aseguraban que la locura que demostraba en sus acciones era debida a Alecto, Tisífone y Megera, las consabidas Erinias que tanto cariño le habían tomado, aunque la realidad fuese otra. El pirata se sentía inmortal; según él, debido al hecho de haber estado señalado por la muerte en demasiadas ocasiones y haber salido indemne de todas ellas. En su opinión ya estaba de sobra, y el día que tuviese que morir lo haría agradecido.

En el concepto que Tersites tenía sobre el universo, el mundo estaba lleno de cabrones, y si por una extraña decisión del destino alguno no había alcanzado semejante consideración era porque no había tenido oportunidad. Su trono estaba en los mares, y al no haber nacido hijo de reyes se lo había forjado por sí solo, a lomos de su trirreme, cuyo nombre era gloria de aquel mar en el que no existía fondeadero que no conociese. La vida era para aquel hombre bien simple, y no comprendía a pensadores ni filósofos, que la complicaban tanto. Cuando el vino se le subía a la cabeza, cosa habitual, hacía referencia a la fundación de Anquiale, cerca de Solos, en la costa cilicia, y a la estatua que se levantaba junto a la tumba de su fundador, que mostraba una mano derecha en el acto de chasquear los dedos.

—Es la única verdad que debemos escuchar, pues nunca un hombre hizo grabar palabras más sabias —solía decir Tersites a quien estuviese dispuesto a escucharlo—, inscritas para la posteridad junto a la mano en estos términos por Sardanápalo, hijo de Anacindaraxes, el constructor de Anquiale: «Come, bebe, juega, pues el resto de las cosas no son dignas de esto.»[5]

Por algún motivo que nadie entendía, semejante frase había quedado grabada en el corazón del pirata, y a ella se atenía a la menor oportunidad. El que las mujeres no hubiesen sido añadidas a aquella inscripción no era motivo de recelo por parte de Tersites. Estas le gustaban a rabiar, y el hecho de que le faltara una pierna o que fuese bizco no suponía ningún impedimento para que las frecuentase en lo posible. Si el bandido ignoraba quién había sido su padre, no ocurría lo mismo con los numerosos hijos que tenía diseminados por aquel mar que los romanos ya llamaban *Nostrum*. Hasta en las lejanas tierras de Iberia había dejado retoños, algo que no se cansaba de contar con el mayor orgullo.

Lo curioso era que aquel tipo monstruoso aseguraba vivir en paz consigo mismo, que no tenía remordimientos y mucho menos pesadillas en las que se presentaran los rostros suplicantes de sus víctimas, que eran muchas, como le ocurriese al gran Aquiles; no había tal caso. Él dormía plácidamente, debido a que no tenía la más mínima idea de lo que era la conciencia humana, y mucho menos la moral.

Sus hombres lo seguían ciegamente allá donde dispusiese; y no por respeto o consideración, sino por miedo. Tersites sustentaba su figura sobre la base del terror, y no había cosa que más satisficiera al pirata que ver el temor en los rostros de su hueste, convencido de que, de no ser así, sus días estarían contados y otro ocuparía su puesto. Esto lo llevaba a hacer ostentación de su crueldad y exhibición pública de su escarnio. Las representaciones de este tipo le eran muy gratas, y gustaba de presenciar castigos y ejecuciones cual si se tratase de obras teatrales.

Con semejante ejemplar en Side, la plaza en pleno se dispuso para ser testigo de excesos, escenas escabrosas y múltiples castigos. Tersites era particularmente estricto con sus remeros, pues no en vano su nave dependía de sus brazos. Ciento setenta eran los que remaban en el *Euriae*, que solían ser repuestos con frecuencia ya que duraban poco. En ocasiones, el capitán medía sus fuerzas y los hacía bogar como demonios, hasta que no podían más. De este modo calculaba Tersites la capacidad de su trirreme antes de cada acción, al tiempo que disfrutaba del sufrimiento ajeno.

Sin embargo, aquel depredador de los mares también tenía sus debilidades, como todo el mundo, ya que era aficionadísimo a lo sobrenatural y, por ende, sumamente supersticioso. Las brujas del Egeo lo conocían bien y temían sus reacciones si los augurios no le resultaban favorables, por lo que procuraban andarse con cuidado con él. Todo resultaba desproporcionado en Tersites, incluso los escasos momentos de generosidad que pudiese sentir.

La tarde en que el *Euriae* atracó en Side su capitán se hallaba de desigual humor, como en tantas ocasiones. Ello significaba que el pueblo podía asistir a lo mejor y a lo peor de lo que fuera capaz de ofrecerle el corsario, por lo que convenía andarse con tiento. En los lupanares sabían que si el susodicho aparecía la reyerta estaba asegurada, aunque también conocían lo proclive que llegaba a ser a la hora de aligerar la bolsa si le satisfacían de forma apropiada. Después de varios meses en el mar, Tersites tendría ganas de solazarse, y según aseguraban en el muelle poseía tetradracmas de sobra para gastar.

No se equivocaron cuantos lo conocían, ya que el mayor canalla que surcara el Egeo se desahogó a sus anchas, hasta que su maltrecho cuerpo aguantó. Hubo riñas, vino y fornicación, y un par de ajustes de cuentas que al parecer quedaban pendientes y el pirata no había olvidado. Sus lugartenientes, dos tracios tan malencarados como él, se hacían cargo de cuanto quedaba del bandido al ser derrotado por el exceso, y no eran pocos los que no entendían su fidelidad a semejante monstruo, o cómo no lo despachaban de una vez. Pero la respuesta era sencilla. No había marino que pudiera compararse con aquel cojo que además bizqueaba, ni estratega más avezado. Con él al mando los botines estaban asegurados, y todos los que se dedicaban a la piratería soñaban con convertirse algún día en honrados granjeros o pasar su vejez sin temor a la penuria en tanto miraban al mar, en la lejanía, en busca de sus recuerdos.

A la mañana siguiente, Tersites se despertó con las ideas claras y el ánimo templado, o al menos eso era lo que aseguraba. Al poco de desayunarse quiso ver el estado en que se hallaban sus remeros, a quienes permitió que salieran a que les diera el sol, como gesto de magnanimidad. Como varios de ellos se encontraban enfermos de consideración, ordenó que los aliviaran de sus dolencias allí mismo; algo que, por otra parte, siempre solía hacer cuando llegaba a puerto. Diez dejaron este mundo sin oponer resistencia, y otros dos que todavía se tenían en pie cayeron de rodillas para jurar por todo el Olimpo en pleno que sus males eran cosa de poco, y que ya se sentían dispuestos a tomar el remo de nuevo y navegar hasta las mismísimas Hespérides si fuera necesario. Tersites disfrutó mucho con la escena, y para hacerles ver lo animoso que se encontraba les ordenó que remaran por el puerto en uno de los botes mientras pensaba qué hacer con ellos. Semejante juicio fue muy celebrado por el resto de la tripulación, ya que lucía un sol de mil demonios, y el que más y el que menos disfrutaba de los males ajenos.

Luego hizo subir de la bodega a los ocho infelices que había apresado para echarles una mirada, aviesa donde las hubiera. Los marineros del *Naxos* serían útiles en cualquier barco y los vendería a buen precio. En cuanto a los otros dos... Estos no habían olido el mar en su vida, de eso no le cabía ninguna duda, pero ya aprenderían. Por ellos no podría pedir rescate, pues estaba claro que viajaban con lo puesto; si lo sabría él. Los dracmas seguramente eran suyos, por lo que debían de estar huidos. Esto le satisfizo, pues le gustaban los truhanes. Si había algo que no soportaba el pirata era un corazón bondadoso, siempre proclive a la compasión. En cambio, con un rufián siempre sabía a qué atenerse, aunque no sintiese el más mínimo desasosiego al arrebatar la vida de cualquiera de ellos.

Aquellos dos procedían de Alejandría, y el de piel blanca tenía la mirada astuta típica de los comerciantes y el aspecto reservado que caracterizaba a muchos de aquellos egipcios. El pirata los aborrecía, ya que los consideraba taimados y mentirosos como pocos. Sin embargo, el gigante lo fascinaba. Por alguna extraña razón que no llegaba a comprender, aquel hombre atraía su curiosidad más allá de lo usual. Sin duda se trataba de una verdadera fuerza de la naturaleza por quien podría sacar una buena ganancia, mas no era aquello lo que llamaba su atención. Había algo intangible en él, cual si un halo invisible envolviera a aquel individuo para hacerlo brillar con luz propia. Él, Tersites, que conocía a cualquier hechicera y oráculo del Egeo que se preciasen, sabía muy bien de lo que se trataba. Lo había presentido desde el primer momento que lo viera, y aquella mañana, bajo el sol del verano, el pirata no albergó ninguna duda. Solo tuvo que aproximarse hasta el hombre de ébano y escrutarlo con atención para sentir su poder. Abdú sostuvo la mirada de aquel bizco sanguinario, y al momento leyó en su corazón. Tersites dio un respingo, pero enseguida se repuso y comenzó a gritar.

—¡No tenía pocos cabrones, y ahora me veo con más!

Hubo una carcajada general, ya que aquel tipo de comentarios eran muy del gusto de su tripulación.

—¡Mirad al negro! —exclamó en tanto lo señalaba—. Yo diría que es capaz de mover el trirreme él solo. ¿Creéis que haría bien en venderlo?

—¡Nooo! —contestaron al unísono—. Bogará como *tranita*,[6] y cerca de la proa.

—Veo que algo habéis aprendido al navegar conmigo, je, je. Con esos brazos podríamos ganar hasta dos nudos.

Aquel comentario despertó la hilaridad general, pero al momento Tersites alzó una mano para hacerlos callar.

—Veamos qué tenemos aquí —dijo, acercándose a Amosis—. Ambos veníais juntos. ¿Acaso era tu esclavo? —preguntó el pirata.

El egipcio no contestó, pues sabía que daría lo mismo cuanto dijera.

—No serás mudo por casualidad, ¿verdad?

Los hombres de Tersites rompieron a reír.

—Te advierto que quienes no hablan no necesitan lengua —señaló Tersites, que disfrutaba una enormidad con aquel tipo de conversaciones.

Al advertir el cariz que tomaba la cosa, Abdú decidió intervenir. Entreveía con claridad el nuevo camino, y solo él podría alumbrarlo.

—Es de pocas palabras, gran Tersites. Un hombre apocado, que apenas habla.

El pirata se volvió hacia el gigante con gesto de asombro, no tanto por la osadía que demostraba su prisionero como por el hecho de que le hubiese llamado gran Tersites, algo que no le había ocurrido en toda su vida.

—Siempre ha sido un buen amo para mí —continuó Abdú—. Nunca me pegó, valeroso marino. Tú mismo puedes comprobarlo. Mi espalda se encuentra libre de cicatrices.

Tersites bizqueó de forma notoria en tanto consideraba si cortarle el cuello a aquel negro allí mismo o nombrarlo su asistente personal. Las alabanzas que le dirigía eran muy de su gusto. Nada menos que valeroso marino le había llamado; aquello era cosa de magos, pues de no ser así de seguro que ya lo habría despachado rumbo al Erebo.

—Ya me lo suponía —dijo el corsario, satisfecho de haber acertado, mientras el tebano observaba al yoruba sorprendido por sus palabras.

El pirata miró al egipcio con cara de pocos amigos.

—Al menos tendrás un nombre, ¿no es así? —inquirió en tanto le hacía ver al joven que podía perder la paciencia en cualquier momento.

—Mi nombre es Amosis —contestó este con voz pausada.

Al escuchar aquel acento, Tersites hizo un gesto cómico que iba más allá de la sorpresa y que despertó nuevas risas.

—¿Habéis oído, queridos canallas? Habla como un erudito. ¿Acaso procedes del Mouseión? Aseguran que allí se encuentran los más doctos, je, je. Ya decía yo que me parecías un relamido. ¿Os lo imagináis remando con los *talamites* en la bodega?

Los presentes le contestaron con división de opiniones, ya que había quienes dudaban de que aquel egipcio pudiera siquiera sujetar un remo. Entonces uno de los *trieraulas*, los encargados de marcar la cadencia de la boga con sus flautas, comenzó a dar saltitos como si fuese un sátiro y a danzar alrededor del egipcio entre grandes aplausos. A Tersites tales actuaciones le gustaban una barbaridad, y aprovechó la ocasión para marcarse unos pasos de baile que efectuó con una agilidad pasmosa pese a la prótesis de madera que llevaba en una pierna. No había duda de que el capitán estaba de muy buen humor aquella mañana, algo que hizo concebir las mejores esperanzas a los suyos, pues por fin podrían solazarse con toda libertad.

—¿No habías escuchado nunca esta melodía? —se burló el corsario en tanto miraba a Amosis de forma aviesa—. Te aseguro que te hartarás de oírla, mercader de prepucios.

Semejante comentario fue muy aplaudido, pues los egipcios eran famosos por circuncidarse a temprana edad.

—Seguro que comerciabas con ellos —continuó Tersites, muy animado—. ¿Me equivoco?

—Nunca escuché palabras tan certeras —se atrevió a decir el tebano, a quien repelía la zafiedad de aquel tipo.

—¡Ooooh! —exclamó el rufián en un tono que su tripulación conocía bien—. Al fin se le soltó la lengua. ¿No os decía yo que este venía del Mouseión?

—O de la biblioteca —señaló alguien.

Tersites rio quedamente y volvió a bizquear de forma exagerada.

—¡Negro del demonio! —gritó para dirigirse a Abdú, que se lamentaba en silencio por lo que se avecinaba—. Este habla más de lo que suponías. ¡Bien! —señaló el pirata con rotundidad—. Hoy tengo el juicio sereno y me siento proclive a la compasión. Con doce latigazos bastará; así recordará este mercader de pellejos de bálano lo que le conviene. Con suerte te mantendré con vida para que sirvas en mi nave —le advirtió el corsario.

Luego, mientras se llevaban a Amosis para azotarlo, se dirigió al yoruba con tono amistoso.

—¿Ves como mis juicios son acertados? —le dijo—. Hoy haré justicia y os igualaré ante los hombres; acabo de convertiros en hermanos en la esclavitud, je, je. Ya me lo agradecerás algún día —indicó, divertido, en tanto volvía a dirigirse a sus hombres—. Bueno, cabrones, hoy podréis fornicar y beber cuanto queráis, mas no me importunéis en exceso u os saldrá cara la celebración. Mañana estaréis de vuelta en el barco, y espero que lo hagáis serenos. Ah, sería buena cosa que consiguierais orín de bebé para poder limpiarnos los dientes. Pero no hagáis como la última vez, que me trajisteis los de algún viejo moribundo, o quién sabe si los de un macho cabrío. Quedáis advertidos, hijos de rameras babilonias.

5

Durante los días siguientes, la vida se desarrolló como era habitual en aquella localidad. En Side se daban cita no solo corsarios de Panfilia sino también de la vecina Cilicia, pues era un buen fondeadero desde el que hacerse a la mar en busca de nuevas presas. Ello era debido a la gran connivencia que existía entre las gentes del lugar y los piratas. Los lugareños tenían establecida una verdadera red de espionaje, que abarcaba Licia y Pisidia, mediante la cual sabían quiénes eran los comerciantes que habían hecho los mejores negocios y los puertos en los que embarcarían. A cambio de una comisión, los corsarios eran informados de los detalles, y esperaban a los mercantes en alta mar para asaltarlos. Más de un siglo llevaban ejercitándose en tales prácticas, y eso hizo que aquel pueblo cobrase una notable importancia comercial. A los astilleros se unió el mercado de esclavos, ya que desde antiguo, en las épocas en las que no se hacían a la mar, los piratas aprovechaban para hacer incursiones en el interior de la zona del Tauro en busca de botines y sobre todo de esclavos. Aquella región se transformó en fuente inagotable de infelices que acabaron por convertirse en carne de mercadeo. Hombres, mujeres, niños...; daba lo mismo, todos tenían su valor, sobre todo debido a la gran demanda solicitada por los romanos.

Este particular no dejaba de resultar curioso. Roma perseguía la piratería con firmeza desde hacía tiempo, y no obstante compraba esclavos a los corsarios en el mercado de Delos. Los negocios siempre estaban por encima de las buenas intenciones, y ese había sido el principal motivo por el cual la piratería se había desarrollado de aquella forma.

Como los capitanes corsarios siempre andaban necesitados de remeros, estos eran elegidos en el mercado de Side sin necesidad de tener que desplazarse hasta Delos, donde los navíos se detenían el tiempo imprescindible para descargar a los desventurados. De este modo, cilicios y panfilios llegaron a poseer una flota de envergadura, ya que a los rápidos trirremes se les unía una gran diversidad de mercantes para el transporte de su desdichada carga.

A Tersites no le fue difícil reemplazar a los hombres que él mismo había ajusticiado. Daba igual su procedencia; los quería en la veintena, ya que no solían sobrevivir más de tres años en su barco. Lejos de lamentarse, el filibustero se vanagloriaba de ello; para solaz de sus colegas, que lo conocían bien. Lo exagerado de su comportamiento formaba ya parte de la leyenda forjada por la piratería cilicia; todo un personaje el tal Tersites, al que muchos llamaban el Cojo.

Abdú tardó poco en afianzar su ascendente sobre aquel canalla. Con el don que le había sido concedido, el yoruba tejió su magia sobre el temible pirata hasta conseguir que le abriera aquel corazón oscuro como el betún. Parecía cosa de magos, y probablemente fuese cierto, ya que ni los más viejos del lugar habían visto nunca en la figura del corsario semejante comportamiento. Ni un insulto, ni una palabra soez, y mucho menos un castigo. Abdú parecía haber surgido del particular Olimpo que pudiera tener Tersites para convertirse en una suerte de guía difícil de calificar.

Apenas llevaban unos días en Side cuando Tersites ya se había interesado por la persona del yoruba, sin que le importara lo que pudieran pensar sus hombres. Su fuerza no era nada comparada con el poder que encerraba aquel gigante, o al menos eso era lo que se decía a sí mismo el pirata.

—A mí no me puedes engañar —le dijo el bandido en el almacén donde permanecían confinados los remeros—. Practicas la magia. Puedo leerlo.

Abdú lo miró a los ojos de tal manera que Tersites se estremeció como si le hubiese alcanzado un rayo.

—Son mis maestros quienes me guían. Sin ellos no soy nadie —le respondió con aquel tono tan misterioso que el yoruba gustaba de emplear en ocasiones.

—¿Maestros? ¿Quiénes son esos maestros? ¿Por qué te han enviado? —se apresuró a preguntar el corsario.

—Querían que me encontrara contigo.

Tersites dio un respingo, ya que era muy supersticioso.

—¿Por qué motivo? ¿Cuál es su propósito?

—Eso no me ha sido revelado todavía.

—Al menos podrás decirme quiénes son esos maestros de quienes me hablas.

—Son los *orishas*, gran Tersites.

Este volvió a estremecerse.

—Los *orishas*... —murmuró el bucanero—. Nunca había oído hablar acerca de ellos.

Entonces Abdú le explicó someramente a lo que se refería y quiénes eran aquellos extraños. El capitán lo escuchó con embeleso, y el yoruba leyó en él cierta candidez que de seguro ocultaba tras sus desmanes.

—A mí no puedes engañarme —le repitió de nuevo el truhan—. Tú eras rey entre los tuyos, o por lo menos príncipe. Tienes la apostura de los que gobiernan. Los reconozco en cuanto los veo.

—Conmigo te equivocas, insigne estratega. Nadie te pagará rescate por mi persona. Además, mi pueblo se encuentra en las profundidades del África, más allá de los desiertos.

—Insigne estratega... —musitó Tersites como para sí—. ¿Y dices que los *orishas* te han conducido hasta mí? ¿Cómo puede ser, si no me conocen?

Abdú esbozó una sonrisa que al corsario le pareció muy enigmática.

—Los *orishas* conocen los caminos de cada uno. Por alguna causa, mis padres espirituales me han puesto en tu senda. Rezaré a Olodumare para que me aclare cuanto ocurre.

—¿Olodumare? ¿Y quién es ese? —quiso saber Tersites, que no podía ocultar su interés.

—El dios único y omnipotente. Él conoce todo lo que se esconde en nuestros corazones.

—No habrás venido para intentar alguna mala arte contra mí, ¿verdad? —desconfió el pirata—. Te advierto, negro del demonio, que ya he mandado al Tártaro a más de un mago.

Abdú asintió en tanto observaba al corsario. Tras aquella brutalidad se escondía una fragilidad que el yoruba percibía con claridad.

—Mi magia es blanca —señaló el hombre de ébano con gravedad—. No hay lugar para la brujería negra en mi religión.

—Esos *orishas* de los que hablas te abandonaron a tu suerte. Acabaste por convertirte en esclavo —señaló el pirata con desdén—. Y mírate ahora. Te adelanto que no has caído en las mejores manos.

Abdú lo miró sin perder la calma.

—En todo caso, es el camino que debo seguir. Así está escrito, gran Tersites.

—Hum... Deja de llamarme así —advirtió el truhan, malhumorado—. Ya veo tus zalamerías, y no soy proclive a ellas.

—Eres grande entre los de tu oficio. No son adulaciones. Todos hablan de ti con respeto, y tú sabes por qué.

—Porque me temen —apuntó el corsario con cierta rabia—. Es el único lenguaje que conocen; la única ley en el mar. Son todos unos hijos de mala madre.

—Como ves, eres grande, pues los gobiernas a todos. Tú también recorres tu camino.

—¿Y adónde me llevará? —preguntó el bandido con ansiedad.

—Algún día lo averiguaré. He venido aquí para eso.

Tersites se removió inquieto. Aquel gigante poseía la magia de la que hablaba, estaba seguro, y también sabía que no se encontraba allí por casualidad. A menudo consultaba los oráculos antes de tomar una decisión importante, y conocía bien la calaña que se ocultaba detrás de aquellos hechiceros que no eran más que farsantes. Sin embargo, el que decía ser un yoruba emanaba poder por cada uno de sus poros, una fuerza que le resultaba desconocida al pirata y que en nada se parecía a lo que había visto con anterioridad. Tersites guardaba su secreto, algo que podía llegar a atormentarlo, y tuvo la sensación de que su nuevo esclavo sería capaz de averiguarlo sin dificultad. Entonces sintió un escalofrío que lo dejó sin aliento.

6

Si el infierno existía, este no podría ser peor que cuanto le estaba ocurriendo. Amosis se hallaba convencido de ello, y con cada impulso que daba pensaba en que su condena no había hecho más que empezar, y que así continuaría por toda la eternidad. Según pasaron los meses se dijo que no le quedaba sino resignarse ante aquella decisión que a él no competía, aunque en ocasiones llegara a la conclusión de que hubiese sido preferible que Ammit lo devorara para terminar con aquello de una vez. Claro que ello le habría ahorrado sufrimiento, y al parecer no era eso lo que los dioses habían determinado para él.

Con cada golpe de su remo, Amosis había tenido tiempo suficiente para rememorar cuanto le había ocurrido, cada detalle, hasta encontrar los que yacían perdidos en algún lugar de su memoria hacía ya demasiado. Rostros que se le aparecían de improviso, sonrisas embaucadoras, traiciones y engaños, y también las miradas de cariño que le habían dirigido quienes lo amaban. En cierto modo él los había traicionado a todos, aun sin pretenderlo, y cuando lo invadía la desesperanza se acordaba de Mut, la única mujer que le había hecho sentir el amor verdadero, aunque luego la vida los separara. Ahora ya no tenía ninguna duda respecto a eso, quizá porque el maldito Shai estuviera empeñado en verlo amarrado a aquella nave por razones que al joven se le escapaban. El destino lo había esclavizado, por mucho que él se negara a aceptarlo.

Con el paso de los días, Amosis había terminado por acostumbrarse a su rutina, a remar hasta que le faltaban las fuerzas. El *kéleustes*, el cómitre, era el responsable de los remeros, y ordenaba a los *auletes* y *trieraulas* marcar la cadencia de las paladas con sus flautas. Pronto conoció el tebano todo el repertorio de sus obras, y también lo que le ocurriría si perdía el compás de los dieciocho golpes de remo por minuto que se le exigían. Su espalda fue víctima de la inquina que al parecer sentían por él, ya que lo azotaron sin piedad hasta que fue capaz de bogar al mismo ritmo que el resto de infelices que lo acompañaban. Él era un *talamite* más en aquella bodega, y daba gracias a Isis por que no le hubieran enviado a un nivel superior, donde se necesitaba un esfuerzo mucho mayor para mover el remo.

Las noventa toneladas que desplazaba el trirreme podían ser impulsadas por la fuerza de los brazos para navegar a algo más de cinco nudos, y cuando la brisa se mostraba favorable les permitían descansar al izar una vela con la que llegaban a alcanzarse hasta ocho nudos si había buen viento. Solo si la ocasión lo requería, Tersites ordenaba utilizar ambos medios para propulsar la nave. Entonces esta podía navegar a diez nudos, algo de lo que el capitán se sentía particularmente orgulloso.

Al poco de encontrarse en el trirreme, el egipcio creyó que no duraría más de dos años. Decían que tres era más de lo habitual, y que nadie había sobrevivido a los cuatro. Al tebano pocas dudas le quedaban de que aquello fuese cierto, aunque ya nada estuviese en su mano. Remar y vivir era un lema bien conocido entre los de su condición; lo único que podían esperar en lo que les restara de vida. No eran por tanto de extrañar las miradas vacías, carentes de luz, perdidas en el mundo que cada cual poseía y que a nadie importaba. Así era el escenario en el que se hallaba Amosis el día que cumplió veinticinco años. Corría el año 69, y en Egipto Ptolomeo Auletes había perdido a su reina para ganar una nueva princesa bautizada con el mismo nombre: Cleopatra. Ella sería la séptima de dicha estirpe, y el último faraón que se sentaría en el trono de Horus.

Para Abdú, el cautiverio resultó bien diferente. Él formaba parte de los *tranitas*, los remeros situados en el nivel superior, los más fuertes, e hizo falta poco tiempo para que se convirtiera en su dios. En realidad todo el barco se rindió ante la fortaleza del yoruba, empezando por su capitán, que se sentía fascinado ante aquel poder de la naturaleza. Enseguida surgieron sobrenombres y apodos, a los que tan aficionados eran aquellos marinos, y los piratas embarcados para combatir decidieron llamarlo Áyax Telamonio, el más fuerte de los héroes griegos. No hubo látigo que se atreviese a fustigar su espalda, ni palabra contra su persona; él solo parecía ser capaz de mover el trirreme, sentado sobre su banco junto a la proa, el lugar reservado para los inmortales. Tonsurado de pies a cabeza, su cuerpo brillaba, sudoroso, bajo los rayos del sol en tanto bogaba perdido en sus pensamientos.

Tersites no le quitaba ojo. Aunque se cuidara de mostrar debilidad hacia el gigante delante del resto de sus hombres, no olvidaba su conversación con aquel misterioso personaje, ni tampoco el efecto que esta le había causado. Algo en su interior le decía que el esclavo se había cruzado en su vida por algún motivo y no podía dejar de pensar en ello.

Una tarde en la que se encontraba particularmente eufórico tras haber estado trasegando sin medida, desafió al resto de embarcaciones que lo acompañaban a una boga larga, durante una hora, para ver quién salía vencedor. Era una flota de cuatro trirremes y dos mercantes que habían unido sus fuerzas para perpetrar asaltos en el litoral de la costa caria y las islas del Dodecaneso. El resto de capitanes le hicieron ver su poca disposición al desafío, ya que no había buena mar, pero Tersites no cejó hasta conseguir su propósito, pues necesitaba alardear al precio que fuese. De este modo, se pusieron a remar entre las embestidas de las olas como si les fuera la vida en ello. Como estas golpeaban contra las amuras y los remeros y entraban hasta la sentina, el capitán mandó que extendieran pieles sin curtir sobre los costados de proa para clavarlas en el puente y protegerse de este modo del oleaje. Mientras, reía a grandes carcajadas en tanto gritaba.

—¡Tal y como hizo Cabrias, marineros del río Orontes! —se mofaba el pirata ante las otras naves al referirse a cómo el estratega ateniense Cabrias había resuelto aquel problema tres siglos atrás, durante la guerra corintia contra Esparta.

La mar no invitaba precisamente al lucimiento, pero Tersites logró su propósito de sacar ventaja a los demás y, sobre todo, ser testigo de la fuerza descomunal del hombre de ébano, que aún seguía remando como si tal cosa cuando el resto se postraba sobre los remos, exhausto.

—Hijo de Telamón...[7] —le dijo el corsario al *kybernetes*, su piloto, con admiración—. Deberíamos darle una espada para que conquistara el mundo.

Aquella misma noche, el pirata no pudo aguantar por más tiempo su ansiedad y ordenó que el yoruba compareciese ante él.

—¿Has averiguado algo? —le preguntó—. ¿Has podido hablar con los *orishas*?

Abdú permaneció unos instantes en silencio mientras miraba al corsario como nadie se hubiese atrevido a hacer. Este notó cómo su alma era desnudada por el gigante y que su voluntad desaparecía como si se tratara de un niño desvalido.

—Todo está confuso —señaló el yoruba, enigmático—. Ese es el mundo en el que siempre has vivido. Tu alma sufre sin remedio, y solo se redimirá si te acercas a la luz.

Tersites se removió, incómodo.

—Tus pesadillas te abruman —continuó Abdú—. Ellas te fustigan sin piedad cada noche. Solo eres capaz de caminar entre tinieblas.

—¿Cómo sabes que mis sueños me atormentan? —inquirió el corsario con desmedida impaciencia.

—Son recuerdos de tu niñez. Sombras tenebrosas de las que no consigues librarte.

A duras penas Tersites ahogó un juramento.

—Dime, ¿has venido a mí para librarme de ellas? ¿Cuál es la causa? Has de decírmelo. ¡Si no me ayudas, algún día partiré el mundo en dos! —rugió el pirata.

Abdú apenas se inmutó. Era tal la influencia que ejercía sobre el corsario que este mismo se arrepintió al instante de su exabrupto, antes de adoptar un tono de súplica.

—Estás por encima de los magos con los que me he cruzado. Lo sé muy bien. Tu poder sobrepasa todo lo conocido. A veces dudo que seas mortal.

—Como te adelanté una vez, soy un enviado. Poco más puedo decirte acerca de mi persona —mintió el hombre de ébano.

Tersites gimió de forma lastimera mientras se frotaba las manos con desesperación.

—Al menos muéstrame qué es lo que me atormenta, y cuál es el destino que tengo reservado —casi le rogó el capitán.

Abdú pareció reflexionar unos momentos, para luego volver a dirigirse al bandido en un tono enigmático donde los hubiese.

—Cumpliré con aquello que me ordenen mis padres espirituales. Hablaré con el *diloggún*. Él nos ayudará.

—¿Quién es el *diloggún*?

—Uno de los oráculos que permiten comunicarse con los *orishas* —explicó el yoruba con gravedad.

—Entonces debes hablar con él sin dilación —lo apremió el corsario.

Abdú sonrió con suavidad, pues aquel oráculo no se refería a una persona, sino a un método. Luego adoptó el aire más enigmático de que fue capaz.

—Habrá que esperar hasta la próxima luna llena. Solo entonces podré realizar mi consulta —mintió el gigante.

—Pero... faltan tres semanas para que eso ocurra —se quejó el pirata.

—Deberás esperar hasta entonces. Yemayá, la gran adivinadora, nos mostrará su poder.

7

Tersites y sus secuaces asolaron el Dodecaneso cuanto les fue posible. En dos semanas dejaron huella de su paso en las islas Symi y Nisiros y sobre todo en Tilos, de donde se llevaron a la mayor parte de sus habitantes. Aquella noche de horror, los piratas cilicios llenaron sus mercantes de esclavos y los enviaron sin dilación a Delos para que fuesen vendidos cuanto antes. Luego, y sin temer lo más mínimo a la marina rodia, se dirigieron al golfo de Glauco, en la costa caria, que tenía buenos fondeaderos, y tras pasar la profunda desembocadura del río Calbis, que ya conocían por haberse aventurado alguna vez aguas arriba para cometer tropelías, decidieron saquear Cauno, una ciudad que disponía de arsenal e incluso fortaleza y que estaba enclavada en una región muy fértil, famosa por la abundancia de frutos. Este particular era uno de los motivos por el cual la villa tenía mala fama, ya que en verano el calor podía llegar a ser insoportable y ello provocaba muy malos olores.

Sin embargo, a Tersites tales impedimentos le parecieron insignificantes y, con la audacia que caracterizaba a todas sus acciones, los panfilios y cilicios cometieron gran pillaje para llevarse cuanto de bueno pudieron sin dar tiempo a la reacción de la guarnición rodia, bajo cuyo dominio se encontraba el lugar desde que Roma se lo otorgara a Rodas como castigo por la participación de los caunios en la matanza de romanos ordenada por Mitrídates VI Eupátor.

Los piratas se apoderaron de armas y cuantas mujeres encontraron a su paso, y luego volvieron a embarcar y pusieron proa a la isla de Eleusa con gran júbilo, entre cánticos y celebraciones.

En Eleusa fondearon e hicieron burla de los hombres de Cauno, que habían permitido que se llevasen a sus mujeres sin ofrecer ni una vida a cambio.

—¡Si ellos no son capaces, nosotros cuidaremos de sus mujeres! —exclamó un bribón, que al punto recibió aplausos.

Como tenían alimentos frescos y buen vino, disfrutaron de su estancia en Eleusa cuanto pudieron, aunque la codicia por las mujeres hizo que surgieran las primeras reyertas. Los capitanes conocían de sobra lo que podía ocurrir, y el propio Tersites advirtió entre blasfemias que no estaba dispuesto a perder ni un solo dracma de la venta a causa de su lascivia.

Uno de los contramaestres, al parecer más instruido que el resto, se mofó de la ciudad al contar la historia de Estratónico el Citarista, quien hizo ver a los habitantes de Cauno que estos se hallaban extremadamente pálidos. Los ciudadanos, según aseguraba el contramaestre, se ofendieron e increparon al citarista por considerar que se burlaba de Cauno como si la villa estuviese enferma. Entonces Estratónico, muy serio, dijo: «¿Y yo me iba a atrever a llamar enferma a una ciudad donde los muertos pasean?»[8]

Todos aplaudieron aquel relato, y luego rieron e hicieron más bromas. El tal Estratónico era un tipo ocurrente, en opinión de los corsarios, más allá de que en su día introdujese la policordia en la música de cítara al utilizar un instrumento de once cuerdas.

—¡Por Estratónico y los pálidos caunios! —gritó uno, y al momento todos brindaron y volvieron a hacer befa de sus fechorías mientras jugaban a los dados.

Tersites vio llegado el momento que tanto esperaba y se acercó al yoruba, que permanecía en un aparte. La luna lucía en su plenitud, y el corsario se encontraba sobrio como no recordaba.

—Selene se halla en su apogeo —señaló el pirata—. Es el momento de que cumplas lo que me prometiste. —Abdú lo miró un instante y luego observó la luna en silencio, cual si se encontrara absorto en algún detalle—. ¿Hablaste con tu oráculo?

El gigante asintió.

—El *diloggún* me ha sido favorable. Los *orishas* conocen tu sufrimiento. El porqué de tus pesadillas.

Tersites miró al esclavo con ansiedad.

—Todo lo que hoy puedo decirte me ha sido revelado. Tú mismo serás testigo del poder de Olodumare, el dios único, que ha leído en tu corazón.

El corsario tragó saliva con dificultad, ya que apenas podía refrenar su impaciencia.

—Como te dije, las sombras te acompañan desde tu niñez —continuó el yoruba con tono misterioso—. Hay sangre a tu alrededor, llantos y una gran tragedia.

Tersites parecía hipnotizado.

—Tu madre... fue muerta a manos de tu padre, en tu presencia, con saña inusitada —prosiguió Abdú—, hasta descuartizarla.

El corsario ahogó una blasfemia.

—Aquella era una casa en la que vivía el engaño. Esto enajenó al criminal, que luego te condujo hasta el puerto para venderte a los piratas —continuó el gigante, que ahora no apartaba la vista de la luna, como si ella le contase cuanto decía—. Aquel hombre juraba que no eras hijo suyo, que su esposa fornicaba con el primer extraño que llegaba a los muelles. Por eso te llevó hasta aquel barco. Ahora veo su nombre con claridad.

—¡Dime cuál es, por las ánimas del Tártaro! —exclamó el corsario sin poder contenerse.

—Su nombre es *Trifón*.

Tersites lanzó un juramento y se postró sobre la arena a la vez que sacudía la cabeza como si se hallase poseído.

—No es posible. Nadie conoce tales detalles —se quejaba entre gemidos.

—Ese barco fue tu hogar durante años, hasta que seguiste tu propio camino. Rendiste tributo a la sangre derramada allá donde te encontraste. Crímenes horribles que llegan a cubrir el mar.

—Decía que yo no era hijo suyo —seguía gimoteando el pirata—. Que un ser tan grotesco como yo no podía llevar su sangre.

—Lo buscaste durante años, hasta que al fin lo encontraste.

—¡Sí! —rugió el bandido—. Lo encontré donde debía, en el peor prostíbulo de la isla de Kasos.

—Esperaste a que saliera, para seguirlo hasta un lugar apartado. Allí lo mataste, no sin antes obligarlo a que te mirara a los ojos, para que viera el extravío de tu mirada y supiese quién le arrebataba la vida.

—Él descuartizó a mi madre —repitió el corsario una y otra vez, fuera de sí—. Pero tenía razón —dijo con una ira apenas contenida—. Yo no era su hijo.

Abdú hizo un gesto de lamentación.

—En eso te equivocas, Tersites. El hombre a quien diste muerte era tu padre.

El capitán gimió de forma desgarradora.

—Mientes. Es imposible. Nunca podré creerte.

—Juzga tú mismo mis palabras. Nada sabía de tu persona hasta que el oráculo me abrió los caminos de tu vida. Solo tú conocías lo que ocurrió. Pero no hay nada que se le pueda ocultar a Olodumare.

—*Trifón...* —musitó el pirata—. Ese navío fue mi hogar durante muchos años. Todavía navega..., pero a las órdenes de otro capitán.

—A aquel lo mataste, como a tantos otros, Tersites; ese es el rastro que dejan tus pasos.

Tersites se hallaba tan desconcertado que era incapaz de pensar con claridad. Cuanto le había dicho el gigante era cierto, hasta el último detalle, pero... ¿cómo era posible tal poder? ¿Qué suerte de hechicería se escondía en aquel portento de la naturaleza? ¿No sería en realidad un dios, un inmortal enviado a su encuentro para someterlo a alguna prueba? De sobra era conocida la afición de los dioses a gastar bromas de aquel tipo. Sí, eso podía ser. No cabía otra explicación, pues no existía hombre capaz de adivinar lo que el yoruba le había dicho. Entonces, sin poder evitarlo, tocó los brazos del esclavo, como para convencerse de que era humano.

—No soy más inmortal que tú —se apresuró a señalar Abdú—. Moriré algún día, aunque todavía falten muchos años.

Tersites se sintió abrumado ante aquel poder que sobrepasaba todo lo conocido. Su enfermiza superstición ahora tenía fundamento. El pirata no se había equivocado. Aquel mago se hallaba en su destino, sin entender todavía el porqué.

—Conoces tu final —dijo Tersites, casi con reverencia—, lo que te depararán los tiempos. Todo está escrito pues.

—Sin embargo, nada es definitivo. Dios nos da la oportunidad de corregir los textos que han sido escritos.

—¿Cómo puede ser?

—Los *orishas* nos muestran caminos. Debemos aprender a elegir.

—Entonces... conocerás adónde me conducirán los míos —se apresuró a decir el pirata—. Aunque no resulte difícil el adivinarlos.

—Yemayá, la madre de todos los hijos de la Tierra, la gran adivinadora, lo sabe.

Tersites se humedeció los labios, comido por la incertidumbre.

—Dijiste que hablarías con ella. La gran madre a la que te refieres sabrá con seguridad cuál será mi sino.

Abdú asintió lentamente, y al punto adoptó un aire aún más misterioso. Tersites lo miró, subyugado.

—Tu destino corre parejo al de aquellos que te acompañan —dijo Abdú señalando a los secuaces del pirata.

—¿Qué significan esas palabras, gran mago? ¿Qué suerte es esa de la que hablas? —inquirió el corsario, casi atropellándose.

—Escucha, Tersites, pues nuestro tiempo está medido.

El capitán sintió un escalofrío, pero no dijo nada.

—Un gran poder se acerca, y su sombra es tan alargada que cubrirá todas las tierras que conoces.

Tersites tragó saliva con dificultad, ya que se sentía fascinado.

—Nadie lo podrá detener. Doblegará a hombres y voluntades, a pueblos milenarios que quedarán bajo su yugo.

El pirata miró al gigante con toda la atención que le permitía su bizquera, pues sabía muy bien a lo que se refería.

—La estela de su águila se extenderá por todos los mares por los que has navegado —profetizó Abdú.

—Roma... —musitó el corsario. Luego hizo una mueca de desdén, ya que llevaban muchos años causando sonrojo a los romanos.

—Esta vez será diferente —continuó el yoruba, que le había leído el pensamiento—. Un general victorioso desequilibrará la balanza. Es un hombre poderoso que recordarán los tiempos venideros.

Tersites pareció considerar aquellas palabras.

—Seréis derrotados para siempre —apostilló Abdú con gravedad.

—¿Cuándo dicen tus dioses que ocurrirá eso? —preguntó el truhan con cierto desasosiego.

—Pronto. Como te dije antes, vuestro tiempo está medido.

Tersites volvió a percibir por enésima vez el poder de aquel mago llegado de tierras remotas. Como le ocurriese con anterioridad, se sintió incapaz de oponerse a él, y mucho menos de combatirlo. Todo parecía formar parte del mismo sueño, de aquella pesadilla surgida de su propio horror de la que resultaba imposible liberarse. Aquel extraño conocía detalles que no estaban al alcance de los hombres. Entonces sintió miedo.

Durante un rato ambos permanecieron en silencio, absortos en diferentes cuestiones. Abdú observaba la luna y se la imaginaba rielando sobre las aguas del río que pasaba cerca de su poblado y al que acudía a bañarse a menudo junto con otros niños.

Tersites pensaba en los augurios y también en la carga que llevaba soportando durante toda su vida. En su fuero interno sabía que el hombre a quien mató era su padre, aunque siempre había porfiado en engañarse.

—Ahora comprenderás por qué nuestros caminos se han cruzado. El significado de que mis pasos me hayan conducido hasta la isla de Eleusa.

—Averiguaste mi secreto, mas mi sufrimiento nunca acabará.

Abdú hizo un gesto de calculada suficiencia.

—Te equivocas, Tersites. He venido hasta ti en busca de mi libertad y a ofrecerte la tuya.

El pirata volvió a sentirse fascinado ante el poder de la palabra del yoruba.

—¿A qué libertad te refieres?

—Lo sabes muy bien, Tersites. Yo puedo liberarte de tus demonios para siempre, pero para hacerlo he de ser un hombre libre. Como tú.

—¿Podrías hacer algo así? ¿Tal es tu poder?

—Mis maestros me ayudarán. Ellos nunca me abandonan. Por eso continúo con vida.

—En ese caso yo te libero, mago entre los magos —se apresuró a decir el capitán—. Estoy dispuesto a renunciar a la fortuna que ganaría con tu venta si con ello ahuyentas mis demonios. Serás libre de ir a donde te plazca.

—Que Olodumare sea testigo de tus palabras, Tersites. Sin embargo, permaneceré a tu lado hasta que olvides tus pesadillas. Remaré para ti como hombre libre.

El pirata hizo una mueca que se suponía era de satisfacción y luego lanzó una carcajada, pues le gustaba aquel tipo.

—Ahora dime una cosa, poderoso mago. ¿Qué será de mí cuando acabe la lucha?

Abdú permaneció pensativo durante unos instantes.

—Nada debes temer de Roma —vaticinó el yoruba con gravedad—. Mas cuídate de la espada del amigo.

8

Cuando finalizó el verano, Tersites se había convertido en un acólito más del hombre de ébano. Este se mantenía como siempre, distinto y distante, con aquella dignidad que exhibía de forma natural y era inherente a su persona. En verdad que cuando se alzaba en el puente, el trirreme entero parecía postrarse a sus pies como si se tratara de un dios desconocido al que todos temían y respetaban por su poder. Como le vaticinara al capitán aquella noche en la isla de Eleusa, Abdú hizo huir a los demonios que atormentaban al feroz pirata para librarlo de sus horrores de forma milagrosa. Así era como lo veía Tersites, y el yoruba se sonreía al comprobar lo frágiles que podían llegar a ser las voluntades.

Sin embargo, la vileza de aquel filibustero tenía visos de convertirse en proverbial. Su facilidad para arrebatar vidas causaba pasmo en el peor de los carniceros, quizá por el hecho de que llevaba toda su vida haciéndolo y no sentía ninguna necesidad de preguntarse el porqué. Allá donde dirigía su nave dejaba huella de su paso; llanto y muerte a partes iguales. Luego, cuando el viento empujaba de nuevo su barco, aquel canalla corría a refugiarse al amparo del gran mago, en el que descargaba su pesar para aliviar el corazón de su sanguinaria naturaleza. Mas esto resultaba imposible. A las sombras nacidas durante su niñez siguieron muchas otras; las que él mismo se forjaba cada día al perpetrar sus desmanes.

Todo había discurrido como Abdú esperaba. Su vida estaba atada a aquel barco cargado de infamia, y no obstante había sacado el mayor provecho de ello. Un día en el que Tersites se encontraba eufórico, el yoruba se le acercó con aquel aire misterioso con el que solía doblegar su voluntad.

—Gran Tersites —le dijo como si fuera a compartir con él un secreto—. Hay algo que me turba. Un pensamiento que me asalta desde hace tiempo y al que he de dar contestación, antes de que me reconcoma.

Cuando le escuchaba hablar en tales términos, el pirata bizqueaba sin remisión, admirado ante semejante prodigio de la naturaleza.

—Comparte conmigo cuanto desees, que ya conozco lo que ocultan los malos pensamientos. ¿Eres presa de algún demonio, quizá? —quiso saber el corsario, que parecía muy interesado.

—Puede que sí, leyenda viva de los mares. Una sombra, sin duda, que anda rondándome y no me permite conciliar el sueño.

—Conozco los síntomas. Sí, seguramente se trate de un demonio.

Abdú asintió muy serio, en tanto aguantaba la risa.

—He de liberarme de él cuanto antes, y tú puedes ayudarme a conseguirlo.

Tersites dio uno de sus habituales respingos, a los que tan aficionado era cuando se dejaba sorprender por las palabras del yoruba.

—Me haces un gran honor al proponerme algo así. Pero ¿cómo podría yo lograr semejante cosa? Mis únicas habilidades son cortar cuellos y hacer pillaje, como bien sabes.

El gigante volvió a asentir, sin pudor ninguno, ya que sabía que al pirata le gustaba que lo tuvieran por asesino.

—En este caso no tendrás necesidad de enviar a nadie al Hades. Ni siquiera deberás hacer uso de tu espada.

Tersites abrió los brazos para hacer ver que no tenía idea de lo que quería el yoruba de su persona.

—Verás, marino sin par. Se trata del egipcio a quien capturaste junto conmigo. Como recordarás, yo era su esclavo, y aunque en general me trató bien, hay algunas cuestiones que quedaron pendientes.

—Entiendo. Deudas del pasado, ¿no es así? —dijo el bribón con gesto astuto.

—Ya puedes imaginar lo que tuve que pasar cuando viví en el país de los devoradores de prepucios.

El corsario lanzó una sonora carcajada y luego escupió con desprecio, ya que sentía una profunda inquina hacia los egipcios.

—Son recuerdos que me atormentan y de los que debo librarme cuanto antes.

—¿Has hablado con tus *orishas*? ¿Con ese dios al que sigues que tiene un nombre tan raro?

—Olodumare —precisó Abdú—. Sí, he hablado con todos ellos, y me piden que te reclame justicia para con mi persona.

—Nada me resultará más sencillo. Ahora mismo le cortamos el cuello y lo tiramos a los tiburones.

—Sería una solución, pero no es esa la que me han aconsejado mis maestros. Ten en cuenta que su sabiduría se halla muy por encima de nosotros y que conocen los caminos que más nos convienen.

—En eso he de darte la razón —asintió Tersites, convencido.

—Ellos son capaces de imponer justicia de la manera más adecuada. Por ello me recomiendan que haga con el egipcio lo que él hizo conmigo durante años.

—No será aficionado al pecado nefando, ¿verdad?

—No, gran Tersites. Lo que te pido es que me permitas que el egipcio se convierta en mi esclavo. De este modo podrá sentir lo que tuve que padecer a su lado. —El capitán hizo un gesto de sorpresa, ya que no esperaba algo así—. Si soluciono esta cuestión como corresponde, creo que podré ver el futuro con más claridad, dados los tiempos que se avecinan.

Estas palabras impresionaron al pirata de manera particular.

—¿Lo castigarás cuando así lo merezca? —quiso saber Tersites.

—Con todo rigor.

—Je, je. Sea, pues; ese diablo del Nilo es tuyo. Quiero ser generoso contigo.

9

Con la llegada del otoño Tersites se dirigió a Coracesio, la principal base en la que se daba cita la piratería. Casi en la frontera con Panfilia, Coracesio era una ciudad cilicia que vivía por y para los corsarios, y en la que atracaban un buen número de barcos. Era un lugar idóneo donde pasar el invierno y preparar las embarcaciones para la siguiente primavera. En Coracesio harían recuento de sus tropelías y alardearían cuanto pudieran acerca de sus desmanes. Cilicia se había convertido en un santuario para todos aquellos filibusteros que habían terminado por dominar los mares por completo. Aquel año se sentían en la cúspide de su poder, y estaban convencidos de ser capaces de desafiar a cualquier fuerza sobre la tierra.

—El próximo año no habrá fondeadero en el Mediterráneo que no sepa acerca de nosotros, ni ciudad que se considere que no asediemos —decía un viejo capitán en tanto lo vitoreaban en una de las muchas tabernas.

Aquel era el sentimiento general, y todos los patrones estuvieron de acuerdo en aprovechar su poderío mientras pudiesen. El tráfico de esclavos había terminado por convertirse en el principal negocio de aquellos hombres, pues era el más lucrativo con diferencia. Como apenas tenían rival en los mares, cada año los cilicios se volvían más osados, y eran capaces de llegar hasta la lejana Iberia en busca de infelices con los que comerciar.

Muchos eran los que aseguraban que tarde o temprano tendrían que enfrentarse a Roma, pero, confiados en su suerte, y sobre todo en sus barcos y su pericia marinera, los piratas hacían bromas sobre el asunto e incluso recordaban anécdotas no muy lejanas sobre algunos romanos de sobra conocidos. La de César era una de las preferidas, y aquella tarde, rodeado de algunos de sus hombres, Tersites la escuchaba por enésima vez mientras apuraba una tras otra las ánforas de vino que le servían. El relato tenía su miga, y era muy celebrado entre aquellos truhanes.

—Quién lo hubiera podido suponer —explicaba un bribón conocido por su afición a la chanza—. Nada menos que Julio César tuvo a bien pasar una temporada disfrutando de nuestra compañía, ja, ja. Sí, gran Abdú, no creas que has sido el primero en beneficiarte de nuestra protección —le advirtieron entre carcajadas.

El yoruba, acostumbrado a las bravatas de aquellos ladrones, escuchaba sus relatos como si se tratase de cuentos de niños. No tenía la menor idea de quién era aquel Julio César, pero parecía muy popular entre los panfilios.

—No hace tanto de aquello, apenas seis años, y todo por acudir a estudiar a la academia de oratoria de Molón de Rodas —se mofó el pirata.

—Nunca he entendido por qué Molón se hace apellidar como rodio, si en realidad es cario. Nació en mi pueblo, Alabande —apuntó otro de los truhanes, con fama de puntilloso.

Hubo alguna burla al respecto, aunque enseguida continuaron con el relato.

—El tal César había salido huyendo de la ira de Sila, del que todos hemos oído hablar, y de camino a Rodas capturaron su navío, como era preceptivo, ja, ja. No hizo falta mucho para que se delataran su buena crianza y posición, pues aseguran que nunca se ha encontrado un rehén tan presumido como él. El barco en el que se hallaba bien que intentó escapar, pero no había viento, así que os podéis imaginar las burlas a las que fueron sometidos cuando los capturaron.

Hubo un murmullo de alabanzas, ya que se hicieron cargo sin ninguna dificultad.

—Como os decía, el capitán vio enseguida que se podía obtener un buen rescate por el romano, y de los diez talentos habituales que solemos pedir por las personas de cierto rango, pasó a los veinte en cuanto cruzaron palabra, ya que aseguran que nunca se había visto un prisionero tan petulante como aquel; jactancioso hasta el insulto.

—Tersites asintió, divertido. Aquella historia le gustaba de forma particular. Sobre todo porque cada vez que se contaba surgían nuevos detalles, muy del gusto de semejante canalla—. ¿Y qué creéis que ocurrió entonces? —preguntó el disertador.

Nadie contestó, aunque de sobra conocieran la respuesta.

—El susodicho César reprendió sin contemplaciones a nuestros camaradas, hasta el punto de reprocharles su falta de profesionalidad y la poca vista que tenían a la hora de valorar de forma adecuada a sus rehenes. ¿Podéis concebir mayor insolencia?

Ahora las carcajadas fueron generales, ya que aquella parte de la historia era de las preferidas.

—Reíd, reíd, que no os faltan razones. El muy vanidoso dijo que habían de pedir mucho más por su rescate. ¡Por lo menos cincuenta talentos! Menudo disparate.

Tersites reía con ganas, sobre todo porque él sabía muy bien que aquellos hechos habían ocurrido tal como los contaban.

—Hubo una gran celebración por semejante ocurrencia, y nuestros colegas decidieron confinar al prisionero con sus dos criados y un amigo en la isla de Farmacusa, que como bien sabéis es un buen lugar para llevar a cabo el canje de rehenes y el cobro de secuestros.

Los allí presentes estuvieron de acuerdo con lo anterior, y hubo murmullos de aprobación.

—Treinta y ocho días pasó en compañía de nuestros camaradas hasta que llegó su rescate. Y lo mejor de todo es que durante ese tiempo César se dedicó a vivir como el patricio que es. Hacía deporte, leía a los clásicos y hasta escribía discursos. Nuestros queridos cofrades no salían de su estupor, y terminaron por obedecer al romano en todo cuanto les proponía; incluso los obligó a escuchar sus discursos, ¡ja, ja!

—Alguien me aseguró —intervino uno de los presentes— que llegó a reprender a nuestros compañeros porque no le dejaban dormir.

—Tan cierto como que ahora nos encontramos aquí —confirmó

el orador—. Y cuando aplaudían sus ocurrencias y fatuidades, César los amenazaba sin ningún temor; como si fuera lo más natural del mundo. «Cuando obtenga mi libertad, regresaré para recuperar mi dinero y luego os crucificaré a todos», los amenazó César un día entre las burlas de sus captores, que se divertían mucho con aquel romano.

Las carcajadas hacía mucho que habían subido de tono y algunos gesticulaban, burlones, o se golpeaban los muslos.

—Como lo oís, compañeros. Pero lo mejor fue que, cuando por fin llegaron los cincuenta talentos del rescate, dicen que César marchó a Pérgamo, dispuesto a cumplir su amenaza, para reclutar cerca de quinientos soldados y cuatro navíos. Con ellos regresó a Farmacusa, donde capturó a nuestros infelices colegas, que nunca pensaron que aquel joven pudiese volver para cobrar su venganza. Aseguran que se llevó a más de trescientos cincuenta hermanos de profesión. ¿Y sabes lo que ocurrió después? —preguntó, dirigiéndose a Abdú.

Este hizo un gesto de desconocimiento, ya que aquel relato le parecía un despropósito.

—¡Los crucificó a todos! —exclamó gozoso el pirata, como si aquel fuese el mejor final posible para su narración.

Las risas se convirtieron en vítores, y muchos aplaudían al tiempo que se mofaban de sus cofrades por haberse dejado sorprender de aquel modo.[9]

—Y todo ello debido a la arrogancia de un joven de veinticinco años a quien muchos llaman en Roma la Reina de Bitinia —apuntó Tersites, que no podía permanecer por más tiempo en silencio.

Como Abdú puso cara de no entender nada, el capitán se sintió muy satisfecho de poder participar en semejante relato.

—Cinco años antes, el tal César había sido enviado por Roma a la corte de Bitinia, donde el rey Nicomedes IV lo recibió con extrema cortesía.

Estas palabras desataron la hilaridad general, y Abdú miró a los allí presentes convencido de que la locura se había apoderado de ellos; algo que, por otro lado, no le extrañaba en absoluto.

—Como os contaba —prosiguió Tersites—, el rey se encargó de agasajar al romano lo mejor que pudo, y ello lo llevó a cortejarlo hasta que al fin lo hizo suyo.

Abdú no supo qué decir, pues no conocía a los protagonistas.

—El viejo chivo de Nicomedes lo sodomizó sin contemplaciones, y aseguran que el joven se resistió más bien poco —concluyó el capitán entre bizqueos.

—En Roma es bien conocido el episodio. Me parece que ese César no llegará muy lejos con semejante historia a sus espaldas —auguró alguien.

—Hablan de nosotros, pero no conozco pueblo más codicioso que el romano. No pasará mucho tiempo antes de que nos enfrentemos a ellos —apuntó Tersites mientras miraba a Abdú de soslayo.

Este apenas se inmutó. Después de todo un invierno en compañía de aquellos malhechores, había llegado a la conclusión de que no eran peores que la mayoría de hombres que habían tratado de sojuzgarlo en su vida. Entre los piratas existían leyes que todos trataban de cumplir, y con el tiempo habían transformado sus tradicionales asaltos en un negocio más en el que participaban pueblos enteros.

Sin embargo, el camino en el que se encontraban pronto tocaría a su fin, y un extraño sentimiento se apoderó del yoruba durante un tiempo. Tenía la sensación de que su vida nunca conocería el descanso; que esta había sido creada para discurrir en una permanente aventura en la que no existía lugar para la tregua. Él sabía muy bien lo que se avecinaba, y también que nuevas sendas se abrirían y unas manos poderosas lo empujarían para adentrarse en ellas en compañía de Amosis, su particular esclavo.

10

Si los dioses se avinieran a concedernos su favor, no hay duda de que acudirían prestos a la llamada de sus fieles. El amparo sería palabra hueca, y las plegarias, sinónimo de merced inmediata. No existiría la necesidad de implorar la gracia divina, pues esta se presentaría al momento a socorrernos de forma altruista, sin ninguna dificultad. ¿Cómo serían entonces las tribulaciones del alma, las angustias del corazón, nuestras congojas? ¿Nos veríamos libres de ellas, o acaso estas forman parte indisoluble de nuestra propia naturaleza?

De este modo Amosis renegaba de los dioses, cualesquiera que estos fuesen y dondequiera que se encontraran. Daba igual. Su vida, como la de muchos otros, no era más que una carrera en pos de una felicidad que resultaba imposible de alcanzar, ya que, simplemente, no existía. Durante todo el tiempo que había permanecido amarrado al banco del trirreme había pensado largamente en ello, y también en el futuro que pudiera alcanzar algún día. En su interior, aquella llama permanente que alumbraba sus ambiciones no había muerto. Ni las aguas del Egeo, con el embate de sus olas, ni la crueldad que de forma permanente demostraba Tersites la habían apagado. Con el paso de los meses, su voluntad terminó por aferrarse al remo como si fuera una serpiente. No conocía el modo, pero algún día se libraría de su cautiverio y volvería a edificar el mundo que siempre había persegui-do, aunque esta vez se cuidaría de cometer tantas equivocaciones. Su aprendizaje había resultado esclarecedor, hasta el punto de conducir-lo a lo más bajo de la condición humana: la esclavitud.

Ahora comprendía tantas cosas que en ocasiones su corazón se entregaba en manos de los remordimientos sin que nada pudiese hacer por evitarlo. Y lo peor era que la lección que le había dado la vida esta-ba más que justificada, y de nada valía ya el arrepentimiento. Simple-mente, su pasado quedaba atrás porque él había elegido una nueva for-ma de existencia con sus actos. Son estos los que se encargan de cerrar unas puertas para luego abrir otras que en nada se parecen. Por eso, ya no tenía sentido su pesar por todo lo ocurrido. Este quedaba en otro mundo al que ya no podría regresar; daba igual lo bueno o lo malo que hubiese realizado en él. Su elección lo había conducido hasta el remo que impulsaba dieciocho veces por minuto, y ni Shai, ni Isis ni ningún otro dios tenían que ver con su vida actual, de la que solo él era artífice.

La misma relación con Abdú era una buena prueba de ello. Cual-quiera podría pensar que los dioses lo habían colocado en el lugar que durante tantos años había ocupado el yoruba a causa de sus pecados. Pero ahora el tebano estaba convencido de que solo él había sido el causante de semejante paradoja. Abdú se había encargado de mostrar-le la grandeza de un corazón que él no poseía, y que jamás podría al-canzar. El hombre de ébano lo había seguido no solo para ayudarlo a escapar de una situación que habría terminado por conducirlo a la desgracia, sino para mostrarle los mundos que había dejado atrás y hacerle comprender que solo él sería el responsable de los nuevos, y por ende de las consecuencias.

Por fin Amosis entendía a los *orishas* de los que hablaba el yoruba. Estos representaban las puertas por las que se dirigía su vida, y eran los encargados de hacerle ver con sus caminos lo que el tebano guardaba en su corazón. Solo del egipcio dependía el haber aprendido de cada uno de esos caminos los mundos que dejaba atrás, y a los que resultaba imposible regresar. Los dioses se hallaban lejos, y en cualquier caso eran poco proclives a intervenir en la vida de los hombres. Esa era la realidad, y él por su parte dejaría de pensar en los divinos padres, ni siquiera para invocarlos.

Ser esclavo de Abdú significó una experiencia que resultaría definitiva en aquel nuevo escenario que se abría ante el tebano. Después de tanto tiempo juntos, este descubrió la verdadera esencia de su amigo, así como la profundidad de sus juicios y sentimientos. No había nadie como él, y para Amosis resultó sencillo entender por qué los hombres se postraban ante el poder del yoruba. Su don era verdadero, y aquella fortaleza descomunal, unida a su inmensa espiritualidad, hacían de Abdú una figura formidable. Entre ambos amigos no había esclavitud posible, pues así había ocurrido desde el principio. Solo quedaba atravesar aquella puerta que ya se entreabría, en busca de una nueva luz.

11

Al llegar la primavera del año 68, el Mediterráneo se convirtió en pasto de los trirremes. Algunos aseguraban que más de mil navíos se habían dado cita en sus aguas para demostrar quiénes eran los verdaderos dueños del mar. Aquel año, más de cuatrocientas ciudades fueron asoladas por la piratería cilicia, que, en un alarde sin parangón, comprometió el suministro de trigo a Roma al controlar las costas de Sicilia y del norte de África. Como a los cilicios se habían unido piratas cretenses, chipriotas, sirios y sus inseparables panfilios, la flota así creada representaba una verdadera amenaza contra Roma.

Consciente del peligro que se cernía sobre la República, el Senado había tratado de limpiar el Mediterráneo de piratas en varias ocasiones, pero la fortuna les había resultado esquiva y ninguno de los mandos militares enviados a este fin había podido solucionar el problema. La última derrota infligida a los hijos del Tíber por los piratas había sido humillante. El pretor Marco Antonio Crético,[10] el hombre elegido para que llevase a cabo tan excepcional encomienda, fue totalmente vencido por los cretenses, hasta el punto de perder la mayor parte de su flota en el combate, aunque él lograra salvarse a cambio de firmar tratados con la piratería que en nada favorecían a Roma. Tales episodios habían tenido lugar cinco años atrás y Tersites disfrutaba mucho al recordarlos, ya que participó en la contienda y hasta se apoderó de dos liburnas romanas.

—El pretor, al ver lo inútil que sería hacernos frente, se dedicó a cometer pillaje sobre los pueblos a los que debía proteger, je, je —recordaba el capitán—. El ridículo que hizo fue aún mayor que su codicia, y por ese motivo sus paisanos le adjudicaron el sobrenombre de Créticus, vencedor de Creta, como mofa a su persona. Esos romanos son tan proclives a la avaricia que nunca podrán vencernos.

Como las bravatas eran parte de su personalidad y los panfilios y cilicios muy aficionados a ellas, el corsario disfrutaba muchísimo al relatar hechos pasados que se veían exagerados cada vez que se mencionaban de nuevo.

Tersites decidió que no le merecía la pena navegar hasta el mar Tirreno, como hicieran muchos de sus camaradas, aunque fuera para capturar los mercantes que arribaban a Roma cargados de grano egipcio. Con todos los años pasados en la mar, el capitán se había convencido de que no se necesitaba viajar tan lejos para conseguir buenas capturas. Las Cícladas representaban un excelente escenario donde atrapar ricas presas, y en dicho archipiélago se dedicó Tersites a cometer cuantas tropelías pudo, sin respetar aldea o mercante que se preciara.

Muchos estuvieron de acuerdo al asegurar que jamás habían visto semejante codicia en el pirata, y que este daba la impresión de querer acaparar cuanto antes la mayor cantidad de riqueza posible.

Las palabras que Abdú le profetizara un día habían quedado grabadas en el corazón del corsario, y por alguna extraña razón este estaba convencido de que los tiempos de rapiña y atropello tocaban a su fin. Debía aprovechar en lo posible aquel verano que le brindaba Poseidón, magnífico como no recordaba, en el que el Egeo parecía haberse convertido en un inmenso lago carente de viento, perfecto para la navegación de su trirreme. Tersites pensó que, sin duda, semejante condición representaba un augurio divino. Un verano sin viento en aquellas aguas era algo inusual, y el capitán se convenció de que la profecía de Abdú no había hecho sino empezar a cumplirse.

Por este motivo, el corsario decidió que debía tener muy en cuenta el vaticinio en toda su dimensión. El yoruba le había prevenido acerca del peligro que correría su vida, y también que esta le podía ser arrebatada no a manos de Roma, sino de algún amigo. Esto llegó a ocupar sus pensamientos de tal modo que de nuevo le asaltaron pesadillas y sueños imposibles, que, no obstante, terminaron por hacerse tan reales que incitaron al pirata a la locura. Esta lo llevó a ver enemigos entre sus allegados, y de la noche a la mañana inició una persecución que ya nunca tendría fin. Cualquier excusa resultaba válida para aplicar las leyes del mar, y de este modo el capitán comenzó a eliminar a todos sus lugartenientes, uno por uno, hasta el extremo de que quienes los reemplazaban conocían el futuro que les aguardaba y se abstenían de mirar a los ojos a su capitán a no ser que fuese necesario.

Cuando a principios del otoño regresó a Coracesio, Tersites solo contaba con su viejo piloto como hombre de confianza. Abdú había asistido a más asesinatos de los que suponía que un hombre podría perpetrar, y la fama de la locura del marino se extendió por la ciudad de forma irremediable. Muchos eran ya los que lo tenían como un peligro para cualquiera que cruzara una palabra con él, y Tersites acabó por convertirse en un tipo solitario que solo disfrutaba con la compañía de Abdú. Este se maravillaba al ver con qué facilidad el sanguinario capitán había tomado la pendiente que solo podría conducirlo al desastre, y ensalzó una vez más la sabiduría de los *orishas*.

Aquel invierno la diosa Tiqué abandonó la Cilicia Traquea para fijar su mirada en la lejana Roma, aunque ahora lo hiciera bajo el nombre con el que la conocían sus habitantes: Fortuna.

El año 68 había sido tan nefasto para los intereses romanos que el Senado no tuvo más remedio que adoptar medidas extremas para poner fin a un problema que amenazaba la propia supervivencia del Estado. La falta de abastecimiento de grano a la capital había sido la gota que colmara el vaso, de la paciencia romana, y a finales del invierno del año 67, Aulo Gabinio, tribuno de la plebe, presentó ante el Senado la Ley Gabinia, mediante la cual se elegía al ex cónsul Cneo Pompeyo para que terminara de una vez con la piratería que asolaba el Mediterráneo. Para tal fin, Pompeyo asumiría la máxima autoridad durante tres años sobre todos los mares y costas hasta una distancia de setenta y cinco kilómetros tierra adentro. Para regentar aquel *imperium* proconsular le proporcionaron nada menos que veinte legiones, unos ciento veinte mil infantes, cuatro mil jinetes y cerca de trescientas naves. Además, se le concedieron seis mil talentos áticos y la libertad de disponer de sus ejércitos como mejor le pareciese.

Pompeyo decidió dividir todo el Mediterráneo y el mar Negro en trece zonas, de tal modo que ningún navío pirata pudiese escapar de la vigilancia romana. Para controlar cada una de dichas áreas, el general eligió legados de su confianza y los responsabilizó de su salvaguarda. A Quinto Cecilio Metelo le asignó el control de las aguas de Licia, Fenicia, Chipre y Panfilia; a Lucio Cornelio Sisena: Tesalia, Macedonia, Beocia, Ática, Peloponeso y Eubea; a Lucio Lolio: las islas del Egeo y el Helesponto; a Marco Pupio Pisón: la Propóntide, Bitinia y Tracia; a Marco Terencio Varrón y Aulo Plotio Varo: Sicilia y gran parte del Adriático; a Tiberio Claudio Nerón y Aulo Manlio Torcuato: Iberia y las Columnas de Hércules; a Cneo Cornelio Léntulo Marcelino y Publio Atilio: África, Córcega y Cerdeña; a Marco Pomponio: Liguria y la Galia, y a Lucio Gelio Poblícola y Cneo Cornelio Léntulo Clodiano: el litoral italiano.[11]

Con esta estrategia, Pompeyo consiguió controlar por completo las costas mediterráneas, y mientras sus legados hacían frente a la piratería en las respectivas áreas, el general, al mando de setenta naves, recorría todas las regiones para supervisar la buena marcha de la operación. Como es lógico, lo primero que ocupó a Pompeyo fue el poder volver a asegurar el suministro de grano a Roma, y para ello limpió de corsarios todo el norte de África, Sicilia, Córcega y Cerdeña; luego, desde Gades, fue despejando las aguas de piratas hasta que estos, sorprendidos por la estrategia del insigne general, terminaron por refugiarse en la costa más oriental del Mediterráneo, en los recónditos fondeaderos que tan bien conocían.

Todos los puertos occidentales en los que se abastecían los navíos corsarios fueron atacados o sometidos a bloqueo, con lo que en apenas cuarenta días Pompeyo consolidó el control de aquella parte del Mediterráneo. Ya solo le quedaba acabar con los tradicionales baluartes cilicios del este, y sin perder un solo día el general se aprestó a terminar con ellos para siempre.

12

En Coracesio se aprestaban a enfrentarse a lo inevitable. Una por una, la mayor parte de las naves que habían logrado burlar el bloqueo romano se habían dirigido a las costas de la Cilicia Traquea para organizar una flota capaz de combatir a Roma. Nunca hubieran podido imaginar que Pompeyo fuese a llevar a cabo una estrategia semejante, y esta los había sorprendido de tal forma que aquellas aguas por las que se habían paseado durante tantos años dejaron de pertenecerles. Algunos se lamentaban en las tabernas, y culpaban a sus propios camaradas de todo lo ocurrido. Tersites era uno de ellos, y entre trasiego y trasiego mostraba su pesimismo.

—¿Y de qué nos extrañamos, después de lo ocurrido? ¿Qué pensabais que iban a hacer los romanos? ¿Dejarse morir de hambre? —sentenciaba el capitán—. Amenazar su suministro de grano nos condenará, ya lo veréis.

Hubo quien no estuvo de acuerdo, al asegurar que no era para tanto. Las chanzas no tardaron en aparecer.

—Y encima secuestramos en suelo italiano a Sextilio y Belino, dos de sus pretores, junto con sus doce lictores. Menuda afrenta —señaló uno.

La mayoría volvió a reír, aunque la gracia fuese a costarles cara.

—Yo mismo presencié cómo nos apoderábamos de algunos jóvenes de la nobleza, entre ellos Antonia, la hija de Marco Antonio Crético, el inepto codicioso al que derrotamos hace años, ja, ja. Cobramos un buen rescate por ellos —intervino otro, que no podía olvidar su afición a las bravuconadas.

Tersites se lamentó, aunque prefiriera echar un buen trago de vino y no contestar a su compadre.

—Pronto estarán aquí —indicó el otro, que parecía sentirse satisfecho ante semejante posibilidad.

—Para destruirnos de una vez para siempre —apuntó Tersites sin poder contenerse.

La mayoría lo miró con temor, ya que después de lo ocurrido aquella posibilidad era más que real. Sin embargo, el bravucón continuó con sus baladronadas.

—Sin sus artimañas, serán presa fácil —aseguró—. Ya los vencimos en el mismísimo puerto de Ostia, donde nos enfrentamos a una de sus flotas, y luego saqueamos Caieta y Misénum[12] sin ninguna dificultad, ja, ja. Dejemos que vengan, hermanos. Roma recordará nuestras aguas y nunca volverá a importunarnos.

Tersites sintió deseos de cortarle el cuello a aquel fantoche allí mismo, pero optó por abandonar el lugar, no sin antes lanzar al susodicho una de sus furibundas miradas, tan turbadoras debido a su bizqueo.

A pesar de hallarse a mediados del verano, debido al hostigamiento romano el pirata se había visto obligado a refugiarse en las ensenadas de la Cilicia Traquea. El legado Lucio Lolio había estado a punto de capturarlo cerca de la isla de Citnos, y solo la pericia del corsario y el conocimiento de aquellas aguas le habían permitido escapar y dirigirse al único puerto que consideraba seguro. A cada minuto de navegación, Tersites maldijo a todos aquellos camaradas cuya avaricia iba a traer las más funestas consecuencias. Al llegar a Coracesio comprobó que otros muchos, como él, habían decidido dar por concluida la temporada y prepararse para no acabar crucificados o, en el mejor de los casos, al servicio de alguno de aquellos insufribles romanos.

Pocas dudas albergaba ya acerca del vaticinio que Abdú le hiciese un día. Roma los aplastaría, y él debería andarse con cuidado si quería escapar con bien del final de su aventura. Era el momento de ponerse a buen recaudo, pues su instinto marinero le decía que no debía salir a combatir con su nave. El *Euriae* no navegaría más bajo sus órdenes, ni él tendría que volver a encomendarse a los Dióscuros los días de temporal, cuando los mástiles mostraban el fuego de San Telmo. Siempre había soñado con convertirse en acólito de Deméter y tener un pequeño huerto que labrar en la vejez, desde el cual observar el mar en la distancia. La fortaleza de Coracesio sería su refugio antes de tomar un nuevo camino, allí donde este lo llevara.

Abdú supo que su tiempo entre los piratas cilicios se había cumplido. No albergaba la menor duda al respecto, como también sabía que otra puerta comenzaba a entreabrirse para mostrarles el azar de la vida. Ares, el dios de la guerra, navegaba ya en busca de sus sacrificios para gozar de la sangre y las cruentas matanzas. Los *orishas* no permitirían mezclarles en la locura de aquellos hombres que adoraban la rapiña. De una u otra forma cilicios y romanos honraban la codicia, y el mundo que se avecinaba sería testigo de ello.

Navegar en un trirreme pirata había sido más de lo que un niño yoruba del lejano reino de Ketou hubiese podido nunca imaginar, mas así había ocurrido, y ello le hablaba de la infinita grandeza de Olodumare y sus maestros espirituales. Poco quedaba ya en Amosis del joven capaz de colmar sus ambiciones a cualquier precio, y Abdú había sido testigo de cómo durante su reclusión como galeote su amigo había podido mirar dentro de sí mismo para descubrir el infierno en el que había vivido durante demasiado tiempo y al que su propia codicia lo había condenado. Ambos debían marcharse, y aquella tarde el yoruba se encargó de hacérselo saber al capitán corsario.

—Nosotros, como tú, debemos continuar nuestra andadura. Es hora de que nos despidamos —le dijo el yoruba con gravedad.

Tersites no supo reaccionar, ya que no esperaba nada semejante. En los últimos tiempos el consejo de Abdú había sido el único que le interesara, y ahora que el futuro se teñía de incertidumbre se sentía incapaz de decidir por sí mismo. El yoruba le leyó el pensamiento sin dificultad, y sus palabras sonaron como si las descargara un martillo.

—Donde tú vas ya no te resultaré de utilidad —le dijo el gigante.

El capitán se sobresaltó.

—¿Qué insinúas? —preguntó al fin mientras bizqueaba, sin ocultar su desasosiego.

—Tu vida en el mar toca a su fin. Llegué hasta ti para librarte de tu pasado y prevenirte de tu futuro. Ambas cosas las cumplí con creces. Ahora ya nada me retiene aquí. Debo continuar para acometer aquello que se me encomienda.

—Nunca me sentí tan necesitado de ti como en este momento —protestó el corsario—. Todo se ha vuelto incierto, como nunca imaginé.

—Escucha, Tersites —continuó el yoruba—, el poder del que te hablé se encuentra ya a tus puertas. A no mucho tardar se convertirá en el dueño de la tierra que conoces. No hay nada que podáis hacer contra él. Seréis derrotados, muy pronto.

—Te equivocas en eso —señaló el bandido—. Yo no lucharé para acabar crucificado.

Abdú hizo un gesto de sarcasmo.

—Recuerda lo que te dije. Solo has de temer la mano del amigo.

—Te repito que no combatiré contra Roma. Esta fortaleza será mi refugio hasta que pueda huir. Al fin cumpliré mi sueño y descansaré durante el resto de mis días lejos del mar.

—Tus propósitos de nada sirven. Saldrás con tus hombres a bordo del *Euriae* para luchar, como se espera de ti. No tienes otra opción. La fortaleza de Coracesio no es lugar para ti.

—En tal caso, deberéis acompañarme. Los dos —dijo el corsario de forma intempestiva.

El yoruba lo miró muy serio.

—Si haces eso desatarás poderes que no puedes calibrar, y tus enemigos no serán los romanos, sino las sombras de un mundo tenebroso que te perseguirán hasta tu último aliento. El infierno en el que creéis te abrirá sus puertas para encerrarte por toda la eternidad. Entonces no contarás las horas, sino los milenios en los que tu alma se abrasará entre horribles padecimientos. Con cada gemido que te arranque el Hades te acordarás de mis palabras, así como de la insensatez que mostraste al desafiar el poder de Abdú, el elegido de Olodumare.

Tersites, pareció convertirse en mármol, pálido como nadie recordaba.

—Tu nave es tu único reino, Tersites. No existe lugar más seguro para ti que el *Euriae*. Combatirás.

Como en tantas ocasiones, el capitán se sintió subyugado por el poder de la palabra de aquel hombre. No había nada que pudiese hacer contra ella, y sin poder evitarlo se sintió como un muñeco en manos del mago. Abdú debía partir dondequiera que aquellos *orishas* del demonio determinaran y él lucharía al mando de su trirreme, pues así lo había vaticinado el hombre de ébano. No había nada que el pirata pudiera hacer para impedirlo.

13

Casi al alba, Abdú y Amosis abandonaron Coracesio envueltos en el silencio. Algunos dirían que no eran más que unas siluetas que se perdían entre las estribaciones del Tauro, y otros que no hubo ladrido de perro capaz de delatar su marcha. Ambos amigos desaparecían para siempre, convencidos de que jamás en su vida volverían a aquella costa en la que habían sido esclavizados.

Tal y como había predicho el yoruba, el mundo tenía un nuevo dueño, y Tersites apenas significaría otra cosa que un vago recuerdo entre las gentes sin alma que un día causaran dolor y sufrimiento a todos aquellos que se aventuraran a surcar los mares, sin que importara de dónde procedieran.

Pompeyo navegaba en pos de la gloria, y para terminar de una vez con aquella pesadilla para Roma concentró a todos sus efectivos en la isla de Rodas, desde donde dirigió un ataque fulminante tanto por tierra como por mar contra los piratas que se habían agrupado en la costa cilicia. La puerta de la fama decidió abrirse por completo para permitir la entrada del general romano y convertirlo en *primus inter pares*, el primer hombre de Roma. En una batalla naval decisiva, Pompeyo derrotó por completo a la flota pirata, que vio cómo los quinquerremes romanos destrozaban sus ágiles pero ligeros trirremes sin ninguna dificultad. Aquel día, el general completó una gran victoria en la que destruyó cerca de mil naves y dio muerte a más de diez mil corsarios. Apoderarse de las fortalezas en las que se resguardaba el enemigo resultó sencillo. Unos veinte mil hombres se rindieron al antiguo cónsul, y el botín obtenido fue de tal cuantía que Pompeyo capturó más de cuatrocientos navíos, además de la inmensa aureola que conduciría al Senado a decidir colocarlo al frente de los ejércitos para terminar de una vez con el rey del Ponto, Mitrídates VI Eupátor. Apenas seis años más tarde, Roma concedería a su general su tercer triunfo para recibirlo por sus calles en una celebración grandiosa que duraría dos días.

En tan solo tres meses, Cneo Pompeyo Magno había terminado con toda la piratería del Mediterráneo, y a fe que el general dio muestras de su grandeza, ya que en vez de crucificar a los vencidos se mostró misericordioso con ellos y les ofreció asentarse en la ciudad de Solos, a la que rebautizó con el nombre de Pompeyópolis, así como en Dime, en la Acayo, al norte del Peloponeso, donde había buena tierra y necesidad de habitantes para poblarla.

La habilidad negociadora de Pompeyo permitió pacificar los mares y asegurar Cilicia para acometer la ofensiva romana que daría fin a la tercera guerra mitridática.

En el transcurso de aquella mítica batalla naval, Tersites combatió con denuedo al mando del *Euriae* hasta demostrar su sobrado coraje, capaz de conducirlo a la locura. Cuando la batalla ya estaba perdida, él seguía luchando al tiempo que maniobraba su trirreme para embestir con su *émbolos*, el espolón de proa de bronce, a otras naves. La tripulación observaba al capitán cual si este se hallara enajenado en tanto le suplicaba la rendición con la mirada, pero Tersites solo atendía a la cólera del dios de la guerra, quizá porque en el fondo era el único lenguaje que comprendía. En uno de sus movimientos en el puente, su piloto le hizo reparar en uno de los quinquerremes romanos, que se aprestaba a embestirlos en ariete. Tersites miró hacia donde le indicaba el hombre con el que había navegado durante toda su vida, y al punto sintió cómo el frío de la muerte le atravesaba las entrañas. Así acabó el capitán cuyo nombre era sinónimo de terror en el Egeo: atravesado por la espada del único que podía considerarse su amigo, tal y como había augurado Abdú. Sin duda, antes de morir, Tersites pensaría en aquella profecía y en la burla que le había preparado la vida a la hora de despedirse. Su piloto se llamaba Aquiles, igual que el héroe inmortal que diera muerte, en el legendario sitio de Troya, al personaje más ignominioso de la *Ilíada*, el despreciable Tersites, por burlarse del gran guerrero al haberle perdonado este la vida a la valerosa Pentesilea, reina de las amazonas.

El cuerpo del feroz pirata fue arrojado al mar, el lugar que le correspondía. Tersites nunca trabajaría la tierra. Aquel día, Poseidón lo reclamó para siempre.

14

El Egeo se desprendió de su procelosa frazada para envolverse en una túnica tejida por la bonanza. Las aguas se encontraban libres de peligros, y los mercantes navegaban sin temor a ser abordados como ocurriese antaño. Cierto era que siempre existía la posibilidad de encontrarse con algún bajel que continuara ejerciendo la piratería, pero los asaltos se convirtieron en hechos aislados y ello hizo que el comercio por el Mediterráneo floreciera como en sus mejores épocas. Roma había hecho suyo aquel mar para convertirlo en un lugar seguro, y eso era cuanto importaba a los armadores y comerciantes, que veían cómo surgían buenas oportunidades para sus negocios.

Desde la cubierta, Amosis observaba con ojos incansables aquel mar del que había terminado por formar parte. Ese era el mundo al que se había visto abocado, inconcebible si se quiere para un tebano pero tan real como los desiertos en los que se había criado. Quizá el Egeo había comenzado a formar parte de él con la primera palabra en griego que le enseñara el viejo Filitas en la lejana Koptos, o puede que se le envenenara la sangre al leerles las aventuras del buen Odiseo a los ladrones que lo retuvieron en una cueva perdida entre los farallones del oeste. Eso nunca lo sabría, aunque el egipcio estuviese convencido de que el horizonte de su vida se hallaba en algún lugar de aquel mar de color añil capaz de sumirlo en el ensueño. Su particular Ítaca vivía ya en su corazón desde hacía mucho tiempo, y puede que este fuera el motivo por el que tomara el nombre con el que ahora era conocido: Alcínoo.

Zenódoto había muerto entre los meandros del Nilo, fustigado por los suyos, y en cuanto a Amosis..., este había terminado por desaparecer en el Amenti que él mismo se había creado. El infierno se lo había tragado para siempre, y aquel inmenso piélago creador de mitos, salpicado de islas sin fin, representaba el único camino que seguiría. ¿Qué mejor, pues, que elegir un nombre apropiado para la representación a la que se veía abocado? Con él acompañaría a Odiseo hasta encontrar su hogar, sin que importaran las tierras que los retuvieran. Los cicones, lotófagos, cíclopes, Circe, el Hades, las sirenas, Calipso... Daba igual adónde lo llevara Eolo, y si este se avendría a encerrar los vientos contrarios en un odre o le permitiría continuar su viaje junto a su héroe para ofrecerle su nave y ayudarle a alcanzar su destino si era preciso. Por eso había tomado aquel nombre: Alcínoo de Corcira, rey de los feacios, quien le proporcionó al rey de Ítaca el barco que por fin lo llevaría a su hogar después de quedar admirado por las aventuras que el más astuto de los vencedores de Troya le había relatado. El tebano las conocía bien, y si Amosis había terminado siendo devorado por el Mundo Inferior, era para que Alcínoo continuase su andadura por aquel universo plagado de leyendas.

En realidad, no era su nombre lo único que había cambiado en su persona. La dura boga en el banco del trirreme había convertido al egipcio en un hombre fornido, a la vez que circunspecto. El tebano se había aficionado al silencio y pasaba horas con la vista perdida en sus ensueños, en sus deseos, en el mundo que crearía para sí. Muchos dirían que poco quedaba ya en él de la mirada de aquel joven que un día se asentara en Náucratis. Esta se mostraba ahora dura como pocas, y sus ojos, oscuros como el basalto, parecían haber sido tallados en la piedra, igual que su corazón, que se negaba a volver a entregarse en manos de los sentimientos.

Como el ave Fénix, Alcínoo estaba decidido a renacer de sus cenizas, con la conciencia clara de lo que debía hacer para lograrlo. La suerte sería cosa suya, y no dejaría que ningún dios se inmiscuyera en ella.

El buen Abdú era cuanto necesitaba para salir adelante. Tras abandonar la fortaleza pirata de Coracesio, ambos amigos se habían dirigido a Delos, desde donde el tebano confiaba en iniciar su nueva andadura. La locura que lo poseyera en el pasado no había sido óbice para que la luz de la razón lo impulsara un día a depositar cien talentos en el banco de Apolo, en tanto cargaba sus naves de esclavos. Aquella era una cantidad más que suficiente para pasar el resto de sus días sentado plácidamente junto al mar que tanto le gustaba. Sin embargo, no era eso lo que el egipcio deseaba para su nueva vida. Él nunca se sentaría a ver pasar los días refugiado en sus recuerdos. Su ambición lo acompañaría mientras viviese, y los cien talentos le ayudarían a volver a dedicarse a lo que mejor sabía hacer: comerciar.

Con aquella suma, Alcínoo compró un mercante capaz de transportar trescientas toneladas, por la cantidad de cuatro talentos. Era un buen barco, de dos palos, sin un solo remo capaz de ofender la vista del tebano, y para navegar en él contrató a una tripulación avezada y a un capitán que lo acompañaría durante el resto de sus días: Nearco el Cretense.

La sola mención de semejante nombre provocaba el pasmo en quien lo escuchaba y también no pocas sonrisas, ya que así se llamó el piloto del gran Alejandro. Al egipcio le pareció un buen augurio el que su capitán atendiera a semejante apelativo, mas solo necesitó cinco minutos para saber lo que aquel marino podría procurarle, y menos de diez para contratarlo.

Las ilusiones volvieron a correr por las venas de Alcínoo como antaño, pues su naturaleza emprendedora solo terminaría cuando Osiris tuviese a bien llamarlo ante su presencia. Sin embargo, esta vez el tebano sabía leer el camino, y también aquello que tenía valor sobre todas las cosas. Quizá fuera ese el motivo por el cual bautizó su navío con el nombre de *Teofrasto*, ante la extrañeza de cuantos lo rodeaban, ya que las gentes del mar no entendían de sabios o filósofos por mucho que hubieran podido colaborar con el inmortal Aristóteles. Mas a Abdú semejante decisión lo colmó de gozo, e incluso tuvo que hacer esfuerzos para no derramar alguna lágrima.

El egipcio comprendía lo que sentía su gran amigo, ya que en los últimos tiempos él mismo había deseado poder encontrarse con el viejo librero para abrazarlo como se merecía y pedirle perdón por su ingrato egoísmo. Algún día volvería a verlo, y mientras eso ocurriera Teofrasto los acompañaría a todos con su nombre estampado en aquella nave en la que el tebano había depositado tantas ilusiones. De este modo el viejo parlanchín sería parte de su aventura, dondequiera que esta los llevara, e incluso podría recitarle algún poema en las noches de luna llena, cuando el mar se convirtiese en un espejo teñido de plata por el influjo de Selene. Eso le gustaría.

Por alguna extraña razón que nunca llegaría a conocer, Alcínoo recuperó su viejo zurrón con los papiros que le regalase Filitas. Hacía más de veinte años de aquello, y no obstante los rollos se mantenían incólumes al paso del tiempo, como si se obrara algún milagro. Hacía mucho que el joven los había dado por perdidos, y sin embargo... una tarde Abdú se los entregó, como si tal cosa, con aquel gesto risueño y vagamente pícaro tan suyo. No hubo forma de sacarle ni una palabra al respecto. Él los había guardado como correspondía, y eso era cuanto importaba.

Era tanto lo que Alcínoo debía al yoruba, que se convenció de que nunca podría pagarle como se merecía. En ocasiones se sentía diminuto al lado de su amigo, sobrepasado por la inmensa humanidad de aquel portento de la naturaleza. Juntos se dispusieron a recorrer aquella nueva andadura con el propósito de mantener su amistad por encima de todo aquello que tuviera a bien presentarles la vida, y para ello eligieron instalarse en las islas del Dodecaneso, desde cuyos puertos podrían dirigirse al resto de islas del Egeo y a la cercana costa de Asia.

Corrían buenos tiempos para el mercadeo, y pronto el egipcio tejió una amplia red de intereses con productos con los que ya había comerciado en el pasado: aceite, vino, madera, telas... Todos ellos proporcionaban un negocio seguro, y Alcínoo vio con claridad que aquel nuevo orden que se estaba creando en el Mediterráneo demandaría cada vez más el lujo en todas sus formas. El tebano tardó bien poco en descubrir a aquellos romanos que ya gobernaban muchos de los antiguos reinos. Eran codiciosos como ningún otro pueblo que conociera, y tan burdos y crueles que en ocasiones sentía vergüenza cuando trataba con ellos. Vivían ajenos a cualquier espiritualidad, y su pragmatismo e implacable forma de proceder les había proporcionado la llave con la que abrir todas las puertas que se asomaban al Mediterráneo; su mar, como ellos lo llamaban. Su grandeza se hallaba en sus leyes, en su concepción del orden, en su capacidad para absorber lo mejor de las tierras conquistadas, en su política, por encima de su tiempo, en sus ingenieros, en sus legiones... Alcínoo no albergaba dudas de que sus calzadas llegarían un día hasta el Ponto, y que aquellos que quisieran sobrevivir deberían aceptar su yugo y convertirse en provincias romanas. Si era cultura lo que necesitaban, los hijos del Tíber no dudaban en importarla, como todo lo demás, y allí era donde estaba el negocio.

Todas aquellas vías que recorrerían la tierra —y las rutas marítimas libres de peligro— suponían una gran ventaja para el comercio, y el tebano estaba dispuesto a aprovecharla sin tardanza. Roma necesitaba tal cantidad de mercancías que el hecho de mercadear con ella abría las puertas a una nueva era para los negocios. Sin embargo, Alcínoo estaba decidido a proporcionarles aquello por lo que se volvían locos: el lujo. El mejor aceite, los mejores vinos, las más ricas telas... Ese era su comercio, y para afianzarse en él solo tenía que ofrecer lo mejor.

La isla de Quíos producía, en opinión del egipcio, el mejor vino del mundo: el de Chian. Elaborado en el pueblo de Ariusan, era el preferido de los romanos, y por ende el más caro que existía. El tebano conservaba las antiguas relaciones del pasado y le resultó sencillo hacerse con una parte de la cosecha anual. Al vino le siguió el aceite, y de esta forma y con paso prudente se fue estableciendo sin ánimo de expandir su negocio en demasía pero atento a los cambios que se estaban produciendo, ya que antes o después le llegaría su gran oportunidad.

Esta se presentó de improviso el día en que Pompeyo acabó con el poder de Mitrídates, rey del Ponto. Después de su gran victoria contra la piratería, el general se dedicó a pacificar Panfilia y Cilicia y a organizar su gobierno, hasta que al año siguiente el tribuno de la plebe Cayo Manilio propuso una nueva ley que otorgaba el mando de todos los ejércitos a Pompeyo para que continuara la guerra contra Mitrídates, que duraba ya ocho años. Para llevar a cabo la misión, el tribuno sugería nombrar a Pompeyo procónsul en Asia, Cilicia y Bitinia, algo a lo que se opuso una gran parte del Senado. Sin embargo, la ley logró ser aprobada gracias a la intervención de César y Cicerón, no sin antes escuchar al indignado Lucio Licinio Lúculo, predecesor del general en la contienda mitridática, llamar a este último «buitre» y otras cosas parecidas.

Mas el famoso general acabó por ser enviado a Asia, y en el año 65 ya había derrotado a Mitrídates y dado fin a la tercera guerra, tras nueve años de conflicto. Pompeyo conquistó la capital de Armenia, y el rey del Ponto, tras ser abandonado por Tigranes el Grande, que se negó a darle cobijo, huyó por el Bósforo Cimerio hasta el Cáucaso, donde terminaría siendo traicionado por sus hijos. Mitrídates se vio abocado al suicidio e intentó envenenarse sin fortuna, ya que a lo largo de su vida había adquirido cierta inmunidad al emplear un antídoto creado por Zópiro, el médico de Ptolomeo Auletes, a causa de su constante miedo a ser envenenado. Al final hubo de recurrir a su inseparable amigo, Bituitus, para que le diese muerte con su espada. Así terminó el último rey que había osado plantar cara a Roma durante veintitrés años, y Pompeyo, dando nuevas muestras de grandeza, permitió que sus restos descansaran en Sinope, la capital de su antiguo reino.

Alcínoo recordaba aquellos hechos mientras se extasiaba con el atardecer que le ofrecía el Egeo. No había mejor sitio que la cubierta de su nave para captar los infinitos matices que parecían desprenderse de las aguas en aquella hora; un mar que le hablaba entre susurros para contarle en lo que se estaba convirtiendo el mundo.

En aquella campaña contra Mitrídates, Roma casi había conseguido duplicar los ingresos del Tesoro debido al botín obtenido por Pompeyo. En el año 64, el general había anexionado Siria a la República al deponer a su rey, Antíoco XIII Asiático, y al año siguiente el general se internó en Celesidia, Fenicia y Judea para tomar Jerusalén en coalición con las tropas de Hircano II, quien, apoyado por los fariseos, combatía contra Aristóbulo II, secundado por los saduceos, en lo que había terminado por convertirse en una guerra civil que desestabilizaba la zona. En la contienda sucumbieron doce mil judíos, y Pompeyo llegó a entrar en el sanctasanctórum del templo para sorprenderse ante la falta de imágenes que adorar.

El general restableció a Hircano como sumo sacerdote y se llevó a

Aristóbulo a Roma para exhibirlo durante su triunfo. Pero lo verdaderamente asombroso para Alcínoo fue el inmenso botín conseguido para las arcas del Estado romano: cerca de veinte mil talentos, gran parte en oro, y ochenta y cinco millones de denarios en impuestos anuales.

El tebano sonreía para sí al pensar en semejantes cantidades, y también celebraba su buena vista para los negocios. Aquel Pompeyo era un tipo brillante, sin duda, y su política expansionista había venido a favorecer los planes del egipcio. Todas las nuevas provincias conquistadas habían sido reorganizadas administrativamente, y una nueva aristocracia local empezaba a surgir del orden impuesto por Roma. Si había algo que Alcínoo conocía bien era la afición por el fasto y la apariencia de las clases emergentes, sobre todo si se trataba de aquellos romanos tan aficionados a la ostentación y a quienes consideraba unos pueblerinos.

Comerciar con vino y aceite le había reportado beneficios, pero el tebano vio con claridad hacia dónde debía dirigir sus pasos: a la industria textil. El lino era un mercado en el que no resultaba fácil introducirse, pues se encontraba monopolizado en parte, y en cuanto al algodón, era cada vez menos demandado entre la clase alta. Esta ambicionaba ante todo la seda, y con el final de la tercera guerra mitridática el egipcio se percató de que a no mucho tardar existiría una gran demanda de este género. Por este motivo, Alcínoo decidió abrirse camino con el comercio de telas, manufacturadas en Siria, de seda mezclada con hilos de lino o lana, los cuales aportaban al tejido mayor resistencia y una textura más consistente. El resultado era un producto más barato pero de indudable belleza que gozaba de una gran aceptación.

De esta forma, Alcínoo trabó contacto con las caravanas que llegaban de Siria y también con las que procedían del lejano Oriente, que arribaban a Éfeso cargadas con las más exóticas mercancías. Su ambición era acaparar la mayor cantidad posible de seda, pero durante un tiempo tuvo que conformarse con mercadear con aquellos tejidos sirios que, no obstante, terminaron por conducirlo a su verdadero objetivo. Este se presentó de la mano de un mercader llamado Heracleides, que llevaba toda su vida instalado en Éfeso y recibía la mayor parte del preciado tejido llegado desde Oriente. Se trataba de un individuo ladino, incapaz de arriesgar un solo dracma de más en su negocio. Para él, el mercado estaba bien como estaba. No había necesidad de aventurarse en nuevos proyectos, y todo aquel que deseara adquirir seda debía dirigirse a él y aligerar la bolsa; daba igual hacia dónde se encaminaran los tiempos.

Alcínoo tardó poco en calcular el beneficio que podría sacar de aquel negocio. Heracleides era un tipo solitario, sin familia y a las puertas de la vejez, y el tebano enseguida trabó cierta amistad con él para así ganarse su confianza. Al principio le compró poca cantidad de género, apenas unas piezas a un precio por encima del debido, pero un día se presentó ante el mercader para hacerle ver cuáles eran sus verdaderas intenciones.

—Buen Heracleides, vengo a ayudarte a dar salida a tus telas. Donde están, no sirven para nada —le dijo Alcínoo como si tal cosa.

El griego pestañeó repetidamente, como si despertara de la siesta.

—¿Se trata de alguna broma, o acaso estás de celebración y has disfrutado de la compañía de un buen vino de Quíos?

—Bien dicho, Heracleides, se ve que eres dueño de tus luces, incluso en un día como el de hoy, infernal en la canícula.

El aludido boqueó unas cuantas veces, pero no dijo nada.

—Sabía que atenderías mi visita. Como te explicaba, estoy interesado en tu género y quisiera llegar a un acuerdo contigo —apuntó el egipcio con aquel acento que tanta impresión causaba.

—A vender me dedico —respondió al fin el griego—. Dime pues lo que necesitas.

Alcínoo asintió con una media sonrisa.

—Desearía adquirir doscientas treinta y cinco piezas de tu mejor seda. ¿Podrías proporcionármelas? —preguntó el tebano—. Te daré cinco talentos por ellas.

Al escuchar la cifra, Heracleides se llevó ambas manos a la cabeza, como si le hubiesen comunicado una desgracia.

—¿Cinco, dices? ¿Por quién me tomas? Sacaría el doble por ellas.

—Claro, por eso las guardas. Me parece que cinco talentos por tus piezas es un precio magnífico. Mi margen de beneficio no es mucho, apenas el doble de lo que te pagaría a ti. Como puedes observar, no es tan sencillo vender la seda a su justo precio.

Mientras seguía con su escenificación, el griego calculaba el precio que aquel tipo le ofrecía por cada pieza de seda.

—Pero... ¿pretendes que te las venda por ciento veintiocho dracmas cada una? —inquirió el viejo, como escandalizado.

—Bueno, yo había pensado ofrecerte ciento cincuenta, pero confío en que hagas una rebaja del quince por ciento. Al fin y al cabo, somos colegas —señaló Alcínoo.

Heracleides no daba crédito a lo que escuchaba.

—Pues confías mal —dijo este de muy malas maneras.

—No veo por qué has de enfadarte. Conozco bien cuál es el valor de tu mercancía. El precio que te ofrezco es mucho mayor que el que tú pagaste por ella. Sacarás un buen beneficio.

—¡Trescientos denarios por pieza es un buen beneficio para mí! —exclamó el griego, muy ofendido.

—Denarios, dracmas... Es lo mismo. Mi plata pesa igual. No puedo darte esa cantidad, ya que es lo que pienso obtener por su venta.

Heracleides lanzó una especie de rugido, ya que nunca había visto semejante desvergüenza.

—No te exasperes y piénsalo, buen Heracleides; aliviaría tu almacén. El precio es el que es. Nadie en Éfeso te comprará doscientas treinta y cinco piezas de seda, y menos al precio que tú pretendes. Ya que hablas de denarios, un legionario tarda un año en ganar trescientos.

—Mi seda no está hecha para ellos —indicó el griego con altivez.

—Ah. Espero que el procónsul te haga una oferta mejor, aunque lo dudo. Te confiaré, querido colega, que pronto andaré en muy buenos términos con él —mintió Alcínoo sin perder la sonrisa.

Heracleides volvió a boquear, y el tebano hizo un gesto de salutación y se despidió de él, como si hubiera cerrado el trato; en los mejores términos.

Dos días más tarde, el tebano volvió a presentarse, ante el estupor del mercader, y volvió a hacerle una nueva oferta; esta vez asombrosa.

—Buen Heracleides —dijo el egipcio—. Hoy vengo dispuesto a cerrar el acuerdo contigo. Estoy seguro de que te alegrarás mucho al conocer mi propuesta.

—Espero que esta vez hayas olvidado tu porcentaje. Nada menos que un quince por ciento. Nunca vi tal osadía —replicó el griego, muy digno.

—Entiendo tu postura, buen Heracleides, y por ese motivo había pensado que un treinta por ciento de descuento sería mucho más adecuado —especificó el tebano con la mayor tranquilidad.

El viejo comerciante se encendió al momento y su mirada se tornó infernal, como si por sus ojos fluyeran las aguas de la Estigia.

—Te ruego que no te exasperes —le advirtió al punto Alcínoo—. Al menos hasta que no termines de escuchar mi oferta.

—¿Crees que he pasado mi vida negociando para ser escarnecido de semejante manera? —bramó el griego.

—Como te decía, quisiera que consideraras una rebaja del treinta por ciento, pero no por las doscientas treinta y cinco piezas de las que te hablé, claro está.

Heracleides lo miró confundido.

—Hoy quiero comprarte todo tu negocio. ¿Cuánto tienes? ¿Quinientas, mil piezas? Lo adquiero todo. Pero con una deducción del treinta por ciento.

Ante lo inesperado de la proposición el griego se quedó de piedra, aunque la congestión no lo abandonase. Alcínoo pensó que su colega pronto expulsaría humo por la nariz, como si se tratara de los vapores del Flegetonte.[13]

—Aquí traigo diez talentos de buena plata ática —indicó el tebano en tanto mostraba una abultada bolsa—. Dentro hay tetradracmas. Espero que no te importe este detalle, pero, como comprenderás, son más fáciles de llevar.

Heracleides decidió sentarse para darse un respiro, ya que era incapaz de decir palabra.

—Me hago cargo de tu estado, no te vayas a creer, pero quiero ser generoso contigo. Qué menos que alcanzar un honorable retiro tras toda una vida en los caminos —apuntó el tebano.

El viejo no había visto en su vida tanto cinismo, y menos en boca de un tipo como aquel, que hablaba como un príncipe.

—En realidad, estoy aquí para liberarte de tus preocupaciones. Ojalá vinieran a ofrecerme algo semejante cuando alcance tu edad.

—¡No tengo pensado vender mi negocio! —saltó al fin Heracleides, muy envarado—. Y menos a un joven como tú.

—Ya veo. La edad no debería ser un obstáculo en este asunto. Piensa en la vida que te esperaría con sesenta mil denarios de plata a tu disposición. Disfrutarías de un merecido descanso, como te dije. Incluso podrías adquirir a la esclava que se te antojase. Ella endulzaría tus años. Dicen que, cuando se llega a tu edad, no hay mejor miel que la que ofrecen sus labios.

Heracleides lo miraba como si se tratase de una aparición, y Alcínoo pensó que el viejo se encontraba a punto de pellizcarse, ya que nunca hubiera soñado con algo así.

—Me he tomado la libertad de traerte el dinero —subrayó el tebano al tiempo que hacía sonar la bolsa.

El comerciante se removió en la silla, incómodo.

—Al menos dime de cuántas piezas dispones —quiso saber el egipcio.

—Quinientas setenta y tres —apuntó el griego después de aclararse la voz.

Alcínoo sonrió para sí, pues sabía que el negocio estaba hecho.

—Hoy me siento proclive al sentimentalismo. Así pues, te pagaré los diez talentos de igual manera, pues no debemos olvidar el descuento que te propongo —indicó el tebano.

Heracleides agachó la cabeza en tanto se acariciaba su barba rala. Aquel tipo tenía razón. Diez talentos era una fortuna que a su edad resultaba difícil de rechazar. Jamás vendería todas sus piezas de seda, y aunque rebajara su precio en un treinta por ciento habría hecho un buen negocio. Disfrutaría cuanto pudiera de la vida, hasta el último denario. Una ocasión semejante no volvería a presentársele. Entonces el viejo dio muestras de querer regatear el precio para sacar algo más de plata del asunto, pero Alcínoo lo miró con aire mordaz e hizo sonar de nuevo la bolsa en la que llevaba los quince mil tetradracmas.

—Creo que lo mejor será que vayamos juntos al templo de Artemisa, buen Heracleides. Es el lugar idóneo para guardar tu fortuna.

15

De este modo Alcínoo se hizo con el negocio del viejo Heracleides, para satisfacción de ambos. Para el tebano, lo de menos eran las casi seiscientas piezas que había comprado. El verdadero beneficio se hallaba en el control de las caravanas que abastecían al mercader griego. El tebano sabía tratar mejor que nadie con aquellas gentes, y se dijo que, de haber estado presente, su tío Kamose le habría felicitado por el trato conseguido. Alcínoo barruntaba que el precio de la seda subiría hasta alcanzar cifras astronómicas, y que algún día la plata no sería suficiente para comprar aquel género; como así ocurriría. Su alma de comerciante volvió a sentirse en su elemento, y junto con su inseparable Abdú y su aguerrida tripulación desafió al Egeo para navegar por sus aguas de un extremo al otro del mar en pos de su fortuna, o de lo que fuese que los *orishas* del yoruba le tuvieran reservado. Mientras, el mundo cambiaba, a una velocidad como no conocieran los tiempos pretéritos.

Las noticias que le llegaban a Alcínoo de su país no podían ser menos halagüeñas. Kemet se encontraba en la ruina, y lo peor era que esa debilidad había hecho que Roma pusiese sus ojos en la tierra de los faraones. En el año 65, Julio César, edil curul, quiso sacar adelante un plebiscito con el fin de convertir Egipto en una provincia romana. Tras este propósito se ocultaba una feroz lucha por el poder contra los optimates,[14] y al joven César se le unió Craso, ya que la riqueza natural de país del Nilo resultaba una buena plataforma para llevar a cabo sus proyectos. Semejantes movimientos fueron suficientes para que Auletes fuera consciente de la debilidad de su posición. La amenaza de Roma era tan evidente que enseguida el faraón comenzó a desarrollar una política de sobornos e intrigas sin fin que lo acompañaría hasta el día de su muerte. El rey pagó grandes sumas para intentar detener la propuesta de César, aunque los optimates se percataron de lo que aquella proposición escondía y no permitieron que prosperara.

Sin embargo, la Tierra Negra estaba señalada, y apenas dos años después el tribuno de la plebe Publio Servilio Rulo propuso un proyecto de ley agraria —bajo el que se encubrían planes de mayor calado— en virtud de la cual se elegirían *decemviros*, una comisión de diez hombres, de entre diecisiete de las treinta y cinco tribus de Roma, que se designarían al azar. El propósito de tal comisionado sería el de vender todos los bienes públicos obtenidos desde el consulado de Sila hasta el de Pompeyo, para fundar con dichos bienes colonias dentro y fuera de Italia. Uno de aquellos miembros era César, quien, junto con Craso, veía en aquella ley una oportunidad para poder retomar su idea de asentarse en Egipto.

Pero aquel año, el 63, Cicerón ocupó el consulado, junto con Cayo Antonio Híbrida,[15] y enseguida comprendió el peligro que representaba semejante proposición, en la que se pretendía, nada menos, que el poder de los *decemviros* fuera absoluto durante un período de cinco años. Por este motivo combatió dicho proyecto, tanto en el Senado como en el Foro, con toda la elocuencia de la que fue capaz. La ley no prosperó, pero desde Alejandría el faraón tuvo pocas dudas acerca del futuro que le esperaba si no obraba con presteza.

Ese mismo año, el astuto Auletes añadió a su titulatura real los epítetos *Neo Dionisos*. El dios Dioniso había terminado por ser asociado al egipcio Osiris. Este gobernaba el Más Allá y abría la puerta de los Campos del Ialú a quienes hubiesen llevado una vida con arreglo al *maat*, y aquel procuraba la eterna salvación a todos cuantos habían seguido los rituales en los que se alcanzaba el éxtasis. Mientras el culto al dios Osiris era ya milenario, el más reciente debido a Dioniso no tardó en florecer, hasta el punto de que se llegó a declarar a dicho dios ancestro del primer Ptolomeo que gobernó Egipto. Con semejante genealogía, Auletes aprovechó para mostrarse ante su pueblo como el gran rey que merecía Kemet, al tiempo que intentaba distanciarse de los romanos, a quienes horrorizaban determinadas prácticas dionisíacas.

Ante el Senado, Cicerón manifestó su opinión acerca del faraón, de quien dijo que «ni era rey por su origen ni poseía las cualidades propias de un rey».[16]

A Auletes semejantes comentarios no le afectaron en absoluto, y su siguiente decisión para fortalecer su situación fue procurarse un socio lo suficientemente poderoso como para que velara por él. El faraón no disponía de un buen ejército con el que hacerse respetar como correspondía, por lo que dirigió su mirada al Oriente para fijarse en el imparable ascenso de aquel general romano que anexionaba una provincia tras otra a la República. Pompeyo lo protegería, y para ello utilizó el infalible recurso del dinero; en opinión del faraón, el arma más efectiva para hacer política.

De este modo, Auletes abasteció a las tropas pompeyanas de cuanto pudieran necesitar y, no satisfecho con esto, le envió a Damasco una corona de oro valorada en cuatro mil talentos, una cantidad exorbitante que representaba las dos terceras partes del presupuesto anual de Roma.

Estos hechos dieron al faraón los frutos apetecidos. Halagado y abrumado por semejante obsequio, Pompeyo decidió, por un lado, que un rey como aquel debía pasar a engrosar la lista de sus amistades, y, por otro, que no le interesaba en absoluto que Egipto se convirtiera en una provincia romana más, controlada por el Senado. Proteger a Auletes podría hacer ganar una fortuna al general, y de este modo el rey de la Tierra Negra se transformó en cliente de un procónsul de Roma.

El faraón no se detuvo ahí. La sombra de Roma era tan alargada que ya pocas dudas quedaban de que el destino del país del Nilo estaba sujeto al de la capital del Tíber. Por este motivo, el faraón continuó con su política de sobornos dirigidos a cuantos senadores se avinieron a aceptarlos, que fueron muchos. La enorme codicia romana era una buena aliada para un tipo como Auletes, aunque las consecuencias de todos aquellos manejos recayeran sobre su pueblo, algo que por otra parte resultaba habitual desde hacía demasiado tiempo. Los abusos sobre la ciudadanía se multiplicaron y los impuestos llegaron a alcanzar tal cuantía que la mera supervivencia empezó a resultar difícil.

Como en tantas ocasiones, el Estado recurrió a la devaluación y acuñó las monedas con una pequeña cantidad de metal, a la vez que las recubría con una decocción de plata. Egipto se hallaba en la bancarrota y ello le benefició en parte, ya que a Roma no le interesaba hacerse cargo de una nueva provincia que le costaría demasiado dinero.

Ante semejante panorama, Alcínoo se imaginó cómo debían de malvivir sus paisanos de la Tebaida. El control del dioceta y su hacienda pública debía de ser feroz, y el tebano maldijo para sus adentros a toda aquella caterva de funcionarios que chupaban la sangre de Kemet de forma insaciable y que parecían capaces hasta de acabar con su historia milenaria. El problema era que el mismo pueblo había participado de aquella vergüenza, y el egipcio llevaba grabadas sus secuelas en sus propias carnes. Los latigazos que le propinase Tersites no eran nada ante el dolor de un alma fustigada por su propia gente y, sin poder evitarlo, durante un tiempo sus recuerdos regresaron a su infancia para rememorar cuanto ocurrió. Él mismo se había visto obligado a recorrer el sendero del oprobio, y al pensar en ello la imagen de su hermano se le presentó cual si se tratara de un coloso. Sekenenre no se había doblegado nunca, y él estaba convencido de que, allá donde se encontrara, viviría con dignidad; una dignidad de la que él carecía, y esto le entristeció. Quizá su hermano ya hubiese muerto, o quién sabía lo que la vida habría hecho con él. Sin poder evitarlo, sintió deseos de abrazarlo, de decirle que en verdad se sentía orgulloso de alguien como él, que no se había sometido jamás.

Egipto estaba en manos de gente sin alma, y Alcínoo no albergaba ya ninguna duda de que a no mucho tardar Roma lo devoraría.

Con los conquistadores, el tebano mantenía las mejores relaciones. Era fácil tratar con estos, ya que su avaricia y su simplicidad le permitían ir siempre por delante de ellos, a estadios de distancia. Su brutalidad ya era bien conocida en Oriente, así como su afición a alardear de ella. Pero el egipcio sabía cómo manejarlos, y su cuidado aspecto y su excelente griego le abrieron no pocas puertas para sus negocios. Como siempre había tenido facilidad para las lenguas, el tebano aprendió latín, el idioma de un imperio que ya se anunciaba.

De este modo pasaron los años, y el joven se convirtió en un hombre para quien el mundo carecía de fronteras. El comercio las borraba como si se tratara de un soplo. No había más leyes que la que Roma trataba de imponer y la del oro, que se encontraba por encima de aquella. Ahí radicaba el verdadero poder, y todo lo demás se movía bajo su influjo.

Sin embargo, lejos quedaban ya sus desmedidas ambiciones de antaño. No necesitaba adquirir toda una flota para mercadear en los puertos del Mediterráneo. Su nave, el *Teofrasto*, era suficiente para transportar vino, aceite y seda, en la que había depositado muchas de sus esperanzas. Vendía sus ricas telas en Pérgamo, Tarso y Antioquía, si bien su alto precio hacía que solo la aristocracia local pudiera permitírselo. En Éfeso, la capital de la provincia de Asia, el procónsul Lucio Valerio Flaco, nombrado en el 63, se hizo cliente del tebano, y todos los altos funcionarios trataron de emularlo en lo posible.

El género que ofrecía el egipcio era de la mejor factura, y por ello pensó que si dispusiera de un tejido de calidad inferior podría venderlo a un precio asequible a muchos de los integrantes de las nuevas clases de las provincias de Asia, Siria y Cilicia.

Desde hacía tiempo, en la isla de Kos se manufacturaba este tipo de seda de menor calidad, que tenía un mercado más amplio, de forma particular en todo el Egeo. Las fábricas pertenecían a familias locales, y la oportunidad se le presentó a Alcínoo el día en que falleció el propietario de una de ellas, de pequeño tamaño pero ideal para las aspiraciones del tebano. Los telares habían quedado huérfanos, ya que el antiguo dueño solo tenía un hijo que nunca había mostrado el menor interés por el negocio. El difunto había sacado adelante su pequeña factoría con mucho sacrificio, y a su muerte esta había pasado a su vástago, con quien Alcínoo se apresuró a tratar. No había nada más sencillo que comprar una empresa familiar a un heredero sin interés por dedicarse a ella, y el egipcio lo sabía bien. En cuanto vio el porte del individuo, supo lo que debía pagar. Aquel tipo no tenía intención de trabajar nunca, y Alcínoo le ofreció lo justo para que aceptara sin que se viera tentado a iniciar un regateo. Así fue como el egipcio se hizo con el telar por un precio muy por debajo de su valor. Tenía treinta y un años, y el convencimiento de que el mundo estaba loco.

16

Aquel mar lo absorbió por completo. Sus aguas, saturadas de magia; sus islas, embrujadas por el canto de las sirenas; sus costas, dibujadas por los caprichosos dedos de los dioses... La luz caía desde lo alto, igual para todas ellas, para envolver el Egeo en la leyenda. Alcínoo formaba ya parte de esta, y en cada singladura por aquellas aguas teñidas de zafiro el *Teofrasto* dejaba su estela, sinuosa pero a la vez cargada de ilusiones satisfechas. Por primera vez el tebano pensó que era feliz, que aquella era la vida que le correspondía, la que debía llevar hasta que Osiris lo reclamara un día. Al fin y al cabo tenía alma de mercader, y a eso se había dedicado su familia desde hacía generaciones. Cambiar las ardientes arenas del desierto y los caminos pedregosos por el mar y sus puertos no era algo que importara demasiado. A la postre comerciaría, como le había enseñado su buen tío, para ganarse el pan con lo único que sabía hacer. Otra vez había construido su mundo, y en él había un lugar para todo aquello que alegraba a su corazón. A bordo de su barco, en compañía de Abdú, Nearco y su tripulación, disfrutaría de aquel don recibido, consciente de lo que la vida le había dado; poco más esperaba de ella, o al menos eso era lo que pensaba.

El yoruba se sonreía ante la nueva andadura en la que ambos se encontraban. Se sentía satisfecho del regreso de su amigo desde los infiernos, y también por verlo disfrutar con aquello para lo que había sido creado. En su opinión, no había mercader que se le pudiera comparar, ni caravanero que fuese capaz de aguantar su mirada. Sin embargo, la vida del tebano se reducía a eso, sin dejar espacio para dar cabida al amor, que tan esquivo se había mostrado con él. Cuando llegaban a puerto, Alcínoo permanecía en su nave, aislado de todo aquello que resulta natural al hombre. Nunca lo acompañó a buscar una mujer, ni mostró interés alguno por ellas; cuando le preguntaba, el yoruba solo recibía silencio, y a veces una mirada cargada de desgracia. Abdú poco podía hacer por su amigo, pues era el tiempo de la melancolía, de las ilusiones rotas, de los desengaños que nacen de los caminos torcidos. Aquel peso debía llevarlo él solo hasta que se abriera la nueva puerta que les esperaba, un poco más adelante. Por ese motivo el hombre de ébano se sonreía; era lo bueno de rezar a los *orishas*. Estos tenían el poder de sorprender.

Ajeno a todo aquello, el egipcio pasaba sus días tal y como lo veía su amigo, absorto en su trabajo y melancólico en todo lo demás. Cierto era que evitaba los lupanares y las tabernas, e incluso rehuía a las mujeres a la primera oportunidad. De alguna forma, se consideraba marcado para siempre; no tanto por ellas como por su propia naturaleza, aquella que había descubierto un día y que prefería no ver nunca más. Debía dormir para siempre, a pesar de lo que pudiese sufrir. Un hombre como él, alejado del amor de una mujer, se hallaba incompleto, pero el tebano estaba convencido de que por algún motivo su vida se encontraba abocada a eso, y que nada podía hacer.

En ocasiones el recuerdo de Mut venía a visitarlo, y él lograba incluso ver sus ojos de gacela enmarcados en aquel rostro. No había rencor en sus pensamientos, ni tampoco desesperación. Su mirada dulce le decía que no había podido ser, que en ocasiones nuestros deseos más febriles no son suficiente para llevarlos a cabo; que los dioses tienen otros planes que nosotros desconocemos y que la felicidad puede encontrarse en un lugar muy distante de donde pensamos. En ocasiones la vida te lleva hasta el amor, y otras muchas veces pasa de largo o acaba por esfumarse por ser irreal o sencillamente imposible.

Esta era la única compañía femenina que recibía el egipcio. Mut había quedado en algún lugar de su corazón, como él bien sabía desde hacía muchos años, y seguramente allí permanecería hasta que le pesaran el alma.

Sin embargo, aquella melancolía que lo asaltaba en los momentos de soledad se difuminaba como la bruma en la mañana al calor de los rayos del sol. Al despertar el día todo cobraba vida, y aquel mundo fascinante en el que le había tocado vivir atrapaba de nuevo su ánimo, para sentir la ventura del camino que el egipcio se forjaba. Tarde o temprano todos pagamos peaje, y él consideraba que sus cuentas estaban saldadas.

Una mañana, la vida vino a sorprenderle con una de sus lecciones magistrales. Alcínoo la comprendió al momento, sin ninguna dificultad. Todo ocurrió en Paros, una isla de las Cícladas cuyo puerto albergaba desde antiguo una floreciente actividad. El día era luminoso, y al efectuar la maniobra de atraque Nearco pasó cerca de un gran mercante que sin pretenderlo llamó la atención del tebano. Al punto este colocó su mano sobre los ojos a modo de parasol para verlo mejor, y al leer su nombre se quedó sin palabras, cual si se tratara de una aparición. Allí, anclado a apenas unos metros, se hallaba el *Hefesto*.

Pero... ¿cómo era posible? El *Hefesto* se había hundido hacía más de diez años a causa de una terrible tormenta, y con él la mayor parte de su hacienda. Alcínoo permaneció unos instantes embobado, observando el barco en tanto Nearco amarraba su nave al muelle. Entonces sintió una extraña desazón y, sin poder aguardar un instante, saltó a tierra para dirigirse hasta el lugar en el que permanecía anclado el mercante. Debía de haber algún error, y mientras se aproximaba pensó que quizás hubiesen botado otro carguero con aquel nombre. Mas cuando se encontró junto a la embarcación, el egipcio supo que se trataba de la misma que fondeara en Náucratis y en la que una vez depositara todas sus ilusiones. No había duda, era el *Hefesto*.

En ese momento el tebano escuchó voces a sus espaldas, como si discutieran. Al volverse vio una figura que reconoció al instante. Salía de uno de los habituales lupanares que infestaban los puertos, y parecía querer saldar alguna deuda pendiente con el dueño. Aquel tipo, malencarado donde los hubiese, llevaba un parche para cubrir el ojo que le faltaba. Alcínoo aún recordaba su nombre, Filipo, y al verlo allí plantado, discutiendo hecho un basilisco, el tebano se sintió diminuto, tan insignificante como el último de los esclavos. Lo habían engañado, así de simple. Aquel mercante con las ciento treinta toneladas del mejor vino de Quíos a bordo no había naufragado. Todo había sido un fraude colosal. Una burla en la que había perdido una fortuna. Leví lo había estafado de manera flagrante, y él había tardado más de diez años en descubrirlo.

Alcínoo fue a sentarse sobre uno de los norayes en tanto miraba de acá para allá, sin dar crédito a lo ocurrido. El sobrino de Kamose había sido timado como un chiquillo por aquel judío de Náucratis. Se sentía tan sorprendido que era incapaz de encontrar palabras para definir su propia ingenuidad. Al punto volvió a mirar al viejo capitán, que continuaba discutiendo, y recordó todo lo ocurrido, así como la ayuda que Leví se brindó a prestarle dada la situación en la que había quedado. ¡Incluso le llegó a dar una carta de recomendación para su primo Eleazar! ¡Inaudito!

Entonces Alcínoo lanzó una carcajada que sorprendió a cuantos lo rodeaban. Simplemente lo habían engañado porque podían hacerlo; no había nada personal en ello. Daba igual lo bueno o lo malo que él pudiera ser. Era posible estafarlo, y lo habían hecho. Así eran los negocios.

Aquella mañana en Paros el tebano lo comprendió todo, y pensó que la actuación de Leví no había sido muy diferente de la suya cuando había tratado de embaucar a los incautos con alguno de sus tratos. Él también se había aprovechado de las situaciones cuando había podido, como había hecho el judío.

Alcínoo se levantó para marcharse. Filipo todavía le gritaba al proxeneta, pero el egipcio ya apenas le prestaba atención. Recordó al momento el rostro de Leví, y se dijo que continuaba resultándole simpático; quizá ya habría muerto, mas en cualquier caso no le guardaría rencor.

Cerca de su barco todavía se oían sus carcajadas.

17

El mundo siguió su curso en aquel Mediterráneo que se aprestaba a cambiar su faz para siempre. Una nueva careta se encontraba dispuesta para él, como ya le ocurriera en el pasado y le sucedería en el futuro. Aquellas aguas nunca dejarían de porfiar en mantenerse vivas para desafiar a la historia, conscientes quizá de su importancia en el devenir de los tiempos. Abdú ya lo había augurado hacía años. Aquella bota de gruesa suela tachonada se asentaba sobre las orillas del mar de Odiseo para terminar con una época de leyendas sin fin en la que hombres y dioses se dieron la mano para crear mitos que asombrarían a los milenios, y de los que nunca se dejaría de hablar mientras el hombre fuese capaz de conservar algo de su raciocinio. Nada volvería a ser igual, y el yoruba era consciente de ello, como también lo era el Egeo, que lloraría un día al tener que sepultar sus epopeyas. Este siempre continuaría allí para todo aquel que quisiera escuchar sus palabras impregnadas de sueños, sentir el poder de su hechizo o simplemente imaginar lo que en realidad llegó a ser un día, cuando los inmortales navegaban por sus aguas y los dioses se avenían a visitarnos.

Aquella águila que extendía sus alas sobre el estandarte que portaba el *signifer* a poco cubriría la tierra toda, y el resonar de las botas de los legionarios, las cáligas, haría enmudecer a los pueblos durante centurias. Después ya nada sería igual, y nuevas puertas seguirían abriéndose a los hombres en el transcurrir de los siglos, pues tal era la naturaleza de las cosas. El yoruba lo visualizaba sin ninguna dificultad, aunque no tuviera la necesidad de decirlo. Daba igual; los hombres siempre perseguirían las mismas sombras.

En el año 60, Roma asistió a un hecho político sin precedentes. Julio César, Cneo Pompeyo y Marco Licinio Craso constituyeron una alianza, en principio secreta, para compartir entre los tres el gobierno de la República. De este modo nació el primer Triunvirato. Con el apoyo de sus dos compañeros, César había sido elegido cónsul, y enseguida dio impulso a una nueva ley agraria para poder repartir tierras entre los soldados veteranos de Pompeyo. Además, aprobó la administración que este último había organizado en las provincias de Oriente al tiempo que ayudaba a Craso en su soterrada lucha contra Cicerón, la cual terminaría con el exilio del orador a Dirraquio.

Ante semejante panorama, el faraón determinó que era el momento de afianzar su posición ante el poder de Roma al precio que fuese. Auletes aún no había conseguido el reconocimiento de la capital del Tíber, y al saber de aquella nueva alianza determinó que sus dádivas y sobornos debían multiplicarse. Así fue como ofreció a César la exorbitante suma de seis mil talentos, treinta y seis millones de denarios, que debía compartir con su amigo Pompeyo a cambio de su favor. Al faraón parecían darle igual los dispendios que hubiera que hacer a fin de reforzar su posición. Exprimiría al pueblo cuanto fuera necesario, y si la ocasión lo requería pediría prestado a los propios banqueros romanos, en una clara muestra del tipo de moral que guiaba a aquel monarca.

Sin embargo, sus nuevos socios se mostraron muy receptivos, y en el año 59 Auletes fue reconocido, al fin, como *amici et socii populi romani*, amigo y socio del pueblo romano. El rey de Egipto había tardado veintiún años en obtener aquel título, pero era el resultado lo que importaba, aunque por el camino se hubiese visto obligado a empobrecer a su pueblo con el único fin de salvaguardar sus intereses personales.

En Egipto los disturbios se intensificaron —sobre todo en Alejandría, cuyos habitantes eran de naturaleza levantisca—, pero Auletes volvió a arreglárselas para continuar capeando aquel temporal que no cejaba de arreciar. En un alarde de cinismo, intentó acercarse a la mayor parte de la población egipcia por medio del reconocimiento público de los antiguos ritos y, sobre todo, de la clase sacerdotal, con la que desde siempre había mantenido buenas relaciones. Las ofrendas del faraón al templo de Isis eran bien conocidas, y gustaba de regalar diademas de piedras preciosas para que los sacerdotes las ciñeran en su frente.

Alcínoo contemplaba con estupor la deriva de la nave egipcia en manos de tan nefasto piloto. En su desesperación, el faraón se decidió a pedir dinero a banqueros romanos, sin importarle el problema que esto significaba para su país. El tebano conocía las prácticas de aquellos, que solían agruparse en *societates publicanorum* con el fin de explotar los recursos de las provincias conquistadas. Entre la clase alta romana se había puesto de moda el préstamo a reyes extranjeros o a ciudades —como la de Salamina, en Chipre—, a través de gerentes, al escandaloso interés del cuarenta y ocho por ciento. Algunas de las más insignes familias republicanas estaban detrás de semejante usura. Años más tarde, cuando fue nombrado procónsul de Cilicia, Cicerón descubrió que Marco Junio Bruto estaba metido en aquellas prácticas a pesar de que su puesto como senador no le permitía efectuar ningún tipo de actividad comercial, y mucho menos bancaria. De hecho, el mismo Cicerón habría de proteger al rey Ariobarzanes III de Capadocia de las iras de los cobradores de préstamos de Bruto, ya que el monarca escapó de milagro al poder refugiarse en casa del famoso orador después de que lo persiguieran por las calles de Roma garrote en mano.

Con semejantes acreedores, Alcínoo no podía esperar para Egipto más que el desastre, aunque cuando dejaba perder la mirada por el horizonte se convenciera de que tan penosa escena no era más que la representación del último acto de una obra que había comenzado hacía ya mucho tiempo. Los años pasaban para él con singular celeridad y, a punto de cumplir los treinta y seis, se le antojaba que la vida le había mostrado todo lo que era capaz de ofrecerle, y que él debía esforzarse en conservar lo que con tanto trabajo había conseguido. Aunque viajara con frecuencia, el egipcio se había establecido en la isla de Kos, donde sus telares fabricaban una seda de la que se sentía particularmente orgulloso. No era demasiada la cantidad, ni tampoco la mejor; sin embargo, él la sentía como suya, y eso era suficiente. Hacía buenos negocios con su venta, pues tenía adjudicada su producción anual de antemano. En otro tiempo sin duda hubiese pensado en ampliar su negocio, pero Amosis ya había quedado atrás, y el tebano había aprendido que aquella carrera alocada en pos de ambiciones que nunca tendrían fin no era el alimento que necesitaba su alma.

El buen aceite, el vino de Quíos y la extraordinaria seda que comercializaba en Éfeso le habían procurado una pequeña fortuna con la que se había construido una casa en las afueras de la ciudad, desde la que se veía el mar y los barcos que lo surcaban, y que el egipcio no se cansaba de mirar. En su opinión, Kos era la isla más hermosa del Dodecaneso, y era tan fértil que producía todo aquello que se pudiera desear. Alcínoo era muy respetado en la isla, que formaba parte de la provincia romana de Asia, y todos conocían la buena relación que el tebano mantenía con el procónsul. En Kos se sentía dichoso.

Junto a él, Abdú parecía disfrutar de aquel oasis surgido del Egeo, y en ocasiones, en los atardeceres que les regalaba la isla, ambos señalaban el horizonte, hacia el punto donde debía de encontrarse Egipto, para recordar tiempos del pasado y los buenos momentos que habían compartido. La vida había corrido tanto que quizá por eso se sintieran colmados sin ansiar cuanto esta aún pudiera reservarles; como si en verdad hubiesen envejecido.

Pero Abdú sabía que no era así, y que una nueva puerta se encontraba próxima a ellos. Otra cita con lo inesperado los aguardaba, y eso le hacía sentirse feliz.

18

En el año 58, el Mediterráneo asistía a una nueva ignominia por parte de Roma; quizá uno de sus episodios más oscuros, por la forma como se desarrolló, y que mostraba la fragilidad de una República que se desangraba a causa de las luchas por el poder que tenían lugar en su seno.

Con César en la Galia, y con la connivencia de aquel, el tribuno de la plebe Publio Clodio Pulcro se había convertido en el amo de Roma. Con una política populista, pero bien calculada, el tribuno se ganó el apoyo de las asambleas populares y también el de los *collegia*, los gremios de trabajadores, que restableció y que en poco tiempo se convirtieron en auténticas bandas armadas.

Clodio sentía verdadera animadversión por Cicerón, a quien persiguió hasta el extremo de confiscarle sus bienes, incluida la villa que el senador poseía en el Palatino y que Clodio ordenó derribar para luego adquirir él mismo el terreno que había sido subastado; y también por Marco Porcio Catón, senador y enemigo declarado de César, contra el que Clodio actuó con el propósito de alejarlo de la ciudad con una misión a la que no podría rehusar.

Para llevar a buen puerto sus planes, el tribuno acusó a Ptolomeo, rey de Chipre y hermano del faraón, de haber sido aliado de los piratas cilicios a quienes derrotara Pompeyo, y por tal motivo presentó ante el *concilium plebis*, la asamblea de la plebe, una propuesta mediante la cual Roma se anexionaría la isla de Chipre y el inmenso tesoro de su rey. Para ejecutar tan alto honor designaba a Catón, al que otorgaría el gobierno de la isla, un *imperium* que el elegido no podía rechazar pero que a su vez le produjo estupor.

Semejante atropello —pues Chipre siempre había mantenido una relación amistosa con Roma— llevaría luego a Cicerón a criticar la codicia romana y a emitir un juicio en favor del rey de la isla que finalizaría con estas palabras: «... Asimismo, precisamente por orden del pueblo romano, que hasta solía restituir su reino a los reyes vencidos en la guerra, se decretó confiscar el reino a un rey amigo, junto con toda su fortuna, un rey a quien no había nada que reprochar y contra quien no existía demanda alguna.»[17]

Clodio había llegado a calcular la cuantía del tesoro de Ptolomeo, unos siete mil talentos, y responsabilizaba a Catón de su confiscación y traslado a Roma. Esta se aprestó para una nueva conquista, con sus águilas al frente, y la noticia se extendió por el mundo conocido como un aviso de lo que les esperaba a todos. Daba igual que fuesen amigos o no.

En el colmo de los menosprecios, Catón llegó a escribir al rey de Chipre para comunicarle que, si no oponía resistencia a la anexión de la isla, sería nombrado sacerdote de Afrodita en la ciudad de Pafos.

Las olas se hicieron eco de lo acontecido, y pronto corrieron todo tipo de rumores y variopintas historias. Muchos aseveraban que Ptolomeo recibía así su castigo, pues todo formaba parte de una venganza. Aseguraban que, años atrás, Clodio había sido hecho prisionero por los piratas cilicios, quienes pidieron rescate al rey de Chipre por su liberación. Al parecer este lo envió, pero la cuantía era tan exigua que los propios corsarios sintieron una gran vergüenza y decidieron liberar a Clodio sin aceptar dinero alguno. Cuando Clodio fue nombrado tribuno vio llegado el momento de saldar su deuda, y eso era todo cuanto había detrás del asunto, además de alejar a Catón de sus dos enemigos: César y Craso.

Poco proclive a mostrar interés por los rumores que aquellas aguas acostumbraban a llevar hasta sus costas, Alcínoo pensaba que una isla como Chipre ya era de por sí una tentación para un pueblo como Roma. No se necesitaba satisfacer venganza alguna, ya que la riqueza de aquel lugar era proverbial, desde sus bosques de buena madera hasta sus minas de cobre en Tamaso, que parecían inagotables. El tebano conocía bien la ínsula y sus puertos, desde Lapato hasta Arsinoe, pasando por Carpasia, Leucola y Salamina, de donde habían salido a la caída de la tarde. En dicha ciudad había permanecido durante unos días para tratar sus negocios en medio de un ambiente que invitaba a los peores augurios. Muchos ciudadanos se mostraban cercanos a la paranoia ante las noticias que llegaban a la isla, y en las calles los corrillos vaticinaban todo tipo de desastres para quienes permanecieran allí.

—¡Nada menos que diez legiones se aprestan a invadirnos! ¡Nos quitarán cuanto poseemos! —exageraban algunos.

—Dicen que con ellos viene Pompeyo, y que su flota ya se encuentra en el mar egipcio —aseguraban otros con total convencimiento.

Tal era el aire que se respiraba en Salamina, idéntico al que padecieran el resto de capitales locales, y Alcínoo tuvo dificultades a la hora de cobrar alguno de sus pedidos, ya que muchos pensaban que se avecinaba una hecatombe.

Por las calles los bulos habían tomado tintes desproporcionados, aunque el egipcio creía que a los paisanos no les faltaba razón al sentirse desamparados. Nada se podía hacer contra aquellas águilas que se les venían encima a bordo de sus liburnas, y así pues el que más y el que menos echaba sus cuentas u ocultaba lo poco que tuviese en el lugar más insospechado.

Que la flota romana se encontraba próxima era algo de lo que nadie dudaba, y Alcínoo decidió que lo mejor sería abandonar la isla cuanto antes, aunque el anochecer se hallara cercano, no fuese a ser que a la mañana siguiente los hijos del Tíber le expropiasen su nave, algo que hacían con más frecuencia de la deseada. Abdú estuvo de acuerdo con él, algo digno de consideración, pues poco se equivocaba el yoruba en sus juicios, y no digamos Nearco, que sabía cómo se las gastaban aquellos romanos en cuanto olían la pitanza.

Durante aquella tarde se había extendido el rumor de que el rey había muerto a manos de sus dignatarios, quienes se lo ofrecerían como trofeo a sus nuevos amos, pues nadie en la isla tenía la menor intención de hacer frente a las legiones. Y menos si con ellas venía el invencible Pompeyo, aunque tal posibilidad no fuese más que un bulo.

Como el tiempo era excelente, el *Teofrasto* salió del puerto y navegó rumbo al sur para rodear la costa hasta abandonarla a la altura de Pafos. La noche cayó con la rapidez acostumbrada, y al doblar el cabo Greco el viento se encalmó como si Eolo se hubiese encargado de encerrarlo de nuevo en un odre, como hiciera en la *Odisea*. El mar se convirtió en un pantano, y el cielo, oscuro como la cueva del cíclope, le tendió la mano para fundirse con él en una oscuridad insondable. La tripulación del *Teofrasto* se miró sobrecogida, ya que la tierra parecía haber detenido sus pulsos, como si todo hubiera quedado suspendido en un lugar que no le correspondía. El capitán nunca había visto el mar así, y dada la superstición que solía acompañarlos, los marinos enseguida se hicieron eco de sus temores, de los que surgían los peligros más inauditos.

—Poseidón detuvo las aguas —dijo Nearco, temeroso—. Aguzad el oído, pues su hijo, el gigantesco Tritón, debe de haber soplado su cuerno por orden del dios para calmar el mar.

Alcínoo no respondió, aunque reconociera que nunca había visto al Mediterráneo languidecer de aquel modo y de forma tan súbita. Enseguida tuvo un presentimiento y ordenó que apagaran el pequeño farol del barco, ya que eran presa fácil para cualquiera que quisiera abordarlos. Estaban tan próximos a la costa que Nearco decidió echar el ancla a la espera de que el dios de los vientos tuviese a bien regalarles su brisa, pero esta no apareció.

Así pasaron las horas, y aquellos hombres pensaron que se había obrado una suerte de prodigio que los llevaba a todos a formar parte de una oscuridad inescrutable. Mientras, Abdú sonreía para sí en tanto perdía la mirada por el cielo estrellado. Olodumare lo había creado, como todo lo demás, y él lo examinaba embelesado para tomar conciencia de su propia insignificancia. Su camino los había conducido hasta una nueva puerta, ante la que se encontraban, y toda la magia que los rodeaba formaba parte de lo que los *orishas* habían determinado. Así debía ser.

Hacía ya mucho que era noche cerrada cuando unas luces se recortaron sobre los acantilados. Al poco estas formaron una pequeña hilera, cual si se tratara de una procesión, que se movía con aparente presteza, como si fuesen huidos. Pronto las quebradas cobraron vida, y la comitiva se deslizó por ellas hasta llegar a la orilla del mar. La marea se hallaba tan baja que Alcínoo se imaginó aquella costa, plagada de cuevas a las que se podía acceder durante la bajamar sin ninguna dificultad. Entonces las luces titilaron justo frente al lugar en el que estaba anclado el *Teofrasto*, y desde cubierta todos asistieron a un ir y venir de lamparillas entre voces que parecían llamar al apremio y algún que otro juramento imposible de acallar. A bordo no se oía nada, ni un susurro, y con la respiración contenida Alcínoo y su tripulación asistieron a una especie de danza en la que los faroles hacían movimientos imposibles, ora hacia arriba, ora hacia abajo, hasta desaparecer por un momento en el interior de aquellas cuevas para acto seguido repetir su pantomima. Nadie podía saber qué clase de obra habían decidido representar los dioses en aquella hora, pero en el *Teofrasto* eran conscientes de que su vida y su silencio corrían de la mano en un escenario al que habían sido enviados por fuerzas desconocidas.

Nadie sabría explicar cuánto tiempo permanecieron así, ni el cúmulo de pensamientos que los asaltaron ante lo que parecía un hechizo formidable del que formaban parte sin pretenderlo. Poseidón había calmado las aguas para mostrarles un extraño mensaje, y Abdú volvió a sonreír, pues otra puerta se abría para invitarlos a entrar.

Cuando las luces terminaron su danza hubo unos instantes de sobrecogedora quietud, como si las lámparas se recuperasen de su esfuerzo, pero al punto sonaron voces, otra vez de apremio, y la peculiar luciérnaga se encaramó de nuevo sobre los acantilados para desaparecer al poco, devorada por la noche.

Durante un rato los tripulantes del *Teofrasto* permanecieron expectantes, pero todo estaba tan en calma que ni el batir de las olas contra las rocas se escuchaba. Alcínoo le hizo una señal a Abdú, y juntos se deslizaron por la borda hasta las aguas poco profundas. Enseguida alcanzaron la orilla y, agazapados como felinos, se mantuvieron alerta ante cualquier peligro. Mas allí no había nadie; solo la compañía de un mar imposible, surgido quizá de su sueño, y el presentimiento de que los dioses los elegían para la gloria.

Con premura encendieron sus lámparas para encaminarse hacia las entrañas de aquel pequeño acantilado. Una gruta abría su boca, oscura como todo cuanto la rodeaba, para mostrarles una visión inaudita, propia de semidioses o de héroes que formaban parte de los mitos que encerraba aquel mar, celoso guardián de mil misterios.

Ante ellos, los arcones descansaban sobre la dura roca para mostrarles el sueño que tenían predestinado. Un sueño que formaba parte ancestral de la quimera del hombre y que, por algún extraño motivo, se hacía tangible ante los asombrados ojos que presenciaban la escena. Al abrir aquellas arcas, la suerte cobró vida para palmear las espaldas de los escogidos, y al punto las manos de estos se hundieron entre lo que parecía inconcebible para mostrar a la tenue luz de sus candiles el brillo de los dioses.

Las más preciadas piedras, las joyas más exquisitas, dracmas, tetradracmas, didracmas de plata, estáteras y octodracmas de oro, por miles y miles, como nunca pudieran imaginar ver. Aquel era un tesoro digno de un rey, y Alcínoo comprendió al momento que Ptolomeo había decidido entregárselo al mar antes de que cayera en manos de Roma. No había otra explicación. Como si se tratara de personajes surgidos de las epopeyas homéricas, en aquella hora ellos también forjaban su leyenda para formar parte del mar de Odiseo. El rey de Chipre había decidido ofrecer su tesoro a las aguas, y Poseidón, señor de los océanos, había despertado desde los abismos para favorecer a aquella nave que navegaba por sus dominios, entregándola a una calma que la conduciría a la fortuna. ¿Qué otra explicación podía haber?

Entonces la gruta se llenó de estruendosas risas, como si el diablo los acompañara.

Cuando despertó la aurora, el mejor de los vientos empujaba al *Teofrasto* lejos de las costas de Chipre. El cielo se mostraba limpio, y los corazones que tripulaban aquella nave, prestos a entrar en los Campos Elíseos que los dioses les habían adelantado sin tener en cuenta sus pecados pasados. Abdú se felicitaba, una vez más, ante el poder de aquel destino marcado por las potencias yorubas, en tanto Alcínoo miraba fijamente hacia el horizonte, a través de aquel mar a punto de convertirse en turquesa, con el convencimiento de que el mundo le pertenecía.

19

Cuando Marco Porcio Catón tomó posesión de la isla, ya no había rey que lo pudiese recibir ni tesoro que pudiera enviar a Roma. Ptolomeo se había envenenado, en una muestra de dignidad que sería alabada por cuantos hombres de honor se asomaban a aquel mar. Su fabuloso tesoro había sido arrojado a las aguas, y desde Roma el tribuno Clodio maldecía una y otra vez a aquel representante de la aristocracia más rancia a quien había encargado la custodia de los bienes conquistados. La propuesta de Catón a Ptolomeo de nombrarlo sacerdote de Afrodita había precipitado los acontecimientos, y los siete mil talentos que esperaba expoliar se habían perdido para siempre al ir a parar al palacio de oro en el que vivía Neptuno, a quien aquellos griegos llamaban Poseidón.

Para Egipto, las consecuencias de aquella invasión fueron desastrosas. Desde la capital, el faraón había asistido impávido a la anexión por parte de Roma del reino de su propio hermano sin mover un solo dedo para impedirlo; ni siquiera fue capaz de levantar su voz ante semejante atropello. Recluido en su palacio, se limitó a examinar la situación y calcular cuáles eran las posibilidades de que a su país le ocurriese lo mismo. Resultaba obvio que los romanos no tenían más que tomar la decisión de invadir la tierra del Nilo para que esta cayera sin cruzar una sola espada; sin embargo, la política de préstamos en la que se había acomodado Auletes se convertía en la mejor salvaguarda de su posición. No existía mejor garantía para su persona que contraer deudas con los más poderosos, y cuanto mayores fueran estas mejor, ya que los acreedores se encargarían de brindarle su protección al deudor e incluso de procurarle bienestar para, de este modo, poder cobrar algún día cuanto les debían.

Dada su frágil situación, Auletes se endeudó hasta el cuello, y con él su país, claro está, de quien trataba de sacar el mayor rendimiento posible. Pero hacía ya demasiado que la situación en Egipto se había vuelto insostenible, y a los abusivos impuestos se sumó el detonante de los graves hechos ocurridos en Chipre. Este reino, siempre ligado íntimamente al país de los faraones, y cuyo rey era incluso hermano del Horus viviente, había pasado a manos romanas sin que el Flautista hubiese protestado siquiera, y ello enfureció al pueblo de tal forma que las turbas tomaron las calles de Alejandría dispuestas a resucitar las viejas prácticas del pasado, con las que llegaron a acabar con la vida de algún monarca. Todo Kemet se alzó contra su rey, y fue tal la envergadura de tan airada protesta que el faraón decidió huir y abandonar su trono antes de que acabaran con su vida. Sus súbditos ya no estaban dispuestos a tener que pagar de sus bolsillos los préstamos que recibía Auletes, y este no tenía el más mínimo deseo de exigirle a Roma la devolución de Chipre, y mucho menos de enemistarse con ella.

A diferencia de su difunto hermano, Ptolomeo XII era el campeón de la indignidad, un inmoral al que poco importaba el parecerlo; un hombre que desconocía por completo el significado de la palabra honor.

Buena prueba de todo ello fue lo que ocurrió a continuación. Al ver peligrar su situación, Auletes abandonó Alejandría y, en el colmo de la ruindad, se dirigió a Chipre, donde se encontraban los instigadores de la muerte de su hermano y nuevos dueños de su antiguo reino. Allí pretendió hacer valer sus derechos, y sobre todo los sobornos que desde hacía tiempo realizaba a no pocos prebostes romanos, a fin de que le ayudaran a poner orden en Egipto y así recuperar su trono.

Su reunión con Catón sería motivo de comentarios en todo el Mediterráneo, y también de burlas y chanzas de todo tipo. Al parecer, el nuevo gobernador recibió al faraón nada menos que en las letrinas, y ni siquiera se levantó de ellas para ir a saludarlo. Algunos aseguraron que el romano tenía el vientre descompuesto —una diarrea de consideración, vamos—, aunque otros explicaron que lo que en realidad ocurrió fue que Catón había tomado un laxante la noche anterior, y de resultas de ello se produjo semejante encuentro.

Lo que hablaron mientras el gobernador permanecía en el excusado no trascendió, aunque tampoco importara demasiado, dada la naturaleza de la escena. Pero como Auletes no tenía la más mínima idea de lo que era el decoro, y mucho menos la integridad, se marchó de allí como si nada, con el convencimiento de que debía dirigirse a Roma para hacer valer sus habilidades ante los nuevos dueños del mundo. Poco importaban las deudas que hubiera que contraer y las voluntades que comprar; nunca podría devolverlas, dada su cuantía, y ello lo tranquilizaba en grado sumo.

20

A Alcínoo todas aquellas noticias no le extrañaron en absoluto, aunque no por ello dejaran de apenar su alma. Al fin y al cabo, el poso de las enseñanzas que recibiera en su día en Karnak era algo que siempre lo acompañaría, y el legendario *maat* al que se debía cualquier egipcio que se preciara estaría presente en su corazón, aun cuando el tebano supiera que no lo había respetado como debiera. Ahora su existencia lo había dirigido a otros pagos, y su mundo se encontraba tan distante del que dibujara en Alejandría que la capital representaba para él un período de oscuridad que se negaba a rememorar.

En realidad, el egipcio no encontraba explicación a cuanto le había acontecido. En su opinión, la suerte nunca se había aliado de semejante manera con un mortal; era imposible hallar una historia como la suya, una situación propia del más increíble de los cuentos, surgido de un sueño imposible. Ahora Alcínoo era un hombre inmensamente rico, y el hecho de que aquel mar, al que había llegado a rendir pleitesía desde una inmunda cueva de los desérticos farallones del oeste de Tebas, le hubiese brindado su favor para entregarle una fortuna, le hacía sentirse parte sustancial de aquellos relatos cantados por los más insignes poetas; de cada verso tejido con los sutiles hilos de la fábula. Poseidón lo había invitado a formar su propio mito para convertir a Alcínoo en parte de su mar; el mar de su héroe.

El tesoro de Ptolomeo, que los romanos habían calculado en siete mil talentos, en realidad era mucho mayor. Casi diez mil, si se vendían apropiadamente las joyas que abarrotaban algunos de los arcones. De aquellos, tres mil eran de oro, y al tratarse de talentos romanos, que pesaban cinco kilos más cada uno que los egipcios, unos treinta y dos kilos, se podía decir que Alcínoo se había hecho con noventa y seis toneladas de oro y doscientas veinticuatro de plata; una riqueza digna del mítico Creso, y que el reino de Chipre había acumulado a través de su historia. Ningún hombre en el Mediterráneo poseía una fortuna semejante, y Alcínoo era muy consciente de ello.

El egipcio se mostró generoso con su tripulación, a la que entregó lo suficiente como para que ninguno de ellos se preocupara por el futuro de las siguientes tres generaciones, y con su capitán, que recibió una suma con la que se convertiría en el marino más acaudalado del Egeo. Sin embargo, Nearco porfió en continuar al lado del egipcio. Aquel hombre no tenía a nadie en el mundo, y el único hogar que conocía era la mar; sin ella moriría en poco tiempo, por mucho que viviese en el mejor palacio que cupiera imaginar. Alcínoo se emocionó al oírle hablar así y le prometió que siempre sería su capitán, allá donde los enviara el viento.

En cuanto a Abdú, el tebano repartió el tesoro con él a partes iguales, para regocijo del yoruba, que no tenía el más mínimo interés en semejantes riquezas.

—Es lo que te mereces —le dijo Alcínoo muy serio.

—Y yo te confío la mayor parte. Tú sabrás mejor que yo qué hacer con ella —aseguró Abdú en tanto reía con suavidad—. Mis gastos no dan para tanto.

De este modo, Alcínoo depositó su fortuna en los mejores bancos del Egeo. El tebano sabía muy bien cómo manejar tanta riqueza, y por ello la repartió entre el templo de Hera en Samos, el de Apolo en Delfos, el de Atenea Lindia en Rodas, el de Delos y el de Artemisa en Éfeso, el más reputado de todos y en cuyos sótanos se encontraban las únicas cámaras acorazadas conocidas. Allí depositó la mayor parte, seguro de que en unos años doblaría su capital sin ninguna dificultad, pues de nuevo retornaría a su antigua actividad como banquero.

En verdad que la tierra pareció partirse en dos para permitir el paso de aquel hombre. Así eran los seres humanos, capaces de rendirse ante la opulencia si con ello hacían sentirse al poderoso aún más rico, y al pobre, la más miserable de las criaturas.

En la cúspide del poder, Alcínoo prestaba dinero a aquellos que gobernaban el mundo, y a no mucho tardar sus influencias eran tales que no había puerta que no pudiera llegar a abrir ni príncipe que no se sintiera honrado de invitarlo a su mesa. Los procónsules fomentaron la amistad de aquel misterioso banquero que hablaba en griego como los antiguos reyes, y el egipcio estrechó con ellos sus relaciones aun a sabiendas de que debía obrar con prudencia, pues conocía muy bien hasta dónde podía llevarlos su desmedida avaricia.

Alcínoo terminó por convertirse en una leyenda viva, envuelta en todos los enigmas que le eran propios. Nadie acertaba a saber con exactitud de dónde era, ni tampoco de dónde había salido su inmensa fortuna. La compañía de aquel gigantesco hombre de ébano lo hacía aún más enigmático, y muchos fueron los que aseguraron que aquellos hijos de la ventura procedían de alguno de los reinos de Oriente, más allá de donde consiguiera llegar el gran Alejandro.

Todas las caravanas cargadas con la mejor seda terminaron por hacer tratos con él y, tal y como vaticinara un día, su precio llegó a alcanzar cotas insospechadas. Con el tiempo, no habría familia que se preciara que se resignara a no vestir prendas confeccionadas con aquel género divino.

Aquel hombre que había llegado a vivir donde el agua era tan solo una palabra se había convertido en prisionero de aquella extensión que parecía no tener fin. Su alma pertenecía al Egeo, y cada vez que se extasiaba escuchando cuanto este tuviera que decirle descubría nuevos matices, colores imposibles, olores de tiempos ya casi olvidados.

Alcínoo se hizo construir un barco de la mejor madera en los astilleros de Rodas. Lo aparejó sin dejar nada al azar, cuidando cada detalle; y para que nadie que navegara por aquellas aguas tuviese duda de quién se trataba cuando su vela apareciese por el horizonte, la hizo teñir con púrpura de Tiro, la mejor que había, en un alarde de poderío propio de reyes.[18] Sobre la superficie de esta, bordado con hilos de oro, quedó grabado el *wedjat*, el ojo de Horus, rodeado por dos círculos concéntricos, para que todos los enemigos fueran apartados de aquella nave a la que había puesto por nombre el único posible: *Odiseo*.

En Kos compró un antiguo palacete, cerca de donde vivía, que renovó hasta hacerlo digno del mismísimo Príamo. Adquirió esclavos, a los que manumitió para que lo sirvieran como personas libres a cambio de un salario. No habría cautivos a su alrededor, y trató de que su nueva residencia se convirtiera en la añorada Ítaca, que siempre había buscado, un hogar en el que esperar a Anubis con pulso sereno. Desde aquel lugar, Alcínoo podía divisar la costa del continente, Mindo, el puerto de Carianda, la pequeña isla de Iaso, donde se comía un buen pescado, y, a lo lejos, la ciudad de Halicarnaso.

Alcínoo se había convertido en un tipo que parecía sacado de la corte del mismo Agamenón; un aqueo de pies a cabeza cuyo cabello largo, recogido tras las orejas, caía sobre su nuca formando unos bucles de un tono oscuro azulado que se entremezclaban con su pelo negro. Acostumbraba a ceñir sobre su frente una cinta dorada, y una fina barba recortada le recorría el mentón para darle el aspecto final de un hombre de otra época.

Sin embargo, el tebano había aprendido de su vida pasada, del poder destructivo de la ambición sin medida, de lo que ocurría cuando el hombre se apartaba de su verdadera esencia. Él sabía muy bien cuál era esta, y lo que esperaba de la vida. Su alma de comerciante no moriría jamás, y siempre sería feliz al cerrar un buen acuerdo; daba igual el negocio del que se tratara si con él podía practicar el arte del engaño.

Por este motivo mantuvo sus telares en la isla, tal y como los había adquirido, para no olvidar nunca quién había sido.

Su inseparable Abdú se había convertido en su sombra, y el egipcio gustaba de bromear con él al respecto y alabar las vestimentas de la más exquisita seda a las que se había aficionado el yoruba.

—Tus *orishas* nos tenían preparada una buena sorpresa —le dijo el tebano una tarde.

—Por eso les guardo respeto. Esta vez han sido magnánimos, ja, ja.

—Podrías comprar el reino del que procedes.

—Y para qué. Allí los tetradracmas no valen nada.

Alcínoo se quedó pensativo, ya que su amigo continuaba siendo tan misterioso como siempre. Ahora poseía una fortuna capaz de conducirlo a la vida que deseara, y, sin embargo, no parecía dispuesto a cambiar la suya. Como si la existencia que llevaba atendiera a un propósito determinado. Abdú ya pasaba de la cuarentena y no obstante no había formado una familia, como si por alguna extraña razón que el egipcio no llegaba a entender el yoruba hubiera decidido unir su destino al del tebano. Cierto era que su amigo frecuentaba la compañía de las mujeres, a las que alababa a diario, pero el amor no había llamado jamás a su puerta, o al menos eso creía él.

Era curioso, pero en los últimos tiempos una idea había ido tomando forma en su corazón, poco a poco, igual que si hubiera permanecido dormida durante años y de repente despertara para revelarse. Al principio se había mostrado con vaguedad, para luego descubrirse sin ambages, con toda la fuerza que en realidad encerraba. Había cuentas pendientes en Alejandría, incluso en el lejano sur, y pronto habría que ir a saldarlas.

Abdú leía su corazón y asentía en silencio, como si él mismo se contestara sus propias preguntas. Al verlo aquella tarde, Alcínoo sintió un estremecimiento.

—Hay nuevas puertas dispuestas para nosotros, ¿no es así? —le preguntó al yoruba.

Este sonrió sin dejar de mirar el horizonte.

—Las hay, amigo mío. Los *orishas* nunca dejarán de sorprendernos.

21

Alcínoo se tomó muy en serio las palabras de su amigo, aunque cualquiera que fuera la puerta que tuviese que atravesar, el egipcio se hallaba dispuesto a aceptar lo que esta encerrara. Su manera de ver la vida había cambiado con el transcurso de los años, y el hecho de disponer de una gran fortuna le permitía demostrarse a sí mismo que lo que en realidad importaba se encontraba lejos del brillo del oro, y que este solo significaba un vehículo desde el cual admirar todo aquello que le era grato a su alma. Abdú le demostraba a diario su poca disposición para adorar al tetradracma. El yoruba nunca se convertiría en su servidor, y le hacía ver dónde estaba el límite entre la fortuna y la dependencia de Pluto, el dios de la riqueza.

No resultaba sencillo para alguien como Alcínoo satisfacer sus ambiciones ahora que tenía medios para ello; sin embargo, aquella senda que lo había conducido hasta las puertas del infierno había hecho del egipcio otro hombre, capaz de ver con claridad qué era lo que le convenía y el lugar que correspondía a su *ka*.

Su posición le permitía disfrutar de lo que en verdad le interesaba en la vida. El trato con otros comerciantes, el mar, la quietud y la posibilidad de acaparar obras de los clásicos, que gustaba de leer en la terraza columnada de su casa, justo sobre el acantilado. Allí se sentía feliz, con sus preciados rollos, mientras dejaba volar su imaginación de la mano de los sabios, o cuando se perdía más allá del horizonte, en los cálidos atardeceres de verano, cuando el mar llegaba a teñirse de púrpura. La brisa lo acompañaba, incansable, para adormecerlo con los aromas de las flores de su jardín, y Alcínoo se abandonaba a aquella sensación de paz intemporal, donde su mundo parecía haber quedado suspendido de un nuevo sueño del que se resistía a despertar. Las voces de la servidumbre, los ruidos de sus quehaceres diarios, la sensación de que por primera vez en su vida entendía el significado de lo que encerraba el hogar. Esto era todo a cuanto podía aspirar. Su corazón se había vuelto quebradizo hacía ya demasiado tiempo, y aquel oasis perdido en el Egeo en verdad representaba el paraíso.

En ocasiones, Abdú lo observaba durante horas para ver cómo su amigo permanecía perdido en la lectura, o navegando por los mares propios de la imaginación; ausente, en todo caso, y tan solitario como si se tratase de un náufrago.

Este particular le dio mucho que pensar, sobre todo porque el yoruba conocía los pormenores que habían llevado a su amigo hasta allí. Su corazón se había envuelto en hierro, quizá forjado por Hefesto, pero a la postre era frágil ante el poder de la propia naturaleza, la que cada uno posee, y también ante las emociones que penetran a través de nuestros sentidos como si se tratara de la fina arena del desierto de Nubia.

Todo se hallaba en movimiento, como aquellas olas que al hombre de ébano se le antojaban cargadas de majestad, siempre salpicadas de pinceladas de nácar que coronaban el índigo, inalcanzables en su inmensidad. Semejante magnificencia no era sino una parte más del todo de la vida; por eso las puertas siempre se hallaban allí, prestas a invitarnos a entrar cuando así lo decidiesen. Resultaba simple, pero al tiempo estaba cargado de complejidad, pues no en vano la suma de todas aquellas sendas conformaba la existencia de cada cual; repletas de lo que muchos definían como casualidad.

Abdú tenía mucha razón. Alcínoo se sentía por primera vez en casa, en la Ítaca que él había imaginado en tantas ocasiones, llevado de la mano de su inseparable Odiseo. Su viaje había resultado proceloso ya desde su niñez, y por fin gobernaba su vida a la vez que señoreaba sobre cuanto lo rodeaba, como un rey al que rindieran pleitesía. Su mundo estaba completo, y Alcínoo se convenció de que por fin era feliz. Sin embargo... todo saltó en pedazos cuando la conoció.

22

Con el primer cruce de miradas, ambos se enamoraron sin remisión, perdidamente, como si los dioses del amor tocaran a rebato. El prodigio hubo de llegar de la mano de algún encantamiento, pues no había otra explicación. Quizá hubiese nacido de las aguas, de su espuma al ser fecundada por Urano, como le ocurriera a Afrodita, la diosa del amor; o puede que, desde la mística tierra de los dos mil dioses, Hathor se acordara en aquella hora de su hijo perdido en el Gran Verde para sonreírle, para enviarle al fin su favor y que supiese que en ese mundo de chacales, despiadados en sus dentelladas, el amor era capaz de presentarse para derribar cuantas barreras se alzasen a su paso a fin de enarbolar su bandera, sin temor a la mezquindad. La Señora de Dendera[19] poseía la llave que abría los corazones. Daba igual lo duros que estos fueran o lo complejo de sus cerraduras; suya era la magia que los milenios habían forjado sobre los amantes, y no existía voluntad ni poder del hombre capaz de enfrentarse a su influjo.

La armadura que el tebano creía forjada en las fraguas de Hefesto con la que se protegía saltó en mil pedazos cuando aquellos ojos zarcos se posaron en los suyos con el poder de mil Aquiles. Su nombre era Briseida, aunque todos la llamaran Circe, y, como Alcínoo, también poseía su propia historia.

La joven había nacido para ser princesa, aunque Tiqué, el destino, decidiera enviarla a la casa de Laertes; quizá debido a que los tiempos de las princesas habían pasado en aquellos lares, o bien porque no había reino en el mundo capaz de merecerla.

Aseguraban que al nacer era tan hermosa que su nombre surgió de los labios de su madre sin ninguna dificultad: Briseida, la bellísima esclava por la que Aquiles perdió la cabeza. Pocas veces un nombre resultaría tan bien elegido, pues con el correr de los años la niña se convertiría en una mujer de legendaria belleza, con un carácter tan fuerte como el del inmortal hijo del rey de los mirmidones.

Mas por desgracia su madre no la vio crecer, ya que moriría como consecuencia del parto, y de este modo la niña hubo de criarse bajo la tutela de su padre, un hombre de su tiempo.

Laertes pertenecía a una antigua familia de armadores que había asistido a la metamorfosis sufrida en el Mediterráneo a través de la historia. Este les había proporcionado cuanto llegaran a ser, una gran fortuna que los tiempos y el curso de los acontecimientos se habían encargado de malograr. Ahora Laertes estaba arruinado, y este era el motivo de todas las desgracias de su casa.

Sin embargo, la suerte no siempre les había resultado esquiva. Briseida creció envuelta en el mimo, bajo la mirada atenta de las amas de cría, rodeada de la abundancia de la que tanto le gustaba hacer gala a su padre. Este, que se desvivía por su pequeña, la educó decidido a proporcionarle hasta el último de sus caprichos, que con los años resultaron ser muchos. A Laertes tales cuestiones apenas le preocupaban. El mar había cambiado, y los problemas para su negocio se volvieron cada vez más acuciantes. Quizá por eso mantuviera a su hija apartada de la hecatombe que él veía cernirse sobre sus cabezas. En el viejo palacete levantado por sus antepasados la vida parecía discurrir como antaño, ajena a cuanto sucedía en el exterior. Frente a la bahía de Kos, Briseida creció como lo haría una princesa, alejada de una realidad a la que sucumbiría. Su único aprendizaje fue el de salirse siempre con la suya, y a fe que en esto resultó ser una alumna aventajada. Como era pizpireta y sumamente despierta, enseguida aprendió a utilizar en su favor aquella belleza que ya despuntaba, a medir cada gesto, cada mirada, como correspondía a su naturaleza. Pronto conoció a los hombres y el poder que su hermosura podía ejercer sobre ellos, mas se guardó bien. Briseida era una mujer virtuosa, y al llegar a la adolescencia prometió reservarse para quien fuera su esposo, con quien tendría muchos hijos ya que le gustaban los niños. Sin embargo, un día el sueño en el que vivía se esfumó para siempre.

La piratería cilicia supuso la ruina para Laertes. Como si un hechizo infernal hubiese sido invocado por algún nigromante, en un año el armador perdió todas sus naves, una tras otra, y ni siquiera los seguros que aplicaban las leyes rodias sirvieron para evitar su bancarrota. Nunca se había visto algo semejante, y todos sus colegas se hacían eco de su infortunio, aunque poca ayuda le brindaran. El naviero trató de ocultar la ruina de su casa, y para ello utilizó a su hija con el fin de negociar la única salvación que veía posible: una buena boda.

El elegido era miembro de otra familia de armadores cuyos intereses en los astilleros de Rodas los había enriquecido sobremanera. Era una apuesta segura, y Briseida, que había cumplido diecisiete años, toda una ninfa que bien valía un imperio. Con un acuerdo así, Laertes podría hacer reflotar sus negocios sin ninguna dificultad, y su hija viviría sin necesidad de pasar privaciones durante el resto de su vida.

El problema surgió cuando Briseida supo lo que se proponía hacer su padre. La joven, que era testaruda como una mula, se negó en redondo al enlace en tanto le dedicaba a su progenitor una de sus típicas miradas, que parecían nacidas de las nieves perpetuas. Hubo voces, gritos, puños cerrados y crispación, y a la postre Briseida no tuvo más remedio que dar salida a su cólera, como hubiese hecho el mismísimo Aquiles. A aquella joven no había quien la doblegara, y se recluyó en su habitación reconcomida por la furia hasta que esta se le pasó. Entonces acudió de nuevo su padre, en un intento de hacerla entrar en razón, y para ello no tuvo más remedio que explicarle la ruina en la que se hallaban.

Aquello indignó a la joven, y por primera vez vio a su progenitor como a un pobre hombre capaz de vender a su hija al mejor postor.

—No podremos continuar viviendo aquí, ni mantener nuestra hacienda. Esta casa, construida por nuestros antepasados en tiempos de Demetrio Poliorcetes, hace más de doscientos años... habrá que venderla. ¿Te das cuenta de la situación?

—Ya me has contado muchas veces esa historia, padre. Demetrio Poliorcetes, conquistador de la Caria, rey de Macedonia, hijo de Antígono Monoftalmos, el Tuerto, ¿no es así como siempre te refieres a él?

Laertes reprimió un exabrupto. Su hija tenía la facultad de sacarlo de sus casillas, pues poseía una gran habilidad a la hora de tergiversar cualquier conversación en su favor.

—¡Se acabaron los esclavos y la vida regalada! —explotó Laertes—. Terminaremos viviendo de la caridad, y tú acabarás por marchitarte en los peores caminos.

—Serán los que tú te has encargado de procurarme. Claro que si acepto cuanto te propones, tus barcos volverían a navegar y así podrías continuar frecuentando a tus amantes. ¿O crees que ignoro lo que acostumbras a hacer? Mi boda te resultaría salvadora —apostilló ella con aquella voz cantarina, pero dominada por el habitual tono de severidad que empleaba la joven cuando se ofendía.

—¡Ya no eres una niña! —exclamó el padre, furioso—. Te he mimado demasiado, y estas son las consecuencias. Ya tienes diecisiete años, edad más que suficiente para que busques esposo, y yo te lo proporcionaré; como exige la tradición en esta tierra.

Briseida lo miró imperturbable.

—Mi corazón solo me pertenece a mí, padre. Nadie podrá obligarme nunca a venderlo.

—¡Hades, dios de los infiernos, me condene si entiendo tu egoísmo! —bramó Laertes—. ¡Eres capaz de dejar en la indigencia a toda tu casa con tal de no obedecer! Los tiempos no vieron semejante desfachatez.

La joven enarcó una de sus cejas al tiempo que atravesaba con la mirada a su progenitor.

—He de confesarte que nunca te creí capaz de tales juicios, padre. ¿Acaso no eres tú el culpable de la ruina de tu hacienda?

Aquellas palabras enojaron aún más a Laertes, que terminó por abandonar la sala entre juramentos, al haberse quedado sin argumentos.

Sin embargo, Briseida estaba condenada, y ella lo sabía muy bien. Como Laertes había planeado, la boda se llevó a cabo, para gran satisfacción de este y quebranto de su hija. El destino le enviaba un marido, y a ella no le quedaba sino obedecer.

—El amor llegará con el tiempo, ya lo verás —trataba de animarla su padre, feliz por la unión que se había concretado.

Esta resultó tan mala como cabía suponer, aunque para la joven la palabra que mejor la definiría sería la de nefasta. Desde el primer momento quedaron bien delimitados los términos de aquel enlace; los habituales, por otra parte: ella engendraría hijos y él se dedicaría a todo lo demás.

Atreo, que era como se llamaba su esposo, era un joven nacido para continuar la saga familiar. Era apuesto, pero también déspota y egoísta; acostumbrado a hacer su voluntad. Mas Briseida descubrió su alma a la primera mirada, y desde el principio supo el tipo de canalla con el que le había correspondido lidiar. Atreo quedó prendado de su belleza al instante, pero aquello, como era habitual en su vida, terminó por formar parte de sus deseos satisfechos.

Sin embargo, Briseida tardó poco en medir a su marido para hacerle ver que nunca se doblegaría a sus antojos, y mucho menos a su voluntad. Tras entregarle su virginidad, poco más estuvo dispuesta a darle. La joven no tardó mucho en descubrir la oscuridad que subyacía en aquel hombre y también su cobardía.

Pero Tiqué, la diosa de la fortuna, había decidido ponerla a prueba, y la joven quedó encinta la primera vez que yació con su esposo. Ello supuso una gran alegría para este y también para Briseida, aunque por distintos motivos. Atreo tenía una mujer hermosa y un hijo en camino, algo de lo que alardeaba, y poco más sentía ante su futura paternidad. Allí amor no había en absoluto, y la joven se lo dejó bien claro al poco de recibir el primer improperio. Con ella no valían las bromas, y su fuerte carácter no tardó en hacer acto de presencia para rebelarse ante el trato que recibía.

Sin lugar a dudas, su vida era regalada. Junto a su esposo la joven se había trasladado a Rodas, donde se instaló en un palacio digno de un príncipe. No había nada que deseara que no tuviera al momento, salvo el amor, claro está, y la consideración que se merecía. Su orgullo se vio mancillado la primera ocasión que vio a su marido en brazos de otra mujer, sobre todo por el hecho de que la amante fuera una esclava, fea y desaliñada, que se ocupaba de los trabajos menos dignificantes. Para una dama como Briseida, semejante afrenta resultaba inadmisible; una injuria que jamás perdonaría y que la llevó a un estado de depresión que la postró durante un tiempo.

Mas la sangre de Aquiles que llevaba en sus venas le hizo recuperar su coraje. Si su marido se dedicaba a frecuentar a las prostitutas de la más baja estofa o a la última de sus esclavas, ella le haría ver ante los demás el respeto que le guardaba, ninguno, y lo que opinaba de él. Atreo no volvió a visitar su lecho, y ella terminó por desarrollar una verdadera animadversión hacia los hombres, a los que consideraba unos seres viles que cabalgaban a lomos de sus más bajos instintos.

De este modo Briseida volcó su cariño en su hijo, a quien llamó

Telégono, llevada en parte por el odio que ya sentía hacia su marido. La joven madre era una persona cultivada, y su vástago llevaba el nombre de aquel que llegó a matar a su padre por negarse este a reconocerlo. Obviamente, poco tenía que ver el personaje mitológico a quien se evocaba en aquella muerte, que no era otro que Odiseo, con Atreo, un tipo al que ella consideraba incapaz de limpiar la armadura del héroe homérico. Pero al cabo el niño fue bautizado así, y no hizo falta mucho tiempo para comprobar lo acertado de tal elección.

Como Briseida no accedía a los derechos maritales bajo ninguna circunstancia, Atreo se desfogó a diestro y siniestro, y en pocos años su prole aumentó considerablemente. Había bastardos suyos en el lugar menos pensado, y lo peor fue que alguna de las esclavas que habían concebido de su amo empezó a mirar a su señora por encima del hombro. Esto hizo que Briseida diera rienda suelta a su autoritarismo y castigara con severidad tanta desvergüenza, pero su esposo parecía disfrutar con aquella actitud, ya que de ese modo denigraba a la joven y le hacía ver lo que le esperaba por rechazarlo. Telégono pasó a formar parte de la vida de aquella esposa a la que su marido nunca podría dominar, y ello acarreó que este apenas sintiera cariño por el pequeño, igual que si se tratase de otro bastardo más.

Con los años, Briseida se convirtió en una mujer tan hermosa que parecía sacada de algún poema dedicado a Afrodita. Su larga cabellera dorada, como el oro más puro, y sus grandes ojos, azules como el mar del que parecía haber nacido, se hicieron pronto famosos en toda la isla, así como la triste historia que parecía rodearla. Aquel rostro primoroso en todas sus formas, cuyo mentón definía la fuerza que en él se encerraba, era más propio del taller de Escopas que de la casa de Laertes, de quien poco había heredado la joven. Todo era armonía en aquel semblante, desde su nariz hasta sus labios plenos y tentadores, que guardaban con celo el más puro nácar. En su figura no había engaño, pues era rotunda, deseable, avasalladora, y su porte era tal que cualquier reina languidecería ante su presencia hasta sentirse insignificante. Ya no nacían mujeres así, se decían muchos, y nadie comprendía cómo semejante hembra había ido a parar a manos de Atreo.

Quizá tanta hermosura fuese la clave de su desgracia. Bien conocidos eran los celos de los dioses, y pudiera ser que Afrodita, al verse humillada ante tanta belleza, la hubiese castigado no concediéndole el amor. Esta podría ser la causa de tantas desdichas, ya que con los años

Atreo terminó por aficionarse a los efebos, algo que por otra parte resultaba usual y que llevó a Briseida a tomar una determinación.

Una mañana, la joven se presentó en el puerto y, en compañía de su hijo, tomó un barco con destino a Kos, ante el asombro de la marinería. Mas allí había poco que decir, y al ver la mirada que la joven regaló al capitán, este decidió que lo mejor sería llevarla sin hacer preguntas, pues la vida es cosa de cada cual.

De esta forma Briseida y Telégono regresaron a casa de Laertes, quien no supo si abrazarlos o tirarse por los acantilados.

—Espero que hayas puesto en orden tus asuntos, padre, ya que no pienso volver.

Con estas palabras le dejó claro su hija cuáles eran sus intenciones, y Laertes no tuvo ninguna duda de que no se movería de allí, a no ser que las Moiras decidieran lo contrario.

Laertes pensó que lo mejor sería no decir nada. A duras penas había conseguido hacer reflotar su negocio, aunque este nunca podría llegar a ser el que fue. Sin embargo, sabía que una decisión como la que había tomado su hija traería consecuencias, ya que Briseida había huido de su hogar como si se tratara de una nueva Helena.

A Briseida le importó poco lo que pudiese opinar su padre. Junto a su hijo tomó posesión de su antigua casa, para volver a sentirse libre como antaño. Aquella isla era cuanto necesitaba para vivir, y con gran satisfacción se la mostró a su pequeño, pues aseguraban que no había lugar que se le pudiera comparar en todo el Egeo. Era la tierra del gran Hipócrates, y de sus entrañas nacían manantiales de aguas termales. En Kos se daban cita el aire, el fuego y el agua; y la magia que ciertamente poseía aquella tierra hacíala parecer diferente a todas las demás. Briseida era dueña de una sensibilidad especial, y a menudo tenía percepciones, intuiciones acerca de hechos que luego se cumplían.

Como era aficionada a bañarse en las termas de Empros y había desarrollado un particular misticismo, no tardaron mucho sus paisanos en otorgarle poderes, como si fuese una maga, ante el estupor de su padre y para su propia satisfacción, divertida ante la imaginación portentosa de aquellas gentes.

A Briseida le gustaba visitar el Asclepeión, situado en el bosque consagrado a Apolo, muy cerca de su casa. Era un santuario al que acudían peregrinos en busca de remedios para sus males. En él había fundado Hipócrates su escuela de medicina, cuyo conjunto había sido remodelado apenas un siglo atrás, y en muchas ocasiones ella se sentaba a la sombra del gran plátano bajo el cual Hipócrates ya enseñaba el arte de la medicina a sus alumnos casi cuatrocientos años atrás.

De este modo se aficionó al estudio de hierbas y remedios, y así pasaba la vida. Mas a no mucho tardar recibió la visita que hacía tiempo esperaba, la de un marido airado en busca de su trofeo. En realidad, a Atreo le importaba más bien poco el que su esposa no durmiese bajo su mismo techo. Él obtenía el placer que se le antojase en cualquier puerto de los muchos que visitaba, sin tener que soportar el mal carácter de aquella bruja a la que aborrecía, pero otra cosa bien distinta era haber sido abandonado por ella ante los ojos de los demás. Semejante hecho suponía una afrenta, no solo para él sino también para toda su familia. Por este motivo, una tarde se presentó en Kos dispuesto a devolver de nuevo a su esposa al lugar que le correspondía. En Rodas Briseida cumpliría su penitencia durante el resto de sus días, y no habría poder sobre la tierra que se lo pudiera impedir; o al menos eso pensaba él.

Atreo entró en la casa dando muestras de su mala crianza, entre gritos, insultos, amenazas y abominaciones. Laertes corrió a su encuentro para calmarlo, aunque el déspota lo despachó presto, de muy malas maneras.

—¿Dónde está la causante de mi deshonra? ¿Dónde la Helena sin Paris? ¡Agamenón ha vuelto, dispuesto a guerrear si es necesario para devolverla a mi casa, como ocurriese en Troya!

Ante semejante escándalo la servidumbre corrió a esconderse, ya que aquel hombre parecía haber perdido el juicio.

—Buen Atreo, te ruego que te calmes y tomes asiento mientras te sirven mi mejor vino —trataba de convencerlo Laertes.

—¡Calla, viejo sin honra! Tu progenie solo sirve para alimentar a las Erinias. En el Erebo deberíais vivir. ¡Ese es el lugar que os corresponde! —gritaba Atreo—. Sal, bruja del Hades, y devuélveme al hijo que me quitaste. Juro que si no vienes, aquí mismo hallarás mi espada.

Así estuvo el energúmeno, gritando fuera de sí, hasta que su voz pareció pronta a quebrarse y su congestión a punto de producirle un ataque. Cuando por fin se sentó, dispuesto a recuperar el resuello, Briseida apareció por una de las galerías, envuelta en su majestad. Sin apenas inmutarse se le acercó con un extraño rictus en los labios, como el que adopta aquel que no siente temor al sonreír a la muerte.

—Mucho has tardado, esposo. Estábamos preocupados.

Atreo se quedó estupefacto y al momento se sintió rodeado por el poder de su esposa, pues estaba bellísima.

—Al fin has llegado, como corresponde a la casa de Atreo, a limpiar tu honra mancillada —continuó ella con suavidad.

El canalla la miraba con los ojos fuera de sí, pero incapaz de articular palabra.

—Ahora veo en verdad cuál es tu valía, esposo mío, y me siento dichosa de que reclames lo que te pertenece. Hoy mismo te ungiré como la esposa solícita que soy.

Atreo no salía de su asombro, ya que ella nunca le había hablado así. Entonces Briseida batió las palmas y al momento vinieron a servirles vino y pastelillos.

—Esta noche descansarás aquí y me tomarás hasta que nos alcance el alba, ya que ardo en deseos de sentirme tuya ahora que muestras tu enjundia.

Atreo continuaba con cara de no entender nada.

—¿Acaso te burlas de mí? —acertó a decir al fin, sin mucho convencimiento.

—¿Cómo podría? Es solo que esperaba a que te mostraras como si en verdad fueses el rey de los aqueos. Ahora que presentas tu sello, me doy cuenta del vasallaje que te debo.

Atreo la miró de arriba abajo. Estaba bellísima, sin duda, y por primera vez sintió un deseo hacia ella como no recordaba.

—Cenarás como el señor del Egeo. Hoy serás dueño de lo que antes te negué.

En verdad que su esposa resultaba embaucadora, y con cada sorbo de vino que daba la veía más deseable. Al rato su cólera había desaparecido por completo, y otorgó licencia a los hombres que lo acompañaban para que regresaran al barco y tuviesen todo preparado para zarpar temprano. Luego se dispuso a disfrutar de un banquete en compañía de Briseida, al que se unió Laertes, que no sabía qué decir.

Conforme discurría la cena Atreo se mostraba más encendido, y a duras penas se recataba de mirarle a su mujer los senos, que se adivinaban plenos. Al rato Laertes decidió que lo mejor sería marcharse, y cuando se vieron solos Briseida, con gestos estudiados, echó aún más leña al fuego de la pasión que sentía su esposo.

—No es posible —se atrevió a decir el marido—. ¿Cómo es que nunca antes había sentido este deseo?

—Ya te lo dije, mi señor. Tuviste que mostrarte como en realidad eres para que yo pudiese aceptarte. Solo he de entregarme a los brazos de un rey, y hoy te presentaste en mi casa como tal.

—Acabemos la cena y vayamos al lecho —se apresuró a decir Atreo—. Ardo en deseos de poseerte...

Briseida le puso una mano sobre los labios en tanto lo miraba con fulgor.

—No digas nada, amor mío. Lo que se hace desear colmará de felicidad tu corazón. Seré tuya hasta que desfallezcas, mas ahora disfrutemos de estos manjares dignos de ti.

Y a fe que su esposa tenía razón. Aquellas viandas eran dignas de la mesa del faraón. Nunca Atreo había probado tales exquisiteces, ni un vino parecido.

—¿Qué néctar es este? —quiso saber al rato, ya que le resultaba delicioso.

—Vino de Eea.

—¿De Eea? Nunca oí hablar de ese lugar.

Briseida le sonrió, maliciosa, para volver a servirle otra copa, que su esposo apuró de un trago.

—Me siento pletórico —exclamó de repente—. Como poseído de un vigor desconocido.

—Son las vides de Eea. Dentro de poco su poder estará en ti.

Entonces Atreo miró a su mujer, sorprendido por aquella respuesta y también por la sensación que se adueñaba de él. La cabeza comenzó a darle vueltas, y una fuerza desconocida se apoderaba de su voluntad al tiempo que le resultaba imposible razonar.

—¿Notas ya sus efectos? —inquirió ella en tanto le sonreía.

Pero Atreo era incapaz de articular palabra, y se limitaba a mirar a su mujer de forma estúpida.

—Son vides de otro tiempo, mi señor. Ellas harán que te sientas como en realidad eres.

Atreo empezó a dar cabezadas en tanto bizqueaba y hacía ímprobos esfuerzos por no cerrar los ojos, pues el sopor se apoderaba de él y le impedía mantenerse despierto. Briseida lo observó, satisfecha, y Atreo comenzó a gruñir como un cochino para acto seguido desplomarse mientras se sumergía en el sueño más profundo. Briseida rio con suavidad, y al momento llamó a sus esclavos para que cubrieran a su esposo con una frazada.

—No lo importunéis —les advirtió la joven—. Esta noche debe dormir su sueño.

23

Al día siguiente, la casa de Laertes se convirtió en escenario de risas, y también de gran confusión. Bien de mañana, cuando se levantó, Briseida acudió a la terraza donde había dejado a su esposo la noche anterior, arropado sobre una litera. Allí se encontró con la servidumbre, que la observaba desconcertada, cubriéndose los labios con las manos. La señora los interrogó con la mirada, ya que de su marido no había rastro. Entonces la joven reparó en la frazada con que taparon a Atreo la noche anterior, cuando este se durmió, y en el bulto que parecía moverse debajo de ella con la intención de zafarse. Briseida no dijo nada, mas se aproximó con paso decidido para, acto seguido, dar un enérgico tirón a la manta. Entonces se desencadenó la algarabía.

Un cerdito los miraba a todos con ojos de indisimulado temor, y, como impelido por un resorte, dio un salto desde la litera y huyó despavorido como si lo persiguiera el carnicero. Todos estallaron en risas, y como alguno de los esclavos tratara de capturar al cochinillo sin éxito, estas se tornaron estruendosas, ya que la escena resultaba cómica en grado sumo. El animalito no se dejaba sorprender y hacía constantes quiebros para provocar nuevas carcajadas.

Entonces alguien se atrevió a decir lo que la mayoría pensaba, y se produjo una monumental algazara.

—¡Mirad cómo corre! Es Atreo, que ha despertado de su sueño.

Hasta Briseida se unió al jolgorio, y al momento apareció Laertes, que no sabía a qué se debían semejantes risotadas.

—¡Es Atreo, ved cómo corre! —repetían una y otra vez—. ¡Se ha convertido en un lechón!

Como este soltaba incesantes gruñidos, una de las sirvientas, la más osada, no se pudo contener.

—Ay, señora, que creo que el señor nos quiere decir algo.

Briseida no tuvo más remedio que sentarse, sin poder aguantar la risa. Mientras, Laertes observaba la escena, estupefacto, ya que sentido del humor tenía poco. Para colmo de casualidades se presentaron dos de los hombres de Atreo, extrañados de que este no hubiese regresado al barco tal como había dispuesto la tarde anterior. Al ver al gorrino correr de acá para allá en tanto lo jaleaban, pensaron que debía de tratarse de algún tipo de broma, o acaso de una conmemoración, ya que la señora tenía fama de ser muy caprichosa.

—¡Es Atreo, es Atreo! —oyeron entonces que decían, y al momento ambos se interrogaron con la mirada y pusieron cara de pocos amigos.

—¡Corre como un demonio! —se quejaban los que querían atraparlo.

Entonces el cochinillo hizo un regate y, acto seguido, escapó por el único resquicio posible para desaparecer al momento en dirección al bosque sagrado del Asclepeión.

—*Apolo* lo llama —dijo entonces alguien—. ¡Dejemos que rinda tributo al dios!

El carcajeo era de tal magnitud que muchos se sujetaban el vientre mientras lloraban de risa. Briseida sacudía la cabeza de un lado a otro sin poder aguantar las carcajadas. Entonces aquellos dos hombres se hicieron oír entre la algarabía, asombrados ante semejante representación.

—¡¿Qué broma es esta?! —exclamaron—. ¿Dónde está nuestro señor?

Al momento Briseida detuvo su risa y los miró, muy seria.

—¿Cómo? ¿No está en su nave? Salió de mi casa bien de madrugada para advertiros que nos quedaríamos varios días en la isla.

—Atreo no se ha presentado hasta ahora. Por ello hemos venido, justo para presenciar lo que parece una burla.

—Fue el señor quien bautizó al cochino con su nombre. Él os lo confirmará —se apresuró a decir Briseida—. Mas... vuestra presencia aquí me llena de preocupación. Hablad si sabéis algo —les instó ella con tono autoritario—. ¿Dónde se encuentra mi esposo?

—No lo sabemos, señora. Pero es obvio que le ha ocurrido algo.

—Debemos buscarlo al punto —señaló la joven sin ocultar su zozobra—. Quizá se encuentre accidentado. Id todos en su busca —ordenó a sus sirvientes—. Puede que necesite nuestro socorro.

Ante estas palabras las carcajadas desaparecieron al instante, y los allí presentes salieron a la búsqueda de Atreo con gran preocupación; hasta Laertes se adhirió al grupo, sin comprender qué era lo que podía haber pasado.

Exploraron toda la isla, sin hallar rastro de él. Era extraño, parecía que la tierra se lo hubiese tragado, ya que nadie en la ciudad recordaba haberlo visto. Sin duda era cosa de brujas; allí obraba alguna suerte de hechizo, y uno de los hombres de Atreo pronunció el nombre sin pensar: Circe.

Sus compañeros lo miraron, incrédulos, mas al punto observaron a la señora y todos se llenaron de temor. Aquella mujer era una maga que, como Circe, era capaz de convertir a los hombres en animales.

De nada sirvió que Laertes se presentara con un pastor que aseguraba haber visto a un hombre enloquecido despeñarse por el acantilado aquella misma mañana, sin que él hubiera podido evitarlo. Los hombres de Atreo regresaron prestos a su nave para abandonar la isla como si los persiguiesen las Moiras.

—Es Circe —se decían los unos a los otros—. No tenemos duda de ello.

Desde su terraza, Briseida vio cómo el barco abandonaba el puerto para dirigirse a Rodas como si las Erinias hubiesen señalado a cada uno de los marineros. Estos, por su parte, se juraron no regresar a Kos, y mucho menos si era para ver a aquella maga que les había mostrado su poder.

La joven sonrió, satisfecha. Para ella, el asunto se hallaba resuelto: ahora era viuda, ya que su esposo se había arrojado al mar desde las escarpadas rocas, presa de un repentino ataque de locura. Eso fue lo que aseguró el pastor ante las autoridades; el rodio había muerto, y su cuerpo fue tragado por el mar para siempre, pues nunca apareció.

Sin embargo, había nacido una leyenda. A no mucho tardar, el nombre de Briseida fue asociado al de la legendaria hechicera que habitara en la isla de Eea, y con los años todos acabaron por llamarla Circe, aunque se cuidaran de decírselo a la cara.

No obstante, ella conocía ese particular, y hasta le satisfacía el temor que parecía infundir a los hombres. Con el paso del tiempo, su figura llegó a ser bien conocida en todo el Dodecaneso. Decían que no había mujer más hermosa que ella, ni maga que se le pudiese comparar.

Algunos atrevidos trataron de conquistar su corazón, para lo cual se presentaron en Kos dispuestos a ganar su favor y mostrarle su gallardía. Eran hombres que no temían a nada, a los que Briseida recibió con hospitalidad para terminar por someterlos a su voluntad. A su regreso aseguraban sentirse embaucados por el poder de aquella mujer, y los que porfiaron en volver a visitarla no retornaron jamás.

En una de tales ocasiones, por la mañana, bajo la frazada llegó a aparecer un jabalí y en otra un zorrillo, aunque también se encontrasen conejos y algún cochino, que terminó por convertirse en el animal preferido por la servidumbre.

El Egeo escribió sus propias historias, como siempre había ocurrido, y el que más y el que menos se convenció de que Circe había regresado para reencarnarse en aquella belleza a la que los hombres terminaron por evitar.

La joven se aficionó al nombre que le proponían, y hacía referencia a él en cuanto se le presentaba la ocasión. Libre del acoso de los hombres se sentía feliz, ya que los despreciaba. No había encontrado uno solo que resultara digno de su consideración, y su padre hacía tiempo que había decidido no importunar más a aquel corazón indómito, no fuera a ser que acabase convertido en jabalí, pues Laertes no las tenía todas consigo.

De este modo Circe dejó discurrir su vida, en compañía de la persona a quien más amaba, su hijo, al que trató de educar con firmeza y a la vez con cariño en el reino que ella misma había terminado por forjarse allí, en la isla de Kos, entretejido por el ensueño de quien no pensaba salir jamás. Entonces, un día, apareció él, para precipitarla al mundo de las pasiones.

24

Cuando las puertas se abren para invitar a traspasarlas, lo mejor es no desairarlas; da igual quién pueda encontrarse detrás. Alcínoo lo sabía muy bien. Su vida había sido un ejemplo permanente de hasta dónde podía llegar el caprichoso sino, con independencia de las creencias de cada cual. Abdú no andaba descaminado en su modo de entender el mundo, aunque para explicar lo que la mayoría definiera como destino el yoruba empleara otros nombres que resultaban más misteriosos. El tebano hacía mucho que había dejado de preguntarse los porqués para aceptar lo que los hombres nunca podrían comprender, aquello que era imposible de controlar. Precisamente por ello se presentaban situaciones que parecían inevitables, aunque no obstante fueran mucho más que eso; dibujos trazados en el mapa de la vida.

Aquella tarde, Laertes recibió al egipcio como si se tratase del mismísimo Pompeyo, con todo el boato del que fue capaz, aunque la ruina volviese a insistir en amenazarlo. Tal era el verdadero motivo del encuentro. El viejo naviero necesitaba dinero, y Alcínoo podía procurárselo si conseguían llegar a un acuerdo. La fama del tebano se había extendido por todo el Dodecaneso, y su nave de velas purpúreas, orgullo del Egeo, simbolizaba el poder que era capaz de acaparar el hombre cuando le sonreía la fortuna. Decían que esta era inmensa, y Laertes no tenía ninguna duda de ello mientras se felicitaba por el hecho de que el banquero hubiese elegido Kos para instalar su casa.

En aquella terraza rodeada de columnas desde la que se veía el puerto, el armador agasajó cuanto pudo a Alcínoo, en busca del mejor trato posible. El lugar resultaba agradable, y el egipcio escuchó con atención a su anfitrión, mas su corazón se encontraba lejos de ser ablandado por la lisonja. Aquel hombre se hallaba en apuros, y el tebano sacaría el beneficio que correspondiera, ya que así eran las cosas.

Los tiempos estaban cambiando y Laertes no estaba preparado para los que se avecinaban. Su negocio tenía que cambiar, y el egipcio se dio cuenta enseguida de que el naviero tendría dificultades para acometer nuevas empresas. Claro que aquel no era problema suyo. Muchos le pedían prestado, y como era natural no siempre aceptaba. Sin embargo, Alcínoo consideró la propuesta.

—Me pides diez talentos, buen Laertes. Con ellos sería posible construir cuatro naves con las que poder competir con las flotas rodias. Su proximidad es un problema para ti —dijo el tebano de la forma más natural.

Laertes asintió, y se apretó las manos para disimular su nerviosismo. Entonces el egipcio se convenció de que aquel hombre debía de tener deudas contraídas de las que no hablaría, como les ocurría a la mayoría de los que requerían su ayuda.

—Con esa cantidad reflotaría mi negocio. El mar no me ha sido propicio en los últimos tiempos. Pero sé que mi suerte cambiará en cuanto disponga de nuevos barcos, gran Alcínoo —se apresuró a decir el armador.

El egipcio asintió, aunque no creía una palabra.

—Estoy dispuesto a ayudarte, buen Laertes, pues me gusta tu nombre —señaló el banquero mientras lo miraba fijamente a los ojos—. Pero habrás de darme una garantía; tu situación implica un riesgo excesivo.

El viejo pareció sorprenderse.

—Entiendo que el interés será el habitual —apuntó el naviero—, y los barcos son una garantía...

Alcínoo levantó una mano.

—No me refiero al interés, buen Laertes. Verás, he decidido mostrarme generoso contigo. Te daré el doble de lo que necesitas.

—¿Cómo puede ser? —inquirió el armador, incrédulo.

—Te repito que quiero ser generoso contigo, pues me gusta tu nombre —volvió a decir el tebano—. Te prestaré veinte talentos, pero a cambio habrás de ofrecerme tu casa como garantía.

Laertes se quedó estupefacto, ya que no esperaba nada parecido.

—Esa es mi oferta y no me moveré de ella.

El naviero apenas tardó unos segundos en aceptar. Aquella cantidad sobrepasaba con creces lo que necesitaba, y como le ocurriera durante toda su vida pensó que con veinte talentos solucionaría sus estrecheces para siempre. Mas el problema estaba en su persona, como muy bien había adivinado Alcínoo. Acto seguido Laertes mandó traer vino, y durante un buen rato estuvieron hablando de la única pasión que los unía: el mar.

Cuando llegó a su casa, Briseida escuchó voces en la terraza. En ellas reconoció la de su padre, pero había alguien más cuyo tono enseguida acaparó su atención. Con sigilo se aproximó hasta la galería que daba al mirador, y allí permaneció unos instantes, oculta detrás de una gran cortina. La voz del extraño le llegó con nitidez. Hablaba del Egeo, de su misterio, de las islas que lo salpicaban con sus leyendas. Al escuchar su acento, la joven se estremeció sin poder evitarlo. Hablaba un griego de otro tiempo, y al oírlo Briseida cerró los ojos un momento para dejarse llevar por los sentidos. El oído la traicionaba. Por primera vez en su vida aceptaba abandonarse a él para disfrutar de aquella voz masculina que hablaba como lo haría un príncipe.

Con discreción, Briseida apartó un poco el cortinaje para observar al desconocido, y al instante volvió a sentir cómo su pulso se agitaba sin saber por qué, pues era algo que resultaba nuevo para ella. Aquel hombre bien parecía surgido de la corte del mismísimo Agamenón. Vestía como lo harían los reyes aqueos que conquistaran el Egeo hacía ya mil años, y su porte le pareció propio de alguno de aquellos héroes a los que se imaginaba cuando leía los antiguos relatos. Su túnica, de la más rica seda blanca bordada en oro, creaba extraños matices por el efecto del sol de la tarde que hacían parecer al invitado tan irreal como la escena que presenciaba la joven. Cuando reparó en sus facciones, en su pequeña barba, en su pelo oscuro con destellos de índigo, que caía sobre su nuca como si se tratara de Odiseo, experimentó una sensación que le resultó imposible de definir, de entender, pues se hallaba en los límites de lo conocido.

Entonces su padre miró hacia donde ella se encontraba, y Briseida se sintió como una niña capaz de espiar tras una cortina. Al momento la apartó, y a continuación se aproximó hacia el lugar donde se encontraba aquel que había sido capaz de alterar sus emociones, sin saber cómo. Laertes le sonrió y la invitó a acercarse mientras el extraño se incorporaba para rendirle pleitesía.

Ya próxima a ellos, Briseida se sintió desfallecer. Una fuerza desconocida la empujaba hacia caminos en los que se sentía quebradiza, expuesta por primera vez en su vida. Resultaba inexplicable, pero de alguna forma percibía la fuerza que atesoraba aquel hombre, un poder muy diferente al que le habían transmitido cuantos se habían cruzado en su vida. No existía posibilidad de comparación. Ella notaba su virilidad sin ninguna dificultad, y esto la turbó en extremo. Entonces su padre hizo las presentaciones, y el invitado fijó la mirada en sus ojos para atravesarla por completo. Briseida leyó el fuego que escondía, y también los desiertos que se ocultaban tras el iris, el sufrimiento, el engaño, el mar, la supervivencia, la fortuna, la astucia de Odiseo, así como la inmensa soledad de aquel corazón atribulado por los golpes de la vida. Ahora de nuevo se había convertido en Circe, y no tenía ninguna duda: estaba perdidamente enamorada.

Alcínoo la vio llegar como lo haría un sueño surgido del susurro de los dioses. Eso fue lo que le pareció la joven: un susurro capaz de acallar la tormenta, de volver las olas calmas, de despejar los cielos hasta en los confines de la tierra. No era posible una creación similar en un mundo de humanos. Si Hathor se hubiese decidido a visitarlo en aquella hora, lo haría de esa forma, envuelta en el imposible. Mientras se le aproximaba, la diosa del amor soplaba y soplaba para aturdirlo por completo, hasta apoderarse de sus sentidos con la velocidad de un pestañeo. El egipcio sabía muy bien lo que eso significaba; sin embargo, aquel soplo poco tenía que ver con los caminos que conducían al infierno. Era la luz lo que avanzaba hacia él, una luz purísima, como nunca había imaginado que existiese, que despertaba su *ka* para hacerle ver su presencia, para alertarlo de su llegada. Alcínoo lo comprendió al momento. Su *ka* se hacía presente para mostrarle lo que le convenía, para decirle que había encontrado a su gemelo. Era una sensación turbadora, pero tan poderosa que hacíale ver cómo su energía vital adquiría la fuerza que le correspondía para sentirse pleno, radiante, con una luz cegadora.

Allí, pocas palabras eran necesarias. Antes de cruzar la primera frase los *kas* ya se habían reconocido, y no había nada que ellos pudieran hacer. Sus esencias eran soberanas, y a ellos solo les quedaba aceptarlo, aprender a reconocer aquel poder que los sobrepasaba y contra el que no cabían las luchas, pues resultaba un regalo; el más valioso que los dioses pudieran otorgar.

Sus miradas se cruzaron, y Alcínoo también supo leer en la joven la historia que arrastraba tras de sí; su magia de otra época, su pasión... Y el inmenso amor que aguardaba, agazapado, a ser descubierto; un amor que no era posible comprar ni con todos los talentos de la tierra. Entonces se acordó de lo que una vez le vaticinara Abdú, muchos años atrás: «Un día el amor se presentará cubierto de oro y azul.» Alcínoo no tenía palabras. Simplemente, se había enamorado, sin abrir siquiera la boca.

25

El mundo cambió de color. Los cielos se cubrieron de una luz centelleante como no se recordaba, los campos, de mieses perpetuas, y aquel Egeo, de pinceladas desconocidas. Se diría que nadie habría sido capaz de pintarlo así. Ni a Zeuxis ni a Apeles se les hubiese ocurrido hacerlo, ya que solo el amor era el artífice del milagro y cuando sus manos dibujan no hay artista que se le pueda comparar. El mar se lo decía a Briseida cada mañana, cuando lo contemplaba envuelta en el color de la ilusión. Por primera vez descubría en las aguas matices que habían permanecido ocultos en su corazón demasiado tiempo, y mientras se extasiaba en su contemplación ella comprendió que volvía a la vida, que por alguna extraña razón renacía para poder ver lo que la rodeaba con ojos verdaderos, para captar su auténtica esencia; el propósito para el que habían sido creados. Los dioses no se equivocaban. Todo se hallaba donde debía. Eran sus hijos, los hombres, quienes desconocían el lugar que les correspondía. Ella misma era testigo de ello. Tenía veintiocho años, y nunca hasta entonces había captado la verdadera belleza de cuanto la rodeaba, de la nueva luz que la envolvía; del privilegio de poder formar parte del maravilloso mundo que le había sido regalado. Por primera vez en su vida deseaba que el tiempo se detuviera, para poder embriagarse con sus sentimientos. Todo ocupaba el lugar que debía, y resultaba tan perfecto que infundía temor.

Alcínoo tenía la impresión de que toda su vida anterior no había sido más que un aprendizaje para cuando llegase aquel momento. No había otra explicación. Él entendía a la maga hasta el punto de formar junto con ella una única persona. Circe... Ese era el nombre con el que él siempre la llamaría, por motivos que conocía bien y que lo conducían hasta una lejana cueva en el desierto occidental. Allí memorizó por primera vez aquel nombre, rodeado de canallas de la peor especie, sin llegar a imaginar que un día la dueña de la isla de Eea se haría corpórea para conquistar su corazón y convertirlo en su acólito.

El egipcio no albergaba la más mínima duda al respecto. Las misteriosas puertas de las que hablaba Abdú existían, y los sempiternos caminos que surgían de ellas resultaban tan ciertos como la inmaculada luz que le regalaba el sol del Mediterráneo. Así eran las cosas, y el tebano se sentía gozoso de comprenderlas y también de aceptar lo que pudiera hallarse en ellas. A cada paso el hombre encontraría lo mejor y lo peor de la vida, mas lo importante era ser capaz de reconocer lo bueno cuando le fuera otorgado, para guardarlo con mimo; para no perderlo.

Alcínoo era consciente de ello, y por eso se sentía eufórico, y al tiempo abrumado ante tal cúmulo de favores. Tiqué, aquella diosa a la que los griegos atribuían la fortuna, se había confabulado con el resto de divinidades para colmarlo con la felicidad absoluta, aquella que todo mortal busca y casi ninguno encuentra en su vida. Pero ¿a qué se debía? ¿Qué había hecho él para ser digno de tanta merced? No existía explicación, y no obstante el egipcio no dudó ni un instante en tomar aquello que le ofrecían, el regalo de su vida; un tesoro que Ptolomeo nunca hubiese sido capaz de tirar al mar y que no obstante él había encontrado sin comprender el porqué. Semejante cuestión no tenía respuesta. Resultaba imposible racionalizar un hecho como aquel, y solo quedaba aceptarlo como el inmenso regalo que era, sabedor del valor que atesoraba.

En realidad, ambos se despertaron, el uno al otro, de su letargo. Un sueño que había durado demasiado y que los había llevado a vivir una realidad bien distinta a la de la mayoría. Sin embargo, pronto comprendieron que todo tenía su explicación. Que la vida los había guardado hasta que llegase el momento, y que todas sus experiencias formaban parte del misterio que ahora los unía. Las cosas tenían que ocurrir así, y ahora que por fin se habían encontrado eran capaces de comprender la dimensión de sus sentimientos, su auténtico valor, la necesidad de sus pasados sufrimientos, para así no perder jamás tanta ventura. Solo de esa forma había sido posible que reconocieran tamaña pureza; una luz que ignoraban que existiese y que no obstante los había atado con nudos de fulgor, imposibles de manipular. Formaban parte de una obra que se representaba en otro escenario, uno del que no querrían salir jamás.

La primera vez que se amaron, el reloj del tiempo detuvo su marcha para así asomarse a contemplar tanta felicidad. Las clepsidras se pararon, y el telón de aquel escenario reservado para los elegidos se alzó para que diera comienzo la más sublime de las representaciones.

La quietud parecía envolverlo todo con aquel sonido tan propio a cuyo compás era sencillo abandonarse. Los aromas de un jardín cuyas delicadas flores desfallecían entre suspiros al ritmo de las emociones más puras; el susurro de la noche, con todos los mensajes que solo estaba dispuesta a ofrecer a sus acólitos, a aquellos capaces de amarse como a ella le gustaba; la brisa del mar, suave y a la vez cargada de misterios que apenas unos pocos podían entender... El Egeo los mecía cual si se tratase de náufragos a los que las aguas invitaban a abandonarse al amparo de los dioses; la noche estrellada, repleta de luceros, los mismos que contemplaron los héroes ante las murallas de Troya; el lenguaje que los divinos padres habían dejado escrito en forma de lágrimas, quizá para que los hombres comprendieran que ellos también sufrían por la vileza de la que eran capaces sus hijos. El cielo lloraba en aquella hora, y ambos amantes se sintieron dichosos al verse libres de toda la mezquindad que los había acompañado a lo largo de sus vidas. Ahora eran conscientes del lugar que ocupaban, y cuando por primera vez unieron sus labios, pensaron que la bóveda celeste se partía en dos para abrirles paso hacia la gloria, y que el Egeo los empapaba con su magia para que su amor entrara en la leyenda. Así, algún día los mortales los recordarían como paradigma del amor completo, el que todos anhelaban, sin que importaran los milenios que pasaran.

Al notar aquellos labios carnosos, Alcínoo creyó estar suspendido por los hilos del ensalmo, etéreos pero tan poderosos como las maromas con las que se amarraban los buques en los muelles. Se sentía ligero, y al tiempo invadido por un torrente de emociones que sabía se desbocarían. Le llegaban de muy dentro, quizá de una fuente que siempre había estado esperando la oportunidad de mostrarse y que sin embargo no se había secado. Era de agua cristalina, tan pura que podía saciar la sed de cualquier caminante cuyo corazón estuviese dispuesto a beberla. No existían sombras en aquella senda, ni espejismos que pudieran dar lugar al engaño.

Circe sintió todo aquello, y con el primer beso notó que se humedecía de forma incontrolable, sin que ella lo esperara. De repente, una puerta se había abierto bajo sus pies para enviarla a un escenario inimaginable. Una fuerza devoradora surgió de su interior para conducirla a mundos desconocidos. Era como si una fiera agazapada se hubiese despertado de improviso, dispuesta a devastar cuanto encontrara a su paso. Su aliento ardía, y era tal el fuego que crepitaba en su interior que resultaba imposible apagarlo. La maga se asustó ante aquella tormenta de pasiones que se desataba dentro de sí. Una tempestad que nunca había visto; ni en sus fantasías de adolescencia, cuando soñaba con un Aquiles que viniera a raptarla, como era común entre los héroes milenarios. Lo peor era que ella se veía arrastrada por aquel tumulto, por unas emociones que le resultaba imposible controlar. Aferrada a los labios de aquel hombre, ella se veía inundada de manera incomprensible con cada beso, con cada caricia. Había descubierto una parte de sí que desconocía por completo. Alcínoo había despertado a una fiera, y ahora esta rugía desaforada en busca de su presa para saciar sus apetitos.

Él la miró, a la suave luz de las lamparillas que creaban en la habitación un ambiente que invitaba al abandono. Circe... El cielo y el mar se daban cita en sus ojos para crear un profundo oleaje. Por él navegaban las pasiones. Pasiones verdaderas, nacidas de un alma pura en la que no cabía el engaño, pero tan tumultuosas que el mismísimo Poseidón palidecería ante su poder.

Sus cuerpos desnudos se aferraron con la desesperación de quienes buscan la salvación de su alma. Cada uno de ellos representaba eso, una redención de todo lo que habían tenido que soportar en sus vidas. Por ello buscaron con frenesí cada hálito, cada mirada, cada caricia, hasta abandonarse a sus gemidos como dos ánimas con cuentas pendientes. Ambos se exploraron sin ocultar el delirio que les causaba la visión del otro, y cuando quedaron convertidos en un solo cuerpo iniciaron un viaje capaz de conducirlos hasta la eternidad.

Circe abandonó el control de su ser para navegar hasta donde su amado quisiera llevarla. Dentro de sí notaba su virilidad, tan presente que la transportaba a lugares inexplorados entre oleadas de un placer que no acababa nunca. Ella se sentía incapaz de saciarse, y como una fiera entrelazaba sus piernas alrededor del cuerpo de aquel hombre que la conducía a la locura. Ahora estaba segura de que jamás lo dejaría escapar, de que con él había encontrado el lugar que le correspondía, pues estaba completa. Al principio se avergonzó al pensar en el goce que Alcínoo le proporcionaba, pero luego se dejó arrastrar por la pasión que llevaba dentro, por su auténtica naturaleza. Simplemente no se conocía, y había sido necesaria aquella suerte de hechizo para descubrir quién era en realidad. Aquel miembro tallado en mármol de fuego era de su propiedad, y la joven acompañó cada una de sus embestidas, en las que él le entregaba su energía vital. Su *ka* estaba en ella.

Para Alcínoo, la noche quedaría en el recuerdo de la apoteosis. Su naturaleza ardiente volvía a mostrarse después de tantos años, para desbocarse como él sabía que ocurriría. Sin embargo, su carrera enloquecida poco se parecía a las del pasado, a aquellas que lo condujeron hasta el Amenti. Por primera vez, una mujer lo amaba como debía. Era una entrega absoluta, en la que no había necesidad de guardar nada para sí. Las emociones se descontrolaban, y las pasiones eran de tal magnitud que parecía que hubiese un diablo escondido entre ambos, capaz de alimentar el fuego que sentían sin descanso.

Poco tenía que ver Euterpe con aquella maga que irradiaba luz por cada uno de sus poros, y mucho menos las tortuosas sendas que lo habían conducido a prácticas oscuras con las que alimentar los apetitos de la alejandrina. Estos nunca quedaban satisfechos, pues resultaba imposible. Simplemente, porque no había el menor atisbo de amor en ellos. El amor no entraba en los planes de Euterpe; ella solo se entregaría a los goces que la llevaran a calmar sus bajos instintos. Por eso Alcínoo nunca quedaba ahíto cuando yacía entre sus brazos. El hechizo del que estaba imbuida la musa precisaba de ofrendas, de voluntades que esclavizar. Euterpe tenía el alma podrida.

Circe le mostraba el verdadero camino, el que resultaba grato a los dioses, aquel en el que el sol nunca se ponía. Cuando la tuvo entre sus brazos, el tebano se sorprendió al percatarse de que se había enamorado al leer en su interior, al escuchar cuanto quiso decirle la maga, al descifrar su mirada. Ahora, al admirar su belleza, Alcínoo se quedó atónito por no haberla reconocido desde el primer momento, y se convenció de que era el *ka* quien en realidad determinaba lo que le era grato, y no los ojos. Entonces comprendió la sabiduría ancestral que albergaba su pueblo, y se estremeció. Sin embargo, el tebano no tardó en sucumbir a los encantos de su enamorada, en perderse entre sus brazos, entre aquellos pechos rotundos coronados por la perfección, por su vientre de seda, por el altar supremo que lo conducía al paroxismo.

Aquella noche, Afrodita los arropó para ofrecerles su favor. Se amaron sin control, sin dejar nada para ellos, hasta que las fieras regresaron a sus guaridas, ahítas de pasión. Circe sintió cómo el hombre a quien había esperado durante toda su vida le entregaba su fuego, generoso, hasta desfallecer por completo. Ella lo envolvió con su encantamiento, con su amor verdadero, satisfecha de haberse despertado como mujer, de haberse sentido plena. El alba se anunció y el aire se llenó de trinos, como cada día desde que los dioses así lo dispusieran. Los pajarillos les daban los buenos días, gozosos de que se hubieran amado, y Circe cerró los ojos para acurrucarse junto a su enamorado, a quien nunca abandonaría. Ahora le pertenecía, y nada los podría separar.

26

—¿Sabías que tu casa perteneció a Praxágoras? —señaló Circe en tanto le ponía una uva entre los labios.

—Ah —contestó él al tiempo que la tomaba y aprovechaba para mordisquearle los dedos.

—Mmm... Eres muy malo —dijo ella apresurándose a ofrecerle otra.

—Un gran hombre, el tal Praxágoras —apuntó Alcínoo.

Ella rio divertida, pues se sentía desinhibida como nunca antes.

—No sabes quién fue, ¡ja, ja! Pero nació aquí —indicó Circe.

—Espero que no se dedicara a la piratería, o peor, que fuese banquero.

—Ja, ja. Fue médico, y formuló una teoría que se basaba en la de los cuatro humores de Hipócrates.

El tebano la miró como si le hubiesen nombrado a Ammit.

—Ja, ja —volvió a reír ella—. No me mires así. Los cuatro humores: sangre, flema, bilis amarilla y bilis negra.

—Magnífica teoría. Seguro que Abdú tendría algo que decir al respecto.

—Tonto. No me refería a si es o no cierta. Praxágoras añadió siete humores más a estos, hasta llegar a los once.

—¿En serio? Buen lugar elegí para vivir.

—El mejor de la isla —se apresuró a decir ella, que acudía a aquella casa a diario—. No hay vista que se pueda igualar a las que se disfrutan desde aquí.

Alcínoo le acarició el cabello para luego besarla con ternura, como a ella le gustaba. Durante días ambos no habían dejado de amarse en tanto disfrutaban de la isla, de cada uno de sus rincones. Los dos tenían mucho que contarse, y el tiempo pasaba tan deprisa que parecía que nunca llegarían a saberlo todo el uno del otro.

Circe le abrió su corazón para enseñarle cuanto contenía, pero Alcínoo no fue capaz de mostrarle la oscuridad en la que había vivido durante un tiempo, ni determinadas cuestiones de las que se avergonzaba. Le ocultó su verdadero origen, pues nadie podía saber en lo que Amosis se había convertido. Alcínoo de Corcira era su nombre, y a ella le gustó.

—Formamos parte de una misma historia —señaló la joven al escucharlo—. Odiseo anda entre nosotros.

El tebano pareció sorprendido, mas enseguida asintió.

—Tienes razón. Incluso tu hijo tiene un lugar en el relato. Su nombre no es casual.

Ella lo miró de forma extraña.

—Telégono fue el que me pareció más adecuado —dijo la maga en tono misterioso.

—Buscó a su padre para darle muerte. Mal final para mi héroe —añadió él.

—Se lo merecía... por negarse a reconocerlo.

—No creo que Odiseo se mereciera un final semejante, impropio de quien había sido capaz de desafiar la furia de Poseidón —se apresuró a decir el egipcio, extrañado por el tono de su enamorada. Esta hizo un gesto ambiguo.

—En cualquier caso, mi hijo no tendrá necesidad de perpetrar un crimen semejante. Su padre murió hace tiempo.

Alcínoo permaneció pensativo durante unos instantes. Aquel niño tenía ya once años y su madre había elegido aquel nombre mucho antes de que nadie la llamara Circe.

—El relato coloca a cada uno en su lugar —señaló ella sin inmutarse—. Telégono no conocía la identidad del hombre a quien dio muerte.

Alcínoo perdió su mirada en el horizonte. En ocasiones la joven le sorprendía con sus juicios, y él captaba en ella una personalidad misteriosa que permanecía agazapada para mostrarse a veces de forma súbita. Era una mujer autoritaria, cuyo concepto de la vida se veía distorsionado a causa de su sufrimiento pasado. Ello la conducía a buscar obstáculos durante su andadura, en lugar de la magia que sin duda poseía.

Sin embargo, ambos se amaban con locura, y la pasión que los envolvía era tal que sus encuentros se convertían en carreras desenfrenadas a lomos de Pegaso. Como le ocurriera al caballo alado, hijo de Poseidón y de Medusa, ellos también llevaron el rayo y el trueno para crear tempestades de pasión en las que los dos amantes recorrían parajes que solo unos pocos conocían. Eran los elegidos, quizá porque a la postre no fueran sino almas gemelas, esencias vitales que se habían encontrado de forma milagrosa en el lugar más inesperado para un egipcio: en una isla del Gran Verde, el mar maldito.

Alcínoo siempre había pensado que, en cierto modo, el dios Set lo había mirado con simpatía, o al menos con indiferencia. Nunca había levantado su mano contra él, ni siquiera cuando recorriera su reino baldío en los confines del desierto occidental. El mar en el que habitaba había terminado por acoger al tebano con hospitalidad, y en él había hallado al amor de su vida, de manera imprevista, sin que apenas mediaran las palabras.

En verdad que en ocasiones parecía que el mismísimo Set se hallaba presente en el inacabable frenesí en el que caían ambos enamorados. Se amaban sin reservas, sin guardar nada para sí; aferrados en un abrazo, los dos se precipitaban al pozo que los devoraba y en el que nunca hallaban su final. Simplemente caían y caían, cubiertos por un lienzo de besos y caricias que se aferraba a sus cuerpos hasta encorsetarlos por completo. Era un goce perpetuo en el que sus cabezas poco contaban, incapaces de regir sobre sus sentidos, sobre sus voluntades. Allí los corazones eran soberanos, y estos solo deseaban dejarse llevar por las emociones, allá donde los condujesen; daba igual el lugar al que los transportaran.

Sin embargo, solo había luz en rededor. Allí no existía la oscuridad, pues todo era verdadero, puro, auténtico. Se amaban como era natural entre un hombre y una mujer, tomando de cada cual la parte que los complementaba, que hacía felices a sus *kas*, que les daba armonía. Era un amor sin ambages, y a él se aferraron cuando aparecieron las primeras nubes.

Aunque Alcínoo trataba de permanecer en Kos el mayor tiempo posible, su nave debía hacerse a la mar para tratar sus asuntos. Una vez pasado el invierno, cuando se abrieron los puertos, el banquero tuvo que volver a navegar, y si bien procuraba no tardar demasiado en regresar, sus ausencias terminaron por convertirse en un problema para su amada. Esta no soportaba alejarse del tebano, y todas las tardes subía a un pequeño acantilado para divisar mejor la llegada de los barcos a puerto, en busca de aquella vela púrpura que había terminado por formar parte de su vida.

A su vuelta el fuego aplacaba los ánimos y ambos amantes terminaban por mirarse largamente, con toda la ternura que almacenaban sus almas.

Mas Circe estaba decidida a que aquel hombre no abandonase la isla jamás.

—No veo por qué debes continuar viajando, amor mío —le dijo ella una tarde, después de que se hubiesen amado.

Él no contestó, pues ya habían hablado de ello en alguna ocasión.

—Posees más de lo que nadie pueda desear. Disfruta de cuanto tienes. Aquí, en Kos, estaríamos siempre juntos. ¿Qué felicidad mayor que esa podemos tener?

Él demudó su semblante, pues sabía que ella no lo entendería.

—No se trata de poseer, sino de llegar —le dijo al fin.

Circe se incorporó para mirarlo con disgusto.

—¿Llegar? ¿Qué quieres decir? ¿Acaso no somos felices así?

—Nunca he sido tan feliz, pero aún no he llegado a mi destino. Hay asuntos pendientes de los que he de ocuparme.

—Asuntos pendientes... —musitó ella—. ¿Cuáles son? ¿Por qué no me has hablado de ellos?

—Forman parte de mi vida anterior, y esta es la que me condujo hasta ti.

—En tal caso, no veo por qué no podemos hablar de ellos.

—¿He de hablarte de todos mis negocios? ¿De las particularidades de mis tratos? ¿De cuestiones que no tienen la menor trascendencia en nuestra relación?

—Para mí todo tiene trascendencia. En eso se basa la confianza.

—Yo confío en ti.

—Ya lo veo.

Alcínoo frunció el ceño.

—Eres tú quien desconfía, querida.

Circe se incorporó para atravesarlo con la mirada. Sus ojos se habían transformado en hielo vítreo, de un azul que los hacía todavía más fríos, helados donde los hubiera.

—Tus palabras no pueden ser más reveladoras —apuntó ella con disgusto—. ¿Pretendes mantenerme apartada de tu otra vida?

—Para mí no existe más vida que esta. Lo otro son solo negocios. ¿Deseas acompañarme a hacer tratos con los caravaneros? ¿A abrir nuevas fronteras en connivencia con la codicia romana? ¿Quieres vivir en el mundo de los chacales?

—No tengo el más mínimo interés, pero al menos podrías habérmelo pedido.

—¿Qué es lo que esperas que haga? ¿Que te pida permiso en mis decisiones a la hora de llevar a cabo mis negocios? —señaló el egipcio sin ocultar su enfado.

Circe se enfureció.

—Algo me ocultas, Alcínoo de Corcira. ¡Ningún hombre es de fiar! —exclamó en tanto se marchaba envuelta en su enfado.

Aquello no fue sino el principio de una serie de desencuentros que aparecían sin previo aviso ni razón aparente que pudiese dar lugar a la disputa. Circe amaba con locura a aquel hombre, pero sus experiencias anteriores la llevaban a ver sombras donde en realidad no había más que luz. En el fondo de su corazón dormía el propósito de no volver a amar nunca más a ningún hombre, y aquel egipcio se había presentado de improviso en su vida para echar por tierra sus planes. Sus miedos eran tales que no se sentía capaz de conducir aquella relación como correspondía. Sin embargo, ella sabía muy bien que ya no podría vivir sin la compañía del egipcio, y que le resultaría imposible renunciar a sus caricias, a sus besos, a su amor infinito. Quizá por ello se aferrara de forma inconsciente a su carácter autoritario, sin percatarse de que este de nada le serviría con un hombre como Alcínoo. Poco tenía que ver el tebano con Atreo, ni con el resto de pretendientes que tanto se le parecían. Alcínoo no podía ser tratado como si fuese un enemigo. Solo necesitaba su amor, su confianza, la comprensión de su propio mundo, del que ella nada debía temer. Él solo anhelaba refugiarse en su hechizo para siempre.

El banquero se sintió apesadumbrado, pues amaba a Circe profundamente. Sin embargo, poca experiencia tenía con las mujeres. Su vida no le había mostrado más que fracasos, y se preguntaba cómo podría hacer comprender a la joven que su amor era inconmensurable, que solo con ella lo quería compartir y que ninguna otra mujer podría arrebatárselo.

Mas las aguas revueltas siempre terminaban por regresar a su cauce, para volver a discurrir mansas en los parajes que eran gratos a los dioses. Circe y Alcínoo corrían a encontrarse de nuevo impulsados por sus *kas*, que ya no podían estar separados, o por la mano de Hathor o Afrodita, que de seguro miraban a los enamorados con ojos de complacencia. El fuego abrasador de su pasión desterraba sus desconfianzas, cualquier sombra que osase interponerse entre ambos. Ellos eran conscientes de esto, y se juraban no volver a alimentar ninguna duda que pudiese amenazar su amor. Y así pasaron los meses.

Un día, Circe encontró a Abdú sentado frente a la balaustrada que se asomaba al mar. El yoruba siempre había atraído la atención de la maga, ya que percibía el misterio que aquel hombre poseía y que, sabía, guardaba celosamente para sí.

—El mar no tiene confines —le dijo ella con una sonrisa al tiempo que se sentaba junto a él.

Abdú hizo un gesto de complacencia, pues le agradaba mucho la joven. Durante todo aquel tiempo él había permanecido en la sombra, donde le correspondía, a la espera de que llegara aquella conversación, que sabía se produciría. Aquel día se encontraba solo, pues Alcínoo había ido al telar y regresaría tarde.

—Como los caminos que nos aguardan —contestó—. Son ignotos, como esas aguas —dijo, señalándolas—. Solo se conocen cuando se han recorrido.

A Circe le gustó la reflexión. Su amado le había hablado del yoruba en múltiples ocasiones, y ella había sabido leer el gran respeto que Alcínoo sentía hacia él.

—¿Crees que están dispuestos para nosotros? —le preguntó ella.

—Ja, ja. Siempre nos esperan.

—¿Da igual lo que seamos o los actos que hayamos perpetrado?

El yoruba se la quedó mirando un momento con aquel gesto tan suyo, pleno de magnetismo.

—Son nuestros actos los que nos conducen a ellos.

—Sin embargo, conozco muchos hombres sin corazón a quienes la vida sonríe —replicó la joven, poco convencida.

—Es una risa aparente. El camino resulta cómodo de andar, pero es engañoso. —Circe frunció el ceño, pensativa—. Conduce al sufrimiento, aunque no lo parezca —explicó el yoruba—. Su interior es una prisión de la que no se pueden librar. Lo que nos muestran no tiene valor.

—Muchos son los que padecen las consecuencias —se lamentó ella.

—Es cierto. Es inevitable que otras sendas se crucen con las suyas; de este modo hacen partícipes a los demás de su oscuridad. Yo mismo soy una buena prueba de ello, y también tú; incluso Alcínoo, aunque no lo creas.

Circe volvió la vista hacia el mar para perderse en sus pensamientos. Entonces el yoruba le habló de sus creencias, de las puertas a las que era tan aficionado, de los inefables *orishas*.

La joven se sintió fascinada al momento, y durante un buen rato estuvieron hablando de ellos, de su significado, del insondable misterio que parecía envolvernos a todos. Al enterarse de que Abdú había sido esclavo, Circe pareció turbada. Para ella, los esclavos eran algo natural. Siempre habían estado allí, y continuarían existiendo en los siglos venideros, igual que habría reyes.

—No puedo entender que el camino de un esclavo tenga algún propósito beneficioso para él.

—Ja, ja. Ya me lo supongo —señaló el yoruba—. La mayoría de ellos tampoco lo conocen.

Circe no supo qué responder y se limitó a escuchar las palabras del hombre de ébano, que la conducían a una filosofía que nada tenía que ver con la que le habían enseñado, a un mundo diferente que no obstante se le antojaba cargado de enigmas.

La conversación derivó hacia Alcínoo, como Abdú sabía que ocurriría.

—Él es imperfecto, y está marcado por las equivocaciones.

La joven clavó sus hermosos ojos azules en los del yoruba, negros como la noche. Cuando acarició por primera vez la espalda de su amado, reparó en las marcas que la atravesaban. Eran latigazos; sin embargo, no se había atrevido a preguntar por ellos, quizá porque no quería conocer la verdad. Abdú le leyó el pensamiento.

—Solo la maldad del hombre es la responsable —indicó el gigante con su acostumbrada ambigüedad—. Descubrirás los porqués a su debido tiempo.

Sin saber la causa, Circe se sentía embaucada por las palabras del yoruba y no perdía detalle de ellas.

—Él tiene alma de comerciante —prosiguió Abdú—, el mejor que existe. Nunca podrás cambiar eso.

La joven se movió, incómoda, e hizo uno de sus habituales gestos de coquetería al mover su cabellera hacia atrás.

—No deseo cambiar su alma —contestó ella—. Solo conservarlo a mi lado para que los dos seamos uno.

Abdú sonrió.

—Si tratas de apoderarte de ella, lo perderás —le avisó él.

Ella rio como solía, de forma cantarina.

—Eso es una exageración, buen Abdú.

—Seguramente, pero quedas advertida. Tu vida anterior de nada te vale ahora. Si no cierras la puerta que dejaste abierta, te perderás para siempre. Con Alcínoo no podrás salirte con la tuya a cualquier precio.

—No pretendo semejante cosa —se apresuró a decir Circe, que parecía molesta—. El hombre que me ame debe entregarse a mí por completo. ¿Acaso no me lo merezco?

—Tus merecimientos poco cuentan en estas cuestiones. ¿Crees que merecía yo ser esclavo?

Circe hizo un mohín de disgusto.

—Cuando la naturaleza de cada cual trata de manejar los sentimientos para obtener sus propósitos, la desgracia es inevitable —señaló el yoruba.

—Nadie puede cambiar lo que nos otorgaron los dioses al nacer —indicó ella con tono rotundo.

Abdú observó de nuevo el horizonte. La vista era tan hermosa que resultaba fácil perderse en cada uno de los accidentes que formaban parte de la isla. Aquel era un buen lugar para envejecer, para disfrutar de todo lo bueno que Olodumare había decidido entregar a aquel paraje. Era posible ser feliz; sin embargo, bien sabía él lo difícil que resultaba para los mortales poder descubrirlo, aun cuando estuviera a su alcance. Los *orishas* también abrían caminos en Kos, y Abdú rio para sí ya que en ocasiones le gustaba fantasear con ese particular. Circe tenía el corazón puro, y su verdadera belleza no estaba en lo que se ofrecía a la vista. Su hermosura irradiaba de su interior, de su yo profundo, de su *ka*, como diría su buen amigo. No existían más sombras en ella que las producidas por sus entelequias, capaces en ocasiones de gobernar su fuerte carácter. La joven era una mujer virtuosa que poseía la llave para alcanzar la felicidad, aunque ella no lo supiera.

—Escucha —dijo Abdú de improviso, con aquella voz grave que tanto impresionaba—. Llegará un día en el que te verás frente a una de esas puertas de las que te hablé. Serán tus pasos los que te conduzcan hasta ella, pues nadie te obligará. Solo tú decidirás si debes traspasarla o no. Recuerda que el artificio del hombre nunca debe prevalecer contra el sentimiento puro.

Circe se estremeció, y sin saber por qué se sintió incómoda.

—Eres maestro en el arte del oráculo —dijo ella con cierta arrogancia.

Abdú le sonrió.

—Algún día te acordarás de mis palabras.

27

Los vientos etesios se presentaron aquel verano con particular insistencia. Circe hizo sacrificios a Bóreas por haber escuchado sus súplicas y acceder a soplar desde el septentrión con más fuerza de la acostumbrada. De este modo Alcínoo permaneció más tiempo en la isla, pues la navegación se hizo dificultosa en el Egeo, para deleite de su enamorada. En realidad, ambos vivieron la felicidad completa. Cronos, la personificación del tiempo, se detuvo para rendirles pleitesía, para darles la posibilidad de dormirse al compás de las pasiones, sin que importaran el día o la hora en que se encontraban. Juntos recorrieron la isla para perderse en lugares de ensueño, solo al alcance de los versos más delicados, de poemas que cantaban a los dioses. Allí se amaron sin medida, como de costumbre, para acabar siendo transportados por Céfiro, el suave viento de poniente, hasta la costa, como le ocurriera a Afrodita. No había sombras que se interpusieran entre ambos, ni dudas acerca de sus sentimientos. Circe tenía a su gran amor a su lado, y este se sintió el rey del mundo; no había nada más que pudiesen necesitar.

No hizo falta mucho tiempo para que Telégono se encariñara con el banquero, y sobre todo con el yoruba. El primero representaba para el niño el poder de los hombres en toda su magnitud, y también el cariño que, desde el primer momento, el tebano le brindara. A Alcínoo le gustaba aquel chiquillo tan despierto y tranquilo, capaz de observar cuanto lo rodeaba en silencio. Telégono se percató de inmediato del gran amor que profesaba su madre a aquel hombre, y el pequeño se sintió dichoso de ello, y también de que alguien como el egipcio hubiera llegado a sus vidas. Como este era un hombre paciente, enseguida se hicieron buenos amigos, y no tardaron en compartir historias misteriosas sobre los héroes legendarios. Telégono se podía pasar largas horas escuchando los relatos, y a Alcínoo le gustaba contárselos.

Abdú era una cuestión aparte. Al niño se le antojaba que aquel hombre procedía de la tierra de los gigantes, y le pareció que ningún otro sobre la tierra sería capaz de vencerlo; ni siquiera el famoso Pompeyo, de quien tanto hablaban. Con el yoruba pasaba muchas tardes, durante las cuales el pequeño no paraba de hacerle preguntas sobre su misterioso país, ya que era muy curioso.

La felicidad había tomado posesión de sus vidas, y todos se habían entregado sin reservas a ella, dispuestos a dejarse gobernar hasta que los dioses los llamaran. Sus *kas* eran soberanos sobre todo lo demás, para ofrecerles cuanto de bueno atesoraban, lo mejor de sí mismos, el mejor alimento para sus almas gozosas. Sin embargo...

Todo ocurrió por casualidad, aunque en realidad tuviese poco de casual. Las acciones tienen esas consecuencias, aunque sean parte del pasado y nada tengan que ver con la dicha que nos rodea. Se trataba de hechos ocultos por los intereses que no en vano esperaban a que el destino los mostrara un día, como así ocurrió.

Aquella tarde, Circe encontró a su padre absorto en sus preocupaciones, con el rostro demudado y las manos húmedas, como solía ocurrirle cuando se desesperaba. Laertes se hallaba al borde del abismo; un precipicio al que se había encargado de dirigir sus pasos sin más ayuda que la de su insensatez y el viejo convencimiento de que a la postre el mundo bailaría al son que el viejo tocara, como siempre había ocurrido en su vida.

Pero esta vez Tiqué, la diosa de la fortuna, no estaba dispuesta a favorecer por más tiempo a un hombre que nunca había sentido el menor respeto hacia ella, que había desafiado a la suerte hasta burlarse de esta utilizando cualquier medio a su alcance. Cuando Laertes comprobó el amor que aquel banquero profesaba a su hija, se convenció de que, por algún motivo, el destino se ocupaba de solucionarle los problemas de manera indefectible, y que al final su vida resultaría una sucesión de juegos malabares que, no obstante, le harían sobrevivir a los despropósitos en los que solía embarcarse.

En esta ocasión el viejo había sobrepasado sus límites anteriores al pensar que Alcínoo se convertiría en su yerno, seguro de que la inmensa belleza de su hija era un valor más que suficiente para volver loco hasta al último hombre sobre la Tierra. Por ello, el naviero se dedicó a hacer un uso indebido de la fortuna que había recibido y, en lugar de utilizarla para renovar su flota y asegurar fletes que le dieran buenos beneficios, se dedicó a malgastarlo, como era costumbre en él desde su juventud, viviendo como un procónsul y alardeando ante los demás de una riqueza de la que carecía. Lo suyo era aparentar, y a fe que el armador tenía grandes dotes para ello. Sus banquetes se tornaron proverbiales, y con los medios de que disponía incluso se echó una amante treinta años más joven que él a la que colmó de todo cuanto ella pudiera desear.

Los veinte talentos recibidos no tardaron en menguar, y cuando el verano agonizaba Laertes se dio cuenta de que no tenía fondos suficientes para hacer frente al primero de los pagos que había estipulado. Entonces se vio presa del pánico. Se precipitaba a la ruina sin remedio, y con él arrastraría a su familia. No dispondrían ni de una casa para vivir.

Cuando lo encontró en semejante estado, su hija trató de calmarlo y se interesó por su aflicción. Laertes creyó vislumbrar en Circe una última posibilidad para solucionar el problema; su amor por el banquero podría evitar que se produjese la catástrofe. Convertido en un mar de lágrimas que daba pena ver, le contó a su hija los pormenores del asunto, ante el estupor de esta, que se tuvo que sentar por temor a desfallecer. Estaban nada menos que en la indigencia, y sería Alcínoo quien la firmaría.

Las Erinias abandonaron el Erebo en el que moraban para aferrarse a la joven. La Inquieta, la Vengadora y la Odiosa se presentaron al unísono con sus cabelleras de serpientes, miradas llameantes y chirriar de dientes, dispuestas a empuñar sus antorchas o puñales vengadores para así hacer justicia.

Circe les dio la bienvenida, y al momento sintió cómo por sus venas cabalgaban Aquiles, Héctor y Áyax Telamonio para aprestarse a tomar cumplida venganza. ¿Cómo era posible tal vileza? ¿Cómo tamaño escarnio? ¿Quién era en realidad el hombre a cuyos brazos ella se había entregado sin reservas? ¿Qué suerte de maldición obraba en su persona? Alcínoo, el amor de su vida, el hombre por el que ella daría la suya, los echaba a la calle tras ofrecer a su padre uno de aquellos préstamos abusivos a los que tan aficionados eran los banqueros. ¿Qué clase de amor podía sentir alguien capaz de obrar de semejante manera? ¿Acaso quería convertirla en su concubina? ¿Esclavizarlos a todos para que formaran parte de sus posesiones? Aquel hombre sin alma había surgido del mismísimo Hades para encadenarlos sin compasión, y ella jamás lo permitiría.

Así fue como Circe abandonó la compañía de su padre para dirigirse a casa del gran felón, ante el estupor de Laertes, que había pensado en una actitud bien distinta por parte de su hija. Pero bien la conocía él, y al verla salir de aquel modo se llevó las manos a la cabeza, ya que se hacía una idea clara de lo que se avecinaba.

El camino hasta la casa de Alcínoo se vio plagado de todo tipo de maldiciones. Las que le deseaba Briseida, y los hechizos que estaba dispuesta a realizar Circe para convertirlo en el animal rastrero que era. Una serpiente sería lo más apropiado, pues representaba a la perfección el tipo de alma que poseía su amante. Al pensar en ello, a Circe se le revolvió el estómago. Aquel reptil había mancillado su honra, ya que era el único hombre al que ella se había entregado. El banquero era mil veces peor que Atreo, y en tanto recorría los últimos pasos antes de entrar en su morada, Circe pensó en la desgracia de no haber nacido hombre para atravesar allí mismo con su espada a aquel hijo del Tártaro.

Al verla llegar con paso presto Alcínoo le sonrió, pues no la esperaba. Mas enseguida se percató de que aquella visita se encontraba lejos del amor, e incluso de la cortesía. Bastet, la diosa gata egipcia defensora del hogar, se había transformado en Sejmet, la diosa leona sanguinaria. Su nombre era sinónimo de devastación, y el tebano se preparó para hacerle frente lo mejor que pudiera, pues no en vano era dueño de su verdad.

Años después, quienes presenciaron la escena dirían que nunca vieron furia semejante, ni gritos o maldiciones como los que allí se vertieron. Circe se hallaba enajenada, y de haber podido —según asegurarían todos— habría cercenado el cuello de su señor de un solo tajo.

Las explicaciones de Alcínoo apenas llegaron a los oídos de su amada. Esta era incapaz de escuchar y mucho menos de entender las razones del egipcio, que las tenía. Para ella, las conclusiones resultaban cristalinas, y el veredicto ya había sido dictado con antelación. Era tal la ira de la joven que Alcínoo tuvo que defenderse lo mejor que pudo de su desmedida furia.

En realidad, el banquero había llegado a olvidar por completo el trato con Laertes. Su vida se hallaba más lejos que nunca del tetradracma, y no había vuelto a pensar en el préstamo desde el momento en que conociera a su amada. Él hizo lo posible por que ella comprendiera que no había motivo para la disputa, pero fue inútil. Circe se despidió de él maldiciéndolo por diez generaciones, y deseándole que ardiera en el Tártaro por toda la eternidad.

—¡Nunca nos arrebatarás nuestra casa! Antes verás nuestros cuerpos sin vida que arrojarnos a la calle con los perros —le advirtió con un dedo en alto.

Así fue su despedida antes de desaparecer entre sollozos. No había consuelo posible, ni fuerza en la tierra capaz de detener sus alocados pasos. Las tinieblas se la tragaban, y desde la terraza Abdú la observó circunspecto. Nadie podía ya detener a Circe. Debía seguir su propio camino, el que había elegido al cruzar aquella puerta.

Una mañana de principios del otoño, casi al alba, una vela púrpura en la que Horus vigilaba con su ojo impenetrable abandonó Kos, quizá para siempre. Alcínoo dejaba en la isla lo que más había querido, y un fragmento de su vida que, a la postre, no había sido sino uno más de los muchos espejismos que había presenciado. Todo resultaba parte del mismo sueño que lo perseguía desde hacía treinta y ocho años. Un sueño que sabía se encontraba lejos de finalizar, y cuyos porqués poco importaban. Envueltos en sus capotes, Abdú y Alcínoo se dejaban impulsar por el viento, una vez más, hacia el nuevo camino que se hallaba dispuesto para ellos.

Antes de partir, el banquero dio orden a la servidumbre de que le hiciese llegar a Circe un arcón sellado con su nombre. En él se encontraba el contrato del préstamo, que el egipcio consideraba satisfecho, junto con cien talentos para que la maga pudiese llevar la vida que le correspondía.

Cuando lo recibió, la joven se derrumbó entre sollozos, y las lágrimas empaparían su alma durante el resto de sus días.

28

El *Odiseo* llegó a Éfeso antes de que se cerraran los puertos. El año 56 se acercaba a su final, y el invierno se presentaba cargado de nuevos mensajes, de hechos que precipitarían los acontecimientos para alimentar una vez más la locura de los hombres.

Lejos de Kos, el mundo había seguido su curso con paso inexorable y con arreglo a sus propias leyes. La capital de la provincia de Asia era ahora una ciudad romana, con su legislación, sus intereses y su moneda. El egipcio sabía muy bien lo que ello significaba. Era un superviviente, y poco le importaba el nombre que se le quisiera dar a la plata. Él la poseía por toneladas, y la haría valer allá donde se encami nara, sin que importaran las leyes que rigieran. Las ambiciones que lo rodeaban siempre serían las mismas, pero él se había convertido en un maestro en el arte de gobernarlas.

No había duda de que la situación política invitaba a ello, sobre todo después de los sucesos acaecidos tras la anexión de Chipre por parte de los hijos del Tíber. A pesar de la ignominia a la que se había prestado el faraón al aceptar encontrarse con Catón en las letrinas, Auletes continuó con su política de intentar gobernar Egipto al precio que fuera. Por ello, Ptolomeo decidió viajar a Roma para hospedarse en la villa que poseía su valedor, Pompeyo, en los montes Albanos y preparar su estrategia a fin de recuperar su reino. Este se había sumergido en las habituales luchas por el poder que ya resultaban endémicas para dibujar un escenario que a pocos podía extrañar.

Apenas Ptolomeo había abandonado Chipre y el país del Nilo ya había tenido dos reinas. Los alejandrinos, tan dispuestos como de costumbre a poner o defenestrar monarcas, habían sentado en el trono de Horus a Cleopatra VI —de manera efímera, ya que murió al poco— y, tras esta, a la hija de Auletes, Berenice IV, que se hizo coronar como Cleopatra Berenice.

Nada más llegar a la capital del Tíber, el Flautista clamó ante el Senado para que le ayudara a recuperar su reino, que, aseguraba, le habían usurpado. La cuestión no resultaba sencilla, ya que el rey exiliado tenía en su contra a los optimates, y nada menos que a Craso, el hombre más rico de Roma y además triunviro junto a César y Pompeyo.

Claro está que si en algo resultaba avezado Auletes era en el arte de la intriga y, sobre todo, del soborno. A los individuos como Craso los conocía bien, y sabía cómo tratarlos.

Marco Licinio Craso había iniciado su ascenso a la sombra de Sila, en cuyo bando se distinguió durante la primera guerra civil. A raíz de los beneficios obtenidos en ella, Craso llegó a amasar una fortuna al dedicarse a todo negocio que le permitiera especular. En esta actividad se reveló como un maestro, y la red de influencias que llegó a tejer terminó por llevarle a poseer el monopolio de las brigadas de bomberos de la capital. Brigadas que eran alquiladas al Estado por Craso cuando aquel necesitaba de sus servicios.

Semejante poder lo condujo a la extorsión. Era famoso el modo con el que se hacía con las villas de los patricios que no se avenían a vendérselas: provocaba incendios en ellas y, mientras, esperaba con su brigada de bomberos a que las familias se decidieran a aceptar un precio mucho más bajo antes de comenzar a sofocar el incendio.

Su crueldad era bien conocida, como dejó patente durante la tercera guerra servil contra Espartaco, a quien venció, en la que ordenó crucificar a todos los insurrectos en las lindes de la vía Apia hasta cubrir una distancia de más de trescientos kilómetros. En Roma todos llegaron a temerlo, ya que parecía estar por encima de la ley, como quedó demostrado cuando fue sorprendido con una virgen vestal en el lecho, un crimen gravísimo del que salió indemne sin ninguna dificultad; incluso tuvo la osadía de vanagloriarse de ello al asegurar que lo que pretendía en realidad de la vestal era apoderarse de sus propiedades familiares.

Por si fuera poco, Craso era el primer negrero de Roma, ya que controlaba gran parte del tráfico de esclavos en la capital, a la vez que regentaba un gran número de prostíbulos. Como era inmensamente rico, prestaba dinero a las familias más influyentes para de este modo gozar de un clientelismo que le resultaba útil a la hora de sacar rentabilidad a sus oscuros negocios. Incluso el joven César llegó a recibir grandes sumas de dinero de manos de Craso, con quien con los años llegaría a compartir el poder de Roma.

Auletes entendía muy bien a Craso, y conocía sus viejos deseos de anexionar Egipto a la República. Nunca le ayudaría a recuperar su corona, pues al cónsul le interesaba un país del Nilo dividido. Sin embargo, Ptolomeo se dedicó a afianzar su posición como mejor sabía, a base de sobornos. A la sombra de Pompeyo los administró con habilidad, a la espera de vencer las reticencias de sus opositores en el Senado.

En la Tierra Negra, la situación había llegado a convertirse en grotesca. A instancias de su levantisco pueblo, la reina se vio obligada a casarse, y como no tenía hermanos en edad de hacerlo, eligieron en su lugar a un primo lejano, de nombre Seleuco. Cuando lo conoció para desposarse, Berenice quedó horrorizada por su vulgaridad, y al punto se hicieron grandes burlas de aquel enlace tan singular. El rey consorte era grosero, inculto y hasta sucio, y su desagradable aspecto llevó a los alejandrinos a bautizarlo con el nombre de Kibiosaktes, cuyo significado era «mercader de salazones».

Semejante individuo dio para muchos chascarrillos entre la ciudadanía, a la que le gustaba hacer befa de sus monarcas a la primera oportunidad. Sin embargo, la refinada Berenice no estaba dispuesta a que la cosa pasara a mayores. No soportaba a su marido, y a la semana de casarse hizo que lo estrangularan para así resolver el problema.

No obstante, la reina estaba decidida a defender su causa y a denunciar el execrable comportamiento mostrado por su padre al frente del país ante Roma, y para ello envió una escogida delegación de cien personas al frente de la cual se encontraba el filósofo y académico Dión de Alejandría, hombre docto donde los hubiere.

Auletes, que ya actuaba en connivencia con algunos banqueros romanos, se enfureció al tener conocimiento de la llegada de la comitiva al puerto de Puteoli. Sin dilación obró en la sombra, y en el trayecto desde Puteoli hasta Roma la mayor parte de dicha delegación fue asesinada. El resto aceptó el soborno como mal menor, pues tenían claro lo que valían sus vidas.

El escándalo fue mayúsculo, pero eran tantos los intereses cruzados, y tan refinada la habilidad que Ptolomeo había demostrado a la hora de cometer sobornos, que el asunto no tuvo más remedio que taparse, ya que muchas personalidades se podrían ver implicadas. Aun así hubo voces que se levantaron contra aquel atropello, pero al final el Senado decidió que era necesario restituir al Flautista en el trono de Egipto, y para tal menester eligió a un hombre de Pompeyo, Publio Cornelio Léntulo Espinter, que pronto sería nombrado procónsul de Cilicia.

Con el apoyo oficial del Senado y un suculento préstamo de los banqueros romanos, Pompeyo aconsejó a su protegido que abandonase Roma y se dirigiera a Éfeso para desde allí preparar de forma conveniente su futuro desembarco en Alejandría. Auletes vio próximo su triunfo y, ansioso, marchó a la capital de la provincia de Asia a la espera de acontecimientos.

Entonces vino a suceder un hecho sorprendente que trastocó los planes de Ptolomeo de forma inesperada. Durante una tormenta en los montes Albanos, un rayo cayó sobre la estatua de Júpiter, hecho este que requería la consulta de los Libros Sibilinos,[20] lo que el Senado ordenó de inmediato a los *decemviri sacris faciundis*, los diez sacerdotes menores encargados de custodiarlos.

Para desgracia del faraón en el exilio, la predicción fue esta: «Si el rey de Egipto viene en busca de ayuda, no se le debe negar la amistad. ¡Pero tampoco lo apoyéis con un ejército más poderoso! De lo contrario os aguardan penas y peligros.»[21]

Como es fácil de adivinar, dicha profecía trajo consecuencias. Sin que el Senado diese autorización para ello, uno de los enemigos declarados de Ptolomeo, el tribuno de la plebe Cayo Catón, la hizo pública, y la presión sobre el Senado logró que la propuesta de devolver a Auletes su trono fuese revocada.

En Éfeso el Flautista se enfureció sobremanera, sobre todo porque desde Alejandría llegaban las peores noticias que pudiese desear. Su hija Berenice había vuelto a desposarse, y esta vez no con un hombre tosco y de aspecto repulsivo sino refinado, muy del gusto de la reina. Su nombre era Arquelao, un individuo que en su día había recibido el favor de Pompeyo, quien le había llegado a nombrar príncipe sacerdote de la ciudad póntica de Comana. Arquelao, hijo de un general de Mitrídates VI, se hizo pasar por vástago de este y los alejandrinos lo aceptaron, encantados de que su rey perteneciese a la estirpe del último monarca que había tenido la osadía de enfrentarse a los romanos, por quienes los egipcios sentían verdadera animadversión.

Pompeyo calmó al lágida al asegurarle que pronto llegaría su momento, y Ptolomeo se dedicó a tramar su venganza, algo para lo que se hallaba bien cualificado.

A finales del año 56, la capital de la provincia de Asia era un pozo de ambiciones insatisfechas. Muchos eran los intereses, pues no en vano había un reino en juego, el país de los faraones, y la posibilidad de esquilmarlo. Este fue el escenario que halló Alcínoo. Allí daba comienzo la representación de una obra en la que tenía reservado un papel.

29

Poco imaginaba Alcínoo las sorpresas que le aguardaban detrás de aquella nueva puerta que estaba a punto de traspasar. El camino serpenteaba hasta retorcerse, para regresar al punto de partida por razones imposibles de comprender. Así habían decidido que ocurriera quienesquiera que fuesen los artífices de tales misterios. Abdú se disponía a ser testigo del último acto, durante el cual el agua fluiría a donde debería hasta encontrar por fin el remanso.

Al poco de hallarse en Éfeso, Alcínoo fue invitado a la casa del gobernador, Cayo Septimio, con quien mantenía una relación amistosa. Allí tendría la oportunidad de conocer al individuo más taimado que cupiese imaginar. Un inmoral de verdadera categoría.

Cayo Rabirio Póstumo era un digno representante de los *publicani* que con los años se había convertido en el primer banquero de Roma. Hijo adoptivo de un senador del mismo nombre que había tenido una buena relación con el padre de Pompeyo, Rabirio había proporcionado grandes sumas de dinero al general para que hiciera frente a sus proyectos a través de administradores pertenecientes al orden ecuestre. Póstumo pertenecía a los *faeneratores*, los únicos banqueros que hacían grandes inversiones. Por ello, Rabirio velaba por los intereses de hombres muy poderosos y controlaba a la mayoría de los senadores a través de sus préstamos y, si era necesario, de la extorsión. Los procónsules estaban entre sus objetivos preferidos, ya que de ellos obtenía la explotación de recursos a cambio de suntuosas ayudas económicas. Su *codex rationum*, el libro de registro de transacciones usado por los banqueros romanos, era motivo de no pocas conversaciones, y muchos habrían estado dispuestos a pagar una fortuna por leer los nombres que contenía. Póstumo estaba autorizado a abrir cuentas de depósito con dinero ajeno, y consideraba que la moneda era un bien fungible que era necesario hacer circular.

Rabirio Póstumo era bajo y gordo, y cuando lo saludó por primera vez Alcínoo tuvo la seguridad de que aquel hombre carecía de alma. El gobernador lo trataba con gran deferencia y era obvio que entre ambos existía una relación que venía de antiguo.

El procónsul hizo las presentaciones con gran respeto, y Rabirio se interesó por aquel desconocido desde el primer momento.

—Alcínoo de Corcira —dijo sin ocultar su sorpresa el romano—. Nunca hasta ahora había oído hablar acerca de banqueros naturales de ese lugar.

—Ni lo harás en el futuro, a no ser que alguien pronuncie mi nombre —apuntó el egipcio en un griego perfecto.

Póstumo pestañeó repetidamente mientras miraba a Septimio, ya que, aunque entendía el griego, lo hablaba con dificultad.

—Digamos que la vida me hizo banquero, dilecto Rabirio, como a tantos otros —precisó el tebano, ahora en latín.

El aludido sonrió en tanto asentía.

—Qué me vas a contar a mí. Solo quien conoce sus preceptos puede llegar a aprender de la vida —le aseguró Rabirio.

Todos sonrieron, y durante un tiempo hablaron del comercio que se daba cita en la capital y de la riqueza que encerraba aquella región.

—El buen Alcínoo controla gran parte del mercado de la seda que viene de Oriente —matizó el procónsul—. No hay un género mejor que se pueda desear. En Roma, los precios de este tejido podrían alcanzar cotas sorprendentes.

—Las alcanzarán —añadió Alcínoo sin dejar de sonreír.

A Rabirio le gustaba su colega.

—Podría resultar sencillo comercializarla allí. Solo hay que confiarlo a las manos adecuadas. Quizá resulte un buen negocio para todos.

—Siempre que su compra se pague con oro, lo será —indicó el tebano.

Sus acompañantes rieron, pues si algo había que un romano entendiera bien era la codicia. El tebano fue capaz de medirlos a la perfección.

—He de confesarte que ya sabía de ti por referencias —dijo Póstumo en tono amistoso—. Incluso tu barco es famoso en todo nuestro mar. No hay navío que no reconozca tu vela, ni puerto que no se enorgullezca de que atraques en él. Quizá podamos llegar a hacer negocios juntos algún día.

—Mi tío me dijo un día que yo había nacido para esto. No es que me enorgullezca por ello —matizó el egipcio—, pero es un motivo como otro cualquiera.

Rabirio volvió a reír, ya que no ocultaba sus simpatías hacia su colega. Como buen conocedor de la naturaleza humana, enseguida se dio cuenta de que a aquel hombre no se le podría engañar con facilidad. Y una vez vistas las almas, todo resultaba mucho más sencillo.

Entonces hablaron de Chipre y de las minas de cobre de Tamaso, que Póstumo explotaba para la República, aunque en realidad le servían para cobrarse los intereses de todos los préstamos que durante años había estado otorgando a los miembros del Senado o al triunviro Pompeyo. El banquero tenía una gran amistad con Craso, y juntos participaban de no pocos negocios y empleaban los mismos métodos de extorsión, sin avergonzarse por tal motivo.

—No son pocos los que sienten animadversión por Marco Licinio Craso —apuntó Póstumo—, aunque no porque envíe a sus sicarios a cobrar a los morosos o haga arder las villas del Palatino, sino porque es rico, je, je. Así es la condición humana.

Alcínoo observó al procónsul, que asentía al parecerle muy juiciosas las palabras de su invitado.

—Convendrás conmigo en que esa es la llave de nuestro negocio, apreciado Alcínoo —continuó Rabirio—. De no ser así, no podríamos valernos de la avaricia ajena como corresponde. Ella es la que nos ayuda a enriquecernos. En cuanto a Craso... Yo diría que no hace nada que yo no hiciese en su lugar. Lo importante es el dinero; al final, el resto no es más que palabrería.

Ahora Septimio pareció estar muy de acuerdo. El cargo de procónsul era muy cotizado, ya que brindaba la oportunidad de enriquecerse con rapidez; sobre todo en una provincia con tantos recursos como la de Asia.

—Los negocios solo entienden de cifras —señaló el egipcio, pensativo.

—Así es, buen Alcínoo —se apresuró a decir Rabirio—. El que más las engorda es quien mejor los hace.

El gobernador soltó una carcajada, ya que semejantes palabras le auguraban las mejores perspectivas. Confiaba en que el banquero romano permaneciera durante un tiempo en Éfeso, a fin de que diera un impulso adecuado a los asuntos que se traía entre manos.

Luego conversaron sobre la situación política en general y sobre los nuevos horizontes, que se presentaban bajo las mejores perspectivas. Rabirio conocía al detalle los intereses que se fraguaban en Roma, y también que tarde o temprano habría una nueva guerra por el poder de la que pensaba obtener ganancias. No obstante, el banquero se cuidó mucho de ser indiscreto. En un momento de la reunión, el procónsul dijo tener que ausentarse unos momentos, y ambos invitados quedaron solos en lo que resultaría un conciliábulo.

Rabirio tanteó durante un rato al egipcio antes de hacer referencia a lo que en realidad le interesaba, el motivo por el cual el tebano había sido invitado aquella tarde.

—Los negocios comerciales están bien, incluso pueden hacerte ganar una fortuna, aunque convendrás conmigo en que la verdadera riqueza se encuentra en la explotación de los estados —dijo Póstumo con mirada astuta. Alcínoo asintió en tanto estudiaba cada detalle de su colega, cada gesto, y hasta el cambio en el brillo de sus ojos—. Estoy convencido de ello, buen Alcínoo. No existe nada mejor que prestar dinero a los reyes. Ellos son los que te abren las puertas a la riqueza absoluta.

—Prestar a un rey siempre implica el riesgo de no recuperar el dinero.

—¡Claro! —exclamó Póstumo, divertido—. Y ello forma parte fundamental del negocio. Sin nuestro concurso, los monarcas no podrían gobernar. No hay mayor beneficio para nosotros que cobrar las deudas de un soberano sentado en el trono de un país con recursos. Su explotación hace que recuperemos nuestra apuesta con creces. Si es necesario, se esquilma el reino hasta sacarle el último sestercio, je, je.

Alcínoo escuchaba con atención. Aquel circunloquio solo representaba el principio del trato que sabía iban a proponerle.

—El procedimiento es siempre el mismo. El gobernante de turno exprimirá a su pueblo cuanto le sea posible. Algunos le endulzarán los oídos con buenas palabras, y la mayoría ni tan siquiera eso. Se enriquecerán cuanto puedan, no solamente por ellos, sino también por su propia casa. Como no podrán pagar la deuda contraída, permitirán que tomes cuanto consideres oportuno de su reino con tal de continuar en el trono. En realidad, sus vasallos les importan bien poco, para nuestra ventura. Solo hay que saber elegir al monarca adecuado, a poder ser de un país que posea riquezas.

—Egipto —señaló Alcínoo sin hacer ni un gesto.

Póstumo se le quedó mirando un momento, pensativo, pero al punto continuó.

—Exacto. Sus recursos son proverbiales, aunque ya no posea la abundancia de antaño.

—¿Deseas tratar con Auletes? —preguntó el tebano de repente.

—Ya trato con él desde hace tiempo. Digamos que me he convertido en su primer acreedor.

—No tiene fama de buen pagador.

—Je, je. Yo diría que la peor posible. Imagínate que por su reconocimiento como amigo de Roma ante el Senado prometió seis mil talentos a César y a Pompeyo, y a día de hoy no ha soltado ni un solo denario. Ese hombre es único.

—Buen socio te buscaste, dilecto Rabirio.

—No se me ocurre otro mejor.

Alcínoo juntó ambas manos bajo la nariz y clavó su mirada en el romano.

—¿Acaso buscas un socio para tu empresa? —le preguntó sin más dilación.

—Solo uno que esté a la altura del proyecto. Alguien que resulte alto de miras y se halle dispuesto a embarcarse en tan singular aventura.

—¿Qué cantidad habría que arriesgar?

—Hum... Había calculado que dos mil talentos serían suficientes para quien quisiera convertirse en mi socio. Claro que yo aventuraría mucho más.

El tebano enarcó una de sus cejas en tanto sonreía. Aquel tipo era ladino en extremo, y Alcínoo adivinó que debía de haber más implicados en el asunto. Póstumo se dio cuenta al instante.

—Como comprenderás, detrás de mi persona existen otros intereses que no puedo revelarte pero que en nada afectan al desarrollo del negocio. Un socio respetable al que no importe aportar dos mil talentos es cuanto necesito, aunque ya te adelanto que quien los arriesgue recibirá unos beneficios que multiplicarán por tres dicha cantidad.

Alcínoo volvió a adoptar el aire reflexivo que empleaba en ocasiones. Aquel tipo iba a restituir a Auletes en el trono de Egipto, de eso no tenía la menor duda, para después cobrarse su ayuda con creces. Explotaría la Tierra Negra hasta donde pudiera, aunque para ello se viera obligado a llevarse todo su grano para venderlo en Roma. Sin embargo, Alcínoo no pensaba en el interés que Rabirio pudiera cobrarle a su propio pueblo. Había otra idea, nacida hacía tiempo, que se hallaba lista para hacerse realidad. Egipto tenía cuentas pendientes con él, y sin pretenderlo alguien había acudido al tebano para satisfacerlas. Enseguida calculó su jugada, y ello le satisfizo sobremanera.

—Hum... —disimuló el egipcio, tras haberlo considerado—. Si acepto, al menos he de conocer la cantidad total del préstamo.

—Diez mil talentos —respondió Póstumo como si nada.

—¡Sesenta millones de denarios! —exclamó el tebano, divertido—. No creo que Craso disponga de esa cantidad.

—No, pero yo sí; y tú también, buen Alcínoo, si me permites la licencia, je, je.

—El Flautista volverá a Alejandría —dijo el egipcio, pensativo, pues era consciente de las consecuencias que ello traería.

—Para ocupar el trono de Horus, que en justicia le corresponde. En un año recuperaremos nuestra inversión. Ten en cuenta que los ingresos anuales del país del Nilo rondan los doce mil quinientos talentos. Te aseguro que conseguiremos que esa plata brille más todavía, je, je.

—Creo que me has convencido... Cayo Rabirio Póstumo, tienes un nuevo socio.

—¡Espléndido! —exclamó el romano—. Ahora te contaré algunos detalles.

30

La mañana en que conoció a Ptolomeo, Alcínoo no supo si tirarlo al mar o esperar a que las turbas alejandrinas se hicieran cargo de su persona de forma conveniente. Era obvio que la segunda opción se ajustaba mejor a sus planes, y que tarde o temprano era probable que así ocurriese, mas la impresión que le causó el lágida fue tan deplorable que en verdad hubo de hacer esfuerzos para no retirarle su ayuda. Su aspecto le resultó ya de por sí desagradable. Aquel rey abyecto llevaba la vileza escrita en el rostro con una tinta tan indeleble que ni en cien vidas resultaría posible borrarla. Su rostro —marcado por los excesos de todo tipo, a los que tan aficionado era— aún mantenía sus mejillas gordezuelas, famosas en todo Egipto y por las cuales recibía el apodo de Auletes, según algunos porfiaban. Sin duda parecían las de un flautista a la hora de soplar el *aulas*, aunque al tebano le diera igual el motivo por el cual le llamaban así. Aquel hombre no solo había arruinado a su pueblo, sino que se aprestaba a entregarlo a Roma si con ello podía recuperar su reino. Detrás de su figura se ocultaba toda una dinastía que durante casi tres siglos se había encargado de arrojar al olvido una cultura que llevaba tres milenios asentada en aquella tierra. Sin poder evitarlo pensó en su familia, y hubo de recurrir a su temple para continuar con aquella farsa en la que el tebano ya tenía sus propios intereses. El gran felón haría bien su trabajo, y para ello Alcínoo debía participar en la representación como si se tratase de otro más de sus negocios.

Auletes se mostró interesado en su nuevo valedor. Al parecer, el tal Alcínoo era inmensamente rico, y eso era cuanto necesitaba. Sin embargo, Ptolomeo apenas podía dominar su nerviosismo. Cuando ya tenía el objetivo al alcance de la mano, los dioses habían enviado un rayo contra la estatua de Júpiter en los montes Albanos, y toda aquella canalla, encabezada por el tribuno Cayo Catón, se había lanzado contra él como una jauría de perros rabiosos para dar al traste con sus planes. Para colmo, su hija Berenice se había casado con un advenedizo que se hacía pasar por hijo del difunto Mitrídates, y los alejandrinos lo habían aceptado sin ningún reparo. Semejantes hechos lo enfurecían, y en cuanto se presentaba la oportunidad Auletes hacía saber que cuando recuperara su trono no dejaría un solo traidor con vida.

Cuando hablaba, el Flautista no se molestaba en disimular su ruindad, ni tampoco lo acostumbrado que estaba a llevar a cabo sus caprichos. Él era un faraón, y por ende la reencarnación del dios Horus. Su figura representaba el nexo de unión entre su pueblo y los dioses ancestrales, y ello significaba que se le debía rendir pleitesía como a la divinidad que encarnaba. Él no era un mortal más, y podía hacer lo que le viniese en gana a fin de satisfacer sus deseos.

Alcínoo advirtió en su mirada la astucia del egoísta, y en sus labios la crueldad que podía llegar a demostrar. Para Auletes, las vidas ajenas no tenían el más mínimo valor, como bien quedara demostrado en el camino que conducía desde Puteoli hasta Roma, donde se desembarazó de cien personas sin ningún reparo. Que era un zorro redomado bien saltaba a la vista, mas ahora Alcínoo sacaría partido de todo ello, aunque para llevar a cabo sus propósitos tuviese que forzar mil sonrisas o soportar la mirada rastrera de un rey que no buscaba otra cosa que su dinero.

Por otra parte, la reunión con Auletes resultó esclarecedora. Rabirio contó nuevos detalles que el tebano aún desconocía y que le dieron una idea de la magnitud del negocio en el que se estaba embarcando. Allí se iba a fraguar un golpe de Estado en toda regla en el que, además de los presentes, estaría involucrado Pompeyo, quien por todos los medios quería restituir a Ptolomeo en el trono de Egipto para que siguiera alimentando su fortuna. La relación entre Póstumo y el general era tan estrecha que al tebano no le extrañó en absoluto que el triunviro se hallara implicado en aquel asunto. Las hienas se encontraban prestas, y a no mucho tardar devorarían lo que ya casi era un cadáver.

Todos estuvieron de acuerdo en que los planes no se podían demorar en demasía, y se conjuraron para que con la apertura de los puertos, en primavera, tuviera lugar una nueva demostración de hasta dónde era capaz de llegar el hombre cuando el poder estaba en juego.

Alcínoo pensó en su Tebas natal, en el Nilo, en Egipto, sin experimentar ninguna emoción especial. ¿En qué se había convertido Kemet? ¿En una serie de recuerdos inmortales? ¿En dioses cuyas máscaras aún perduraban durante la celebración de las liturgias? ¿En una ilusión que desaparecería envuelta en el misterio? Para él ya apenas representaba la tierra que un día pisara. Su alma se había convertido en la de un extraño, y sus hermanos, en gente de la que poco se podía esperar. No les debía nada, y un regusto de rencor se aferró a su garganta debido al sufrimiento pasado. La ruina se cernía sobre Egipto, y lo peor era que a Alcínoo no le importaba.

31

Circe lloró amargamente su desgracia. Su ira había salido triunfante, y semejante conducta nunca había sido grata a los ojos de los dioses. Estos le habían ofrecido su favor en forma de aquello que tanto quebranto le causara un día, un hombre, y ella no había sabido aceptarlo. No en vano por sus venas corría la sangre de Aquiles, y bien conocía ella lo que esto significaba. La cólera del pélida ya causó un gran daño a los aqueos acampados frente a las murallas de Troya, como el gran Homero se encargara de señalar al comienzo de su inmortal *Ilíada*.

Durante meses la joven había luchado contra su pena, convencida de que su guerrero regresaría algún día a bordo de su nave para gobernar aquel corazón indómito, afligido por su propia locura. El día que fue consciente de cuanto había acontecido, Circe maldijo su propia estupidez, y también su mal carácter. Se había equivocado, y jamás podría perdonarse la injusticia que había cometido contra el hombre al que amaba. Su felicidad se había esfumado como el humo de la pira que la joven había encendido sin compasión, y con ella también se iba la de Alcínoo, sin que este hubiera tenido la menor oportunidad de apagar el fuego que al final los había consumido a los dos. Su vida quedaba huérfana del más grande de los sentimientos que el corazón podía albergar, y lo peor era que semejante desgracia siempre la acompañaría. Nunca podría volver a amar a nadie como a aquel hombre que había salido de su vida sin cometer mal alguno.

Cuando vio el contenido del arcón que le llevaron desde la casa del tebano, Circe se sintió tan ruin que durante unos días fue incapaz de cruzar palabra alguna con su padre, que, apesadumbrado, miraba de un lado a otro como aquel a quien la razón hubiera abandonado y no tuviera ninguna palabra juiciosa que pronunciar. Su mala cabeza estaba en el origen de aquel drama, y con su comportamiento había encarcelado el alma de su hija para siempre.

A nadie extrañó que Laertes falleciera al mes siguiente. Unos aseguraban que una inmensa pena se había apoderado de él para terminar por apagar su luz, aunque otros pensaban que no había sido sino el vino quien se lo había llevado al Hades, ya que apareció muerto sobre un ánfora del rojo elixir hecha pedazos.

A Circe le dio igual la causa de aquella pérdida. La relación con su padre había naufragado hacía ya demasiados años, como sus negocios, de los que la joven se desprendió para vivir en aquella casa centenaria como si fuese la esposa de un rey que hubiera partido a la guerra. Su corazón siempre pertenecería a Alcínoo y para él guardaría su virtud, aunque llegara el día en que solo formara parte de sus recuerdos. Así era ella, indómita pero a la vez leal, incapaz de sentir lo mismo por dos hombres en su vida.

Recluida en su mundo, Circe rezaba a Atenea con la confianza de que la diosa obrara el milagro. Por algo esta era soberana de la sabiduría y la razón, la única que podría perdonar a la joven por el error que había cometido. Como le ocurriera a Atenea, Circe guardaría su honra hasta el regreso de su gran amor, convertida de este modo en un remedo de la mítica Penélope, cuya paciencia fue recompensada.

Todas las tardes, Circe se asomaba a las ventanas del mar para empaparse de su azul, con la esperanza de ver aquella vela púrpura que llenaba sus noches de insomnio. Pero el viento no traía su mensaje, y las aguas solo mostraban los trirremes que bogaban al ritmo de las flautas o las liburnas romanas, cada vez más presentes en los mares. El Egeo no tenía nada que decirle, y cuando al anochecer regresaba a su casa con el ánimo maltrecho, se convencía de que al día siguiente Atenea le otorgaría por fin su favor y que una nave de nombre *Odiseo* atracaría en el muelle del puerto de Kos, envuelta en la luz del atardecer, entre reflejos de púrpura y oro.

Sin embargo, el tiempo pasó para mostrarle la crueldad que puede llegar a ocultarse bajo el manto de las equivocaciones. Así era la vida en ocasiones, incapaz de llegar a ofrecer una segunda oportunidad, y Circe ahogó sus sollozos de impotencia, pues no había nada que pudiera hacer. Sus deseos, así como sus esperanzas, no eran más que una parte de la brisa que acariciaba su cabello de color de oro para perderse después en manos de Eolo donde este quisiese dirigirla. Eso era todo cuanto el mundo sabría de ella, y sin poder evitarlo Circe lloró arrepentida.

32

Como le ocurriese a Circe, Alcínoo también se hallaba dolido en sus sentimientos, aunque fuera por otras razones. El amor que sentía por la joven era tan grande que el hecho de perderla de aquella forma había supuesto para él una desgracia de la que nunca podría olvidarse. Al principio pensó que cuanto había ocurrido se debió a una suerte de enajenación capaz de sobrepasar cualquier razón que se preciara, aunque pronto reflexionó acerca de lo que en verdad encerraba aquel comportamiento. Su enamorada lo había condenado sin permitirle siquiera esgrimir un juicio que la invitara a reconsiderar su decisión. Todo había ocurrido con ligereza, impulsado por la ofuscación, para terminar en manos de una cólera imposible de contener. Las puertas que conducían al amor no le habían resultado propicias, y Alcínoo terminó por convencerse de que, por algún motivo, ese sentimiento le estaba vetado y que su suerte había quedado determinada el día en el que se apoderara del tesoro de Ptolomeo. Nadie podía aspirar a mayor fortuna, se decía contrariado, mas en la soledad de su villa en Éfeso el tebano habría cambiado con gusto tantas riquezas por la felicidad junto a Circe, la mujer a quien nunca podría olvidar.

Sin embargo, su alma de comerciante lo había llevado a meditar acerca de cuanto había sucedido desde otra perspectiva. Aquel negocio implicaba riesgos, por muy hermosa que fuera su amada. Esta había demostrado con claridad hasta dónde era capaz de llegar cuando la sinrazón se apoderaba de ella, y por ende lo frágil que podía resultar su unión con la bella maga. Con ella Alcínoo nunca tendría seguridad, pues su sangre podía convertirse en un fuego devastador sobre el que carecía de control. Sencillamente, Circe no le convenía.

Mas, por mucho que su visión mercantil le brindara esos consejos, Alcínoo no podía deshacerse de aquel sentimiento que durante un tiempo lo había conducido a la felicidad absoluta. Resultaba imposible olvidarlo, y el tebano sabía muy bien que durante toda su vida recordaría aquella isla del Dodecaneso y a la mujer que debía ser su diosa. Aquello formaba parte del camino, como solía asegurar Abdú cuando encontraba cualquier impedimento o contrariedad que apesadumbrara al espíritu. El viejo zurrón que un día le regalara Filitas, en el que se encontraba la historia de su héroe, había servido para llenarlo con todo aquello que le había ido ocurriendo en el transcurso de los años, para conformar su propio equipaje; el que hablaba de quién había sido en realidad y cuál era su verdadera valía. El amor también cabía en él, y Circe formaría parte de sus sueños más hermosos, como aquellos que le había inspirado Odiseo desde el primer momento en que leyera su nombre, aunque no hubiera podido hacerlos realidad como le hubiese gustado. Así, en las noches solitarias, cuando lo acuciara la melancolía, Alcínoo abriría su zurrón en busca de todo lo bueno que pudiera encontrar y hallaría aquellos ojos, límpidos como el cielo de verano, batidos por el oleaje de un mar del color del lapislázuli. Circe era el Egeo y todo lo que este representaba, desde Aquiles a Héctor, de Agamenón al ingenioso Odiseo.

Con aquellos ojos se dormiría, con el tacto de sus labios, con la pasión del amor verdadero. Circe se había convertido en una ilusión, mas el tebano nunca la olvidaría.

33

Los acontecimientos se precipitaron, pues la historia tenía cuentas pendientes. Aquellos hombres se hallaban dispuestos a cambiar su rumbo a lomos de su propia codicia, sin que importaran las consecuencias de sus actos. Todo se hallaba presto para que el lágida recuperara su real asiento, para que el *aulas* volviese a sonar en su palacio de Alejandría.

El invierno de aquel año acababa, y Alcínoo había tenido tiempo para forjar sus planes hasta en el menor de los detalles. Todo se desarrollaría como correspondía, y Abdú sonreía, malicioso, al adivinar sus pensamientos. Al fin su amigo había comprendido el modo en el que ocurrían las cosas, los imponderables de los que se podía llegar a formar parte, y cómo la consecución de los propósitos estaba gobernada por el tiempo. Algún día tendría lugar, y pronto los *orishas* los acompañarían para tomar una nueva senda. Hacía ya mucho que el egipcio había dejado de preguntarse por lo que no tenía respuesta; ahora tan solo era necesario dejarse llevar por la suave corriente que los conduciría de nuevo a casa, a la Tierra Negra, que había vuelto a llamarlos de forma inesperada, seguramente porque necesitaba hablarles acerca de ella.

Aquella mañana de marzo, la lluvia caía tan fina que la calle parecía envuelta en velos tejidos por la ilusión. Las gotas apenas rozaban la calzada, pues quedaban suspendidas de infinitos hilos que las hacían parecer translúcidas, como parte de un encantamiento.

Alcínoo marchaba calle arriba, envuelto en su capote, camino del ágora, donde lo esperaban algunos asuntos que debía atender. Le gustaba pasear, respirar el olor que dejaba la lluvia, formar parte de aquel escenario brumoso capaz de crear un halo de misterio en cada esquina.

La vía se hallaba casi desierta, y de vez en cuando el tebano se cruzaba con algún viandante apresurado u oía pasos precipitados que resonaban de forma particular contra la piedra mojada. Allí había lugar para los pensamientos, para perderse en ellos mientras la cortina de agua lo arropaba hasta convertirlo en parte de aquella ilusión.

Alcínoo iba absorto en sus cuitas cuando distinguió, un poco más adelante, una figura que al punto llamó su atención. Caminaba como él calle arriba, pero sin capote que lo guareciera de la lluvia. Esta caía sobre los harapos que apenas cubrían su cuerpo en tanto las gotas tintineaban con suavidad al golpear la escudilla que llevaba en una mano, como las que utilizaban los indigentes para pedir limosna.

Al principio, el tebano pensó que debía de tratarse de un antiguo legionario impedido que vivía de la caridad pública; sin embargo, aquellos andares le resultaban familiares, y eso era lo que había llamado su atención. El desconocido andaba con dificultad, pero sus movimientos eran peculiares. Entonces Alcínoo sintió una punzada en el estómago. Sin pensarlo un instante, el egipcio apretó el paso y al poco gritó para que el extraño se detuviera, mas este continuó avanzando como si fuera incapaz de oírlo. El tebano se apresuró, con el corazón presa de una excitación que aumentaba a cada zancada que daba.

—¡Eh! —volvió a gritar.

Pero aquel hombre no parecía tener intención de detenerse y siguió con su andar cansino, como si el mundo poco le importara.

Alcínoo corrió hacia él hasta cubrir la distancia que los separaba, y con una mano tocó aquel hombro desnudo sobre el que la tenue lluvia apenas creaba salpicaduras. Al momento el indigente se volvió como lo haría aquel que no espera más que el improperio, con calculada lentitud, o puede que sin ánimo para recibir un nuevo golpe del destino. En ese momento el desconocido mostró su rostro, surcado por todo lo peor que la vida podía ofrecer a un hombre, y Alcínoo ahogó un grito en tanto se abrazaba a él entre sollozos. Era Sekenenre.

Aún sin comprender, este sintió cómo un extraño se aferraba a él, emocionado, en tanto le hablaba en su lengua con el suave acento de su tierra.

—Hermano, soy yo, Amosis. ¿No me reconoces?

—Amosis... —apenas acertó a musitar.

—Sí, Amosis, tu hermano. El Oculto te bendiga.

—Tebas... Allí estaba mi casa.

Amosis no pudo reprimir las lágrimas, y empezó a llorar como un chiquillo en tanto besaba a su hermano como si se tratara de un niño.

—Sí, hermano, ya terminó tu viaje. Ya estás en casa.

34

Si la vida era capaz de lanzar dentelladas, Sekenenre las había recibido todas. Era imposible calcularlas, y mucho menos encontrar un solo instante de ventura, o de simple sosiego, en la existencia de aquel hombre. Por alguna circunstancia, las puertas que le tenían preparadas siempre lo conducían al mismo lugar; quizá porque los dioses de la guerra lo amaban de una forma particular. Sekenenre llevaba toda la vida elevándoles sus ofrendas, y seguramente ese fuese el motivo por el cual se habían encariñado con él. Pero el favor de Montu o Ares dejaban secuelas hasta en el alma; demasiados horrores en los que lo de menos eran las cicatrices que se habían encargado de dibujar en su piel. Los años se le habían escapado peleando contra el mundo: siempre había un enemigo que combatir, y Sekenenre los había conocido a casi todos. Nunca faltaban razones para luchar, y el egipcio había nacido para eso, aunque él mismo terminara por no comprender los motivos.

Hacía veinte años que Sekenenre se había separado de su familia para continuar su azarosa vida. Durante ese tiempo había protegido a las caravanas o alquilado su espada al mejor postor. Nunca le faltó trabajo, ya que la condición humana es proclive a la reyerta, al ajuste de cuentas, y a ello se dedicó. Mas un infausto día tuvo la desgracia de matar a un tribuno en una casa de mala nota de Pérgamo, y el egipcio se vio obligado a huir de la justicia de Roma hasta los confines del Ponto. Allí tomó partido por la causa mitridática y se alistó en su ejército para combatir a los romanos en la tercera guerra que Mitrídates mantenía contra ellos.

Durante siete años Sekenenre fue testigo de todo tipo de desmanes, horrores y también heroicidades, al tiempo que se convencía de que el mundo pronto tendría un dueño absoluto. Las legiones romanas representaban la perfección en el combate, y desde el primer momento en que se midió con ellas, en la campaña del 73, supo que el rey del Ponto jamás podría salir vencedor de aquella contienda. Lúculo, el general romano, al frente de cinco legiones, se las bastó para derrotar una y otra vez al viejo enemigo de Roma, a quien se había unido el rey Tigranes de Armenia.

Sekenenre asistió a la debacle de la batalla de Tigranocerta y al saqueo que se produjo después. Tigranes consiguió huir con parte de su ejército, después de haber sido incapaz de derrotar a Lúculo a pesar de contar con doscientos mil hombres.

El egipcio siempre recordaría aquel día, el 6 de octubre del año 69, así como las palabras que circularon por el campo de los vencidos, llenas de displicencia romana. Al parecer, los augures habían advertido a Lúculo de que aquel era un mal día para luchar, y el general les había contestado: «Entonces yo lo haré un día afortunado.»

Solo el amotinamiento de las legiones fimbrianas, sometidas a la durísima disciplina de Lúculo, evitó que este terminara con aquella guerra de una vez después de su victoria en la batalla de Artaxata. Mas allí no había bandera por la que luchar. El egipcio siempre recordaría la huida de los reyes por los que combatía como uno de los hechos más vergonzosos que nunca presenciara. No tuvieron el más mínimo reparo en abandonar a su suerte a sus tropas en el mismo campo de batalla, y en ese momento Sekenenre decidió que su vida valía tanto como la de Tigranes y regresó a las rutas de las caravanas de Oriente para ofrecerse como custodio en los caminos que cruzaban la Capadocia.

En el año 66 el Senado envió a Pompeyo para que pacificara la región, y el gran general dio por terminada la guerra al tiempo que licenciaba a aquellas legiones que se habían mostrado tan levantiscas. Los caminos se convirtieron en lugares poco seguros, y muchos se dedicaron al bandidaje en tanto otros alquilaban su brazo para enfrentarse a sus propios hermanos. Los años pasaron, y Sekenenre empezó a acusar las huellas del tiempo, como también las secuelas que le habían dejado las privaciones a las que se había visto sometido. Las caravanas ya no lo contrataban, y el egipcio terminó por trabajar en los más infames prostíbulos haciéndose cargo de su buen orden.

Lo peor de la naturaleza humana se presentó ante sus ojos para hundirlo cada vez más en el fango. Todos los valores en los que creía —el orgullo de pertenecer a una tierra milenaria, su dignidad...— fueron desapareciendo conforme tenía que olvidarlos para poder sobrevivir. La vida le demostraba que a ella nada le importaba, que no existía ninguna ley natural que determinara el que un corazón elevado hubiera de tener una recompensa por tal motivo. Al contrario, los canallas siempre solían salir adelante para terminar por mofarse de las almas puras. Las piras se hallaban repletas de estas, y no había ninguna respuesta para ello.

Una noche recibió una cuchillada en una reyerta. Era una mala herida, y Sekenenre pensó que por fin Anubis vendría a liberarlo de su pesada carga, de su tenebrosa existencia. Había dado muerte a tantos hombres que sentía su corazón tranquilo, ya que no había dudas respecto al veredicto que dictarían contra él en la Sala de las Dos Justicias. Ammit se relamería al verlo, y el egipcio la miraría a los ojos, altivo, sin temor a la primera de sus dentelladas.

Sin embargo, los dioses le habían otorgado una naturaleza fuerte y Mesjenet, la encargada de elaborar el *ka* del individuo, había determinado que su energía vital no se doblegaría ante el infortunio. Sekenenre logró salir con bien de aquel percance, aunque ya no le quedaran fuerzas más que para vivir de la caridad de los demás.

De este modo llegó a Éfeso, donde el comercio floreciente le permitía albergar esperanzas de recibir alguna moneda con la que poder vivir. Sus vías, muy transitadas, se veían frecuentadas por hombres que, como él, solo podían ponerse en manos de los demás. Muchos soldados tullidos acababan pidiendo en la calle, y en ocasiones Sekenenre se cruzaba con viejos legionarios contra los que creía haber combatido en alguna ocasión. Ellos también lo miraban, y se hacían cargo de su penuria; así eran los dioses de la guerra para con aquellos que les habían servido, mezquinos hasta el final.

Aquella lluviosa mañana de marzo, mientras se dirigía al ágora, Sekenenre sintió que ya no aguantaría más. La lluvia que resbalaba por su cuerpo hacía que le doliera cada una de las heridas que lo marcaban, y estas eran demasiadas. Para un hombre como él, verse cubierto de harapos significaba el golpe de gracia para su dignidad. Claro que esta hacía mucho que había quedado apartada en los caminos que se había visto obligado a seguir, o peor, en alguno de los infames lupanares en los que había vivido. Hacía ya mucho que su mirada se encontraba perdida, y no importaba adónde lo condujesen sus pasos. Su platillo era el único medio que tenía para subsistir, y a él se aferraba. Los dioses no eran proclives a sonreír al paria. Así era la vida.

Cuando el desconocido lo llamó apenas prestó atención, pues poco bueno podía esperar de quien se fijara en él. Concentrado en arrastrar sus pasos, estos lo llevaban al único lugar en el que podría hallar sustento, y bastante tenía con no dar un traspié. Pero aquel individuo porfiaba y esto lo desazonó de forma particular, pues no en vano no existía hombre en la tierra que pudiese estar por debajo de él. Sin embargo sus piernas no daban para más, y al poco alguien tocó su hombro para que le prestara atención. Dadas las circunstancias cualquier cosa podía ocurrir, mas al volverse con cautela no vio persecución o pendencia, sino una voz melodiosa que le hablaba en su lengua vernácula para hacerle creer lo imposible.

Amosis... Hacía tanto tiempo que sus labios no lo pronunciaban que aquel nombre se le antojó parte de una vida anterior que ya había muerto hacía demasiado tiempo. Sin embargo, sus ojos no fueron capaces de reconocerlo. Aquel extraño parecía un griego, y su porte lo aproximaba más a un príncipe del Ática que al joven tebano que Sekenenre recordaba. No era posible, pero al verlo derramar sus lágrimas su corazón se emocionó, y con el primer abrazo sintió cómo su hermano se desbordaba, incapaz de contenerse. Era Amosis, que había acudido en su ayuda para sacarlo del infierno.

35

Si los dioses se avinieran a mostrarnos su luz, esta nunca podría iluminar los corazones con mayor fulgor. La felicidad había decidido mostrarse en toda su grandeza para colmar a aquellos hijos del Nilo a quienes Shai había dispuesto separar durante veinte años. Toda una vida para que sus caminos terminaran por cruzarse de forma insospechada lejos de su tierra, en una mañana cubierta por la lluvia.

Ambos hermanos se contaron sus historias, emocionados, pues cada una de ellas encerraba lecciones difíciles de olvidar. Al ver lo que el infame destino había hecho con Sekenenre, Amosis sollozó amargamente y juró que jamás permitiría al taimado Shai volver a verter su ponzoña sobre su propia sangre. Ahora su hermano se encontraba a salvo, para siempre, y no habría poder, divino ni humano, que prevaleciera sobre él. Sekenenre fue cubierto de atenciones, ungido como lo que era: un príncipe tebano de una época demasiado lejana para ser comprendida por la mezquindad que ahora gobernaba el mundo. El viejo guerrero no pudo ocultar su asombro ante lo que veía mientras comprobaba en quién se había convertido su hermano. Ahora se hacía llamar de otro modo, y al escuchar su relato Sekenenre vio la mano del Oculto en aquel milagro, al tiempo que se lamentaba al advertir la transformación que había sufrido su pueblo.

De alguna manera, ambos habían sufrido por ello. Sus cuentas con Kemet estaban saldadas, y cuando Sekenenre supo que pronto volverían a ver el Nilo, no pudo evitar que sus ojos se velaran y que su garganta se viera tomada por el sentimiento. Él había dado su sangre por la Tierra Negra, aunque nadie pudiese reconocérselo jamás. Era un hijo de la sedición, y, sin embargo, en la distancia, después de tantos años, poco le importaba lo que los demás opinaran. Él siempre sería dueño de su verdad, y las explicaciones solo se las daría a Osiris cuando este le hiciera llamar.

El buen Abdú había supuesto para Sekenenre otro motivo de felicidad. El yoruba se mantenía tal y como lo recordaba, enorme en su humanidad. Él había sido el áncora de la que se habían aferrado, y ahora el egipcio era capaz de ver con claridad el inmenso regalo que había recibido su tío el día que lo compró.

Con los años Abdú había ganado en sabiduría, y al leer su mirada Sekenenre supo que el hombre de ébano comprendía cuanto le había ocurrido, hasta hacerle ver que todo había sido inevitable.

Aquella primavera del año 55, Cayo Rabirio Póstumo puso en marcha su estrategia. Los ojos de Auletes adquirieron un brillo inusual, ya que la codicia y la venganza se fusionaban en su pérfido corazón sin molestarse siquiera en ocultarlo. El egoísta se hallaba más ansioso que nunca, y el banquero romano manejó los hilos con maestría, como era habitual en él.

De resultas de ello alimentó la avidez de quien debía, y Pompeyo, que tenía grandes intereses en Oriente y miraba hacia Egipto con indisimulada codicia, le pidió a su buen amigo Aulo Gabinio, gobernador de Siria, que ayudase a Auletes a ser restituido en el trono con el apoyo de sus legiones. El procónsul se quedó estupefacto al conocer los detalles que encerraba el asunto, ya que Ptolomeo prometía entregarle diez mil talentos si accedía a su petición.

En abril del año anterior, el Triunvirato había salido fortalecido después de la conferencia celebrada en Lucca. En ella se había acordado que, junto a Craso, Pompeyo ocuparía el consulado del año 55. Para Gabinio aquel era un hecho a considerar, y si el gran general lo animaba a tomar Egipto para sentar en el trono a Auletes, a cambio de diez mil talentos, el procónsul poco tenía que objetar. De este modo Gabinio cambió sus planes de intervenir en Partia por aquellos otros, mucho más interesantes, y que además le harían inmensamente rico.

Los implicados volvieron a reunirse en casa del gobernador en Éfeso para ultimar los detalles. Alcínoo había pensado largamente en aquel asunto, y no albergaba dudas de que satisfaría todos sus propósitos. Se trataba de una apuesta sumamente arriesgada, en la que un procónsul atacaría a un país amigo para restituir a un rey sin el permiso del Senado. El tebano conocía las leyes de Roma, y estaba convencido de que los hechos que se avecinaban tendrían consecuencias. Su intervención se limitaba a un préstamo, pues no en vano era banquero, y lo que Auletes fuese a hacer con ese dinero no era responsabilidad suya. Sin embargo, sabía que debía abstenerse de participar en cuanto pudiera comprometerlo; su venganza estaba ya tramada, y el brazo que la ejecutaría, dispuesto.

En un aparte, Alcínoo y Auletes hablaron largamente sobre lo que le esperaba a Egipto. El faraón se sorprendió al comprobar el profundo conocimiento que mostraba aquel banquero acerca de su tierra. Parecía saberlo todo, y por ello escuchó con atención las palabras —envenenadas donde las hubiera— que el tebano vertió en sus oídos. Ptolomeo le prometió seguir su consejo cuando entrara en Alejandría y juró mostrarse generoso para devolverle su ayuda, que nunca olvidaría.

Alcínoo asintió, simulando satisfacción, ya que bien conocía el escaso valor que tenían las palabras del rey; mas eso era todo cuanto necesitaba.

Así fue como una mañana Auletes abandonó Éfeso para dirigirse a Antioquía, capital de la provincia de Siria, para entrevistarse con su gobernador, a quien hizo entrega de cinco mil talentos por adelantado junto con la promesa de recibir el resto en cuanto Ptolomeo se viera sentado en el trono de Horus. Gabinio fue incapaz de disimular su fascinación al contemplar semejante tesoro. ¡Más de ciento veinte millones de sestercios! Y aún le aguardaban otros tantos cuando finalizara una conquista que se le antojaba sencilla. El cónsul le prometió que aquel mismo año volvería a gobernar Egipto y Auletes sonrió con avidez, feliz de haber iniciado por fin su aventura.

36

La bahía saludó con respeto a aquella vela púrpura que surcaba sus aguas camino del embarcadero real. El sol se hallaba en lo alto, y desde el firmamento Ra creaba reflejos centelleantes al incidir sobre el ojo dorado de Horus que dominaba aquel velamen. Alejandría daba la bienvenida al *Odiseo*, a su poder, al enigma que envolvía aquella nave, a lo que en verdad significaba. Esta era una cuestión a la que todos encontraban respuesta. Aquel navío representaba la fortuna inalcanzable, aquella a la que ni los reyes podían acceder, la reservada a los verdaderos elegidos de los dioses. La fama precedía al *Odiseo* dondequiera que fuese, y los puertos rendían pleitesía al príncipe de los mares, que había terminado por verse envuelto en la leyenda. Verlo atracar en los muelles suponía todo un acontecimiento, y mientras aquella mañana atravesaba el Megas Limen, el Gran Puerto, todas las embarcaciones lo saludaron con respeto, abrumadas quizá ante su propia insignificancia, ya que la opulencia quedaría durante un tiempo amarrada a una de las dársenas para mecerse suavemente al abrigo de la isla de Antirrodas.

Nearco embocó la Boca del Toro con su habitual pericia. Los peligrosos arrecifes que aguardaban para traicionar a los incautos quedaron atrás, y el capitán entró en el puerto con el orgullo de quien gobierna el mejor barco que vieran los mares. Desde la cubierta, los dos hermanos se dejaron embrujar por la magia de su tierra. No existía un pueblo que pudiese ofrecer nada semejante y, con los ojos entornados, ambos aspiraron con fruición aquel aire marino que se mezclaba con los aromas de las especias, de las avenidas abarrotadas, de los jardines que rodeaban los palacios, de las gentes variopintas que recorrían sus calles a diario para ganarse la vida, de la necrópolis del oeste, festoneada de mausoleos, del inconmensurable conocimiento que dormía en sus bibliotecas, de sus barrios plenos de bullicio... Alejandría poseía su propio perfume, y este resultaba tan embriagador que Alcínoo se dejó arrastrar por él, a donde fuese que quisiera llevarle, en tanto Sekenenre conseguía a duras penas contener las lágrimas.

La tierra de los faraones recibía a sus hijos pródigos con la mejor de sus sonrisas para mostrarles que a la postre sería generosa con ellos, pues las raíces no se perdían jamás. Su sangre se hallaba en la memoria de Kemet, y puede que ese fuese el motivo por el cual los dos tebanos se vieron embargados por la emoción, hasta el punto de ser incapaces de articular palabra.

Durante aquellos quince años que Alcínoo había permanecido ausente, Alejandría había cambiado poco. Su sello permanecía incólume, siempre abierto al mundo, cosmopolita. Este era el verdadero tesoro de la capital, más allá de la grandeza de sus monumentos, el que la había llevado a convertirse en perla del Mediterráneo y a poder soportar los desmanes del déspota, las arbitrariedades de tantos reyes egoístas, el gobierno de monarcas sin alma.

La metrópoli que aquella mañana les ofrecía su favor había sufrido las consecuencias de una desmedida iniquidad, la que había ido forjándose a través de su propia historia y que ahora eclosionaba para cubrirla con la vergüenza tejida por las ambiciones desbocadas. Alejandría estaba sentenciada, expuesta en un plato de oro a la voracidad romana.

Los hechos se habían precipitado tal y como fueron concebidos. Una vez tomada la decisión de restituir a Auletes, Gabinio avanzó a través de Siria con sus legiones y penetró por el delta oriental para tomar los puestos militares situados en el lago Sirbonis. Su prefecto ecuestre, el joven Marco Antonio, dejó preparado el terreno para facilitar el avance del procónsul hasta Pelusio, donde Arquelao, el faraón consorte, salió a combatir al invasor romano con sus tropas. Arquelao demostró un gran valor en el campo de batalla, y fueron necesarios dos enfrentamientos para que las legiones se alzaran con el triunfo. El rey egipcio murió en el segundo de estos, y tras el honorable entierro que le dispensó Marco Antonio el camino quedó expedito hasta Alejandría, que fue tomada sin lucha.

La mirada de Auletes estaba inyectada en sangre. Ya en Pelusio el mismo Marco Antonio, futuro triunviro y amante de quien un día reinaría con el nombre de Cleopatra VII, hízole ver al lágida la conveniencia de mostrar su clemencia para con los vencidos, pero no hubo forma de convencerlo. Una vez consumada la restitución de Ptolomeo, Gabinio hubo de regresar a Siria, donde se habían producido algunos disturbios, y se limitó a dejar en la capital un contingente de tropas auxiliares compuestas por celtas y germanos.

En cuanto Auletes tomó posesión de su trono, el palacio se convirtió en la antesala del Hades; una verdadera cámara de los horrores en la que rodaron las más prominentes cabezas de la corte. Su hija, la reina Berenice, fue ajusticiada en cuanto su padre la vio, y con ella cayeron todos aquellos que habían contribuido a mantenerla en el trono, hasta por las razones más nimias. El miedo se apoderó de la ciudad, puesto que el faraón quería limpiarla de traidores, allá donde se encontraran; daba lo mismo a lo que se dedicaran. Hubo denuncias por doquier y la sangre corrió generosa, como siempre que ocurrían hechos de naturaleza similar.

Sin embargo, los acontecimientos siguieron su curso, y en el momento en el que Ptolomeo aseguró su posición Cayo Rabirio Póstumo se presentó en Alejandría para llevar a cabo la segunda parte de su plan. Auletes le debía diez mil talentos, y era el momento de empezar a pensar en cobrarlos.

Tal era el escenario que ambos hermanos iban a encontrar en la capital. En él habría de representarse el último acto de una obra que había comenzado mucho tiempo atrás. Demasiado para cualquier corazón que naciera noble.

Abdú apenas despegó los labios. Él, más que nadie, había formado parte del espíritu de la metrópoli, hasta entender aspectos que se encontraban alejados de aquellas almas tebanas. Nunca los comprenderían, como tampoco las causas de tantas otras cosas que habían acontecido. El yoruba leía con claridad el guion que debían interpretar, y este lo conducía hacia su propia puerta, la que sabía que le aguardaba desde hacía mucho tiempo.

37

Aquella casa en el Bruchión apenas despertó emociones en Alcínoo. Su alma había sufrido su propio purgatorio, y este lo había librado de aspectos a los que ya no estaba dispuesto a prestar la más mínima atención. Si acaso, el que estuviera situada cerca del Mouseión provocaba en él sentimientos evocadores; recuerdos que se le antojaban demasiado lejanos, como si formaran parte de una vida pasada.

El egipcio había alquilado aquella villa durante un tiempo; el imprescindible para librar su corazón de las cuentas contraídas. Su hermano había continuado viaje hacia Tebas, donde ambos volverían a encontrarse en cuanto a Alcínoo le fuese posible. Solo el buen Abdú lo acompañaba en su nueva empresa, como siempre, para iluminar su camino.

Una tarde recibió la visita de Rabirio, portador de noticias que ya habían corrido por la ciudad como agua del Nilo. El faraón había nombrado al banquero romano nada menos que dioceta, o lo que era lo mismo, ministro de todas las finanzas de la Tierra Negra, lo cual no dejaba de ser una burla colosal. Póstumo no se recató lo más mínimo y, en cuanto se vio a solas con su colega, lanzó una risotada más propia del barrio de Suburra que del Palatino.

—Así son los negocios cuando se calculan como se debe, amigo mío —dijo—. Estar al cargo de la economía de Egipto es algo que colma mis expectativas, como podrás imaginar.

Alcínoo fingió sentirse complacido y agasajó a su huésped como correspondía.

—No hay un minuto que perder —continuó el romano—. Hemos de recuperar nuestra inversión a la mayor brevedad posible, je, je.

—Me temo que este país no resulte tan próspero como para cobrar lo prestado con rapidez —advirtió Alcínoo.

—No en manos de un rey semejante, aunque en las mías será diferente.

Alcínoo enarcó una de sus cejas, pues ya se había hecho una composición de lugar al enterarse del nombramiento de su colega.

—Detrás de mí hay acreedores, como de seguro imaginarás. Personas influyentes que esperan beneficios y ante las que he de responder —apuntó Rabirio—. Y luego está mi propia hacienda, claro está, comprometida, como la tuya.

—Estoy seguro de que tu posición como dioceta ayudará a recuperar la inversión.

—Haré cuanto esté en mi mano para conseguirlo, je, je. Pienso remodelar por completo la administración del Estado y nombrar nuevos cargos que me ayuden a llevar a cabo mi labor como es debido.

—En Egipto hay familias de funcionarios que ocupan el mismo puesto desde hace generaciones —le advirtió Alcínoo.

—Estoy al corriente de ello, pero Auletes me ha dado libertad para hacer y deshacer a mi antojo. No tiene otra opción.

El egipcio asintió mientras reflexionaba. Los diez mil talentos entregados a Gabinio representaban una inversión a largo plazo del banquero romano. Detrás del procónsul se encontraba Pompeyo, la verdadera llave que proporcionaría jugosos negocios a Rabirio en el futuro. El tebano estaba convencido de que el general también recibiría su parte, aunque eso a él le tuviese sin cuidado.

—No hace falta que te diga que había pensado en ti para llevar a cabo el arduo cometido que me espera. Estoy decidido a vaciar las arcas del Tesoro hasta el último dracma, y a esquilmar la tierra cuanto pueda. En poco tiempo no quedará nada con lo que comerciar. Es lo justo, dadas las circunstancias.

—Muy justo, diría yo —apuntó Alcínoo, quien ya contaba con que el romano haría algo semejante—. Mas me temo que mis asuntos me lleven lejos de Egipto. Tengo intereses en ciernes que algún día te contaré —mintió—, aunque accederé a inspeccionar como tu epístato personal algún nomo para ti mientras permanezca en el país. Si me autorizas para ello, claro está.

Rabirio rio quedamente. Aquel tipo era tan astuto como él, y enseguida pensó que debía de tener tratos ocultos con Auletes. Nadie renunciaba a recuperar dos mil talentos si le daban la oportunidad de hacerlo, y aquel griego simulaba tener poca prisa al respecto.

—Nada me resultaría más conveniente que el que visitaras cada oficina de hacienda del país. Mañana mismo firmaré tu nombramiento, y no habrá estratega, toparca o ecónomo por encima de tu autoridad.

Alcínoo celebró aquellas palabras y brindó con su invitado. Luego Rabirio se marchó, convencido de que su colega tenía sus propios planes.

No tardó demasiado el tebano en llevarlos a cabo. El nombramiento de Rabirio como dioceta lo apremiaba a ello, y así, al día siguiente pidió una audiencia con Ptolomeo para hablar del asunto. Al escuchar los detalles, el faraón se relamió.

—¿Más de cinco mil talentos? —inquirió el rey sin ocultar su codicia.

—Por lo menos, Horus viviente. Y de la mejor plata.

Auletes gruñó, pues no existía un lenguaje que conociese mejor que aquel.

—¿Plata sin devaluar? ¿Cómo puede ser? Llevé a cabo dos devaluaciones durante mi reinado.

—Eso te da una idea de los traidores que has cobijado bajo tu buena fe, gran faraón.

—Inaudito —dijo este en tanto perdía la mirada dentro de su propia ambición.

—Ese dinero te pertenece por derecho propio. Te fue ocultado durante demasiado tiempo. Una traición semejante no se ha visto nunca en Egipto.

—¿Estás seguro, Alcínoo de Corcira? —preguntó Auletes mientras clavaba su mirada en el tebano, como solía hacer cuando estaba a punto de ordenar alguna tropelía.

—En cierta ocasión tuve tratos con esos banqueros. Son viejos trapezitas para quienes el mundo continúa anclado en épocas en las que podían perpetrar su usura con toda impunidad. Son taimados, y su obligación habría sido ayudar a su rey a recuperar lo que por derecho propio le pertenecía —señaló el tebano.

—He estado rodeado de traidores toda mi vida —se lamentó Auletes.

—Y harías bien en informarte acerca del tipo de funcionarios de aduanas que posees. Muchos se hallan en connivencia con esos canallas que no te han pagado las tasas correspondientes durante lustros, gran faraón.

Auletes miró a Alcínoo como lo haría una hiena. Necesitaba dinero con urgencia, y todo aquel que se lo pudiera proporcionar sería objeto de su codicia. Daba lo mismo si lo habían traicionado o no, aunque la traición siempre resultaba una buena excusa.

—Supongo que de este modo recuperarás lo que me prestaste —indicó el rey, cabizbajo.

—Te diré lo que te voy a proponer, Horus viviente. No habrás de devolverme ni un solo dracma.

Auletes dio un respingo, ya que no tenía ánimo para bromas.

—¿Das por zanjada la deuda?

—Así es, mi señor. Pero a cambio has de concederme algo.

—Pídeme pues, buen banquero.

—Me concederás el monopolio de la seda en tu reino, así como el del vino de Quíos, durante veinticinco años. Libres de tasas aduaneras, si al gran faraón le place.

—Tuyo es —se apresuró a contestar el Flautista, que solo pensaba en los más de cinco mil talentos que se iba a embolsar—. Espero que cumplas tu promesa y que este asunto quede entre nosotros —advirtió el rey.

—En mi condonación de cuanto me debes puedes ver mi buena fe, hijo de Ra.

Auletes hizo una mueca que al tebano se le antojó sardónica, y en ese momento se oyeron unos pasos que se aproximaban. Llegaron a sus oídos con una cadencia suave, y al momento el egipcio se volvió para ver cómo una joven se les aproximaba.

—He aquí la única luz de mis ojos, la princesa de las princesas, mi bien amada hija Cleopatra.

Al punto el tebano se mostró reverente, y ella lo miró de arriba abajo de forma penetrante.

—Escucha, hija mía. Él es uno de los pocos amigos que nos quedan. Su nombre es Alcínoo de Corcira, y el día que yo falte no olvides que me ayudó a regresar a tu lado.

Cleopatra no respondió, pero al punto se inclinó sobre su padre para decirle algo al oído. Luego se marchó, con el mismo andar cadencioso con el que se había presentado.

—Sería una buena reina —matizó Auletes, orgulloso—. He de pensar en ello.

Alcínoo se limitó a asentir en tanto observaba al faraón.

—Cinco mil talentos... —volvió a musitar el Flautista.

—He de pedirte algo más, rey de reyes, como favor personal. —Auletes hizo un gesto con las manos con el que invitaba al tebano a continuar—. Gran faraón, no molestes a los judíos. A ellos mantenlos alejados de tu ira.

Ptolomeo se quedó estupefacto, pero enseguida esbozó una de sus siniestras sonrisas.

—Ningún judío será perseguido por mi majestad —dijo Auletes—. Nunca levantaron su mano contra mí.

Alcínoo hizo un gesto de agradecimiento.

—Bien, buen banquero, agradezco tu ayuda y también tu consejo. Mañana, Alejandría sabrá de mi cólera. Y ahora hablemos de los nombres de todos esos traidores.

38

Auletes cumplió su palabra, como aseguró que haría, y al día siguiente Alejandría fue testigo aventajado de lo que le esperaba a todo aquel que no resultara grato a los ojos del Flautista. Los hombres del faraón se adelantaron al alba, de tal modo que bien de mañana no quedaban cestos en los que depositar tantas cabezas.

Todas las fortunas de la ciudad pasaron a mejores manos, sin que a Ptolomeo le importaran lo más mínimo el nombre o los méritos que las familias hubieran contraído en el pasado. El rey necesitaba dinero, y lo sacaría de todo aquel que pudiera proporcionárselo, hasta el último óbolo.

Para evitarse problemas futuros, el faraón decidió que lo mejor sería seguir los consejos de Alcínoo. Si eliminaba a los traidores, nunca le pedirían cuentas ni intrigarían más contra él. La historia se hallaba repleta de reyes a quienes su compasión había conducido a la ruina. Pero a Ptolomeo tal escenario no le preocupaba en absoluto. Ejecutaría a todo aquel que pudiese hacer uso del poder que hubiera ejercido en el pasado, aunque semejante política le llevara meses.

En realidad, el faraón no necesitaría tanto tiempo. En pocas horas, su cólera —como él decía— había eliminado a todos los trapezitas de la ciudad y confiscado sus bienes, incluidos los esclavos, que también tenían un valor. Ergino, Erecteo y Creón apenas comprendieron lo que ocurría, ya que eran los primeros de la lista, y sus cabezas rodaron sobre el mismo lecho sin tiempo para desperezarse.

Alcínoo había pensado largamente en ese momento. En un principio le habría gustado asistir a la ejecución, para hacerles saber que sus actos habían sido condenados por los dioses y que estos enviaban a su brazo ejecutor; pero luego lo pensó mejor, y el tebano decidió que no había muerte más atroz que la que sobreviene sin saber el porqué. El infierno daría la bienvenida a aquellos canallas sin hacerles ni una sola pregunta, pues no eran necesarias, y en el Tártaro aquellas almas viles vagarían por siempre preguntándose quién pudo haberlas condenado.

En aquella sangrienta jornada ni un solo banquero quedó con vida en la ciudad, y durante los siguientes días fueron expropiados todos aquellos individuos que poseían algún bien de consideración, del tipo que fuera. Así, los ricos se convirtieron en indigentes a cambio de conservar sus vidas, y no pocos ciudadanos se alegraron de ello e incluso aplaudieron públicamente a Auletes para que hiciese tabla rasa.

Los cinco mil talentos de los que hablara Alcínoo se quedaron cortos, y Auletes se felicitó por tal motivo al tiempo que se preguntaba qué tenía en realidad aquel griego contra los trapezitas de Alejandría para ensañarse hasta con sus esclavos. Y es que el tebano incluso había sugerido al faraón que enviase a la servidumbre de Ergino a galeras, del primer al último hombre, hasta que Anubis diera por llegada su hora. El Flautista no tenía duda de que Alcínoo de Corcira tenía cuentas pendientes con aquellos granujas; y a él le pareció bien, dadas las circunstancias, ya que tales deudas le habían proporcionado una fortuna que le permitiría respirar durante un tiempo. En cualquier caso, Auletes estaba decidido a sentar la mano sobre su pueblo sin contemplaciones. Este no había resultado proclive a su persona, y si Ptolomeo había recuperado el trono se debía exclusivamente a su determinación y esfuerzo. Nada debía a la ciudadanía, y por ello la exprimiría hasta el último dracma. Si la vida resultaba dura, lo sería para todos.

Como había prometido al tebano, el rey dejó en paz a los judíos, y por ello el barrio oriental en el que se confinaban se vio libre de carreras y sobresaltos, aunque hasta allí llegaran las noticias de cuanto ocurría en la capital. El Señor se apiadaba de ellos, y no había mano de hombre capaz de prevalecer contra su sagrado nombre, ni siquiera la del faraón de Egipto.

A Alcínoo le satisfizo sobremanera la forma en la que se desarrollaron los hechos. En su opinión, aquella metrópoli se hallaba putrefacta, y solo el fuego exterminador sería suficiente para regenerarla. Al ver cómo sacaban a Tirios de su oficina para llevárselo, suspiró como lo haría cualquiera que descargase sus penas. Tenía un especial interés en presenciarlo, aunque fuese en la distancia, y al observar cómo se llevaban al fenicio con los pies a rastras le pareció que el asunto se resolvía como correspondía. Tirios se encontraba ya en la vejez, y el tebano pensó que no aguantaría mucho tiempo amarrado al trirreme al que lo enviarían. Su cuerpo acabaría en el fondo del mar; el mejor lugar, en su opinión, para un fenicio como aquel.

Su antigua oficina volvía a sus manos, y durante un rato permaneció en su interior asomado a los ventanales desde los que se veían el puerto y los astilleros. Muchos recuerdos que, no obstante, fueron incapaces de provocar congoja en su corazón. Aquella vida había quedado atrás para siempre, pues la puerta que daba acceso a ella se hallaba cerrada con poderosos cerrojos.

Ello lo animó a dirigirse al Bruchión, ya que quedaba un detalle más del que debía ocuparse. Las antiguas veredas volvieron a recibirlo, a la sombra de los flamboyanes, arrulladas por el rumor de las fuentes. El egipcio conocía bien aquel sendero, y cuando llegó frente a la casa se detuvo un rato, absorto en sus cuitas, en las consecuencias de los actos de cada uno, en lo diferentes que podían llegar a parecer las cosas cuando se observaban bajo la perspectiva del tiempo. Allí comenzó su infierno, y también allí terminó, y, sin embargo, el paso de los años le hacía experimentar una sensación de indiferencia difícil de explicar. Quizá se debiera a que el joven Amosis había muerto en algún recodo de aquel camino que lo había conducido a la perdición, o puede que Alcínoo ya no perteneciera a ese mundo al haber vuelto a nacer en un lugar del Egeo, bajo otro cielo estrellado.

No obstante, el tebano se aproximó hasta la puerta, siempre abierta, dispuesta a dar alimento a las sombras que habitaban más allá. Por primera vez esta se encontraba cerrada, y el aspecto de la villa se sumía en el más absoluto de los abandonos; olvidada quizá hacía ya mucho tiempo. El egipcio se sentó junto a la fuente del jardín. Estaba seca, carente de vida, como todo lo que rodeaba el lugar. Allí permaneció, pensativo, para buscar el sitio que correspondía a unas piezas que eran parte del rompecabezas de su propia vida, de la que nunca podría renegar.

Un hombrecillo vino a sacarlo de sus consideraciones. Caminaba con paso vivo, y parecía haber atajado camino al pasar por allí. Al punto Alcínoo se dirigió a él para preguntarle por la casa.

—Lleva abandonada más de diez años —le aseguró el viandante—, cerrada a cal y canto.

—Justo el tiempo que he estado ausente de la ciudad. Pero aquí vivía alguien a quien me gustaría saludar. Una vieja amistad... —indicó el tebano.

El extraño lo miró con indisimulada malicia.

—Sé a quién te refieres, ji, ji. Cómo olvidarse de alguien así. Tenía el nombre de una musa, aunque no lo recuerdo bien.

—Lástima, pues me hubiese agradado visitarla.

—Ya lo supongo, como a tantos otros —añadió aquel hombre,

que parecía bastante lenguaraz—. Se hizo muy famosa en el barrio. ¿Cómo se llamaba...?

—Euterpe... —musitó el tebano.

—Eso, Euterpe, y hay que reconocer que era muy hermosa. Yo nunca disfruté de sus favores, aunque bien que me hubiera gustado.

El egipcio apenas hizo caso al comentario.

—¿Qué fue de ella? —quiso saber.

—Corren todo tipo de rumores. Por algún motivo cayó en desgracia, y se vio obligada a abandonar la casa. Hay quien asegura que luego fue amante de un rico comerciante sirio que la colmaba de atenciones, hasta que enfermó.

El tebano hizo un gesto de sorpresa.

—Sí, ji, ji. ¿Qué se puede esperar de una vida como esa?

—¿Dónde la puedo encontrar?

—Durante un tiempo anduvo vendiendo sus favores por las calles, hasta que la enfermedad se hizo tan manifiesta que tuvo que dedicarse a vivir de la limosna. Yo hace mucho que no sé de ella, pero dicen que a veces se la puede encontrar en la vía Canópica, cerca del cruce con la del Soma.

Alcínoo hizo un gesto de agradecimiento al extraño, y este le advirtió.

—Yo que tú me andaría con cuidado, o te contagiará su enfermedad.

—¿Qué enfermedad es esa? —inquirió el egipcio.

—La de las pecadoras.

Caía la tarde cuando Alcínoo llegó al lugar donde le habían dicho que era posible encontrarla. No había en él ánimo de venganza, ni siquiera animadversión, solo la necesidad de mostrarle a su alma la oscuridad a la que había vencido, y a su voluntad, lo bajo que había caído un día.

La vía Canópica se conservaba tal y como la recordaba, bulliciosa y con la actividad comercial de antaño. A pesar de las estrecheces por las que atravesaba el país, los artículos de lujo continuaban siendo demandados, y por ese motivo las damas paseaban en aquella hora en compañía de sus esclavos, sorteando los pequeños corrillos en los que se hacían eco de las últimas tropelías cometidas por el Flautista. Los rumores se habían transformado en hechos apocalípticos, como era habitual, aunque en esa ocasión a los alejandrinos no les faltara razón.

El tebano anduvo arriba y abajo, pero no la encontró. Entonces se acercó a un mendigo que estaba tirado sobre la acera, a quien preguntó por ella. Este lo miró de forma extraña, pero al momento el egipcio le mostró un dracma y el indigente le enseñó los pocos dientes que le quedaban en lo que se suponía que era una sonrisa. El infeliz guardó la moneda dentro de su puño, como si le fuese la vida en ello, e hizo un gesto para indicarle al extraño dónde podría hallarla. Alcínoo le dio otro dracma y se encaminó hacia el lugar que le había señalado, justo en una esquina, un poco más adelante.

Al aproximarse, el tebano vio un bulto sobre el suelo, como de alguien encogido bajo una frazada. El banquero se detuvo junto a él y este se movió, como si se desperezara al sentir la presencia del desconocido. Entonces una mano apartó el velo con el que se cubría para mostrar su rostro, y Alcínoo creyó verse en presencia de un cadáver. Era Euterpe.

Durante unos instantes ambos se miraron sin decir palabra. La que en otro tiempo fuera musa de Alejandría y objeto de deseo de cualquier hombre que se cruzara en su camino ahora no era sino un cuerpo consumido, como el de una momia recién extraída de su baño de natrón, con la piel salpicada de pústulas de las que emanaba un hedor insoportable.

Consumida por la podredumbre, Euterpe lo miró como antaño, mas poco era ya el poder que podía ejercer sobre el egipcio. Ella lo reconoció al instante, aunque en nada se pareciera aquel hombre al que ella quiso esclavizar. Al final, Amosis había salido triunfante para alzarse ante ella envuelto en una luz cegadora que la musa a duras penas podía soportar. Euterpe había terminado por ser víctima de su propia oscuridad. Su alma tenebrosa había empujado todo lo demás hasta llegar a convertir su cuerpo, hermoso donde los hubiera, en morada de gusanos. Su maldad era el mejor alimento para ellos, y quizá fuera ese el motivo por el cual no se encontraba ya en el Amenti. A la postre, toda ella acabaría por convertirse en una ofrenda al mundo tenebroso del que había sido acólita durante toda su vida; y lo peor era que lo había decidido libremente. Los hombres, a quienes tanto había detestado y utilizado a su antojo, habían sido la causa de su final; el peor posible.

Alcínoo supo al momento que ella lo había reconocido. En su mirada leyó algo del orgullo de antaño, así como el inmenso sufrimiento que le procuraba su alma podrida. No vio atisbo de arrepentimiento en ella, ni de luz que pudiera alumbrar su corazón. Era una criatura de las tinieblas, y sin poder evitarlo el banquero se preguntó cómo había podido llegar a formar parte de estas, a entregar su voluntad, a sumergirse en el reino de Apofis, en el Inframundo. Sentía rechazo por aquel cuerpo que tenía frente a sí, y no por su inmundicia o su enfermedad. Era su esencia la que lo repelía, su *ka* elaborado en la perfidia, su negrura. La noche había caminado dondequiera que hubiera ido Euterpe, y el tebano había llegado a convertirse en uno de sus acompañantes.

No había enemigo en aquella mujer, ni ánimo de venganza en el corazón del egipcio. Tan solo un deseo de marcharse de allí, de cerrar de forma definitiva una puerta que había permanecido abierta, quizá debido a su mismo rencor. Mas este ya no existía, y sin decir una sola palabra Alcínoo se inclinó sobre Euterpe para dejar una moneda en el platillo. Era un tetradracma, símbolo de una época que pronto agonizaría, del que la musa hacía tiempo que se despedía como parte del sueño en que un día durmió Alejandría.

39

El barrio de Rakotis se había mantenido fiel a sus principios; los que defendían la palabra escrita, aquellos que no podían ser borrados. A la sombra de la segunda biblioteca, aquella a la que llamaban Hija, los libros continuaban gobernándose a sí mismos, como islotes a merced de un mar embravecido cuyas olas levantaran espuma de codicia para batir inmisericordes cualquier roca que se alzara erigida por el conocimiento, enemigo mortal de la ambición desmedida, de la tiranía.

El pensamiento formaba parte de aquellas calles. Era posible encontrarlo en cada esquina, en los pequeños bazares escondidos, entre los rollos de papiros olvidados o carcomidos por los ratones. En Rakotis todo el mundo opinaba, para bien o para mal, y aquel razonamiento libre era dueño de las callejuelas y por ende invitaba al corrillo espontáneo para aventurar entelequias.

Los copistas y anticuarios se mostraban orgullosos de mantener en pie sus negocios ante la furia que les demostraban los tiempos, adalides quizá de todo lo bueno que podía llegar a atesorar el hombre, y eso era todo cuanto necesitaban.

A ninguno de los dos extrañó lo que encontraron al entrar en la tienda. El protagonista era el de siempre, aunque lo hallaron bastante más viejo. En esta ocasión estaba acompañado por un joven, de quien al parecer se había convertido en mentor y que, según supieron después, hacía las veces de lazarillo y hasta se ocupaba de las manías del peculiar librero.

Abstraído de cuanto lo rodeaba, Teofrasto declamaba, enfervorecido, como lo haría la diosa a quien representaba, Atenea, en tanto su acólito participaba en la obra interpretando el papel de Poseidón.

—«¿Puedo hablar a un pariente de mi padre, depuesta nuestra antigua enemistad?» —preguntaba Teofrasto.

—«Habla, Atenea, que si los parientes se conciertan, pueden conciliar los ánimos discordes.»

Abdú abrió mucho los ojos, admirado, como siempre que escuchaba versos nacidos de la mano del hombre, mas Alcínoo le hizo una seña para que permaneciera callado, pues los dos actores estaban absortos en su representación, *Las troyanas*, una obra que Teofrasto conocía de memoria.

Durante un rato ambos amigos atendieron al diálogo, y cuando Atenea habló de su deseo de afligir a los aqueos, el librero simuló entrar en una especie de trance que le hizo elevar la voz.

—«Deseo que sea infortunada su vuelta.»

—«¿Que sufran desdichas mientras permanecen en tierra, o cuando entren en el salado mar?» —preguntó Poseidón.

—«Haz tú lo que puedas: que graves borrascas retiemblen en el mar, que envuelvan sus ondas saladas y se llene de cadáveres. Así respetarán los aqueos mis templos y venerarán a los demás dioses.»[22]

El yoruba no pudo guardar silencio por más tiempo y prorrumpió en vítores, entusiasmado.

Teofrasto se giró al momento con gesto endiablado, irritado por el hecho de que un desalmado hubiera interrumpido su oratoria, mas al ver a sus viejos amigos frente a él, sonriendo, su expresión se transformó al instante y, sin dilación, corrió a abrazarlos como si fuese un niño.

—¡Héroes inmortales! ¡Conquistadores de Troya! ¡Al fin Poseidón permitió vuestro regreso! ¡Cuánta alegría! —exclamó el viejo.

Los tres se fundieron en un abrazo ante la mirada atónita del joven, que no entendía lo que ocurría.

—¡Quién mejor que la mente preclara de Eurípides para recibiros con una de sus obras imperecederas! Pero decidme, ¿habéis atracado con bien vuestra nave?

—En el Gran Puerto se encuentra. Libre de los vientos y la cólera de Poseidón —bromeó Alcínoo.

—¡Oh! Esta vez la profecía volvió a cumplirse. Nunca sacerdotisa alguna fue peor tratada. Pero yo le rindo pleitesía.

Los recién llegados volvieron a mirarse, esta vez divertidos, ya que su viejo amigo no había perdido su antigua comicidad. Aquel hombre había nacido para histrión.

—No pongáis esa cara, que el gesto no tiene culpa alguna de ser cautivo de la ignorancia —se quejó el librero.

Alcínoo lanzó una carcajada.

—Sí, ríete cuanto quieras, pero has de saber que Casandra se me presentó en sueños para anunciarme vuestra llegada.

A Abdú no le importó lo más mínimo hacer una mueca de desconocimiento.

—Bueno, gran mago, es normal que tú no sepas a quién me refiero, ya que esa mujer se hallaba por debajo de tus poderes, pero acertó en sus profecías. Casandra, hija de Príamo y Hécuba, reyes de Troya, les advirtió de que no permitieran que el caballo de madera traspasara las murallas de la ciudad. Hace no mucho, la desdichada profetisa se me apareció mientras dormía para advertirme de que os encontrabais próximos; y he aquí el resultado. Dondequiera que se halle la pitonisa, su virginidad permanece incólume; en ella radica su don. No hay como una mujer virtuosa.

—Te mantienes tal y como te dejamos, buen Teofrasto; locuaz y atrevido como pocos. Demos gracias a Casandra por su profecía —dijo el tebano.

—Deseaba que me hallase preparado; quizá para así soportar el poder del gran yoruba, al que es necesario acostumbrarse —aseguró el librero. Acto seguido se dirigió a su acólito—. ¿No sientes el influjo? ¿El poder del rey de los magos?

El joven negó con la cabeza, ya que era muy tímido.

—Esta juventud de hoy parece carecer de la menor sensibilidad —se lamentó Teofrasto—. Bien me engañaste, truhan.

El aludido se puso colorado.

—Lo bauticé con el nombre de Teoclímeno —prosiguió el librero—, lo que no es poca consideración, pues el susodicho consiguió fama como poeta en Ítaca. Me hice cargo de él hace unos años, aunque no hay forma de enderezarlo.

Sus huéspedes volvieron a mirarse, ya que se hacían una idea de la tortura que debía de pasar el mozo al tener que soportar la palabra punzante de Teofrasto durante todo el día. Este se aproximó un poco más a sus amigos para hablarles en voz baja.

—Es un buen muchacho, aunque algo proclive a la lascivia, je, je.

Abdú meneó la cabeza. El viejo no había cambiado nada.

—Supongo que habrás mantenido en pie los valores que te enseñé, y extendido mi filosofía como corresponde, ¿verdad? —quiso saber el hombre de ébano para así zaherir un poco al librero.

Este puso cara de asombro.

—No ha habido día que no haya hecho proselitismo. Tus acólitos se cuentan por miles, hecho este que forma parte del mundo de los prodigios —exageró el hombrecillo.

El yoruba asintió y lo miró con severidad.

—Te he vigilado durante todo este tiempo. Los *orishas* me han informado de manera puntual, y estoy muy molesto por tu comportamiento.

—¿Los *orishas*? Dioniso me ampare.

—Estoy al tanto de tus andanzas, y sé que te has dedicado al exceso en todas sus formas.

—Un poco exagerado, diría yo —trató de justificarse el librero.

—Te entregaste a los brazos de la concupiscencia en cuanto me fui. Ya me imagino el tipo de fieles con los que te has relacionado. Solo has mantenido una buena amistad con el vino que has trasegado, que sé que te gusta mucho.

—No seré yo quien niegue semejantes términos —se defendió Teofrasto—. Además, ¿quién se encuentra libre por completo de la concupiscencia? Yo no conozco a nadie.

El joven asistía a la conversación anonadado, pues en verdad que era vergonzoso. Al ver su semblante, los amigos no pudieron aguantar más tiempo la risa.

—Tampoco es que desee convertirlo en sátiro, pero no hay quien le arranque una sonrisa —apuntó el librero sin dejar de reír.

El tebano levantó una mano en señal de paz y terminó por abogar por el muchacho, que parecía buen rapaz. Luego departieron largamente para contarse cuanto les había ocurrido en todos aquellos años. Al conocer su historia, Teofrasto se mostró impresionado.

—¡Digna de ser contada a los tiempos venideros! —exclamó con teatralidad—. Una epopeya propia de reyes, diría yo. Nunca había escuchado nada semejante.

Abdú asintió mientras sonreía al librero, ya que en esto último no le faltaba razón.

—Alcínoo... —susurró el viejo con tono evocador—. Resulta un nombre magnífico; digno de tu persona, del hombre en quien te has convertido. Si quieres que te sea sincero, me gusta más que el que tenías.

—Aquel lo arrojé al Egeo. El día que Pompeyo llegó para cambiar el mundo.

—¡Oh! Espléndida sentencia, gran Alcínoo. ¿Y dices que tienes tratos con el Flautista? —preguntó el viejo con malicia.

—Asuntos que tenía pendientes y era necesario solucionar.

—Harías bien en apartarte del déspota. Ya ves en qué estima tiene a sus amigos. Aseguran que no había cestos suficientes en Alejandría donde arrojar tanta cabeza.

—Ya conoces a los alejandrinos, buen amigo, y su afición a exagerar.

—Muchos aseguran que tenemos los días contados. Que las botas romanas pronto patrullarán nuestras calles. Que nos convertiremos en un pueblo conquistado —apuntó el librero.

—Más vale que estés preparado para ello. Ese día llegará —vaticinó el tebano.

—Cuando eso ocurra, espero encontrarme en el Tártaro con los Titanes vencidos. Esos romanos me resultan zafios e incultos sobremanera.

—Ellos vendrán —apostilló Alcínoo con un tono que no dejaba lugar a la duda—. Pero ahora hablemos de cuestiones que enaltezcan el espíritu, buen amigo. He de confiarte que Odiseo me enseñó su mundo.

40

Durante varios días, los tres amigos disfrutaron de aquel barrio y también de sus conversaciones. Visitaron la Biblioteca Hija y se prometieron que, allá donde los enviara la vida, siempre mantendrían viva la llama de su amistad y un lugar en el corazón del que fuese imposible borrar su recuerdo. Al saber que sus amigos habían llegado a bautizar un barco con su nombre, Teofrasto no pudo reprimir las lágrimas, emocionado.

—Ya puedo morirme en paz —decía entre hipos—. ¿Y es muy grande el navío?

—Puede cargar trescientas toneladas —indicó el tebano entre risas—. Todo el Egeo lo conoce.

—No hay como pasar a la posteridad.

Cuando llegó el momento de la despedida, ninguno de ellos pudo reprimir la emoción. Tarde o temprano debemos partir, y nunca estamos preparados del todo para ello. Aquel era un adiós definitivo, y Abdú así se lo hizo ver al librero, con su habitual naturalidad.

Antes de separarse, Alcínoo abrumó a su amigo al dejarle la cantidad de cincuenta talentos para que su vejez se viera libre de penurias, al tiempo que le aseguraba que en el futuro ya solo bebería vino de Quíos, el mejor posible.

Luego hizo un aparte con el joven Teoclímeno para pedirle que cuidase lo mejor posible de su mentor, bajo la promesa de que, si así lo hacía, recibiría treinta talentos; una cantidad con la que no se vería obligado a trabajar durante el resto de su vida.

Teofrasto se resistió a soltarse del abrazo de sus amigos, y cuando al fin lo hizo los vio alejarse calle abajo, seguro de que le había merecido la pena vivir solo por conseguir su amistad. Ambos eran dignos de ser cantados por el más grande de los poetas; debía escribir sobre ello.

Alejandría acabó por convertirse en un lugar en el que Alcínoo enterraba sus recuerdos. Esto era cuanto quedaba de la ciudad que un día fascinara al joven egipcio; hombres con los que se había cruzado con dispar fortuna y con el convencimiento de que el tiempo lo cambiaba todo.

Eleazar había muerto hacía años, y también su primo Leví, a quien nunca guardaría rencor. Él lo había conducido hasta la puerta que lo había llevado a convertirse en lo que era, y eso era cuanto importaba. No quedaba nada que lo retuviera en la capital. Tebas lo aguardaba al final de su camino, quizá porque fuese el lugar en el que lo habían parido y por ello le debía el respeto que merecía, o simplemente porque su corazón aún tenía heridas que era necesario restañar.

De este modo, en compañía de Abdú, dejó sus negocios bien dispuestos y una mañana abandonó Alejandría para remontar el Nilo rumbo a la ciudad santa de Amón, la que yacía olvidada por la impiedad de los hombres.

41

Egipto volvió a mostrarse ante los ojos de sus hijos con su mejor atuendo, tan misterioso que resultaba imposible encontrar otra tierra que pudiera vestir uno semejante.

Cada ciudad, cada villorrio, cada recodo se asomaba al río para mirarse en sus aguas, para dejarse acariciar por su rumor, para aspirar la fragancia que solo proporcionaban los milenios. Los desiertos, los palmerales, los trigales, los campos, todos formaban parte de la misma realidad; un inmenso rompecabezas surgido de un sueño del que Kemet había tardado más de tres mil años en despertar.

Sin embargo, la Tierra Negra lucía espléndida, abotargada por la magia que escondía en cada rincón, en cada brizna de aire. Aquí y allá, el río creaba sus propios poemas que conducían a la armonía, al *maat* que todo lo ordenaba.

En los pequeños remansos formados en las orillas, los niños jugaban, bulliciosos, en tanto el ganado abrevaba al cuidado de sus dueños. La estampa apenas había cambiado, y al observarla, cualquiera hubiese podido reconocer la misma vida diaria de hacía milenios. Las garzas, las jinetas, los hipopótamos, los cocodrilos, la temible cobra..., todos seguían allí, como si el tiempo no tuviese importancia para el Nilo, para su señor el dios Hapy, que se encargaba de favorecer a sus criaturas, de hacer posible la vida en todas sus formas.

Alcínoo se embriagaba con todo aquello, pues comprendía su significado, el de los reflejos de los antiguos templos sobre la superficie del río, el valor de cuanto atesoraban sus piedras, a veces medio ocultas entre los palmerales. En ocasiones, el viento del norte desaparecía entre los meandros para dejar la embarcación suspendida por los hilos de la quietud. Entonces el tebano creía formar parte del prodigio de cuanto lo rodeaba; una parte sustancial de la Tierra Negra tal y como había sido creada. Su viejo nombre aparecía de nuevo, escrito en el espejo de las aguas, el único que reconocía Kemet: Amosis. Luego, el aliento de Amón volvía a soplar desde el septentrión para impulsar el barco hacia el sur, rumbo a la vieja Tebas.

En su periplo, el egipcio creyó reconocer cada accidente que su tierra le mostraba, como si en verdad no hubiesen pasado veinte años. Todo se hallaba tal y como lo recordaba, aunque Egipto se hubiera convertido en guarida de hienas. La pitanza había comenzado, y los carroñeros no estaban dispuestos a dejar ni una pizca de carne de su presa. Si acaso sus huesos se blanquearían al sol, como un último vestigio que dejar a los tiempos venideros.

Rabirio ejercía ya su poder como diocéta sobre la tierra de Egipto, y a fe que estaba decidido a llevar a cabo cuanto se había propuesto. El banquero romano ya se había encargado de sustituir a todos los cargos capaces de la administración por funcionarios ignorantes. Era necesario saquear el país en el menor tiempo posible, y para ello había que vaciar las arcas del Estado y vender todo cuanto este hubiese acaparado durante los últimos años. Desde la autoridad que le confería su cargo, Póstumo había hecho fluir el dinero hacia sus propios intereses y los del resto de acreedores a quienes representaba. Había que exprimir aquella economía hasta donde fuese posible, y Rabirio había ordenado a su flota mercante recalar en el puerto de Alejandría para exportar todo el lino, vidrio y papiro, antaño monopolizados por el Estado, en beneficio propio. Pronto el pueblo empezaría a sufrir las consecuencias de tales desmanes y los impuestos subirían sin cesar hasta el extremo de provocar el éxodo rural ante lo abusivo de las cargas.

Desde la cubierta, Alcínoo pensaba en ello, en todos aquellos sufrimientos que se avecinaban, pues lo peor estaba aún por llegar. Nadie podría hacer nada ante lo que le esperaba a Egipto, y el tebano no tenía dudas de que, al final, las revueltas se producirían de forma indefectible ante el colapso económico que se preparaba.

Al pasar por Koptos, el tebano sintió una indudable nostalgia. La ciudad continuaba siendo un emporio para el comercio, y las caravanas todavía se detenían en ella como ocurriera antaño. Eran tantos los recuerdos que apenas los podía ordenar como correspondía, aunque entre ellos señoreara el del viejo Filitas, a quien Anubis se había llevado ya hacía muchos años.

Luego, los campos parecieron mecerse en el silencio, de tal forma que el camino hasta Tebas, la antigua Waset, se convirtió en un paseo hacia el mundo del olvido, como si se tratara de una tierra sin dueño. Los acontecimientos acaecidos hacía más de treinta años habían sumido la región en el infortunio, y toda la Tebaida lloraba su ruina con voz apagada, pues lo que un día formara parte de los rebaños de Amón eran ahora terrenos sembrados por la ignominia.

Abdú observaba el paisaje en silencio, ya que entendía los porqués, así como el triste futuro que aguardaba a los sacerdotes de Karnak y a sus antiguos dominios. Todo era como el polvo arrastrado por el viento; se dispersaría hasta que se perdiese su rastro.

Lo mismo ocurriría con el paso de los pueblos; unos tomarían el relevo de los otros, y así hasta el final de los días.

Sin embargo, cuando atracaron en el puerto, los amigos no pudieron dejar de emocionarse. Habían salido de él una noche de tormenta, veinte años atrás, convertidos en proscritos perseguidos por los oligarcas, para regresar como hijos de Tiqué, la diosa de la fortuna, con el poder para hacer justicia a su antojo.

Alcínoo miró en rededor al poner sus pies en el muelle. Tebas parecía una ciudad sin vida, acaso una villa carente de importancia, pero en ella crecían los más grandes monumentos concebidos por el hombre, los que aún descansaban a la vista de los lejanos cerros del oeste, el reino de aquella que amaba el silencio, Meretseger.[23]

Además de su inseparable yoruba, al tebano lo acompañaba toda una corte de funcionarios, elegidos entre los más ineptos, que llegaban a la capital de la Tebaida para reemplazar a la mayor parte de los cargos de la administración del nomo. Desde el epistratega hasta el último de los escribas de las aldeas, los *komogrammateus*. Toda una legión de voraces agentes al servicio de Rabirio que arribaban con la misión de vaciar la región de cuanto tuviese valor. Los empleados públicos exhibían su porte altanero, y en sus miradas se leía el deseo de hacerse cargo de sus nuevos puestos para mostrar su autoridad.

Gobernarían Tebas con mano de hierro, y limpiarían la administración local de los viejos burócratas al servicio de los jerarcas de siempre.

Alcínoo se sentía particularmente satisfecho de esto último. Él mejor que nadie conocía la red de influencias que se ocultaba bajo el gobierno del nomo, y en breve pensaba desarticular hasta el último de sus intereses.

Sekenenre corrió a abrazar a su hermano en cuanto este desembarcó. Había adquirido una pequeña casa junto al río, muy cerca de donde antaño viviera el buen Kamose. Al sentirse de nuevo en su tierra, la imagen del viejo mercader cobró vida, y Alcínoo rememoró los días en los que recorrió junto a su tío todos los caminos posibles que ofrecía la Tebaida. Los viejos aromas se presentaron de manera espontánea para invitarlo a embriagarse con ellos, para hacer que se abandonara a todo cuanto representaban. La ciudad santa de Amón seguía conservando su sello milenario, a pesar del desamparo. El Antiguo Egipto permanecía vivo en ella, en cada una de las ciclópeas piedras que festoneaban sus rincones, en la luz que se desparramaba entre los palmerales para alumbrar los campos de trigo y arrancar de la superficie del río el brillo de mil centellas. La Tierra Negra seguía respirando en aquel paraje, y los lugareños no habían dejado de elevar sus preces a los dioses locales ni de visitar sus santuarios. Los antiguos templos continuaban atesorando el saber místico de los milenios, y en la quietud de sus claustros sabios profetas se hacían cargo de los viejos papiros, entre el mimo y la reverencia. Ahora más que nunca, estos representaban un inmenso tesoro. Era cuanto quedaba del pensamiento escrito, de las liturgias secretas transcritas desde los tiempos remotos. Una forma de concebir el cosmos que se hallaba moribunda, devorada por los nuevos conceptos que se harían llamar cultos y sobre los que caminaría el hombre.

La oscuridad caería sobre la tierra de los faraones, y Alcínoo era consciente de ello mientras observaba, meditabundo, el atardecer frente al río junto al buen Abdú. Este sabía lo que pensaba su amigo, pues la senda hacia la que discurría la historia resultaba tan clara que ya no había ninguna puerta que se interpusiese. Solo quedaba resignarse y disfrutar de todo aquello que resultaba grato al alma; una magia que el yoruba sabía que no desaparecería jamás.

Cada uno de los hechos ocurridos hacía veinte años volvió a presentarse con nitidez, de forma inevitable. Estos habían marcado el devenir de los días en la vida de ambos amigos y por ese motivo se encontraban de nuevo allí, pues no en vano el círculo debía cerrarse.

Veinte años eran demasiados, y la mayoría de los actores del drama al que hubieron de asistir habían muerto. No había ánimo de venganza en el corazón del tebano cuando aquella mañana se presentó en la oficina del gobernador, aunque sí una necesidad de hacer justicia por los atropellos que se cometieron. Los asesinos de Kamose ya habían rendido cuentas ante Osiris; sin embargo, el banquero se sentía en la obligación de borrar de la faz de aquella tierra santa las prácticas soterradas que las viejas familias y los invasores griegos habían llevado a cabo durante tantos años.

Cuando vio aparecer a Alcínoo con toda aquella corte de burócratas hambrientos, el epistratega apenas pudo articular palabra. Boqueó de una forma cómica, y alguno de los presentes hubo de hacer esfuerzos para no lanzar una carcajada.

Alcínoo le habló de tal forma que el gobernador sintió vergüenza de utilizar la koiné y se encogió cuanto pudo. De manera inmediata quedaron cesados todos los cargos de su administración, muchos de los cuales deberían responder ante la justicia por malas prácticas y delitos contra el Estado. Al escuchar los crímenes que se les imputaban, el epistratega se echó ambas manos a la cabeza, fingiendo escandalizarse.

—Todo cuanto me dices es nuevo para mí, gran Alcínoo. Nunca tuve noticia de semejantes irregularidades.

—Ya me lo supongo —contestó el tebano con indiferencia—. Por ese motivo tenéis reservados dos trirremes en el Gran Puerto de Alejandría. El Horus viviente, Iuaenpanetyernehem Setptah Irmaat, fuerza, salud y prosperidad le sean dadas, será clemente con vuestras vidas, pero necesita remeros para sus naves y había pensado en vosotros. Trescientos cincuenta hombres le bastarán, justo los que conforman esta administración de Tebas. Aquí están sus nombres. Todos deberán presentarse de inmediato para responder ante el rey. De no ser así, sus haciendas serán confiscadas y sus familiares vendidos como esclavos. Esta es la palabra del faraón. Cumplidla.

De esta forma se llevaron detenidos tanto al epistratega como a cuantos escribas se hallaban en el edificio. Al punto se originó un gran revuelo y muchos abandonaron las oficinas a la carrera, sin importarles lo más mínimo lo que pudiese ocurrirles a sus familiares. Los nuevos funcionarios pronto hicieron escarnio del asunto, ya que los condenados huían por los campos como si los persiguiese la mismísima serpiente Apofis, sin saber muy bien hacia dónde dirigirse.

Los flamantes cargos disfrutaron de aquello sobremanera. Las noticias habían corrido tan deprisa que al llegar a las oficinas de hacienda de los pueblos estas estaban ya vacías, y los epístatos y ecónomos locales corrieron a esconderse de la ira del faraón. ¡Les esperaban nada menos que las galeras! Demasiado castigo para sus delicadas manos. Muchos perecieron en la huida, devorados por las alimañas o ahogados en el río, aunque también los hubo que prefirieron evitarles a los suyos la esclavitud y se sacrificaron por ellos.

El nuevo gobernador estaba encantado. Tenía órdenes directas de Rabirio de apresar a cuantos le permitiese la ley, mejor si eran mujeres y niños; y todos aquellos burócratas corruptos que habían huido como cobardes les daban la posibilidad de llevar a cabo los deseos de Póstumo sin ninguna dificultad. Resultaba todo un espectáculo ver a las encopetadas damas de provincia abandonar sus villas, detenidas sin contemplaciones, incrédulas ante el hecho de que sobre ellas pudiese recaer tamaño escarnio.

Abdú se las imaginó a la hora de ser vendidas, y no pudo evitar esbozar una sonrisa. Al parecer, los *orishas* les tenían preparados unos caminos pedregosos en extremo, desventurados para sus delicados pies.

De este modo, un buen número de propiedades pasaron a manos del Estado al tiempo que el dinero defraudado volvía a las arcas de la nueva hacienda, que además aprovechó para subir los impuestos; así se irían acostumbrando los infortunados paisanos a lo que les aguardaba. La miseria humana tendría su justo castigo, y eso era al menos lo que opinaba Alcínoo ante el despreciable comportamiento que había mostrado una parte de su pueblo en el pasado.

Su rencor quedó satisfecho cuando vio llevarse preso al antiguo *myriarouroi*, el hombre de las diez mil *aruras*, con quien hizo los primeros tratos con el excedente de grano. Aún recordaba su nombre, Zenón, y al pasar junto a él este no pareció reconocerlo; demasiado viejo para bogar, se dijo Alcínoo, convencido de que ni siquiera llegaría a Alejandría. Su cuerpo acabaría en el Nilo, lo cual no era mala noticia para Sobek, el dios cocodrilo. El tebano siempre había tenido un gran respeto por estos reptiles, y en su opinión no eran peores que todo aquel hatajo de canallas.

Así, la penuria llegó también a los prebostes, y los que se libraron de las acusaciones se dispusieron a soportar los abusos de la nueva administración. Alcínoo hizo aplicar la nueva ley con mano firme, hasta ver satisfechas sus cuentas. Para ello, el banquero viajó al oasis de Kharga. La codicia de Póstumo abarcaba también los desiertos, así como cualquier oasis en el que se realizara la más mínima transacción. Acompañado por su hermano y el yoruba, Alcínoo volvió a atravesar los farallones del oeste, los pedregosos valles que guardaban el silencio que desprende la tierra yerma. Los infecundos desfiladeros se alzaban majestuosos, igual que antaño, envueltos en una belleza baldía. La cobra y el escorpión seguían gobernando aquel paraje, y al discurrir por las angostas vaguadas el tebano tuvo la impresión de que las quebradas los acechaban para devorarlos a todos, como le ocurriese hacía más de treinta años. Esta vez lo escoltaba un grupo de soldados, y sin poder evitarlo el tebano revivió su encuentro con los bandidos de Netjeruy, así como la impresión que le causó encontrar a su hermano entre ellos. Este cabalgaba ahora con espíritu sereno y la mirada perdida entre las cañadas, cual si buscara las antiguas sendas por las que anduviese en el pasado. Aquel lugar olvidado de los dioses había sido su mundo, y en él había sepultado gran parte de sus ideales, de sus esperanzas no satisfechas; el comienzo de una carrera que habría de conducirlo hasta el infortunio. Ahora que atravesaba las gargantas del olvido, Sekenenre tuvo el convencimiento de que aquellas sendas plagadas de peligros apenas representaban nada para él. Hacía mucho tiempo que Kemet había tomado un camino sin retorno, pero al menos los dioses en los que tanto creía el viejo guerrero le daban la oportunidad de acabar sus días en la tierra que lo viera nacer, por la que una vez derramara su sangre y a la que amaba sobre todas las cosas.

Al pasar junto a la ladera que conducía hasta la cueva, ambos hermanos se miraron y detuvieron sus cabalgaduras durante unos instantes. Una parte de ellos mismos permanecía en el interior de aquella gruta, aislada de cuanto resultara bueno para el hombre. El paraje continuaba tal y como lo recordaban, solitario y cargado de malos presagios. Ninguno de los dos hizo amago de querer ascender la vereda que conducía hasta la caverna; ya nada tenían que ver con ella. Allí yacían los restos de una mala vida, un antro en el que no había lugar para sus corazones.

Al llegar al oasis de Kharga, la ciudad los recibió con gesto temeroso. Las noticias en Egipto circulaban con el viento, y todos los funcionarios que habían cometido irregularidades hacía días que habían huido con alguna de las caravanas que se detenían en el oasis. Del viejo Juba y el codicioso Nitócrates ya no quedaba ni el recuerdo. Anubis se los había llevado hacía mucho tiempo, y Alcínoo rememoró cómo en compañía de su tío habían dejado depositados en el banco de Amón casi seis mil dracmas a nombre de Zenódoto. El tebano se sonrió, pues aquella cantidad no era nada comparada con cuanto poseía; sin embargo, le resultaba valiosa. Ese dinero representaba el esfuerzo y el sufrimiento por los que Kamose y él mismo tuvieron que pasar, los engaños que tuvieron lugar, la astucia de comerciante que demostrara su viejo tío; el mejor mercader que Alcínoo había visto en su vida.

Cuando entró en las criptas del templo, el egipcio hizo esfuerzos por contener la emoción. Hacía casi treinta años que habían depositado los valores en una bolsa sellada, y al recuperarla Alcínoo estuvo a punto de derramar alguna lágrima, mas con manos temblorosas se la entregó a su hermano. Este fue reconocido ante seis testigos como Zenódoto, y el escriba se apresuró a dar buena fe de ello, pues no estaban los tiempos como para importunar a aquel hombre enviado por el mismísimo dioceta. De este modo fue como se cerró otra puerta más, abierta durante toda una vida, a la espera de que los dioses dieran su consentimiento.

Ahora todo estaba dispuesto.

42

El tebano se presentó en el templo como correspondía a un digno hijo del Oculto, tonsurado de pies a cabeza y con el corazón limpio de resentimiento. Un sacerdote *web*, un purificado, lo atendió solícito, pues sabía de quién se trataba. Sin embargo, al verlo de aquella guisa, como si fuera un hermano más, sintió extrañeza, y más aún cuando lo escuchó hablar en estos términos:

—Mi nombre es Amosis, hermano, y fui educado en la sabiduría de este santuario. El *maat* me mostró el camino que debía seguir, aunque luego lo olvidase en demasiadas ocasiones.

—A veces es difícil de seguir, pues resulta contrario a nuestras inclinaciones.

—Conozco adónde pueden llegar a conducirnos, hermano. Es por eso por lo que hoy regreso a Karnak para recibir la bendición del padre Amón, para honrar su nombre, para que ilumine mi corazón a fin de tomar la senda que me ataña.

El sacerdote asintió, y juntos caminaron a través del bosque de ciclópeas columnas que conformaban la sala hipóstila que hacía más de mil años fuera erigida por Seti I y su hijo Ramsés II. Al punto se les unió un anciano; era el primer profeta, que acudía a dar las gracias al tebano por la generosidad que había decidido demostrar para con su clero. Amosis les había hecho una donación de cien talentos, con la cual podrían mantener los cultos como correspondía en aquellos tiempos de extrema penuria.

—Todo se encuentra preparado. El Oculto apartará de ti todo vestigio de impureza, y tu corazón podrá ver con claridad lo que le conviene a tu *ba*. Ayunarás durante tres días en la soledad de nuestros claustros, y en lo más profundo del templo Amón te bendecirá y te hará saber cuál es el lugar que te corresponde. Libre de las influencias mundanas, tu *ka* te dirá quién eres en realidad.

Amosis quedó impresionado ante las palabras del sumo sacerdote, que lo miraba con sonrisa beatífica.

—A pesar de que los milenios hagan que se olvide su nombre, el Oculto siempre permanecerá entre estas piedras, aunque se encuentren dispersas. Este siempre será su reino, y su espíritu velará por aquellos limpios de corazón que acudan a visitar su santuario. Solo los elegidos lo reconocerán.

Así fue como Amosis permaneció recluido en Karnak para empaparse de todo el misticismo depositado a través de los siglos. Allí las piedras hablaban a todo aquel que quisiera escucharlas, con la quietud que les otorgaba lo poco que significaba el tiempo para ellas. Hombres sabios habían paseado su conocimiento por aquellos pasillos hasta edificar un templo que iba mucho más allá de lo que mostraban sus grandiosos muros. El misterio lo abarcaba todo, y ese era en realidad el material con el que se había construido el santuario. Ritos místéricos que escapaban al entendimiento de la mayor parte de los mortales, y que se perderían para siempre ante el empuje de los tiempos futuros; no habría lugar para las máximas reveladas por los antiguos dioses, todo quedaría en silencio.

Cuando Amosis abandonó Karnak, lo hizo con la sensación de haberse liberado de las piedras que había tenido que cargar sobre sus hombros durante toda su vida. Ahora caminaba liviano, y su corazón sonreía de forma abierta a todo aquel que quisiera mirarlo. El Oculto había perdonado sus faltas y desterrado la ambición que Mesjenet le había otorgado al elaborar su *ka*. Este era libre por completo, así como su voluntad, dispuesta a hacer frente a la parte final de su camino.

En él se hallaba Abdú. Amosis sabía que ese momento estaba predestinado, quizá desde el día en que se conocieran. Su vida junto al yoruba había sido tan aleccionadora que ahora comprendía el porqué de aquel encuentro. Abdú se marchaba en pos de su propia senda, de las puertas que él también debía atravesar. Era una despedida tan dolorosa como esperada, ya que el tebano entendía el significado de lo que había representado la presencia de Abdú en su vida. Este había llegado para darle luz cuando el tebano solo veía oscuridad, para dirigir sus pasos hacia donde debía, para ayudarle a recomponer su alma, para ser partícipe de su fortuna.

Era hora de regresar al lugar del que procedía, aunque el camino quedara salpicado de lágrimas y recuerdos imborrables. El cariño que se profesaban ambos no moriría nunca, y desde su lejana aldea Abdú estaría seguro de que en aquel momento su amigo pensaría en él, que su imagen nunca lo abandonaría; daba igual dónde se encontrara el buen tebano. Este se abrazó al yoruba, y durante unos instantes los dos lloraron como niños, con el corazón quebrado por los sentimientos y las palabras perdidas. Cuando al fin se separaron, Abdú le sonrió como solo él sabía hacer.

—Así pues, te has convertido en epístato del Horus viviente Iuaenpanetyernehem Setptah Irmaat. Buen nombre eligió Ptolomeo para entronizarse —señaló el yoruba, divertido.

—No lo había más complicado: «Heredero del dios que salva, elegido de Ptah, bajo la forma de la verdad.» Ese es su significado. Demasiado rimbombante para un rey tan lamentable.

Ambos rieron con ganas.

—Que los *orishas* te guíen hasta tu hogar, amigo mío —dijo Amosis, emocionado.

—Ellos ya decidieron dónde se encuentra el tuyo —respondió Abdú al tiempo que le palmeaba la espalda.

Luego el yoruba agarró su petate, lo poco que según él necesitaba, y se encaminó hacia el muelle para embarcar rumbo a Asuán. Desde allí tomaría una de las caravanas que se dirigían al oeste para iniciar el largo viaje que lo llevaría a su tierra. Justo al zarpar, el hombre de ébano miró hacia el tebano para agitar su brazo a modo de despedida. Entonces Amosis le correspondió, sin poder contener las lágrimas.

43

Aquella tarde Ra-Atum iluminaba Tebas de un modo especial, pues sus rayos se desparramaban por entre las villas y las callejas, entre los jardines y palmerales, sobre la superficie del río, para pintar aquel mundo con el color de la inmortalidad. Amosis era consciente de lo que representaba aquel cuadro que solo podía ser admirado allí, en la ciudad santa de Amón. Durante un rato estuvo paseando por la orilla del Nilo, hasta perderse en el ensueño. Eran tantos los recuerdos, y tales los sentimientos que se escondían bajo el tamiz de los años, que al rememorarlos el tebano sintió cómo la nostalgia se asomaba a su corazón para impulsarlo a continuar su paseo hasta la villa situada cerca del río. Aquella casa pertenecía a Posidonio, el ecónomo del cuarto nomo del Alto Egipto, Waset, hasta hacía apenas un mes, cuando Amosis se presentó con la nueva corte de funcionarios. Posidonio fue uno de los que decidieron desaparecer una noche para huir de las galeras que los aguardaban. Claro que su propósito lo condujo a un lugar poco recomendable cuya visita habría sido mejor retrasar. Su cuerpo apareció a la mañana siguiente en la margen occidental del río, o más bien lo poco que quedaba de él. La mayor parte había sido devorada por los cocodrilos, y los restos habían ido a parar a la orilla más conveniente dadas las circunstancias, ya que se hallaba cerca de la necrópolis.

Sin embargo, Amosis dio las órdenes pertinentes para que la hacienda del ecónomo no fuese embargada, y mucho menos que su familia quedase esclavizada. A esta no le faltaría para vivir como le correspondía, por más que su fortuna se hubiese fraguado en el engaño.

Al llegar junto a la casa, el tebano se apostó tras uno de los árboles que se hallaban cercanos al Nilo. Desde su posición, el egipcio podía observar sin ser visto el pequeño sendero que serpenteaba por entre el palmeral. Sin poder evitarlo, aspiró la fragancia de la alheña, que tanto le gustaba, mientras entrecerraba los ojos. Pronto pasaría ella, y aquel hecho hizo que, sin querer, su pulso se acelerara y se le humedecieran las palmas de las manos. Hacía veinte años que no la veía, y no obstante su imagen había permanecido fiel en algún lugar de su corazón a través del tiempo. Muchas noches su rostro se le había aparecido en la vigilia para sonreírle como solía, con un rictus de melancolía por cuanto había ocurrido.

El banquero suspiró, y al momento escuchó pisadas y voces apagadas que se aproximaban. La que un día fuese su amada se acercaba en compañía de una esclava, con la que conversaba en tono monótono. Al parecer todos los suyos habían muerto, y solo le quedaban recuerdos de su amargura y los dos hijos habidos con quien fuese su marido.

Amosis sintió cómo su corazón se aprestaba al galope, y durante unos instantes repasó las palabras que tantas veces se había prometido decirle cuando volviese a verla. Se las sabía de memoria. Sin embargo...

Algo dentro de él lo retuvo junto a la palmera, clavado en el suelo como si fuese una estatua. Aquella mujer que se acercaba poco tenía que ver con la Mut que amara en su juventud. Su rostro aparecía ajado, surcado por la vejez prematura, atravesado por las inclemencias de la vida que Shai había reservado para ella; la que en el último instante Mut había elegido desde sus insalvables miedos. Abdú habría dicho que aquella puerta la había conducido al lugar que le correspondía, pero el tebano pensó que no podía existir una senda dibujada con tanta amargura. Esa era la luz que desprendían los ojos que una vez fuesen de gacela, ahora rebosantes de tristeza. Cuando los rayos del atardecer se reflejaron en ellos, estos continuaron sombríos, carentes de toda ilusión, alejados de la vida. Mut poseía la mirada de un moribundo, quizá porque su existencia había terminado aquella noche en la que Amosis aguardaba para llevársela consigo. Resultaba cruel, sin duda, pero así era en ocasiones la vida, incapaz de conceder una segunda oportunidad por más que se tratase del alma más pura.

Mut había muerto hacía mucho, y al verla pasar, encorvada, el tebano pensó en lo diferentes que podían llegar a hacer a las personas los senderos cuando estos se separaban. Ella nada tenía ya que ver con la dama que arrastraba sus pies por la vereda, como así le ocurría a él mismo cuando recordaba sus años de juventud. Entonces comprendió cómo los recuerdos son capaces de distorsionar la realidad que nos rodea, hasta impedir que podamos llegar a captarla en su justa medida. Alejados de ella, la existencia se torna quebradiza, pues resulta erróneo hacer de la ilusión un fin. Nadie permanece siempre en el mismo sitio, y menos los corazones atribulados.

De ese modo la vio alejarse, esta vez para siempre, como también lo hacía su antiguo nombre, Amosis. Esta vez sería enterrado donde le correspondía, junto al Nilo, en la tierra de los faraones.

44

La brisa agitaba su cabello hasta hacerlo ondear, como correspondía a una tarde de verano. Desde el promontorio, Circe observaba el mar, extasiada, para recrearse en sus colores, en sus misteriosas ondas, en busca de cualquier mensaje que quisiera traerle. De vez en cuando oteaba el horizonte, con esperanza, con la convicción de que un día le depararía buenas nuevas; pero enseguida volvía a abstraerse en su rutinaria vista, la de los barcos que a diario surcaban el Egeo para arribar al puerto de Kos.

Dos años llevaba Circe yendo cada tarde a aquel promontorio con el anhelo prendido en su corazón. Apenas le quedaban ya lágrimas que derramar por el arrepentimiento, ni preces que elevar a Atenea, a quien imploraba cada día. Muchas mañanas paseaba por el puerto con la confianza de que escucharía a algún marino hablar del *Odiseo*, aunque solo fuese para saber dónde se encontraba el príncipe de los mares. Pero a este parecía habérselo tragado Poseidón, quizá envidioso de su fama, pues bien sabido era lo celosos que podían llegar a ser los dioses. Luego, desde su atalaya, la maga continuaba estudiando cada mancha del Egeo, hasta que la tarde la invitaba a regresar a su casa, donde vivía con Telégono, quien en ocasiones se convertía en su lazarillo.

Así ocurría cada día, hasta que la llegada del invierno obligaba a cerrar los puertos y el tráfico marítimo se interrumpía hasta la primavera. Durante la estación invernal Circe se dedicaba a su hacienda, a educar a su hijo, a quien amaba con locura, y al llegar la noche, tendida en su lecho, la hermosa hechicera dejaba perder sus pensamientos por el cuerpo de su amado en tanto el frío viento ululaba para emitir lúgubres melodías. Alcínoo se hallaba entonces junto a ella para darle calor, para acariciarla por completo, para entregarse como solo él sabía, sin medida, con la pasión propia de un héroe de otro tiempo. Mientras la lluvia repiqueteaba en la piedra, Circe imaginaba todo eso, y también lo feliz que haría al único hombre al que podría amar en su vida. Su cólera incontrolada no le había permitido ver cuál era en realidad el camino que le convenía; el único del que no debía apartarse jamás si quería hacer sentir a Alcínoo lo que en realidad ella deseaba. Por eso rezaba a su idolatrada Atenea, con el convencimiento de que algún día se apiadaría de ella y emplearía su poder para que el *Odiseo* encontrara el camino que lo llevase hasta Kos, donde Circe lo aguardaba como lo haría Penélope.

Pero los inviernos se repitieron, y también las primaveras, y el desánimo empezó a hacer mella en aquel corazón desconsolado contra el que Circe se rebelaba. Su fe la hacía acudir de nuevo al mirador cada día, convencida de que por fin sus ruegos serían escuchados, de que su castigo terminaría como por ensalmo entre las olas del mar, las mismas que le traerían la felicidad.

Circe suspiró. Aquella era otra tarde cualquiera de verano, algo ventosa, con un sol que convertía al Egeo en una suerte de apoteosis. Su color rivalizaba con el de los ojos de la joven, intenso y a la vez envuelto en la ilusión.

Llevaba dos horas observándolo, ensimismada, cuando de forma casual miró hacia el oeste, donde el mar parecía teñido de fuego. Los rayos del sol reverberaban de tal forma en su superficie que las aguas se convertían en un crisol de centellas, en una inmensa pátina dorada que alcanzaba el horizonte. Sin saber por qué, Circe lo observó con atención durante un rato. Había algo en aquel inmenso espejo ilusorio que la condujo a fijar su vista con mayor detenimiento. Parecía una mancha oscura que se deslizaba por las aguas bruñidas que se abrían a su paso. La joven puso una mano sobre su frente, a modo de parasol. No había duda: una nave surcaba el mar de oro rumbo a Kos, más oscura que las que acostumbraba a ver a diario. Sin poder contenerse, Circe se enderezó en tanto se humedecía los labios, llevada por el anhelo. Ahora se distinguía con más claridad. Era un navío magnífico, cuyo velamen parecía cambiar de color por efecto del sol. De aquel surgían pequeños destellos dorados que al punto desaparecían debido sin duda al cabeceo del barco. Sin poder evitarlo, la bella hechicera sintió cómo su corazón se aceleraba, y corrió hasta otro promontorio desde el que podría divisar mejor la embarcación. Una nube deshizo la magia de las aguas para mostrar durante un momento al buque que se aproximaba. Era una vela púrpura, y entonces Circe creyó desfallecer.

La maga colocó una mano sobre su pecho, pues creyó que el corazón saltaría incontenible a lomos de emociones devastadoras. No había duda, era el *Odiseo*, y al punto Circe salió corriendo como lo haría cualquier campeón olímpico de los tiempos antiguos. No habría nadie, ni humano ni divino, capaz de detenerla. Embargada por un sentimiento para el que no existía definición, la joven descendió pendiente abajo por los cerros para dirigirse hacia el puerto, con los ojos velados y el estómago retorcido como el tronco de una encina.

45

Al embocar la entrada de la bahía, Alcínoo miró hacia los muelles con curiosidad. Durante su periplo, el tebano había tenido tiempo para pensar en quién era en realidad y en el porqué de cuanto le había ocurrido. A la postre, su vida había sido una aventura extraordinaria, digna de ser cantada, y aquel mar teñido de índigo por el que navegaba representaba el marco idóneo en el que dejar plasmado lo impensable, lo que nunca imaginara que podría acontecerle. Así, el sueño y la realidad habían terminado por abrazarse, pues no podía ser de otra forma al surcar el mar de Odiseo. Su héroe siempre le había acompañado, y en cierta forma la historia del astuto griego se había convertido en la suya propia sin pretenderlo.

Egipto quedaba en el recuerdo, quizá porque ya no era más que eso: un remedo de dioses inmortales que hacía tiempo habían terminado de contar su propia historia. Apenas Tebas guardaba sus viejas esencias, que terminarían por parecer anacrónicas a un mundo que ya nada tenía que ver con el perfume que había empapado aquella tierra durante más de tres mil años. Ahora cada cual estaba donde en verdad le correspondía. Sekenenre formaba parte indisoluble del país de los faraones, y allí debía despedir sus días; como también Mut, aunque por razones bien diferentes.

Alcínoo había pasado su vida en pos de su horizonte, y al cabo este se le mostraba tan claro como el día de verano que acariciaba su nave en tanto el viento lo empujaba hacia Kos. Allí se hallaba el final de su andadura, el camino de los dioses, el que estos habían dibujado para él hacía mucho tiempo. Así era la vida, ignota, repleta de sorpresas, pero digna de ser saboreada.

Ya cerca de la costa, el cielo pareció teñirse de espejismos que envolvieron al egipcio en emociones ante las que no pudo sino sucumbir. El azul se llenó de rostros que le sonreían, plenos de felicidad. Nectanebo, Kamose, Leví, Filitas, Eleazar, Teofrasto, Sekenenre, Abdú... Todos lo observaban para darle la bienvenida al lugar que Shai, el taimado destino, le tenía reservado desde su nacimiento. Al final el viejo dios le había procurado fortuna, y a sus cuarenta años Alcínoo sonrió, agradecido, a la vez que arrepentido por haberlo juzgado mal durante tanto tiempo.

La medida de los dioses sobrepasa nuestro entendimiento, y en eso radica el gran misterio de cuanto nos acontece.

Mas entonces todos aquellos rostros desaparecieron como por ensalmo para dejar paso a otro que el tebano conocía bien. Era una imagen que encerraba todas las respuestas, y que también invitaba con su canto a navegar hacia ella, cual si se tratase de una sirena. Sin embargo, su voz no conducía al desastre, sino a la felicidad plena, al amor verdadero; aquel que lo aguardaba en algún lugar de la isla. Circe se había hecho dueña del cielo, y con su mirada profunda atraía hacia su puerto a aquella nave de purpúreo velamen, la más hermosa que pudiera surcar el Egeo. Sus labios plenos se entreabrían para mostrarle su sonrisa, y el tebano al punto sintió cómo sus pulsos se desbocaban llevados por la pasión que despertaba en él la maga. Alcínoo amaba a aquella mujer con delirio. Desde su separación, apenas había pasado un día en que no pensara en ella, sabedor de que no habría otro amor semejante en su vida; el único que su corazón podría reconocer, el que su *ka* había elegido.

Próximo a atracar en el muelle, Alcínoo lo recorrió con la mirada convencido de que su amada acudiría a recibirlo. Sabía que estaría arrepentida de cuanto ocurriera en otro tiempo, y que ahora sería capaz de refrenar la sangre de Aquiles que corría por sus venas. Por ello, al verla aproximarse con paso presto hacia su nave, Alcínoo sintió que las emociones de toda una vida se conjuraban en ese instante para desbocar su alma.

Sin dilación el tebano saltó a tierra, con aquel porte de rey de los aqueos que hacíale parecer a los ojos de Circe un héroe inmortal. Estos se cubrieron de lágrimas en cuanto lo vieron, majestuoso, como surgido de una leyenda, con la sonrisa que solo el amor era capaz de esbozar; con los brazos abiertos.

Ambos corrieron hasta precipitarse en un abrazo mientras sus pechos jadeaban al compás de los sentimientos más puros. Entonces se miraron, embelesados, en tanto sus corazones dibujaban el lazo de amor con el que quedarían amarrados para siempre. Luego se besaron largamente, como antaño, hasta sentirse desvanecer.

Al fin Alcínoo había encontrado su Ítaca. Ahora estaba en casa.

Epílogo

El saqueo perpetrado por Rabirio condujo a Egipto a la ruina. En menos de un año el banquero vació el país de todo aquello que pudiera generar ingresos, y los abusos llegaron a ser de tal calibre que los ciudadanos terminaron por rebelarse, llevados por la propia desesperación. En Alejandría las turbas fueron más lejos y estuvieron a punto de linchar al romano, que acabó por ser detenido por Auletes para así evitar males mayores. Con el fin de congraciarse con su pueblo, Ptolomeo mandó encarcelar al banquero, pero luego le dejó escapar, ya que tampoco era cuestión de enemistarse con Roma.

De este modo, Póstumo huyó de Egipto; mas al llegar a la capital del Tíber se vio implicado en los pleitos que se llevaban a cabo contra Gabinio. El que fuera procónsul de Siria había sido llamado a Roma para ser acusado de *majestas*, traición, al haberse atrevido a abandonar su provincia y hacer la guerra por su cuenta, sin permiso del Senado y tras desoír el augur de la Sibila. También fue acusado de *ambitus*, cohecho, así como de *repetundis ex lege Julia*, al haberse avenido a participar de los sobornos de Auletes.

Rabirio se vio afectado por el escándalo, y a su vez fue acusado de irregularidades financieras ante las que llegó a declararse insolvente. A instancias de Pompeyo, Cicerón aceptó la defensa de ambos, pero no pudo evitar que Gabinio fuese declarado culpable y enviado al destierro tras haberle sido confiscadas todas sus propiedades.

Auletes gobernó Egipto durante tres años más. La situación económica era tan penosa que el hecho de volver a rebajar el contenido de plata en las monedas apenas solucionó el problema. Confió a sus cuatro hijos el título de *Theoi Neoi Philadelphoi*, «nuevos dioses que aman a sus hermanos», para intentar evitar futuras rencillas entre ellos, algo que no lograría.

Antes de fallecer, Auletes nombró a su hija Cleopatra corregente e hizo testamento, en virtud del cual Roma quedaba como garante de los nuevos reyes, Cleopatra, de dieciocho años, y su hermano Ptolomeo, de diez. Pero dicho testamento no se pudo depositar en el archivo de la República y quedó en manos de Pompeyo, que terminó por convertirse en su custodio.

No deja de sorprender que después de una vida como la que Auletes había llevado, este falleciera de forma natural. El deceso tuvo lugar a finales de febrero del año 51, y a su muerte el Flautista aún debía a César y Pompeyo nada menos que treinta y cinco millones de denarios.

Así fue como, tras el fin del reinado de Auletes, Cleopatra VII Filopátor y su hermano Ptolomeo XIII accedieron al trono de Egipto. Aunque esta, sin duda, es otra historia...

Majadahonda, julio de 2015

Notas

PRIMERA PARTE: La Tebaida

1. Para los antiguos egipcios, el *ba* se aproximaba al concepto que hoy se tiene del alma. El *ka* tenía un significado complejo que podríamos traducir como la energía vital del individuo.

2. El Mundo Inferior era una región subterránea repleta de peligros que se componía de un gran número de puertas o cavernas que Ra, el sol, debía sortear durante su viaje nocturno. Lo mismo debían hacer los difuntos si querían alcanzar la vida eterna.

3. El Amenti era una de las muchas formas con que los egipcios designaban el mundo de los muertos.

4. El talento era una unidad de peso monetario utilizado en la Antigüedad. El talento ático, o griego, equivalía a 26 kilos; el romano, a 32,2 kilos; el egipcio, a 27 kilos, y el babilonio, a 30,3 kilos.

5. Polibio nos describe el asesinato de esta forma:

> Todos ellos fueron entregados juntos a la turba y algunos comenzaron a morderlos, otros a acuchillarlos, otros a sacarles los ojos. Tan pronto como uno de ellos caía, el cuerpo era despedazado miembro a miembro, hasta que todos estuvieron mutilados, pues el salvajismo de los egipcios es realmente atroz cuando se encienden las pasiones.

(Polibio 15, 33)
Ian Shaw, *Historia del Antiguo Egipto*,
La Esfera de los Libros, Madrid, 2007.

6. Así se denominaban las tabernas donde también se podía disfrutar de la compañía de mujeres.

7. Diosa representada como una mujer con cabeza de vaca que, entre sus muchos atributos, simbolizaba a la diosa de la belleza, el amor y la alegría.

8. Según Plutarco, Manetón asegura que Amón significa «lo que está oculto».

9. Diosa vinculada a la fertilidad y a las cosechas. También es quien se encarga de los lactantes y la protectora del niño real. Determina la fortuna del individuo.

10. Uno de los dioses más complejos de la mitología griega. Era hijo de Zeus y Sémele. Dioniso era dios del vino y la viticultura, cuyo culto, ampliamente extendido, contaba con celebraciones de carácter orgiástico y licencioso.

11. Las bacantes eran mujeres que formaban parte, junto con los faunos y los sátiros, del séquito de Dioniso, y bailaban licenciosas durante las procesiones que se celebraban en los ritos dionisíacos.

12. Dios enano, deforme y grotesco, relacionado con la música, la alegría y la embriaguez. Fue un genio simpático que tuvo una gran devoción en Egipto.

13. Las Moiras eran unas enigmáticas diosas del destino que regían la suerte de los hombres.

14. El autor utiliza en esta frase la forma latina de la diosa Eos únicamente por dar una mayor agilidad a la narrativa.

15. De este modo llamaban los antiguos egipcios a los terremotos.

16. Diosa monstruosa con cabeza de cocodrilo, parte delantera de león y trasera de hipopótamo, que se encontraba presente en la sala del juicio final, donde se pesaba el corazón del difunto. En uno de los platos de la balanza se colocaba dicho corazón, y en el otro, la pluma de la diosa de la justicia, Maat. Si el corazón inclinaba la balanza, el difunto era condenado y Ammit lo devoraba. Por ello era denominada la Devoradora de los Muertos.

17. Serpiente de gran tamaño que simbolizaba a las fuerzas del mal que desde el Más Allá amenazaban a la barca solar en su periplo para llegar al nuevo día.

18. Tradicional dios tebano de la guerra. Se le representaba bajo el aspecto de un hombre con cabeza de halcón. En ocasiones, adopta la cabeza del toro y simboliza la fecundidad.

19. Nombre con el que los antiguos egipcios solían llamar al paraíso.

20. Dios menor que personificaba la magia. También era uno de los catorce *kas* de Ra. A los médicos-magos y a los hechiceros se les llamaba *hekas*. También se denominaba así al cetro que simbolizaba el poder de gobernar del faraón.

21. Guerrero invencible, protagonista de la obra *El hijo del desierto*, que este autor se toma la libertad de evocar. Se trata de un personaje ficticio.

22. Los antiguos egipcios pensaban que en el corazón residía, además de las emociones, la capacidad de razonar, y que el cerebro solo producía mucosidades.

23. Si el difunto era declarado apto para alcanzar el paraíso tras el juicio final, se decía de él que era «justificado».

24. Originaria de Siria, Canaán, Astarté era una diosa del amor que con el tiempo se transformó en guerrera. Fue venerada en Egipto a partir del reinado de Amenhotep II. Se la conocía como la Señora de los Caballos y los Carros.

25. Unidad de longitud que equivalía a 10,5 kilómetros.

26. Reino situado más allá del Erebo, en el que se alzaba el tribunal de jueces que pesaban las almas de los difuntos en la mitología griega.

27. También llamada de las Dos Verdades. Representación de la parte superior del *Libro de los muertos* donde se encuentran los grandes dioses del Tribunal de los muertos. Era el lugar en el que se efectuaba el juicio del difunto.

28. Sacerdote purificador.

29. Espada de hoja curva. Está documentado que solo a partir del año 41 del reinado de Tutmosis III se recibieron los tres primeros ejemplares de este tipo de arma procedentes de Siria.

30. El iracundo dios Set era originario de una ciudad cuyo nombre griego era Ombos, de ahí su sobrenombre: el Ombita. Los antiguos egipcios llamaban a esta ciudad Nubt, por lo que ellos apodaban a Set «Nubty».

31. Se refiere a la Osa Mayor.

32. Así denominaban a los años los antiguos egipcios.

33. También llamado *seshat* por los antiguos egipcios, equivalía a 2.735 metros cuadrados.

34. La toparquía era una subdivisión del nomo.

35. Leyes promulgadas por Ptolomeo II Filadelfo entre los años 259 y 258 a. C.

36. Unidad de volumen utilizada por los antiguos egipcios que en tiempos de la XVIII dinastía equivalía a unos 73 litros.

37. Los antiguos egipcios creían que el cuerpo se hallaba repleto de canales, llamados *metu*, que comunicaban todos los órganos entre sí. Por ellos circulaban todo tipo de fluidos.

38. De este modo se llamaba a los funcionarios de las aldeas.

39. Los antiguos egipcios creían que los puerros potenciaban la virilidad y que la lechuga producía semen, ya que al machacarla salía un líquido blanquecino.

40. El codo real egipcio, *meh*, era una medida de longitud que equivalía a 0,523 metros y se dividía en 7 palmos y 28 dedos.

41. Véase <cubayoruba.blogspot.com.es>.

42. Dios músico que se encargaba de alegrar el corazón de las divinidades mediante su sistro. Su nombre significa: «el tocador del sistro».

43. Toro sagrado que representaba la encarnación del *ba* del dios Ra en el área heliopolitana.

44. De este modo se conocía al grupo de ocho dioses creadores en el mito de Hermópolis, también conocido como Ogdóada.

SEGUNDA PARTE: Alejandría

1. El estadio era una unidad de longitud griega que tuvo diferentes equivalencias durante la antigüedad. En el siglo II a. C., época cercana a la de la narración, el estadio griego medía 177,6 metros, y el romano, 185 metros.

2. De esta forma se conocía a aquellos que se dedicaban a la enseñanza de las letras.

3. Uno de los epítetos que dedicaron al primer director de la Gran Biblioteca de Alejandría, Zenódoto de Éfeso.

4. Una de las tres Moiras. Era la encargada de cortar el hilo de la vida, de forma inflexible, cuando se presentaba la muerte.

5. Diosas infernales consideradas como vengadoras inexorables del orden natural que había sido quebrantado. Eran tres: Alecto, la

inquieta, Megera, la odiosa, y Tisífone, la encargada de vengar los homicidios.

6. Todas estas cantidades pertenecen a una factura real de aquella época.

7. Véase J. J. Riaño Alonso, *Poetas, filósofos, gramáticos y bibliotecarios. Origen y naturaleza de la antigua Biblioteca de Alejandría*, Trea, Gijón, 2005, pág. 48.

8. Ídem, pág. 55.

9. Respecto a las posibles estatuas que coronaban el faro existen diversas teorías, pues no se sabe con seguridad a quién pertenecía la imagen que dominaba sobre el monumento. Hay autores que defienden que la escultura representaba a Poseidón como dios de los mares; otros aseguran que era Zeus quien allí se hallaba simbolizado, y también existen quienes sugieren que hubo dos estatuas que encarnaban a los dioses Cástor y Pólux, los Dióscuros, a quienes veneraban los navegantes.

10. Representa el destino irrevocable de los hombres y las cosas.

11. Véase J. Tyldesley, *Cleopatra, la última reina de Egipto*, Ariel, Barcelona, 2008, pág. 88.

12. Así se llamaba a los antiguos generales y sucesores de Alejandro Magno que terminaron por luchar entre sí por su imperio.

13. A pesar de que su nombre se halla en varias listas, no es seguro que llegara a ocupar el cargo.

14. Es el único nombre del que se tiene constancia tras Onasandro. Al parecer, fue un tipo mediocre que vivió en tiempos de Ptolomeo Sóter II Látiro.

15. Véase J. Tyldesley, *Cleopatra, la última reina de Egipto*, Ariel, Barcelona, 2008, pág. 90.

16. Véase José Das Candelas Sales, <www.academia.edu/3638693/acuñacion_monetaria_en_egipto>.

17. Con toda probabilidad, fue descubierta por Collitz en 1864. Aunque bastante deteriorada, conserva cien de las ciento sesenta líneas que debía tener.

18. Véase J. Tyldesley, *Cleopatra, la última reina de Egipto*, Ariel, Barcelona, 2008, pág. 93.

19. Ídem, pág. 93.

20. Hestia era la diosa del hogar, que había jurado permanecer siempre virgen. El pritaneo era el edificio público en el que se guardaba el fuego sagrado de dicha diosa, que siempre se mantenía vivo.

21. Eran tres gigantes de cincuenta cabezas y cien brazos que representaban a las fuerzas devastadoras de la naturaleza. Fueron enviados al Tártaro —los infiernos— por su padre, Urano, quien los temía.

22. Este hecho ocurrió tal y como aquí se cuenta.

23. Este hechizo procede de antiquísimos papiros egipcios y forma parte del Gran papiro mágico del Louvre (Bibl. Nat. suppl. gr. 574). Plinio asegura que Demócrito encontró los papiros mágicos escritos por Dárdano en su ataúd. Esto no deja de resultar sorprendente, dado que Dárdano se considera un personaje mitológico a quien se atribuye la fundación de Dardania, que posteriormente se conocería como Troya.

Véase E. Suárez de la Torre, *Pensamiento filosófico y pensamiento mágico. El hechizo de Eros y Psique en la Espada de Dárdano. (PGM IV 1715-1870)*, Universitat Pompeu Fabra, Barcelona.

24. Extraído de: <revistes.iec.cat/index.php/ITACA/article/viewFile/73673/73450>.

25. Atributo sagrado de la diosa Hathor que, junto con el sistro, tenía un fuerte significado erótico.

26. Véase Estrabón, *Geografía*, Libro XIV, Gredos, Madrid, 2003, pág. 558.

27. Véase B. Brier, *Secretos del Antiguo Egipto Mágico*, Robin Book, Barcelona, 1994, pág. 250.

28. Ídem, pág. 284. Conjuro 272 de los *Textos de los Sarcófagos*.

29. De este modo eran llamados los médicos del Antiguo Egipto.

TERCERA PARTE: El Egeo

1. Viento del norte, muy temido por los navegantes. Era uno de los Titanes.

2. Eran tres hermanas monstruosas, con mirada terrorífica y serpientes en la cabeza. Sus nombres eran: Medusa, la dominante, Esteno, la fuerte y Euriae, la errante.

3. Así se llamaba a los gemelos Cástor y Pólux. Se les consideraba protectores de los navegantes. Estos creían que se encontraban en el

fuego de San Telmo producido en los mástiles de los navíos durante las tempestades para advertirles de que esta pronto amainaría.

4. Este personaje fue el abuelo del famoso triunviro Marco Antonio.

5. Véase Estrabón, *Geografía*, Libro XIV, Gredos, Madrid, 2003, págs. 566-567.

6. La boga en los trirremes se llevaba a cabo desde tres niveles. En el superior remaban los *tranitas*; en el intermedio, los *ziguitas*, y en el inferior, los *talamitas*.

7. Rey de Salamina y padre de Áyax Telamonio.

8. Véase Estrabón, *Geografía*, Libro XIV, Gredos, Madrid, 2003, pág. 514.

9. Véase ireneu.blogspot.com.es

10. Este personaje fue el padre del famoso triunviro Marco Antonio.

11. Véase M. A. Novillo López, <http://anatomiadelahistoria.com/2011/10/pompeyo-y-la-lucha-contra-la-pirateria-cilicia-2/>.

12. Estas localidades se llaman en la actualidad Torre d'Orlando y Miseno.

13. Era un río infernal que desembocaba en el Aqueronte.

14. «Los hombres excelentes.» Representaban la facción más conservadora de la aristocracia romana.

15. Este personaje fue tío del famoso triunviro Marco Antonio.

16. Véase C. Schäfer, *Cleopatra*, Herder, Barcelona, 2007, pág. 20.

17. Ídem, pág. 24.

18. Para conseguir un gramo de púrpura se requerían cerca de diez mil moluscos.

19. Uno de los muchos títulos con los que se conocía a la diosa Hathor.

20. Los libros originales fueron destruidos en el año 83 a. C.

21. Véase C. Schäfer, *Cleopatra*, Herder, Barcelona, 2007, pág. 27.

22. Véase <www.2.educarchile.ci>.

23. «La que ama el silencio.» Habitaba en la cima de los farallones que dominan el Valle de los Reyes. Esta diosa era la patrona de las necrópolis tebanas.

Bibliografía y fuentes digitales

BAINES, J. y MALEK, J.: *Egipto. Dioses, templos y faraones*, Folio, Barcelona, 1992.

BELMONTE, J. A.: *Pirámides, templos y estrellas*, Crítica, Barcelona, 2012.

BRIER, B.: *Secretos del Antiguo Egipto Mágico*, Robinbook, Barcelona, 1994.

CASTL, E.: *Diccionario de mitología egipcia*, Alderabán, Madrid, 1995.

CLAYTON, P. A.: *Crónica de los faraones*, Destino, Barcelona, 1996.

CORTEGGIANI, J. P.: *El gran libro de la mitología egipcia*, La Esfera de los Libros, Madrid, 2010.

DE JEVENOIS, P.: *Biblioteca de Alejandría. El enigma desvelado*, Esquilo, Madrid, 2009.

DODSON, A. y HILTON, D.: *Las familias reales del Antiguo Egipto*, Oberon, Madrid, 2005.

ESCOBEDO, J. C.: *Diccionario enciclopédico de la mitología*, Vecchi, Barcelona, 1992.

ESTRABÓN: *Geografía*, Libros XI-XIV, Biblioteca Clásica Gredos, Madrid, 2003.

FORSTER, E. M.: *Alejandría, historia y guía*, Almed, Granada, 2008.

HOMERO: *Odisea*, Biblioteca Básica Gredos, Madrid, 2000.

HOMERO: *Ilíada*, Universidad Nacional Autónoma de México, México D. F., 2008.

RIAÑO ALONSO, J. J.: *Poetas, filósofos, gramáticos y bibliotecarios. Origen y naturaleza de la antigua Biblioteca de Alejandría*, Trea, Gijón, 2005.

RICE, M.: *Quién es quién en el Antiguo Egipto*, Acento, Madrid, 2002.

ROLDÁN, J. M.: *Historia de Roma*, Ediciones Universidad de Salamanca, Salamanca, 1995.

SCHÄFER, C.: *Cleopatra*, Herder, Barcelona,2007.

SHAW, I.: *Historia del Antiguo Egipto*, La Esfera de los Libros, Madrid, 2004.

SHIPLEY, G.: *El mundo griego después de Alejandro, 323-30 a. C.*, Crítica, Barcelona, 2001.

STRABO: *Geography*, Book 17, Loeb Classical Library, Harvard University Press, 1935-1949.

TYLDESLEY, J.: *Cleopatra, la última reina de Egipto*, Ariel, Barcelona, 2008.

VANOYEKE, V.: *Los Ptolomeos. Desde Alejandro Magno a Cleopatra*, Alderabán, Madrid, 2000.

WILKINSON, R. H.: *The Complete Temples of Ancient Egipt*, Thames & Hudson, Nueva York, 2000.

— *Todos los dioses del Antiguo Egipto*, Oberon, Madrid, 2003.

WILKINSON, T.: *The Rise and Fall f Ancient Egypt*, Bloomsbury, Londres, 2010.

http://www.imperivm.org/cont/textos/txt/plutarco_vidas-paralelas-tv-pompeyo.html

https://www.uam.es/otros/cupauam/pdf/Cupauam19/1907.pdf

http://educacionjuridicalegal.blogspot.com.es/2009/09/historia-y-formacion-de-los-bancos.html

http://anatomiadelahistoria.com/2011/10/pompeyo-y-la-lucha-contra-la-pirateria-cilicia-2/

https://books.google.es/books?id=dEiydV7c3w4C&pg=PA199&lpg=PA199&dq=harsiese+in+ptolemaic+period&source=bl&ots=kYlp2gh-YX&sig=xEjT2QSCY7g72X6G9MukBDU8flU&hl=es&sa=X&ei=E3ZiVNf7EYqKsQSMtYBw#v=onepage&q=harsiese%20in%20ptolemaic%20period&f=false

http://www.eumed.net/cursecon/textos/2004/rostovtzeff-tolo.htm

http://www.academia.edu/3638693/ACU%C3%91ACI%C3%93N_MONETARIA_EN_EGIPTO

https://books.google.es/books?id=qpGJCYGwrSkC&pg=PA77&lpg=PA77&dq=historia+de+los+judios+de+alejandria&source=bl&o

ts=_NYn5t2Sgi&sig=CWVf7H-IN9bF31HZswnl0-
Hn8zw&hl=es&sa=X&ei=8Yh3VJ_iN873auHwgIgP&ved=0CDcQ
6AEwAw#v=onepage&q=historia%20de%20los%20judios%20
de%20alejandria&f=false

https://books.google.es/books?id=VFSt8ty0ongC&pg=PA56&lpg
=PA56&dq=eclogista&source=bl&ots=hwMqEjdl7U&sig=W6alAI
UYTn0abO-2SDQoNeTuUro&hl=es&sa=X&ei=biu0VPq0KcWv
UeLlg6AF&ved=0CFAQ6AEwBw#v=onepage&q=eclogista&f=false

http://www.ikuska.com/Africa/Etnologia/Pueblos/Yoruba/index.
htm#religion

http://www.ikuska.com/Africa/Etnologia/medicina_yoruba.htm

http://cubayoruba.blogspot.com.es/2007/02/iymi-oshooronga.html

http://publicacions.iec.cat/repository/pdf/00000199%5C00000012.
pdf

http://www.egiptomania.com/mitologia/momificacion_rituales.htm

http://es.scribd.com/doc/208564078/Historia-social-y-economica-
del-mundo-helenistico-t-1-M-Rostovtzeff#scribd

https://books.google.es/books?id=v1twayKTFmwC&pg=PA209&l
pg=PA209&dq=estateras&sourcc=bl&ots=lndZO9hgaP&sig=qBz
NLtao5JzzcAVadeuhgw1v5_s&hl=es&sa=X&ei=v_8rVcPbKMet7
AaRqIDwBA&ved=0CDkQ6AEwBA#v=onepage&q=estateras&f=
false

irencu.blogspot.com.es

ge-iic.com El arte textil en la Antigüedad y la Edad Media

bibliotecadeteatro.blogspot.com.es

uned.es El Faro de Alejandría. Dra. Ana M.ª Vázquez

SONOMA
COUNTY
LIBRARY

to renew • para renovar

707.566.0281

sonomalibrary.org

EL
**MEDITERRÁNEO
ORIENTAL**
a mediados del siglo I a.C.

Pon

ILIRIA   MACEDONIA

TRACIA

Bizancio

Propóntide

Cízic

FRIGIA

MISIA

LIDIA

Pella

CALCÍDICA

Tasos

Samotracia

MONTES PINDO

Golfo de Tesalónica

Lemnos

Helesponto

Larisa

Corcira

ÉPIRO

TESALIA

Espóradas
Septentrionales

Lesbos

Skiros

Quios

Focea

Sardes

ETOLIA

Delfos

EUBEA

JONIA

Éfeso

BEOCIA

Golfo de Corinto

Tebas

ÁTICA

Andros

Samos

PIS

Mar Egeo

PELOPONESO

ACAYA

Corinto

Atenas

Tinos

Mileto

CARIA

LACONIA

Esparta

Kithnos

Sérifos

Sifnos

Delos

Paros

Naxos

Kos

Espóradas
Meridionales

Mar Jónico

Milos

Ios

Amorgós

Rodas

Thira

Cabo Matapán

Citera

Cárpatos

Mar de Creta

Casos

Creta

M A R   M E D I T E R R

CIRENAICA